Siegfried Schulz **Neutestamentliche Ethik**

Zürcher Grundrisse zur Bibel

herausgegeben von Hans Heinrich Schmid und Siegfried Schulz

Siegfried Schulz

Neutestamentliche Ethik

TVZ Theologischer Verlag Zürich

Meiner Frau Ruth

CIP-Kurztitelaufnahme der Deutschen Bibliothek

Schulz, Siegfried
Neutestamentliche Ethik/Siegfried Schulz.
– Zürich: Theologischer Verlag, 1987.
(Zürcher Grundrisse zur Bibel)
ISBN 3-290-11584-4 brosch.
ISBN 3-290-11582-8 Gewebe

Printed in Switzerland by BDV Printmedien AG, Liestal

Vorwort

Sache einer neutestamentlichen Ethik ist es, die Ermöglichung und Begründung urchristlichen Handelns zu erfragen wie darzulegen, um dieses Potential für die Übersetzung in unseren Gegenwartshorizont bereitzustellen.
Das für unsere Gegenwart Verbindliche der neutestamentlichen Ethik ist aber nicht durch die Rekonstruktion von zeitlos-ethischen Wahrheiten bzw. Normen zu gewinnen. Ebenso ist eine naiv-biblizistische Übertragung neutestamentlicher Anweisungen aus der damaligen Situation in die unsrige ausgeschlossen. Schließlich dürfen die Aussagen des Neuen Testamentes nicht den persönlichen, philosophischen oder ideologischen Entscheidungen des Auslegers ausgeliefert werden.
Vielmehr geht es in allem Bemühen darum, die Eigenart des neutestamentlichen Textes herauszuarbeiten, und die Eigenständigkeit der neutestamentlichen Textaussage nicht vorschnell der Applikation zu opfern.
Weil das Neue Testament eine Vielfalt von Inhalten, Kriterien und Motivationen christlichen Handelns wie christlicher Lebenspraxis enthält, sind diese für die Kirche aller Zeiten unaufgebbar. Ohne das Neue Testament gibt es deshalb keine überzeugende Begründung ethischer Normen für den jeweiligen Gegenwartshorizont.
Die folgende Ethik des Neuen Testamentes ist für Leser – Theologen wie Nichttheologen – geschrieben, die mit dieser für alle weiteren Entwicklungen entscheidenden Zeit urchristlicher Glaubens-, Verkündigungs- wie Handlungsgeschichte in lebendige Berührung kommen wollen.
Für die unermüdliche Hilfe bei der Fertigstellung des Manuskriptes danke ich herzlich meinem Assistenten Herrn Dr. Samuel Vollenweider. Herr Rudolf Kleiner hat mit Geduld und Umsicht das Manuskript geschrieben, bei den Korrekturen geholfen und die Register hergestellt, wofür ich ihm ebenfalls sehr danke. Besonderer Dank gebührt schließlich der Stiftung für wissenschaftliche Forschung an der Universität Zürich, die über Jahre hinweg die Arbeit an diesem Projekt überhaupt erst ermöglicht hat.

Im Februar 1986 Siegfried Schulz

Inhaltsverzeichnis

Vorwort

1. Kapitel: Jesus von Nazareth

I. Die Problem- und Quellenlage 18

1. Die Forschungsergebnisse 18
a) Vor der Aufklärung 18 – b) Die Entdeckung des historischen Jesus 19 – c) Das Scheitern der liberalen Leben-Jesu-Forschung 19 – d) Die neue Frage 20 – e) Die konsequente Traditionsgeschichte 20 – f) Die Soziologie der Jesusbewegung 25 – g) Die jüdische Leben-Jesu-Forschung 28

2. Die Rekonstruktion der Wirksamkeit und Botschaft Jesu . . . 29
a) Der Jünger von Johannes dem Täufer 29 – b) Der Endzeitprophet: Die Frage nach dem Selbstbewußtsein Jesu 30 – c) Der Apokalyptiker: Die Predigt Jesu von der nahen Gottesherrschaft 32 – d) Der Wanderprediger und Prophet 32 – e) Der Gesetzeslehrer 34 – f). Der Grund seines Kreuzestodes 36

II. Die Heilsbedeutsamkeit des Mosegesetzes 37

1. Die Begrenzung des Gesetzes vom Sinai 37
2. Die Verschärfung des mosaischen Moralgesetzes 38
a) Das absolute Verbot der Ehescheidung und Wiederheirat 38 – b) Die rigorose Forderung der Gewaltlosigkeit 41 – c) Die Forderung er Feindesliebe 44 – d) Die Goldene Regel 50
3. Die Entschärfung des mosaischen Kultgesetzes 51
a) Das Wehe gegen die pharisäische Überbewertung des mosaischen Kultgesetzes 51 – b) Das Wehe gegen die pharisäische Entschärfung des mosaischen Moralgesetzes 53

III. Der ethische Radikalismus Jesu 55

1. Der Fluch über die Pharisäer und ihre Gesetzesauslegung . . . 55
a) Das Wehe gegen das ehrsüchtige Rangstreben der Pharisäer 56 – b) Das Wehe gegen die Pharisäer als unsichtbare Gräber 56 – c) Das Wehe gegen das Lastenauflegen 57 – d) Das Wehe gegen die Prophetenmörder 58 – e) Das Wehe gegen die Verschließer der Gottesherrschaft 58 – f) Zusammenfassung 60

2. Die radikale Forderung der Nachfolge 61
a) Nachfolge Jesu im eigentlichen Sinne 61 – b) Das Ethos der Heimat- und Berufslosigkeit 62 – c) Das Ethos der Familien-

losigkeit 63 – d) Das Ethos der Besitzlosigkeit 65 – e) Die Forderung der Sorglosigkeit 70 – f) Der Verzicht auf jegliches Richten 72 – g) Die Mahnung zur Furchtlosigkeit 73 – h) Die Aufforderung zum Bittgebet 74 – i) Das Vaterunser 75 – j) Der Sendungsauftrag 77 – k) Das besondere Geschick der Boten Jesu 80

IV. Indikativ und Imperativ 81

2. Kapitel: Die nachösterlichen Jesusgemeinden

I. Quellen und historische Situation 86

II. Das von Jesus ausgelegte Mosegesetz als Heilsfaktor 87

1. Die grundsätzliche Heilsbedeutung des Gesetzes vom Sinai . . 87
Die Q-Gemeinden 88 – b) die vormarkinische Gemeinde 89 – c) Die Matthäussondergut-Gemeinde 90 – d) Die Lukassondergut-Gemeinde 91

2. Die Verschärfung des mosaischen Moralgesetzes 93
a) Die Q-Gemeinde 93 – b) Die vormarkinische Gemeinde 93 c) Die Matthäussondergut-Gemeinde 94

3. Die Entschärfung des mosaischen Kultgesetzes 100
a) Das Sabbatgebot 100 – b) Die Reinheitsgebote 106 – c) Die Speisegebote 113 – d) Die Tempel- und Opfergebote 114 – e) Die Fastengebote 121 – f) Das Beschneidungs- und Passagebot 122 – g) Konsequenzen für die Missionspraxis 123

4. Die Bejahung der pharisäischen Gesetzesauslegung 124
a) Die Q-Gemeinde 125 – b) Die vormarkinische Gemeinde 125 – c) Die Matthäussondergut-Gemeinde 127 – d) Die Lukassondergut-Gemeinde 128

III. Der Weg Gottes 128

1. Die Stellung zum Staat 128
a) Die vormarkinische Gemeinde 128 – b) Die Q-Gemeinde 129
2. Der Katalog ethisch-rigoroser Forderungen 130
3. Die Heimholung der verlorenen Schafe des Hauses Israel . . . 131

IV. Indikativ und Imperativ 134

3. Kapitel: Die Hellenistische Kirche

I. Die Quellen und der historische Hintergrund 138

1. Die sogenannten «Hellenisten» 138

2. Die gemischten Gemeinden aus Juden und «Heiden»-Christen im römischen Weltreich 140
3. Die hellenistisch-judenchristliche Gemeindetradition vor und neben Paulus 143

II. Die Heilsbedeutung des Mosegesetzes 145

1. Die gegensätzliche Stellung zum mosaischen Kultgesetz 145
2. Die Konzentration des Mosegesetzes auf das Moralgesetz . . . 147
a) Die Verpflichtung auf das Moralgesetz 147 – b) Die kurzen Mahnreden 148 – c) Das Mahnwort vom vernünftigen Gottesdienst (Röm. 12,1f) 156 – d) Die Zusammenfassung des Moralgesetzes im Liebesgebot 158 – e) Die Tugend- und Lasterkataloge 163 – f) Das Moralgesetz als das Gesetz des Christus 164
3. Die Verschärfung des Moralgesetzes 164

III. Die rituelle und ethische bzw. ausschließlich ethische Praxis im Alltag der Welt 165

1. Das Verhältnis von Heilsindikativ und Heilsimperativ 165
2. Die rituellen Normen 167
3. Die ethischen Forderungen 169
a) Das neue Gottesvolk 169 – b) Die vergehende Welt 171 – c) Die unumstößlichen Schöpfungsordnungen 172 – d) Die Amtsträger 174 – e) Abgrenzungen 174 – f) Die Frage nach dem spezifisch Christlichen 176
4. Die Beweggründe 176
a) Die Taufe 178 – b) Das nahe Endgericht Gottes 177 – c) Die übrigen Motivierungen 177

4. Kapitel: Der Kampf gegen gnostischen Libertinismus und gnostische Askese

I. Die Problemlage 180

II. Die Gnostiker und ihre Traditionen nach den Paulusbriefen . . 183

1. Der Wesensgegensatz 183
a) Die Entdeckung 183 – b) Gott und Kosmos 184 – c) Adam und Christus 184 – d) Fleisch und Geist 185 – e) Buchstabe und Geist 185
2. Der Mensch 186
3. Die Christologie 186
a) Der Doketismus 186 – b) Die Sendungsformel 187 – c) Der Christus-Urmensch 187 – d) Der Hymnus auf den gottgleichen Erlöser 188

4. Der Christusleib 189
a) Die Sakramente 189 – b) Der Leib Christi 190 – c) «In Christus» 190
5. Die Ablehnung des Jüngsten Tages 191
a) 1. Kor. 15, 12 191 – b) 1. Kor. 15, 50 192 – c) 2. Kor. 5, 1–10 192
6. Die «Ethik» als geistgewirkte Emanzipation 193
a) Die Ablehnung des mosaischen Kultgesetzes 193 – b) Die Freiheit vom mosaischen Moralgesetz 194 – c) Die Verabschiedung des heidnischen Naturgesetzes 197 – d) Die Geisteswirkungen 198 – e) Die Demonstrationen 199 – f) Die geistgewirkte Emanzipation 200

III. Die gnostische Grundschrift des Johannesevangeliums 204

1. Die christologische Heilsveranstaltung des bisher unbekannten Gottes 205
a) Der Dualismus 205 – b) Der Gesandte 206 – c) Die Erlösung 212
2. Die Vereinnahmung des Gesetzes 221
a) Das mosaische Kultgesetz 222 – b) Das mosaische Moralgesetz 227 – c) Das heidnische Naturgesetz 231 – d) Das Gesetz als Zeuge 235
3. Die Verabschiedung der Ethik 237
a) Das Fehlen jeglicher Ethik 237 – b) Die «Ethik» als innerweltliche Entweltlichung 243

IV. Die Gnostiker und ihre Traditionen nach den späteren Schriften des Neuen Testamentes 246

1. Die Pastoralbriefe 247
a) Die judenchristlichen Gnostiker 247 – b) «Ethik» als dualistisch motivierter Rigorismus 251
2. Die Johannesbriefe 253
a) Die Gegner als christliche Gnostiker 253 – b) Die Ablehnung des Moralgesetzes und jeglicher Ethik 256
3. Der Kolosserbrief 264
a) Die «Philosophie» der christlichen Gnostiker 264 – b) «Ethik» als dualistisch begründete Askese 267
4. Das Matthäusevangelium 272
5. Die Apostelgeschichte 279
6. Die Offenbarung des Johannes 281
7. Der Judasbrief 283
8. Der 2. Petrusbrief 285

5. Kapitel: Der Apostel Paulus

A. Die Frühphase der paulinischen Ethik

I. Der frühe und der späte Paulus 290

1. Auswertung der bisherigen Entwicklungshypothesen 290
a) Die deutsche Forschung 290 – b) Die angelsächsische und die amerikanische Forschung 292
2. Der frühe 1. Thessalonicherbrief und die späten Hauptbriefe . 293
a) Die literarisch-theologische Zäsur 293 – b) Die entscheidende historische Zäsur 295

II. Der frühe Paulus als Repräsentant der Ethik der hellenistischen Kirche 297

1. Die pharisäisch-apokalyptische Vergangenheit des Paulus . . . 297
2. Die Bekehrung und Berufung durch die hellenistische Kirche 298
3. Der Apostel der hellenistischen Kirche 299
4. Der Delegat der hellenistischen Kirche 300
5. Der Repräsentant der Verkündigung, Theologie und Ethik der hellenistischen Kirche 300

III. Der 1. Thessalonicherbrief als einziges Zeugnis der frühpaulinischen Ethik 301

1. Das verschärfte Moralgesetz als Heilsweg und Lebensnorm . . . 301
a) Die Verwerfung des Kultgesetzes 301 – b) Die Verschärfung des Moralgesetzes 302 – c) Der moralgesetzlich begründete und normierte Lebenswandel 304
2. Voraussetzungen und Motive der frühpaulinischen Ethik . . . 310
a) Der Wille Gottes 310 – b) Die Berufung durch Gott 310 – c) Der heilige Geist Gottes 311 – d) Die Belehrung von Gott 314 – e) Das nahe Endgericht Gottes 314 – f) Der Kyrios Jesus 316 – g) Das Sakrament der Taufe 317 – h) Die Nichtchristen 318
3. Indikativ und Imperativ nach dem 1. Thessalonicherbrief . . . 319
a) Der 1. Thessalonicherbrief als ethischer Brief 319 – b) Die Evangeliumsverkündigung als ethische Mahnrede 320 – c) Die Verhältnisbestimmung von Heilszusage und ethischer Mahnung 321
4. Die ethischen Anweisungen im 1. Thessalonicherbrief 322
a) Die Heiligung 322 – b) Die Bruderliebe 323 – c) Die Arbeit 324 – d) Der Kriegsdienst 325 – e) Die Auferbauung 330 – f) Die Nachahmung 333

B. Die Spätphase der paulinischen «Ethik»

I. Die spätpaulinische Lehre vom Gesetz 333

1. Zum spätpaulinischen Begriff des Gesetzes 333
2. Die Anerkennung des Gesetzes 337
3. Die Verpflichtung auf das Gesetz 341
4. Die Verwerfung des Gesetzes 342
5. Die Befreiung vom Gesetz 345

II. Die spätpaulinische Lehre vom Geist und von den Geistesgaben als «Ethik» 348

1. Der Geist als Ursprung, Kraft und Norm des sittlichen Lebenswandels 348
2. Die Charismenlehre als «Ethik» 350
   a) Der spätpaulinische Begriff des Charisma 351 – b) Zur Herkunft der Charismenlehre 353 – c) Charisma und «Ethik» 354

III. Die Voraussetzungen und Begründungen der spätpaulinischen «Ethik» 357

1. Die Christologie als Grund und Maß christlichen Lebenswandels 357
2. Die soteriologische Begründung 363
3. Die ekklesiologisch-sakramentale Begründung 368
4. Die apokalyptische Begründung 374
5. Indikativ und Imperativ 380

IV. Die leitenden Maßstäbe des sittlichen Lebenswandels 384

1. Der neue Gehorsam der Gerechtfertigten und Befreiten . . . 384
2. Das Verhältnis zur nichtchristlichen Ethik 386
3. Das Gesetz des Mose und das Gesetz des Christus 395
4. Die Liebe als höchster Verhaltensmaßstab 396

V. Die materialen Inhalte der spätpaulinischen «Ethik» 402

1. Die staatlich-politischen Gewalten 402
2. Die Arbeit 408
3. Die irdischen Güter 410
4. Die institutionelle Sklaverei 412
5. Die Stellung der Frau 416
6. Eheverzicht, Ehe, Ehescheidung und Ehebruch 421

6. Kapitel: Die Synoptiker

I. Markus 434

1. Die Ablehnung der termingebundenen Parusieerwartung . . . 434
2. Das erste Evangelienbuch als Geschichte Jesu 436
3. Das erste Dokument der christlichen Ethik für die Kirche in der bleibenden Welt 438
   a) Die Eigenständigkeit des Ethischen 438 – b) Die Aufforderung zur Nachfolge 441 – c) Die Gestaltung des Alltags 444

II. Matthäus 447

1. Das Matthäusevangelium als Lehrbuch der christlichen Ethik für die Kirche aller Zeiten 447
   a) Das matthäische Gesetzesverständnis 447 – b) Die christologische Begründung der Ethik 451 – c) Der Kampf gegen die christlichen Gesetzesleugner 452 – d) Die Nachfolge- und Gemeindeethik 453 – e) Die Unterordnung der Enderwartung unter die Ethik 455
2. Das Problem der sachgerechten Bergpredigtauslegung 457
3. Sozialethische Themata 463
   a) Ehescheidung und Ehelosigkeit 463 – b) Die Sklaverei 464 – c) Kirche und Staat 464 – d) Arm und reich 465

III. Lukas 466

1. Das alttestamentliche Gesetz innerhalb der lukanischen Heilsgeschichte 466
   a) Der lukanische Historismus 466 – b) Das alttestamentliche Gesetz als ethische Norm 467
2. Die Ethisierung des christlichen Lebens 470
   a) Der vorgläubige Mensch 470 – b) Der Glaubende 471
3. Die sozialethischen Weisungen 474
   a) Die Wertung von Frau, Ehe und Ehelosigkeit 474 – b) Keine Stellungnahme zur institutionellen Sklaverei 476 – c) Die politische Apologetik 477 – d) Die Almosenethik 480

7. Kapitel: Die johanneischen Schriften

I. Das Johannesevangelium 486

1. Die Voraussetzungen der johanneischen Ethik 486
   a) Klarstellungen 486 – b) Der innerweltlich-ekklesiologische Dualismus 487 – c) Die Inkarnationschristologie 487 – d) Die Erlösung 489 – e) Die Kirche und die Sakramente 489 – f) Die Zwei-Stufen-Eschatologie 490

2. Das alttestamentliche Gesetz und die johanneische Ethik . . 493

a) Die Ablehnung des mosaischen Kultgesetzes 493 – b) Das mosaische Moralgesetz als ethische Norm 494 – c) Die heilsgeschichtlichen Bezüge 496 – d) Das neue Gebot der Bruderliebe 497
3. Das Zurücktreten der sozialethischen Thematik 508
a) Die Stellung der johanneischen Kirche zur Welt 508 – b) Die Sozialbezüge 510

II. Die Johannesbriefe 512
1. Die Johannesbriefe als sachliche Einheit 512
2. Der Hintergrund und Horizont der Ethik 513
3. Die Hauptmerkmale der Ethik 517
a) Die Voraussetzung des alttestamentlichen Moralgesetzes 517 – b) Das Verhältnis zur Welt 524 – c) Das alt-neue Gebot der Bruderliebe 526

III. Die Johannesapokalypse 527
1. Kein Buch mit sieben Siegeln 527
a) Zur Wirkungsgeschichte 527 – b) Die Abfassungsverhältnisse 529 – c) Die Besonderheiten 531
2. Die Bedeutung des Mosegesetzes für die Ethik 536
a) Die Autorität des mosaischen Ritual- und Moralgesetzes 536 – b) Die Forderung der Werke 539 – c) Indikativ und Imperativ 543
3. Ansätze zu einer rigoristischen Ethik 544
a) Der Konflikt mit dem Staat und dem Kaiserkult 544 – b) Die Sexualmoral 550 – c) Die Kritik von Reichtum und ökonomischer Macht 552

8. Kapitel: Die Deuteropaulinen

I. Der Kolosserbrief 556
1. Die Modifizierung und Weiterentwicklung des paulinischen Erbes 556
a) Sprache und Stil 556 – b) Die Christologie 558 – c) Die Ekklesiologie 558 – d) Das Zurücktreten der eschatologischen Erwartung 559 – e) Das Abrücken von der Pneumatologie 559
2. Die moralgesetzlichen Gebote des Alten Testamentes als das entscheidende Kriterium der Ethik 560
3. Die Ethik als das Anziehen des neuen Menschen 563
a) Der würdige, vollkommene und Gott wohlgefällige Lebenswandel 563 – b) Das Anziehen des neuen Menschen 564 – c) Indikativ und Imperativ 566
4. Die sozialethische Bedeutung der Haustafel 567

II. Der Epheserbrief 571

1. Die sachlich-theologischen Besonderheiten 571
a) Sprache, Stil und Verhältnis zum Kolosserbrief 571 – b) Die Anthropologie 572 – c) Das Zurücktreten der futurischen Eschatologie 572 – d) Die Ekklesiologie als Hauptthema 573
2. Die Gebote des Alten Testamentes als das ausschlaggebende Kriterium der Ethik 574
3. Die Kirchlichkeit der Ethik 578
a) Die Begründung der Ethik in der Taufe 578 – b) Die Lebensführung des neuen Menschen 579 – c) Die Imitatio Gottes 583 – d) Die Haustafel 584 – e) Die göttliche Waffenrüstung 586

III. Die Pastoralbriefe 588

1. Reduktion und Fortbildung des paulinischen Erbes 588
a) Antignostische Streitschriften der nachpaulinischen Zeit 588 – b) Die Amtskirche 589
2. Gnade und Werke 590
a) Das alttestamentliche Gesetz 590 – b) Die Rechtfertigungslehre 591 – c) Das Sündenverständnis 594
3. Das bürgerliche Christentum 595
a) Die gesunde Lehre 595 – b) Frömmigkeit und Anständigkeit 595 – c) Das gute Gewissen 597 – d) Die Liebe 598 – e) Die Besonnenheit 598 – f) Der Schöpferglaube 599
4. Die Gemeindeethik 600
a) Männer, Frauen und Familie 600 – b) Die Bischöfe 602 – c) Die Presbyter 603 – d) Die Diakone 603 – e) Der apostolische Delegat 604 – f) Die Witwen 604
5. Die Sozialethik. 606
a) Die Obrigkeit 607 – b) Die Sklaven 607 – c) Reichtum und Genügsamkeit 609

IV. Der 2. Thessalonicherbrief. 610

1. Ein polemischer Traktat in brieflicher Form 610
2. Das gerechte Endgericht als Vergeltung 611
3. Die Arbeitspflicht der Christen 613

V. Der 1. Petrusbrief 613

1. Ein deuteropaulinisches Rundschreiben 613
2. Die Moralisierung des Heils 614
3. Die Begründung der Paränese 620
a) Das Heilshandeln Gottes 620 – b) Die eschatologische Herrlichkeit 621 – c) Die Taufe 622 – d) Die Fremdlingsschaft 624

4. Christ und Welt 625
a) Die missionarisch-apologetische Wirkung der christlichen Lebensführung 625 – b) Die Leidensparänese 626 – c) Die Nachahmung der Vorbilder 627 – d) Das Gemeindeleben 629 – e) Die Ständetafel 629

VI. Der Brief an die Hebräer 632
1. Der Hebräerbrief – eine Mahnrede 632
2. Die sich abzeichnende Leistungsfrömmigkeit 633
3. Die Ethik als Abwendung von der sichtbaren Welt 636
a) Der räumliche Dualismus alexandrinischer Prägung 636 – b) Die Ausblendung der sozialethischen Probleme 637

9. Kapitel: Die katholischen Briefe

I. Der Jakobusbrief 642
1. Eine ausschließlich ethische Mahn- und Lehrschrift 642
2. Erlösung als Befreiung zum Gesetz als Heilsweg 643
a) «Das vollkommene Gesetz der Freiheit» 643 – b) Die Gesetzeswerke als Heilsfaktor 647 – c) Heilszusage und Heilsanspruch 651
3. Die Ethik der Weltentsagung und Weltverneinung 652
a) Das Vorzeichen des hellenistisch-räumlichen Dualismus 652 – b) Die Konventikelethik 654

II. Der Judasbrief 657

III. Der 2. Petrusbrief 659
1. Die späteste Schrift des Neuen Testamentes 659
2. Die apostolisch verbürgte Lehrtradition 659
3. Weltflucht und Tugendethik 660
a) Der metaphysische Dualismus 660 – b) Der Kampf der Athleten in der Arena der Tugend 662

Abkürzungsverzeichnis 665
Literaturhinweise 666
Stellenregister 681

1. Kapitel
Jesus von Nazareth

I. Die Problem- und Quellenlage

Unser Interesse gilt den ethischen Weisungen des irdischen Jesus. Aber hier beginnt nun sogleich eine schier unüberwindliche Schwierigkeit und sind wir mit einem immer noch nicht gelösten Problem konfrontiert:
Der Nazarener hat zwar fast 2 Jahrtausende Kirchen- und Weltgeschichte mitbestimmt, aber er hat nicht ein einziges schriftliches Wort hinterlassen. Darüber hinaus hat Jesus nicht einmal Sorge dafür getragen, seinen Jüngern wenigstens gewisse Aussagen wörtlich einzuprägen, damit sie treu aufbewahrt und den Nachkommen weitergegeben werden konnten. Nirgends in den drei synoptischen Evangelien des Markus, Matthäus und Lukas finden sich stenographische Nachschriften der Reden Jesu, auch wenn bekanntlich die drei Synoptiker auf jeder Seite ihrer Evangelienbücher scheinbar Jesus-Predigten wiedergeben.
Man hat immer wieder daran zu erinnern, daß selbst bei wirklich zentralen Worten, wie z.B. dem Vaterunser (Mt.6,9–13 und Lk.11,2–4), den Seligpreisungen (Mt.5,3ff und Luk.6,20bf) oder den Einsetzungsworten zum Abendmahl (Mk.14,22–25 und 1.Kor.11, 23ff) sehr verschiedene Texte im Neuen Testament überliefert sind. Und dieser Prozeß von immer wieder neuen Umformulierungen, Korrekturen und Neufassungen von Jesusworten läßt sich über 60 Jahre nach Jesu Tod mühelos feststellen, wenn etwa der Wortlaut der Sprüche und Spruchkompositionen von Matthäus und Lukas mit ihren Vorlagen im Markusevangelium, der Spruchquelle Q oder ihrem Sondergut verglichen wird.
Dieser grundlegende Sachverhalt ist identisch mit der wissenschaftlich ausgewiesenen und darum kontrollierbaren Frage nach dem historischen Jesus, also der Herausarbeitung möglichst wortgetreuer Zitate (= verba ipsissima) und gesicherter historischer Details. Diese jahrhundertelange Anstrengung ist zu folgenden endgültigen Ergebnissen gekommen, hinter die keine ernstzunehmende Theologie – welcher Konfession auch immer – mehr zurückfallen kann:

1. Die Forschungsergebnisse

a) Für den Protestantismus wie Katholizismus *vor der Aufklärung* stand 1800 Jahre lang als Tatsache fest, daß die uns bekannten Evangelien als kanonische und heilige Schriften historisch unbedingt zuverlässig über Jesus berichten: er war von der Jungfrau Maria geboren, hat Wunder gewirkt und besaß als Bringer und Lehrer des ewigen Sittengesetzes ein göttliches Selbstbewußtsein. Er ist der leidende Gottesknecht, der durch Tod, Auferstehung und Himmelfahrt zum Herrn der Kirche und der Erde inthronisiert wurde. Mit einem Satz: die Evangelienbücher enthalten authentische Geschichtsberichte und zwischen dem historischen Jesus wie dem dogmatischen Christus als der zweiten Person der Trinität besteht

wirkliche Sachübereinstimmung. Das einzige noch verbleibende Problem im Horizont dieser übernatürlichen und unbeirrbar geradlinig verlaufenden Geschichtsauffassung war lediglich die Paraphrasierung und völlige Harmonisierung der unterschiedlichen Evangelienbücher.
b) *Erst die historische Vernunft der Aufklärung* (= Englischer Deismus und der deutsche Theologe H.S. Reimarus 1778) *entdeckte* mit Hilfe der historisch-kritischen Methode zum ersten Mal *den sog. historischen Jesus* bzw. den wirklichen und wahren, den vorösterlichen und irdischen Jesus und machte ihn als Morallehrer, der eine neue Moral gebracht hat, zum Maß der Christologie. Jetzt wurde der historische Jesus in der Antithese zur nachösterlichen Christusverkündigung und vor allem zur kirchlichen Dogmatik isoliert und auf diese Weise wie niemals zuvor in der Kirchengeschichte provokativ nicht nur zum Objekt wissenschaftlicher Forschung gemacht, sondern zugleich zum Gegenstand des Glaubens und der Verkündigung der Kirche.
c) *Die damit einsetzende liberale Leben-Jesu-Forschung ist nach 150 Jahren endgültig gescheitert.* Die wichtigsten Stichworte der Geschichte dieser rücksichtslosen Kritik sind folgende: Schon 1892 hatte sich Martin Kähler in seiner noch heute lesenswerten Schrift «Der sogenannte historische Jesus und geschichtliche Christus» gegen den Optimismus der Jesus-Forschung gewandt: Die Evangelien sind seiner Meinung nach nicht Geschichtsdokumente im historisch-kritischen Sinne, sondern Glaubenszeugnisse und Niederschlag der urchristlichen Verkündigung. Schon gar nicht wollen sie historische Ereignisse als bloße Tatsachen schildern, sondern das Evangelium ist «Urkunde der kirchengründenden Predigt», und nur als diese Verkündigung begründet es den Glauben.
Die religionsgeschichtliche Schule (J. Weiss und A. Schweitzer) protestiert gegen alle Tendenzen, die Botschaft Jesu zu modernisieren: Jesus ist nicht der Bringer einer zeitlosen Moral und das von ihm gepredigte Reich nicht ein inneres Reich der Sinnesänderung, sondern der jüdische Apokalyptiker, der in allernächster Nähe das Weltende unter kosmischen Katastrophen und die endgültige Gottesherrschaft erwartet.
Die an die Namen von J. Weiss und J. Wellhausen geknüpfte radikale Synoptiker-Forschung stellte zum ersten Mal grundsätzlich den Einfluß der Gemeindetheologie auf die markinische und synoptische Tradition überhaupt heraus, und ließ den Bestand von vermeintlich echten Jesusworten zugunsten sekundärer, erst aus der nachösterlichen Gemeinde stammenden Bildungen zusammenschrumpfen. Die formgeschichtliche Arbeit (K.L. Schmidt, M. Dibelius und R. Bultmann) hat dann endgültig die Unmöglichkeit einer Rekonstruktion des Lebens Jesu erwiesen. Die von den synoptischen Evangelien dargestellte Botschaft Jesu ist weithin nicht echt, sondern eine unterschiedliche Verchristlichung und Verkirchlichung des Jesusbildes. Authentische Jesusüberlieferung ist von vornherein in nachösterliche Verkündigung eingebettet und von dieser überla-

gert. Daraus wurde die folgenschwere Konsequenz gezogen, nicht der historische Jesus, sondern der Osterglaube ist der eigentliche Träger und Gestalter des Evangeliums.
Vor allem die Auseinandersetzung der Dialektischen Theologie (besonders K. Barth) mit der liberalen Leben-Jesu-Forschung führte zum bewußten Verzicht auf die Rückfrage hinter Ostern und die Christuspredigt der Gemeinde. Der historische Jesus hat für Glaube, Verkündigung und Theologie keine ausschlaggebende Bedeutung. Alle diese kritischen Tendenzen wurden in der konsequenten Kerygma-Theologie Rudolf Bultmanns zu der provokativen These zusammengefaßt: Wort und Tat des historischen Jesus gehören historisch ins Judentum und theologisch-sachlich zu den Voraussetzungen einer neutestamentlichen Theologie und Ethik. Der christliche Glaube erscheint hier als Glaube an den erhöht-gegenwärtigen Herrn, für den der historische Jesus als solcher keine grundlegende Bedeutung mehr besitzt.
Wir fassen zusammen:
Es ist einerseits unmöglich, eine lückenlose Biographie Jesu nach dem Programm vernunftgemäßer Wahrheit, literarischer Tatsächlichkeit und psychologischer Folgerichtigkeit zu rekonstruieren, weil die eschatologische Botschaft wie Ethik Jesu weithin ununterscheidbar in die Verkündigung nachösterlicher Gemeinden eingebettet ist. Zum andern aber ist diese ganze Anstrengung von 200 Jahren für Glaube, Theologie und Kirche ohne Belang, weil nicht der historische Jesus, sondern der verkündigte Christus der Grund des Glaubens ist.
Albert Schweitzer hatte 1906 diesem liberalen Versuch in seinem berühmten Buch «Die Geschichte der Leben-Jesu-Forschung» wirklich die Grabrede gehalten!
d) Im Gegenschlag sowohl zur Leben-Jesu-Forschung alten und neuen Stils als auch in erster Linie zur konsequenten Kerygma-Theologie ist von Ernst Käsemann 1953 «die *neue Frage nach dem historischen Jesus*» gestellt worden. Käsemann betont den historischen Zusammenhang und die sachliche Übereinstimmung des historischen Jesus mit dem nachösterlichen Christus, auch wenn Ostern das entscheidende Ereignis urchristlicher Geschichte bleibt und gravierende Unterschiede zwischen der Botschaft Jesu und dem nachösterlichen Christus-Evangelium keineswegs einzuebnen sind.
e) Angesichts dieser Forschungslage vermochte *die konsequent traditionsgeschichtliche Frage* nach dem historischen Jesus – freilich nur bei Berücksichtigung der bisherigen Methoden wie Einzelergebnisse – noch einen Schritt weiterzuführen.
Grundvoraussetzung für die traditionsgeschichtliche Untersuchung der synoptischen Evangelien ist die Zweiquellentheorie der Literarkritik, nach der das aus Syrien stammende Markusevangelium und die eben-

falls in Syrien beheimatete Spruchquelle Q neben umfangreichem Sondergut von Matthäus und Lukas verarbeitet worde sind.
Die Formgeschichte stieß hinter diese schriftlichen Evangelienquellen auf die älteste Tradition der Gemeinde, die als mündliche Überlieferung aus Wort-, Tat- und Geschichtentraditionen besteht. Dabei löste sich der Rahmen des Markusevangeliums und der Q-Quelle ebenso auf wie die Jesus-Reden als spätere Zusammenfassungen erwiesen wurden. Übrig bleiben allein die sog. kleinen Einheiten, Worte wie Geschichten, die selbständig, ja allermeist weder lokalisiert noch datiert und auch ohne Kolorit sind.
Umgekehrt hat die Redaktionsgeschichte nachgewiesen, daß die Evangelisten Markus, Matthäus und Lukas das von ihnen übernommene Quellen- und Traditionsmaterial gezielt und im Sinne ihrer Dogmatik redigiert haben. Damit wird aber das mögliche Jesus-Gut noch weiter eingeschränkt. Das heißt aber: Der Anteil der Redaktoren und Theologen Markus, Matthäus und Lukas an der Ausarbeitung ihrer Evangelienbücher ist viel umfangreicher, als es frühere Ausleger vor dem Aufkommen der redaktionsgeschichtlichen Methode annahmen und vor allem annehmen konnten.
Diese drei forschungsgeschichtlichen Ergebnisse sind die Basis für die traditionsgeschichtliche Frage nach dem historischen Jesus; denn die von der Formgeschichte ausgearbeitete älteste Traditionsschicht als mündliche Gemeindeüberlieferung ist traditionsgeschichtlich beurteilt uneinheitlich. Die Leben-Jesu-Stoffe, repräsentiert durch die ältesten und jüngeren Q- sowie die vormarkinischen Traditionen und das Sondergut des Mt. und Lk., gehen auf verschiedene, wenn auch keineswegs beziehungslos nebeneinander stehende Trägerkreise mit unterschiedlichen, keineswegs einheitlichen theologischen Entwürfen zurück. Die Leben-Jesu-Stoffe sind also weder traditionsgeschichtlich einheitlich noch historisch gleich ursprünglich oder gar theologisch-sachlich deckungsgleich, obwohl sie – wie gleich zu zeigen sein wird – sämtlich die innerjüdischen Jesus-Gemeinden repräsentieren, d. h. am Kultgesetz des Mose festhalten und damit die Trennung zwischen Juden und Heiden grundsätzlich bejahen. Zwischen diesen Gemeinden bzw. Gruppen als den Trägern und Schöpfern der Jesustradition bestand kein Sprachenproblem, vielmehr handelt es sich insgesamt um hellenistisch-judenchristliche Gemeinden, die in Syrien und nicht in Palästina beheimatet sind und die historisch wie sachlich in die Geschichte und Theologie des Judentums gehören.
Die entscheidende Frage lautet: Wo liegt die älteste theologische Konzeption innerhalb der Leben-Jesu-Tradition? Zur Beantwortung dieser traditionsgeschichtlichen Frage bedarf es der Anwendung z. B. folgender Sachkriterien: 1. Die Stellung der Jesus-Gemeinden zum Kult- und Moralgesetz des Mose, 2. zur apokalyptischen Naherwartung der Gottesherrschaft, 3. zum prophetischen Enthusiasmus (kenntlich an den prophe-

tisch-apokalyptischen Einleitungsformeln «Ich sage euch», der Seligpreisung, dem Weheruf und dem «Wer unter euch?»). 4. zur ausformulierten Christologie, 5. zu den Wundertaten Jesu, 6. zum Gericht über Israel. Geschieht das, dann zeigt sich sehr schnell, daß die ältesten Q-Stoffe die älteste Traditionsschicht innerhalb der genannten Leben-Jesu-Tradition der Jesusbewegung wiedergeben.
Aufgrund dieser – wenn auch nicht erschöpfenden – traditionsgeschichtlichen Untersuchung der Leben-Jesu-Stoffe mit Hilfe ausgewählter Sachkriterien lassen sich folgende Konsequenzen ziehen: Die Leben-Jesu-Stoffe der Jesusbewegung sind traditionsgeschichtlich uneinheitlich, d.h. sie gehen auf verschiedene Schöpfer wie Träger der Überlieferung zurück und sind weder historisch gleich ursprünglich noch theologisch-sachlich deckungsgleich.
Die Unterschiede zwischen den ältesten Q-Stoffen und den übrigen Leben-Jesu-Traditionen (jüngere Q-, und Sondergut-Traditionen) einerseits und die Differenzen zwischen den jüngeren Q-, Markus- und Sondergut-Traditionen andererseits sind nicht zu leugnen.
Es gibt also ein traditionsgeschichtliches, historisches und sachliches Gefälle: die ältesten Q-Stoffe dürften weithin auf die Botschaft des historischen Jesus zurückgehen, die übrigen Leben-Jesu-Stoffe sind vor allem nachösterliche Konsequenzen der Jesus-Botschaft im Gewande der Verkündigung und Geschichte des Nazareners. Hier wird, der Absicht Jesu folgend, mehr oder weniger radikal vollstreckt, was seine Botschaft von der nahen Gottesherrschaft und dem Willen Gottes für eine sich wandelnde Gemeindesituation nach Ostern sachlich bedeutet. Kritisch heißt das, daß echte Jesusworte kaum gleichzeitig in den Q-, Markus- und Sondergut-Traditionen vorkommen, weil aus den genannten Gründen nur alternativ verfahren werden kann.
Trotz dieser traditionsgeschichtlichen, historischen und theologischen Differenzen muß aber grundsätzlich die sachliche und fundamentale Einheit aller Leben-Jesu-Stoffe mit Nachdruck festgehalten werden; denn sowohl in der Q-Quelle als auch in der vormarkinischen Gemeindetradition wie dem Sondergut des Matthäus und Lukas wird das Kultgesetz des Mose nicht demonstrativ verabschiedet, sondern bleibt in Kraft, gibt es demzufolge weder eine gesetzesfreie *Heidenmission* noch einen Bruch mit Israel und wird schließlich die apokalyptische Naherwartung der Gottesherrschaft festgehalten. Ohne diese fundamentale Übereinstimmung zwischen vorösterlicher Jesusbotschaft und nachösterlicher Gemeindeüberlieferung hätte es nie zu einer hellenistisch-judenchristlichen Leben-Jesu-Tradition kommen können. Das Bild ändert sich grundsätzlich nicht, ob man nun alternativ oder eklektisch auf die älteren und jüngeren Q-, die Markus- oder Sondergut-Traditionen zurückgreift oder sie endlich additiv zusammenstellt, um die Botschaft des irdischen Jesus herauszuarbeiten. Insofern hatte Rudolf Bultmann völlig recht, als er in seinem Jesusbuch

grundsätzlich auf eine Scheidung innerhalb der ältesten Traditionsschicht bewußt verzichtet hat.
Innerhalb der Leben-Jesu-Stoffe der innerjüdischen Jesus-Gemeinden gibt es – wie wir sahen – durchaus unterschiedliche Jesusbilder. Man kann die Theologie und Ethik der Q-, Markus- und Sondergut-Gemeinden nicht ohne weiteres über einen Leisten schlagen. Aber diese Differenzen sind und bleiben letztlich belanglos, da die Heilsbedeutung des Kult- und damit des Mosegesetzes überhaupt, nicht aber des Kreuzestodes Jesu in Kraft bleibt. Gegenüber dieser fundamentalen Übereinstimmung zwischen Jesus und den Jesus-Gemeinden bzw. der nicht zu leugnenden Tatsache, daß die ältesten wie die jüngeren Q-, die Markus- und die Sondergut-Traditionen in die Geschichte und Theologie Israels bzw. des Judentums gehören, sind alle übrigen Unterschiede zweitrangig.
Das viel verhandelte Problem der doppelten Abgrenzung Jesu von seiner jüdischen Umwelt einerseits und den Jesusgemeinden – natürlich nicht der Antiochenischen Kirche – andererseits hat demnach nur relative Bedeutung. Denn wie Jesus (= die ältesten Q-Stoffe) im Religionsverband des Judentums verbleibt und in die Geschichte Israels gehört, so nötigt auch die sachliche Übereinstimmung Jesu mit der nachösterlichen Jesusbewegung (= jüngere Q-, Markus- und Sondergut-Traditionen) zu keiner anderen Konsequenz. Das heißt aber: Der irdische Jesus wie die seine Botschaft aufnehmenden, wiederholenden und vor allem neubildenden, nachösterlichen Jesus-Gemeinden gehören in den übergreifenden jüdischen Kult- und Religionsverband und in den ungebrochenen Zusammenhang der alttestamentlich-jüdischen Traditions- und Heilsgeschichte Israels. Der Gott Jesu wie der judenchristlichen Jesusgemeinden nach Ostern ist der Gott des Alten Testaments. Die geschichtliche Erwählung Israels vor den Heidenvölkern ist seine gnädige Offenbarung und das Gesetz vom Sinai bleibt seine gültige Gabe. Weder versteht man sich als eine neue Religionsgemeinschaft noch grenzt man sich als neue Religion gegen das Judentum ab, sondern hält am Tempel und seinem Kult fest. Nur aus diesen alttestamentlich-jüdischen Voraussetzungen sind sowohl der historische Jesus als auch die nachösterlichen Jesus-Gemeinden zu verstehen. Von einem Auszug aus Israel und der Aufnahme der gesetzesfreien Heidenmission wie bei der Stephanus-Gruppe und der Antiochenischen Kirche oder noch einmal anders wie bei Paulus ist eben hier keine Rede.
Daß es schließlich so ungemein schwierig ist, die Botschaft des historischen Jesus von derjenigen seiner Jesus-Gemeinden nach Ostern zu scheiden, hängt gar nicht in erster Linie mit den keineswegs zu leugnenden Grenzen der historisch-kritischen Methode, sondern einfach damit zusammen, daß die Botschaft des irdischen Jesus in der Sache letztlich dekkungsgleich mit derjenigen seiner nachösterlichen Jesusgemeinden war, weil eben zwischen Jesus und den nachösterlichen Leben-Jesu-Stoffen ein geschichtlicher Zusammenhang und eine sachliche Übereinstimmung

besteht – trotz aller zugestandenen Unterschiede im einzelnen. Deshalb ist es voreilig und in gar keiner Weise gerechtfertigt, historisch-kritisch von der Unmöglichkeit zu sprechen, aufgrund der bekannten Methoden und angesichts der Quellenlage zum historischen Jesus vorzustoßen. Denn es ist, historisch-kritisch beurteilt, bei der Herausarbeitung echten Jesus-Gutes lediglich von untergeordneter Bedeutung, ob man letztlich im Blick auf die verschiedenen Leben-Jesu-Stoffe alternativ, additiv oder eklektisch verfährt. Berücksichtigt man diese Methoden- und Quellensituation, so ist es sehr wohl möglich, den theologischen Rahmen und Inhalt der Botschaft des historischen Jesus herauszuarbeiten.

Weil die nachösterlichen Jesusgemeinden die Botschaft des historischen Jesus bejahten, ist sie nach Ostern in diesen Traditionskreisen gesammelt, bewahrt und weiterverkündigt, von der Antiochenischen Kirche dagegen abgelehnt worden. Da sich die nachösterliche Situation für die Jesus-Bewegung nicht grundsätzlich geändert hatte, hielt man an der Reich-Gottes-Predigt, Weisheitslehre und vor allem Gesetzesauslegung Jesu fest. Diese Wiederholung der Botschaft Jesu nach Ostern bedeutete natürlich zugleich ihre Neuauslegung und gewisse Veränderung, freilich im Sinne der Vertiefung, nicht aber der tiefgreifenden Umbildung, Überfremdung oder gar Aufhebung. Wenn aber nur die ältesten Q-Stoffe weithin mit der Botschaft des historischen Jesu gleichzusetzen, die übrigen Jesustraditionen dagegen nachösterliche Gemeindebildung als Christusbotschaft im Gewand der Jesusbotschaft sind, dann heißt das: innerhalb des Traditionskomplexes und -prozesses der Leben-Jesu-Stoffe ging es nicht nur um Wiederholung und Weiterverkündigung der Botschaft des historischen Jesus, sondern zugleich und vor allem um Neubildung von Jesus-Traditionen nach Ostern; denn als solche sind die jüngeren Q-, Markus- und Sondergut-Traditionen anzusprechen. Bei dieser Neuschöpfung handelt es sich aber keineswegs um eine sachliche Veränderung, bewußte Verzeichnung oder gar Aufhebung der ursprünglichen Botschaft Jesu aufgrund ihres völligen Mißverständnisses, sondern um ihre notwendige Verbreiterung, sachlich entsprechende Aktualisierung und verstehende Vertiefung.

Freilich darf diese Feststellung nicht für die allgemeine Zuverlässigkeit und Echtheit aller Leben-Jesu-Stoffe, wohl aber grundsätzlich für die sachliche Identität der Verkündigung Jesu und der Leben-Jesu-Stoffe ausgewertet werden.

Jesus blieb auch für die Jesus-Gemeinden nach Ostern der autoritative Gesetzeslehrer, dem auf Seiten der Gemeinde die Jünger und Schüler entsprechen, die seine Worte überlieferten, neu auslegten und vor allem neu bildeten.

Ohne daß die starre, rabbinische Memoriertechnik für die nachösterlichen Jesusgemeinden als direkte Sachparallele veranschlagt werden dürfte, kann andererseits ähnliches für die Entwicklung und Aktualisierung der überlieferten Jesusworte angenommen werden. Denn das durch Jesus apokalyptisch interpretierte Mosegesetz stellte die Jünger auch nach Ostern wieder auf den Heilsweg des Gesetzes, so daß grundsätzlich dieselbe Situation wie im Judentum gegeben war. Deshalb mußte die apokalyptisch-prophetische Gesetzespredigt Jesu, der seine Taten untergeordnet wurden, wiederholt werden, weil sie Bedingung für das eigene Heil der Jüngerschar bedeutete. Die Botschaft und Ethik der nachösterlichen Jesusgemeinden ist nichts anderes als die Entwicklung, Fortbildung und Auffüllung der Verkündigung und Ethik Jesu. Der Inhalt seiner Predigt ist deshalb zwar keineswegs mit der Predigt aller Christen nach Ostern sachlich identisch, wohl aber mit derjenigen der streng judenchristlichen Jesus-Gemeinden. Der berühmte «Ostergraben» bzw. «Osterbruch» existiert in diesen judenchristlichen Jesus-Gemeinden überhaupt nicht, weil das Gesetz des Mose vor und nach Ostern Heilsbedeutung hat. Ebensowenig ist in den Leben-Jesu-Stoffen der Verkündiger zum Verkündigten oder der Prediger Jesus zum gepredigten Christus geworden, weil der Verkündiger auch nach Ostern als Verkündiger und der Gesetzesausleger als Gesetzesausleger erzählend gepredigt wird.

f) Bemerkenswerte Anstöße und neue Einsichten über Hintergrund und Bedeutung des historischen Jesus sind im letzten Jahrzehnt von der soziologischen (= gesellschaftswissenschaftlichen) Fragestellung bzw. der *Soziologie des Urchristentums* im deutschsprachigen, aber auch amerikanischen Bereich ausgegangen. Es handelt sich hier um den Versuch, typisch zwischenmenschliche Verhaltensweisen im Urchristentum zu erfassen und ihre Wechselwirkung mit der jüdisch-palästinensischen Gesamtgesellschaft, ihrer politischen und sozialen Situation darzulegen. Die soziologische Methode ist kein Neuansatz innerhalb der neutestamentlichen Wissenschaft, sondern gehört als Weiterentwicklung der zeit- und formgeschichtlichen Forschung wie des Zusammenschlusses mit der Kulturgeschichte, der Geschichte des Urchristentums und der Missionsgeschichte seit langem zum Methodenkanon der historisch-kritischen Forschung des Neuen Testaments.

Diese soziologische Auswertung religiöser Überlieferungen, vor allem der urchristlichen wie jüdischen, führte zu den beiden für unsere Frage nach dem historischen Jesus und seiner Ethik wichtigsten Ergebnissen:

1) Das älteste Urchristentum wird rekonstruiert als eine von Jesus hervorgerufene, innerjüdische religiöse Erneuerungsbewegung im syrisch-palästinensischen Raum zwischen 30 bis 70 n. Chr. Nach dem Kreuzestod des Wanderpropheten Jesus, den man nun in naher Zukunft als kommenden Menschensohn erwartete, traten wie Jesus Wanderradikale auf, die zwar an ganz Israel die Botschaft von der nahen Gottesherrschaft richteten, aber nur einzelne in die radikale Nachfolge der Familien-, Heimat- und Besitzlosigkeit riefen, auch wenn sie Anhänger in den Ortschaften besaßen. Als solche ist sie grundsätzlich nicht von ihrer jüdischen Umwelt,

d.h. den übrigen innerjüdischen religiösen Erneuerungsbewegungen abgrenzbar.
Dazu gehörte die Qumrangemeinde, die aus Judäa ausgezogen war und am Toten Meer in einem überdisziplinierten Orden in der Wüste Gott den Weg bereiten wollte.
Eine andere innerjüdische, religiöse Erneuerungsbewegung stellen die Widerstandsgruppen der Zeloten, Sikarier, die Widerstandskämpfer des Johannes von Gischala und des Simon ben Giora dar. Außerdem sind die national-prophetischen Bewegungen zu nennen (wie z.B. Theudas, der Weber Jonathan), die ebenfalls auf ein durch Gott bewirktes Befreiungswunder in der Wüste von aller Fremdherrschaft warteten.
Vor allem muß auf die Pharisäer hingewiesen werden, die als Gesetzeseiferer auf breiter völkischer Grundlage zu den Vorläufern des Rabbinismus und des Judentums überhaupt gehörten. Schließlich ist hierzu die Taufbewegung des Wüstenasketen Johannes des Täufers und des Eremiten Bannos zu rechnen. Alle diese sechs innerjüdischen, religiösen Erneuerungsbewegungen hatten aber folgendes gemeinsam:
Bis auf die Pharisäer waren sie alle Außenseiter in der palästinensisch-jüdischen Gesamtgesellschaft. Aber während die Essener am Toten Meer eine mönchische Produktionsgenossenschaft und die Zeloten/Sikarier ein sozialrevolutionäres Umsturzprogramm installierten, lebte die Jesusbewegung als Wanderpropheten von Almosen.
Alle innerjüdischen Erneuerungsbewegungen, abgesehen von den Pharisäern, waren auf dem Land bzw. im ländlichen Milieu, nicht aber in den hellenistischen Städten oder gar in der Metropole Jerusalem beheimatet. Die Essener in der Wüste, die Zeloten in gebirgigen Schlupfwinkeln, die Jesusbewegung auf dem besiedelten Lande und die Täufergemeinde am Jordan.
Alle innerjüdischen Erneuerungsbewegungen, wiederum außer den Pharisäern, waren Oppositionsbewegungen, d.h. sie standen in Opposition zur traditionellen Theokratie in Jerusalem und das heißt zugleich in der Naherwartung der Gottesherrschaft, die das Ende jeder anderen Herrschaft, der Römer wie der traditionellen Priestertheokratie in Jerusalem bedeutete. Aber während Essener wie Zeloten versteckt oder offen den Terror und bewaffneten Widerstand bejahten und praktizierten, zeigten die Pharisäer Kompromißbereitschaft und übte die Jesusbewegung Feindesliebe, d.h. unbegrenzte Versöhnungsbereitschaft.
Schließlich wurde in allen innerjüdischen, religiösen Erneuerungsbewegungen das Mosegesetz nicht nur bejaht, sondern verschärft, gab es überall eine leidenschaftliche Diskussion um die wahre Tora bzw. den wahren Juden. Alle – Zeloten, Essener, Pharisäer/Schammaiten, Täufer- und Jesusanhänger – verschärften zwar die Tora, aber diese Toraverschärfung fiel unterschiedlich aus: während die Zeloten und Pharisäer/Schammaiten das Kultgesetz verschärften (und z.T. entschärften) und das Moralgesetz ent-

schärften, die Essener sowohl das Kult- als auch Moralgesetz verschärften, entschärften die Jesusanhänger zwar das Kult-, verschärften aber das Moralgesetz.
Auch wenn es z.T. zwischen diesen Erneuerungsbewegungen nicht nur Kontaktschranken, sondern vor allem mörderischen Haß gab – die Essener distanzierten sich von allen anderen jüdischen Gruppen als «den Kindern der Finsternis», die Pharisäer von den Jesusanhängern und umgekehrt, die Zeloten von den jüdischen Gruppen, die mit den Römern zusammenarbeiteten usw., schließlich also gegenseitig verdammten –, muß die eine und alles entscheidende Tatsache mit Nachdruck hervorgehoben werden: sie waren und blieben insgesamt innerjüdische, religiöse Erneuerungsbewegungen, die niemals daran dachten, sich vom Judentum zu trennen. Im Gegenteil: man grenzte sich überall strikt von den unbeschnittenen, gesetz- wie gottlosen Heiden ab.
Für die soziologische Forschung des Urchristentums stellt also die Jesusbewegung eine von Jesus hervorgerufene innerjüdische Erneuerungsbewegung in Palästina und Syrien dar, die zwar als die jüngste eine Zeitlang mit den anderen Erneuerungsbewegungen wie den Täufern, Zeloten, Qumran-Essenern, Pharisäern und prophetischen Bewegungen konkurriert, schließlich aber wie die übrigen innerjüdischen Erneuerungsbewegungen von der pharisäischen besiegt und ausgeschlossen wurde.
2) Innerhalb der Jesusbewegung wurden zwei beherrschende Sozialformen und Überlieferungsträger ermittelt: die nicht-seßhaften Jesusnachfolger = die Wanderpropheten und Wandermissionare als wichtigste Trägergruppe der Wortüberlieferung sind zu unterscheiden von den seßhaften Jesusnachfolgern = den Ortsgemeinden als wichtigste Trägergruppe der Erzählungsüberlieferung. Das hervorstechendste Phänomen des Wanderradikalismus mit seinem rigorosen Ethos der Heimat-, Besitz-, Familien-, Berufs- und Wehrlosigkeit bestimmt den historischen Jesus als den ersten Wanderprediger, dann den vorösterlichen Jesuskreis, der ebenfalls wie ihr Meister aus Wanderradikalen bestand, und setzt sich nach Ostern im Lebensstil der Wanderpropheten fort. Von besonderer Wichtigkeit ist nun die Entdeckung, daß zwischen dem Wanderradikalen Jesus und den vor- wie nachösterlichen Wanderradikalen eine soziologische Kontinuität, kein Bruch besteht! Denn Jesus und seine von ihm ausgesandten Boten hatten ja einen bestimmten Auftrag, den gleichen Lebensstil und ein besonderes Geschick. Das aber heißt zugleich: der Nazarener ist historisch nicht abgrenzbar gegen seine nichtseßhaften Nachfolger vor und nach Ostern, und man kann traditionsgeschichtlich den Wanderradikalismus der Worte Jesu mit dem Ethos der Besitz-, Heimat-, Familien- und Schutzlosigkeit in den ältesten Q-Stoffen nicht isolieren oder ausgrenzen von den übrigen Leben-Jesu-Stoffen (= jüngere Q-, Markus-, Sondergut-Tradition), die ebenfalls z.T. diesen Wanderradikalismus beinhalten.
Im Hinblick auf die bis zum Überdruß verhandelte Frage nach der Echt-

heit bzw. Unechtheit der synoptischen Tradition, der Rückfrage nach dem historischen Jesus, heißt das: in allen Schichten der Jesustraditionen (= die Redenquelle Q, die Markustraditionen, das Sondergut des Matthäus und des Lukas), die von diesem Wanderradikalismus inhaltlich geprägt sind, stoßen wir mit großer Wahrscheinlichkeit auf das rigorose Ethos des Wanderpropheten Jesus.
Kritisch ist allerdings anzumerken, daß die soziologische Fragestellung die Jesus-Stoffe der Jesusbewegung traditionsgeschichtlich zu einheitlich herangezogen hat. Denn der Wanderradikalismus als das hervorstechendste soziologische Merkmal der Jesusbewegung ist vor allem auf die Redenquelle Q einzuschränken, und auch hier weithin auf die älteste Traditionsschicht, da er sich sonst nur noch vereinzelt in der jüngeren Traditionsschicht von Q, dem Matthäus-Sondergut und den Markus-Überlieferungen findet.
Die heute vorliegende Jesustradition der Jesusbewegung (=Q-Quelle, Markustraditionen und das Sondergut des Mt und des Lk) dagegen geht in ihrer Gesamtheit auf seßhafte Jesusnachfolger, also Gemeinden zurück. Das gilt selbst für die heute vorliegende Redenquelle Q! Die Wanderprediger waren demgegenüber in der Minderheit und ihre Traditionen vor und nach Ostern sind von seßhaften Jesusnachfolgern, den Ortsgemeinden, vereinnahmt worden!
g) Nicht zu übersehen ist schließlich auch die Tatsache, daß vor allem *seit der Gründung des Staates Israel allein in Jerusalem* mehr jüdische Bücher über Jesus veröffentlicht wurden als in allen vorangegangenen Jahrhunderten. Namhafte jüdische Gelehrte wie M. Buber, D. Flusser, P.E. Lapide oder E.L. Ehrlich sind hierfür repräsentativ.
Die Zeit des zu lange totgeschwiegenen Nazareners ist einer Heimholung Jesu ins Judentum gewichen. Formeln wie «Gebt uns unseren Jesus wieder», «Jesus war ein Jude, und nichts anderes als ein Jude» oder «Jesus: ja, Christus: nein» beherrschen die moderne jüdische Jesusforschung heute. Diese ist übrigens – was von jüdischer Seite durchaus gesehen und zugegeben wird – ein Kind der jahrhundertelangen Jesuspolemik und der protestantischen Bibelforschung des 19. Jahrhunderts! Es ist deshalb alles andere als ein Zufall, wenn man sich jüdischerseits ausdrücklich auf J. Wellhausens Satz beruft: «Jesus war kein Christ, sondern Jude.»
Für sie und das Judentum überhaupt war der historische Jesus zweifelsohne in Leben und Lehre ein Jude. Und die neuesten jüdischen Jesusdarstellungen bemühen sich auf der Grundlage der drei synoptischen Evangelien, die Judaizität der Worte und Taten Jesus nachzuweisen, das nachösterliche, für sie hellenistische Christusbild der Kirche dagegen schroff abzulehnen.
Der Jude Jesus wird dann vor allem entweder als antirömisch eingestellter Freiheitskämpfer oder als Verfechter einer humanistischen Ethik gesehen.

Halten wir Übereinstimmung und Differenz der modernen jüdischen Jesusforschung mit einem Zweig der protestantischen Jesusforschung fest: Die Übereinstimmung beruht in dem Ergebnis, daß der vorösterliche, historische Jesus in Leben und Lehre ein Jude war und es keine historisch gesicherten Beweise dafür gibt, daß er den Boden Israels zu irgendeiner Zeit grundsätzlich verlassen hat.
Die Differenz ist einmal in der unterschiedlich beantworteten Frage zu sehen, warum dann die damaligen Repräsentanten des Jerusalemer Synedriums überhaupt so konsequent die Hinrichtung Jesu betrieben hatten und zum andern in der völlig ablehnenden Haltung des heutigen Israel gegenüber der nachösterlich-kirchlichen Christusverkündigung.
Unser knapper Überblick über die wissenschaftliche Rückfrage nach Jesus, seinem Leben und seiner Verkündigung hat folgendes ergeben: Die wachzuhaltende Rückfrage nach dem historischen Jesus ist historisch möglich und theologisch notwendig und legitim. Es ist weder historisch-kritisch aussichtslos noch theologisch-sachkritisch belanglos, nach dem historischen Jesus zu fragen.
Weiter: Man kann den Nazarener und die von ihm hervorgerufene Jesusbewegung als eine innerjüdische, religiöse Erneuerungsbewegung historisch nicht von den übrigen jüdischen Erneuerungsbewegungen, den Wanderpropheten Jesus nicht von seinen nichtseßhaften Nachfolgern vor und nach Ostern und schließlich seine Botschaft traditionsgeschichtlich nicht von den übrigen Jesus-Traditionen isolieren; denn ohne eine sorgfältige Rekonstruktion der Verkündigung Jesu besteht die Gefahr und Versuchung, den Nazarener für eigene Zwecke historisch wie sachlich unangemessen auszubeuten.

2. Die Rekonstruktion der Wirksamkeit und Botschaft Jesu

Auch wenn sich keine Biographie Jesu schreiben läßt, sind Leben und Wirken Jesu in Umrissen deutlich erkennbar. Jesus war Galiläer und nicht Judäer, er stammte also nicht aus dem eigentlich Stammland seiner Landsleute. Darüber hinaus lassen die Quellen den Schluß zu, daß Jesus aus der nichtpharisäischen galiläischen Bevölkerung stammte, aus dem sogenannten «Volk des Landes».
Jesus wurde in einer rein jüdischen Familie geboren. Von Beruf war er Handwerker, wahrscheinlich Zimmermann und seine Sprache aramäisch. Jesus war auch kein geschulter Theologe/Rabbiner: er hat weder studiert noch war er der gelehrten Auslegungstradition mächtig. Er war zeitlebens Jude, nicht Judenchrist oder Christ. Entscheidend ist die eine direkte Voraussetzung seine Wirkens:
a) Jesus schließt sich der von Johannes dem Täufer ins Leben gerufe-

nen Erneuerungs- und Umkehrbewegung am Jordan an: *er wurde vom Täufer getauft* und gehörte eine Zeitlang zum Jüngerkreis des Täufers. Theologisch bedeutet das, daß er Taufe und Botschaft dieses eschatologischen Propheten vom Jordan anerkannte, der sein Lehrer war. Jesu religionsgeschichtliche Herkunft ist unmittelbar von dieser prophetischen Täuferbewegung bedingt, und nicht von der pharisäischen, essenischen, zelotischen oder der national-prophetischen Erneuerungsbewegung auf dem Boden des damaligen Israel.

Johannes war Prophet, und stand wie alle übrigen innerjüdisch-religiösen Erneuerungsbewegungen in der apokalyptischen Naherwartung «des Kommenden», d.h. des Menschensohnes (Lk. 3,9 und 16f par.) und erwartete in allernächster Nähe den «kommenden Zorn» Gottes (Lk. 3,7f par.) über Israel. Dieses ganz Israel treffende Zornesgericht Gottes, vor dem alle Heilsprivilegien versagten, war die ihm persönlich zuteil gewordene Offenbarung, die Grundgewißheit seiner prophetischen Existenz und seines Taufwirkens. Für ganz Israel gibt es nach seiner Überzeugung nur ein Verhalten, die reuige Umkehr und Taufe.

Angesichts dieses vernichtenden Feuergerichts ist die von ihm geübte Bußtaufe die letzte und einzige Möglichkeit, dem unmittelbar bevorstehenden Zornesgericht Gottes zu entfliehen (Mk. 1,4f). Dieser hochgespannten Naherwartung entspricht schließlich auch sein Lebensstil: er lebte als Asket in der Wüste und war besitzlos. Seine Nahrung war ungewöhnlich: er aß nur Heuschrecken und wilden Honig. Seine Kleidung bestand nur aus einem Kamelhaarfell und einem ledernen Gürtel um seine Hüfte (Mk.1,6).

Johannes der Täufer als apokalyptischer Bußprediger, Asket und Endzeitprophet war der Lehrer Jesu: von ihm übernahm Jesus die Naherwartung des unmittelbar bevorstehenden Gottesgerichts über Israel und ließ sich deshalb wie andere Umkehrwillige im Jordan von ihm taufen, also vor dem drohenden Zorn Gottes gleichsam versiegeln und dem heiligen Rest des Gottesvolkes eingliedern.

b) Des Johannes wohl bedeutendster Schüler Jesus ist wahrscheinlich erst nach der Verhaftung und dem Tode des Johannes mit einer eigenen Botschaft als Wanderprediger in Galiläa an die Öffentlichkeit getreten. Jesus hat damit eine eigene und eigenständige, innerjüdisch-religiöse Erneuerungsbewegung ins Leben gerufen, die sich von derjenigen seines Meisters sehr wohl unterschied.

Jesus tat dies aus der unmittelbaren und höchsten Gewißheit heraus, Werkzeug des lebendigen Gottes und endzeitlichen Gottesgeistes zu sein, den das Judentum und vor allem die genannten Erneuerungsbewegungen von der Endzeit erwarteten. Es liegt deshalb nahe, Jesus einen Propheten zu nennen. Denn das Überlieferungsgut, das hinter den ältesten Stoffen der Spruchquelle Q steht, setzt sich ausnahmslos aus kurzen selbständigen Prophetensprüche zusammen. Symptomatisch sind aber vor allem die zahlreichen und einprägsamen Einleitungsformeln zu den Einzelsprüchen: «Ich sage euch», die Seligpreisungen, das «Wehe euch» und das «Wer unter euch?», die unschwer erkennen lassen, daß Jesus Prophet, der letzte Prophet der Endzeit vor der anbrechenden Gottesherrschaft war.

Die Untersuchungsergebnisse hinsichtlich dieser traditionell apokalyptischen Formeln sind eindeutig. Die «Ich sage euch»-Formel findet sich noch nicht im Alten Testament, wohl aber in der jüdischen Apokalyptik (äth.Hen.91,18; 94,1.3; 99,13 u.ö.) und in der Spruchquelle Q (Mt. 5,18.32.39.44; 6,25.29 par.) im Munde Jesu. Diese prophetisch-apokalyptische Vollmachts- und Autoritätsformel setzt den endzeitlichen Geistbesitz und damit zugleich die unmittelbare und höchste Gewißheit Jesu voraus: Gott selber spricht durch seinen Mund zu seinen Nachfolgern. Jesus ist von Gott als Prophet zu Isreael gesandt, indem Gott selber sich vor dem nahen Weltende und seinem jetzt bevorstehenden Herrschaftsantritt unmittelbar durch das Wort seines Botschafters und Mittlers Jesus offenbart. Die «Ich sage euch»-Formel Jesu ist als die prophetisch-apokalyptische Grundformel Offenbarungs- und Autoritätsformel in einem. Deshalb bedarf sie keiner weiteren Legitimierung durch den Rückverweis z.B. auf die alttestamentlichen Schriften.

Die Seligpreisungen gehören zwar von Haus aus zur Weisheitstradition, sind allerdings in den ältesten Q-Stoffen (Lk.6,20bf = 3mal) im Munde Jesu wegen ihrer zweigliedrigen Form und endzeitlichen Ausrichtung den apokalyptischen Heilsrufen zuzurechnen (vgl. nur äth. Hen.58,2; 99,10; 103,5 u.ö.).

Deshalb ist die prophetisch-apokalyptische Vollmachtsformel «Heil dem ...» Kennzeichen inspirierter Rede und geistlicher Autorität.

Die apokalyptischen Weherufe Jesu in Mt. 23 sind prophetische Gerichtsworte, die den angeredeten Pharisäern das nahe Endgericht ansagen.

Schließlich ist die traditionell prophetische Verkündigungsform «Wer unter euch?» (vgl. im AT Jes.43,13; 50,10; Hag.2,3 u. ö.) mit ihrem typischen Hinweis auf das unter Menschen allgemein übliche Verhalten (vgl. Mt.7,9; 12,25 par.) hier zu nennen.

Alle diese prophetisch-apokalyptischen Verkündigungsformeln beweisen, daß Jesus das Bewußtsein der einzigartigen Verbundenheit mit seinem Gott hatte, das heißt, sich im Besitz des der Endzeit verheißenen Geistes wußte, der seine Autorität und prophetische Inspiration begründete und woraus schließlich sein endzeitliches Selbstverständnis resultierte, daß mit ihm die verheißene apokalyptische Endzeit in Israel angebrochen sei.

Das in der Forschung bis zum Überdruß verhandelte Problem des «Selbstbewußtseins Jesu» dagegen ist nicht in den drei bekannten Hoheitstiteln: Messias, Sohn Gottes und Menschensohn greifbar, sondern in diesen traditionell prophetisch-apokalyptischen Vollmachtsformeln. Jesus hat sich und sein Auftreten als das Zeichen der anbrechenden Gottesherrschaft verstanden. Das heißt: Das Selbst- und Sendungsbewußtsein Jesu kann nur aus dieser seiner apokalyptischen Botschaft abgeleitet werden und nicht umgekehrt. Er war der letzte Prophet, und sein Auftreten und Wirken sind deshalb einzigartig, weil nach ihm nichts mehr kommt als Gott und seine Herrschaft allein.

c) Diese Gegenwart des von Gott selbst für die Endzeit verheißenen Geistes begründete zugleich die *akute Naherwartung des Weltendes und des Herrschaftsantritts seines Gottes*. Das heißt, Jesu Verkündigung war in allen Phasen und Stadien von der Erwartung des nahen Endes, eben dem unmittelbaren Hereinbrechen der Gottesherrschaft bestimmt (vgl. Mt.5,3ff; 6,9ff.25ff par in der Q-Quelle). Wie sein geistiger Vater Johannes war der Schüler Jesus ebenfalls Apokalyptiker und war – worauf schon hingewiesen wurde – die jesuanische Erneuerungsbewegung wie alle übrigen religiösen Erneuerungsbewegungen in Israel (= Zeloten, Essener, Pharisäer, nationale Propheten, Täufer) von der apokalyptischen Naherwartung des Reiches Gottes beherrscht.

Wie wir heute noch mit einiger Sicherheit aus der ältesten Tradition erschließen können, ist die Botschaft Jesu von ihrem Anfang bis zu ihrem Ende von der Naherwartung bestimmt gewesen. Im Unterschied zu Johannes dem Täufer haben sich aber Jesus und seine engsten Nachfolger nicht an einem bestimmten Ort am Jordan aufgehalten, sondern sind unstet von Ort zu Ort umhergezogen. Jesus war ein Wanderprophet bzw. Wanderprediger. Wiederum ist in erster Linie die Gegenwart des Geistes bzw. sein endzeitlicher Geistbesitz der Grund für diesen Wanderradikalismus Jesu.

d) Der historische Jesus hat nämlich nicht wie die Essener in der Wüste am Toten Meer einen überdisziplinierten Mönchsorden gegründet, nicht wie die Pharisäer ein bürgerlich-normales Leben geführt oder wie die Zeloten und andere Widerstandskämpfer mit Waffengewalt gegen die römische Besatzungsmacht gekämpft. Ohne Heimat und Familie, ohne Arbeit und Besitz, schutz- und wehrlos also vogelfrei, sind Jesus und seine Jünger durch die Lande gezogen. Es ist darum kein Zufall, daß sehr viele Worte Jesu in diesem Zusammenhang formgeschichtlich den volkstümlichen Weisheitsworten zuzurechnen sind (Mt.6,19ff.25ff; 7,1ff. u.ö.) und inhaltlich eindeutig in die alttestamentlich-jüdische Schöpfungstheologie gehören. Früheren Generationen von Auslegern ist deshalb schon immer die unmittelbare und unbefangene Anschauung Jesu als des Weisheitslehrers aufgefallen. So hat Jesus den nahen Schöpfergott unmittelbar angesagt, der für die von ihm geschaffene Welt in nie nachlassender Fürsorge da ist: Der die Vögel nährt, die Lilien auf dem Felde schmückt und ohne seinen Willen nicht einmal einen Sperling tot zur Erde fallen läßt. Deshalb warnt Jesus vor dem heidnischen Sorgen (Mt.6,25ff par), vor dem Richten der Mitgeschöpfe (Mt.7,1ff par) und vor der falschen Furcht (Mt.10,28ff par); er fordert vielmehr die Armut (Mt.6,19ff) und preist die wirklich

Armen, Hungernden und Klagenden selig (Mt.5,3ff par). Man hat angesichts dieses Sachverhaltes immer wieder zu Recht darauf hingewiesen, daß Jesus keinen neuen Gottesgedanken gebracht hat, sondern mit alledem im direkten Zusammenhang mit dem alttestamentlich-jüdischen Gottesverständnis steht, dieses allerdings in seiner ganzen Klarheit, Reinheit und Konsequenz zum Zuge und in seinem Leben gelebt hat.
Jesus glaubt an den Gott Israels, den Schöpfer, Erhalter, Fürsorger und Regent aller seiner Geschöpfe, aber er hat eben mit diesem alttestamentlich-jüdischen Gottesglauben völlig ernst gemacht Das wird auch daran deutlich, daß Jesus gerade den Vaternamen als Gebetsanrede für seine Jünger gewählt hat (vgl. nur das sog. Vaterunser Lk.11,2ff par). Die Bezeichnung Gottes als Vater aber war keine im Alten Testament und Judentum seiner Zeit geläufige Gottesbezeichnung, sondern eine alltägliche, die das Kind seinem leiblichen Vater gegenüber gebrauchte. Gerade diese alltägliche und familiäre Anrede wandte Jesus auf Gott an, um damit eindrücklich Gottes Liebe und Treue zu seinen Geschöpfen zum Ausdruck zu bringen.
Grund für die Ansage Jesu des unmittelbar nahen und barmherzigen Schöpfergottes als des in der Gegenwart für alle seine Geschöpf immer da-seienden Vaters wie die daraus von Jesus gezogene Konsequenz seines sorg-, heimat-, arbeits-, familien-, besitz-, beruf- und schutzlosen Lebensstils, d.h. seines Wanderradikalismus, ist vornehmlich der Empfang und Besitz, d.h. das Leben in der Gegenwart des endzeitlichen Geistes. Beweis ist die schon erklärte, prophetisch-apokalyptische Vollmachtsformel «ich, sag euch» zum Beispiel in Mt.6,25ff; Lk.12,4ff.9ff, auch wenn diese Formel bei ähnlichen Sprüchen Jesu dem Verschriftungsprozeß oft genug anheim gefallen ist. Andererseits gibt es aber auch Sprüche Jesu, in denen der Wanderradikalismus nicht schöpfungstheologisch, sondern apokalyptisch, das heißt mit dem Hinweis auf das nahe Weltende und der anbrechenden Gottesherrschaft begründet wird (Mt.5,3ff; 6,9ff und 25ff par). Jesus hat zwar das Handeln des nahen Schöpfergottes von dem des erlösenden und richtenden Gottes in der nahen Weltkatastrophe unterschieden, aber nicht getrennt! Wir können jetzt auch formulieren: Weil Jesus den endzeitlichen Geist von Gott empfangen hat, steht er in der Gegenwart dieses Geistes und damit in der unmittelbaren und unbefangenen Gewißheit, um die schon anbrechende Gottesherrschaft zu wissen, wie den nahen Schöpfergott als den fürsorgenden Vater zu kennen und zu verkündigen, und kann er schließlich diesen Lebensstil eines Wanderpropheten verwirklichen, so daß er jeden Tag neu und ausschließlich der schenkenden Fürsorge seines himmlischen Vaters vertraut.
Gerade weil der Schöpfergott allmächtig ist, kann und soll sich der Jünger ohne Scheu an ihn wenden. Denn sein himmlischer Vater weiß im voraus, was wir brauchen (Mt. 6,7f; 27ff; 7,7ff). Ja, der Beter wird von seinem himmlischen Vater selbst ausdrücklich aufgefordert (Mt. 7,7ff), sich mit

kindlichem Vertrauen und Zuversicht an ihn zu wenden, und selbst um das Unwahrscheinliche und Unmögliche zu bitten.
Auf allen seinen Wanderungen durch die besiedelten Gebiete Galiläas verkündigte Jesus das Hereinbrechen der Gottesherrschaft und den gegenwärtigen Schöpfer als barmherzigen Vater, stand er in tödlicher Auseinandersetzung mit den Pharisäern und rief er Menschen von Haus, Acker und Boot fort in seine radikale Nachfolge, wobei man von Spenden mit ihm sympathisierender Israeliten lebte.
e) Schließlich ist der Gott Jesu wie im Alten Testament und Judentum seiner Zeit nicht nur der Schöpfer, sondern zugleich und vor allem der Bundesgott. Seit der Sinai-Offenbarung ist Gott der Erwähler, Erhalter und Retter Israels, hat er auf ewig den Bund mit seinem Volk geschlossen und ihm das *Gesetz vom Sinai* als Unterpfand des Heils geoffenbart. Derselbe Gott wird einem jeden Israeliten in der Offenbarung seiner Herrschaft vergelten, ob er das Gesetz getan oder übertreten hat. Dieses Gesetz vom Sinai ist auch für Jesus wie für die von ihm hervorgerufene Erneuerungsbewegung und natürlich für alle übrigen innerjüdischen Erneuerungsbewegungen unbestrittener Heilsfaktor: das gesamte Mosegesetz bis hin zu den unzähligen Zierstrichen hat für Jesus in dieser Weltzeit unverkürzte Heilsbedeutung (Mt. 5,18 par).
Darüber hinaus aber hat Jesus in prophetischer Vollmacht und ohne den sonst üblichen Rückgriff auf das alttestamentliche Schriftwort in schneidendem Gegensatz zu den Pharisäern grundsätzlich das Moral- und nicht das Kultgesetz verschärft: radikales Verbot der Ehescheidung, des freien Geschlechtsverkehrs und des Ehebruchs (Mt.5,32par), rigoroser Verzicht auf Wiedervergeltung (Mt.5,39ff par), Gebot der Feindesliebe (Mt.5,44ff par), Forderung des Besitzverzichts (Mt.6,19ff par) und Verbot des Richtens gegenüber dem Nächsten (Mt.7,1ff par). Wie alle diese Belegstellen sowie der Gegensatz zwischen äußeren Taten und der Haltung des Herzens (Mt.23,25.27par) und die Entgegensetzung von Wichtigem und Unwichtigem (Mt.23,23) beweisen, kommt dieses Faktum der Gesetzesverschärfung allein dem Nächsten zugute. Ein ausdrücklicher Messiasanspruch wird aber damit von Jesus nicht verbunden.
Dieser eindeutigen Verschärfung des Moralgesetzes steht die Entschärfung und gleichzeitige Unterordnung des Kultgesetzes gegenüber: Der korrekte Vollzug kultischer Riten kann für Jesus niemals ein Gehorsamsersatz gegenüber dem Anspruch des Nächsten unter Einschluß des Feindes sein (Mt.23,23.25ff par u.a.). Aber das Kultgesetz wird von Jesus weder vergleichgültigt noch gar verabschiedet, sondern nur dem verschärften Moralgesetz untergeordnet. Ja, Jesus anerkennt sogar die pharisäisch-verschärfende Auslegung des alttestamentlichen Kultgesetzes (Mt.23,23.25), erhebt keinen grundsätzlichen Vorwurf gegen die pharisäische Gesetzesauslegung (Mt.23,4 par) und spricht den Pharisäern nicht einmal die «Schlüsselgewalt» ab (Mt.23,13 par).

Das typisch jüdische Lohn- (Mt.5,46) und Furchtmotiv (Mt.10,28ffpar.) wie die Aufforderung zum Bittgebet (Mt.7,7-f par.) und das Vaterunser (Mt.6,9ff par) bleiben sachlich auf dem üblichen jüdischen Niveau. Auch wenn in der apokalyptischen Gesetzesauslegung Jesu und in seiner Botschaft überhaupt von Geheimlehren für Eingeweihte (so die Qumran-Essener) nichts und von juristischer Haarspalterei (wie bei den Pharisäern) nur wenig zu spüren ist, lassen sich zu jeder Forderung jüdische Analogien oder Parallelen beibringen: keines der Gesetzesworte Jesu ist unableitbar und nirgendwo wird der Boden des Judentums theologisch verlassen. Auch wenn die Verschärfung des Moralgesetzes zum Teil eine Aufhebung des alttestamentlichen Gesetzeswortes bedeutet, wie vor allem im Fall des Verbotes der Ehescheidung, weniger des Verzichts auf Wiedervergeltung und des Gebotes der Feindesliebe, so vollzieht sich doch dieser Widerspruch gegen Mose immer auf den Boden des Gesetzes, will Jesus dieses nur seiner eigentlichen Absicht gemäß verschärfen bzw. entschärfen, aber niemals bewußt oder gezielt sprengen oder gar ablösen. Jesus beabsichtigte nur eines in seiner Botschaft und Existenz: den Willen Gottes uneingeschränkt zur Geltung zu bringen. Der historische Jesus hat die Heilsnotwendigkeit des Gesetzes bejaht, also die Mose-Autorität nicht grundsätzlich oder gar planmäßig kritisiert, sondern vom Wortlaut des mosaischen Gesetzes auf die Absicht des göttlichen Willens zurückgeführt (so im Verbot der Ehescheidung, der Wiedervergeltung und dem Gebot der Feindesliebe), für den Nächsten unter Einschluß des Feindes in Liebe da zu sein. Die das ewige Leben beschaffende Funktion des Gesetzes wird von Jesus nirgendwo und niemals aufgehoben.

Wie das Alte Testament und die übrigen innerjüdischen Erneuerungsbewegungen weiß auch Jesus um die Sündigkeit des Menschen (Mt.7,11 par). Aber im Gegensatz zu den Essenern ist der Mensch nicht hoffnungslos von Verhängnismächten versklavt, kennt Jesus nicht den singularischen Sündenbegriff – Sünde als Macht – sondern Sünden als verantwortliche Gebotsübertretungen (Mt.6,12par) und die Rechtfertigung des Gottlosen allein aus Glauben, auch wenn auf Gottes Vergebung angewiesen bleibt und selbst zu Vergebung und Versöhnung bereit sein soll (Mt.6,12 par). In seiner Botschaft fehlt auch völlig eine Verhältnisbestimmung von Heilsgabe und Heilsforderung, von Indikativ und Imperativ, und hat er nirgends zwischen beiden Größen unterschieden. Jesus hat seine Jünger weder aus dem Judentum herausgeführt noch zum demonstrativen Bruch mit den in der Heilsgeschichte begründeten Vorrechten Israels genötigt oder gar das Dogma von der Erwählung Israels zerstört. Auch kann keine Rede davon sein, daß Jesus die Schöpfung alternativ gegen Heilsgeschichte und Gesetz ausgespielt hat.

Weder entfaltete Jesus eine ausdrückliche Christologie noch gar hat er zu seinen Lebzeiten eine Kirche und nicht einmal mehr primär Ortsgemeinden gegründet, sondern eine Bewegung von in Palästina umherziehenden

Wanderpredigern und Wandermissionaren ins Leben gerufen. Und schon gar nicht hat er die gesetzesfreie Heidenmission praktiziert, auch wenn er sich – wie zu Recht immer wieder betont wird – als endzeitliches Phänomen verstanden hat und sein Vollmachtsbewußtsein wie seine Unmittelbarkeit nicht in Abrede gestellt werden können. Weder hat Jesus gesellschaftsumstürzende oder politische Anliegen verfolgt noch gar war er ein Zelot, auch wenn seine Ansage der unmittelbar bevorstehenden Gottesherrschaft indirekt das Ende jeder anderen Herrschaft bedeutet, also der Herrschaft der Priester wie Römer. Aber im Unterschied zu Widerstandskämpfern (= Zeloten, Sikariern u.a.) und Essenern erwartete Jesus die ganz nahe, wunderbare Verwirklichung der Gottesherrschaft, nicht aber ihre terroristische Durchsetzung durch Waffengewalt in der Gegenwart. Umgekehrt hatte er aber auch nicht einfach seinen Jüngern private Herzensfrömmigkeit und weltflüchtige Innerlichkeit dringlich gemacht. Seine Forderungen und Warnungen haben durchaus auch eine sozialethische Relevanz und gesellschaftskritische Dimension: Reichtum und Besitz werden immer wieder kritisiert, Gewalt, Rache und Hass untersagt.

f) *Jesu Kreuzestod* beweist freilich, daß seine Botschaf wohl jüdisch, aber schroff antipharisäisch ausgerichtet war. Seine provokativ antipharisäische Auslegung des Gesetzes wie der damit verbundene apokalyptische Fluch über die pharisäisch geführte Synagoge waren aufrührerisch und der Grund seines Kreuztodes. Dieser geht zurück auf den Haß sowohl der Pharisäer als auch der Jerusalemer Aristokratie, dem Synedrium, das aus Oberpriestern, Ältesten und Schriftgelehrten bestand und das Mißverständnis der Römer. Aufgrund von Mt.23,29–31 ist es mehr als wahrscheinlich, daß Jesus seine Sendung im Sinne der traditionell alttestamentlich-deuteronomistischen Vorstellung vom gewaltsamen Geschick der Propheten verstanden hat. Auch wenn wir heute die Frage nicht mehr eindeutig beantworten können, warum Jesus mit seinen Jüngern nach Jerusalem im Rahmen einer Passah-Wallfahrt zog, er wurde nicht von seinem Tode überrascht, sondern er hat um seinen Tod gewußt. Dieser sein Tod war die Folge seiner antipharisäischen Gesetzesauslegung! Als endzeitlicher Umkehrprediger und Gesetzeslehrer wie als letzter Prophet vor dem unmittelbaren Anbruch der Gottesherrschaft hat er das gleiche Schicksal wie die vor ihm gemordeten Propheten Gottes erlitten.

Die Gesetzesauslegung Jesu steht zwar demnach in unmittelbarem geschichtlichem Zusammenhang mit den übrigen innerjüdischen, religiösen Erneuerungsbewegungen, seine Kritik am Pharisäismus aber ist und bleibt eine innerjüdische Kritik und kann nur als ein Kampf zwischen feindlichen Brüdern intra muros verstanden werden. Die prophetisch-apokalyptisch motivierte Gesetzesinterpretation Jesu bleibt historisch wie sachlich im Bereich des Judentums.

II. Die Heilsbedeutsamkeit des Mosegesetzes

Im Judentum zur Zeit Jesu war das mosaische Gesetz (hebräisch: Thora; griechisch: nomos) die entscheidende Heilsgabe als Forderung an Israel. Dieses Gesetz vom Sinai – dem Volk Israel gegen seinen Willen unter Donner und Blitz gegeben – war aber, was meistens übersehen wird, eine komplexe Größe, die zivil-, prozeß- und kultrechtliche Bestimmung enthielt.
Schon im Alten Testament stehen gleichberechtigt neben den apodiktischen (wichtigstes Beispiel der Dekalog in 2.Mos.20,20ff; 5.Mos.5,6ff mit seinen kategorischen Verboten: «Du sollst nicht ...») – und kasuistischen Geboten (wichtigstes Beispiel ist das Bundesbuch 2.Mos.20,22–23,33 mit seinen konditional gefaßten Entscheiden: «Wenn [jemand] ..., so [soll] ...») vor allem die kultisch-rituellen Gebote (vgl. das sogenannte Heiligkeitsgesetz in 3.Mos.17–26). Also nicht nur die Zehn Gebote (= das Moralgesetz) gehören nach alttestamentlich-jüdischem Verständnis zum Gesetz des Mose vom Sinai, sondern ebenso die kultisch-rituellen Gebote (= das Kultgesetz) sind ebenso unveränderliche Inhalte dieser souveränen Willenskundgebung Gottes.
Dieses am Sinai geoffenbarte Gesetz ist nun aber für ganz Israel, für das Israel des Alten Testamentes wie für alle innerjüdischen religiösen Erneuerungsbewegungen zur Zeit Jesu der einzige Heilsweg bzw. der Heilsfaktor schlechthin: «Darum sollt ihr meine Satzungen und meine Vorschriften halten. Der Mensch, der danach tut, wird durch sie leben» (3.Mos.18,5). Das Mose-Gesetz und der Heilsweg sind für Israel identisch. Dafür noch einige Beispiele: Das Gesetz ist Zaun gegen die Sünden, ist selbst Licht (syr.Bar.17,4) und durch das Gesetz kommt ewige Herrlichkeit (4.Esr.9,31 u.ö.). Sir.17,11; 45,5 sprechen deshalb vom «Gesetz des Lebens», das heißt es ist ein Leben schaffendes Gesetz (syr.Bar.38,2).

1. Die Begrenzung des Gesetzes vom Sinai

«Ich sage euch:
Bis Himmel und Erde vergehen,
wird nicht ein einziges Krönchen vom Gesetz vergehen» (Mt.5,18 par.).
Mit diesem bildhaften Prophetenspruch wird von Jesus die unverkürzte Geltung des Mose-Gesetzes – Moral- wie Kultgesetz – bis hin zu den zahllosen Zierstrichen am Konsonantentext der hebräischen Bibel in dieser Weltzeit eingeschärft.
Die Matthäus-Fassung dieses semitisierenden Gesetzeswortes dürfte gegenüber dem Lukas-Text ursprünglich sein. Die traditionelle Einleitungsformel «Ich sage euch» im Munde Jesu zeigt, daß Jesus im Besitz des für die Endzeit von Gott verheißenen Geistes eine autoritative Aussage

über die zeitliche Dauer des gesamten Mose-Gesetzes macht. Das doppelte «Vergehen» ist apokalyptisch motiviert, weil auf die hereinbrechende Gottesherrschaft bezogen. Mit dem hier zugrundeliegenden griechischen Wort sind die «Krönchen» gemeint, die an den einzelnen hebräischen Buchstaben als Verzierung angebracht wurden.
Das Mosegesetz einschließlich der Zierstriche gilt nach Jesus nur, solange «dieser Aeon» besteht. In prophetischer Vollmacht, das heißt in der Gegenwart des endzeitlichen Geistes, wird mit dem Aufhören des Himmels und der Erde, also mit der zur unmittelbar bevorstehenden, apokalyptischen Weltenwende, auch ein Ende des Gesetzes verkündet. Der Konsonantentext des Gesetzes stand für Jesus dagegen überhaupt nicht zur Diskussion. Denn sogar die zahllosen Zierstriche am Gesetzestext sind für Jesus göttlichen Ursprungs. Nicht eines davon (das Zahlwort wird hier semitisch genannt!) wird zugrundegehen.
Gleichlautende Aussagen finden sich auch in der pharisäischen Erneuerungsbewegung, zum Beispiel: Ex. Rabba 6,1 (zu Ex.6,2): «Und Gott sprach: Salomo und tausend wie er werden vergehen, aber ein Strichelchen von dir (= der Tora) lasse ich nicht vergehen.»
Die Unversehrtheit des ganzen hebräischen Gesetzestextes einschließlich der Zierstriche wird zwar von Jesus wie den Pharisäern behauptet, aber gegen Pharisäer und pharisäische Apokalyptik wird nach Jesus mit dem Ende dieser Weltzeit bei der apokalyptischen Ankunft der Gottesherrschaft auch das mosaische Gesetz zu Ende gehen und seine Gültigkeit verlieren, weil es dann überflüssig sein wird.
Nur in diesem Aeon hat es für den Menschen uneingeschränkte Gültigkeit, bleibt die unverkürzte Geltung des Gesetzes einschließlich der Zierstriche am Toratext in Kraft. Jesus lehnt also den Lehrsatz der Pharisäer von der ewigen Gültigkeit der Tora ab (vgl. z.B. Tob.1,6; Bar.4,1; syr. Bar.77,15; 4.Esr.9,37).
Dieser Prophetenspruch Jesu gehört demnach in die Auseinandersetzung mit den Pharisäern: Zwar sind sich Jesus und die pharisäische Erneuerungsbewegung einig in der Heilsnotwendigkeit und Unversehrtheit des ganzen Gesetzestextes bis hin zu den Zierstrichen, aber in der zeitlichen Dauer besteht zwischen beiden innerjüdischen Erneuerungsbewegungen ein entscheidender Unterschied.

2. Die Verschärfung des mosaischen Moralgesetzes

a) Jesus wie die übrigen innerjüdischen religiösen Erneuerungsbewegungen lehnen den freien Geschlechtsverkehr und Ehebruch ab. Eine ausdrückliche Kritik der Polygamie allerdings fehlt in der Predigt Jesu. Umso schärfer fällt in dem folgenden semitisierenden Gesetzeswort das absolute Verbot der Ehescheidung und Wiederheirat auf:

«Ich sage euch:
jeder, der seine Frau aus der Ehe entläßt,
begeht Ehebruch an ihr.
Und wer eine entlassene Frau heiratet,
bricht die Ehe» (Mt. 5,32/Lk. 16,18).

Der Spruch enthält den typischen Gesetzesstil: «Jeder, der...» und «Derjenige, wenn er ...». Jesus wendet sich mit diesen beiden kasuistischen Doppelsätzen gegen zwei vor allem von der pharisäischen Erneuerungsbewegung anerkannte und praktizierte Rechtsfälle: 1. Die Entlassung der eigenen Ehefrau und 2. die Wiederheirat mit einer geschiedenen Frau.

Ehebruch bedeutete nach dem alttestamentlich-pharisäischen Eherecht für den betreffenden Ehemann immer nur dann Verletzung der fremden Ehe, wenn er die Ehefrau eines Mitisraeliten verführte. Der aussereheliche Verkehr des Ehemannes mit unverheirateten Frauen fällt dagegen nicht unter den Rechtsfall des Ehebruchs. Jedoch bricht die Ehefrau nach diesem patriarchalisch begründeten Recht immer die Ehe, wenn sie ihrem eigenen Eheman untreu wird, worauf eine schwere Strafe stand. Diese Rechtspraxis hängt einfach damit zusammen, daß die Ehe als eine sachrechtliche Größe, eben als Eigentumsverhältnis, angesehen wurde.

Ebenso wird auch das Recht auf Ehescheidung völlig nur dem israelitischen Mann zugebilligt, niemals aber der Frau. Diese Ehescheidungspraxis, die letztlich nichts anderes ist als eine allmählich nach und nach vollzogene Polygamie, ist vom Mosegesetz ausdrücklich gebilligt und sanktioniert worden (5. Mos. 24,1), wobei die Geldfrage selbstverständlich eine außerordentliche Rolle spielte.

Der Text in 5.Mos.24,1 lautet: «Wenn ein Mann eine Frau heiratet und die Ehe mit ihr vollzieht, und wenn sie dann keine Gnade in seinen Augen findet, weil er an ihr etwas Schandbares gefunden hat, und er ihr einen Scheidebrief schreibt und in ihre Hand gibt und sie aus seinem Hause entläßt ...». Andererseits muß anerkannt werden, daß diese sogenannte Scheidebriefpraxis auch die Wiederverheiratung der verstoßenen Ehefrau ermöglichte und sie damit sozial absicherte. Ein Scheidebrief sah zum Beispiel folgendermaßen aus:

«An dem und dem Wochentage, ... habe ich ... aus eigenem Entschluß und freiem Willen und ohne jeden Zwang dich verabschiedet, entlassen und verstoßen ..., so daß du frei und deiner selbst mächtig bist, zu gehen, um dich zu verheiraten an jeden beliebigen Mann ...« (= Wortlaut eines Scheidebriefes aus dem Talmudkompendium des Alphasi um 1013–1103 n. Chr.). Nach diesem alttestamentlich-jüdischen Ehegesetz ist die Scheidung allein an die schriftliche Fixierung des vom Manne gefaßten Scheidungsentschlusses geknüpft; Gründe für diesen Entschluß werden nicht berücksichtigt, sind deshalb rechtlich auch nicht notwendig.

Die pharisäisch-rabbinische Diskussion kreist um das «etwas Schandbares» aus 5.Mos.24,1: Schammai (ca. 20 vor bis 15 nach Christus) und seine

Schule sahen in dem «Schandbaren» etwas moralisch Anstößiges, das heißt Unzuchtsünden. Die mit ihm rivalisierende Schule Hillels (auch ca. 20 vor bis 15 nach Chr.) sieht darin auch einen Scheidungsgrund, deutet aber zusätzlich noch das «etwas» als «irgendeine Sache» von Anstoß und sieht zum Beispiel schon im Anbrennenlassen von Speisen einen Scheidungsgrund.

Beide Schulen aber standen auf dem gemeinsamen Boden pharisäischer Gesetzesfrömmigkeit und Rechtspraxis. Nach pharisäisch-rabbinischer Überlieferung hat Gott sogar gesagt: «In Israel habe ich Scheidung gegeben, aber nicht habe ich unter den Völkern der Welt Scheidung gegeben». Nur in Israel hat «Gott seinen Namen mit der Ehescheidung ... vereinigt» (pQid. I.,58 c, 16).

Jesus dagegen lehnt aufgrund des endzeitlichen Geistbesitzes angesichts der sich von jetzt ab verwirklichenden Gottesherrschaft diese laxe pharisäische Ehescheidungspraxis ab. Der Empfang des Geistes der Endzeit begründet offensichtlich diese höchste und unmittelbare Gewißheit Jesu, Gottes Willen aufgrund seines apokalyptischen Sendungsbewußtseins zu kennen und zu verkündigen, der mit dem absoluten Verbot der Scheidung und Wiederheirat im antipharisäischen Sinne identisch ist.

Direkte sachliche Berührung aber weist dieses absolute Ehescheidungsverbot Jesu mit der essenischen Erneuerungsbewegung auf. Die Essener fordern die Einehe (vgl. 11 Q Tempelrolle 56, 18f; 57,17f.) und verbieten die Ehescheidung (CD 4,20–5,1 und vielleicht 11 Q Tempelrolle 57,18ff). Außerdem kämpfen sie gegen das Unzuchtstreiben der Pharisäer (CD 4,19–21 u.a.). Schließlich hat auch der rigorose Verzicht der essenischen Erneuerungsbewegung auf die Ehe überhaupt ihre Kritik an der Eheauffassung der pharisäischen Erneuerungsbewegung außerordentlich verschärft. Das heißt aber: Sowohl die essenische als auch jesuanische Erneuerungsbewegung kennen und praktizieren das Scheidungsverbot angesichts der Nähe der Gottesherrschaft und stehen damit im Widerspruch zum alttestamentlichen Gesetz.

Auch wenn in diesem Wort Jesu nicht direkt auf die Naherwartung des Reiches Gottes und des Weltendes Bezug genommen wird (wie z B. bei Paulus in 1.Kor.7,26.29.31), so zeigt doch die prophetisch-apokalyptische Einleitungsformel «Ich sage euch», daß Jesus sich beim Aussprechen dieses absoluten Scheidungsverbotes als Werkzeug des endzeitlichen Gottesgeistes wußte und deshalb seine Einstellung zur Ehe und Ehemoral wie in der essenischen Erneuerungsbewegung – trotz aller Unterschiede – apokalyptisch, und das heißt durch den Anbruch der Gottesherrschaft, bedingt ist.

Vor allem aber hat dieses absolute Verbot der Ehescheidung und Wiederheirat in der Jesusforschung ein solches theologisches Gewicht, weil damit von Jesus ein zentrales Gebot des mosaischen Moralgesetzes dem Wortlaut nach aufgehoben wird, Jesus also Torakritik geübt hat. Aber zu

Recht ist in der Auslegung dieses antipharisäischen Prophetenwortes Jesu darauf hingewiesen, worden daß zwar eine ungrundsätzliche Aufhebung einer alttestamentlichen Gesetzesbestimmung im Sinne der Verschärfung des Moralgesetzes, aber keine bewußte planmäßige und grundsätzliche Ablösung der Autorität des Mosegesetzes vorliegt. Mit dem absoluten Verbot der Scheidung und Wiederheirat hat Jesus die Unantastbarkeit der Ehe und damit letztlich die Humanisierung der Stellung der Frau eingeleitet und gewollt.

Diese Verschärfung des Moralgesetzes führt vielmehr vom Wortlaut des Mosegesetzes auf seine eigentliche Intention zurück, für den Nächsten, d.h. seine Ehefrau in Liebe da zu sein. Soweit aber Jesus mit seiner ungrundsätzlichen Aufhebung einer einzelnen Gesetzesbestimmung die in der Tora vom Sinai enthalte Intention der Liebesforderung herausliest, verbleibt Jesus im Rahmen des jüdischen Gesetzesverständnisses. Jesus hat mit diesem absoluten Verbot der Ehescheidung und Wiederheirat keineswegs das Moralgesetz sprengen wollen, gerade weil es in dieser radikal ethischen Weisung zur Ehemoral um eine Verschärfung des alttestamentlichen Liebesgebotes als der Summe des Mosegesetzes geht.

b) Dieselbe Stoßrichtung weist die Spruchkomposition Mt.5,39–42 /Lk. 6,29f auf:

«Ich sage euch:
Wer dich auf die rechte Backe schlägt,
dem halte auch die andere hin.
Und dem, der mit dir prozessieren und dir dein Hemd nehmen will,
laß auch den Mantel.
Wer dich bittet, dem gib;
Und wer von dir borgen will,
den weise nicht ab.»

Jesus fordert rigoros die Gewaltlosigkeit, den Verzicht auf das Recht der Wiedervergeltung. Damit verbietet Jesus also nicht nur jedes aggressive Verhalten, sondern sogar jede Gegenwehr gegen mögliche Aggressionen. Matthäus hat wiederum gegenüber Lukas den ursprünglichen Wortlaut bewahrt. Allerdings geht die Mahnung, dem Bösen nicht zu widerstehen, in V. 39a sowie der gesamte V. 41 auf das Konto des Matthäus-Evangelisten.

Der Aufbau dieser Spruchgruppe, die ursprünglich aus Einzelsprüchen bestand, ist kunstvoll: Mt. 5,39b.40 u. 42 enthalten je ein Doppelwort mit einer Doppelzeile.

Auch diese drei Sprüche sind im Gesetzesstil formuliert, das heißt, der erste Teil der drei Sätze enthält ein Partizip, dem im zweiten Teil jeweils ein Imperativ folgt. Die drei Sprüche Jesu gehören also zu den Gesetzesworten bzw. Rechtssätzen, die im Alten Testament ihr Vorbild haben.

Zugleich stellt diese Spruchreihe Szenen bzw. Beispiele nebeneinander: Körperverletzung bzw. gewalttätige Auseinandersetzung, dann Prozessieren vor Gericht und schließlich einfache Bitte, von denen jede den nichtkasuistischen Kern enthält: Verzichte auf deinen Rechtsanspruch gegenüber deinem Nächsten!

Vor allem aber wird auch diese Forderung des Gewalt- und Rechtsverzichts wiederum durch die bekannte prophetisch-apokalyptische Formel «Ich sage euch» eingeleitet: Als Träger des für die Endzeit verheißenen Gottesgeistes legt Jesus vollmächtig das Mosegesetz verschärfend aus, und deshalb wird diese Gesetzesschärfung apokalyptisch durch die sich verwirklichende Gottesherrschaft begründet. Es ist autoritative Gesetzesauslegung vor dem baldigen Ende von Welt und Geschichte.

Angeredet werden die Jünger nicht mit dem allgemeinen «Ihr», sondern mit dem persönlichen «Du». Der einzelne Jesus-Nachfolgende wird aufgefordert zur unbedingten Brüderlichkeit.

Wer auf die Wange geschlagen wird, hat eine Entschädigung zugut. Nach pharisäischem Recht handelt es sich zugleich um eine Entehrung, weil der Schlag auf die rechte Wange, der mit dem Handrücken ausgeführt werden mußte, als besonders schimpflich galt. Nach dem alttestamentlichen Recht der Vergeltung durch das kleinere Übel war jedem, der geschlagen wurde, der Schlag erlaubt: «Leben für Leben, Auge für Auge, Zahn für Zahn, Hand für Hand, Fuß für Fuß ...» (Vgl. 2.Mos.21,24; 3.Mos.24,20; 5.Mos.19,21).

Dieser alttestamentliche Rechtssatz zur Regelung des Strafmaßes bei Körperverletzung wird durch den neuen Rechtssatz Jesu (= «dem halte auch die andere Backe hin!») außer Kraft gesetzt.

Gewisse inhaltliche Entsprechungen zu dieser Jesusforderung finden sich in den pharisäischen und essenischen Erneuerungsbewegungen: So rufen zwar die Pharisäer zur Nachgiebigkeit und Geduld auf und rühmen manchmal sogar die Praxis der Liebe zu Gott im Leiden wie Schabb. 88d: «Die gedrückt ... werden und nicht wieder bedrücken, die ihre Schmähung anhören und sie nicht erwidern, die aus Liebe (zu Gott) handeln und über Leiden sich freuen – über die sagt die Schrift: ‹Die ihn lieben, sind wie der Aufgang der Sonne in ihrer Macht›».

In ähnlicher Weise gebieten auch die Essener ausdrücklich Liebe, Demut und Freundlichkeit (1QS 1,9; 2,24; 5,4.25 u.ö.), und verbieten Zorn (1QS 5,25f) und Rache (CD 8,5).

Aber nirgendwo wird in den innerjüdischen religiösen Erneuerungsbewegungen wie von Jesus befohlen, die andere Wange dem Schläger hinzuhalten!

Auch der zweite Rechtsfall (V.40) mit dem Verbot der gerichtlichen Pfandeintreibung widerspricht dem alttestamentlichen Gesetze von 2.Mos.22,25f und 5.Mos.24,13. Denn wenn der Gläubiger mit jemand vor Gericht wegen des Unterpfandes prozessieren will, das verpfändbar war, so soll der Jünger freiwillig über die Forderung des Prozeßgegners hinaus gehen und ihm auch noch von sich aus auf das so lebenswichtige Kleidungsstück verzichten. Wieder geht die Forderung Jesu über die im Alten Testament und bei den Pharisäern geltenden Bestimmungen hinaus, weil der auf sein elementares Recht verzichtende Jünger aufgrund dieser vollmächtig-prophetischen Botschaft und der gesetzesverschärfenden Praxis in die bereits jetzt anbrechende Herrschaft Gottes gestellt wurde.

Das dritte und letzte Beispiel mit der Aufforderung, dem Bittenden zu geben und sich von dem, der um ein Darlehen bittet, nicht abzuwenden, ist inhaltlich für das pharisäisch bestimmte Judentum nachweisbar. Auch schon nach alttestamentlicher Gesetzgebung ist es geboten, einem Armen etwas auszuleihen, weil er darauf einen Rechtsanspruch hat (vgl. auch Sir. 4,1–10). Insgesamt beurteilt liegen in allen drei Forderungen Jesu keine Klugheitsregeln vor, sondern die Erfüllung der Forderungen wird allein möglich durch das unerhörte Vertrauen auf den vom endzeitlichen Geist Gottes geführten Nazarener und damit auf die eindringliche Nähe der von ihm angekündigten Gottesherrschaft. Mit Nachdruck ist nun aber abschließend festzustellen, daß zwar die ersten beiden Rechtsfälle (= Verzicht auf Wiedervergeltung und freiwilliges Überlassen des lebenswichtigen Mantels) das in alttestamentlich-jüdischer Tradition Geforderte überbieten, nicht aber das dritte und letzte Beispiel, zu geben und zu entleihen. Nur in 5,39 und 40 finden sich ungrundsätzliche Aufhebungen des alttestamentlichen Moralgesetzes im Sinne der Toraverschärfung, in dem die mosaische Gesetzesforderung des unbedingten Rechtsanspruches dem Wortlaut nach aufgehoben wird, nicht aber in 5,42. Hier wird lediglich positiv die gut alttestamentlich-jüdische Vorschrift des Gebens und Entleihens von Jesus aufgenommen und von ihm ausdrücklich bestätigt.

Wie schon beim Verbot der Ehescheidung, so werden auch in Mt.5,39 und 40 Gebote des mosaischen Moralgesetzes gesprengt bzw. außer Kraft gesetzt, hat Jesus Gesetzeskritik geübt. Aber diese nicht grundsätzliche Aufhebung von alttestamentlichen Geboten stellt letztlich eine Verschärfung des Moralgesetzes dar, keineswegs aber eine planmäßige und grundsätzliche Verabschiedung des anerkannten Mosegesetzes. Auch hier führt die Verschärfung des Moralgesetzes als der Forderung des Verzichts auf das eigene Recht vom Wortlaut des Gesetzestextes auf die eigentliche Zielsetzung des Gesetzes überhaupt: das Liebesgebot als Summe und Erfüllung der Tora. Den Nächsten unter Einschluß des Feindes zu lieben ist das eigentliche Vorhaben des Gesetzes vom Sinai. Diese Intention angesichts der schon hereinbrechenden Gottesherrschaft herauszustellen, und sei es auch um den Preis der Aufhebung bestimmter Rechtssätze, macht das Neue der Gesetzesauslegung Jesu aus. Den Nächsten unter Einschluß des Feindes lieben heißt aber nach dieser Forderung Jesu, auf jede Gewalt und sein Recht zu verzichten, vielmehr zu geben und zu entleihen.

Damit wird von dem Endzeitpropheten Jesus, der ja Mund seines Gottes ist, der ganze Ernst des Gesetzesgehorsams herausgestellt, der radikale

Wille Gottes aufgrund der Gegenwart des endzeitlichen Geistes verkündet, der die Liebe zum Nächsten unter Einschluß des Feindes von seinen Geschöpfen fordert. Diese geistgewirkte Toraverschärfung, die mit der teilweisen Aufhebung von Geboten des Moralgesetzes die eigentliche Absicht des Willens Gottes freilegt, verschließt nicht die Gottesherrschaft, sondern schließt sie vor den Menschen auf.

c) Zu Recht ist in der Forderung der Feindesliebe, die in der religiösen Umwelt des Neuen Testaments so nicht nachweisbar ist, der eigentliche Höhepunkt der Botschaft Jesu gesehen worden. Mt.5,44–48 par. hat trotz leichter Eingriffe den ursprünglichen Wortlaut gegenüber Lk.6,27f. 32–36 überliefert:

«Ich sage euch:
Liebet eure Feinde und betet für eure Verfolger,
damit ihr Söhne eures Vaters werdet.
Denn er läßt seine Sonne über Böse wie Gute aufgehen
und läßt regnen über Gerechte wie Ungerechte.
Wenn ihr nur liebt, die euch lieben,
was für einen Lohn habt ihr dafür?
Tun nicht auch die Zöllner das gleiche?
Und wenn ihr nur eure Brüder grüßt,
was tut ihr Außerordentliches?
Tun nicht auch das gleiche die Heiden?
Werdet barmherzig, wie auch euer Vater barmherzig ist.»

Auch diese Spruchfolge weist einen kunstvollen Aufbau auf:
Eingeleitet wird die Forderung Jesu an die Jünger durch die prophetisch-apokalyptische Formel «Ich sage euch». Dann folgen die beiden grundlegenden Imperative: Die Jesus-Nachfolgenden sollen ihre Feinde lieben und für die beten, die sie bedrängen bzw. kränken (= Mt.5,44). Dieser Mahnung folgt die begründende Verheißung: Nur wer für seinen Nächsten unter Einschluß des Feindes in Liebe da ist, handelt wie der Schöpfergott an allen seinen Geschöpfen und wird ein «Sohn Gottes» werden. Mt.5,46 und 47 bringen zwei Fragen, fast gleichlautend und mit dem eindrücklichen Refrain: «Tun nicht auch die Zöllner bzw. Heiden dasselbe?», – die den ursprünglichen Gedankengang unterbrechen und, traditionsgeschichtlich beurteilt, einem späteren Stadium der Überlieferung zuzurechnen sind. Das Ganze wird durch die summierende Mahnung «Seid barmherzig ...» abgeschlossen (= Mt.5,48).

Gattungsmäßig gehört diese kleine Mahnrede zu den Prophetenworten, kenntlich an der typisch prophetisch-apokalyptischen Einleitungsformel «Ich sage euch». Wie schon bei den bisher besprochenen Jesusworten, so wird auch hier aufgrund dieser traditionellen Einleitungsformel signalisiert, daß Jesu Autorität einzig und allein im Besitz des für ihn für die Endzeit verheißenen Geist begründet war.

Zugleich gehört auch diese prophetisch-apokalyptisch motivierte Forderung Jesu zu den Gesetzesworten: Verschärfend ausgelegt wird das das ganze Mosegesetz zusammenfassende Gebot der Nächstenliebe aus 3. Mos.19,18.

Wiederum stoßen wir auf die für Jesu Botschaft entscheidende Beziehung von apokalyptisch motivierter Prophetie und Gesetz: der von Jesus empfangene Geist der Endzeit legt das Mosegesetz autoritativ-verschärfend in der Weise aus, daß der Jünger Jesu seine Feinde lieben und für diejenigen, die ihn bedrohen, mißhandeln, beschimpfen beten soll. Abgelehnt wird das Clan-Denken: Freundschaft und gutes Einvernehmen in der eigenen Gemeinschaft und Gruppe, aber Rivalität und Feindschaft gegen den Außenstehenden in Israel.

Die Feinde, von denen hier die Rede ist, werden von Jesus nicht näher bestimmt. Sicher handelt es sich weder um den politischen (= Volksfeind, also den Römer!) noch um den sozialen Feind (= der Sklave). Wenig wahrscheinlich ist auch die des öfteren vertretene Meinung, Jesus wende sich hier direkt gegen die religiöse Erneuerungsbewegung der Zeloten, also der jüdischen Widerstandskämpfer. Vielmehr ist mit «euren Feinden» der religiöse und persönlich unangenehme wie widrige Feind in Israel gemeint, also der Privatfeind. Daß nicht nur der persönlich unangenehme und widrige, sondern vor allem auch der religiöse Feind in Israel gemeint ist, geht aus der parallelen Mahnung: «Betet für die, die euch mißhandeln, bedrohen, beschimpfen» hervor. Den Hintergrund für diese Forderung Jesu bilden die von Feindschaft und Haß zerrissenen und sich bekämpfenden religiösen Erneuerungsbewegungen im damaligen palästinensischen Judentum. Und auf sie stieß der Jünger Jesu bei seiner Sendung an Israel.

Gegen eine allgemein-menschliche Einschätzung des Feindes als Mitmensch, nicht nur Mitjude, spricht einfach die Tatsache, daß der Feind, der geliebt werden soll, selbstverständlich beschnitten ist, die Reinheits- und Speisegebote, also das mosaische Kulturgesetz einschließlich der pharisäischen Erweiterungen als heilsnotwendig anerkennt und damit unter der Verheißung der Väter steht. Er ist und bleibt Israelit. Jesu Forderung hat allerdings das Moralgesetz in Gestalt des Gebotes der Feindesliebe mit einer sachlichen Mitte versehen und in der Weise radikalisiert, daße jetzt nur noch die Forderung der Nächstenliebe unter Einschluß des Feindes als Summe und Erfüllung des Mosegesetzes galt und damit das Recht auf Wiedervergeltung abgelehnt wurde.

Diese Verschärfung des alttestamentlichen Moralgesetzes ist nach Jesus freilich nicht im Sinne einer grundsätzlichen Aufhebung oder Sprengung, sondern als toragemäß sein wollende Schriftauslegung zu verstehen. Damit ist in Wirklichkeit die eigentliche Absicht des unverbrüchlichen Gotteswillens unmißverständlich zum Zuge gebracht.

Wir sagten schon weiter oben, daß das Gebot der Feindesliebe in der Umwelt Jesu so nicht religionsgeschichtlich abzuleiten, andererseits aber

auch nicht völlig ohne alttestamentlich-jüdische Vorbilder ist. Vielmehr hat Jesus mit einer solchen prophetisch-apokalyptischen Forderung der Feindesliebe alttestamentlich-jüdische Ansätze verschärft und intensiviert, wie z. B. 2.Mos.23,4f: «Wenn sich das Rind oder der Esel deines Feindes verirrt hat und du triffst sie an, so sollst du sie ihm wieder zuführen. Wenn du den Esel deines Feindes unter seiner Last erliegen siehst, so sollst du ihn nicht ohne Beistand lassen, sondern ihm aufhelfen.»
Oder Spr.25,21f: «Wenn dein Feind hungert, so speise ihn, dürstet ihn, so gibt ihm zu trinken; so wirst du feurige Kohlen auf sein Haupt sammeln und der Herr wird es dir vergelten.» Vor allem aber 3.Mos.19,17f: «Du sollst deinen Bruder nicht hassen in deinem Herzen, zurechtweisen sollst du deinen Nächsten, daß du nicht seinethalben Sünde auf dich ladest. Du sollst dich nicht rächen, auch nicht deinem Volksgenossen etwas nachtragen, sondern du sollst deinen Nächsten lieben wie dich selbst; ich bin der Herr.»
Aufgrund dieser alttestamentlichen Belege muß gesagt werden, daß Jesu Gebot der Feindesliebe die Weisung des alttestamentlichen Moralgesetzes, den Nächsten zu lieben, radikalisiert, das Gebot der Nächstenliebe zwar verschärft, aber nicht aufhebt.
Jesus stand auf dem Boden der Tora und wollte diese verschärfen bzw. radikalisieren, aber nicht aufheben oder gar planmäßig sprengen.
Auch die pharisäisch geführte Synagoge weiß darum, kam aber nicht über die negative Mahnung hinaus: «Freue dich nicht über das Unglück deines Feindes und vergilt nicht Böses mit Bösem.» Ähnlich die jüdische Schrift Joseph und Aseneth 28,5.10.14 u.ö., die gegenüber feindlichen israelischen Brüdern fordert, nicht Böses mit Bösem zu vergelten.
Anders die essenische Erneuerungsbewegung, die zwar eindrücklich die Liebe gegenüber den Gemeindebrüdern gebietet, aber in gleichem Atemzuge den Haß gegenüber den Außenstehenden ausdrücklich fordert, vgl. 1 QS 1,4: Gott hat befohlen, «alles zu lieben, was er erwählt hat, aber alles zu hassen, was er verworfen hat».
Faktisch haben Jesus und die von ihm eingeleitete Erneuerungsbewegung damit die Theologie und Praxis der pharisäischen, essenischen und zelotischen Erneuerungsbewegungen getroffen. Auch die parallele Forderung Jesu, für die die Jünger Mißhandelnden und Beschimpfenden zu beten, findet sich so nicht im Alten Testament. In der pharisäischen Tradition dagegen wird von Rabbinen berichtet, die stellvertretend für ihre Feinde beten und diese dadurch bekehren.
Was hier von Jesus verlangt wird, ist nichts anderes als die verschärfte Praxis des alttestamentlichen Liebesgebotes vor der nahen Gottesherrschaft, und zwar ohne Schriftbegründung. Konsequent wird damit der Bereich der Gnade erweitert statt verengt. Abgelehnt wird nach Jesus jede eifernde Trennung von den religiös Außenstehenden in Israel, wie sie von den Essenern mit Eid und Noviziat verankert wird. Auch wenn von

einer gesetzesfreien Heidenmission bei Jesus und seinen Jüngern keine Rede sein kann, grenzt sich Jesus nicht exklusiv von den anderen religiösen Erneuerungsbewegungen in Israel ab.
Die alte und viel verhandelte Streitfrage erledigt sich damit von selbst, ob diese Forderungen erfüllbar sind oder nicht. Selbstverständlich sind sie für Jesus und seine Nachfolger erfüllbar, was übrigens genauso für das Alte Testament und sämtliche innerjüdischen religiösen Erneuerungsbewegungen gilt.
Dieser unerhörten Forderung der Feindesliebe an die Jünger folgt eine nicht minder erstaunliche Verheißung in V.45: Nur wer dieser Forderung Jesu nachkommt, seine Feinde zu lieben und für seine Bedränger betet, wird ein «Sohn Gottes» werden. Nur derjenige Israelit, der das von Jesus verschärfte Moralgesetz des Mose praktiziert, angesichts der anbrechenden Gottesherrschaft, wird in Kürze bei ihrer endgültigen und kosmischen Offenbarung als Sohn Gottes dem All präsentiert werden. Zwar fehlt die ausdrückliche apokalyptische Begründung der Sohnschaft Gottes, aber sie kann hier fehlen, weil sie im Hintergrund steht und durch die gesamte Botschaft Jesu als des Trägers des endzeitlichen Geistes gegeben ist. Gottessohnschaft, die sich bereits aufgrund der prophetisch-apokalyptischen Toraverschärfung Jesu im Hier und Jetzt des Miteinanderseins der religiösen Erneuerungsbewegungen in Israel angesichts des nahen Endes von Kosmos und Geschichte zu bewähren hat, findet ihren abschließenden apokalyptischen Triumph, wenn Gott für jedermann offenbar seine Herrschaft aufrichtet und die Seinen, eben die Söhne des himmlischen Vaters, endgültig und vor aller Welt sichtbar erlösen wird.
Freilich ist der polemische Ton dieser Jesusforderung nicht zu überhören. Israels Vorzug vor den Heidenvölkern war es, Sohn Gottes genannt zu werden und zu sein: «Ihr seid Kinder des Herrn, eures Gottes» (5.Mos. 14,1f). Hier dagegen heißen nur diejenigen Israeliten Söhne des Vaters, die die geist-gewirkte Verschärfung des mosaischen Moralgesetzes annehmen und in der radikalen Jesusnachfolge praktizieren, das heißt ihre Feinde lieben und für ihre Bedränger bitten. Nur sie konstituieren das wahre und endzeitliche Gottesvolk. Nicht aber gehört jeder als Israelit Geborene selbstverständlich zum auserwählten Gottesvolk. Der Anspruch Jesu und der von ihm hervorgerufenen religiösen Erneuerungsbewegung ist unüberhörbar: Nur die Jesusbewegung repräsentiert die Söhne des himmlischen Vaters und damit das wahre Bundesvolk der Endzeit.
Diese Verheißung (= V.45a) wird nun von Jesus in doppelter Weise begründet: einmal durch den ungemein anschaulichen Hinweis auf Gottes Schöpferhandeln, der ja auch seine Sonne über Böse wie Gute aufgehen und über Gerechte wie Ungerechte regnen läßt. Sohnschaft des himmlischen Vaters liegt allein im gottgemäßen Handeln begründet. Daß der Jünger Jesu in seinem Handeln gottmäßig sein und dem himmlischen

Vater nachfolgen, und das heißt die von ihm gesetzte Schöpfungsordnung genau beobachten soll, ist ebenfalls ein bevorzugtes Thema der Weisheit: «Sei den Weisen wie ein Vater ..., so wirst du sein wie ein Sohn des Höchsten, und dieser wird dich mehr lieben als deine Mutter» (Sir. 4,10f). Ausdrücklich wird also ein zentrales Thema der alttestamentlich irdischen Weisheit von Jesus aufgegriffen und theologisch qualifiziert: Handeln wie der Schöpfergott bzw. ihn nachahmen bedeutet Gottes Kind oder Sohn werden. Nicht nur hier, sondern auch in zahlreichen anderen Sprüchen macht Jesus die Schöpfung ausdrücklich zur Predigerin des Schöpfers, aber gepredigt wird nicht über Gottes Schöpferhandeln in der Heidenwelt, sondern sein Handeln in der Schöpfung qua Israel. Denn es geht ja keineswegs um alle Menschen, sondern um Böse und Gute, Gerechte und Ungerechte in Israel, wie gerade auch die polemische Zöllner-Heiden-Aussage in Mt.5,46f beweist.

Jesus appelliert in Aufnahme der Weisheit ausdrücklich an Vernunft, Erfahrung und Einsicht des Menschen als Israeliten! Die Forderung der Feindesliebe wird also von Jesus auch weisheitlich mit der jedem Israeliten zu jeder Zeit bereitstehenden Einsicht in Gottes Schöpferwalten, in die scheinbar unbegrenzte Ordnung dieser Welt begründet: Gott «läßt seine Sonne aufgehen über Böse und Gute und regnen über Gerechte und Ungerechte». Das Verstehen dieser Schöpfungsordnung führt zu rechtem Tun. Wer diese Welt wirklich durchschaut, so Jesus, kann und soll daraus die Konsequenzen der Feindesliebe ziehen.

In Mt.5,46 und 47 folgt eine weitere Begründung, die ebenfalls mit rhetorischen Fragen der Weisheitsanschauung arbeitet. Zöllner und Heiden sind freilich für Jesus wie für das Judentum seiner Zeit von vornherein Sünder. Die Aussage spiegelt ungetrübt die Erwählungs- und Gesetzesfrömmigkeit Israels wider, wie sie andererseits auch ganz selbstverständlich die jüdische Vorstellung vom Lohn bzw. der Vergeltung am Jüngsten Tag für gute und schlechte Taten voraussetzt. Aber erst dem «Mehr» bzw. dem «Außerordentlichen» als gesetzgemäßen Handeln der Jünger im Vergleich mit den Heiden und Zöllnern wird ein eschatologischer Lohn verheißen. Der Lohn für dieses in der Tat außergewöhnliche Verhalten der Jesusjünger, nämlich ihre Feindesliebe, ist die Rettung bei der nahen Ankunft der Gottesherrschaft und damit des ewigen Lebens.

Was ist der Sinn solchen Fragens: «Wenn ihr nur liebt ...» und «wenn ihr nur eure Brüder grüßt, ...«?

Nun, der Hörer wird von Jesus in die Denkbewegung der Weisheitsargumentation hineingenommen und existentiell daran beteiligt. Diese so eindringlichen Fragen kennen nur eine Antwort: wenn sie dem Hörer einleuchten, muß er der Mahnung gemäß handeln. Liebe auf Gegenseitigkeit kennen Heiden wie Zöllner, und wir können sogleich hinzufügen: auch die pharisäischen, essenischen und zelotischen Erneuerungsbewegungen bei gleichzeitigem Haß und der Verachtung gegenüber dem Außenstehenden.

Auf das scheinbar unverbundene Nebeneinander von Gottes Schöpferwalten als dem Thema der Weisheit und Gottes endzeitlichem Handeln als dem Thema der Apokalyptik ist in der Leben-Jesu-Forschung des 19. Jahrhunderts, aber auch in der Neuen Frage nach dem historischen Jesus im 20. Jahrhundert immer wieder hingewiesen worden. Es ist in der Tat so, daß in der Botschaft des historischen Jesus nebeneinander stehen einerseits der Hinweis auf das Handeln des Schöpfers in seiner Schöpfung, der seine Sonne aufgehen läßt und regnen läßt über Gerechte und Ungerechte, auf seine nie nachlassende Fürsorge für die Lilien auf dem Feld und die Vögel unter dem Himmel, und andererseits die Ankündigung der nahen Gottesherrschaft mit dem Ende der Welt, die im Bösen liegt. Dort wird von der Schöpfungswelt so gesprochen als kenne sie kein Ende, hier dagegen steht ihr Ende unmittelbar bevor. Aber diese scheinbare Unverbundenheit von Weisheit und Apokalyptik findet ihre sachliche und theologische Einheit im prophetischen Geistbesitz des Nazareners: der Geist der Endzeit, der in Jesus wirksam ist, führt zur Gewißheit der apokalyptischen Nähe der Gottesherrschaft und zur Verschärfung des mosaischen Moralgesetzes als dem unbedingten Kennen des Willens Gottes, wie er zugleich den unmittelbar nahen Schöpfergott als den fürsorgenden Vater im Lebensstil des Wanderradikalismus ernst nimmt. Denn durch diesen endzeitlichen Geist spricht Jesus seinen Jüngern die sachliche Einheit von Weisheit und Apokalyptik zu: Die prophetische Forderung der Feindesliebe ist nichts anderes als die endzeitlich motivierte Freilegung der eigentlichen Intention des Mosegesetzes, die aber zugleich für den Einsichtigen identisch ist mit Gottes Schöpferhandeln. Gott der Schöpfer demonstriert für die Seinen tagtäglich Feindesliebe, die nun aber von den Söhnen Gottes tagtäglich nachgeahmt werden soll.

Deutlicher kann es nicht gesagt werden. Gottes Gebot als Mosegesetz braucht deshalb nicht von Jesus ausgelegt zu werden, weil es unmittelbar evident ist. Gott will von seinem Volk zu jeder Zeit dasselbe, und das Geschöpf als Israelit kann das zu jeder Zeit verstehen. Begründungen von außen werden deshalb von Jesus niemals beigebracht, weil immer die unverstellte Schöpfungswirklichkeit unbefangen und energisch angegangen wird. Die beliebten kasuistischen Systeme zerfallen genauso, wie umgekehrt der Mensch zum Text des Willens Gottes wird. Der Ruf nach Liebe ist im Grunde für jedermann nachweisbar – zu verweisen ist auf die «Goldene Regel» –, weil Gott der Vater als das schlechthin Einfache erscheint. So wird Gott dem hörenden Israeliten von Jesus zugesprochen in einer Sprache, die jedem verständlich ist. Mt.5,48 als summierender Abschluß lenkt nicht nur zu V.45 zurück, sondern ist zugleich der sachliche Grund dieser ganzen prophetischen Mahnrede. Weil Gott, der Vater seiner Söhne, barmherzig ist, soll auch der Sohn barmherzig sein. Der radikale Maßstab für die vollmächtige Auslegung des Mosegesetzes als der Offenbarung des ursprünglichen und eigentlichen Gotteswillens vor dem nahen Ende ist die göttliche Barmherzigkeit, wie sie von Jesus mit dem Hinweis auf Gottes Schöpferhandeln als Jüngerunterweisung der glaubenden Erfahrung freigegeben wird.

Weil der himmlische Vater sich in seinem Schöpferhandeln tagtäglich barmherzig erweist, sollen die Jünger Jesu ihre religiösen und persönlichen Feinde lieben, radikal auf die eigene Vergeltung verzichten und ihre Ehefrauen niemals verstoßen!

d) Die Goldene Regel:

«Und gleich wie ihr wollt, daß euch die Menschen tun, so auch tut ihr ihnen» ist ihrer Herkunft nach nichts anderes als der Spitzensatz einer humanistischen Moral und das Paradebeispiel der antiken Erfahrungsweisheit (Mt.7,12/Lk.6,31). Obwohl sie der Sache nach bereits in allen antiken Hochreligionen seit etwa 800 v.Chr. zu finden ist, geht sie in der vorliegenden Aussagefolge auf die griechische Sophistik des ausgehenden 5. Jahrhunderts v.Chr. zurück. Auch das Judentum kennt sowohl die negative aber auch positive Fassung der Goldenen Regel. Darüber hinaus aber – was für die Auslegung der Goldenen Regel im Munde Jesu von besonderer Bedeutung ist – wurde im pharisäisch bestimmten Judentum die Goldene Regel als sachgemäße Zusammenfassung des ganzen Mosegesetzes gewertet, wie die folgende Erzählung, die kurz vor Christus zu datieren ist, eindrücklich zeigt:

Ein Heide, der als Proselyt zum Judentum übertreten wollte, kam zu dem berühmten Rabbi Schammai und forderte ihn auf, die ganz Tora zu lehren, solange er auf einem Fuße stehen könne. Schammai jagte diesen Frager fort. Darauf ging er zur Konkurrenz, zu dem nicht minder berühmten Rabbi Hillel, der diese seine Frage nicht nur bejahte, sondern das ganze Mosegesetz in der negativen Fassung der Goldenen Regel zusammenfaßte: Was dir nicht lieb ist, das tu nicht deinem Nächsten!

Das heißt: Schon vor Jesus wurde die Goldene Regel mit der eigentlichen Absicht des ganzen Mosegesetzes, dem Gebot der Nächstenliebe, gleichgesetzt. Und in ähnlicher Weise geht Jesus vor. Auch wenn man den ursprünglichen Ort der Goldenen Regel in der hinter der matthäischen Bergpredigt bzw. lukanischen Feldrede stehenden Spruchkomposition nicht mehr sicher ermitteln kann, das eine ist deutlich: Die Goldene Regel ist von Jesus sehr wahrscheinlich als eine summierende Begründung des Gebotes der Feindesliebe überhaupt in Anspruch genommen worden, während der Evangelist Matthäus in ihr – sachlich völlig zu Recht – die Summe von «Gesetz und Propheten» und der Bergpredigt überhaupt gesehen hat.

Mit anderen Worten: die Goldene Regel geht mit den Forderungen nach Gewaltlosigkeit und Feindesliebe völlig parallel, indem sie diesen zugleich eine durchschlagende, einleuchtende Klarheit verleiht.

Immer geht es darum, die Situation mit den Augen des anderen, des Nächsten und Partners zu sehen. Fern jeder Kasuistik wird von der Golde-

nen Regel die vernünftige Analyse zwischenmenschlicher Beziehungen vorausgesetzt, indem die Anliegen und Reaktionen beider Parteien berücksichtigt werden sollen. Diese von Haus aus profane Erfahrungsregel als klassische Zusammenfassung der allgemein menschlichen Erfahrungsweisheit ist nun nach Jesus identisch mit der eigentlichen Absicht des Mosegesetzes als dem ursprünglichen Willen Gottes.
Die Mahnrede vom Verzicht auf Wiedervergeltung und der Forderung der Feindesliebe, d.h. überhaupt: die verschärfende Auslegung des Moralgesetzes durch Jesus, wird hier nicht wie in Mt.5,45b durch Hinweis auf den nahen Schöpfergott, sondern durch den Rückverweis auf eine profane Erfahrungsregel begründet.
Es besteht nicht der leiseste Zweifel: die von Jesus geforderte endzeitliche Praxis des radikalisierten Liebesgebotes, nämlich die Feindesliebe, wird von Jesus gleichgesetzt mit der Golden Regel. Aber während der Pharisäer Hillel das im Alten Testament überlieferte Mosegesetz mit der Goldenen Regel gleichsetzte, identifizierte der Endzeitprophet Jesus das von ihm verschärfte Moralgesetz des Alten Testaments ebenfalls mit der Goldenen Regel.
Damit wird von Jesus noch einmal unüberhörbar herausgestellt: Mit dem Verbot der Ehescheidung, dem Verzicht auf Wiedervergeltung und dem Gebot der Feindesliebe werden von Jesus keineswegs absurde Forderungen erhoben, und es muß deshalb jede Entschärfung oder Disqualifizierung des verschärften alttestamentlichen Moralgesetzes in der Antike wie in der Moderne mit Nachdruck zurückgewiesen werden. Vielmehr wird von Jesus durch diese Verschärfung des alttestamentlichen Moralgesetzes, die aber identisch mit der heidnischen Goldenen Regel ist, der Grundsachverhalt menschlicher Existenz vor Gott aufgedeckt.

3. Die Entschärfung des mosaischen Kultgesetzes

a) Weil die Pharisäer das mosaische Kult- gegenüber dem Moralgesetz überbewerten, wird über ihre Gesetzesauslegung von Jesus der apokalyptische Fluch aufgerichtet:
«Wehe euch, Pharisäer!
Ihr reinigt zwar das Äußere des Bechers und der Schüssel, – aber ihr Inneres ist voll von Raub und Zügellosigkeit» (Mt.23,25). Dieser Weheruf enthält die endzeitliche Neu-Inbeziehungsetzung von Kult- und Moralgesetz durch den Nazarener. Der Spruch ist wörtlich gedacht und nicht als «Bildwort» gemeint.
In der pharisäischen Erneuerungsbewegung spielte die rituelle Reinheit von Gefäßen und ihre gründliche Reinigung eine überaus wichtige Rolle. Diese pharisäische Reinheitspraxis, auf das Alte Testament zurückgehend, wird im ersten Teil dieses prophetisch-apokalyptischen Weherufes

rückhaltlos anerkannt, die rituelle Observanz selbst also nicht bestritten. Bekämpft wird allerdings die mangelnde Konsequenz der Pharisäer: der penibel genauen und durchaus gesetzesgemäß rituellen Reinigung der Außenseite von Becher und Schüssel hat nach Jesus und gegen die Pharisäer die ebenso gründliche moralische Reinigung des Inhalts dieser Gefäße zu entsprechen. Der Inhalt dieser kultisch reinen Gefäße darf nicht aus «Raubgier und Zügellosigkeit» stammen, also moralisch unrein sein!

Diese nach Jesus falsche Gewichtsverlagerung wird von Jesus mit dem apokalyptischen Fluch belegt. Rituelles und moralisches Handeln müssen miteinander ausgeglichen werden. Entscheidend ist gegen die Pharisäer ein ganzheitliches Reinheitsverständnis.

Die pharisäische Reinheit ist verhüllte Unreinheit; denn der durchaus notwendige Gehorsam gegenüber der levitischen Reinheitsgesetzgebung ersetzt für Jesus niemals den Gehorsam gegenüber den Zehn Geboten Gottes. Raubgier und Unmäßigkeit können niemals mit nur ritueller Gefäßreinigung kompensiert werden!

Es wäre ein Mißverständnis, hier den bekannten Gegensatz von äußerlich-innerlich einzutragen, den übrigens auch das Judentum nicht nur kannte, sondern auch praktizierte. Allein entscheidend ist der sündige Kontrast bei den Pharisäern zwischen der penibel genauen, kultischen Beachtung der Reinheit des Äußeren von Gefäßen und der ebenso großen Gleichgültigkeit gegenüber ihrem Inneren, dem Inhalt, der aus Raubgier und Zügellosigkeit stammt. Keineswegs hebt nach Jesus die innere Reinheit die äußere auf. Der historische Jesus ist weit entfernt von einer Verabschiedung des levitischen Kultgesetzes. Auch von einer Vergleichgültigung kann keine Rede sein, das zeremonielle Tun wird nicht zur Nebensache. Im Gegenteil! Nur muß die rituelle Reinigung des Geschirrs (= Kultgesetz) der ethischen Reinigung (= Moralgesetz) vollauf entsprechen.

Sowohl das Kult- als auch das Moralgesetz haben göttliche Autorität und Würde, nur hat die moralische Innenreinigung mit derselben Intensität zu geschehen wie die kultische Außenreinigung. Jesus stellt also dem Kult das Moralgesetz nicht nur an die Seite, sondern die innerlich-moralische Reinheit hebt zwar keineswegs die nur rituelle Reinheit auf, aber sie hat letzterer gegenüber den Vorrang.

Gerade dieser apokalyptische Weheruf illustriert, wie die Pharisäer das Gebot Gottes durch ihre Blindheit zunichte machen. Selber minutiös an den levitischen Reinheitsgeboten hängend, vernachlässigen sie das Eigentliche am mosaischen Gesetz: die innere Reinheit, das heißt das elementare Gebot der Nächstenliebe. Aber mit dieser Kritik Jesu an der typisch pharisäischen Verschärfung des Kult- bei gleichzeitiger Entschärfung des Moralgesetzes steht Jesus nicht allein im Judentum seiner Zeit, sondern in einer Front mit anderen innerjüdischen Erneuerungsbewegun-

gen wie z.B. der essenischen (vgl. z.B. Ass.Mos.7,7–9; CD 8,18; 28,44–29,23; 1QH 2,34; 30,37f) und täuferischen (Mt.3,7–12 par.). Gerade diese sachliche Übereinstimmung der jesuanischen mit der essenischen und täuferischen Erneuerungsbewegung beweist, daß diese Kritik Jesu letztlich eine innerjüdische Kritik ist. Gerade weil die gemeinsame Grundlage Israels, die Mose-Tora, nicht problematisiert wird, ist das Grundgefüge weder grundsätzlich noch demonstrativ verlassen, bleibt es daher bei einem Kampf zwischen feindlichen Brüdern intra muros.
Diese prophetisch geleitete Jesusbewegung ist eine Sondergemeinschaft im jüdischen Religionsverband, aber eine Erneuerungsbewegung neben zahlreichen anderen. Denn wer sich zum Kultgesetz des Mose bekennt, das sollte auch nicht einen Augenblick vergessen werden, vollzieht die Beschneidung, feiert das Passah und anerkennt den Jerusalemer Tempelkult usw. Und noch ein letztes verdient unsere Aufmerksamkeit: Diese Entschärfung des mosaischen Kultgesetzes, seine Unterordnung unter das verschärfte Moralgesetz, wird durch die traditionell prophetisch-apokalyp- tische Verkündigungsformel des «Wehe euch» eingeleitet. Es handelt sich also um ein Gerichtswort Jesu, das die angeredeten Pharisäer dem nahen apokalyptischen Endgericht Gottes überantwortet. Vor allem aber zeigt diese prophetisch-apokalyptische Vollmachtsformel des «Wehe euch», daß Jesus sich und sein Auftreten wie seine Botschaft als das unwiderruflich letzte Zeichen vor der anbrechenden Gottesherrschaft verstanden hat, daß er sich im Besitz des der Endzeit verheißenen Geistes wußte, der auch der Grund für seine inspirierte Entschärfung des Kult- wie Verschärfung des Moralgesetzes war. Der Empfang des endzeitlichen Gottesgeistes war der Grund für die Entschärfung des mosaischen Kultgesetzes angesichts der unmittelbar bevorstehenden Gottesherrschaft.
b) Noch einen Schritt weiter geht das Wehe Jesu gegen die Überbewertung der Verzehntung von Gartenkräutern:
«Wehe euch, Pharisäer!
Von Minze, Anis und Kümmel entrichtet ihr den Zehnten, und übergeht das Recht-Tun am Nächsten, das Barmherzigkeit-Üben und Treue-Halten.
Dieses aber muß man tun und jenes nicht unterlassen.» (Mt.23,23).
In diesem prophetisch-apokalyptischen Drohwort Jesu wird nicht nur das entschärfte Kultgesetz des Mose, sondern sogar die pharisäische Ausweitung der alttestamentlichen Zehntpflicht jedes Israeliten auf die kleinsten Gewürzkräuter anerkannt! Nach alttestamentlichen Gesetzesbestimmungen mußte «alles frische Öl, Most und Korn» (so 4.Mos.18,12) verzehntet werden, was dann von 5. Mos.14,27f auf den ganzen Ernteertrag erweitert wurde. Die pharisäische Erneuerungsbewegung verschärfte diese kultgesetzliche Bestimmung, indem die Zehntpflicht sogar auf die winzigen Gewürz- und Gartenkräuter ausgedehnt wurde. Und nun das Überraschende und keineswegs Selbstverständliche: Jesus tadelt nicht diese pha-

risäischen Erweiterungen bzw. verschärfenden Erneuerungen hinsichtlich des alttestamentlichen Kultgesetzes, er bejaht vielmehr die pharisäische Tora, wohl aber, daß darüber das Entscheidende vernachläßigt, ja unterlassen wird.
Dieses Entscheidende, das rechte Verhalten zum Nächsten, wird durch die an alttestamentliche Vorbilder anknüpfende Trias (vgl. Mi.6,8; Spr.24,22) Recht, Barmherzigkeit und Treue erläutert. Das Rechttun am Nächsten, Barmherzigkeit-Üben und Treue-Halten ist genauso wichtig, wie der verschärften Zehntforderung nachkommen, nämlich Gott mit dem Zehnten das zurückgeben, was ihm eigentlich gehört. Moralisches und zeremonielles Handeln werden von Jesus keineswegs geschieden, sondern miteinander ausgeglichen. Der Versuch der Pharisäer dagegen, mit einer bloß rituellen Verzehntungspraxis den radikalen Gehorsam gegenüber dem Moralgesetz zu umgehen, fällt dem apokalyptischen Gericht anheim.
Widerum lehrt ein Blick in die essenischen Schriften (1QS 3,4–11; 5,13; 9,9 u. a.), daß dieser prophetisch-apokalyptisch motivierte Spruch Jesu in die große antipharisäische Kritik seitens der essenischen Erneuerungsbewegung innerhalb Israels einzuordnen ist.
Der antipharisäische Fluch wird mit dem lapidaren Satz zusammen gefaßt: «Dieses muß man tun und jenes nicht unterlassen» (vgl. Pred.7,18). Es ist geradezu eine sprichwörtliche Sentenz, eine Regel, ein Weisheitswort.
Als solches steht es nicht vereinzelt innerhalb der Botschaf Jesu da, wie zum Beispiel die Sprüche von der Wiedervergeltung, das Gebot der Feindesliebe, die Goldene Regel und das Verbot des Richtens beweisen. Jesus hat in seiner Auslegung des mosaischen Moral- und Kultgesetzes immer wieder mit Erfahrungssätzen der Weisheit gearbeitet. Er entschärft das mosaische Kultgesetz, indem er auf Erfahrungssätze des weisheitlichen Denkens zurückgreift, auch hierin eine Tendenz der jüdischen Apokalyptik (vgl. die großen Apokalypsen und die qumranessenischen Texte) aufnehmend und fortführend.
Die Nächstenliebe als Summe und Erfüllung des ganzen Gesetzes, identisch mit der Goldenen Regel, hätte eigentlich geschehen müssen. Gerade sie aber haben die Pharisäer zu tun unterlassen. Ja, auch die geringeren Dinge im Gesetz, die Verzehntung der Gewürzkräuter, soll man dabei nicht unterlassen. Dabei tritt ein entscheidender Unterschied zwischen der pharisäischen und der jesuanischen Erneuerungsbewegung hinsichtlich der Wertung des mosaischen Kultgesetzes zutage: Während die Pharisäer für die Überbewertung der Kräuterverzehntung, und das heißt die Verschärfung des Kult- und die Entschärfung des Moralgesetzes, eintreten, verfährt Jesus gerade umgekehrt. Er legt das Schwergewicht auf die radikale Nächstenliebe, verschärft also das Moral- und entschärft das Kultgesetz. Denn das moralische Handeln hat unbedingten sachlichen und theologischen Vorrang vor dem kultisch-rituellen. Obwohl also Jesus

nicht nur die mosaische, sondern auch die pharisäische Tora in allen ihren Teilen anerkennt, führt er praktisch eine verschiedene theologische Wertung von Kult- und Moralgesetz durch. Für ihn gab es kein naives Nebeneinander von Ethos und Kultus mehr, oder gar eine Überordnung des Kultus über das Ethos. Die zentralen und auf jeden Fall zu haltenden Gebote sind die Gebote der Mitmenschlichkeit, von denen her das Ganze des Mosegesetzes auszulegen ist. In der Forderung der Nächstenliebe unter Einschluß des Feindes offenbart sich der entscheidende und gewichtigere Wille Gottes. Der Gehorsam zu dem im Moralgesetz dokumentierten Willen Gottes ist auf jeden Fall zu leisten, wobei keineswegs geleugnet wird, daß im Kultgesetz ebenfalls der Wille Gottes laut werde. Nur kann nach Jesus der ethische Gehorsam nicht durch den rituellen kompensiert werden.

Freilich, der sich ausschließende Gegensatz von Gottes Gebot und pharisäischer Überlieferung als «Menschenwerk», wie er zum Beispiel in Mk.7 auftaucht, fehlt bezeichnenderweise in der Verkündigung Jesu, und er muß fehlen, weil sowohl das mosaische Kultgesetz als auch die pharisäischen Erweiterungen Gebote Gottes sind und bleiben. Aber es geht nicht an, die lächerliche Gartenminze zu verzehnten und das elementare Gebot der Mitmenschlichkeit zu vergessen. Der Mitmensch geht nach Jesus der Gartenminze vor!

Abschließend muß auch hier festgehalten werden, daß die Entschärfung des alttestamentlichen Kultgesetzes im Besitz des endzeitlichen Geistes gegründet ist.

III. Der ethische Radikalismus Jesu

1. Der Fluch über die Pharisäer und ihre Gesetzesauslegung

Die folgenden sieben antipharisäischen Wehesprüche Jesu, von denen wir zwei bereits in einem anderen Zusammenhang behandelt haben, zeigen unmißverständlich, daß die jesuanische und die pharisäische Erneuerungsbewegung im unversöhnlichen Gegensatz zueinander standen. Hier haben wir die schärfsten Angriffe gegen die Pharisäer innerhalb der Botschaft Jesu vor uns.

Aber es ist nicht zu übersehen, daß der apokalyptische Fluch Jesu «nur» gegen die Pharisäer, nicht aber gegen ganz Israel gerichtet ist. Diese Ausweitung der Polemik findet sich erst in nachösterlichen Jesus-Traditionen.

Der Weheruf gehört gattungsmäßig zu den prophetischen Stil- und Verkündigungsformen, die auf das Alte Testament zurückgehen (vgl. Am.5,18; 6,1; Jes.5; 28–33; Hab.2). Auch die Weherufe der jüdischen Apokalyptik (vgl. besonders äth.Hen.92ff) als prophetisches Gerichtswort sind wie bei Jesus an Personen adressiert, die im nahen apokalyptischen Endgericht von Gott verurteilt und an der neuen Welt Gottes keinen Anteil erhalten, weil sie das Gesetz ihres Gottes nicht befolgt haben. Auch in der jüdischen Apokalyptik bezieht sich also das Wehe auf die Sünden des abtrünnigen Israel wie der Heiden, denen das Gottesgericht in allernächster Zeit angedroht wird (äth.Hen.94,6–8; 95,5ff; 96,4ff usw.). Die Weherufe Jesu sind im Unterschied zu den literarisch ausgearbeiteten Mahnreden vor allem des äthiopischen Henoch kurze, ursprünglich selbständige Gerichtsworte, die den apokalyptischen Fluch über die pharisäisch geführte Erneuerungsbewegung definitiv aufrichten.

Außerdem darf nicht vergessen werden, daß die Inanspruchnahme der traditionell prophetisch-apokalyptischen Weherufe auf den Besitz des endzeitlichen Geistes zurückweist und von ihm begründet wird.

a) So richtet sich das dritte Wehe Jesu gegen die Eitelkeit, den Ehrgeiz und die Ehrsucht der Pharisäer bei verschiedenen Anlässen in der Öffentlichkeit:

«Wehe euch, Pharisäer,
mit Vorliebe nehmt ihr die Ehrensitze auf den vordersten Stühlen in den Synagogen ein
und schätzt es sehr, wenn man euch auf den Marktplätzen grüßt« (Mt.23,6.7a/Lk.11,43).

Verflucht wird von Jesus das ehrsüchtige Rangstreben der Pharisäer in der Synagoge, dem Sanedrin und der Tischordnung; denn vor der in Kürze anbrechenden Gottesherrschaft sind alle gleich. Keiner hat berechtigten Anspruch auf die ersten Ränge im menschlichen Miteinander, sondern jeder lebt vor dem Gott, der seine Sonne über Gute und Böse scheinen läßt! Der erste Rang, der den Frommen gebührende Ehrenplatz, soll und kann nicht von Menschen in ehrsüchtiger Weise angestrebt werden, sondern gebührt allein Gott, wenn beim Kommen seiner Herrschaft der wahre und ewige Ehrenplatz den Seinen zugeteilt wird.

Wiederum fällt auf, daß dieselbe antipharisäische Polemik sich schon in der Assumptio Mosis 7,4 findet: «Nur sich selber zu gefallen lebend». Da in Assumptio Mosis 7 durchweg essenische Kritik an den Pharisäern vorliegt, der Weheruf damit sachlich übereinstimmt, ist es sogar wahrscheinlich, daß Jesus in seiner antipharisäischen Gerichtspredigt auf polemische Motive der essenischen Erneuerungsbewegung zurückgegriffen hat. Darüber hinaus zeigt diese sachliche Übereinstimmung zwischen der jesuanischen und der essenischen Erneuerungsbewegung in Sachen pharisäischer Kritik, daß auch dieses Wehe Jesu letztlich im Rahmen der innerjüdischen Theologie verbleibt.

b) In dem vierten Wehe Jesu werden die Pharisäer besonders hart von Jesus verurteilt:

«Wehe euch, Pharisäer!
Ihr seid wie unsichtbare Gräber,

und die Menschen, die darüber hinweggehen,
wissen es nicht» (Mt.23,27/Lk.11,44).
Die Pharisäer werden in diesem Gerichtswort Jesu mit unsichtbaren Gräbern verglichen. Gräber aber verunreinigen nach dem alttestamentlich-jüdischen Kultgesetz jeden, der mit ihnen in Berührung kommt. So wird dieser Weheruf Jesu nur aufgrund der kultischen Gesetzesbestimmung (4.Mos.19,16) verständlich: «Man verunreinigt sich, wenn man auf diese tritt». Derartige unsichtbare Gräber aber sind die Pharisäer, so daß jeder, der mit ihnen in Berührung kommt, von ihnen wie von einem Grab verunreinigt wird. Diesmal wird nicht ihre Toraauslegung, sondern ihre pharisäische Existenz selbst gerichtet. Sie, die die priesterliche Reinheitsforderung sogar auf die Laien ausdehnten und im normalen Alltag praktizierten, sind so unrein wie ein unsichtbares Grab. Sie, die ihr Leben lang um die kultische Reinheit gemäß des Mosegesetzes bemüht waren und dieses Bemühen sogar auf ganz Israel übertrugen, verunreinigen jeden, ohne daß es der andere merkt. Ihre wirkliche Unreinheit und verunreinigende Wirkung ist den Mitisraeliten verborgen. Schärfer kann der Gegegensatz zwischen beiden Erneuerungsbewegungen nicht mehr zur Sprache gebracht werden: er ist schlechthin unüberbrückbar. Wiederum steht Jesus mit einer solchen Kritik im Judentum seiner Zeit nicht allein da, wie man in einer sehr wahrscheinlich essenischen Kritik in der zeitgenössischen Schrift Assumptio Mosis Kap. 7,4 nachlesen kann: «Verstellt in all' ihrem Wandel». Auch diese Kritik Jesu an den Pharisäern bedient sich also – wie wir bereits sahen – traditionell essenischer Motive, auch wenn zwischen beiden Erneuerungsbewegungen, der jesuanischen und der essenischen, sonst keineswegs nur Übereinstimmungen bestanden.
Um nur auf die wichtigsten Unterschiede in diesem Zusammenhang hinzuweisen: während die Essener das mosaische Ritualgesetz verschärften, und nicht wie Jesus entschärften, hat Jesus seinerseits keinen Mönchsorden am Toten Meer wie der essenische Lehrer der Gerechtigkeit gegründet, sondern wanderte mit seinen Jüngern besitz-, wehr- und familienlos durch Palästina.
c) Auch das fünfte Wehe bezichtigt die Pharisäer der Heuchelei:
«Wehe euch, Pharisäer!
Ihr packt schwere Traglasten zusammen
und legt sie den Menschen auf die Schultern,
doch ihr selbst seid nicht bereit,
sie auch nur mit einem Finger fortzubewegen»! (Mt.23,4/Lk.11,46).
Mit ihrer peniblen und extensiven Gesetzesinterpretation schnüren die Pharisäer schwere Lasten zusammen, die sie den in Gesetzesdingen unkundigen Laien aufbürden, selber aber bewegen sie diese Lasten nicht mit einem Finger! Wiederum wird kein grundsätzlicher Vorwurf gegen die pharisäische Toraauslegung erhoben, wenn die pharisäischen Gesetzesausleger neue und schwer ausführbare, autoritative Gesetzesbestimmun-

gen schaffen, wohl aber wird von Jesus das Selber-Nicht-Befolgen angeprangert. Verurteilt wird von Jesus die pharisäische Lieblosigkeit gegenüber den ihnen zur Belehrung anvertrauten Gesetzesfrommen und damit die sprichwörtlich gewordene Heuchelei zwischen volltönenden Lehren und Selber-Nicht-Tun.

Gerade dieser eklatante Widerspruch von Lehren und Tun bei den offiziellen Lehrautoritäten in der pharisäischen Erneuerungsbewegung wird von Jesus mit dem apokalyptischen Fluch beantwortet.

d) Das sechste Wehe hat im großen und ganzen Matthäus aufbewahrt:

«Wehe euch, Pharisäer!
Ihr baut die Gräber der Propheten und sprecht!
Hätten wir in den Zeiten unserer Väter gelebt,
wir wären nie mitschuldig geworden an ihren Bluttaten gegen die Propheten.
Aber so seid ihr nun eure eigenen Zeugen dafür,
daß ihr die Söhne der Prophetenmörder seid.» (Mt. 23,29–31).

Wieder nimmt dieses prophetische Gerichtswort Jesu ein traditionelles Motiv auf, die deuteronomistische Vorstellung vom gewaltsamen Geschick der Propheten, um sie allerdings polemisch gegen die Pharisäer zu wenden. Die Pharisäer sind selbst die Söhne derer, die die Propheten gemordet haben. Sie bauen zwar pietätvoll die Gräber für die getöteten Propheten, demonstrieren aber durch ihre Worte eine falsche Selbsteinschätzung: Sie halten sich zwar für besser als ihre Väter, ohne zu einer echten Umkehr zu kommen, weil sie das prophetische Wort zwar für die Vergangenheit, nicht aber für die Gegenwart anerkennen. Wenn die Pharisäer sich wirklich von ihren Vätern, den Prophetenmördern, distanzierten, dann müßten sie auch für das prophetische Wort und Wirken in der Gegenwart offen sein, wie es in Jesus in Erscheinung getreten ist. Indirekt wird damit bestätigt, daß sich Jesus als Prophet verstand, der einen im endzeitlichen Geistbesitz begründeten Anspruch erhob, der aber von den Pharisäern schroff abgelehnt wurde.

Der vorliegende Wehespruch beweist, daß Jesus seine vom endzeitlichen Geist motivierte Sendung im Sinne der traditionell deuteronomistisch-alttestamentlichen Vorstellung vom gewaltsamen Geschick der Propheten vor ihm verstanden hat. Als letzter Prophet vor dem unmittelbaren Anbruch der Gottesherrschaft wird er das gleiche Schicksal wie die vor ihm gemordeten Propheten erleiden. Mt.23,29–31 ist darum eine Schlüsselstelle für die so schwierige Rekonstruktion des Selbstbewußtseins und -verständnisses des historischen Jesus.

e) Das siebente und letzte Wehe ist der Höhepunkt im Kampfe Jesu gegen die konkurrierende, pharisäische Erneuerungsbewegung:

«Wehe euch, Pharisäer!
Ihr schließt die Gottesherrschaft vor den Menschen zu.
Denn ihr selbst geht nicht hinein,

und laßt nicht einmal diejenigen hinein, die hineingehen wollen (Mt.23,13).
Zuerst einmal verblüfft den heutigen Leser das überraschende Zugeständnis, das Jesus im tödlichen Kampf den Pharisäern macht. Ihnen wird von Jesus sogar die «Schlüsselgewalt» zugestanden, das heißt in ihrer Hand liegen die Schlüssel, und sie haben die Macht, natürlich durch die rechte Auslegung des göttlichen Mosegesetzes, die Gottesherrschaft auf- oder zuzuschließen! Ein in der Tat und auf den ersten Blick ungeheures Zugeständnis Jesu an die von ihm verfluchten Pharisäer.
Aber diese «Schlüsselgewalt» wird von den Pharisäern mißbraucht. Sie verschließen nach dem Urteil Jesu nicht nur die Gottesherrschaft vor den Menschen, das heißt den israelitischen Laien; sie selbst gehen nicht nur in das Gottesreich hinein, sondern hindern auch noch diejenigen daran, in das Gottesreich einzutreten, die hineingehen wollen.
Deshalb, und nur deshalb werden sie von Jesus dem apokalyptischen Gericht überantwortet. Auffallend ist allerdings, daß das griechische Wort Basileia hier – wie übrigens auch in Mt.6,33 par. – nicht primär zeitlich als Gottesherrschaft, sondern räumlich als Gottesreich zu übersetzen ist, in die man eintreten kann. Außerdem ist dieses Gottesreich als eine gegenwärtige und nicht eigentlich zukünftig-apokalyptische Größe verstanden. Das aber läßt darauf schließen, daß im Unterschied zu den übrigen apoka- lyptisch zu interpretierenden Basileia-Stellen in den ältesten Q-Stoffen hier das stärker pharisäische Gottesreich-Verständnis vorzuliegen scheint. Die Gottesherrschaft wird nach pharisäisch-rabbinischem Verständnis überall dort vergegenwärtigt, wo sich ein Israelit bewußt dem in der Tora geoffenbarten Willen Gottes gehorsam unterstellt. Gottes Herrschaft/ Reich und sinaitische Tora gehören darum aufs engste zusammen; denn das Annehmen der Gottesherrschaft ist gleichbedeutend mit: die Tora annehmen und praktizieren. Allerdings besteht ein nicht zu übersehender Unterschied zwischen dem Sprachgebrauch von Basileia in diesem Weheruf und denjenigen in den entsprechenden pharisäischen Texten. Jesu Verständnis des Gottesreiches (= Basileia) steht im Horizont der apokalyptischen Naherwartung der Gottesherrschaft und darum bleibt die eben genannte pharisäische Auslegung ungenügend.
Jesus stimmt mit den Pharisäern darin überein, daß Gott schon jetzt dort herrscht, wo sein Wille im Gesetz getan wird – allerdings unter apokalyptischem Vorbehalt. Die Pharisäer hingegen mit ihrer faktischen Gewichtsverteilung – Überordnung des Ritual- über das Moralgesetz – schließen die Tür zum Gottesreich vor den Menschen zu, gehen selber nicht hinein und hindern auch noch diejenigen, die hinein zu gehen im Begriffe sind!
Auch wenn das Gottesreich hier eine gegenwärtige Größe ist, führt es meines Erachtens in die Irre, sie ohne weiteres mit der christlichen Gemeinde gleichzusetzen. Vielmehr handelt es sich darum, Gottes Reich und die von Jesus hervorgerufene Erneuerungsbewegung miteinander in

Beziehung zu setzen. Weil die von Jesus berufene Jüngerschar die wahre Gotteserkenntnis besitzt und auch angesichts der ganz nahen Gottesherrschaft praktiziert, darum herrscht der kommende Gott bereits jetzt in ihrer Mitte und vollzieht sich in ihr der Anbruch des nahen Gottesreiches in wahrer Toraerkenntnis und -praxis. Dieser Nähe des Gottesreiches korrespondiert das Vertrauen des Jüngers in Gottes Bundestreue und der Aufbruch in den radikalen Gesetzesgehorsam. Aber weil diese Wirklichkeit der Gottesherrschaft noch in eschatologischer Toraerkenntnis und -praxis verborgen, gleichsam verhüllt bleibt, wenn sie auch in Kürze vor aller Welt offenbar wird, muß ihr Triumph im Vaterunser erbeten werden.

f) *Wir fassen zusammen:* Jesus hat die pharisäische Theologie und Frömmigkeitspraxis nicht nur bekämpft, sondern mit seinem stereotypen prophetischen «Wehe euch, Pharisäer» dem apokalyptischen Gericht überantwortet.

Pharisäer reinigen zwar minutiös die Außenseite von Becher und Schüssel, ihr Inhalt aber stammt aus Raubgier und Zügellosigkeit. Zwar haben sie die alttestamentliche Zehntpflicht sogar auf die kleinsten Gartenkräuter ausgedehnt, aber die tätige Nächstenliebe unterlassen. Das Moralgesetz hat aber eindeutig den Vorrang vor dem Kultgesetz.

Ehrsüchtig streben sie nach sozialem Rang in der Öffentlichkeit von Synagogen und Märkten, laden den Mitgliedern in der Erneuerungsbewegung schwere Lasten in Gestalt von unzähligen Gebotsbestimmungen auf, ohne diese aber selbst mit einem Finger zu bewegen. Deshalb sind die Pharisäer so unrein wie unsichtbare Gräber die jeden verunreinigen, der mit ihnen unwissentlich in Berührung kommt, sind sie Söhne der Prophetenmörder, die das Gottesreich verschließen! In diesen so plastischen Gerichtsworten spiegelt sich der ethische Radikalismus Jesu in seiner Stellung zum Gesetz des Mose wider. Aufgrund des endzeitlichen Geistbesitzes ist Jesus gewiß, Gottes Willen zu kennen, wie er im Gesetz des Mose für alle Zeiten offenbart wurde.

Seiner prophetisch motivierten Toraverschärfung muß ein radikalisierter Toragehorsam auf Seiten der Jüngerschaft entsprechen, wenn der Israelit beim ganz nahe hereinbrechenden Endgericht gerettet werden will.

Gerade weil die übliche Thoraerfüllung vor der anbrechenden Gottesherrschaft nicht mehr genügt, wird von der jesuanischen Erneuerungsbewegung das Sündersein des Menschen unterstrichen, allerdings nicht wie in der essenischen Erneuerungsbewegung dualistisch radikalisiert.

Wer zum Beispiel nicht dem Moralgesetz den Vorrang vor dem Kultgesetz einräumt, seine Ehefrau entläßt, nicht radikal auf sein Recht auf Wiedervergeltung verzichtet und nicht seine Feinde liebt, der ist und bleibt ein Sünder und wird im nahen Endgericht nicht bestehen. Nur diesem radikalisierten Toragehorsam wird von Jesus der Eintritt in das Gottesreich verheißen. Denn allein dieses Bekenntnis in Wort und Tat zu der von

Jesus geistesmächtig ausgelegten Mosetora in der Nachfolge entscheidet über Heil und Unheil im nahen Gericht.
Ja, sogar die pharisäischen Gesetzeserweiterungen, die sogenannte pharisäische Tora im Unterschied zur Mosetora vom Sinai, haben für Jesus göttliche Würde, aber jeder kultischen Forderung wird übergeordnet die allein wichtige Forderung der Nächstenliebe unter Einschluß des Feindes. Nur so wird das göttliche Gesetz von Jesus verschärft, weil sie auf prophetisch-apokalyptischer Schriftdeutung beruht. Abgelehnt wird jedes soziale Rangstreben in dieser Welt, weil die Rangplätze allein von Gott bei der Offenbarung seiner Herrlichkeit in allernächster Nähe verteilt werden. Diese Verschärfung des mosaischen Moralgesetzes ist eine schwere Last, die aber um Gottes willen von jedem Gemeindeglied «bewegt» werden muß. Denn allein in dieser Erneuerungsbewegung Jesu in Israel ist das wahre Israel, das den Anspruch seiner Propheten nicht nur in der Vergangenheit, sondern genau und noch mehr in der Gegenwart anerkennt und ihm zum Siege verhilft.
Jesus hat das Gottesreich vor den Menschen aufgeschlossen, ist selbst bereits hineingegangen und hilft eben denen, die ebenfalls hineingehen wollen. Aber auch diese schärfste Kritik Jesu an der pharisäischen Erneuerungsbewegung verläßt nirgendwo das heilsgeschichtliche Fundament Israels, sie gehört vielmehr in die Nähe der traditionell antipharisäischen Kritik seitens der essenischen und täuferischen Erneuerungsbewegungen innerhalb Israels und erweist sich darum letztlich als eine innerjüdische Kritik. Diese Gerichtsworte Jesu verlassen nirgendwo den gemeinsamen tragenden Grund Israels und beweisen noch einmal, daß die jesuanische wie alle anderen innerjüdischen religiösen Erneuerungsbewegungen eine Sondergemeinschaft im jüdischen Religionsverband darstellt.

2. Die radikale Forderung der Nachfolge

a) Nachfolge Jesu im eigentlichen und engeren Sinne meint mehr als untheologisch bloßes Hinterhergehen hinter Jesus bzw. mehr als ein nur äußerliches Hinterherziehen der Volksmenge hinter Jesus. Vielmehr bezieht es sich in der ältesten Tradition der Jesus-Stoffe (Q-, Mk.- und Sondergut-Überlieferungen) auf bestimmte einzelnc Personen, auf die «Jünger», und bedeutet ein ihn ständiges Begleiten. Allerdings ist hervorzuheben, daß der historische Jesus zwar seine Botschaft von der anbrechenden Gottesherrschaft an ganz Israel richtete, sie also nicht auf eine exklusive Heilsgemeinde eingrenzte, die prägnante Nachfolgeforderung aber nur gegenüber einzelnen erhob, die ihn immer begleiteten und von ihm in Dienst genommen wurden.
Erst in der jüngeren Schicht der Jesus-Überlieferung werden Nachfolge und Glaube gleichgesetzt.

Daß ursprünglich die Nachfolge Jesu keine Forderung an alle, sondern einzelne war, geht aus allen überlieferten Nachfolgeszenen der ältesten Jesus-Stoffe hervor.
Nach den beiden Berufungsgeschichten im Markusevangelium (1,16–20; 2,14) werden die Betreffenden nicht durch freien Entschluß Jesu Jünger, sondern durch die ausschließlich von Jesus ausgehende Berufung. Jesus ruft die beiden Brüderpaare Simon und Andreas, Jakobus und Johannes, die Fischer waren, ebenso vollmächtig in seine Nachfolge wie den Zöllner Levi.
Daneben finden sich Q-Traditionen, in denen unbekannte Nachfolgewillige gegenüber Jesus den Entschluß äußern, Jünger zu werden (Lk.9,57–60 par.). Aber dieser Entschluß wird von Jesus nicht ohne weiteres angenommen. Menschliche Bereitschaft allein genügt nicht, was auch aus der Geschichte vom reichen Jüngling hervorgeht (Mk.10,17–21). Letztlich ist es also immer Jesus allein, der über die Zugehörigkeit zum nach außen nicht offenen Jüngerkreis entscheidet.
Auch die drei letzten Belegstellen in Q, die von Nachfolge Jesu sprechen, die Anekdote vom Hauptmann von Kapernaum (Mt.8,10), das Wort von der Nachfolge im Kreuztragen (Lk.14,26f) und das Prophetenwort von der Thronverheißung (Mt.19,28) zeigen abschließend noch einmal, daß die Nachfolge Jesu im ältesten Stadium der Überlieferung an bestimmte einzelne gerichtet war, während erst nachträglich alle Glaubenden mit den nachfolgenden Jüngern gleichgesetzt wurden. Der Jüngerkreis des irdischen Jesus war kein offener Kreis, der alle Anhänger und Sympathisanten umfaßte, sondern beruhte allein auf der Initiative Jesu. Wahrscheinlich hat der historische Jesus diese Form des Jüngerkreises von seinem ehemaligen Lehrer Johannes dem Täufer übernommen bei dem ja offenbar auch nicht alle von ihm am Jordan Getauften automatisch zum Jüngerkreis gehörten. Nachfolge Jesu im eigentlichen Sinne bezog sich nur auf die Jünger –, nicht aber auf seine Anhängerschaft überhaupt. Um diese besonderen Forderungen, die sich ursprünglich nur an die enger Gruppe der Jesus nachfolgenden Jünger bezog und erst später auf alle Glaubenden übertragen wurde, geht es im folgenden.
b) Der ethische Radikalismus Jesu zeigt sich in den besonderen Forderungen. Der Ruf in die Nachfolge bedeutet erst einmal für den Jünger die kompromißlose Aufgabe von Wohnsitz, Familie und Beruf. Dieser befremdliche und exzentrisch erscheinende Lebensstil kommt deutlich in den schon genannten Nachfolgegeschichten zum Ausdruck. Die von Jesus berufenen Fischer- und Jüngerpaare verlassen Haus, Hof, Äcker und Beruf (Mk.16–20), dasselbe gilt für den Zöllner Levi (Mk.2,14), und folgen Jesus nach in die Heimat- und Berufslosigkeit. Wie ihr Meister werden die Jünger durch den Ruf Jesu plötzlich herausgerissen in die Existenz der Wanderradikalen, heraus- gelöst aus allen alten Sozialverhältnissen, weil Jesus von ihnen die absolute Hingabe verlangt.

In der Doppelanekdote von den beiden unbekannten Nachfolgewilligen (Mt.8,19–22/Lk.9,57–60) fallen die Antworten Jesu besonders schroff aus. Der erste Nachfolgewillige wird von Jesus vor die Situation der unsteten Heimatlosigkeit gestellt: «Die Füchse haben Gruben und die Vögel des Himmels haben Nester, aber der Menschensohn hat nichts, wohin er sein Haupt legen kann» (Mt.8,20/Lk.9,58). Der Jünger und Nachfolger wird wie Jesus selbst heimatlos, von Ort zu Ort wandernd, um die Nähe der Gottesherrschaft in Wort und Tat vollmächtig zu bezeugen.
Auch die Jüngeraussendungen in Q (Mt.10,5ff/Lk.9,2ff), die erst nachträglich von den Evangelisten historisierend zu Darstellungen über die einmalige bzw. zweimalige Aussendung und Rückkehr der Jünger umstilisiert wurden, waren ursprünglich natürlich kein zeitlich begrenztes Unternehmen, sondern schrieben den Jüngern um der Erweckung Israels willen ein unstetes Wanderleben ohne Arbeit und Beruf vor. Die vom Markusevangelium zu unterscheiden Berufungsgeschichte im lukanischen Sondergut, der Fischzug des Petrus (Lk.5,1–11), wiederholt das schon bekannte Thema von der Heimatlosigkeit der Jesus Nachfolgenden: «sie (= die Jünger) verließen alles und folgten ihm nach»!
c) Die von Jesus mit äußerster Schärfe angesichts der anbrechenden Gottesherrschaft in die radikale Nachfolge gerufenen Jünger hatten mit Haus, Hof und Beruf auch ihre Familie verlassen. Nach Mk.10,29 haben die Nachfolgenden Haus, Bruder, Schwester, Mutter, Vater, Kinder und Äcker zurückzulassen. Aber dieser Bruch und Verlust der vertrauten Sozialbindungen durch die Wanderradikalen wird nach der großen Verheißung Jesu nicht ohne menschlichen und auch materiellen Ausgleich in der Jüngerschaft samt ihren weiteren Anhängern sein. Hundertfach wird der Ersatz für die ohne Familie nun umherwandernden Jünger in der Jesusbewegung sein, «Häuser und Brüder und Schwester und Mutter und Kinder und Äcker, und zwar schon in dieser Weltzeit (Mk.10,30).
In Mk.1,20 wird ausdrücklich berichtet, daß die von Jesus in die Nachfolge berufenen Jünger Jakobus und sein Bruder Johannes ihren Vater Zebedäus im Fischerboot zurückließen. Ein anderer Anonymus will Jesus nachfolgen (Mt.8,21 par.), möchte aber zuerst noch seinen Vater begraben. Darauf folgt das abrupte «Folge mir» und die in Q wohl einmalig schroffe, eingliedrige Sentenz von den geistlich Toten, die ihre eigenen Toten selbst begraben sollen. Die Zeit ist angesichts der angebrochenen Gottesherrschaft für den Jünger so knapp, daß er sich die zeitraubende, tagelange Teilnahme an den Totenklagen, Leichenmahlen und Totenfesten nicht leisten kann. Mögen sich darum die bereits «Toten» kümmern! Wenn man sich aufgrund des religionsgeschichtlichen Vergleichsmaterials vergegenwärtigt, daß die Bestattung der Toten für den antiken Menschen stets eine menschliche und religiöse Pflicht zugleich war, dann kann man ermessen, wie sehr Jesus hier gegen die traditionelle Familienpietät verstößt. Er mutet sein Jüngern nicht nur den Bruch mit dem Mosegesetz in

Gestalt des Vierten Gebotes zu, sondern fordert im selben Atemzug auch noch die Außerachtlassung der pharisäischen Forderung der Liebeswerke zu der gerade die Pflicht zur Bestattung der eigenen Eltern gehörte. Auch diese unerbittlich harte, ja frevelhafte Nachfolgeforderung Jesu wird nur verständlich auf dem Hintergrund von Wanderradikalismus und der ihr korrespondierenden apokalyptischen Naherwartung der Gottesherrschaft und ist gegründet im Besitz des Geistes der Endzeit. Jesus duldet angesichts der nahen Gottesherrschaft keinerlei menschlich-natürliche Rücksichten mehr. Die Jesus-Nachfolge geht deshalb der gesetzlich geforderten Elternbestattung vor, weil der Jünger dem durch Israel wandernden Meister in letzter Weltenstunde folgt.
Ja, Jesus fordert sogar den Haß des Jüngers gegenüber den engsten Familienangehörigen!
«Wenn einer nicht haßt seinen Vater und seine Mutter, der kann nicht mein Jünger sein» (Lk.14,26).
Die bewußte Absage, Abkehr und Ablehnung der engsten, vererbten Familienbeziehungen ist die Kehrseite der Nachfolge, ohne daß damit allerdings das Mosegesetz in Gestalt des Vierten Gebotes bewußt und planmäßig aufgehoben würde. Weil für den Jünger mit Auftreten des Endzeitpropheten Jesus die Gottesherrschaft bereits angebrochen und gegenwärtig geworden ist, muß dem Nachfolgeruf Jesu radikal und rücksichtslos Gehorsam geleistet werden.
Aber nicht nur die jesuanische Erneuerungsbewegung vertrat und praktizierte ein afamiliäres Ethos! Auch die pharisäische Erneuerungsbewegung ordnete die Elternliebe eindeutig dem Gehorsam zu Gott, zur Mosetora und zum Toralehrer unter. Aber die eigentlichen Sachparallelen zu dem Radikalismus, mit dem Jesus seine Jünger aus allen familiären Bindungen herausruft, liegen in der essenischen Erneuerungsbewegung. In Qumran wurde von jedem Mitglied die Trennung von seinen Familienangehörigen verlangt, vermutlich unter Berufung auf 5.Mos.33,9. Zu vergleichen sind u.a. 4Q Test.16ff; 1QS 6,2f. 19f; 1QH 4,8f. Damit ging die essenische Erneuerungsbewegung weit über die pharisäisch erlaubte Lösung von der Familie um des Torastudiums willen hinaus. Begründet ist diese Lösung in beiden Erneuerungsbewegungen – der jesuanischen wie essenischen – trotz aller Unterschiede im einzelnen in der intensiven Endzeiterwartung. Da die letzte Stunde angebrochen ist, muß die Jüngernachfolge kompromißlos allen anderen Bindungen vorangehen.
Den Hintergrund für dieses Ethos der Familienlosigkeit der Jünger schildert der Prophetenspruch Mt.10,34–36 par.:
«Meint nicht, ich bin gekommen,
Frieden auf die Erde zu bringen.
Nein, ich sage euch:
Nicht Frieden zu bringen, bin ich gekommen,
sondern das Schwert.

Denn ich bin gekommen, Entzweiung anzurichten zwischen einem Mann
und seinem Vater,
Zwischen einer Tochter und ihrer Mutter
und zwischen einer Schwiegertochter und ihrer Schwiegermutter;
und seine eigenen Hausgenossen wird der Mensch zu Feinden haben».
Jesus ist also nicht gekommen, Frieden zu stiften, sondern «das Schwert zu werfen» (so die wörtliche Übersetzung). Aber der Zusammenhang beweist, daß weder an das traditionelle Motiv des heiligen Krieges zu denken ist noch an die Ausrüstung der Jünger zum Kriegshandwerk, sondern von Jesus das apokalyptische Thema der Entzweiung der nächsten Verwandten und Hausgenossen in der letzten Zeit vor der Heilswende angesagt wird.
Die Aufnahme von Mi.7,6 kann nur besagen, daß die von alttestamentlichen Propheten geweissagte apokalyptische Drangsal und Schreckenszeit mit dem Kommen Jesu in Israel begonnen hat. Die Ansage der endzeitlichen Entzweiung der Familie ist belegt außer in Mi.7,6 in Sach.13,3; äth.Hen.99,5; 100,1f; Jub.23,16 syr.Bar.70,6.
Die Nachfolge Jesu angesichts der nahen Gottesherrschaft führt zur eschatologischen Entzweiung der jüngeren von der älteren Generation in Israel und zum Unfrieden der Hausgenossen.
d) Der ethisch-rigorose Wanderradikalismus Jesu führte aber nicht nur zur Heimat-, Berufs- und Familienlosigkeit seiner ihm nachfolgenden Jünger, sondern auch zum Verzicht auf Reichtum und Besitz. Damit ist das vierte Merkmal des Wanderradikalismus Jesu und seiner Jünger genannt. Wer wie Jesus und die ihm nachfolgenden Jünger in augenfälliger Armut, nämlich ohne Geld, Sandalen, Stab und Vorräte nur mit einem einzigen Kleidungsstück versehen, durch Palästina wanderte (Mt.10,10 par.), der konnte Besitz und Reichtum anklagen, ohne selbst unglaubwürdig zu werden. So ist es ohne weiteres verständlich, daß die Jünger selbst für einen Becher Wasser als Beispiel für den kleinsten Dienst dankbar sind und diesen Helfern ausdrücklich Gottes Lohn im zukünftigen Gericht verheißen wird:
«Wer einem dieser Kleinen einen Becher kühlen Wassers gibt, weil er mein Jünger ist,
wahrlich, ich sage euch: Ihm soll sein Lohn nicht mangeln» (Mt.10,42).
Nichts kennzeichnet die Stellung Jesu zu Besitz und Reichtum eindringlicher als die Brotbitte im Vaterunser, dem Gebetsformular der Jesusbewegung:
«Das Brot, das wir brauchen,
gib uns für den heutigen Tag» (Mt.6,11).
Angesichts der Gewißheit Jesu, daß der offenbare Herrschaftsantritt Gottes unmittelbar bevorsteht, werden die Jünger von Jesus angehalten, nur noch für das vor der in Kürze anbrechenden Gottesherrschaft Nötige zu beten, um das Brot für den jeweiligen Tag. Im Unterschied zu der neun-

ten Benediktion des Achtzehnbittengebetes der Synagoge, wo die bäuerliche Situation und die Bitte um das jährliche Brot im Mittelpunkt stehen, weiß Jesus, daß es keinen Zweck mehr hat, sich in der schon verge henden Welt noch häuslich einzurichten, wird gerade nicht mehr die Dauer des Alltags vorausgesetzt, sondern kann Gott von den Seinen nur noch um das notwendige Existenzminimum gebeten werden. Die Brotbitte des Vaterunsers hat die Ausleger seit den Tagen der Kirchenväter vor allem wegen des rätselhaften griechischen Wortes epioúsios beschäftigt. Die intensive Diskussion über die ursprüngliche Bedeutung des griechischen Wortes hat jedenfalls bis zur Stunde eines ergeben, daß ihr keine Zeit- sondern eine Maßangabe zugrundeliegt. Die Jünger sollen ihren himmlischen Vater nur um das Brot bitten, daß sie für den heutigen Tag brauchen, also die Tagesration. Die Jesusbewegung, die morgen schon das Hereinbrechen der Herrlichkeit Gottes und seiner Herrschaft erfleht, bittet nur noch für das notwendige Existenzminimum. Während die ursprüngliche Vaterunser-Fassung bei Matthäus das Momentane «Gib ... für den heutigen Tag» als Ausdruck der unmittelbar bevorstehend geglaubten Gottesherrschaft enthält, die die Jünger als wirkliche Tagelöhner Gottes nur noch um des Leibes Notdurft für den Tag bitten läßt, hat Lukas mit seinem durativen «Gib uns ... Tag für Tag» den Alltag der Kirche am Ende des ersten Jahrhunderts und ihre «häusliche» Einrichtung in der Welt vorausgesetzt, also radikal die Enteschatologisierung vollzogen. Aber das ist keineswegs für die ursprüngliche Bitte Jesu vorauszusetzen. Die hier von Jesus seinen Jüngern auferlegte Armut ist eindeutig apokalyptisch motiviert: Weil Jesus aufgrund des für die Endzeit verheißenen Geistes die Gewißheit hat, daß der Anbruch des Gottesreiches unmittelbar vor der Tür steht, soll die mit ihm wandernde Jüngerschar nur noch um das Brot für den heutigen Tag bitten!

Weil der Besitzverzicht von Jesus geschätzt und der Reichtum angesichts der schon eingetretenen Endzeit verworfen wird, gilt seine Seligpreisung allein den Armen, Hungernden und Klagenden:

«Selig sind die Armen,
denn ihnen gehört das Reich Gottes!
Selig sind die Hungernden,
denn sie werden satt werden!
Selig sind die Klagenden,
denn sie werden lachen!»

Wie der synoptische Vergleich ergibt, enthielten die ältesten Q-Stoffe nur drei Makarismen (Lk.6,20b und 21 par.). Sie eröffneten die erste programmatische Rede in der Spruchquelle Q. Aber traditionsgeschichtlich beurteilt, bestehen die Makarismen ursprünglich aus selbständigen Einzelworten bzw. Prophetensprüchen die Jesus an seine Jünger richtete. Die Seligpreisungen Jesu gehören in die große antike Tradition der Makarismen, die sowohl in der griechischen wie alttestamentlich-jüdischen Literatur zu Hause war. Formgeschichtlich geurteilt hat die Seligpreisung ihr eigentliches Vorbild in der religiösen Weisheit, wurde aber später in der Apokalyptik streng auf die Ankunft des Gottesreiches ausgerichtet. Die eschatologische Ausrichtung und die zweigliedrige Formel sind erst spät unter apokalyptischem Einfluß entstanden (Vgl. Tob.13,15b; äth.Hen. 58,2; 99,10 u.a.), so daß wir jetzt feststellen müssen, daß die Seligpreisungen Jesu religionsgeschichtlich und gattungsmäßig auf den apokalyptischen Makarismus zurückgehen.

Aber ein entscheidender Unterschied ist nicht zu übersehen. Der apokalyptische Makarismus, der in der apokalyptischen Literatur durchweg literarisch verwendet wird und zur pseudepigraphischen Fiktion gehört, wird jetzt im Munde Jesu zu einer streng prophetischen Redeform. Nicht apokalyptische Schreiber machen von ihr in langen fiktiven Reden Gebrauch, sondern der durch den endzeitlichen Geist inspirierte Prophet Jesus.

Die Seligpreisungen Jesu sind also keine Weisheitssprüche mehr sondern Zuspruch und Zuruf vor dem nahen Ende wie in der Apokalyptik. Nicht um Tugenden geht es, sondern die angesprochen «Armen», «Hungernden» und «Klagenden» umschreiben die einzig noch übrig bleibenden Faktoren des Existierens in der Welt kurz vor dem Ende. Ebenso ist auch die Begründung streng apokalyptisch ausgerichtet. Der Anteil an der Gottesherrschaft, das Gesättigtwerden und das Lachen, werden sich beim nahen Weltgericht ereignen.

Die apokalyptische Ausrichtung wird bestätigt durch den Aufbau der Seligpreisungen. Während der Vordersatz sich durch das immer betont am Anfang stehende «Selig sind ...» auf die Gegenwart bezieht, weist der begründende Nachsatz in der Gewißheit der Naherwartung auf die Thronbesteigung Gottes.

Die erste Seligpreisung spricht den Armen die kommende Gottesherrschaft zu: Ihnen gehört schon jetzt (im Urtext steht «ist«) das Reich Gottes. So unmittelbar steht die Herrschaft Gottes bevor, daß diese bereits als gegenwärtig zugesagt werden kann. Mit diesem Heilruf über die Jünger als den wirklich Armen steht Jesus wiederum in der apokalyptischen Tradition seines Volkes. Während Arme im gesamten Alten Testament nicht angesprochen werden, kennt die apokalyptische Literatur die Verheißung: «Die Armen werden reich werden» (Vgl. Test.Jud.25,4). Die essenische Erneuerungsbewegung fordert grundsätzlich und strikt die persönliche Besitzlosigkeit angesichts der nahen Gottesherrschaft. Ja, für die Essener war «arm» Ehrenprädikat und Selbstbezeichnung (1QpHab.12,3.5.10), während das Besitzstreben ausdrücklich die «Kinder der Finsternis» (1QS 19,9; 11,21 u.ö.) kennzeichnete Im Gegensatz zur pharisäisch geführten Synagoge, die zwar einerseits die Armut, andererseits den Reichtum und Besitz schätzt, geht es in Qumran und in der Seligpreisung Jesu um die apokalyptisch begründete Armut. Allerdings fehlt in Qumran die Seligpreisung der Armen.

In den beiden folgenden Seligpreisungen der Hungernden und Klagenden wird die Auslegung von Arme = wirklich Arme bestätigt. Auch bei den Hungernden und Klagenden handelt es sich selbstredend um die Jünger in einer wirklichen Notsituation, nicht aber wie schon beim Evangelisten Matthäus um einen übertragenen Sprachgebrauch (geistlich Hungernde und geistlich Klagende).
Gerade den hungernden und klagenden Jüngern wird mit prophetischer Vollmacht die Heilsnähe der Gottesherrschaft zugesprochen, haben sie doch bereits in der Gegenwart eschatologischen Anteil an dem sich bahnbrechenden Reich Gottes. Denn die Futura: «Sie werden gesättigt werden» und «Sie werden lachen» sind als apokalyptische Futura auf die Naherwartung der Gottesherrschaft bezogen, während das Passiv Gottes Handeln umschreibt. Er selbst wird die Jesus Nachfolgenden sättigen und die Tränen abwischen, so daß sie lachen.
In den vorsynoptischen Berufungsgeschichten wird ausdrücklich geschildert, daß die Jünger das alles verlassen, was sie aufgrund ihrer ohnehin schon kargen Fischerarbeit erworben haben (Mk.1,16–20), und daß der Zöllner Levi mit seiner Zollstätte auch seinen Besitz aufgab (Mk.2,14). In der Geschichte vom Fischzug des Petrus heißt es, daß Petrus und seine Begleiter «alles verließen und Jesus nachfolgten» (Lk.5,11).
Bei der mißglückten Berufung des reichen Jünglings forderte Jesus den Verkauf seines ganzen Besitzes als Bedingung für die Nachfolge, was dieser aber ablehnt (Mk.10,21).
Erinnert sei auch noch einmal an Mk.10,2ff., wo ebenfalls vom Verlassen des Hauses und der Äcker die Rede ist, die der Jünger beim Eintritt in die Nachfolge freiwillig aufgegeben hat. Dazu paßt Jesu eschatologischer Warnruf in Mt.6,19–21 par.:
«Sammelt keine Schätze auf Erden,
wo Motten und Wurmfraß sie unansehnlich machen,
und wo Diebe einbrechen und stehlen.
Sammelt euch vielmehr Schätze im Himmel,
wo weder Motten noch Wurmfraß sie unansehnlich machen,
noch Diebe einbrechen und stehlen.
Denn wo dein Schatz ist,
da wird auch dein Herz sein.»
Der Form nach zeigt dieses Warnwort Jesu den klassischen Aufbau des alttestamentlich-jüdischen Weisheitsgebotes: Auf die negative bzw. positive Mahnung (V.19a.20a) folgt beide Male der Rückbezug auf das Aussagewort als allgemeinem Erfahrungssatz (V.19b.c und 20b.c). Abgeschlossen wird das ganze durch ein Sprichwort. Die prophetische Warnung Jesu wird dreifach begründet. Einmal durch den Hinweis auf die himmlischen Schätze, die gleichbedeutend sind mit einem Schatz von heilsnotwendigen Torawerken bei der nahen Ankunft der Gottes-

herrschaft. Zum andern verweist Jesus auf die allgemeinmenschliche Erfahrung (Motte, Wurm und Diebe), appelliert demnach an den gesunden Menschenverstand.
Und schließlich wird in 6,21 das menschliche Herz angesprochen, das entweder an irdischen oder an himmlischen Schätzen hängt.
Das Herz des Jüngers aber darf nicht an irdischen Schätzen hängen. Jesus weiß, daß das Herz des Menschen nur glücklich ist, wenn er einen Schatz besitzt; und dieser Schatz soll den Jüngern nicht genommen werden. Aber sie sollen nicht solche Schätze sammeln, die vergänglich sind und leicht verloren gehen. Die Anhäufung solcher Schätze soll – so die Illusion der Menschen – die Sorgen um die Zukunft abnehmen bzw. erleichtern. In Wirklichkeit aber kann es nur eine Sorge geben: in aller Eile himmlische Schätze zu sammeln, das heißt den ursprünglichen und eigentlich Gotteswillen tun, schon jetzt Sohn Gottes zu werden, der dann in Kürze sein bei Gott angeschriebenes Guthaben, seine himmlischen Schätze als ewiges Leben ausbezahlt bekommt. Ganz unbefangen wird hier von Jesus die traditionelle Vorstellung von den wohlgefälligen, frommen Werken aufgenommen, die von Gott in Bälde belohnt, wie ein Schatz in den himmlischen «Vorratskammern» aufbewahrt und bei Gott gleichsam als Guthaben angeschrieben werden (Vgl. u.a. äth.Hen.38,2; 4.Esra7,77; syr. Bar.14,12). Der radikale Besitzverzicht wird also von Jesus apokalyptisch wie weisheitlich begründet.
Die Aufforderung zum Sammeln himmlischer Schätze ist zwar ein geläufiges Motiv der pharisäischen Gesetzesethik, aber nicht in dieser schroffen Entgegensetzung von irdischen und himmlisch Schätzen. Natürlich hat die pharisäische Erneuerungsbewegung von den Gefahren des Reichtums gewarnt, niemals indes waren Reichtum und Besitz an sich unvereinbar mit dem Dienst am Mosegesetz.
Dagegen besteht größte inhaltliche Nähe dieses Warnwortes Jesu zur essenischen Erneuerungsbewegung, die im Unterschied zur pharisäischen angesichts des nahen Endes ebenfalls den radikalen Besitzverzicht fordert. Hier wie dort wird Armut hoch geschätzt, Reichtum in Gegensatz zu Gott gebracht, ohne daß allerdings Jesus und seine Jüngerschar sich wie die Essener von Qumran klösterlich und exklusiv gebärdeten. In diesen Zusammenhang paßt ausgezeichnet, das in Mk.10,25 verarbeitete, ungemein plastische und einprägsame Bildwort:
«Leichter ist es für ein Kamel,
durch ein Nadelöhr zu gehen,
als für einen Reichen,
in die Gottesherrschaft einzugehen».
Gott und irdische Güter, die jetzt anbrechende Gottesherrschaft und Reichtum schließen sich für Jesus und die ihm nachfolgenden Jünger schlechterdings aus. Für den Reichen ist es einfach unmöglich, in das Reich Gottes zu gelangen. Weder verfolgt dieser Spruch Jesu asketische

Tendenzen noch fordert Jesus die innere Freiheit von irdischen Schätzen oder gar einen bewußt verantwortlichen Umgang mit dem Besitz. Auch die im Judentum traditionell begegnende «Armenfrömmigkeit» liegt diesem schon fast sprichwörtlich Warnwort fern.
Angesichts der schon hereinbrechenden Herrschaft Gottes gibt es für Jesus und seine Jünger nur das schroffe Nein zu Besitz und Reichtum!
In den folgenden Worten Jesu ist es für den Ausleger nicht mehr möglich, überzeugend und scharf zwischen Forderungen, die nur an die Jünger und solchen, die an einen weiteren Kreis gerichtet sind, zu scheiden. Die folgenden Warnungen, Verbote und Aufforderungen dürften sich deshalb an die gesamte Jesusbewegung gerettet haben.
e) So verbietet Jesus in seiner längsten Warnrede das Sorgen und verweist alle auf die grenzenlose Vatergüte Gottes:
«Deshalb sage ich euch:
Sorget nicht um euer Leben, ob ihr etwas zu essen habt und um euern Leib, ob ihr etwas anzuziehen habt.
Ist nicht das Leben mehr als die Nahrung
und der Leib mehr als die Kleidung?
Sehet euch die Raben an: sie säen nicht, sie ernten nicht, sie sammeln nichts in die Scheuern,
und doch ernährt sie Gott!
Wieviel mehr bedeutet ihr ihm als sie?
Und was sorgt ihr euch für die Kleidung?
Gebt acht auf die Lilien auf dem Felde,
wie sie aufwachsen: sie arbeiten nicht, sie spinnen nicht – doch ich sage euch: nicht einmal Salomo in seiner Herrlichkeit war so gekleidet wie eine von ihnen!
Wenn Gott aber schon das Unkraut auf dem Felde,
das heute da ist und morgen in den Ofen geworfen wird,
so herrlich zu kleiden weiß,
wird er dann nicht euch noch viel mehr zukommen lassen, ihr Kleingläubigen?
Deshalb sprecht nicht voller Sorge: was werden wir zu essen oder zu trinken oder anzuziehen haben?
Denn nach all dem trachten die Heiden!
Denn euer Vater weiß wohl, daß ihr das alles braucht.
Trachtet vielmehr zuerst nach seinem Reich,
so wird euch dies alles hinzugegeben werden» (Mt.6,25–33 par.).
Jesus ruft zum unbedingten Vertrauen in die für alle seine Geschöpfe sorgende Güte Gottes auf, der erst recht nicht seine Söhne im Stich lassen wird. Die durchaus verständliche Sorge um die alltäglichen Dinge des Lebens ist alleinige Sache des nahen Schöpfergottes. Einzige Sorge der Jünger soll vielmehr die unmittelbar bevorstehende Gottesherrschaft sein!
Der Aufbau dieser kleinen Mahnrede ist kunstvoll und das dahinterste-

hende traditionelle Schema der Weisheitsaussage ist leicht wiederzufinden. Auf die Warnung mit direkter Anrede an den Hörer (V. 25) folgt das Aussagewort als Erfahrungssatz mit Begründung in V. 25b: Das Leben ist mehr als die Speise und der Leib mehr als die Kleidung, und in V. 26 wird aufgefordert, die Raben genau zu betrachten; obwohl sie keine Arbeit verrichten, werden sie von Gott, ihrem Schöpfer, versorgt. Daraus wird in Frageform der Schluß gezogen: unterscheidet ihr euch nicht vielmehr von ihnen?

Die Verse 28–30 bringen die zweite Demonstration im Stil der Weisheit: den Hinweis auf die Lilien, auf Salomo und das wertlose Gras. V.31f wiederholt noch einmal die Warnungen, nicht zu sorgen, sondern alles daran zu setzen, nach der Gottesherrschaft zu trachten. Vor allem aber trägt diese Warnrede Jesu prophetischen Charakter, wie die schon bekannten traditionellen Einleitungsformeln in V. 25 und 29 beweisen. Jesus ruft den Jüngern und allen seinen Anhängern im weiteren Sinne zu, die Augen zu öffnen und in der Schöpfung den Schöpfer sehen zu lernen, ja mehr noch den Fürsorger und Erhalter und barmherzigen Vater. Die Mahnung zur Sorglosigkeit wird von Jesus mit der strahlenden Pracht der Lilien des Feldes und der grenzenlosen Freiheit der Raben begründet. Gerade die nicht arbeitenden und nicht vorsorgenden Raben und Lilien sind natürlich nicht Vorbild für das Nichtstun, sondern Zeugen der Fürsorge Gottes, die alles ängstliche Sorgen zum Spott macht. Wenn der Schöpfergott schon für alle seine Geschöpfe sorgt, mag das Lebewesen noch so klein und vergänglich sein, dann gilt seine väterliche Sorge um so mehr seinen Kindern, der Jesusbewegung in der Endzeit. Zu diesem Vertrauen in die schrankenlose Güte Gottes ruft Jesus auf. Aber dieser Glaube ist schwer, wie die Anrede «Kleingläubige» zeigt. Kleinglaube ist kein Unglaube.

Die einzige Sorge der Söhne Gottes soll die Gottesherrschaft sein; denn alle anderen Sorgen um das Leben, die Lebensmittel oder Kleidung sind die typischen Sorgen der Heiden, die Gott der Vater den Seinen längst abgenommen hat.

Wie das Auftauchen des Begriffs «die Heiden» beweist, wird die heilsgeschichtliche Erwählung Israels von Jesus hier wie auch sonst niemals aufgehoben, sondern in der grundsätzlichen Abgrenzung Israels von den Heiden wie übrigens auch in allen anderen innerjüdischen, religiösen Erneuerungsbewegungen aufrechterhalten. Die Heiden kennen gerade diesen nahen Schöpfergott als Vater der Seinen nicht, wie ihr Tun offensichtlich beweist. Sie überlassen das Sorgen gerade nicht dem nahen Gott! Deshalb haben sie keinen Glauben und sind sie von seiner Herrschaft ausgeschlossen.

Wer aber dieser prophetischen Forderung Jesu Folge leistet und damit dem Schöpfer vertraut, wer vom Sorgen der Heiden endgültig Abschied nimmt und nur noch Gottes Willen in der endzeitlichen Liebespraxis tut, dem erweist sich schon jetzt Gott als fürsorgender Vater und in allernächste Nähe beim apokalyptischen Kommen seiner Herrschaft als endgültiger Retter und Erlöser.

f) Der Lebensstil der Jesusbewegung (d.h. der Jüngerschaft im engeren und Anhängerschaft im weiteren Sinne) wird weiterhin im völligen Verzicht auf jegliches Richten deutlich:

«Richtet nicht, damit ihr nicht gerichtet werdet!
Denn mit dem Urteil, mit dem ihr über andere urteilt, werdet ihr selbst beurteilt,
und mit dem Maß, mit dem ihr meßt,
werdet ihr selbst gemessen werden.
Was blickst du gebannt auf den Splitter im Auge deines Bruders, den Balken in deinem eigenen Auge aber bemerkst du nicht?
Wie kannst du zu deinem Bruder sagen:
Laß mich dir den Splitter aus dem Auge ziehen,
und siehe, der Balken steckt doch in deinem Auge!
Heuchler, zieh zuerst den Balken aus deinem eigenen Auge,
dann magst du zusehen, wie du den Splitter aus deines Bruders Auge herausziehst» (Mt.7,1–5 par.).

In diesem apokalyptischen Warnruf verbietet Jesus jegliches Richten gegenüber dem Bruder. Richten meint hier freilich nicht das Gerichtsverfahren bzw. Prozessieren, sondern das Beurteilen und Verurteilen des Bruders innerhalb der Gemeinde, also das Moralisieren als die versteckteste Weise der Aggression. Gerade solches Richten, Urteilen und Messen wird von der nahen Gottesherrschaft ausschließen; denn die drei Passiva «damit ihr nicht gerichtet werdet», «werdet ihr selbst beurteilt werden» und «wird euch zugemessen werden» umschreiben Gottes Gerichtshandeln, weisen also auf das apokalyptische Gericht Gottes, das in allernächster Nähe von Jesus erwartet wird. Zugrunde liegt in 7,2 eine Weisheits regel, die von Jesus ins Apokalyptische gehoben wird und nun das göttliche Recht der Vergeltung meint.

Mit diesem radikalen Verbot des Richtens unterscheidet sich Jesus sowohl von der essenischen als auch pharisäischen Erneuerungsbewegung. Dieses absolute Verbot des Richtens widerspricht der bei Pharisäern wie Essenern geübten juristischen Praxis, weil es im Gegensatz steht sowohl zu der für die Qumran-Essener so wichtigen Absonderung als auch radikaler ist als das pharisäisch-rabbinische Gebot, alle Menschen nach der guten Seite zu beurteilen, weil es jedes Urteilen überhaupt untersagt. Die angeführten beiden Bildworte vom Splitter und vom Balken erläutern diese prophetisch-autoritative Weisung. Der Form und dem Inhalt nach gut jüdisch, wollen diese beiden grotesken Bildworte den Hörer dazu aufrufen, grundsätzlich das Richten seines Mitbruders zu unterlassen, weil er immer einen Balken, der Bruder aber immer nur einen Splitter im Auge hat. Gerade dieses überhebliche Zurechthelfen des Bruders ist Heuchelei und sinnlos, andere zu verdammen, wenn man den Balken im eigenen Auge verdrängt. Typisch für diese überführende Warnung ist das «zuerst» das auch im Warnruf gegen das Sorgen auftaucht (Mt.6,33). Zuerst gilt es immer, den Balken im eigenen Auge zu entfernen, bevor man sich in hochmütig-heuchlerischer Weise um den Splitter im Auge des Bruders bemüht.

g) Außerdem warnt Jesus Jünger wie Anhänger eindringlich vor der falschen Furcht:

«Fürchtet euch nicht vor denen, die den Leib töten können,
aber nicht die Macht haben, die Seele zu vernichten.
Fürchtet euch vielmehr vor dem, der beide, Leib und Seele, in der Gehenna vernichten kann.
Kauft man nicht zwei Sperlinge für einen Pfennig?
Und nicht einer von ihnen fällt auf die Erde ohne euren Vater.
So sind auch alle eure Haare auf dem Haupt gezählt.
Deshalb habt keine Furcht.
Ihr seid mehr als eine Menge Sperlinge» (Mt.10,28–31 par).

Auch diese prophetische Mahnung zur Furchtlosigkeit in der Verfolgung, die der Form nach zu den Weisheitssprüchen gehört, zeigt den schon bekannten typischen Aufbau: auf das Warnwort mit direkter Anrede an den Hörer im antithetischen Parallelismus (V. 28) folgen zwei Erfahrungssätze als Begründung (V.29 und 30), während V. 31 die Anwendung auf die Jünger mit dem pharisäischen Schluß vom Geringeren auf das Größere bringt.

Die prophetische Verkündigung Jesu verzichtet weder auf weisheitliche Demonstration (der Hinweis auf die Spatzen und die Haare auf dem Kopf!) noch auf die kunstvoll-rhythmische Form. Der Inhalt dieser prophetischen Warnung ist gut jüdisch; denn die Furcht vor Gott dem Richter, der in die Hölle verdammen kann, kennen sowohl die großen Apokalypsen (äth.Hen.; syr.Bar.; 4.Esra) und die Qumran-Essener als auch die pharisäische Erneuerungsbewegung. Ebenso weiß das Judentum zur Zeit Jesu mit dem Alten Testament um die Fürsorge Gottes in der Gegenwart, so daß Jesus hier wie auch sonst mit dem alttestamentlich-jüdischen Gottesglauben völlig ernst gemacht hat.

Der Gott, von dem Jesus kündet, ist der Vater seiner Jünger und Anhänger, der sogar für die scheinbar geringsten Geschöpfe, die Sperlinge, und das einzelne, wertlose Haupthaar sorgt. Diese Einsicht steht jedem Israeliten offen; sie ist gerade nicht durch die alttestamentliche Schrift, sondern durch die allgemeinmenschliche Erfahrung vermittelt. Aber nicht jedem Israelisten ist eine solche Einsicht Grund zur Gewißheit, daß es Gott selber mit seinen Geschöpfen und erst Recht mit Jesu Anhängern gut meint.

Weil der Jesusjünger zu diesem nahen Gott ein grenzenloses Vertrauen haben kann, darum weist Jesus mit prophetischer Autorität auf die armseligen Spatzen und die wertlosen Haupthaare hin. Wenn keiner der armseligen Sperlinge «ohne euren Vater» auf die Erde fällt, und alle ihre Haare einzeln gezählt sind, dann ist dieser Schöpfergott erst recht für seine Söhne da, indem er für sie sorgt.

Die wahre Furcht gebührt allein Gott; denn die Macht der Menschen endet im leiblichen Töten. Gott aber kann die Seele beim nahen Weltgericht in die Gehenna verdammen. Dabei darf schließlich nicht die konkrete und von Jesus bereits in den Blick genommenen Märtyrersituation außer acht gelassen werden. Jesus ermahnt die Seinen angesichts der zu erwartenden Verfolgungen seitens der pharisäisch geführten Synagoge zur Furchtlosigkeit, wobei ihm der ihn sehr bald selbst treffende Tod am Kreuz nur allzu recht gegeben hat.

h) Mit dem alten Testament und gesamten Judentum teilt Jesus schließlich die Gewißheit, daß Gott die Gebete der Israeliten erhört. Deshalb ermahnt er seine Jünger in der folgenden kunstvoll aufgebauten Weisheitsrede (Mt.7,7–11 par.), Gott zu bitten, zu suchen und bei ihm anzuklopfen:

«Deshalb sage ich euch:
Bittet, so wird euch gegeben.
Sucht, so werdet ihr finden.
Klopft an, so wird euch aufgetan.
Denn jeder, der bittet, empfängt,
und jeder, der sucht, findet,
und jedem, der anklopft, wird aufgetan.
Wer sollte unter euch sein,
den sein Sohn um Brot bittet,
der ihm einen Stein gäbe?
Oder wenn er um einen Fisch bittet,
ihm eine Schlange reichte?
Wenn nun ihr, die ihr böse seid,
euren Kindern dennoch gute Gaben gebt,
wieviel mehr wird euer Vater
gute Gaben denen geben, die ihn bitten.»

Wiederum arbeitet Jesus mit rhetorischen Fragen (V.9 u. 10), auf die es nur eine Antwort aufgrund allgemeinmenschlicher Erfahrung gibt: nein, niemals!, während V.11 die stilgemäße Anwendung mit dem bekannten pharisäischen Schluß vom Geringeren auf das Schwere darstellt.

Auch diese Weisheitsmahnung wird mit prophetischer Autorität ausgestattet: eingeleitet in V.7 durch die prophetische Redeformel «Ich sage euch», taucht in V.9 eine weitere typisch prophetische Einleitungsformel «Wer ist unter euch?», auf.

In V.7 wird der erste bildlose Imperativ «Bittet» durch die bei den folgenden treffsicheren Imperative «Sucht» und «Klopft an» illustriert, werden die Passiva jeweils in echt semitischer Scheu Gottes Handeln umschreiben: Wer also Gott bittet, ihn sucht und bei ihm anklopft, dem wird gegeben und ihm wird geöffnet werden. Warum? Darauf gibt der Erfahrungssatz treffsichere Auskunft: Wer ist unter euch, dessen Sohn ihn um etwas bittet, und er würde ihm Steine oder Schlangen reichen? Antwort: Keiner! Denn er ist ja der Vater seines Sohnes. Das ist jedem einsichtig, in sich evident und klar. Daraus wird von Jesus mit prophetischer Vollmacht die Konsequenz gezogen: die Bitte eures Sohnes abzuweisen, vermögt selbst ihr nicht, die ihr böse seid (vgl. schon Mt.5,45); denn ihr verschließt euch nicht vor den Bitten eurer eigenen Kinder. Wieviel mehr wird euer himmlischer Vater euch erst recht gute Gaben geben, wenn ihr ihn darum bittet. Jesus will sagen: laß dich nicht entmutigen! Bitte deinen Vater und er wird dir Gutes geben. Die Liebe des himmlischen Vater ist größer als alle menschliche Bosheit.

i) Schließlich ist auch das Vaterunser in seiner ältesten Textgestalt ein Gebet, das nicht nur für den engen Kreis der von Jesus direkt in seine Nachfolge gerufenen Jünger bestimmt war, sondern allen seinen Anhängern gilt, die Jesu Botschaft von der anbrechenden Gottesherrschaft im Glauben annehmen:

«So sollt ihr beten:
Vater,
dein Name werde geheiligt.
Dein Reich komme.
Unser Brot, das wir brauchen,
gib uns für den heutigen Tag.
Und erlaß uns unsere Schulden,
wie auch wir unsern Schuldnern erlassen haben.
Und führe uns nicht in die Endversuchung» (Mt.6,9–13).

Aufbau und Gliederung dieses Gebetsformulars Jesu für die «Söhne Gottes» (Mt.5,45) ist einfach und sofort durchsichtig!

Auf eine kurze Einleitung folgt die Anrede. Dann folgen zwei apokalyptisch ausgerichtete Du-Bitten im Parallelismus, die sogenannten Jenseitsbitten, und schließlich drei parallele Wir-Bitten, die Diesseitsbitten.

Der Urtext des Vaterunsers dürfte gereimte aramäische Prosa sein und die streng apokalyptische Ausrichtung der zweiten (= das Kommen des Reiches Gottes), dritten (= Bitte um die Tagesration Brot), und fünften Bitte (= Bewahrung vor der Endzeit-Versuchung zeigt, daß Jesus die Seinen um das Hereinbrechen der apokalyptischen Weltwende bitten läßt. Das Vaterunser spiegelt prägnant Selbstverständnis wie Lebensstil Jesu und der ihm nachfolgenden Söhne Gottes wider. Schon das absolute «Vater», das der aramäischen Gottesanrede «Abba» entspricht, hat den familiären Klang «lieber Vater». Jesus ermächtigt die Seinen, den nahen Gott als Vater anzureden, der sie allein trägt, erhält und bewahrt. Gegenüber der liturgisch überladenen Gottesanrede des 18-Bittengebetes der pharisäisch geführten Synagoge: «Gott Abrahams, Gott Isaaks und Gott

Jakobs! ... Höchster Gott, Schöpfer Himmels und der Erden, unser Schild und Schild unserer Väter» hebt sich diese Gottesanrede Jesu aufallend ab, ohne daß damit allerdings der traditionelle Gebetsrahmen Israels demonstrativ verlassen wäre wie 3.Makk.6,3.8 beweisen. Die Vaterbezeichnung Gottes entspricht durchweg der Gottesverkündigung Jesu in den ältesten Q-Stoffen: Mt.5,48 par. (= euer Vater), Mt.7,11 par. («Vater») und Mt.5,45 («Söhne eures Vaters»). Das heißt: die Jünger wie auch der weitere Anhängerkreis Jesu verstehen sich als Söhne des himmlischen Vaters. Die beiden ersten Bitten gehören formal und sachlich zusammen: es geht um den baldigen Anbruch der Gottesherrschaft. Die erste Bitte ist eine direkte Aufforderung an Gott, seinen Namen zu heiligen, wobei allerdings der Imperativ aus frommer Scheu passivisch umschrieben wird. Diese erste Bitte ist streng apokalyptisch gemeint. Gottes Name wird endgültig und vor aller Welt heilig sein, wenn in allernächster Nähe die Gottesherrschaft erscheint. Daran schließt sich die zweite, nicht minder apokalyptische Bitte um das Kommen der Gottesherrschaft an, die diesem Aeon ein Ende bereitet und den kommenden einleitet.

Auch hier spiegelt sie die Intensität der apokalyptischen Erwartung Jesu und seiner Anhänger wider, die das große Ereignis kaum noch erwarten können, auf jeden Fall aber noch Gottes Triumph über alle Welt erleben möchten.

Kein Zufall ist es, wenn im Unterschied zum synagogalen 18-Bittengebet die sogenannten «Diesseitsbitten» im Vaterunser den beiden «Jenseitsbitten» nachgestellt werden. Durch die Verziehung der beiden apokalyptischen Bitten im Vaterunser werden nun auch die folgenden drei «Diesseitsbitten» unter das Vorzeichen der Naherwartung der Gottesherrschaft von Jesus gestellt. Nur noch um das vor der anbrechenden Gottesherrschaft Nötige sollen seine Anhähger bitten.

Das heißt, auch diese drei letzten Bitten des Vaterunser setzen nicht mehr den Alltag und die Dauer des Alltags voraus, sondern angesichts der in Kürze anbrechenden Gottesherrschaft gibt es nicht mehr viel, worum der so Betende zu bitten hat, nämlich um die Tagesration Brot, den Schuldenerlaß und die Bewahrung vor der großen endzeitlichen Versuchung. Da wir die Brotbitte im anderen Zusammenhang schon gebührend berücksichtigt haben, genügt es jetzt darauf hinzuweisen, daß der Jesus Vertrauende nicht um das jährliche – wie im 18-Bittengebet –, sondern um das tägliche Brot bitten soll. Denn schon morgen ist dieser Aeon zu Ende. Auch die zweite Wir-Bitte ist zweigliedrig und apokalyptisch bedingt. Von Haus aus ein finanztechnischer Begriff, meint das zugrundeliegende griechische Wort für Schulden die einklagbare Darlehensschuld. Im Vaterunser theologisch gerahmt, bezeichnet er jetzt die vor und von Gott einklagbare Schuld. Bevor das Ende kommt, sollen die Söhne Gottes ihren Schuldnern vergeben.

Die fünfte und letzte Bitte ist ein Einzeiler und als einzige Bitte negativ formuliert: ursprünglich ging es Jesus darum, daß in der nahe bevorstehenden Endversuchung, im apokalyptischen Endkampf und den ihm vorausgehenden apokalyptischen Drangsalen die Jünger nicht abfallen und zugrundegehen. Erst später ist dieser Begriff auf die immer wiederkehrenden Versuchung des Alltags, auf jede Not und Drangsal bezogen worden. Zusammenfassend heißt das, daß gerade auch das Vaterunser besonders charakteristisch ist für den besonderen Lebensstil Jesu wie der Jünger.

j) Aber dieser besondere Lebensstil der Heimat-, Familien-, Berufs- und Besitzlosigkeit war nicht Selbstzweck, keine höhere Moral oder ein Elitedenken, sondern Verpflichtung zu einem bestimmten Dienst aufgrund eines besonderen Auftrags. Und dieser bestimmte Auftrag an den engeren Kreis der Jesus nachfolgenden und von Ort zu Ort wandernden Missionare vor und nach Ostern ist gleichbedeutend mit ihrer «Aussendung», dem Sendungsbefehl Jesu:

«Er sagte aber zu ihnen: Die Ernte ist groß, aber es gibt zu wenig Arbeiter. Bittet nun den Herrn der Ernte, daß er Arbeiter in seine Ernte schickt!

Siehe, ich sende auch wie Lämmer mitten unter die Wölfe. Nehmt keinen Geldbeutel mit, keinen Ranzen, keine Sandalen. Grüße niemand unterwegs. Wo ihr in ein Haus eintretet, da sprecht zuerst: Friede sei mit diesem Hause! Und wenn es dort einen Sohn des Friedens gibt, so wird sich euer Friede auf ihm niederlassen; wenn nicht, so wird er zu euch zurückkehren. In diesem Hause sollt ihr bleiben und essen und trinken, was ihr von ihnen bekommt. Denn der Arbeiter ist seines Lohnes wert. Wechselt nicht von einem Haus zu einem andern. Und wo ihr in eine Stadt hinein kommt, und sie euch aufnehmen, heilt die Kranken, die dort sind und sagt zu ihnen: Das Reich Gottes ist nahe herbeigekommen. Wo ihr aber in eine Stadt hineinkommt und sie euch nicht aufnehmen da geht hinaus auf ihre Straßen und sprecht: selbst den Staub, der sich aus eurer Stadt uns an die Füße gehaftet hat, schütteln wir über euch. Ich sage euch: Sodom wird es an jenem Tage erträglicher ergehen als jener Stadt» (Lk.10,2–12 par.).

Eröffnet wird der Aussendungsbefehl Jesu durch das im Alten Testament (Jes.27,12; 9,2f u.a.) und vor allem in der Apokalyptik (4.Esra 4,28; 9,17.31; syr.Bar.70,2) bekannte eschatologische Bildwort von der Ernte im kommenden Endgericht. Weil die Zahl der Erntearbeiter angesichts der großen Ernte gering ist, sollen die Jünger Gott um Arbeiter für die endzeitliche Ernte bitten. Die Gegenwart der Missionsarbeit in Israel ist also bereits apokalyptisches Endzeitgeschehen. Bei dieser apokalyptischen Erntearbeit handelt es sich um die Erweckung Israels als der Einbringung derer, die sich für die anbrechende Gottesherrschaft entscheiden, und die Ausscheidung derer, die sie abgelehnt haben. Im Unterschied zu den bekannten Apokalypsen sind die Erntearbeiter nicht die

Engel, die der Menschensohn bei seinem apokalyptischen Kommen aussendet, um die eschatologische Heilsgemeinde einzusammeln, sondern die von Jesus ausgesandten Endzeit-Boten als Israelprediger. Werden die Jünger hier Erntearbeiter genannt, so in Mk.1,17 «Menschenfischer». Aber nicht die Größe und Weite des Missionsgebietes, sondern die drängende Endzeit ist der Grund für die Bitte an den Herrn der Ernte, Arbeiter in seine Ernte zu schicken. Aber die ausgesandten Boten als apokalyptische Erntearbeiter werden nicht zu Heidenvölkern geschickt, sondern allein Israel wird in letzter Stunde die Möglichkeit der Umkehr und Annahme der Gottesreichsbotschaft angeboten. Mit «Mission» im landläufigen Sinne hat diese apokalyptische Erntarbeit jedenfalls nichts zu tun, da die unmittelbare Erwartung der Gottesherrschaft im Hintergrund steht.

Diese Erntearbeit in Israel ist mehr als gefährlich, weil Jesus von seinen Boten das radikale Ethos der Schutzlosigkeit fordert: sie werden von Jesus wie Lämmer mitten unter die Wölfe gesandt! Aber im bezeichnenden Unterschied zu manchen verwandten Texten in der Apokalyptik und im Pharisäismus symbolisieren die Lämmer keineswegs das Volk Israel, das von Wölfen israelfeindlicher Mächte zerrissen wird, sondern hier werden Israeliten gerade von ihren eigenen Landsleuten vernichtet. Mörderische Konflikte bis hin zum Martyrium werden für die Endzeitboten und Erntearbeiter Jesu nicht ausbleiben. Auch hier ist die dahinterstehende deuteronomistische Prophetenaussage deutlich: den apokalyptischen Erntearbeitern geht es wie vor ihnen den zahllosen Propheten und Boten der göttlichen Weisheit, die von Israel abgewiesen und ermordet wurden. Diese mörderische Situation – Lämmer unter Wölfen – wird im Horizont der endzeitlichen Drangsal gedeutet und als Anbruch der apokalyptisch geweissagten Endzeit.

Die von Jesus ausgesandten Boten sind die «Apostel», wie das zugrundeliegende griechische Wort anzeigt. Diese «Apostel» Jesu sind die Umkehr- und Erweckungsprediger in Israel vor dem nahen Ende.

Weil diese apokalyptische Sendung der Erntearbeiter zu Israel so mörderisch-wölfisch ist, sind dementsprechend rigoros die Anweisungen für ihre Ausrüstung: ohne Geldbeutel, ohne Proviantsack und sogar ohne Sandalen sollen sich die Boten Jesu auf den Weg machen. Selbst für den damaligen Reisenden waren Sandalen schlechthin notwendig, wie aus pharisäischem Quellenmaterial hervorgeht: «Der auf einem Roß, ist ein König; der auf einem Esel ein freier Mann; wer Schuhe an seinen Füßen hat, ist ein gewöhnliches Menschenkind. Wenn aber jemand weder dieses noch jenes hat, dann ist der Verscharrte und Begrabene besser dran als er» (Schabbat 152a). Ja, selbst Personen, die pflichtmäßig barfuß zu gehen hatten, wie Fastende und Trauernde waren auf Reisen von dieser Vorschrift entbunden: das heißt, was selbst für den ärmsten Reisenden schlechthin lebensnotwendig war und sogar Fastenden und Trauernden erlaubt wurde, nämlich auf Reisen nicht barfuß zu laufen, das wird den apokalyptischen Erntearbeitern ausdrücklich untersagt. Weil die von Jesus ausgesandten Jünger Reichgottesboten und apokalyptische Erntearbeiter in Israel sind, die in Kürze mit der kosmischen Ankunft der Gottesherrschaft rechnen, deshalb sollen sie heimat-, familien-, besitz-, berufs- und wehrlos von Haus zu Haus und Ortschaft zu Ortschaft in Israel ziehen, die Nähe der Gottesherrschaft ausrufen und die Kranken heilen, damit das wiederhergestellte Gottesvolk als apokalyptische Ernte eingebracht und vor dem Thron der Herrlichkeit Gottes versammelt werden kann.

In denselben apokalyptischen Zusammenhang gehört das rigorose Grußverbot: schon der Prophet Elisa verbot seinem Diener Gehasi, weil er einen wichtigen Auftrag auszuführen hatte, unterwegs zu grüßen (2.K.4,29). Aber die von Jesus ausgesandten Wandermissionare haben noch weniger Zeit und sollen sich auf gar keinen Fall durch das zeitraubende und äußerst langwierige orientalische Begrüßungszeremoniell aufhalten lassen. Ihre Eile ist verständlich, denn ihre Zeit ist wegen des nahen Endes sehr knapp bemessen. Bei dieser letzten apokalyptischen Sammlung des Gottesvolkes werden alle Erntearbeiter von Jesus zur äußersten Eile angetrieben.

Dann folgt eine klare und unmißverständliche Mahnung zum Verhalten der Jesusboten in den von ihnen aufgesuchten Häusern. Ohne den traditionellen Friedensgruß, der in dieser apokalyptischen Endzeitsituation besondere Bedeutung erhält, sollen die Wandermissionare kein Haus betreten. Denn der Friedensgruß kündigt das nahe Gottesreich an und ist nichts anderes als der endzeitliche Heilsgruß. Befindet sich in einem solchen Haus ein «Sohn des Friedens», dann wird der apokalyptische Friedensgruß als heilsschaffendes Wort auf ihm ruhen, wenn nicht, wird er wieder zu ihnen zurückkehren. Dieser Friedensgruß im Munde des Jesusboten ist eschatologischer Heilsanbruch wie Ankündigung der nahen Gottesherrschaft selber. «Söhne des Friedens» kann nur den umkehrwilligen Israeliten meinen, der das Wort der apokalyptischen Sendboten Jesu aufnimmt, ihrer Verkündigung glaubt und damit für den Frieden bestimmt ist. Werden die wenigen Endzeitboten in einem Haus aufgenommen, dann sollen sie in ihm bleiben und alles essen und trinken, was sie dort erhalten. «Denn wer arbeitet, hat auch Anspruch auf Lohn». Wenn dieser Grundsatz schon für jeden Arbeiter in Israel galt, dann erst recht für den apokalyptischen Erntearbeiter, der mit seinem eschatologischen Ruf das Gottesvolk sammelt. Weil seine Sendung wirkliche Arbeit ist, deshalb steht es ihm zu, von den ihm angebotenen Speisen und Getränken ohne Zaudern Gebrauch zu machen. Völlig verfehlt wäre es, hier von Bettelei zu sprechen, auch nicht von einer Bettelei höherer Ordnung. Denn die Endzeitboten Jesu als die apokalyptischen Erntearbeiter haben als wirkliche Arbeiter Anspruch auf Lohn, das heißt auf Unterbringung, Essen und Trinken.

Auf keinen Fall sollen die Boten von Haus zu Haus gehen oder das ihnen angebotene Quartier wechseln.

In Lk.10,8–12 erfolgen die parallelen Anweisungen über das Verhalten in einer Stadt bzw. Ortschaft. Nimmt eine Ortschaft die Boten Jesu auf, dann haben diese «nur» eine zweifache Aufgabe: sie sollen einmal die in dieser Stadt befindlichen Kranken heilen und zum andern die Nähe der Gottesherrschaft ausrufen. Zum letzten Mal wird dieser Generation in Israel Heil oder Unheil angeboten. Die Heilungswunder der gesandten Jünger sind nicht Demonstrationen ihrer Wundermacht, sondern als Zeichen der Endzeit vollmächtige Belgeiterscheinungen der in der Botschaft der Ausgesandten anbrechenden Gottesherrschaft. Der zentrale Satz «Die Gottesherrschaft ist nahe herbeigekommen» bedeutet nicht anderes als daß in Wort und Wundertat der Boten Jesu als apokalyptischen Erntearbeitern sich der Anbruch der Gottesherrschaft vollzieht und für Israel heilvolle Gegenwart geworden ist.
Wer allerdings diese Botschaft ablehnt, verfällt dem apokalyptischen Gericht. Als sichtbares prophetisches-eschatologisches Gerichtszeichen sollen die Jesusboten sogar den Staub, der an ihren Füßen haftet, abschütteln. Selbst dem lasterhaften und gottlosen Sodom wird es am apokalyptischen Gerichtstag erträglicher ergehen als jener Stadt, die diese apokalyptischen Erntearbeiter abgelehnt hat. An der Stellungnahme zu ihrer Botschaft entscheidet sich Annahme oder Verwerfung im Endgericht. In diesen Zusammenhang der Mission in Israel gehört auch das Mahnwort vom Hören auf die Jünger Lk.10,16. Die Entscheidung Israels gegenüber der Sendung und Botschaft seiner Jünger hat das halbe eschatologische Gewicht wie gegenüber Jesus selbst. Die Anerkennung bzw. Verwerfung ihrer Verkündigung ist gleichbedeutend mit derjenigen Jesu, wobei die Jünger das gleiche Schicksal wie ihr Herr erleiden.
k) Mit diesem Sendungsauftrag ist das besondere Geschick der Boten Jesu bereits vorprogrammiert: Wie der Beginn des Aussendungsbefehls, wonach die Jünger wie Lämmer unter die Wölfe geschickt werden, schon überdeutlich ausführte, ist die Durchführung ihres Auftrags, nämlich die Mission Israels, bis auf den Tod gefährlich.
Vor allem ist in diesem Zusammenhang auf das Wort vom Kreuz – nehmen hinzuweisen:
«Und wer nicht sein Kreuz auf sich nimmt und mir nachfolgt, der kann nicht mein Jünger sein» (Mt.10,38 par.).
Die von Jesus ausgesandten Missionare werden zur leidensbereiten und martyriumsnahen Nachfolge aufgerufen. Das Aufsichnehmen des Kreuzes als Umschreibung für Verfolgung, Leiden und gewaltsamen Tod meint das besondere Geschick der Jesus Nachfolgenden. Ihnen gilt die besondere Verheißung:
«Wer sein Leben findet, wird es verlieren,
und wer sein Leben um meinetwillen verliert, wird es finden« (Mt.10,39 par.).
Die Jesusnachfolge führt ins Sterben, das aber in Bälde in das ewige

Leben einmünden wird. Die eschatologischen Futura zeigen beide Male unmißverständlich an, daß vom ewigen Tod bzw. Leben der anbrechenden Gottesherrschaft die Rede ist. Nichts anderes verkündigt der sentenzartige Doppelspruch vom Jünger und Meister Mt.10,24f:

«Der Jünger steht nicht über seinem Meister
und der Sklave nicht über seinem Herrn.
Es sei dem Jünger genug,
wenn es ihm wie seinem Lehrer ergeht,
und dem Sklaven wie seinem Herrn».

Die Jesus Nachfolgenden stehen als Jünger und Sklaven in der Schicksalsgemeinschaft mit ihrem Lehrer und Herrn Jesus. Wenn er schon das gewaltsame Prophetengeschick in Jerusalem erlitten hat, so wird es seinen Israelboten und Erntearbeitern nicht anders ergehen. Auch sie müssen für das Martyrium bereit sein.

Und in diesem Lichte schließlich ist die schon besprochene Mahnung zur Furchtlosigkeit zu sehen (Mt.10,28–31 par.): Der Jünger soll in Lebensgefahr allein Gott und nicht die Menschen fürchten. Denn die Macht der Menschen endet im leiblichen Tode, die sie die Seele nicht vernichten können. Gott aber hat allein die Macht, sowohl den Leib als auch die Seele in die Gehenna zu verdammen. Der Jünger empfängt von Jesus die Versicherung, daß er auch im gewaltsamen Tode nicht von Gottes Fürsorge ausgeschlossen werden kann.

IV. Indikativ und Imperativ

Die aus der theologischen Fachsprache bekannte, traditionelle Unterscheidung zwischen dem Indikativ der Heilszuwendung und dem Imperativ der Gesetzesforderung ist auch auf die Ethik des historischen Jesus voll anwendbar. Jesus kennt beides: Er spricht das Heil bedingungslos zu, und er erhebt die vorbehaltlose, radikale Gesetzesforderung. So sichert der Nazarener an Gottes Statt den Jüngern die Vergebung ihres himmlischen Vaters zu (das Vaterunser Mt.6,9–13 par.), spricht in den Seligpreisungen die Armen, Hungernden und Klagenden selig (Lk.6,20b par.), verkündet die anbrechende Gottesherrschaft als die Stunde des Heils (Mt.6,33; Lk.6,20; Lk.10,9) und ruft bedingungslos in seine Nachfolge (Mk.1,16ff; 2,14; Mt.8,19ff par; Mk.10,3). Die Ethik Jesu kennt also sehr wohl indikativische Stoffe, die den Indikativ der bedingungslosen Heilszuwendung Jesu beinhalten.

Andererseits bestreitet Jesus nirgends die Heilsnotwendigkeit des Mosegesetzes und fordert überall zum völligen Gehorsam und Tun des verschärften Moral- und entschärften Kultgesetzes wie sogar der pharisäischen Tora auf. Inhaltlich-sachlich bleiben alle ethischen Forderungen Jesu auf jüdischem Niveau und im in jüdischen Bereich.

Wenn Jesus nicht nur den Imperativ der radikalen Gesetzesforderung, sondern mit dem Alten Testament und dem Judentum auch den Indikativ der unbedingten Heilszusage kennt und praktiziert, dann verläßt er auch mit dieser traditionellen Zuordnung von Indikativ und Imperativ nirgends die Glaubensüberlieferung seiner Väter.
Und wenn schließlich auch für den historischen Jesus der Indikativ der Heilszuwendung dem Imperativ der Gesetzesforderung vorangeht und ihn begründet, so ist auch diese sachliche Vorordnung des Indikativs der Heilszusage vor dem Imperativ der Gesetzesforderung gegenüber dem Alten Testament und den übrigen innerjüdischen, religiösen Erneuerungsbewegungen nichts grundsätzlich Neues! Denn das Geschenk der göttlichen Sündenvergebung, die Nähe der Gottesherrschaft, der Heilszuspruch Jesu in den Seligpreisungen und der vollmächtige Ruf der Gnade in die Nachfolge – das alles begründet zwar die Nähe des göttlichen Heils. Aber diese zuvorkommende Liebe und Sorge Gottes des himmlischen Vaters für die Seinen schenkt zugleich die Krafterfüllung des Willens Gottes im Mosegesetz. Sämtliche Forderungen sind nicht nur auf Erfüllung angelegt, sondern auch erfüllbar. Diese Erfüllung der Gebote ist die Folge des Heils und des Heilszuspruches. Jesus stellt nicht nur die Gesetzesforderungen, sondern schenkt auch die Kraft zum verstehenden Gehorsam und Tun. Der bedingungslosen Heilszuwendung Jesu in der göttlichen Sündenvergebung der nahen Basileia, den Seligpreisungen und dem Nachfolgerufe entspricht seine vorbehaltlose, radikale Gesetzesforderung, hebt sie aber niemals prinzipiell auf.
Denn Jesus hat niemals über das Verhältnis von Imperativ und Indikativ reflektiert, und nirgendwo problematisiert die Heilszusage die Gesetzesforderung, sondern das fortdauernde Heilshandeln Jesu an seinen Jüngern ermöglicht die alt-neue Ausrichtung auf den Heilsweg des Gesetzes. Die Gnade und die zuvorkommende Liebe Gottes führen wiederum auf den Heilsweg des verschärften Moral- und des entschärften Kultgesetzes, nicht aber von ihm weg. Die Vergebung ist gut jüdisch das Mittel zur Gesetzeserfüllung und die Kraft zum Tun der geforderten Gesetzeswerke. Dem Sünder, dem die Sünden vergeben wurden, ist damit das Tun der Gebote im Herzensgehorsam ermöglicht worden; denn nur unter der Voraussetzung und ständig wirksamen Hilfe der göttlichen Gnade kann der Imperativ der Gesetzesforderung vom Jünger Jesu erfüllt werden. Die erfahrene Vergebung Gottes soll die eigene Vergebung zur Folge haben und dem eigenen Angenommensein durch Gott soll die Annahme des Nächsten entsprechen. Weder hat Jesus in Galiläa die paulinische Rechtfertigungslehre vorgetragen noch war er im Sinne der Aufklärung der optimistische und zeitlose Morallehrer. Vielmehr hat Jesus eine innerjüdische religiöse Erneuerungsbewegung ins Leben gerufen, die mit den übrigen Erneuerungsbewegungen in Israel aufs heftigste konkurrierte. Weil aber von allen Erneuerungsbewegungen die Kulttora des Mose bejaht

wurde, rief Jesus keine unbeschnittenen, unreinen Heiden in seine Nachfolge und führte schon gar nicht eine gesetzesfreie Heidenmission vor dem Kommen der Gottesherrschaft durch.
Jesus steht im Judentum und auf dem Boden der von ihm radikalisierten Tora, und seine gesamte Ethik beabsichtigt nur eines, den Willen Gottes uneingeschränkt und keineswegs nur formal zur Geltung zu bringen. Deshalb ist der irdische Jesus gerade so die Bedingung von Kirche, Glaube und christlichem Handeln; denn ohne ihn gäbe es keine christliche Ethik.

2. Kapitel
Die nachösterlichen Jesusgemeinden

I. Die Quellen und historische Situation

Nach dem Kreuzestod des Wanderpropheten Jesus, dessen machtvolle Ankunft als offenbarer Menschensohn man in allernächster Zukunft erwartete, setzten seine Jünger die Erntearbeit, d.h. die Mission Israels als Wandermissionare fort und berief der zum Menschensohn Erhöhte durch ihren Mund immer wieder Israeliten in seine Nachfolge. Zugleich entstand nicht die Urgemeinde, sondern bildeten sich in Galiläa und Judäa, in der Dekapolis und Syrien seßhafte Ortsgemeinden, die keineswegs beziehungslos nebeneinander lebten. Die Ethik dieser innerjüdischen, nachösterlichen Jesusgemeinden und die ihnen korrespondierenden Wanderpropheten können wir heute noch rekonstruieren aufgrund der neutestamentlichen Quellen, genauer sämtlicher vorsynoptischer Traditionen, den sogenannnten Leben-Jesu-Stoffen. Dieses Spruchgut wird deshalb so bezeichnet, weil in ihm Leben, Taten und Lehre des irdischen Jesu und nicht wie in den Kerygma-Traditionen der antiochenischen Kirche die exklusiv christologisch bestimmte Verkündigung des Todes und seiner Auferstehung als Heilsereignisse im Zentrum stehen.
Im einzelnen gehören zu den Leben-Jesu-Stoffen folgende Quellen bzw. Traditionsschriften:
a) Die Q- oder Spruchquelle lag den Evangelisten Matthäus und Lukas in schriftlicher Form und griechischer Sprache vor; mit aramäischen Vorstufen ist zu rechnen. Traditionsgeschichtlich ist Q keine Einheit: Älteste, offenbar palästinensische Tradition ist zu unterscheiden von jüngeren und jüngsten Q-Stoffen, die dem hellenistisch-judenchristlichen Überlieferungsstadium in Syrien angehören. Endlich wurde das Ganze von einem Redaktor vollendet.
b) Die vormarkinische Gemeindetradition umfaßt das Traditionsgut, das Markus in sein Evangelienbuch aufgenommen und verarbeitet hat.
c) Das Matthäus-Sondergut ist der Stoff, den Matthäus über Q, das Markus- und Lukasevangelium hinaus bietet. Ob Matthäus es vollständig aufgenommen hat, ist nicht mehr beweisbar. Das Matthäus-Sondergut ist form- und traditionsgeschichtlich beurteilt disparat, und kann kaum auf eine einheitliche Quelle zurückgeführt werden.
d) Genau das Gleiche ist für das Lukas-Sondergut zu sagen.
e) Ganz anders stellt sich das Problem hinsichtlich der sogenannten «Hebräer», der aramäisch sprechenden Gemeinde in Jerusalem dar. Wir besitzen zwar Nachrichtenmaterial über die Existenz und Theologie dieser Gemeinde in der lukanischen Apostelgeschichte (z.B. Kap.6–8) und bei Paulus (z.B. in Gal.1 u. 2, in Röm.15 und im 1. und 2. Korintherbrief), aber wir besitzen kein authentisches Traditionsmaterial von ihr, das wie in den soeben genannten Fällen durch Rekonstruktion gewonnen werden könnte. Alle diese 5 Quellen bzw. Nachrichtenmaterialien lassen darauf schließen, daß es sich um eigenständige Traditionsschichten handelt.

Soziologisch stehen hinter diesen selbständigen Traditionsschichten jeweils als Traditionsträger unterschiedliche Gemeinden nämlich die Q-, Markus-, Matthäus-Sondergut-, Lukas-Sondergut- und Jerusalemer Gemeinden, nicht aber eine einzelne Schriftsteller- oder Theologenpersönlichkeit. Es sind die uns bekannten Jesusgemeinden in Palästina und Syrien. Einschränkend ist allerdings anzumerken, daß spärliches Traditionsgut in der Q-Quelle, der vormarkinischen Gemeindetraditionen und dem Matthäus-Sondergut auf nicht-seßhafte Wandermissionare als Traditionsträger zurückgeht. Aber die heute vorliegenden Jesustraditionen der Jesusbewegung gehen auf seßhafte Jesus-Nachfolger, eben Jesusgemeinden zurück, die auch die Tradition der Wanderpropheten vereinnahmt haben.
Historisch sind alle diese nachösterlichen Jesusgemeinden bis auf die «Hebräer» in Jerusalem als hellenistisch-judenchristliche Gemeinden anzusprechen, die im Religionsverband Israels verblieben, weil alle das Kultgesetz des Mose anerkannten. Anerkennung des Kultgesetzes des Mose bedeutet aber, daß die Beschneidung vollzogen, das Passah gefeiert und Jerusalemer Tempelkult praktiziert wurde! Damals aber bekannten sich sämtliche nachösterlichen Jesusgemeinden zum unüberbrückbaren Gegensatz von Israel und den Heiden. Die *Verkündigung* aller dieser Jesusgemeinden ist völlig durch den Zusammenhang mit der alttestamentlichen Heilsgeschichte bestimmt. Als apokalyptische Endzeit- und Heilsgemeinden, die eine Sondergemeinschaft im übergreifenden jüdischen Kult- und Religionsverband bildeten, standen sie im direkten und ungebrochenen Zusammenhang mit der alttestamentlich-jüdischen Traditions- und Heilsgeschichte ihres Volkes, auch wenn ihre Mission von Israel gewaltsam abgelehnt wurde. Die Geschichte dieser Jesusgemeinden ist nicht nur ein Teil der übergreifenden Geschichte des Alten Testaments und Judentums, sondern sein unwiderruflich letzter Abschnitt vor dem nahen Kommen der Gottesherrschaft und des Menschensohnes. Die Annahme der Heiden in der seit Jesus angebrochenen Endzeit bleibt die Ausnahme. Eine gesetzesfreie, planmäßig betriebene Heidenmission kann es nicht geben, sondern allein die Israelmission unter Einschluß der Samaritaner. Erst im nahen Eschaton wird Gott die Heiden in einer Völkerwallfahrt zum Zion und gemeinsamen Friedensmahl mit den Erzvätern bringen.

II. Das von Jesus ausgelegte Mosegesetz als Heilsfaktor

1. Die grundsätzliche Heilsbedeutung des Gesetzes vom Sinai

Alle nachösterlichen Jesusgemeinden in Palästina und Syrien – die Q-, Mk.-, Mt.-Sondergut, Lk.-Sondergut- und Jerusalemer Gemeinden –

haben wie alle übrigen innerjüdischen, religiösen Erneuerungsbewegungen die Heilsnotwendigkeit des ganzen, am Sinai geoffenbarten Mosegesetzes anerkannt und praktiziert. Dieses Gesetz vom Sinai ist der einzige Heilsweg bzw. der Heilsfaktor schlechthin (3.Mos.18,5). Niemals und nirgendwo wird in der Jesustradition die Heilsnotwendigkeit des Gesetzes grundsätzlich verabschiedet bzw. planmäßig aufgehoben. Heil heißt für die Jesusbewegung wie für alle übrigen innerjüdischen, religiösen Erneuerungsbewegungen immer Befreiung des Judenchristen bzw. Juden zum Gesetz als Heilsweg und niemals vom Gesetz als Heilsweg!
Wie Jesus unterscheiden auch die nachösterlichen Jesusgemeinden nicht grundsätzlich zwischen dem Heilsindikativ und Heilsimperativ und behaupten schon gar nicht die durch das Heilsgeschehen bewirkte Aufhebung der das ewige Leben erwirkenden Funktion des Gesetzes. Von einer todbringenden Eigenschaft des Gesetzesweges weiß man hier nichts, weil die jüdische Grundlage der da und dort auftauchenden, aber nie wirklich radikalen Gesetzeskritik nicht verlassen wird. Man folgt konsequent der Botschaft des eschatologischen Propheten Jesus, der als Lehrer des altneuen Gesetzes vom Sinai auf dem Boden der Tora stand und diese radikalisierte, nicht aber außer Kraft setzen wollte.
a) Von besonderem Gewicht ist in diesem Zusammenhang die Tatsache, daß *die Q-Gemeinde* den unerhört konservativen wie zugleich polemischen Prophetenspruch Jesu nach Ostern nicht nur übernommen und weiterüberliefert, sondern ihm offenbar autoritative Bedeutung für ihre eigene Gesetzesanschauung zuerkannt hat!
«Bis Himmel und Erde vergehen, wird nicht ein einziger Zierstrich vom Gesetz vergehen» (Mt.5,18par.).
Auch für die Q-Gemeinde – wie übrigens für alle übrigen Jesusgemeinden – hat der gesamte Konsonantentext der Mosetora, also Moral- wie Kultgesetz, göttliche Würde und heilvolle Bedeutung, weil er der einzige und alleinige Heilsweg Gottes für den Israeliten und Judenchristen ist. Der Konsonantentext des Gesetzes stand weder für Jesus noch für die Q-Gemeinde nach Ostern zur Diskussion. Aber – und hierin liegt die eigentliche Spitze dieses Spruches – sogar die zahllosen Zierstriche, die von den Abschreibern um der Göttlichkeit des Gesetzestextes willen an den einzelnen hebräischen Buchstaben als Verzierung angebracht wurden, werden niemals zugrundegehen.
Gegen Pharisäer und pharisäische Apokalyptik betont die Q-Gemeinde mit Jesus allerdings, daß das Mosegesetz «nur» solange Gültigkeit besitzt, bis dieser Aeon besteht und die Gottesherrschaft und der neue Aeon machtvoll erscheinen: dann erst wird auch der mosaische Gesetzes – Konsonantentext mit allen seinen Zierstrichen seine Gültigkeit verlieren. Aber bis dahin bleibt das Mosegesetz sogar mit allen seinen Zierstrichen göttlich verbürgte Heilsgrundlage der Jesusgemeinden, die hinter den Q-Stoffen stehen.

b) Auch *die vormarkinische Gemeinde* sieht den Weg zum ewigen Leben im Gesetz vorgezeichnet, wie die eindrückliche Erzählung von der Begegnung Jesu mit dem reichen Mann beweist:
«Und als er sich auf den Weg machte, lief einer herzu, fiel auf seine Knie und fragte ihn: ‹Guter Meister, was muß ich tun, damit ich das ewige Leben erbe?› Jesus aber sprach zu ihm: ‹Was nennst du mich gut? Keiner ist gut außer Gott allein. Du kennst die Gebote: Du sollst nicht töten, du sollst nicht ehebrechen, du sollst nicht berauben, ehre deinen Vater und die Mutter.› Er aber sprach zu ihm: ‹Lehrer, das alles habe ich gehalten von meiner Jugend an.› Jesus aber schaute ihn an und gewann ihn lieb und sprach zu ihm: ‹Eines fehlt dir noch. Geh, verkaufe, was du hast, gib es den Armen! Dann wirst du einen Schatz im Himmel haben. Und dann, folge mir nach.› Er aber wurde aufgrund dieses Wortes verdrießlich und ging bekümmert weg, den er hatte viele Güter» (Mk.10,17–22).
In dieser typischen Szene, formal gestaltet als Lehrgespräch mit allen, die den Weg zum Heile wissen wollen, wird grundsätzlich von der vormarkinischen Gemeinde das Tun der Dekalog-Gebote als Weg zum ewigen Leben bezeichnet. Die Erfüllung des Moralgesetzes ist die Bedingung für das Eingehen in den kommenden Aeon und damit für den Gewinn des nicht mehr zerstörbaren Lebens. Das alles ist für den Fragenden, d.h. das Judentum nichts Neues, und er soll auch gar nichts Neues erfahren, denn: «die Gebote kennst du ...»! Die Antwort des reichen Mannes in V.20 ist im Sinne der Selbstrechtfertigung gemeint. Das heißt aber: Die vormarkinische Gemeinde geht in der Tat einfach davon aus, daß die Gebote des Moralgesetzes und d.h. des Gesetzes überhaupt prinzipiell erfüllbar sind. Der Judenchrist kann und soll ohne Mord und Ehebruch, ohne Raub und falsches Zeugnis leben. Der reiche Mann hat das wirklich getan. In seiner zweiten Antwort wird diese erstaunliche Aussage mit keinem Wort von Jesus kritisiert, sondern vorbehaltlos anerkannt, ja Jesus gewinnt ihn darüberhinaus ob seiner ernsten Gesetzesfrömmigkeit lieb. Die immer wieder bis zum Überdruß von den Kommentaren im unbewußten Anschluß an Paulus erhobene Frage, ob und inwieweit man die Gebote des Moralgesetzes und des Gesetzes überhaupt halten könne, und daß das Tun des Gesetzes als Heilsweg durch Christus zu Ende gekommen ist, – diese und viele andere Fragen kennt unsere Tradition nicht und man darf deshalb auch nicht diese Fragen unreflektiert an sie herantragen.
Nur eines fehlt diesem reichen Manne noch! Er soll seinen ganzen Besitz verkaufen und den Armen schenken. Dieses Tun wird ihm einen himmlischen Schatz einbringen, und schließlich wird er aufgefordert, Jesus nachzufolgen. Wie ist nun die Beziehung von «dieses eine», das sich bewußt auf «dies alles» von V.20 bezieht, zu verstehen? Nun, die vormarkinische Gemeinde behauptet, daß die Erfüllung von Dekaloggeboten, die ursprünglich ausreichte zum Besitz des ewigen Lebens, jetzt nicht mehr genügt. Bei dem «einen» handelt es sich in der Tat um etwas, was dem

«alles» als quantitative Ergänzung noch hinzugefügt werden muß. Das Tun des Moralgesetzes wird durch das Almosengeben ergänzt und radikalisiert und garantiert erst so einen himmlischen Lohn. Schließlich wird durch die Nachfolgeforderung die ganze Anweisung in eine Beziehung zur Gemeinde gebracht. Der Satz «nur eines fehlt dir» besagt also, daß das von Jesus sogleich anbefohlene Verhalten – Besitzverzicht und Eintritt in die Jesusgemeinde – zu der von ihm anerkannten Beobachtung des Moralgesetzes nur noch hinzuzukommen braucht, damit das ewige Leben gesichert sei. Besitzverzicht und Nachfolge müssen in der Jesusbewegung zum Einhalten des Moralgesetzes hinzutreten, wenn das ewige Leben erworben werden soll. Keineswegs wird hier das Gesetz als Heilsweg problematisiert oder gar der Weg der Leistung grundsätzlich disqualifiziert. Der Gesetzesgehorsam vollendet sich vielmehr erst im totalen Besitzverzicht als besonders verdienstlichem Werk sowie in der Nachfolge als Bekenntnis zu Jesu Lehre, Taten und Geschick als dem Eintritt in die Jesusgemeinde. Die vormarkinische Jesusgemeinde vertritt hier mit aller Selbstverständlichkeit die Grundvoraussetzung jüdischer Gesetzestheologie, das den Erwerb des ewigen Lebens menschlicher Tat und Anstrengung anheimstellt. Der Reiche vermag sich das ewige Heil selbst anzueignen, wenn er das ganze Gesetz des Mose hält, seinen Besitz zugunsten der Armen preisgibt und in die Jesusgemeinde eintritt. Mit anderen Worten: Die vormarkinische Gemeinde disqualifiziert nicht den Heilsweg des Gesetzes, sondern intensiviert ihn. Diese Erzählung ist also ein typisches Lehrgespräch der Jesusgemeinde mit der jüdischen Synagoge über die von den beiden Seiten anerkannte, alles entscheidende Frage, wie der Jude bzw. Judenchrist das ewige Heil durch sein Tun erwerben kann. Als «Sitz im Leben» dieser Überlieferung wird man deshalb Gesetzesdebatten der vormarkinischen Gemeinde annehmen dürfen.

c) Ein ähnlicher autoritativer Spruch ist uns von der *Matthäus-Sondergut-Gemeinde* überliefert worden:

«Wer nun eines dieser geringsten Gebote für unverbindlich erklärt und die Leute also lehrt,
der wird im Himmelreich der Geringste heißen.
Wer es aber tut und lehrt,
der wird groß heißen im Himmelreich» (Mt.5,19).

Nirgendwo in der synoptischen Jesustradition wird so unmißverständlich wie hier die Stellung des Menschen zum Himmelreich von dem Lehren und Tun auch der allergeringsten Gebote abhängig gemacht. Dieser auf judenchristliche Propheten zurückgehende Spruch gehört formgeschichtlich zu den traditionellen Sätzen heiligen Rechts, in denen das vom Geist Gottes für die Gemeinde geforderte eschatologische Recht gesetzt und das bald kommende apokalyptische Endgericht angesagt wurde. Typisch jüdisch entsprechen sich im Vorder- und Nachsatz jeweils Schuld und apokalyptische Strafe, christliche Pflicht und endzeitlicher Lohn einander.

Wir befinden uns in einer judenchristlichen Gemeindesituation, worin ganz im Sinne des Judentums leichte und schwere, geringe und gewichtige Gebote unterschieden und Strafe wie Lohn vom apokalyptischen Weltenrichter bei seinem Kommen für Gesetzesübertreter wie Gesetzestäter ausgeteilt werden.

Dabei werden in typisch jüdischer Weise leichte und schwere Gebote unterschieden nach dem Maß des Leistungseinsatzes und geringe wie gewichtige Gebote nach dem Grad ihrer jeweiligen Sühnbarkeit. Dieser uns nicht bekannte judenchristliche Prophet verkündet also der Matthäus-Sondergut-Gemeinde apokalyptisches Recht: Wer auch nur eines der allergeringsten Gebote des Mosegesetzes für unverbindlich erklärt, der wird im nahen apokalyptischen Weltgericht vom Menschensohn Jesus aus dem Himmelreich ausgeschlossen werden.

Der Nachsatz «der wird im Himmelreich der Geringste heißen» ist sehr wahrscheinlich um der Parallele im Vordersatz willen so formuliert worden und meint den Ausschluß. Denn daß der Übertreter auch der allergeringsten Gebote einen Platz im kommenden Himmelreich findet, entspricht weder der pharisäischen Tradition noch der Botschaft der Jesusgemeinde. Nur der Täter auch der allergeringsten Jesusgebote findet als apokalyptischen Lohn im Himmelreich seinen wohlverdienten Platz.

d) Nichts anderes will *die Lukas-Sondergut-Gemeinde* mit dem kleinen Lehrgespräch von der Begegnung Jesu mit dem versucherischen Gesetzeslehrer verkündigen: Das Gesetz weist den Weg zum Leben.

«Siehe, da trat ein Gesetzeslehrer auf und sprach, um ihn zu versuchen: ‹Meister, was muß ich tun, wenn ich das ewige Leben werben will.› Er entgegnete ihm: ‹Was steht im Gesetz geschrieben, wie liest du es dort›. Er antwortete: ‹Du sollst den Herrn, deinen Gott, lieben von ganzem Herzen, aus ganzer Seele und mit ganzer Kraft und mit deiner ganzen Vernunft und deinen Nächsten wie dich selbst›. Jesus sprach zu ihm: ‹Du hast richtig geantwortet: tue das, so wirst du das Leben haben›» (Lk.10,25–28).

Ein pharisäischer Gesetzeslehrer, ein Rabbi, stellt Jesus die entscheidende Frage nach dem Erben des ewigen Lebens. Jesus geht auf sie mit der Gegenfrage im typischen Stil des rabbinischen Lehrgespräches ein. Er verweist den Gesetzeslehrer auf das Mosegesetz, genauer auf die schriftlich abgefaßte Tora. Durch diese Gegenfrage Jesu provoziert, muß auch der Rabbi selber die Antwort mit dem Doppelgebot der Liebe (5.Mos.6,5 und 3.Mos.19,18) geben. Dieses Doppelgebot der Liebe, nämlich die Gottes- und Nächstenliebe, ist für die pharisäische wie jesuanische Erneuerungsbewegung die Summe des ganzen Gesetzes und der in ihm gewiesene Weg zum ewigen Leben. Jesus lobt und bestätigt ausdrücklich die Antwort des pharisäischen Gesetzeslehrers und fordert ihn nur noch auf, auch danach zu handeln. Wer so handelt, der wird nach 3. Mos.18,5 das unzerstörbare Leben des kommenden Aeons empfangen. Das heißt

aber: Die Lukas-Sondergut-Gemeinde hält wie alle übrigen Jesus-Gemeinden an der alleinigen Heilsmittlerschaft des Mosegesetzes fest. Das Tun des Doppelgebotes, Gott und seinen Nächsten zu lieben als der Summe und Erfüllung des ganzen Mosegesetzes, wird dem Täter das ewige Leben einbringen. Schließlich stellt die Lk-Sondergut-Gemeinde in der bekannten Beispielerzählung vom reichen Mann und dem armen Lazarus das Mosegesetz als den einzigen Heilsweg vor (Lk.16,29 und 31). Die Entscheidung über Leben und Tod bzw. über das Sein im Paradies oder im Hades fällt allein im Hören auf «Mose und die Propheten». Nachdem in der postmortalen Vergeltung die eschatologische Umkehrung eingetreten ist, d.h. der Reiche im Hades Qualen leidet und der arme Lazarus im Paradies bei dem Erzvater Abraham weilt, gelangt der Reiche in seiner ausweglosen Lage an Abraham mit folgender Bitte, die das Kernstück des Dialogs zwischen Abraham und dem Reichen ausmacht: «Er sprach aber: ‹Ich bitte dich nun, Vater (= Abraham), daß du ihn (= Lazarus) in das Haus meines Vaters entsendest. Ich habe nämlich fünf Brüder. Ihnen möchte er eindringlich bezeugen, daß nicht auch sie an diesen Ort der Qual kommen. ›Abraham aber sprach: ‹Sie haben Mose und die Propheten; auf diese sollen sie hören.› Er aber erwiderte: ‹Nein, Vater Abraham, erst wenn jemand von den Toten zu ihnen käme, täten sie Buße›. Er aber sprach zu ihm: ‹Wenn sie nicht auf Mose und die Propheten hören, dann lassen sie sich auch nicht überzeugen, wenn einer von den Toten aufersteht›.
Abraham weigert sich, der Bitte des Reichen nachzukommen. Das alttestamentliche Offenbarungs- und Gesetzeswort genügt, Gesetz und Propheten sind die ausreichende Offenbarung des Willens Gottes, eine zusätzliche Botschaft aus dem Jenseits wird als völlig überflüssig abgelehnt. Der von Gott definitiv gegebene und gänzlich ausreichende Weg zur Buße, die nach der Lukas-Sondergut-Gemeinde die einzige Voraussetzung für das Gewinnen des Paradieses ist, ist der im alttestamentlichen Gesetz geoffenbarte und fixierte Wille Gottes. An diesen sind alle Lebenden, Juden und Judenchristen, gewiesen. Wer auf das alttestamentliche Gesetz als Gottes endgültigem Willen hört und ihn tut, wird den Himmel gewinnen. Der Widerspruch des Reichen provoziert das letzte Wort Abrahams: auch ein Mirakel, nämlich die Bußverkündigung eines aus dem Jenseits ins Leben Zurückgekehrten, vermag nicht den Bußruf des traditionellen Gesetzeswortes zu ersetzen oder ihm auch nur den nötigen Nachdruck zu verleihen. Die Lukas-Sondergut-Gemeinde hält demnach definitiv daran fest, daß der einzige Heilsweg im Gehorsam gegenüber dem Gesetz liegt und niemals durch ein noch so großes Wunder ersetzt werden kann. Das heißt aber: Die Zukunft der Abrahamsöhne steht und fällt mit der Praktizierung des heilsnotwendigen Gesetzes, so daß der Christ nach dem individuellen Tod entsprechend seiner Stellung gegenüber dem Gesetz definitiv in den Schoß Abrahams oder in den Hades eingehen wird.

2. Die Verschärfung des mosaischen Moralgesetzes

Wie der Meister, so haben auch die Jesusgemeinden nach Ostern zwar nicht das mosaische Moralgesetz, aber das Kultgesetz entschärft, und zwar angesichts der nahen Parusie des Menschensohnes Jesus.
a) *Die Q-Gemeinde* übernimmt, die drei entscheidenden Forderungen Jesu – das absolute Verbot von Ehescheidung, Wiederheirat und Rache sowie das Gebot der Feindesliebe – und bekundet damit deren autoritative Gültigkeit gerade auch nach Ostern. Da wir diese drei Traditionen bereits ausführlich behandelt haben, genügt es, sie in den vorliegenden Zusammenhang zu stellen. Die nachösterliche Aufrichtung des absoluten Verbots der Ehescheidung hebt zwar die alttestamentliche Gesetzesbestimmung von 5.Mos.24,1 mit der ausdrücklichen Freigabe der Ehescheidung in Israel auf, aber in Tat und Wahrheit hat damit die Q-Gemeinde das mosaische Moralgesetz verschärft, indem die Liebesforderung als Summe und Erfüllung der ganzen Tora herausgestellt wird. Die Q-Gemeinde hat auch das Verbot der Rache (Mt.5,39ff par.) übernommen und sich so mit ihrem Meister gegen die alttestamentliche Gesetzesbestimmung der Wiedervergeltung (2.Mos.21,24) gestellt. Aber auch diese nicht grundsätzliche Torakritik steht im Dienst der eigentlichen Intention des Gesetzes, den Nächsten vorbehaltlos zu lieben. Damit aber wird das mosaische Moralgesetz leztlich verschärft, nicht aber aufgehoben. Und schließlich bekennt sich die Q-Gemeinde nicht nur zur im alttestamentlichen Gesetz geforderten Nächstenliebe, sondern mit Jesus zu dieser nun eindeutig überbietenden und verschärfenden Feindesliebe.
In allen drei Fällen wird damit das von Jesus verschärfte Moralgesetz nach Ostern wiederholt und jetzt – mit der Autorität des erhöht-gegenwärtigen Herrn versehen – der endzeitlichen Praxis der Jesusgemeinden freigegeben.
b) Auch *die vormarkinische Jesusgemeinde* hat wenigstens in einem Falle mit der Bildung des typischen Streitgespräches über die Ehescheidung (Mk.10,2–9) das Faktum der Verschärfung des Moralgesetzes ausdrücklich anerkannt. Streitpunkt zwischen Jesusgemeinden und Pharisäismus ist die auf Mose zurückgeführte Scheidebriefpraxis. Aber die vormarkinische Gemeinde läßt dieses im Mosegesetz verankerte Zugeständnis nicht gelten; denn «auf eure Herzenshärte hin hat Mose dieses Gebot euch geschrieben» (Mk.10,5). Das heißt aber: Die Antwort Jesu ist nicht ein resigniertes Zugeständnis des Mose, sondern Gerichtszeugnis für die dauernde Verstockung Israels und damit letztlich eine Anklage! Indem die vormarkinische Gemeinde die Satzung des Mose aufhebt, weil diese ja ohnehin nur als Gerichtszeugnis gegen die verstockten Israeliten zu werten ist, und nun zugleich auf den ebenfalls von Mose aufgezeichneten Schöpferwillen Gottes zurückgreift, wird das mosaische Toragesetz radikalisiert. Die Ehe zwischen Mann und Frau ist nach dem Willen des

Schöpfers von allem Anfang an unauflöslich: «Was nun Gott zusammengefügt hat, soll der Mensch nicht trennen» (Mk.10,9).
c) Ausdrücklich hat *die Matthäus-Sondergut-Gemeinde* in drei Fällen das mosaische Moralgesetz verschärft. Nicht nur der Mord, sondern bereits der Zorn gegenüber dem Bruder zieht das vernichtende Gerichtsurteil Gottes nach sich: «Ihr habt gehört, daß zu den Alten gesagt worden ist: Du sollst nicht töten; wer aber tötet, der soll dem Gericht verfallen sein. Ich aber sage euch: Jeder, der seinem Bruder auch nur zürnt, soll dem Gericht verfallen sein; wer aber zu seinem Bruder sagt: Du Dummkopf, soll dem Hohen Rat verfallen sein; wer aber zu ihm sagt: Du Narr, soll der Feuerhölle verfallen sein» (Mt.5,21f).
Die eigentliche Antithese (V.21–22a) ist ein judenchristlicher Prophetenspruch, kenntlich an der traditionell prophetisch-apokalyptischen Formel «Ich sage euch». Der erhöht-gegenwärtige Menschensohn Jesus spricht direkt durch den Mund dieses anonymen Propheten zur Matthäus-Sondergut-Gemeinde. Seine Rede gilt derselben als inspiriert und autoritativ, die keiner weiteren Legitimierung, auch nicht aus der alttestamentlichen Schrift, bedarf. Der uns unbekannte Prophet hat das mosaische Moralgesetz neu ausgelegt. Die eigentliche Antithese enthält zunächst die Berufung auf das fünfte Gebot «Du sollst nicht töten», das den Mord kategorisch verbietet. Darauf folgt die Strafandrohung, daß der Mörder dem Strafgericht Gottes verfällt, das heißt mit dem Tode bestraft wird. Allerdings findet sich nur das eigentliche Verbot «Du sollst nicht töten» wörtlich im alttestamentlichen Dialog, der Nachsatz ist eine kurze und freie Zusammenfassung der alttestamentlichen Strafbestimmungen durch den judenchristlichen Propheten (vgl. z.B. 2.Mos.21,12; 3.Mos.24,17 u.a.). Das «Ihr habt gehört» bezieht sich auf die gottesdienstliche Verlesung und Auslegung der Tora. «Die Alten» ist Umschreibung für die Wüstengeneration der Israeliten, denen zuerst die Tora durch Mose kundgetan wurde. Die passive Umschreibung «denen gesagt wurde» schließlich ist fromme, jüdische Umschreibung des Gottesnamens. Mit diesem ersten Satz (= V.21) bringt der Prophet der Matthäus-Sondergut-Gemeinde das altbekannte Sinaiverbot des Mordes in Erinnerung. In der prophetisch-apokalyptischen Formel «Ich sage euch» wird nun die christliche Antithese zur Sprache gebracht: Nicht erst der vollendete Mord, die äußere Tat, wird von Gott verboten und ausdrücklich bestraft, sondern schon der Zorn gegenüber seinem Bruder wird das vernichtende apokalyptische Gericht nach sich ziehen.
In dieser apokalyptisch-prophetischen Gesetzesinterpretation erscheint der erhöht-gegenwärtige Menschensohn Jesus als neuer Gesetzeslehrer. Wie Gott am Sinai durch Mose das Verbot des Mordens und das darauf stehende Strafgericht dekretierte, so verbietet der erhöhte Jesus durch seine Propheten der Matthäus-Sondergut-Gemeinde den Zorn. Schon wer dem Bruder zürnt, verdient das apokalyptische Gerichtsurteil, das nach

dem mosaischen Moralgesetz auf den Mord steht. Aber diese Antithese ist der Sache nach keine Aufhebung des Moralgesetzes, sondern vielmehr seine gewaltige Steigerung und Verschärfung, die das neue Gebot Jesu dem alten Mosegesetz gegenüber bedeutet. Schon die Gesinnung des Zorns fällt unter das Mordverdikt, woraus zu folgern ist: «Du sollst nicht zürnen» ist eine neue ethische Weisung, die das altestamentliche Verbot des vollendeten Mordes eindeutig und radikal verschärft.

Der Rest der Antithese (= V.22bc) ist eine später angefügte, aber vormatthäische Sprucheinheit, wodurch jetzt im vorliegenden Zusammenhang eine Klimax der juristischen Instanzen und Beschimpfungen des Bruders entsteht. Damit aber hat sich die ethische Zielsetzung des ursprünglichen Prophetenspruchs mit einer juristischen Argumentation verbunden: Jetzt wird einmal juristisch zwischen beleidigenden Beschimpfungen (Zorn – Dummkopf – Narr) und zum anderen zwischen den strafrechtlichen Konsequenzen (Ortsgericht – Hoher Rat / Landesgericht – Feuer, Hölle / Gottesgericht) unterschieden.

Wie in der pharisäischen Lehre und Praxis wird auch von der Matthäus-Sondergut-Gemeinde zwischen verschiedenen juristischen Fällen und ihren entsprechenden strafrechtlichen Konsequenzen unterschieden. Die Beschimpfung des Bruders als Dummkopf und Tor soll vom Hohen Rat in Jerusalem, dem obersten Gericht in Israel, geahndet, die des Bruders als Narr, d.h. als Gottloser vom göttlichen Gericht der Feuerhölle bestraft werden. Das theologisch-sachkritische Problem dieser Botschaft der Matthäus-Sondergut-Gemeinde liegt darin, daß wie im Pharisäismus die beiden ungleichartigen Größen Ethik und Recht nicht mehr deutlich geschieden, sondern bewußt zusammengestellt werden. Eindeutig ethische Verbote werden von eindeutig juristischen Instanzen geahndet. Daß damit zugleich die ganze Praxis unrealistisch wird, ist deutlich. Denn die Zahl der damaligen Gerichte würde niemals ausreichen, um all diese Prozesse auch ordnungsgemäß durchzuführen. Im übrigen unterscheidet die Matthäus-Sondergut-Gemeinde wie das Judentum seinerzeit in typischer Weise zwischen leichten und schweren Sünden und ihren entsprechenden Strafen.

Festzuhalten ist endlich, daß diese Matthäus-Sondergut-Gemeinde mit ihrer Verschärfung des mosaischen Moralgesetzes die oberste jüdische Gerichtsbehörde in Jerusalem anerkannt hat. Sie untersteht der Gerichtsbarkeit des jüdischen Hohen Rates.

Auch die zweite Antithese (Mt.5,27–30) verschärft rigoros das 6. Gebot des mosaischen Moralgesetzes:

«Ihr habt gehört, daß gesagt wurde: Du sollst nicht ehebrechen. Ich aber sage euch: Jeder, der eine Frau anschaut, sie zu begehren, hat schon in seinem Herzen sie zur Ehebrecherin gemacht.

Wenn dich aber dein rechtes Auge ärgert, reiß es aus und wirf es von dir. Denn es ist dir nützlich, daß eines der Glieder verloren geht und nicht dein ganzer Leib in die Hölle geworfen wird.

Und wenn dich deine rechte Hand ärgert, haue sie ab und wirf sie von dir; denn es ist dir nützlich, daß eines deiner Glieder verlorengeht und nicht dein ganzer Leib in die Hölle fährt.»
Die ursprüngliche Antithese in V.27 und 28 zeigt einen einfacheren Aufbau als die erste. Auch hier wird im Vordersatz das alttestamentliche Moralgesetz in Gestalt des 6. Gebotes zitiert, allerdings ohne daß Strafbestimmungen genannt würden. Dann folgt die eigentliche prophetische Gegenthese. Die traditionelle «Ich sage euch» Formel beweist wiederum, daß der erhöht-gegenwärtige Menschensohn Jesus durch den Mund seiner Propheten der Matthäus-Sondergut-Gemeinde ein neues Gesetz gibt, indem er das alte Mosegesetz verschärfend auslegt. Mit dem ersten Satz, der Zitierung des 6. Gebotes erinnert die Matthäus-Sondergut-Gemeinde an das alttestamentlich-jüdische Eherecht: es schützte einmal nur die jüdische Ehe und ist zum andern exklusiv auf den Mann bezogen, der beim Verkehr mit einer anderen jüdischen Ehefrau diese zur Ehebrecherin macht. Nicht seine eigene, sondern die Ehe der Frau wird dadurch zerstört. Dieselbe patriarchalische Rechtslage ist für die Gegenthese vorauszusetzen, wenn nicht erst die äußere Tat, der vollendete Ehebruch, sondern schon der begehrliche Blick als Ehebruch gewertet wird. Der uns unbekannte judenchristliche Prophet der Matthäus-Sondergut-Gemeinde steht also völlig auf dem Boden des alttestamentlich-jüdischen Eherechts, und zwar was sowohl das 6. Gebot des mosaischen als auch verschärften Verbotes des Jesus-Gesetzes betrifft. Dazu kommt, daß auch der Inhalt der prophetischen Gegenthese V.28 – der Ehebruch beginnt bereits mit dem Auge – das jüdische Niveau nicht verläßt, wie die folgenden Belege zeigen: Hiob spricht vom Auge des Ehebrechers (24,15; 31,1; vgl. Sir.26,9; Ps.Sal.4,4f). Im Testament Isaschar 7,2 kann es heißen: «Ich hurte nicht durch Erhebung meiner Augen». Die essenische Erneuerungsbewegung nennt «Augen der Unzucht» und zahlreich sind die Belege in der pharisäischen Erneuerungsbewegung. Für sie ist ausgemacht, «Daß nicht nur der, welcher mit dem Leibe die Ehe bricht ein Ehebrecher genannt wird; auch der, welcher mit seinen Augen die Ehe bricht, wird ein Ehebrecher genannt» (Lev. Rabba 23 oder: «Wer eine Frau mit begehrlicher Absicht anschaut, wird ein Ehebrecher genannt» (Traktat Kalla 1). Ja, es gab sogar Pharisäer, die vor jeder Frau die Augen verschlossen haben. Das heißt aber: Die prophetische Verschärfung des mosaischen Moralgesetzes als Verbot des begehrlichen Blickes ist sowohl essenisch als auch pharisäisch belegt, so daß auch hier vermeintlich der Jesustradition Spezifisches auf jüdischem Niveau verbleibt.
Der schon vor Matthäus, aber in einem späteren Stadium der Überlieferung angeschlossene Doppelspruch vom Ärgernis des rechten Auges und der rechten Hand (= V.29 u. 30) unterstreicht in paradoxer Weise die Unbedingtheit des verschärften Verbotes. Besser ist es, daß ein Glied am Körper verlorengeht, als daß der ganze Leib in die Hölle, als dem apokalyptisch-definitiven Gerichtsort, geworfen wird.

In der dritten und letzten Antithese wird von der Matthäus-Sondergut-Gemeinde das absolute Schwurverbot ausgesprochen: «Wiederum habt ihr gehört, daß zu den Alten gesagt worden ist: Du sollst keinen Meineid schwören, sondern du sollst dem Herrn deine Eide bezahlen.
Ich aber sage euch:
Ihr sollt überhaupt nicht schwören; weder bei dem Himmel, denn er ist Gottes Thron, noch bei der Erde, denn sie ist seiner Füße Schemel, noch bei Jerusalem, denn sie ist des großen Königs Stadt.
Noch sollst du bei deinem Haupte schwören; denn du kannst kein einziges Haar weiß oder schwarz machen. Eure Rede sei: ja, ja, nein, nein; was darüber ist, das ist vom Bösen» (Mt.5,33-37).
Auch diese Antithese enthält die prophetisch-apokalyptische Interpretation des mosaischen Moralgesetzes, genauer des zweiten Gebotes. Der Wüstengeneration am Sinai wurde durch Mose – wiederholt an jedem Sabbatgottesdienst – der Meineid verboten (3.Mos.19,12 ; 4.Mos.30,3), positiv aber gefordert, einmal beschworene Gelübde auch zu halten (so Ps.50,14; 5.Mos.23,22-24). Hinter beiden Forderungen aber, den falschen wie den leichtfertigen Eid zu unterlassen, steht das zweite Gebot, das den Mißbrauch des Namens Gottes ausdrücklich untersagt. Der judenchristliche Prophet erinnert die Matthäus-Sondergut-Gemeinde mit diesen beiden Zitaten aus dem alttestamentlichen Gesetz an die jedem Juden bekannte Bedeutung des Eides im Alten Testament (vgl. nur seine ausführliche Behandlung in 3.Mos.5,4ff.27; 4.Mos.6 und 30) und die dem alttestamentlichen Gesetz folgende Eideskasuistik im Judentum. Denn gerade in Israel war es zur Zeit der Jesusgemeinden üblich geworden, bei jeder Gelegenheit eine besondere Aussage mit dem Eid abzusichern. Man hatte sogar eine minutiöse Kasuistik ausgearbeitet, mit deren Hilfe peinlich genau und bis ins Einzelne zwischen verbindlichen und nicht-verbindlichen theologischen Größen unterschieden wurde, bei denen der Schwur abgelegt wurde. Weil die Zuverläßigkeit des menschlichen Wortes in Israel immer stärker zerfiel, mußte mühsam zwischen harmlosen Schwurformeln und solchen geschieden werden, die Gottes Namen verwenden oder stillschweigend enthalten. So wird es verständlich, wenn das Alte Testament und auch die heidnische Antike den Meineid Schwörenden ausdrücklich der Rache Gottes bzw. der Gottheit anheimgibt und die Pharisäer sogar eine Strafkasuistik ausgearbeitet haben.
Dieser ganzen alttestamentlich-jüdischen Schwurpraxis stellt der judenchristliche Prophet mit seinem apokalyptisch-prophetischen «Ich aber sage euch» das absolute Schwurverbot gegenüber. Damit sollte rigoros die Vertrauenswürdigkeit der Christen und die Zuverläßigkeit ihrer Rede im Umgang mit christlichen Brüdern in der Gemeinde wie mit Nichtchristen hergestellt werden. Mit dieser Antithese der Matthäus.-Sondergut-Gemeinde wird jede Eidesleistung ausgeschlossen, also nicht nur Falscheid und das Nicht-Bezahlen von religiösen Gelübden, sondern vor

allem das mosaische Moralgesetz, das den Eid nicht nur immer wieder erwähnt, sondern ausdrücklich und breit behandelt. Dem Wortlaut nach wird durch dieses absolute Schwurverbot der Matthäus-Sondergut-Gemeinde das mosaische Moralgesetz, soweit es sich auf Eidesforderungen und Leistungen bezieht, genauso außer Kraft gesetzt wie die im Judentum hochgeschätzte Eideskasuistik.
Aber damit wird weder hier noch sonst irgendwo in den Jesustraditionen das Mosegesetz grundsätzlich, planmäßig oder bewußt verabschiedet, sondern nur, auf seine eigentliche Intention zurückgeführt, seinen Mitmenschen gegenüber wahrhaftig zu sein. Auch in dieser prophetisch-apokalyptischen Antithese stoßen wir wiederum auf das Faktum der Verschärfung des mosaischen Moralgesetzes, d.h. der Verschärfung des zweiten Gebotes des Dekaloges: Keiner der Angehörigen der Matthäus-Sondergut-Gemeinde soll den Namen ihres Gottes mißbrauchen und seinen Nächsten nicht belügen. In dieser prophetisch-apokalyptischen Gesetzesauslegung kommt es demnach zu einer keineswegs radikalen, sondern vielmehr sich als toragemäß verstehenden Kritik des Toragesetzes, die sich aber auf dem Boden des Gesetzes vollzieht und dieses radikalisiert, keineswegs aber sprengt. Religionsgeschichtlich ist allerdings in diesem Zusammenhang darauf hinzuweisen, daß sowohl im griechisch-hellenistischen als auch alttestamentlich-jüdischen Bereich immer wieder vor dem Meineid und dem Eid überhaupt gewarnt wird. Aber auch wenn die Parallelen aus der essenischen Erneuerungsbewegung und in Schriften des hellenistisch-jüdischen Religionsphilosophen Philo von Alexandrien unserer judenchristlichen Antithese in Mt.5,33f besonders nahestehen, so findet sich sonst ein absolutes Schwur- bzw. Eidverbot weder in vor- noch nebenneutestamentlicher Zeit und Literatur.
Die folgenden Beispiele Mt.5,34b.35.36 entstammen sehr wahrscheinlich einem späteren, wenngleich ebenfalls vormatthäischen Stadium der Traditionsbildung. Ihren «Sitz im Leben» haben sie in der pharisäisch-schriftgelehrten Gesetzesdiskussion. Hier geht es nicht mehr um das absolute Schwurverbot, sondern um die Ablehnung von Ersatzschwurformeln. Der Nachsatz freilich schwächt ab und schränkt das absolute Schwurverbot ein: Nicht mehr darum geht es jetzt, überhaupt auf jeden Eid zu verzichten, sondern nur noch darum, halb gefährliche Ersatzschwurformeln, die aber immer noch Gottesnamen beanspruchen, zu meiden.
Diese Matthäus-Sondergut-Gemeinde diskutiert jetzt verschiedene Formeln von Ersatzschwüren beim Himmel und der Erde mit Berufung auf Jes.66,1 oder der Stadt Jerusalem, hier wird Ps.47,3 zitiert. Auch wenn der Name Gottes nicht direkt genannt, sondern umschrieben wird, so hat es der den Schwur Leistende immer noch mit Gott zu tun. Gott aber läßt sich nicht von Menschen vereinnahmen, auch wenn dieser Ersatzschwurformeln braucht, um seinen eigenen Beteuerungen Gewicht und Gültigkeit zu verleihen.

Dabei bieten die beiden alttestamentlichen Texte aus Jes.66 und Ps.47 für die Matthäus-Sondergut-Gemeinde die Basis ihrer Ablehnung der genannten Schwurformeln. Nicht zu übersehen ist, daß diese Jesusgemeinde Jerusalem als religiöses und kultisches Zentrum Israels vorbehaltlos anerkennt.
Auch die letzte Ersatzschwurformel, die auch in der pharisäischen wie griechisch-römischen Schwurpraxis zu belegen ist, worin der Kopf als wertvollstes Glied am menschlichen Körper genannt ist, wird von der Matthäus-Sondergut-Gemeinde abgelehnt. Weil das Geschöpf in allem auf seinen Schöpfer angewiesen bleibt, kann es sich diesen durch den Schwur beim Kopf nicht verfügbar machen.
Schließlich ist im jüngsten Stadium der vormatthäischen Antithesentradition nur noch die Beteuerungsformel «Ja, ja; nein, nein« zugelassen, wozu Jak.5,12 eine direkte Parallele bietet. Ein solches doppeltes Ja oder Nein ist hier sehr wahrscheinlich als Schwurersatz gemeint (vgl. auch sl. Hen.49,1!) und kann nur als eine weitere Relativierung des absoluten Eidverbotes wie der Ablehnung von Ersatzschwurformeln verstanden werden.
Mit dieser Einführung einer neuen Schwurersatzformel wird faktisch das rigorose Eidesverbot erweicht, aber zugleich die volle Wahrhaftigkeit einer Aussage quasi-eidlich beteuert, ohne damit die Verschärfung des mosaischen Moralgesetzes im absoluten Schwurverbot rückgängig machen zu können.
Rückblickend muß festgehalten werden, daß die Verschärfung des mosaischen Moralgesetzes durch den irdischen Jesus, gerade auch nach Ostern beibehalten und von den nachösterlichen Jesusgemeinden sogar noch weiter ausgebaut wurde. Im Namen des erhöht-gegenwärtigen Menschensohnes Jesus treten jetzt Propheten in den Jesusgemeinden auf, um das mosaische Moralgesetz vor der nahen Parusie ihres Herrn verschärft auszulegen. Wie wir schon gesehen haben, ist in diesem Prozeß einer apokalyptisch-prophetischen Gesetzesinterpretation zwischen einer reinen Verschärfung des Moralgesetzes und einer nicht grundsätzlichen Kritik einer alttestamentlichen Gesetzesbestimmung im Sinne der Verschärfung des Moralgesetzes zu unterscheiden, aber nicht zu scheiden. Das heißt nichts anderes: alttestamentliche Bestimmungen des Moralgesetzes werden in der Weise von den Jesusgemeinden kritisiert, daß sie durch andere, eben neue Bestimmungen ersetzt werden. Denn auch im letzteren Sinne wird das Moralgesetz nicht demonstrativ verabschiedet, sondern mit dem Rückgang vom Wortlaut auf seine eigentliche Intention radikal verschärft. Nirgendwo aber wird das Moralgesetz von den Jesusgemeinden als Heilsweg verabschiedet. Nirgendwo in den Jesustraditionen wird das Moralgesetz entschärft oder gar grundsätzlich gesprengt. Vielmehr ging es immer nur darum, unter strikter Wahrung seines Absolutheitsanspruches den eigentlichen und tieferen Sinn aufzudecken, der ihrer Überzeugung

nach im alttestamentlich-jüdischen Überlieferungs- und Auslegungsprozeß weitgehend verschüttet bzw. verzerrt worden war.

3. Die Entschärfung des mosaischen Kultgesetzes.

Vom irdischen Jesus vor Ostern begonnen, wird von den innerjüdischen Jesus-gemeinden nach Ostern nicht nur wiederholt und autoritativ weiterverkündigt, sondern schon rein quantitativ am meisten vorangetrieben.
a) Als erstes wird von den Jesusgemeinden *das Sabbatgebot* entschärft, das aber nach alttestamentlich-jüdischer Anschauung neben der Beschneidung im Zentrum der ganzen Kultgesetzgebung stand.
Der Sabbat wird begründet durch das dritte Gebot im Dekalog: «Gedenke des Sabbats, daß du ihn heilig haltest. Sechs Tage sollst du arbeiten und all dein Werk tun; aber der siebente Tag ist ein Ruhetag, dem Herrn, deinem Gott geweiht ...» (2.Mos.20,8ff). Die Arbeitsruhe an diesem Tage wird ausdrücklich allen Israeliten, den Sklaven, Fremdlingen, sowie dem Vieh geboten und in Ruhe des Schöpfergottes vom Werk der Schöpfung her begründet. Weil der Sabbat die göttliche Ordnung des Weltalls bezeugt, wird seine Verletzung bestraft. Bei versehentlicher Übertretung wird der Schuldige verwarnt und ist ein Sühnopfer schuldig. Wird der Sabbat trotz Zeugen und trotz vorheriger Warnung geschändet, dann erfordert seine Verletzung die Steinigung, während seine Verletzung ohne Zeugen Ausrottung durch Gottes Hand zur Folge hat (vgl. Jub.50,9f).
Die essenische Erneuerungsbewegung hat das Sabbatgebot sowohl mit Blick auf den Menschen als auch auf das Tier rigoros verschärft (vgl. CD 10,14-11-18), während die pharisäische Erneuerungsbewegung einerseits das Sabbatgebot im Hinblick auf Mensch und Tier verschärfte, andererseits aber entschärfte (vgl. den Mischna-Traktat Schabbat). So kannte die pharisäische Sabbatgesetzgebung bestimmte Notfälle, die das Sabbatgebot außer Kraft setzten, wie der kultische Tempeldienst (b. Schab.132b), akute Lebensgefahr (Joma 8,6) und das Gebot der Beschneidung am achten Tage nach der Geburt (Schab.18,3 u.a.).
Wieder anders die jesuanische Erneuerungsbewegung: in allen Jesustraditionen wird von den Jesusgemeinden nach Ostern das Sabbatgebot, d.h. das Kultgesetz für Mensch und Tier entschärft und dem Liebesgebot, d.h. dem Moralgesetz, untergeordnet, nicht aber umgekehrt.
So gibt *die Q-Gemeinde* grundsätzlich den Sabbat für die Liebestat frei:
«Jesus aber sprach zu ihnen:
Welcher Mensch ist unter euch, der ein einziges Schaf besitzt und es nicht, wenn es am Sabbat in einen Brunnen fällt, ergreifen oder ihm aufhelfen wird? Wieviel mehr wert ist ein Mensch als ein Schaf! Daher darf man am Sabbat Gutes tun» (Mt.12,11f par.).

Die Q-Gemeinde entschärft hier das Sabbatgebot im traditionellen Stil einer pharisäisch-rabbinischen Gesetzesentscheidung. Aber die nicht zu übersehende Selbstverständlichkeit, mit der die Q-Gemeinde voraussetzt, daß dieser arme Mann sein einziges Schaf aus dem Brunnen eigenhändig herausholen darf, widerspricht der Praxis bei Pharisäern und Essenern, die ausdrücklich das rettende Verhalten einem verunglückten Tier gegenüber kasuistisch diskutierten und autoritativ festlegten, also höchstens die menschliche Mithilfe für die Selbstbefreiung des verunglückten Tieres gestatteten. Die Q-Gemeinde dagegen bezieht sich bei der Tierrettung auf einen selbstverständlichen Brauch bei den Pharisäern, den es aber in Wirklichkeit gar nicht gegeben hat, und verzichtet ausdrücklich auf eine kasuistische Erörterung einer Tierhilfe am Sabbat. Mit dem Hinweis auf den unendlich größeren Wert eines Menschen wird dieser und sein Wohl dem kultischen Sabbatgebot übergeordnet. Dabei bleibt das Sabbatgebot grundsätzlich in Geltung. Das Kultgesetz ist und bleibt die gemeinsame unbestrittene Grundlage der Auseinandersetzung mit der pharisäischen und essenischen Erneuerungsbewegung, umstritten ist allerdings ihre Auslegung und konkrete Anwendung. Für die Q-Gemeinde besteht dagegen kein Zweifel, daß das entschärfte Kultgesetz im theologischen Rahmen unter das verschärfte Moralgesetz zu stehen kommt.

Die vormarkinische Gemeinde hat gleich zwei Traditionen geschaffen und überliefert, in denen wiederum das Sabbatgebot zugunsten des Liebesgebotes entschärft wird. Im ersten Streitgespräch wird das Ährenraufen der Jünger am Sabbat (Mk.2,23–28) von den Pharisäern angegriffen. Weil das Ährenraufen als eine Miniaturform des Dreschens galt, war es am Sabbat untersagt. Die vormarkinische Gemeinde läßt Jesus als Lehrer eine schriftgelehrte Antwort nach typisch jüdischer Schulmethode und Argumentationsweise aufgrund von 1.Sam.21,1–6 geben! «Habt ihr niemals gelesen, was David tat, als er in Not war und zusammen mit seinen Begleitern hungerte? Er ging hinein in das Haus Gottes zur Zeit Abjathars des Hohen Priesters und aß die Schaubrote, die außer den Priestern niemand essen darf und gab sie auch denen, die mit ihm waren».

Die Argumentationsweise der vormarkinischen Gemeinde mutet uns spitzfindig an: zuerst einmal befand sich David in einer ganz anderen Situation als die Jünger Jesu. Er wird von Saul verfolgt und muß sich von allen menschlichen Siedlungen fernhalten. Von einem Sabbatbruch ist im Alten Testament nicht die Rede. Im Gegensatz zu unserm Schriftzitat ließ sich David die Schaubrote von den Priestern geben, ging aber nicht selbst hinein und nahm die Schaubrote an sich. Außerdem sind die Priesternamen verwechselt worden, statt Ahimelech heißt es nun in Mk. 2,26 Abjathar! Und schließlich ist die Situation völlig ungleich: David nimmt und ißt verbotenes, heiliges Brot, die Jünger pflücken und essen Erlaubtes zu verbotener Zeit.

Mit Hilfe dieses judenchristlichen Schriftbeweises, der aber keineswegs zwingend ist, da sich die Jünger ja nicht wie David in höchster Lebensgefahr befanden, soll eine scheinbare Situationsgleichheit hergestellt werden: eine besondere Notlage bricht den Sabbat. Diese These wird durch zwei weitere Sprüche begründet. Mk.2,27 bringt jetzt die schöpfungstheologische Begründung für den erlaubten Sabbatbruch in einer konkreten Notsituation des Christen: «Der Sabbat ist um des Menschen willen gemacht, nicht aber der Mensch um des Sabbats willen.» Damit wird von der vormarkinischen Gemeinde grundsätzlich die Sabbatordnung von der Schöpfungsordnung her relativiert, ohne daß damit das Sabbatgebot verabschiedet wird. Denn der Mensch wurde von seinem Schöpfergott vor dem Sabbat geschaffen, so daß zwar beide als Schöpfungen Gottes prinzipiell gültig bleiben, aber der Mensch absoluten Vorrang vor dem Sabbat als Gabe des Schöpfers hat. Der Schöpfungswille Gottes zielt von Anbeginn auf die «Menschlichkeit» des Sabbats: Nicht nur im Falle akuter Lebensgefahr oder auch nur von konkreter Not wird das Sabbatgebot aufgehoben, sondern grundsätzlich dient der Sabbat dem Menschen als Geschenk und Wohltat. Mk.2,28 bringt ein christologisches Schriftargument «Also ist der Menschensohn Herr auch über den Sabbat». Selbst nach diesem Wort der vormarkinischen Gemeinde wird die Sabbattora nicht grundsätzlich angetastet, sondern Jesu Herrsein auch über den Sabbat bestätigt die «Menschlichkeit», d.h. den für den Menschen geschaffenen Sabbat. Auch das zweite Streitgespräch über die von Jesus vollzogene Heilung der verdorrten Hand am Sabbat Mk.3,1–6 stammt zweifellos aus einer Zeit, in der der Sabbat als geboten vorausgesetzt und die Freiheit der Jesusgemeinde für das Gutes-Tun und Leben-Erretten am Sabbat gefordert wurde. Die entscheidende Vexierfrage in diesem Lehrgespräch der vormarkinischen Gemeinde mit den Pharisäern wird in 3,4 gestellt: «Ist es erlaubt, am Sabbat Gutes zu tun oder Böses zu tun, Leben zu erretten oder zu töten?». Wiederum bedient sich die Jesusgemeinde mit der Aufnahme der traditionellen Formel, ob etwas erlaubt ist, d.h. vom Gesetz definitiv freigegeben oder verboten wird, der gesetzlichen Argumentationsweise der pharisäischen Schriftgelehrten. Wie wir bereits gesehen haben, kannte auch die pharisäische Erneuerungsbewegung die Aufhebung des Sabbatgesetzes in höchster Lebensgefahr und die Milderung in Krankheitsfällen. Aber hier bei Jesus geht es ja «nur» um chronische Invalidität, so daß man für seine Heilung auch noch gut auf den nächsten Tag hätte warten können. Außerdem wird sehr zugespitzt das Unterlassen des «Gutes tun» mit dem «Bösen tun» gleichgesetzt und in dem parallelen Nachsatz sogar die Verweigerung der Hilfe an einem kranken Menschen mit einer Tötung verglichen. Aber weder geht es in dieser typischen Szene der Sabattheilung um eine Lebensrettung, noch kann ohne weiteres ihre Verweigerung eine Tötung genannt werden.

Alle diese Fragen und Ungereimtheiten finden ihre Lösung in der Tatsache, daß es sich auch hier um eine grundsätzliche Lehrentscheidung der

Jesusgemeinde in dem für sie umstrittenen Sabbatgebot handelt. Bei der zitierten Frage von Mk.3,4 geht es nicht mehr um eine rituelle, sondern um eine ethische Alternative. Bei ihr kann man überhaupt nicht mehr fragen, ob etwas erlaubt sei oder nicht, vielmehr ist Gutes tun am Nächsten immer, also auch und gerade am Sabbat, geboten, Böses tun und töten dagegen niemals erlaubt. Der Judenchrist der vormarkinischen Gemeinde ist nicht mehr starr an das Gebot der Sabbatheiligung gebunden, so daß er sich unter Berufung auf das alttestamentliche Kultgesetz der Hilfe am Nächsten zu irgendeiner Zeit, d.h. auch nicht am Sabbat entziehen dürfte. Mit anderen Worten: auch in diesem zeit- und ortslosen Lehrgespräch hat das Sabbatgebot hinter dem höchsten Gebot der Nächstenliebe zurückzutreten, das Kultgesetz wird dem Moralgesetz untergeordnet.

Aber keineswegs wird mit einer solchen Lehrentscheidung die Ablehnung des Sabbatgebotes überhaupt auch nur angedeutet. Im Gegenteil! Wie alle übrigen Jesusgemeinden so hält auch die vormarkinische Gemeinde an der Sabbatpraxis als göttlicher Willenskundgebung fest, schränkt es jedoch im antipharisäischen und antiessenischen Sinne durch das Liebesgebot ein.

Auch die *Matthäus-Sondergut-Gemeinde* hat bewußt das Sabbatgebot entschärft, wie das Kampfwort in Mt.12,5 und 6 beweist:

«Oder habt ihr nicht im Gesetz gelesen, daß am Sabbat die Priester im Tempel den Sabbat entweihen und sind doch schuldlos?
Ich aber sage euch:
Hier ist Größeres als der Tempel.»

Es fällt sofort auf, daß dieser Spruch formal wie die schon besprochenen Antithesen (Mt.5,25f.27ff.33ff.)aufgebaut ist: auf die These aus dem alttestamentlichen Gesetz in V.5 folgt die Antithese in V.6. Diese Antithese aber ist ein judenchristlicher Prophetenspruch, der durch die prophetisch-apokalyptische Formel «Ich sage euch» eingeleitet wird. Der erhöht-gegenwärtige Menschensohn Jesus legt im Angesicht seiner nahen Parusie das Sabbatgebot für die Gemeinde neu aus. Und diese Auslegung des mosaischen Kultgesetzes hat für die Matthäus-Sondergut-Gemeinde autoritative Bedeutung, weil sie inspiriert, d.h. vom Geiste Jesu eingegeben ist. Deshalb bedarf sie auch keiner Begründung aus dem Alten Testament. Der uns unbekannte Prophet hat das mosaische Sabbatgebot neu ausgelegt. Die eigentliche These enthält die ausdrückliche Berufung auf das alttestamentliche Gesetz, das den Priestern gestattet, an jedem Sabbat das Gebot der Sabbatruhe zu brechen. Denn nach 4.Mos.28,9f muß von den Priestern im Tempel von Jerusalem der Opferdienst vorbereitet und vollzogen und müssen nach 3.Mos.24,8f die Schaubrote im Tempel aufgeschichtet werden. Der judenchristliche Prophet der Matthäus-Sondergut-Gemeinde weist also im Streit mit den Pharisäern auf die jedem Juden bekannte Tatsache hin, daß das Tempelgesetz das Sabbatgebot aufhebt.

«Der Tempeldienst verdrängt den Sabbat» (b. Schab.132b) ist ein anerkannter Lehrsatz der Rabbinen. Denn was die Priester jeden Sabbat tun, ist nicht nur erlaubt, sondern vom Gesetz geboten.

Der Dienst der Priester im Jerusalemer Tempel am Sabbat «entweiht» zwar letzteren, aber diese unübersehbare Entweihung wird durch das Gesetz geboten, so daß die am Sabbat arbeitenden Priester «unschuldig» sind. Das heißt: Schon im alttestamentlichen Gesetz gibt es die Über- bzw. Unterordnung einzelner Gebote über bzw. unter andere. Mit der prophetisch-apokalyptischen Formel «Ich sage euch» wird nun der Lösungsversuch der Matthäus-Sondergut-Gemeinde für die Sabbatfrage zur Sprache gebracht. Mit dem typisch pharisäischen Schluß vom Geringeren auf das Gewichtigere wird die Konsequenz gezogen: Wenn schon der Tempeldienst das Sabbatgebot aufhob, dann erst recht hat der Menschensohn Jesus die Macht, in bestimmten Situationen dasselbe zu tun. Kommentar für das «hier ist Größeres als der Tempel» ist das Traditionsgut der Matthäus-Sondergut-Gemeinde. Mit ihrem christologischen Bekenntnis ist nämlich Jesus der im Alten Testament verheißene Messias (Mt.1,1-23) und neuer Moses (Mt.2,1–23) und nach den sogenannten Reflexionszitaten das Ziel der alttestamentlichen Gottesoffenbarung (z.B. Mt.4,3–16; 8,16f; 12,15– 21,2f; 27,3ff). Bei dem Tode des Messias geschehen nach der Matthäus-Sondergut-Tradition Wunder (Mt.27,52f), der Auferstandene ist der Kosmokrator (Mt.28,18–20) und kommende Menschensohn (Mt.25,31–46).

Daraus schließt die Matthäus-Sondergut-Gemeinde: Wenn schon der Tempel von Jerusalem in bestimmten Situationen die Macht hat, das Sabbatgebot aufzuheben, dann erst recht der erhöht-gegenwärtige Menschensohn Jesus, der in Kürze den Weltkreis richten wird. Wiederum haben wir auch hier prophetisch-apokalyptische Entschärfungen des mosaischen Kultgesetzes vor uns, nicht aber seine grundsätzliche Aufhebung.

Schließlich hat auch *die Lukas-Sondergut-Gemeinde* zwei Sabbat-Wunderheilungen überliefert. Aber auch bei diesen steht das Wunder im Dienste des Streitgespräches über den Grenzen des Sabbatgebotes.

In der ersten Wundergeschichte, der Heilung einer verkrümmten Frau am Sabbat Lk.13,10–17, wird von Jesus in dem entscheidenden sabbatgesetzlichen Wort das Sabbatgebot entschärft:

«Ihr Heuchler, löst nicht jeder von euch am Sabbat sein Rind oder seinen Esel von der Krippe und führt ihn weg und tränkt ihn?» (Lk.13,15).

Nach der pharisäischen Sabbatauslegung war aber gerade das Lösen und Tränken des Viehs am Sabbat verboten bzw. kasuistisch bis ins Kleinste geregelt. Die Selbstverständlichkeit, mit der die Lukas-Sondergut-Gemeinde vom Lösen, Wegführen und Tränken des Viehs am Sabbat spricht, stellt eine eindeutige Entschärfung des Sabbatgebotes dar. Wenn nun weiter stillschweigend mit Hilfe des traditionellen Schlußes vom Geringeren auf das Gewichtigere gefolgert wird, – was man schon dem

Vieh am Sabbat gewährt, muß man erst recht dieser kranken Frau am Sabbat gewähren – so ist auch dieses antipharisäische Argument keineswegs schlagend. Das Heilen von kranken Menschen am Sabbat ist für die Pharisäer nur bei höchster Lebensgefahr erlaubt, wo aber keine akute Gefahr besteht ist die Heilung am Sabbat auf gar keinen Fall gestattet, denn medizinisches Heilen wird ausdrücklich als Arbeit gewertet. Das aber trifft genau für diesen Krankheitsfall zu: Die Frau ist bereits 18 Jahre lang krank und hätte genausogut am nächsten Tag geheilt werden können. Eben diese Praxis empfiehlt auch der anwesende Synagogenvorsteher: «Sechs Tage gibt es, an denen man arbeiten soll; an ihnen kommt und laßt euch heilen und nicht am Tage des Sabbats». Unter Anspielung auf 5.Mos.51,3 und 2.Mos.20,9f, wo ausdrücklich die Verrichtung aller Arbeiten in den sechs Wochentagen geboten ist, wird auch die Heilung an diesen sechs Arbeitstagen freigegeben, nicht aber am Sabbat. Da die Heilung an einer «Tochter Abrahams» geschieht, spielt sich diese Entschärfung des mosaischen Kultgesetzes im innerjüdischen Bereich ab und kann auch nur von dort her sachgemäß verstanden und historisch eingeordnet werden. Nur die Abrahamskindschaft rechtfertigt die Hilfe Jesu, wie auch diese Wundergeschichte selbst in allen ihren Einzelzügen auf eine hellenistisch-judenchristliche Jesusgemeinde schließen läßt.

In der zweiten Wundergeschichte, der Heilung eines Wassersüchtigen am Sabbat (Lk.14,1–6), geht es wiederum der Lukas-Sondergut-Gemeinde nicht um das Wunder, sondern um die Heilung, d.h um ein vom Gesetz verbotenes Arbeiten am Sabbat. Im Streit mit den Pharisäern und Gesetzeskundigen um die rechte Auslegung des von allen Kontrahenten anerkannten Sabbatgebotes wird aus der Wundergeschichte ein Lehrgespräch für die judenchristliche Jesusgemeinde. Im Mittelpunkt des ursprünglichen Streitgespräches steht die grundsätzliche Frage Jesu: «Ist es erlaubt, am Sabbat zu heilen oder nicht?» Diese Grundsatzfrage aber, eingeleitet durch die traditionell pharisäische Auslegungsformel, ob etwas erlaubt sei, das heißt, endgültig vom Gesetz freigegeben oder verboten wird, hat für die Lukas-Sondergut-Gemeinde lediglich rhetorische Bedeutung; denn die Hilfe für den Nächsten, d.h. das Liebesgebot, entschärft das Sabbatgebot. Auf diese Grundsatzfrage kann deshalb die Lukas-Sondergut-Gemeinde nur eine Antwort geben: Selbstverständlich ist das Heilen am Sabbat nicht nur bei drohender Lebensgefahr erlaubt, also dringend geboten, sondern auch und gerade dann, wenn keine Lebensgefahr im Verzuge ist, ist es ein dringendes Gebot der Nächstenliebe, dem kranken und leidenden Bruder auch am Sabbat zu helfen und ihn zu heilen.

Gegen die pharisäische und essenische Sabbatpraxis und -auslegung wird das Kultgesetz niemals verschärft, sondern immer entschärft und dem Gebot der Nächstenliebe rigoros untergeordnet. Der Sabbat als Geschenk und Wohltat Gottes ist und bleibt nicht nur für die Gesunden und Feiernden, sondern gerade für die Kranken und Leidenden in Israel.

b) Von den Jesusgemeinden werden weiterhin auch die alttestamentlich-jüdischen *Reinheitsgebote* entschärft. Sie sind deshalb für Israel von besonderem theologischem Gewicht, weil sie die heilsnotwendige Frage beantworteten, was in der Welt rein oder unrein ist bzw. macht. Die Unreinheit ist dabei nicht bloß ein Mangel an Reinheit, sondern selbst eine verunreinigende Macht. Sie gilt als etwas dem unreinen Menschen bzw. Gegenstand stofflich Anhaftendes und daher auch auf andere Menschen bzw. Gegenstände Übertragbares. Man unterscheidet den Unreinheitsbereich von dem Infizierten. Je nach dem Abstand vom Unreinheitsherd redet man von der Ansteckung ersten, zweiten, dritten, vierten Grades usf. Die Intensität der Unreinheit nimmt bei jeder neuen Übertragung um einen Grad ab. Die Übertragung geschieht durch Berühren, Tragen, Druck oder überhaupt durch die Nähe von Reinem und Unreinem.
Bei leichterer Unreinheit erfolgt ein Ausschluß von dem entsprechenden Geweihten, bei höherer Unreinheit darüber hinaus neben der vorgeschriebenen Reinigung auch Opfer. Wieweit ein Gegenstand verunreinigen kann, hängt nicht nur von der Art der Infektion, sondern auch von der Beschaffenheit und dem Material ab. Vom pharisäischen Reinheitsbegriff her sind mit Ausnahme der Essener alle jüdischen, hellenistisch-jüdischen und erst recht die heidnischen Gruppen unrein. Das mosaische Gesetz entwickelt eine Menge von Vorschriften, um die verunreinigten Menschen wieder in die Gemeinschaft mit Gott zu versetzen: durch sühnende Reinigung, durch Waschungen, Feueropfer usw.
So hat *die Q-Gemeinde* den Weheruf Jesu über die pharisäische Reinheitspraxis (Mt.23,25 par.) auch nach Ostern übernommen und damit für sie bindend anerkannt. Daß die Pharisäer penibel und durchaus dem Kultgesetz gemäß die Außenseite von Becher und Schüssel rituell reinigen, wird weder von Jesus noch der ihm folgenden Q-Gemeinde bestritten oder gar bekämpft. Denn auch von der Q-Gemeinde wird das alttestamentlich-jüdische Reinheitsgesetz anerkannt. Allerdings wird die mangelnde Konsequenz der Pharisäer mit dem apokalyptischen Fluch belegt und die ebenso gründliche moralische Reinigung des Inhalts dieser Gefäße gefordert. Das heißt, der durchaus notwendige Gehorsam gegenüber den levitischen Reinheitsgeboten muß demjenigen gegenüber dem Moralgesetz entsprechen. Weder hebt das moralische das rituelle Tun auf noch wird das zeremonielle Handeln zur Nebensache. Vielmehr hat die innere moralische Reinheit, d.h. das elementare Gebot der Nächstenliebe, seinen Nächsten nicht zu berauben, den Vorrang gegenüber der nur rituellen Reinheit.
Im Gleichnis über «diese Generation» (Mt.11,16–19 par) wird Jesus von der Q-Gemeinde ein «Freund der Zöllner und Sünder» genannt. Zöllner als Angestellte der verhaßten römischen Besatzungsmacht werden von den Pharisäern offiziell theologisch mit Mördern und Räubern gleichgesetzt, weil sie sich nicht an die mosaischen Speisegebote hielten. Der

verunreinigende Verkehr mit heidnischen Vorgesetzten kommt in besonderer Weise auf ihr Schuldkonto. Ein Pharisäer, der Zollpächter wurde, mußte die Konsequenz ziehen und aus der pharisäischen Erneuerungsbewegung ausscheiden. Wenn Jesus von der Q-Gemeinde hier pointiert ein Freund der Zöllner genannt wird, so ist daraus zu schließen, daß diese Jesusgemeinde die jüdisch verbotene Nähe zu diesen kultisch Deklassierten nicht nur gesucht, sondern diese aus der kultisch-nationalen Gemeinschaft Ausgestoßenen in die Endzeitgemeinde aufgenommen hat. In diesem Ja der Q-Gemeinde zu den rituell Diskriminierten, nämlich den Zöllnern, zeigt sich die Entschärfung der mosaischen Reinheitsgebote und die Unterordnung des Kultgesetzes unter das verschärfte Moralgesetz. Die unbedingte Liebe zum Nächsten unter Einschluß des Feindes schloß nach dieser geoffenbarten Neuinterpretation des mosaischen Kultgesetzes angesichts der nahen Parusie des Menschensohnes Jesus auch die Liebe zum kultisch deklassierten Nächsten als Zöllner in Israel ein, während die pharisäischen und essenischen Erneuerungsbewegungen sich schroff abkapselten. Diese eschatologische Entschärfung der Reinheitsgebote durch den erhöht – gegenwärtigen Menschensohn Jesus hat aber für die Q-Gemeinde nur das eine Ziel, die Umkehr dieser verlorenen Schafe in Israel zu bewirken. Der Q-Gemeinde ging es nicht darum, den heiligen Rest in Israel zu sammeln. Denn im bezeichnenden Unterschied zur Exklusivität der pharisäischen und der sich klösterlich-zölibatär gebärdenden essenischen Erneuerungsbewegung hat die Jesusbewegung den rituell deklassierten Zöllnern den Zugang zur eschatologischen Heilsgemeinde nicht verwehrt. Gerade den Zöllnern wird die eschatologische Zuwendung, Hilfe und Gemeinschaft der Q-Gemeinde zuteil mit dem Ziel, die Umkehr und Bekehrung dieser Verirrten zu bewirken; sie sollen in letzter Stunde heimkehren in den Gottesbund. Denn das Einladen der rituell geächteten Zöllner meint keineswegs im Kontext von Q, daß das Ritualgesetz, also die Reinheitsgebote, grundsätzlich und planmäßig aufgehoben würden, wohl aber bewußte Kritik an der pharisäischen und essenischen Verachtung dieser kultisch Deklassierten als den «Kindern der Finsternis».

In der kleinen Erzählung von der Anfrage des Täufers an Jesus (Mt. 11,2–6par.) verweist die Q-Gemeinde auf die mit Jesus und seinen Endzeitboten angebrochene Heilszeit und apokalyptische Endvollendung, die sich machtvoll in den Wundern an Kranken und Toten und der eschatologischen Frohbotschaft an die Armen Bahn bricht. In diesem Zusammenhang der Endzeitwunder wird auch von der Heilung Aussätziger, d.h. Leprakranker gesprochen: «Aussätzige werden rein». Nun ist es aber keineswegs selbstverständlich, daß die in Israel aus kultisch-rituellen Gründen abgesonderten Leprakranken des eschatologischen Gottesbundes im restituierten Gottesvolk der Q-Gemeinde insofern teilhaftig werden, als sie vom Endzeitpropheten Jesus und seinen Endzeitboten geheilt

werden. Aus den im Alten Testament überlieferten Bestimmungen über Aussatz (z.B. 3.Mos.13–14; 4.Mos.12,10–15) geht hervor, daß der Aussatz kultisch unrein macht, und der Aussatzkranke überträgt seine rituelle Unreinheit auf alles, Personen wie Gegenstände, was er berührt. Deshalb gab es genaue und strenge Bestimmungen über die Absonderung der Aussätzigen, um die rituelle Ansteckungsgefahr zu beseitigen (vgl. 4. Mos.5,2; 12,14f; 2.Kön.7,3; 15,5). Die Beseitigung dieser Geißel wird ausdrücklich in Jes.35,8 für die messianische Endzeit in Aussicht gestellt, und die Q-Gemeinde sah in den Heilungen von Aussatzkranken die endzeitliche Erfüllung alttestamentlicher Weissagung. Keineswegs beabsichtigt die Q-Gemeinde eine Aufhebung der alttestamentlich-jüdischen Absonderungsbestimmungen, wohl aber eine Entschärfung dieser vom Alten Testament gebotenen Absonderung der Leprakranken durch die Heilungswunder Jesu und seiner Gesandten angesichts der apokalyptischen nahen und schon gegenwärtigen Gottesherrschaft.
Auch die Wundergeschichte von der Heilung eines Aussätzigen (Mk.1,40–45) wird in der *vormarkinischen Gemeinde* unter der Hand zu einem Lehrgespräch über die Reinheitsgebote, die man einerseits entschärft, aber andererseits grundsätzlich anerkennt.
Ein Aussätziger kann es wagen, unter Durchbrechung der Schranken, die dem Verkehr dieser Leprakranken aufgrund der strengen Reinheitsvorschriften mit den Gesunden gesetzt waren (3.Mos.13,45ff), sich an Jesus als Wundertäter zu drängen. Die vormarkinische Gemeinde läßt daraufhin Jesus nicht ausweichen, wie das von namhaften pharisäischen Gelehrten berichtet wird. Er hat keine Angst, sich an ihnen zu verunreinigen. Die Berührung des Kranken als Übertragung der heiligenden Kraft ist natürlich als Verletzung der gesetzlichen Reinheitsvorschriften gedacht. Mit der betonten Herausstellung dieser beiden Charakteristika – Jesus weicht dem grundsätzlich unberührbaren Kranken nicht aus, sondern berührt ihn im Gegenteil noch! – wird von der vormarkinischen Gemeinde im Umgang mit den Leprakranken das mosaische Reinheitsgesetz entschärft. Mit dem ausdrücklichen Befehl Jesu aber: «Sieh zu, daß du keinem etwas sagst, sondern geh hin, zeige dich dem Priester und bring für deine Reinigung das Opfer dar, wie Mose es verordnet hat zum Zeugnis für sie» hält die vormarkinische Gemeinde aber ausdrücklich an der genauen Erfüllung der rituellen Reinheitsvorschrift von 3.Mos.14,1–32 fest. Der Geheilte bekommt den Auftrag, zum amtierenden Priester im Jerusalemer Tempel zu gehen, um im Vollzug einer umständlichen Zeremonie die Heilung bestätigen zu lassen und das vom Kultgesetz vorgeschriebene Opfer für seine Heilung darzubringen. Nebenbei erfahren wir, daß der Tempel und sein hier vollzogener priesterlicher Dienst noch intakt waren und die vormarkinische Gemeinde auch den Jerusalemer Tempel und Opferdienst anerkannte.
Die abschließende Formel «ihnen zum Zeugnis» wendet sich an alle

Juden, die in der Auseinandersetzung mit der judenchristlichen Jesusgemeinde erkennen sollen, daß hier zwar das Kultgesetz entschärft, aber nicht verworfen wird. Ausdrücklich berichtet die vormarkinische Gemeinde von der Berufung des Zöllners Levi durch Jesus und seine Aufnahme in die christliche Gemeinde (Mk.2,13–17). Aber nicht, daß Jesus im unreinen Haus mit Levi zu Tische liegt, sondern jetzt sind auch noch «viele andere Zöllner und Sünder» bei Jesus fröhlich versammelt. Das gemeinsame Mahl schafft eine enge Gemeinschaft, die durch den Tischsegen hergestellt wird, an dem alle Teilnehmer des Mahles teilhaben, durch den sie zu einer Gemeinschaft gleichen Segens zusammengeschlossen werden. Deshalb wurde genau ausgewählt, wer zu einem Gastmahl eingeladen werden sollte. Bei einem solchen Mahl mit Zöllnern und Sündern geht es aber nicht nur um diese bekannte orientalische Tischgemeinschaft, sondern gerade weil die mosaischen Reinheitsgebote nicht eingehalten wurden, wird der andere Teil selbst unrein. Diese Tischgemeinschaft mit Unreinen drückt sich in der pharisäischen Anklage aus: «Mit den Zöllnern und Sündern ißt er» (Mk.2,16).

Diese Entschärfung, aber keineswegs grundsätzliche Aufhebung der Reinheitsgebote durch die vormarkinische Gemeinde hat nur das eine Ziel, die verlorenen Schafe des Hauses Israel in die endzeitliche Heilsgemeinde einzuladen. Der Grund für diesen verunreinigenden Verkehr mit den rituell Ausgestoßenen wird ausdrücklich in Mk.2,17 genannt:

«Nicht die Gesunden bedürfen des Arztes, sondern die Kranken. Nicht bin ich gekommen, Gerechte zu rufen, sondern Sünder».

Die Entschärfung der Reinheitsgebote bedeutet nicht Gleichgültigkeit gegen das von Gott am Sinai gegebene Kultgesetz, sondern gehört zur Sendung Jesu und seiner Gemeinde. Ihr einladender Ruf soll gerade die Kranken und Sünder, nicht aber die Gesunden und Gerechten treffen. Sie sollen zur Umkehr von ihrem bisherigen Lebenswandel und zur Einkehr in die Jesusgemeinde veranlaßt werden. Die vormarkinische Gemeinde übernimmt damit zugleich die traditionell jüdische Unterscheidung zwischen Gerechten und Sündern. Diejenigen, die die Reinheitsgebote halten, sind die Gerechten. Aber entscheidend ist, daß der Ruf der Jesusgemeinden gerade an die kultisch Deklassierten ergeht.

Daß die Entschärfung der Reinheitsgebote im Dienst der grundsätzlichen Anerkennung, nicht aber der Aufhebung des Kultgesetzes steht, beweist auch und gerade das Gleichnis vom Ja und Nein der ungleichen Söhne zum Gesetz (Mt.21,28–31), das uns die Matthäus-Sondergut-Gemeinde überliefert hat:

«Was dünkt euch? Ein Mann hatte zwei Söhne. Er ging zum ersten und sprach: Mein Sohn, gehe hin und arbeite heute im Weinberg. Der aber antwortete und sprach: Ich will nicht; nachher bereute er es und ging hin. Er ging aber zum zweiten und sprach ebenso. Der aber antwortete und sprach: Ja, Herr! und ging nicht.Wer von den beiden hat den Willen des

Vaters getan? Sie sagten: der erste. Jesus spricht zu ihnen: Amen, ich sage euch:die Zöllner und die Dirnen gehen vor euch in das Reich Gottes hinein.»

Das voranstehende Gleichnis in den Versen 28–31a ist in sich völlig klar und verständlich: der erste Sohn hat zwar das Ansinnen seines Vaters zuerst abgelehnt, aber dann bereut er seine Absage und arbeitet dennoch im Weinberg. Der zweite Sohn dagegen sagt zwar höflich und bereitwillig zu, tut dann aber nichts. Die abschließende Frage, die auf das Tun des Willens des Vaters, d. h. den tatkräftigen Gehorsam gegenüber Gottes Willen im Gesetz zielt, kann nur lauten: der erste, sein anfängliches Nein bereuende Sohn hat das Gesetz getan. Auf das Gleichnis folgt – eingeleitet durch die traditionell prophetisch-apokalyptische «Ich sage euch»-Formel ein hartes abschließendes Gerichtswort über die Pharisäer und damit die Aufschlüsselung des Gleichnisses durch die Matthäus-Sondergut-Gemeinde. Die von ihnen verachteten und verstoßenen Zöllner und Dirnen gehen vor ihnen (im Urtext wird die Gegenwartsform verwendet!) schon jetzt in das Reich Gottes ein. Schon jetzt vollzieht sich das apokalyptische Endgericht über die Pharisäer, während die Zöllner (und die Dirnen), die zwar anfänglich die Einladung der Jesusgemeinden ablehnten, diese ihre Ablehnung aber nachher bereuten, also umkehrten, und wirklich den im Gesetz festgehaltenen Willen Gottes, taten. Mit ihrer Aufnahme in die christliche Heilsgemeinde gingen sie bereits schon jetzt in das Reich Gottes ein. Ganz deutlich ist, daß die Matthäus-Sondergut-Gemeinde die Reinheitsgebote nur deshalb entschärft, damit die Zöllner die Möglichkeit gewinnen, ihren unreinen Lebenswandel zu bereuen und dann in der christlichen Jesusgemeinde den Willen ihres himmlischen Vaters einschließlich der Reinheitsgebote tun.

In der ursprünglichen Beispielerzählung vom Pharisäer und Zöllner (Lk. 18,10–14a) läßt *die Lukas-Sondergut-Gemeinde* durch einen ihrer Propheten das göttliche Urteil des erhöht-gegenwärtigen Jesus über die beiden Beter autoritativ verkündigen:

«Ich sage euch:
Dieser (= Zöllner) ging in sein Haus hinunter als einer, der das größere Wohlgefallen (= Gottes) findet als jener (= der Pharisäer)».

Gottes Wohlgefallen und Heil erfahren beide, der Pharisäer als Gesetzesfrommer und der Zöllner als rituell Unreiner. Nur: der bußfertige Zöllner findet bei Gott ein größeres Wohlgefallen, ein Mehr als der Pharisäer. Grammatikalisch ist im Griechischen «über ... hinaus» mit Akkusativ sowohl im steigernden als auch ausschließenden Sinne möglich. Die nicht revidierte Lutherbibel und die Zürcher Bibel übersetzen wie wir komparativisch, d. h. im Sinne der Steigerung, die meisten Kommentare dagegen bevorzugen den ausschließenden Sinn nach Paulus. Den Ausschlag aber gibt nicht Paulus, sondern die Botschaft der Jesusgemeinden.

Wie die Lukas-Sondergut-, so formuliert in sachlich gleicher Weise die Q-

Gemeinde in der Parabel vom verirrten und wiedergefundenen Schaf (Mt. 18,12–14par.):
«Ich sage euch:
Er (= Gott) freut sich mehr darüber (= das wiedergefundene Schaf als bußfertiger Sünder) als über die 99 (= Gerechten), die nicht verirrt waren».
Dieses steigernde «mehr-als», also die größere Freude Gottes über den umkehrwilligen Sünder in Israel als über den Gesetzesfrommen, entspricht direkt dem größeren Wohlgefallen Gottes in der Beispielerzählung der Lukas-Sondergut-Gemeinde.
In ähnlicher Weise wird in der Parabel von der verlorenen Drachme (Lk.15,8–10) wie in der Beispielerzählung vom verlorenen Sohn (Lk.15,11–32) – beide Male Lukas-Sondergut – als Pointe herausgestellt: Die große Freude Gottes über jeden Sünder in Israel, der Buße tut. So hat die Lukas-Sondergut-Gemeinde wie Gott sowohl am gesetzesfrommen Pharisäer als auch am reuevollen Sünder ein Wohlgefallen. Die verdienstvollen Leistungen der Gesetzesfrommen werden von der Jesusgemeinde weder kritisiert noch ignoriert. Der Pharisäer hat nicht nur wirklich das Moralgesetz gehalten, sondern nennt auch noch zwei opera supererogationis (= besonders verdienstliche Werke): sein freiwilliges zweimaliges Fasten in der Woche und die Verzehntung alles Zehntpflichtigen, was er kauft. Nur: dem bußfertigen Zöllner wendet die Lukas-Sondergut-Gemeinde, indem sie hierin Gott nachahmt, ihr größeres Wohlgefallen zu. Natürlich nicht, um die Reinheitsgebote grundsätzlich und planmäßig zu verabschieden, wohl aber, um sie zugunsten der verlorenen Schafe in Israel zu entschärfen. Im Gegensatz zur pharisäischen Erneuerungsbewegung wird die Buße von der Lukas-Sondergut-Gemeinde praktisch nicht verunmöglicht, sondern grundsätzlich ermöglicht. Mit der Einladung der rituell unreinen Zöllner wurden die Reinheitsgebote nicht aufgehoben, sondern entschärft und damit bestätigt. Dieses größere Wohlgefallen Gottes am bußfertigen Zöllner ist der vom Propheten geoffenbarte Grund für das einladende Handeln, die Mission unter den verlorenen Schafen des Hauses Israel.
In der ursprünglichen Erzählung von der Berufung des Oberzöllners Zachäus (= der Reine, Gerechte) in Lk.19,2–7.9, die Lukas in V.8 u. 10 moralisch und christologisch erweitert hat, wird von der Lukas-Sondergut-Gemeinde ein anderer Grund für die Aufnahme kultisch Unreiner genannt. Nicht ihre Bußfertigkeit, sondern vielmehr ihre Zugehörigkeit zum jüdischen Volk begründet das Heilshandeln Jesu. Die Berufsangabe spricht für sich: ein Oberzöllner pachtet für den meistbietenden Betrag von der römischen Besatzungsmacht den Zoll und kassiert die anfallenden Zollgelder durch seine angestellten Zöllner. Die Berufung des körperlich kleinen und deshalb auf einem Baum hockenden Zachäus erfolgt wie in allen Berufungsgeschichten der Jesustradition: Jesus «muß» in seinem

Hause mit ihm zusammen speisen und dann übernachten. Auf die murrende Reaktion der Umstehenden erfolgt die Belehrung Jesu, die eigentlich an die pharisäischen Kritiker gerichtet ist und seine Berufung rechtfertigt. Sein Heilshandeln hat seinen Grund in der Abrahamssohnschaft also der Zugehörigkeit des Oberzöllners Zachäus zum auserwählten Volk Israel, nicht aber in seiner Bußgesinnung. Gott selber hat die Zuwendung der Lukas-Sondergut-Gemeinde zu den Zöllnern im Heilsvolk verfügt (vgl. das «muß» in V.5!), da diese Israeliten sind. Deshalb entschärft die Lukas-Sondergut-Gemeinde das Kultgesetz in Gestalt der Reinheitsgebote, um rituell Deklassierte in ihre Endzeitgemeinde aufnehmen zu können. Wie die vormarkinische (vgl. Mk.1,40–45) so weicht auch die Lukas-Sondergut-Gemeinde den Leprakranken, den grundsätzlich wegen ihrer rituellen Unreinheit Unberührbaren, nicht aus, sondern nimmt sich ihrer an, wie die Erzählung von der Heilung der Zehn Aussätzigen ausdrücklich dokumentiert (Lk.17,12–18). Als von Gott Gestrafte (vgl. 2.Mos.2,10; 5.Mos.28,27) bleiben sie in der vom Kultgesetz gebotenen Distanz (3.Mos.13,45f). Aber statt des ritualgesetzlich befohlenen Warnrufes «unrein» bitten sie den Wundertäter Jesus um Heilung. Jesu Erwiderung aber ist erstaunlicherweise nicht ein das Heilungswunder bewirkendes Machtwort, sondern ein Befehl, der nur bei Eintritt der Heilung Sinn hat: «Gehet hin und zeigt euch den Priestern»!

Wie die vormarkinische so hält auch die Lukas-Sondergut-Gemeinde trotz aller Entschärfung der Reinheitsgebote an der buchstäblichen Erfüllung des mosaischen Reinheitsgesetzes von 3. Mos. 14,1–32 fest: Die Lukas-Sondergut-Gemeinde weist alle zehn Aussätzigen nach vollzogener Heilung – der Befehl Jesu wird demnach als auferlegte Glaubensprobe zu verstehen sein – an die im Jerusalemer Tempel amtierenden Priester, die allein die Genesung bestätigen konnten und die das gesetzlich gebotene Reinigungsopfer darbrachten als Dank an Gott. Der Lukas-Sondergut-Gemeinde gilt solches Reinigungsopfer nach der Aussatzheilung – wie übrigens allen anderen Jesusgemeinden – als korrekt und geboten. Auch diese Erzählung läßt keinen Zweifel darüber aufkommen, daß die Jesusgemeinden zwar das Kultgesetz in Gestalt der mosaischen Reinheitsgebote entschärften, wenn es darum ging, die Heilung der unberührbaren und rituell unreinen Leprakranken zu bewirken. Aber zugleich wird das Kultgesetz mit priesterlicher Autorität und vorgeschriebenem Opfer im Jerusalemer Tempel rücksichtslos akzeptiert. Penible Anerkennung der Reinheitsgebote spricht schließlich auch aus den lukanischen Vorgeschichten. In Lk.2,22ff wird ausdrücklich von dem Reinigungsopfer der Wöchnerin Maria nach der Geburt des Knaben Jesus am 40. Tage im Jerusalemer Tempel berichtet.

Die Jerusalemer Gemeinde aus aramäisch sprechenden Judenchristen unter der Leitung des Herrenbruders Jakobus hielt nicht nur streng an den mosaischen Reinheitsgeboten fest, sondern zwang auch die aus Juden und

Heidenchristen bestehende gemischte Gemeinde im 300 km entfernten Antiochia auf ihren Kurs. Petrus als Judenchrist und die übrigen Judenchristen hatten Tischgemeinschaft in Antiochia zusammen mit dem heidenchristlichen Teil der Gemeinde gehalten. Damit hatte der judenchristliche Teil die Reinheitsgebote nicht nur entschärft, sondern – weil das eine Dauereinrichtung mit der Feier des Sakramentes des Herrenmahles war – diese praktisch aufgehoben. Die Einheit der Kirche verwirklichte sich in der Mahlgemeinschaft, obwohl die mosaischen Reinheitsvorschriften die Judenchristen eigentlich daran hinderten. Als diese Praxis von den Abgesandten der Jerusalemer Gemeinde aufgrund des mosaischen Kultgesetzes in Frage gestellt wurde, sonderten sich Petrus mit Barnabas und den übrigen Judenchristen aus Furcht vor ihnen ab und hoben die Tischgemeinschaft mit den Heidenchristen auf, so daß die alte traditionelle Trennung zwischen Juden- und Heidenchristen wieder hergestellt wurde. In unserem Zusammenhang ist von besonderer Wichtigkeit, daß die Jerusalemer Gemeinde die mosaischen Reinheitsgebote streng anerkannte und ihre Anerkennung auch bei dem judenchristlichen Teil der antiochenischen Kirche rigoros durchsetzte.

c) In einem Falle allerdings hat die vormarkinische Gemeinde, und zwar als einzige Jesusgemeinde, die kultgesetzliche Bestimmung nicht nur entschärft, sondern aufgehoben, und zwar mit ihrer Stellungnahme gegen *die alttestamentlichen Speisegebote* (3.Mos.11–14; 5.Mos.14 u.ö.):

«Nichts gibt es außerhalb des Menschen, das ihn unrein machen kann, wenn es in ihn hineinkommt; sondern, das, was aus dem Menschen herauskommt, das ist es, was den Menschen unrein macht» (Mk. 7,15).

Dieses ursprünglich selbständige prophetische Kampfwort weist mit seinem antithetischen Parallelismus und der schroffen Definierung, was den Menschen «kultisch unrein macht», wiederum in den judenchristlichen Bereich. Formal wie inhaltlich zerfällt das Kampfwort als Doppelspruch in zwei Hälften, die eine unterschiedliche Intention haben. V.15a ist gegen die levitischen Speisegebote gerichtet und bestreitet, daß die kultische Verunreinigung durch die Übertretung des mosaischen Ritualgesetzes geschieht: es gibt wirklich nichts außerhalb des Menschen, was ihn verunreinigen, d.h. letztlich von Gott trennen kann. Der alttestamentliche Reinheitsbegriff der Propheten wird von der vormarkinischen Gemeinde zwar aufgegriffen, aber in einer Weise radikalisiert und schließlich aufgehoben, und zwar mit einer alternativen Schroffheit, die im Judentum und Alten Testament ohne Parallele ist.

V. 15b dagegen wechselt von der buchstäblichen auf die übertragene, also metaphorische Ebene. Was aus dem Menschen herausgeht, d.h. seine Worte, Verhaltensweisen und Taten sind es, die ihn unrein machen.Das heißt aber: die Verunreinigung des Menschen geschieht allein durch die Übertregung des Moralgesetzes. Dementsprechend wird die Reinigung des Menschen, seine Reinheit vor Gott, nicht durch die Einhaltung der

Speise-, sondern des Moralgesetzes bewirkt. Mit dieser These von der allein inneren, d.h. moralischen Verunreinigung des Menschen wird von der vormarkinischen Gemeinde geradezu eine neue Gesetzesbestimmung von rein und unrein dekretiert. Im Unterschied zu allen anderen innerjüdischen religiösen Erneuerungsbewegungen wird nun autoritativ entschieden, was in Zukunft als rein und unrein zu gelten hat. Böse, d.h. moralgesetzwidrige Worte und Taten machen den Menschen innerlich unrein, wobei ganz deutlich ein vergeistigter Reinheits- bzw. Unreinheitsbegriff vorliegt. Dieser aber findet sich nachweislich sowohl in der heidnischen als auch jüdischen Antike und ist religionsgeschichtlich wohlbekannt. Aber trotz aller Kritik an den levitischen Speisegeboten – nur der Täter des Moralgesetzes ist der Wahrhaft Reine, wer es aber bricht, ist der wirklich Unreine vor Gott – bleibt das Zentrale des mosaischen Kultgesetzes bestehen: es gibt eine Unreinheit bzw. Reinheit vor Gott, allerdings ausschließlich auf der Ebene des Moralgesetzes.

Die entscheidenden Kategorien des kultgesetzlichen Denkens werden keineswegs aufgegeben: es gibt Dinge, die den Israeliten vor Gott unrein bzw. rein machen. Aber verabschiedet wird der alttestamentlich-priesterliche Grundsatz: etwas, was außerhalb des Menschen ist, verunreinigt ihn, und in Entsprechung hierzu: etwas von außen Kommendes reinigt den Menschen. Wahre, wirkliche Unreinheit, so die judenchristlich-vormarkinische Gemeinde, wird in der Übertretung der Gebote gesehen. Und wahre, wirkliche Reinheit dementspechend in der Beobachtung der Moral- und nicht der Speisegesetze. Rein vor Gott ist nicht der kultisch Reine, der keine unreinen Tiere ißt, sondern der moralisch Reine, der das Moralgesetz hält. Aber daß die vormarkinische Gemeinde selbst mit der Ablehnung der alttestamentlichen Speisegebote nicht grundsätzlich, bewußt oder planmäßig das gesamte Kultgesetz ablehnen wollte, zeigt andererseits die Tatsache, daß dieselbe Gemeinde – wie wir bereits gesehen haben – das Sabbatgebot, die Reinheitsgebote, die Tempel- und Opfergebote, ja selbst die Beschneidungs- und Passahfestgebote hielt und praktizierte. So steht das inhaltliche Ausscheren der vormarkinischen Gemeinde im Falle der Aufhebung der mosaischen Speisegebote immer noch unter dem Vorzeichen des Ja zum ernsten Gehorsam gegenüber dem mosaischen Kultgesetz.

d) Alle Jesusgemeinden haben den Jerusalemer Tempel und den in ihm von bestellten Priestern vollzogenen *Opferkult* anerkannt und die sie begründenden kultgesetzlichen Bestimmungen nirgendwo grundsätzlich aufgehoben. Besonderes Gewicht hat das Gerichtswort *der Q-Gemeinde* in Lk. 13,34f par. Weil alle alttestamentlichen Propheten einschließlich der beiden letzten eschatologischen Gesandten, des Täufers und des irdischen Menschensohnes Jesus, als Boten der göttlichen Sophia von Jerusalem getötet und gesteinigt wurden, wird Jerusalem angeklagt und dem göttlichen Gericht überantwortet. Die Stadt als Haus Israels wird von

Gott verlassen werden, indem er den Zionstempel als seine Wohnung aufgibt. Für die hier genannte Vorstellung, daß Gott aus dem Tempel als dem Ort seins Wirkens auszieht, ist die jüdische Anschauung von der Anwesenheit Gottes, im Tempel grundlegend. Gerade dieses Gerichtswort zeigt die Hochschätzung des Jerusalemer Tempels seitens der Q-Gemeinde, was auch nur konsequent ist, wenn sie am Kultgesetz des Mose festhielt. Das Passiv weist eindeutig auf das göttliche Gerichtshandeln im nahen apokalyptischen Endgericht. Die typisch apokalyptische Gleichsetzung von «Haus» mit dem Jerusalemer Tempel, der unmittelbare Zusammenhang mit dem Hinweis auf die apokalyptische Ankunft des Menschensohnes Jesus und die apokalyptische Naherwartung der Q-Gemeinde selbst lassen mit Sicherheit darauf schließen, daß die göttliche Preisgabe des Tempels ein apokalyptisches Geschehen selbst ist und zu den Endereignissen gehört.
Dieses prophetische Gerichtswort von dem Auszug Gottes aus dem Jerusalemer Tempel ist nichts anders als die göttliche Antwort auf die mörderische und permanente Unbußfertigkeit Israels. Keineswegs steht die Ansage des endgerichtlichen Geschehens im Widerspruch zum Festhalten der Q-Gemeinde am Temepelkult und schon gar nicht beinhaltet sie die Aufhebung der Tempelgebote; denn sie gilt ja nicht als Strafe für den Tempel selbst, sondern für Israel.
Die Zerstörung des Tempels als göttliche Gerichtsstrafe an Israel kennt auch *die vormarkinische Gemeinde:* «Und Jesus sagte ihnen: Du siehst diese großen Bauten! Nicht wird ein Stein auf dem andern gelassen werden, der nicht zerbrochen würde» (Mk.13,2; vgl. auch 14,58 und 15,29). Mit dieserWeissagung erneuert die vormarkinische Gemeinde alttestamentliche Drohworte der Propheten (Jer. 26,6.18; Mi. 3,12), und auch der Apokalyptik (äth.Hen.90,28), ja selbst den Pharisäern war sie nicht fremd (j. Joma 43c). Weil die Tempelzerstörung apokalyptisches Gericht über das unbußfertige Israel ist, steht sie überhaupt nicht im Widerspruch mit der ursprünglichen Erzählung von der Reinigung des Tempels (Mk. 11,15.16).
«Und er (= Jesus) ging in den Tempel hinein und begann die Verkäufer und Käufer im Tempel auszutreiben und stürzte die Tische der Geldwechsler und die Stühle der Taubenverkäufer um. Und er ließ nicht zu, daß jemand ein Gefäß oder ein Gerät durch den Tempel trug».
Weit davon entfernt, den Tempel und Opferkult gezielt zu kritisieren, will die vormarkinische Gemeinde dem im Gesetz gebotenen Tempel und Opferdienst seine ursprüngliche Reinheit wiedergeben. Die Handlung Jesu findet nach V.15 gar nicht im eigentlichen Tempel, der entscheidenden Stätte des Kultes, sondern im sog. Vorhof der Heiden statt. Nur hier war der Verkauf von Opfertieren und der Geldwechsel erlaubt. Hier im Vorhof befand sich der unerläßliche Tempelmarkt, eine im Alten Testament noch nicht erwähnte, nachexilische Einrichtung. Verkäufer gab es

auch in griechischen Tempeln und Heiligtümern im Interesse der auswärtigen Festbesucher, die hier ihre Opfergaben kaufen konnten, statt sie von weither mitbringen zu müssen. Weder war solches schon an sich verwerflich noch wird in der Erzählung gesagt, daß das alles in verbotener Weise ausgeübt wurde.

Wenn Jesus aber alle diese Tätigkeiten im Vorhof der Heiden bekämpft, dann will die vormarkinische Gemeinde auch diesem Teil des Tempelbezirks die ganze Heiligkeit des eigentlichen Tempelgebäudes zuerkennen und zurückgeben. Denn der Tempel ist die Stätte der göttlichen Gnade und der kultischen Gegenwart Gottes, sein Geschenk an das Volk Israel, das aber durch ein solches Treiben geschändet wird. Die weltliche Geschäftigkeit entweiht den Jerusalemer Tempel als den unbestrittenen Ort der Begegnung zwischen Gott und Israel. Deshalb tritt die vormarkinische Gemeinde für die kultische Reinheit des gesamten Tempelbezirkes im Angesicht der nahen Parusie des Menschensohnes Jesus ein.

In die gleiche Richtung geht die für die heidenchristlichen Leser seltsame Bemerkung in V.16. daß Jesus ausdrücklich das Durchtragen von häuslichem, also weltlichem Gerät selbst durch den Vorhof des Tempels verboten habe, um den Weg abzukürzen. Die Ausleger weisen zu Recht darauf hin, daß der hier vorausgesetzte Heiligkeitsbegriff sich auch bei Josephus (Gegen Apion 2,106) und den pharisäischen Theologen (Ber.9,5) befindet.

Die vormarkinische Gemeinde tritt weder für den opferlosen Kult ein noch wendet sie sich gegen den Jerusalemer Tempel im allgemeinen. Vielmehr möchte sie die Heiligkeit des ganzen Tempelbezirkes als des Ortes der Gegenwart Gottes und der Gottesbegegnung wiederherstellen. Durch die gegenwärtige Praxis gilt der Tempel als entweiht, profaniert; ohne daß sich die vormarkinische Gemeinde grunsätzlich oder auch nur zeitweilig wie die Essener von ihm distanziert. Die kleine Tempelreinigungserzählung ist demnach von der vormarkinischen Gemeinde als Reform, nicht aber als Aufhebung des Tempelkults gemeint: Der ganze Jerusalemer Tempelbezirk soll weder ein Geschäftshaus noch eine Durchgangsstraße im Sinne einer bequemen Wegabkürzung sein, sondern das Heiligtum angesichts der nahen Gottesherrschaft. Jeder Tempelmißbrauch wird rigoros abgelehnt!

In diesen Zusammenhang gehört auch der vormarkinische Kreuzigungsbericht (Mk.15,20b–22.24–29a. 32c–34.37–38). Das Zerreißen des Tempelvorhangs (V. 38) wird hier verkündigt als Folge des apokalyptischen Gerichtsschreies des leidenden Gerechten (V. 37). Aber auch in dieser Kreuzigungsapokalypse ist das Zerreißen des Tempelvorhangs apokalyptisches Gericht über das unbußfertige, mörderische Israel, nicht aber jedoch eine symbolische Aufhebung des Tempelkultes.

Eindeutig wird dagegen die Entschärfung der Opfergebote in dem Schulgespräch des pharisäischen Schriftgelehrten mit den Lehrer Jesus über das

größte Gebot vollzogen (Mk.12,28–34). Die Gottes- und Nächstenliebe ist Summe und Zentrum des ganzen Mosegesetzes und sie allein hat einen größeren Wert als alle Opfer!» ... und ihn (= Gott) lieben aus ganzen Herzen, aus ganzem Verstande und aus ganzer Kraft und den Nächsten lieben wie dich selbst ist weit mehr als alle Brandopfer und Schlachtopfer». Damit sind freilich die Opfer- und Tempelgebote nicht abgeschafft, wohl aber das Kult- dem Moralgesetz untergeordnet. In der Antwort Jesu V. 31 heißt es deshalb unübertroffen: Größer als diese beiden Gebote der Gottes- und Nächstenliebe ist kein anderes Gebot in der Schrift. Gerade an diesem Lehrgespräch zwischen einem pharisäischen Gelehrten und dem Lehrer Jesus wird deutlich, daß das Alte Testament (1. Sam. 15,22; Ps.51,20f; 40,7; Spr.21,3; 16,7) und besonders die Propheten (Hos.6,6; Am.4,4; Jes.1,10ff; Jer.6,20 usw.) der Entschärfung der mosaischen Opfergebote vorgearbeitet haben. Ähnliches aber gilt auch für das hellenistische Judentum (Aristeasbrief 234) und die essenische Erneuerungsbewegung (1QS 9,3–5), während die Pharisäer nicht so weit gingen wie die «Sprüche der Väter» 1.2 beweisen: «Auf drei Dingen steht die Welt, auf der Tora, dem Opferdienst und den Liebeserweisungen». Die hellenistisch-judenchristliche Jesusgemeinde, die hinter diesem vormarkinischen Lehrgespräch steht, wie schon die Zitierung des griechischen Alten Testaments zeigt, hat diese Lösung übernommen: Ethos ist mehr als Kultus, die Gottes- und Nächstenliebe mehr als alle Brand- und Schlachtopfer. Besonders aufschlußreich ist die Gemeinderegel in Mt.5,23 u. 24:
«Wenn du also im Begriff bist, dein Opfer auf dem Altar darzubringen und dich dort erinnerst, daß dein Bruder etwas wider dich hat, so laß dein Opfer dort vor dem Altar und geh zuerst hin und versöhne dich mit deinem Bruder, und dann erst komm und bringe dein Opfer dar.»
Vom Inhalt her handelt es sich um ein besonders ausdrückliches Beispiel *der Matthäus-Sondergut-Gemeinde* aus dem Jerusalemer Opferkult mit der Mahnung: Das Liebesgebot hat eindeutig Vorrang vor dem Opfergebot, das Moralgesetz vor dem Kultgesetz. Vor allem aber ist schon immer aufgefallen, daß die Matthäus-Sondergut-Gemeinde völlig selbstverständlich das Bestehen des Jerusalemer Tempels und eine aktive Beteiligung am Opferkult voraussetzt. Die Glieder der Matthäus-Sondergut-Gemeinde gehen wie alle anderen frommen Israeliten zum Tempel, um ihre Opfer vom amtierenden Priester darbringen zu lassen. Die Opfer- und Tempelgebote, bestimmte kultische Regeln und Gebräuche werden ohne weiteres als bekannt vorausgesetzt. Das im Griechischen zugrundeliegende Wort für Opfer bezeichnet jedes freiwillige oder gesetzmäßig vorgeschriebene Tieropfer, das als Sühnopfer, Schuldopfer oder als Dankopfer dienen konnte und sollte. Aber von dieser bekannten Spezifizierung ist hier mit keiner Silbe die Rede, ist also für den theologischen Lehrer der Jesusgemeinde auch unwichtig. Dieses judenchristliche Gemeindeglied will vom Priester auf dem Altar für Gott ein Opfer dar-

bringen lassen. Wenn sich nun der Judenchrist im Augenblick des Opfers daran erinnert, daß sein Mitbruder «etwas wider dich hat», dann soll das alttestamentlich-jüdische Opferritual unterbrochen werden. Wenn ein Zwist vorliegt, von dem nicht einmal gesagt wird, wie schwerwiegend er ist, und wer als der Schuldige ihn verursacht hat, dann muß «zuerst» die Aussöhnung stattfinden. Das jüdische Opferritual kennt zwar aus kultischen Gründen auch die Möglichkeit einer Unterbrechung der Opferhandlung, aber die pharisäische Erneuerungsbewegung kennt keine Unterbrechung des Altaropfers in Jerusalem um der Aussöhnung willen. Weil die ethische vor der kultischen Pflicht den Vorrang hat, hat die Matthäus-Sondergut-Gemeinde das Kult- dem Moralgesetz untergeordnet (vgl. das betonte «zuerst»!), also entschärft. Auch in dieser konkreten Gemeinderegel hat das Gebot der Nächstenliebe das größere Gewicht. Das Kultgesetz wird zwar entschärft, aber nicht aufgehoben. Gott nimmt von einem Judenchristen überhaupt kein Opfer an, wenn dieser mit seinem Bruder in Entzweiung und Unfrieden lebt. Wenn allerdings diese Versöhnung stattgefunden hat: «Dann komm und bringe dein Opfer dar»! Die moralgesetzliche Forderung ist die gewichtigere, aber damit wird die kultgesetzliche nicht hinfällig, sondern beide werden aufs engste miteinander verbunden.

Vor allem übersteigt die in dem Wehespruch gegen die Pharisäer (Mt. 23,16–22) zum Ausdruck kommende Hochschätzung des Jerusalemer Tempels, seines Altars und seiner Opfer sogar das in der pharisäisch-rabbinischen Tradition übliche Maß. Der Jerusalemer Tempel ist größer als aller Goldschmuck des Tempelbaus und heiligt diesen im kultischen Sinne (V.17). Die Matthäus-Sondergut-Gemeinde bekennt sich weiterhin zum Jerusalemer Tempel als der Kultstätte und kultischen Gegenwart Gottes (V.21). Die Jesusgemeinde geht mit dieser selbstverständlichen Hochschätzung des Jerusalemer Tempels und der damit verbundenen kultischen Heiligkeit wie kultischen Gegenwart Gottes weit über ähnliche Zeugnisse der pharisäischen Reinigungsbewegung hinaus. Von einer Relativierung oder auch nur Problematisierung ist nirgends etwas zu spüren. Das gleiche gilt für den Altar, der die auf ihm von den Priestern dargebrachten Opfer kultisch heiligt, so daß die letzteren, wenn auch im geringeren Maße, an seiner kultischen Heiligkeit teilhaben.

Es ist keine Frage, daß die Matthäus-Sondergut-Gemeinde die unangefochtene Heiligkeit und Gültigkeit des Tempels, seines Altars und der Opfer nicht nur anerkennt, sondern im Vergleich mit anderen innerjüdischen Erneuerungsbewegungen unverkennbar höher einschätzt.

Nach Mt.12,5 wird der kultische Dienst der Jerusalemer Priester im Tempel selbstverständlich vorausgesetzt und anerkannt:

Sie bereiten sogar am Sabbat den Opferdienst vor und bringen die von Israeliten dargebrachten Opfer auf dem Altar dar. Sie schichten die Schaubrote im Tempel auf und vollziehen die Beschneidung. Gleichzeitig

betont der Nachsatz in V.6 die Überlegenheit der Person Jesu über den Tempel. Die Entschärfung der Tempel- und Opfergebote durch Jesus Messias, neuer Mose (Mt.2,1–23), Kosmokrator (28,18ff) und kommender Menschensohn (25,32ff) offenbart keine grundsätzliche Trennung vom Jerusalemer Tempelkult, wohl aber eine gesteigerte und gerade deshalb kultische Zustimmung zum Tempel.
Ebenso ist Jerusalem für die Matthäus-Sondergut-Gemeinde unter bewußter Aufnahme von Ps.48,3 «die Stadt des großen Königs» seine bleibende Residenz. Denn sie ist und bleibt nicht nur für das Volk Israel, sondern auch für die Jesus-Gemeinde das sichtbare Erkennungszeichen für den ewigen Bund, den Gott mit Israel geschlossen hat. Es besteht kein Zweifel, daß Jerusalem als die heilige Stadt und Residenz des großen Gottes gerade auch für die Matthäus-Sondergut-Gemeinde als das religiöse und kultische Zentrum des Bundesvolkes angesehen wurde.
Das Schulgespräch zwischen Petrus und Jesus, ob die Gemeinde die Tempelsteuer zahlen solle oder nicht, weist wie alle übrigen Leben-Jesu-Traditionen in hellenistisch-judenchristliches Milieu (Mt.17,24–27). Da die Tempelsteuer im mosaischen Kultgesetz grundsätzlich geboten war (2.Mos.30,11ff), handelt es sich wiederum um die Frage nach der Gültigkeit der Tempelgebote mit Blick auf die Matthäus-Sondergut-Gemeinde. Die gesetzlich vorgeschriebene Tempelsteuer betrug ein Halbes Schekel und diente der heilsnotwendigen Aufrechterhaltung und Durchführung des Tempel- und Opferkultes. Sie war ein öffentliches Bekenntnis der Israeliten zum Jerusalemer Tempel, und die pharisäische Erneuerungsbewegung hatte deshalb der pünktlichen Bezahlung sogar sühnende Kraft zugeschrieben. Wie öfter im Matthäus-Sondergut gilt auch in diesem Lehrgespräch Petrus als der bevollmächtigte Ausleger des Willens Jesu. Die konkrete Frage der Einnehmer der Tempelsteuer wird positiv beantwortet: Jesus und die Seinen, d.h. die Matthäus-Sondergut-Gemeinde, sind grundsätzlich zahlungswillig, anerkennen also das Kultgesetz. Im anschließenden Lehrgespräch zwischen Jesus und Petrus wird dann allerdings das vorbehaltlose Ja zur Tempelsteuer eingeschränkt. Die Christen als die Söhne ihres himmlischen Vaters sind die Freien, also grundsätzlich befreit von der Tempelsteuer. Denn Zölle und Steuern werden von den Königen der Erde ja auch nur von den Fremden, nicht jedoch von ihren eigenen Söhnen erhoben. Daraus folgt dann aber für die Matthäus-Sondergut-Gemeinde, daß sie wie Jesus selbst als Söhne Nicht-Fremde von der dem Tempel und das heißt Gott zu entrichtenden Steuer frei sind. Um aber dem jüdischen Synagogenverband keinen Anstoß zu geben, zahlt die Jesusgemeinde auch weiterhin freiwillig die Tempelsteuer, und zwar aus Anpassungsgründen an das geltende jüdische Recht. Diese freiwillige Bindung der Matthäus-Sondergut-Gemeinde bedeutet natürlich wieder eine Entschärfung des Kultgesetzes, d.h. der Tempelgebote, obwohl damit ein grundsätzlicher Trennungsstrich vom Jerusalemer Tempel keineswegs

vollzogen wurde. Das abschließende göttliche Vorsehungswunder vom Stater (= griechische Münze) im Fischmaul unterstreicht die Autorität dieser das Kultgesetz entschärfenden Gesetzesentscheidung Jesu.

Keine grundsätzlich andere Tendenz ist in den Entscheidungen *der Lukas-Sondergut-Gemeinde* zu sehen. In der Wundergeschichte von der Heilung der Zehn Aussätzigen wird mit der Aufforderung an die Gelähmten, sich den Priestern in Jerusalem zu zeigen (Lk.17,12ff), das vom Kultgesetz gebotene und von den Priestern dargebrachte Reinigungsopfer nach der Lepraheilung selbstverständlich bejaht. Wie die Lukas-Sondergut-Gemeinde hier den Jerusalemer Tempel- und Opferkult korrekt anerkennt, so gilt dasselbe für die Beispielerzählung vom Pharisäer und Zöllner, die beide zum Tempel in Jerusalem hinaufgehen, um zur gewohnten Gebets- und Opferstunde zu Gott zu beten. Der Jerusalemer Tempel als exklusive Stätte der Gegenwart Gottes ist auch für die Jesusgemeinde selbstverständliche Voraussetzung ihres Glaubens.

Vor allem aber in den Geburts- und Kindheitsgeschichten (Lk.1–2) kommt eine ganz unreflektierte Tempelfrömmigkeit zum Ausdruck. Zacharias, der Vater von Johannes dem Täufer, ist Priester «aus der Dienstklasse Abia» (1,5) und seine Frau Elisabeth stammte ebenfalls «aus den Töchtern Aarons» (1,5).

Wie die Lukas-Sondergut-Gemeinde die jüdischen Priesterklassen kennt, so auch die priesterlichen Funktionen (1,8ff) und die Einrichtung des Tenmpelheiligtums (1,11). Der Tempelkult ist der legitime Ort der Gottesoffenbarung (1,8–11). Die Wöchnerin Maria bringt nach der Geburt des Knaben Jesus korrekt gemäß der mosaischen Kultvorschrift im Tempel ihr Reinigungsopfer dar: «Ein paar Turteltauben oder zwei junge Tauben» (2,22ff). Auch seine «Darstellung» im Jerusalemer Tempel wird, wenn auch ungenau, berichtet (Lk.2,22ff); denn das mosaische Kultgebot schreibt vor (2.Mos.22,28f; 13,2.12.15 u. ö.), daß die menschliche Erstgeburt nach dem ersten Lebensmonat durch ein Opfer losgekauft werden mußte. Im Tempel vor der beabsichtigten Kulthandlung, der Darstellung Jesu, findet die Begegnung der Eltern Jesu mit dem gerechten und gottesfürchtigen Simeon und der Prophetin Hanna statt, und es kommt zu der bekannten großen messianischen Offenbarung im Tempel Gottes (Lk.2,22–29). Auch in der großartigen Szene des zwölfjährigen Jesus im Tempel (Lk.2,41–52) kommt noch einmal das positive Verhältnis dieser hellenistisch-judenchristlichen Jesusgemeinde zum Ausdruck: der Tempel als das Heiligtum rückt hier indes nicht als Ort des Opfers und des Gebetes in den Mittelpunkt, sondern als Ort der gesetzlichen Lehre und Offenbarung, und zwar im Kreis anerkannter jüdischer Rabbinen. Aber nicht das ist der lukanischen Sondergutgemeinde wichtig, sondern vor allem die Tatsache, daß der zwölfjährige Jesus vor berühmten Schriftgelehrten seine profunde Gesetzeskenntnis nachweist. Das erste Wort Jesus im Lukasevangelium ist geradezu die Krönung: «Wißt ihr denn nicht, daß

ich in dem sein muß, was meines Vater ist» (Lk.2,50). Die Antwort Jesu im Tempel weist diesen ausdrücklich als Ort und Eigentum der Gegenwart seines himmlischen Vaters aus.
Aus Apg.6–8 dürfte mit einiger historischer Sicherheit hervorgehen, daß *die aramäisch sprechende Gemeinde in Jerusalem* im Gegensatz zu der Stephanus-Gemeinde, den soggenannten «Hellenisten», am Kultgesetz des Mose festhielt. Da letztere als christlich gewordene Diasporajuden am Tempel und Gesetz Kritik übten (Apg.6,12ff), gerieten sie nun in einen tödlichen Gegensatz zu der pharisäischen Erneuerungsbewegung. Stephanus, offensichtlich der Leiter der Hellenisten in Jerusalem, wird zum ersten Märtyrer (Apg.7,54ff), woraufhin die hellenistisch-judenchristliche Gemeinde verfolgt wird (8,1ff). Während also die Stephanusgemeinde von der pharisäischen Judenschaft blutig verfolgt und schließlich aus Jerusalem vertrieben wurde, hielt die aramäisch sprechende Gemeinde am Kultgesetz des Mose fest und konnte deshalb in Frieden in Jerusalem bleiben. Das beweisen auch die Notizen in den lukanischen Sammelberichten, wonach die Hebräer «täglich einmütig beisammen im Tempel waren» (Apg.2,46) und damit der jüdischen Öffentlichkeit demonstrierten, daß sie sich nicht von der Kultreligion ihrer Väter distanzierten. Nach Apg.3,1 hielten sich Petrus und Johannes an die täglichen offiziellen Gebetszeiten im Tempel, in dem sie um 3 Uhr Nachmittags zur Zeit des Abend-Tamid-Opfers (Dan.6,11; 9,21) hinausgingen. Das heißt: die aramäisch sprechende Gemeinde von Jerusalem hat zusammen mit der jüdischen Gemeinde im Tempel die drei vorgeschriebenen Gebetszeiten eingehalten.
e) *Das Fastengebot* war eine im Alten Testament und Judentum besonders hochgeschätzte Frömmigkeitsübung und hatte verschiedene Funktionen als Trauersitte, Bußzeremonie und Unterstützung des Gebetes. Neben dem öffentlichen gab es das private Fasten der Gesetzesfrommen, das neben Almosen und Beten zu dem besonders verdienstlichen Werken gehörte.
Die Matthäus-Sondergut-Gemeinde anerkannte und übte grundsätzlich das Fasten nach Mt.6,10–18 und spricht unbefangen vom himmlischen Lohn (V.16) und der Vergeltung dieses verdienstvollen Gesetzeswerkes durch den himmlischen Vater (V.18). In V.17 haben wir geradezu eine Anweisung für die Fastenpraxis der Matthäus-Sondergut-Gemeinde vor uns. Der fastende Jünger Jesu soll im Gegensatz zu den pharisäischen Heuchlern sein Haupt salben und sein Gesicht waschen, damit sein Fasten für die Leute nicht sichtbar ist. Solchem verborgenen Fasten im Gegensatz zu dem pharisäischen Fasten als ruhmsüchtiger Schaustellung vor den Menschen wird der apokalyptische Lohn nicht vorenthalten werden. Damit wird nicht das Fasten als verdienstliche Leistung bestritten, wohl aber die Lohnerwartung verinnerlicht und radikalisiert: Nur die aus ethischer Gesinnung kommende fromme Leistung wird belohnt, die unlautere

Absicht dagegen, sich mit seinem Fasten vor den Menschen zur Schau zu stellen, verworfen.

Auch die vormarkinische Gemeinde setzt in dem kleinen Streitgespräch Mk.2,18–20 selbstverständlich die Sitte und Praxis des Fastens voraus. Nur solange der Bräutigam, d.h. der irdische Gottessohn Jesus unter ihnen weilte und die Heilszeit angebrochen war, bestand kein Grund zum Fasten. Erst wenn der Bräutigam Jesus von seiner Braut gerissen, d.h. getötet worden ist, dann wird seine Gemeinde aus Trauer fasten.

Beide Beispiele aus der Sondergut- und vormarkinischen Überlieferung belegen deutlich, daß die Jesusgemeinden sich an die Fastengebote gehalten haben.

f) *Das Sabbat- und Beschneidungsgebot* gehörte zum Heiligsten, was das Judentum besaß. Zwar wird ganz unbefangen in den Kindheitsgeschichten von der Beschneidung Johannes' des Täufers und auch Jesu erzählt (Lk.1,59; 2,21), aber im Gegensatz zur Entschärfung des Sabbatgebotes durch die Jesusgemeinden wird die Beschneidung in allen Streitgesprächen der Jesustradition weder erwähnt noch gar problematisiert. Das Argument aus dem Schweigen läßt nun theoretisch zwei Schlüsse zu: Entweder wurde die Beschneidung von der jesuanischen Erneuerungsbewegung so selbstverständlich wie in allen übrigen innerjüdischen Erneuerungsbewegungen praktiziert oder aber stillschweigend abgelehnt. Die letztere Möglichkeit ist mehr als unwahrscheinlich, da alle Jesusgemeinden das Gesetz zwar entschärften, aber nicht verwarfen. Da aber die Beschneidung zum Heiligsten innerhalb der kultgesetzlichen Bestimmungen gehörte, läßt das Schweigen und das Fehlen jeglicher Polemik gegenüber der Beschneidung nur einen begründeten Schluß zu: auch die Jesusbewegung sah in der Beschneidung – übrigens wie alle innerjüdischen Erneuerungsbewegungen – sowohl die Bedingung als auch das äußere Zeichen und Siegel des von Gott mit ihrem Erzvater Abraham geschlossenen Bundes. Erst durch die Beschneidung wurden die Judenchristen zu Abrahams Nachkommen, Glieder des Abrahambundes und damit letztlich zum Eigentumsvolk Gottes.

Gerade weil für alle Jesusgemeinden so viel auf dem Spiel stand, sah man sich in gar keiner Weise genötigt, das Beschneidungsgebot zu entschärfen oder auch nur in seiner eigentlichen oder übertragenen Bedeutung zu erwähnen. Das Beschneidungs- im Gegensatz zum Sabbatgebot stand für alle Jesusgemeinden außerhalb jeder Diskussion.

Die Jesusgemeinden haben selbstredend auch das große Passahfest der Juden als dankbare Erinnerung an den Auszug aus Ägypten gefeiert, neben dem Pfingst- und Laubhüttenfest einer der Höhepunkte des Kultjahres in Israel. So spielt die Erzählung vom Zwölfjährigen Jesus im Jerusalemer Tempel während einer Passahwallfahrt seiner Eltern (Lk.2,41ff), und der irdische Jesus hat vor seinem Kreuzestod zum letztenmal mit seinen Jüngern in Jerusalem das Passahmahl gefeiert (Mk.14,12–16).

g) Da von den Jesusgemeinden das Kultgesetz zwar entschärft, aber nicht bewußt aufgegeben, sondern grundsätzlich anerkannt wird, kann es *keine gesetzesfreie, d. h. vom Kultgesetz des Mose freie, Heidenmission* vor der Parusie geben. Unbeschnittene und das Kultgesetz nicht haltende Heiden sind vom Eintritt in die Jesusgemeinden grundsätzlich ausgeschlossen. Die Mission der Jesusgemeinden jetzt als die zu verwirklichende Aufgabe richtet sich deshalb nur an Israel.
So wenden sich für die Q-Gemeinde die von Jesus ausgesandten apokalyptischen Erntearbeiter und Reichgottesboten (Lk.10,2ffpar.) selbstverständlich und ausschließlich an Israel. Die Jetzt-Zeit ist die Zeit der Erweckung Israels vor dem nahen Ende. Nach Mt.8,11f kündigt die Q-Gemeinde der gegenwärtigen, unbußfertigen Generation in Israel den Ausschluß vom apokalyptischen Festmahl an, während die Heidenvölker aus allen Himmelsrichtungen in einer großen Völkerwallfahrt nach alttestamentlichem Vorbild bei der Menschensohnparusie zum Zion strömen und am Heilsmahl mit den Erzvätern teilnehmen werden. Die Annahme der Heiden ist für die Q-Gemeinde das apokalyptische Wunder schlechthin, das Gott sich selbst vorbehalten hat, sie fällt ihm dabei deshalb nicht in den Arm.
Dem widerspricht keineswegs die Krankenheilung des Sklaven des heidnischen Hauptmanns vom Kapernaum (Mt.8,5–13par.). Zwar kommt Jesus der Bitte von Heiden nach und heilt den Kranken, aber er betritt kein heidnisches Haus, um sich rituell zu verunreinigen, sondern heilt aus der Ferne.
Nicht anders verfährt *die vormarkinische Gemeinde*. In der Allegorie von den bösen Weingärtnern (Mk.12,1–9) heißt es in V.9 als Abschluß und Höhepunkt des gesamten heilsgeschichtlichen Überblickes, daß Gott selber kommen wird in der Parusie und die bösen Weingärtner, d. h. die Israeliten vernichten wird, um den Weinberg an die Heiden zu übergeben. Die Rettung der Heiden im apokalyptischen Endgericht ist die Regel, die Annahme einer einzelnen Heidin dagegen die große Ausnahme (Mk.7,24–30 30). Um sich rituell nicht zu verunreinigen, heilt auch hier Jesus aus der Ferne. Nur zweimal berichten also die Jesusgemeinden von Fernheilungen an Heiden. Aber gleichzeitig wird das Exklusivitätsdogma Israels unmissverständlich anerkannt: alle Heiden sind «Hündlein», die Israeliten allein die «Kinder Gottes», denen das «Brot», d. h. das Heil, ausschließlich zusteht (Mk.7,27).
Programmatisch wird das von der *Matthäus-Sondergut-Gemeinde* in dem bekannten Wort in Mt.10,5bf formuliert: «Geht nicht auf den Weg der Heiden und betretet keine Stadt der Samaritaner! Geht aber vielmehr zu den verlorenen Schafen des Hauses Israel»!
Ausdrücklich wird von dieser Jesusgemeinde die Heiden- und auch die Samaritanermission untersagt, weil eben das mosaische Kultgesetz in Kraft bleibt. Alleinige Aufgabe vor der nahen Menschensohnparusie ist

die Mission unter den verlorenen Schafen in Israel, d.h. den Zöllnern, Sündern, Kranken und Frauen.
Gegen eine gesetzesfreie Heidenmission wendet sich auch das ungeheuer polemische Bildwort in Mt.7,6: «Gebt das Heilige nicht den Hunden und werft eure Perlen nicht vor die Säue; sonst möchten sie sie mit ihren Füssen zertreten und sich gegen euch kehren und euch zerreißen». Da Hunde und Schweine für die Juden unreine Tiere sind und überdies auf die unreinen Heiden von den Pharisäern angewandt wurden, kann hier nur ein Kampfwort der Matthäus-Sondergut-Gemeinde vorliegen, mit dem sie die gesetzesfreie Heidenmission bekämpfte, die vom Stephanuskreis und der antiochenischen Kirche zuerst in Gang gesetzt wurde.
Schließlich hat die Matthäus-Sondergut-Gemeinde einen Prophetenspruch überliefert, der wiederum apokalyptische Naherwartung mit ausschließlicher Israelmission verbindet: «Wenn sie euch aber verfolgen in dieser Stadt, so flieht in eine andere; denn wahrlich, ich sage euch: Ihr werdet nicht mit den Städten Israels fertig werden, bis der Menschensohn kommt» (Mt.10,23). Hier wird noch einmal ganz deutlich, daß die Jesusgemeinden mit der Erweckung Israels noch nicht fertig sein würden bei der Ankunft des Menschensohnes Jesus. Anerkennung des entschärften Kultgesetzes, Mission in den Städten Israels und die nahe Wiederkunft ihres Herrn bestimmten Glaube und Praxis der Matthäus-Sondergut-Gemeinde, und wir können auch sogleich hinzufügen: aller Jesusgemeinden. Innerhalb der Jesusgemeinden hat sich die Gemeinde, die hinter dem Lukas-Sondergut steht, am weitesten vorgewagt, indem sie die den Juden verhassten und außerhalb des pharisäisch geführten Synagogenverbandes stehenden Samaritaner missionierte (Lk.10,29–37 und Lk.17,11–19). Weil die Samaritaner ein Mischvolk aus Juden und von den Assyrern angesiedelten heidnischen Kolonisten waren (2.Kö.17,24), und weil sie auf dem Garizim ihr eigenes Kultzentrum hatten und nicht auf dem «Dunghaufen» (= Tempel von Jerusalem) beteten, bestand zwischen Juden und Samaritanern unversöhnlicher Hass. Aber von einer gesetzesfreien Heidenmission ist auch und gerade im Traditionsgut der Lukas-Sondergut-Gemeinde niemals die Rede.

4. Die pharisäische Gesetzesauslegung

Das am Sinai geoffenbarte Gesetz ist nun aber nach der Überzeugung der innerjüdischen religiösen Erneuerungsbewegung der Pharisäer nicht nur mit den fünf Büchern Mose, also dem geschriebenen Moral- und Kultgesetz identisch, sondern auch mit der von den Pharisäern geschaffenen mündlichen Tradition der Gesetzesauslegung. Diese pharisäische Gesetzestradition, kurz das pharisäische im Unterschied zum mosaischen Gesetz genannt, ist dann später in der Mischna (=«Wiederholung», gegen

Ende des zweiten Jahrhunderts nach Christus aufgrund früherer Aufzeichnungen redigiert), der Tosefta (=Hinzugefügtes, Ergänzung) und dann im Jerusalemer und Babylonischen Talmud (=die Fortsetzung und Kommentierung der Mischna) schriftlich festgehalten worden, hat aber dieselbe göttliche Autorität erlangt wie das geschriebene Mosegesetz. Denn beide wurden darauf zurückgeführt, daß sie Mose von Gott am Sinai übergeben worden seien.

a) *Die Q-Gemeinde* übernimmt mit der Weitertradierung der apokalyptischen Weherufe des irdischen Jesus nach Ostern auch deren Theologie und erklärt sie damit für sich als bindend und autoritativ. So wird in dem Weheruf Mt.23,25par. die pharisäische Reinheitsauslegung und -praxis durchaus anerkannt, verflucht wird allerdings die damit einhergehende Vernachlässigung des Gebotes der Nächstenliebe, also des Moralgesetzes. Auch die pharisäische Ausweitung der alttestamentlichen Zehntpflicht auf die Gewürz- und Gartenkräuter Minze, Anis und Kümmel (Mt.23,23par.) wird ohne weiteres anerkannt, mit dem apokalyptischen Fluch allerdings wird die gleichzeitige Unterlassung des Moralgesetzes belegt. Auch in dem Wehe gegen das pharisäische Lastenauflegen (Mt.23,4par.) kommt es nicht zu einem grundsätzlichen Vorwurf gegen die pharisäische Gesetzesauslegung. Die pharisäischen Toralehrer schnüren mit ihren neuen und schweren Gesetzesbestimmungen neue und schwere Lasten zusammen, die sie den Laien aufbürden. Aber nicht das wird von der Q-Gemeinde kritisiert, wohl aber daß sie diese Lasten selbst mit keinem Finger bewegen. Weil sie zwar durchaus richtig lehren, diese ihre eigene Lehre aber selber nicht tun, wird ihre Heuchelei verurteilt.

Endlich wird in dem letzten Wehe gegen die Verschliesser des Gottesreiches (Mt.23,13par.) den Pharisäern ausdrücklich die «Schlüsselgewalt» zugestanden: In ihren Händen liegen die Schlüssel, und sie haben sogar die Macht, durch ihre Auslegung des Mosegesetzes Gottes Reich auf- oder zuzuschliessen. Aber weil sie in der Praxis das Moral- zugunsten des Kultgesetzes völlig vernachlässigen, verschließen sie nicht nur das Gottesreich vor den Israeliten und gehen selber nicht hinein in das Gottesreich, sondern sie hindern auch noch diejenigen daran, in das Gottesreich einzutreten, die hineingehen wollen. Es leidet keinen Zweifel, die Q-Gemeinde hat die pharisäische Gesetzesauslegung grundsätzlich anerkannt und zugleich die Heuchelei der Pharisäer dem apokalyptischen Gericht Gottes überantwortet.

In ähnlicher Weise wird die Heuchelei der Pharisäer am ganz konkreten Beispiel der Korban-Praxis (Mk.7,6–13) von *der vormarkinischen Gemeinde* angeprangert. Mit der Zitierung des Kampfwortes von Jes.29,13 werden die Pharisäer Heuchler gescholten, die in Wirklichkeit einen falschen Gottesdienst praktizieren. An die Stelle von Gottes Verehrung und Gottes Gebot haben die Pharisäer Menschengebote als Lehren vorgetragen, setzen sie die Überlieferungen von Menschen (Mk.7,6–8).

In einer zweiten Anklage, die inhaltlich dem apokalyptischen Wehe der Q-Gemeinde entspricht, wird durch die besonders verwerflichen Beispiele der Korbanpraxis dieser massive Vorwurf der Heuchelei illustriert.
Die vormarkinische Gemeinde zitiert zuerst das 4.Gebot der Elternliebe und -verehrung (2.Mos.20,12;21,17). Dieses Gebot des Moralgesetzes gilt als Wort Gottes und umfaßte selbst nach pharisäischen Äußerungen die Pflicht der Kinder, ihre Eltern zu speisen und zu tränken, zu kleiden und überhaupt ihnen jede Fürsorge zukommen zu lassen.
Dann aber wird zugleich 3.Mos.20,9 zitiert: «Wer Vater oder Mutter schmäht, der soll des Todes sterben» und jeder Ungehorsam und jede Unterlassung der göttlichen Fürsorgepflicht der Kinder gegenüber ihren Eltern unter den göttlichen Fluch gestellt.
Jetzt erst stellt nun die vormarkinische Gemeinde in schroffen Gegensatz dazu die sogenannte pharisäische Korbanpraxis. Korban ist eine pharisäische Schwurformel, mit der die leiblichen Kinder die Möglichkeit hatten, ihren Besitz oder auch ihr Erbe den Eltern zu entziehen, indem sie über dem betreffenden Eigentum die Korban-Formel aussprachen: «Opfergabe sei, was dir von mir geschuldet wird». Mit dem Aussprechen dieser Korban-Formel war das betreffende Gut dem Tempel von Jerusalem geweiht, war es heilig und gehörte es von nun an allein Gott. Faktisch durfte dieses zum Korban erklärte Eigentum nicht mehr veräußert und auch von keiner Drittperson mehr genutzt werden. Nur der Besitzer selbst, also die Kinder, hatten die alleinige Nutzniessung und erst nach ihrem Tode ging dieses geweihte Eigentum an den Jerusalemer Tempel. Ausdrücklich wird festgehalten, daß auf diese Weise der Sohn nicht mehr für seine Eltern zu sorgen brauchte. Damit wird das 4.Gebot als Gottes Wort rechtlich außer Kraft gesetzt, wie es im griechischen Urtext pointiert heißt. Dabei ist die pervertierte Korbanpraxis nur ein Beispiel für viele andere.
Dabei darf nicht übersehen werden, daß die Korbanpraxis als Eidesleistung durchaus Gottesdienst war. Aber wenn diese von der Verpflichtung den eigenen Eltern gegenüber entbindet, also das 4.Gebot verabschiedet und geradezu unmenschliche Verhaltensweisen theologisch zu decken versucht, so liegt eindeutiger Mißbrauch vor.
Die vormarkinische Gemeinde spricht also das Korbanverbot nicht grundsätzlich, sondern nur speziell gegenüber den Eltern aus. Es ist auch richtig, daß die vormarkinische Gemeinde Kritik an der pharisäischen Überlieferung übt, aber daß sie nicht zu einer grundsätzlichen Kritik an der pharisäischen Toraauslegung ausholt, das beweist die sogenannte Erzählung über die Sadduzäerfrage in Mk.12,18–27. Mit den Pharisäern und gegen die Sadduzäer wird von der vormarkinischen Gemeinde die Auferstehung der Toten selbstverständlich vorausgesetzt. Vor allem aber spricht die vormarkinische Gemeinde ihre Anerkennung gegenüber einem pharisäischen Schriftgelehrten aus, der die Grundwahrheiten der

Jesusgemeinden – Monotheismus, Gottes- und Nächstenliebe als Summe des ganzen Gesetzes und Entschärfung des Kultgesetzes – verstanden und anerkannt hat. Mit diesem Gesetzesverständnis ist er «nicht fern vom Reiche Gottes» (Mk.12,28–34) und so wird die pharisäische Erneuerungsbewegung zur Vor- und Unterstufe der Jesusbewegung.
c) Keine andere Stellung bezieht *die Matthäus-Sondergut-Gemeinde:* «Auf dem Lehrstuhl des Mose sitzen die Pharisäer und die Schriftgelehrten. Alles nun, was sie euch sagen, das sollt ihr tun und halten. Nach ihren Werken aber tut nicht; denn sie reden zwar, handeln aber nicht danach» (Mt.23,2f). Die Schriftgelehrten und Pharisäer sind die eigentlichen Nachfolger des Mose, dem überragenden Führer und Richter Israels. Sie alle sitzen auf dem Lehrstuhl und lehren Israel Gottes Willen im mosaischen Gesetz. Deshalb beansprucht die pharisäische Tora ebenso wie die mosaische Tora göttliche Autorität. Uneingeschränkt wird die Lehrautorität der pharisäischen Theologen von der Matthäus-Sondergut-Gemeinde anerkannt. Ihren Gesetzesentscheidungen sollen die Christen Gehorsam lcisten und als verbindliche Norm betrachten. Aber ihre Praxis wird verworfen. Von ihrem Gesetzeswandel wird die Matthäus-Sondergut-Gemeinde schroff getrennt. Wiederum begegnet hier wie in allen Jesustraditionen der Vorwurf der Heuchelei: Weil die Pharisäer nicht das tun, was sie als Willen Gottes im Mosegesetz erkennen und auslegen, steht die Matthäus-Sondergut-Gemeinde im Gegensatz zu den Pharisäern.
Ihre Gelübde-Kasuistik wird in Mt.23,16–22 verworfen und die Pharisäer selber Blinde und Toren gescholten: Die Pharisäer unterscheiden in ihrer Blindheit und Torheit zwischen verbindlichen und unverbindlichen Gelübdeformeln. Sie meinen nur das Gelübde beim Goldschmuck des Jerusalemer Tempels und bei dem auf seinem Altar liegenden Opfer ist gebunden, der Schwur aber beim Tempel oder beim Altar verpflichte nicht. Die Matthäus-Sondergut-Gemeinde zitiert hier korrekt die traditionell-pharisäische Eidesformel: «Er ist frei» und «er ist gebunden». Diese der pharisäischen Unterscheidung zugrundeliegende Überzeugung schätzt den Goldschmuck des Tempels höher ein als das Tempelgebäude und stellt das Opfer über den Altar. In Wirklichkeit aber offenbart diese törichte Unterscheidung der Pharisäer ihre Blindheit; denn der Schwur beim Altar schließt nach der Meinung der Matthäus-Sondergut-Gemeinde gerade auch die auf ihm liegenden Opfer und das Gelübde beim Goldschmuck des Tempels selbst ein.
Deshalb werden die Pharisäer nach einem anderen Kampfwort blinde Führer genannt, «die die Mücken seien und das Kamel verschlucken» (Mt.23,2ff). Noch weiter geht der apokalyptische Weheruf in Mt.23,15: zwar wird ihr ungeheurer Eifer bei der Mission in der ganzen damaligen Ökumene anerkannt, aber das Ergebnis ist satanisch. Denn der Heide, den sie schließlich gewinnen und zu einem beschnittenen Juden, d.h.

Proselyten machen, ist ein «Sohn der Hölle» und «doppelt ärger als ihr selbst»!
Obwohl also die pharisäische Tora von der Matthäus-Sondergut-Gemeinde anerkannt wird, werden die pharisäische Praxis und damit die Pharisäer überhaupt dem Reich des Satans zugerechnet.
d) Auch *die Lukas-Sondergut-Gemeinde* anerkennt die besonders frommen und verdienstvollen Leistungen der Pharisäer (Lk.18,10–12), auf denen das Wohlgefallen Gottes ruht. Zu diesen überverdienstlichen Werken gehört einmal das zweimalige freiwillige Fasten in der Woche. Während das mosaische Kultgesetz nur einen Fasttag pro Jahr fordert, unterwirft sich der Pharisäer nach dieser Beispielerzählung einem zweimaligen Privatfasten zur Sühne der Sünden seines Volkes. Zu diesem gerade in der Hitze des Orients besonders harten Trinkverbot kommt dann noch die Nachverzehntung alles auf dem Markt Gekauften, wiederum ein großes wirtschaftliches Opfer! Beide besonders verdienstvollen Werke der Pharisäer werden von der Lukas-Sondergut-Gemeinde weder ironisiert oder gar kritisiert, sondern theologisch anerkannt. Nach allem was wir bisher an Stellungnahmen der Jesusgemeinden zur pharisäischen Tora gehört haben, ist dies nichts Überraschendes. Die Gesetzesgerechtigkeit des Pharisäers steht nach dieser Beispielerzählung für die Lukas-Sondergut-Gemeinde außer jeder Diskussion; denn Gottes Wohlgefallen ist ihm sicher. Nur: ein größeres göttliches Wohlgefallen erfährt der bußwillige Zöllner.

III. Der Weg Gottes

Die vormarkinische Gemeinde hat in Jesus den vollmächtigen Lehrer des Weges Gottes gesehen (Mk.12,14). «Weg Gottes» ist schon in der Septuaginta und in der jüdischen Literatur überhaupt traditionelle Bezeichnung für den von Gott gebotenen sittlichen Wandel und meint konkret den Weg der Lebensweise, den Israel nach Gottes Willen im Gesetz zu gehen hat. So spricht die pharisäische Erneuerungsbewegung analog zum Weg Gottes von der Halacha, d.h. dem sittlichen Wandel nach dem Gesetz. Weg Gottes und Halacha bedeuten sachlich dasselbe, nämlich der Wandel Israels nach dem vom Gesetz Gebotenen bzw. Verbotenen.

1. Die Stellung zum Staat

a) Die bekannte Perikope von der Frage nach der Kopfsteuer (Mk.12,14–17) ist eine katechetische Unterweisung der vormarkinischen Gemeinde über den römischen Staat. Die Jesusgemeinden sind im Gegensatz zu den Zeloten nicht revolutionär, denn sie zahlen dem Cäsar die

Kopfsteuer, die er in den von ihm unterworfenen Provinzen einzuziehen pflegt. Aber ihre Loyalität hat Grenzen: Sie erweisen ihm keine göttliche Verehrung. Im Unterschied zur hellenistisch-judenchristlichen Tradition von Röm.13,1ff spricht die vormarkinische Gemeinde nicht von der Einsetzung des Caesars durch Gott und es wird auch nicht zum Gebet für den Staat aufgefordert. Jesus entscheidet hier nicht wie der pharisäische Theologe halachische Probleme durch Rückgriff auf Schrift, Worte oder Lehrautoritäten, sondern in göttlicher Vollmacht: er allein ist wie Gott wahrhaftig, lehrt in Wahrheit, d.h. in Übereinstimmung mit dem Mosegesetz den Weg Gottes, ist in seiner richterlichen Lehrautorität von Menschen unbeeinflußbar und über seine göttliche Lehre staunt das Volk wie über seine Wunder.

Trotzdem zeigt der Gebrauch der juristischen Formel «Ist es erlaubt»?, die für die pharisäische Gesetzesauslegung traditionell ist und das vom Gesetz Gebotene bzw. Verbotene umschreibt, daß die vormarkinische Gemeinde im Namen ihres erhöht-gegenwärtigen Herrn verbindlich den Weg Gottes im Hinblick auf die Kopfsteuer autoritativ festlegt: «Gebt dem Caesar, was dem Caesar gehört, zurück und Gott, was Gott gehört» (Mk.12,17). Obwohl dieser Satz zwei parallele Glieder aufweist, trägt die zweite Satzhälfte das ganze Gewicht, während die erste grundsätzlich relativiert, wenn auch gerade nicht bagatellisiert wird. Der Gehorsam gegen Gott ist dem Respekt gegenüber dem Kaiser vorgeordnet, schließt diesen aber nicht aus. Aufgrund der ganz nahen Gottesherrschaft (Mk.9,1; 13,30) vergeht die Herrschaft der römischen Caesaren und muss der endgültigen Herrschaft des Menschensohnes Jesus Platz machen. Es handelt sich also in diesem Entscheidungswort Jesu für die vormarkinische Gemeinde nicht um eine zeitlos-allgemeine Wahrheit oder um eine vorbehaltlose Pflichterfüllung gegenüber den politischen Gewalten. Vielmehr gehört die Münze dem Caesar, die ihm zurückerstattet werden muß von der Jesusgemeinde, aber im Wissen darum, daß seine Macht in Bälde von Gott beseitigt wird. Die Christen aber sind als seine Geschöpfe sein Eigentum, das allein Gott gehört, und mit ganzen und rechten Gehorsam ihm zurückerstattet werden muß.

b) Verglichen mit der vormarkinischen Erzählung von der Kopfsteuer ist die Q-Gemeinde im Hinblick auf die politische Gewalt reservierter und pessimistischer. Sie lehnt den politischen Messianismus in der dritten Versuchung innerhalb der bekannten Versuchungsgeschichte (Mt.4,8fpar.) als teuflisch ab. Auf einem mythischen Berg, von dem aus alle Königreiche dieser Welt überblickbar sind, offeriert der Gott dieser Welt für einen Kniefall dem Gottessohn Jesus die Weltherrschaft. Die politische Macht, repräsentiert von allen Königreichen dieser Erde, gehört dem Teufel und er kann sie delegieren an wen und wann immer er es will. Die lukanische Version in Lk.4,6 bemerkt ausdrücklich, daß die Herrschaft über die Reiche dieser Welt dem Satan übertragen sei, «...denn sie (=alle diese

Macht) wurde mir übertragen und ich gebe sie, wem ich will». Der Hintergrund dieser gezielten und das römische Weltreich einschließenden Provokation dürfte apokalyptisch sein und auch eine unverhohlene Kritik am römischen Weltreich darstellen. Grundsätzlich aber wird alle politisch-staatliche Gewalt von der Q-Gemeinde mit dem Teufel in Verbindung gebracht.

2. Der Katalog ethisch-rigoroser Forderungen

Die Jesusgemeinden haben nach Ostern den ethischen Radikalismus des irdischen Jesus aufgenommen und fortgesetzt. Das gilt auch für den Wanderradikalismus Jesu und seiner Jünger vor und nach Ostern: Nach und nach wurden aber alle diese Forderungen, die ursprünglich nur einzelnen Wandermissionaren, also dem engeren Kreis von Jesus nachfolgenden Jüngern galt, auf alle Glaubenden und sesshaften Jesusgemeinden bezogen.
Damit sich der Leser in Kürze einen Eindruck von und einen Überblick über diese unerhörten ethischen Forderungen verschaffen kann, möchte ich sie im folgenden zusammenstellen: Die Forderung der Heimat- und Berufslosigkeit als das Verlassen von Haus, Hof, Acker und Beruf (die vormarkinische Gemeinde: Mk.1,16–20; 2,14; die Q-Gemeinde: Mt.8,20; 10,5ff); der Heimatlosigkeit (die vormarkinische Gemeinde: Mk.10,29f; 1,20; die Q-Gemeinde: Mt.8,21f par.; Lk.14,26par; Mt.10,34–36par).
Die Forderung der Ehelosigkeit (nur die Matthäus-Sondergut-Gemeinde: Mt.19,12: Dieser eigentlich unalttestamentliche und antijüdische Eheverzicht ist christlich und wird ausdrücklich von Christus freigegeben).
Die Forderung der Besitzlosigkeit (die Q-Gemeinde: Mt.10,10par; 6,11.29ffpar; Lk.6,20bf, die Matthäus-Sondergut-Gemeinde: Mt.10,42; die vormarkinische Gemeinde: Mk.1,16ff; 2,14; 10,2ff; 25; 12,41ff; die Lukas-Sondergut-Gemeinde: Lk.5,11 und die Beispielerzählung vom törichten, reichen Kornbauern (Lk.12,16–20) dessen Raffgier und Wohlleben verworfen und mit dem Tode «noch in dieser Nacht» von Gott bestraft wird und diejenige vom reichen Mann und dem armen Lazarus Lk.16,19–31): Auch hier geht es um die Einschätzung des Reichtums und seiner negativen Konsequenzen für das ewige Schicksal des Menschen. Die in der Apostelgeschichte (2,45; 4,32.36f.45) überlieferten Notizen beweisen, daß auch die aramäisch sprechende Gemeinde in Jerusalem wie die übrigen Jesusgemeinden die freiwillige, apokalyptisch motivierte Armut angesichts der nahen Parusie des Menschensohnes Jesus hochschätzte).
Die Forderung der Kritiklosigkeit (die Q-Gemeinde: Mt.7,1–5par.).
der Sorglosigkeit (die Q-Gemeinde: Mt.6,25–33par.),
der Fruchtlosigkeit (die Q-Gemeinde: Mt.10,28–31par.),

und der Rachlosigkeit (die Q-Gemeinde: Mt.5,38ff.44ff).
Damit noch lange nicht genug! Rigoros untersagt werden der Meineid und der Eid überhaupt (die Matthäus-Sondergut-Gemeinde: Mt.5,33ff), der Ehebruch, der begehrliche Blick (die Matthäus-Sondergut-Gemeinde: Mt.5,27ff) und überhaupt jegliche Ehescheidung (die Q-Gemeinde: Mt.5,32; die vormarkinische Gemeinde: Mk.10,2ff), der Mord und der Zorn (die Matthäus-Sondergut-Gemeinde: Mt.5,21).
Mit einem Wort: Die Jesusgemeinden fordern nichts anders als den neuen Menschen, der geschaffen wird durch den Ruf ihres Herrn, im Angesicht der nahenden Gottesherrschaft und des Menschensohnes Jesus lebt und dessen Leben gefährdet ist wie das der Lämmer mitten unter den Wölfen (Lk.10,3par.). Sein Lohn aber ist in der Parusie das ewige Leben.

3. Die Heimholung der verlorenen Schafe des Hauses Israel

Trotz dieser rigorosen Ethik angesichts der ganz nahen Parusie des Menschensohnes Jesus halten alle Jesusgemeinden am Partikularismus, d.h. der Sonderstellung und den Privilegien Israels fest, indem sie nur unter «den verlorenen Schafen des Hauses Israel» (Mk.10,6) missionieren. Die Redeweise von den verlorenen Schafen und von Israel als Haus ist alttestamentlich gefärbt und meint die von der Schafherde weggelaufenen bzw. verlorengegangenen Schafe. Ohne Bild gesprochen sind es die aus kultisch-rituellen Gründen abgesonderten Kranken und ausgestoßenen Zöllner, die moralisch geächteten Sünder, die als minderwertig angesehenen Frauen und die aus religiös-nationalen Gründen gehaßten Samaritaner, denen die Jesusgemeinden das Heil verkündigen und bringen. Diese Mission unter den verlorenen Schafen des Hauses Israel ist aber weder willkürlich noch eigenmächtig unternommen worden, sondern geht nach dem judenchristlichen Prophetenwort auf den erhöht-gegenwärtigen und in Bälde zum Gericht kommenden Menschensohn Jesus zurück. Man hat sich also diese Aufgabe nicht selbst ausgesucht, sondern ist in letzter Stunde vom Herrn selbst daran gewiesen worden. Da wir aber bereits in anderem Zusammenhang die Jesustradition betreffend die Kranken, Zöllner, Sünder und Samaritaner ausführlich behandelt haben, sind jetzt nur noch die als minderwertig angesehenen Frauen nachzutragen.
Da die Frau schon im Alten Testament vom eigentlichen Kult, dem Opferdienst, ausgeschlossen und Eigentum des Mannes war, wurde sie im nachexilischen Judentum aus der Kultgemeinde völlig verbannt, wofür der eigene Vorhof für Frauen im Jerusalemer Tempel symptomatisch war. Außerdem war sie nicht prozeßfähig vor Gericht und stand juristisch mit Kindern auf einer Stufe.
Um so mehr erstaunt auch hier die Heimholung der Frau durch die Jesusgemeinde. Reiches Belegmaterial findet sich bei den vormarkinischen

Gemeinden. Jesu Botschaft richtet sich nach den Jesusgemeinden unterschiedslos an Männer und Frauen, nirgends findet sich ein geringschätziges Wort über die Frau, vielmehr tritt Jesus für sie ein (Mk.12,41–44). Jesus scheut selbst die Berührung unreiner Frauen nicht, sondern heilt die blutflüssige Frau (Mk.5,12–43). Er mißbilligt nicht wie die Pharisäer das Aufwarten von Frauen bei Tisch (Mk.1,29–31) und heilt die Tochter des Synagogenvorstehers Jairus (Mk.5,21–43). In seiner Gefolgschaft befinden sich sogar Frauen und sie sind die einzigen Zeugen beim Kreuzestod, bei Begräbnis und Auferstehung Jesu (Mk.15,40f.47;16,1–8), was für jüdische Ohren einfach unmöglich ist. Zweifellos handelt es sich in allen genannten Belegstellen um die theologische Gleichberechtigung der Frau vor der in Jesus angebrochenen Gottesherrschaft.
Auch die Lukas-Sondergut-Gemeinde hat selbstverständlich Frauen in ihr Heilshandeln einbezogen und in ihre Gemeinde als vollwertige Glieder aufgenommen. So heilt Jesus nach dem Lukas-Sondergut sofort den einzigen gestorbenen Sohn der Witwe (Lk.7,11–17) und erlöst die nicht mit Namen genannte Frau von ihrer 18jährigen Krankheit (Lk.13,10–17). Frauen werden nach Lk.23,27–31 positiv erwähnt und in den Gleichnissen spielen Frauen die Hauptrolle (Lk.15,8–10; 18,1–8 u.a.). Im Mittelpunkt der Geburtsgeschichte stehen die Jungfrauen Maria (1,26ff) und Elisabeth (1,5ff) wie die Prophetin Hanna (2,36ff). Nirgends fällt auch nur ein einziges geringschätziges Wort, im Gegenteil: in der Erzählung von Maria und Martha wird – außergewöhnlich für pharisäische Gebräuche – eine Frau von dem Lehrer und Gottessohn Jesus zu seiner Schülerin gemacht (Lk.10,38–42). Jesus ist zu Gast bei diesen beiden Schwestern, und Martha, wie es ausdrücklich heißt, hatte ihn in ihr Haus aufgenommen. Maria aber «setzte sich nieder zu den Füßen des Herrn und hörte auf sein Wort» (Lk.10,39). Von pharisäischen Rabbinen ist bekannt, daß sie nie die Tora vor Frauen auslegten. Und als ob das noch alles nicht genug wäre, nimmt er die nur auf sein Wort hörende Maria vor der geschäftigen Martha am Schluß der Erzählung ausdrücklich in Schutz: «Martha, Martha, du sorgst und bist um vieles beunruhigt. Aber Eines ist not. Maria hat das gute Teil erwählt, das nicht von ihr genommen werden soll». Das Hören auf das Wort des göttlichen Lehrers und damit die alleinentscheidende Sorge um das Heil sind gut und unverlierbar.
Besonders eindrücklich ist die komplexe Erzählung von Jesus und der Sünderin im Hause eines Pharisäers (Lk.7,36–39.44–47a.48–50), in das schon vorlukanisch das Gleichnis von den zwei Schuldnern eingeschoben ist (Lk.7,40–43.47b). Diese Frau wird als Sünderin bezeichnet und erweist Jesus einen großen Liebesdienst. Daraufhin wird ihr von Jesus die Vergebung der Sünden zugesprochen, wobei allerdings einmal die Liebe Konsequenz (V.43), das andere Mal Ursache der Sündenvergebung ist (V.47a). Für die Lukas-Sondergut-Gemeinde ergänzen sich beide Aspekte nach typisch jüdischer Gesetzesfrömmigkeit: Der Mensch als Sünder kann sehr

wohl das Gesetz erfüllen, nachdem ihm die Sünden vergeben wurden. Umgekehrt ist er aber auch als Sünder imstande, dem Gesetz gehorsam zu sein, um daraufhin aufgrund seiner Verdienste die göttliche Vergebung zu erlangen. Auf jeden Fall werden von der Lukas-Sondergut-Gemeinde Frauen wie selbstverständlich in das Heilshandeln einbezogen. Und schließlich sind auch nach dem Lukas-Sondergut – wie schon für die vormarkinische Jesustradition – Frauen als Zeugen der Auferstehung Jesu von den Toten angeführt (Lk.24,22.24). Es leidet keinen Zweifel, für die Jesusgemeinden erlangen Frauen die theologische Gleichberechtigung vor Gott und in der Gemeinde ebenso wie die Kranken, Sünder, Zöllner und Samaritaner. Keineswegs wird damit die kultische und religiöse Sonderstellung Israels vor den unreinen Heidenvölkern prinzipiell oder gar demonstrativ durchbrochen. Die Barmherzigkeit und das heißt das Liebesgebot, das die Summe des Mosegesetzes ist, bestimmt das Heilshandeln der Jesus-Gemeinden. Jeder Besitzer von hundert Schafen lässt die 99 nicht Verirrten zurück, um gerade das eine verirrte Schaf suchen und schließlich heimholen zu können. Die Jesusgemeinden kennen keine klösterliche vita communis wie die Qumran-Essener, aber auch die Exklusivität der pharisäischen Erneuerungsbewegung ist ihnen fremd. Ihr geht es vielmehr um das Aufsuchen der Verirrten, Abgefallenen und Nicht-Frommen in Israel. Freilich nicht, um mit ihnen gemeinsam Sache gegen Gottes heilsvermittelndes Gesetz zu machen, vielmehr um sie zu Busse und Umkehr zu rufen und damit zur Rückkehr zum ganzen, eigentlichen und ursprünglichen Gotteswillen und zum Weg der Gerechtigkeit.
Fragt man abschließend nach der theologischen Begründung für diese im Judentum seiner Zeit außergewöhnlich zu nennende und Erstaunen erregende Heimholung der verlorenen Schafe des Hauses Israel, so gibt darauf die Q-Gemeinde mit ihrer Parabel vom großen Mahl (Mt.22,1–34par.) eine deutliche Antwort. Die Parabel erzählt von der Teilnahme am apokalyptischen Heilsmahl, das allein für Israel von Jesus bereitet ist. Die Heilszeit ist angebrochen und die Einladung durch Jesu Boten erfolgt in letzter Stunde. Der Ruf ist zwar an Israel ergangen, aber weil die zuerst Geladenen mit fadenscheinigen Gründen abgesagt haben, werden andere zum Festmahl berufen, die eigentlich nicht vorgesehen waren. Das heißt aber im Sinne des Kommentars von V.24: Weil die Gerechten und Frommen, repräsentiert durch die Pharisäer, denen das Heil selbstverständlich zuerst zugesprochen wurde, aus oberflächlichen Gründen die Berufung abgelehnt haben, werden nachträglich und nur, weil diese nichts davon wissen wollten, die verlorenen Schafe des Hauses Israel, eben die Kranken, Sünder, Zöllner, Samaritaner und Frauen von den Straßen weg zum eschatologischen Festmahl eingeladen und das heißt zur Gottesherrschaft berufen.
Den Jesusgemeinden geht es also nicht einfach um die Erweckung Israels, weil damit nicht nur der grundsätzliche Gegensatz zu Israel gehörig über-

sehen würde, sondern – weil das durch die gegenwärtige und unbußfertige Generation repräsentierte Israel und damit das ungläubige und unbußfertige Israel überhaupt die Einladung Gottes immer wieder mit fadenscheinigen Gründen abgelehnt hat. Deshalb lädt Gott in der Endzeit nur noch durch seine Jesusgemeinden die Diskriminierten in Israel in letzter Stunde zur Teilnahme an seinem apokalyptischen Festmahl ein, das bei der Menschensohn-Parusie gefeiert wird. Dann (Lk.13,18par.) werden die Heidenvölker in einer großen Wallfahrt zum Zionsmahl mit den Erzvätern strömen, diese unbußfertige Generation aber endgültig verworfen werden. Warum wird das in Kürze so sein? Weil diese letzte und böse Generation in Israel Gottes endzeitliche Einladung verschmäht, wird sie vom eschatologischen Heilsmahl beim Kommen der Gottesherrschaft für immer ausgeschlossen werden.

IV. Indikativ und Imperativ

Auch für die eschatologische Ethik der nachösterlichen Jesusgemeinden ist die Unterscheidung zwischen dem Indikativ der Heilszuwendung und dem Imperativ der Gesetzesforderung grundlegend. Auch die Jesusgemeinden sprechen im Namen ihres erhöhten und gegenwärtigen Herrn das Heil bedingungslos zu und erheben zugleich die rigorose Gesetzesforderung.

In allen Jesustraditionen der hellenistisch-judenchristlichen Jesusgemeinden nach Ostern entscheidet, fordert und handelt der erhöhte und gegenwärtige Gottessohn und kommende Menschensohn Jesus. Gerade weil die Jesustradition im Gewand des irdischen Jesus einhergeht, trägt sie ganz und gar Verkündigungscharakter und bezeugt nach Ostern den Herrn und Christus des Gemeindebekenntnisses.

Ohne im einzelnen die Funktion der christologischen Hoheitstitel der Jesustradition hier aufführen zu können, genügt es in unserm Zusammenhang festzustellen, daß in allen Jesustraditionen, wenn auch in unterschiedlicher Nomenklatur, Jesus als Gottessohn, Menschensohn und Herr verkündigt wird, der in königlicher Vollmacht Streitfragen und Lehrprobleme autoritativ entscheidet, Wunder tut, als eschatologischer Gerechter den Kreuzestod stirbt und hernach in die himmlische Herrlichkeit als kommender Menschensohn und Weltrichter erhöht wird.

Dieser Jesus, der in Wahrheit der Christus des Bekenntnisses ist, spricht in göttlicher Vollmacht die Sündenvergebung zu (Mk.2,1ff), wie er ebenso der Handelnde bei der Vergebung durch seine Gemeinde ist (Mt.18,18 und 28,18ff). In den zahlreichen Wundern Jesu wird den Kranken und Besessenen das Heil bedingungslos zugesprochen, und der erhöht-gegenwärtige Herr ist mit seiner heilvollen Gegenwart bei seinen Jüngern bis ans Ende der Tage (Mt.18,20; 28,20). In seinen Seligpreisun-

gen und seinem alle Zweifel, Feigheit und Schwachheit überwindenden Ruf in die Nachfolge wird die künftige Gottesherrschaft heilvolle Gegenwart. Ebenso aber kann die Gesetzesforderung gut jüdisch begründet und verstärkt werden durch den Hinweis auf den Lohn bzw. die göttliche Vergeltung (Mt.5,46; 6,1ff.5ff.16ff), das apokalyptische Endgericht (Mt.5,22; 25,31ff) und das Vorbild des Schöpfergottes (Mt.5,45).
Auf der anderen Seite aber wird von den Jesusgemeinden nirgends die Heilsnotwendigkeit des Mosegesetzes bestritten, vielmehr vorbehaltlos und radikal die Forderungen des verschärften Moral- und des entschärften Kultgesetzes wie des pharisäischen Gesetzes erhoben.
Mit dieser sachlichen Zuordnung des Indikativs der Heilszuwendung zum Imperativ der Gesetzesforderung verbleiben auch die nachösterlichen Jesusgemeinden im alttestamentlich-jüdischen Bereich. Und selbst die weitgehende, sachliche Vorordnung des Indikativs vor den Imperativ bewahrt treu das alttestamentlich-jüdische Erbe. Der Gottessohn und Menschensohn Jesus schenkt nicht nur das Heil der Sündenvergebung, sondern zugleich auch die Kraft zur Erfüllung des Gesctzes, so daß dieses Tun der Gebote Gottes die Folge des Heils ist. Aber nirgendwo wird die Gesetzesforderung problematisiert oder gar das Gesetz als Heilsweg aufgehoben. Auch für die Jesusgemeinden wird die Gnade niemals als Befreiung vom Gesetz, sondern vielmehr immer als Befreiung zum Gesetz als Heilsweg verkündigt und praktiziert. Die zuvorkommende göttliche Gnade und Liebe in Christus bleiben für die Jesusbewegung wie für allc übrigen innerjüdischen, religiösen Erneuerungsbewegungen die Kraft und das Mittcl zum Tun des Gesetzes.

3. Kapitel
Die hellenistische Kirche

I. Die Quellen und der historische Hintergrund.

Für eine in unserem Zusammenhang notwendig geraffte Darstellung der Geschichte und Theologie des vor- und nebenpaulinischen, hellenistischen Christentums steht leider kein direktes Daten- und Traditionsmaterial zur Verfügung. Wir sind deshalb, wie schon bei den nachösterlichen Jesusgemeinden, auch hier auf Rückschlüsse angewiesen. Für diese Rekonstruktion stehen einmal einige verstreute, wenig ausführliche und recht unpräzise Notizen in der lukanischen Apostelgeschichte zur Verfügung (vor allem in den Kapp. 6–9.11 und 13). Zum andern ist die Rekonstruktion angewiesen auf Rückschlüsse aus den echten Paulusbriefen, also aus der vorpaulinischen, hellenistisch-judenchristlichen Gemeindetradition, die von Paulus aufgenommen und redaktionell verarbeitet worden ist. Schließlich sind für uns die Ausführungen des Paulus selbst in 1.Kor.8.10,23–11,1 und Röm.14,1–15,6 wie andere Hinweise besonders wertvoll.

1. Die sogenannten «Hellenisten».

Gemeint ist damit eine neben den nachösterlichen Jesusgemeinden überaus rasch gewachsene, sich ausbreitende und bald sehr einflußreiche Gemeinde unter der Führung des Stephanus. Begonnen hatte diese für das ganze Urchristentum folgenschwere Entwicklung mit dem öffentlichen Auftreten der sogenannten «Hellenisten» in Jerusalem (Apg.6,1–7). Unter den Hellenisten sind christlich gewordene Diasporajuden zu verstehen, die im Unterschied zu den «Hebräern» in Jerusalem griechisch sprachen. Sie hatten sich, aus der Diaspora kommend, an heiliger Stätte niedergelassen und waren dabei mit Jesus und der Botschaft über ihn bekanntgeworden. Diese Hellenisten besassen als Gemeinde ein eigenes Siebenergremium, an deren Spitze Stephanus stand. Seine Predigttätigkeit, seine Streitgespräche mit griechischsprachigen Juden, seine Wunder- und Geistbegabung werden ausdrücklich erwähnt. Von besonderer Wichtigkeit ist nun aber seine gut bezeugte Kritik an Tempel und Tempeldienst und überhaupt am Kultgesetz des Mose (Apg.6,11.13f). Das mosaische Moralgesetz wurde indes in keiner Weise kritisiert. Stephanus und seine Gemeinde waren also weder gnostische Antinomisten, die das Mosegesetz total verwarfen, noch verabschiedeten sie wie Paulus selbst das ganze Gesetz als Heilsmittler und Heilsweg. Vielmehr hat Stephanus «nur» die absolute Bedeutung des ganzen mosaischen Ritualgesetzes bestritten und in den Schatten der Herrlichkeit des erhöht-gegenwärtigen Kyrios Jesus Christus gestellt. Dabei konnte er sehr wahrscheinlich auf die bekannte Lehrtradition seines ehemaligen Diasporajudentums zurückgreifen, die mit dem historischen Jesus das Kult- dem Moralgesetz unterordnete und darüber hinaus das Ritualgesetz ethisch oder spiritualistisch-allegorisch auszulegen pflegte (vgl. nur 4.Makk., Pseudo-Phokylides, Pseudo-Aristeas, Josephus und Philo). Keineswegs aber lehrten und lebten diese judenchristlichen Hellenisten in Jerusalem prinzipiell ein kultgesetzfreies Christentum, was aus den herangezogenen Texten in der Apostelgeschichte auch überhaupt nicht zu erheben ist. Zum ersten Mal aber wird hier sichtbar, daß der Jesusbewegung die tödliche Auseinandersetzung um das Gesetz nicht erspart blieb, die faktisch mit dem Nazarener begonnen hatte und dann vor allem Paulus, aber das Neue Testament überhaupt, zentral bestimmte.

Schon diese öffentliche Kritik an Tempel und Tempelgesetz in Jerusalem reichte aus, den in den Augen der Judenschaft eigentlichen Rädelsführer Stephanus ohne ein ordentliches Gerichtsverfahren in einer dramatischen Lynchjustiz zu töten und seine Anhänger aus Jerusalem zu vertreiben (Apg.7,54–8,3). Die aramäischsprechende Gemeinde in Jerusalem dagegen blieb unbehelligt, weil sie eine solche Kritik von Kultgesetz und Opfer ebenso wie die gesamte Judenschaft Jerusalems strikt ablehnte. Die aus Jerusalem nach dem Märtyrertod des Stephanus blutig vertriebenen und in alle Länder des vorderen Orients zerstreuten Hellenisten begannen aber sogleich mit einer ungemein erfolgreichen und intensiven Mission außerhalb des eigentlich jüdischen Bereichs.

So missionierte der neben Stephanus wichtigste Repräsentant Philippus in Samarien (Apg.8,4–13) und bekehrte im Gebiet von Gaza den Hofbeamten aus Äthiopien (Apg.8,26–40). Auch die Gemeinde in Damaskus dürfte von diesen vertriebenen Hellenisten gegründet worden sein (Apg.9,10.19.). Vor allem aber breitet sich die hellenistische Kirche im überwiegend heidnischen Gebiet Palästinas bis nach Phönizien, Antiochien und sogar nach Zypern aus (Apg.19,19–26). Und hier in Antiochien, der drittgrößten Stadt des römischen Weltreichs, verkündeten einige von ihnen aus Zypern und der afrikanischen Cyrenaica den Heiden das Evangelium (Apg.11,20f). Zum ersten Mal im Urchristentum war damit den Heiden ohne Beschneidung und ohne Übernahme des ganzen Ritualgesetzes der volle Zugang zum Heil gewährt und die bis dahin traditionelle Unterscheidung zwischen Proselyten und Gottesfürchtigen zumindest zweitrangig geworden. Letztere galten der Synagoge nicht als Juden, da sie zwar den einen und wahren Gott Israels und sein Moralgesetz vom Sinai anerkannten, nicht aber das ganze Kultgesetz zu halten verpflichtet waren. Sie waren außerdem nicht beschnitten, sondern feierten lediglich den Sabbat, zahlten die Tempelsteuer und hielten die sogenannten noachitischen Gebote. Mit der anfangs sicher noch nicht planmäßigen und schon gar nicht prinzipiell kultgesetzfreien Heidenmission vor der Parusie begann der heilsgeschichtlich relevante Unterschied zwischen beschnittenen Juden und unbeschnittenen Heiden in den Hintergrund zu treten: Der Glaube wurde zum eigentlichen Kriterium des Christenstandes. Die jetzt zu verwirklichende Aufgabe bestand nun nicht mehr in der Israelmission, oder als äußerstes – so die Lukas-Sondergutgemeinde – in der Samaritanermission und in der bloßen, wenn auch prophetisch angekündigten Erwartung der apokalyptischen Wallfahrt aller Heidenvölker bei der Ankunft des Herrn, sondern im eschatologischen Ereignis der Heidenmission vor der Parusie. Sie blieb nicht mehr die allein Gott vorbehaltene Wundertat beim endzeitlichen Kommen seiner Herrschaft. Erst hier in der Großstadt Antiochia entstand die hellenistische Kirche aus Juden- und Heidenchristen mit neuen Glaubens-, Denk- und Lebensformen und erst jetzt wurden die «Jünger» von ihrer Umwelt zuerst «Christen» genannt (Apg.11,26); denn erst von diesem Zeitpunkt ab unterschieden sich die Christen deutlich sichtbar von ihrer heidnischen Umwelt einerseits und der jüdischen Synagoge andererseits. Damit aber begann der folgenschwere Prozeß der sich allmählich vom jüdischen Religionsverband lösenden Christenheit und der Weg in die heidnische Welt.

2. Die gemischten Gemeinden aus Juden- und Heidenchristen im römischen Weltreich

Aus dem Zwischenfall in Antiochien (Gal.2,11f) geht eindeutig hervor, daß die Heidenchristen von der aramäischsprechenden Gemeinde unter der Leitung des Herrenbruders Jakobus in Jerusalem nicht als völlig gleichberechtigt angesehen wurden. Diese Einstellung wird aber nicht nur von ihr, sondern von allen nachösterlichen Jesusgemeinden, also den Q-, Markus- und Sondergut-Gemeinden, geteilt worden sein. Deshalb kam es in Antiochien und in anderen gemischten Gemeinden des Ostens immer wieder wegen der Tisch- und Abendmahlsgemeinschaft zu unüberbrückbaren Konflikten. So hatten Petrus und die übrigen hellenistischen Judenchristen in Antiochien Mahl- und Abendmahlsgemeinschaft zusammen mit dem heidenchristlichen Teil der Gemeinde gehalten. Damit aber hatte die hellenistische Kriche Antiochiens in den Augen der streng ritualgesetzlichen Jerusalemer Jesusgemeinde die Reinheitsgebote und damit das alttestamentliche Zeremonialgesetz aufgehoben; denn die Feier des Sakraments des Herrenmahls war ja für die gemischten Gemeinden eine Dauereinrichtung. Die Einheit der hellenistischen Kirche verwirklichte sich in der Mahl- und Abendmahlsgemeinschaft der Judenchristen mit den Unbeschnittenen, dem das ganze Kultgesetz nicht haltenden Heidenchristentum. Als diese Praxis von den Abgesandten der aramäischsprechenden Gemeinde in Jerusalem aufgrund des mosaischen Kultgesetzes in Frage gestellt worden war, hob der judenchristliche Teil die Tischgemeinschaft mit den Heidenchristen wieder auf, und die alte Trennung zwischen Israel und den Heiden triumphierte erneut wegen des mosaischen Ritualgesetzes. Wiederum zeigt diese Tatsache schlagartig, daß sich nicht nur der hellenistische Judenchrist Barnabas, sondern alle hellenistischen Judenchristen Antiochiens dem moaisischen Kultgesetz verpflichtet fühlten (Gal.2,13). Von einer grundsätzlich kultgesetzfreien Heidenmission vor der Parusie kann also auch zu diesem Zeitpunkt noch überhaupt keine Rede sein, ganz zu schweigen von einer gesetzesfreien Heidenmission. Diese unpräzise Redeweise, wie sie immer wieder in der Auslegung zu finden ist, ist irreführend und falsch zugleich.

Der Apostelkonvent in Jerusalem bestätigte der hellenistischen Kirche von Antiochien, als deren Bevollmächtigte die Abgesandten Paulus und Barnabas auftreten, ausdrücklich das Recht der keineswegs grundsätzlich verstandenen, kultgesetzfreien Heidenmission (Gal.2,6). Von den drei «Säulen» Jakobus, Petrus und Johannes in der aramäischsprechenden Gemeinde von Jerusalem (Gal.2,9) wurde zwar keine Beschneidungsforderung gegenfber Antiochien erhoben, aber in der von Gal.2,9 von Paulus selbst wiedergegebenen Absprache wird nun doch die Weltmission ausdrücklich in zwei Bereiche nach ethnographischen Gesichtspunkten (=«wir zu den Heiden – sie zu den Juden»!) aufgeteilt und damit faktisch eine kultgesetzliche Trennung von Juden- und Heidenchristen in allen gemischten Gemeinden gefordert. Dieser Konventsbeschluss kann bei sorgfältig abwägender Prüfung nichts anderes als eine einschränkende Maßnahme und als eine theologische Zurückstufung der Heidenchristen gegenüber den Judenchristen bewertet worden sein. Aufgrund des Quellenmaterials wissen wir aber, daß die Heidenchristen von Jerusalem und überhaupt von den Judenchristen aus beurteilt nicht nur den theologischen Status von Gottesfürchtigen hatten, sondern daß die Heiden in den von Juden- und Heidenchristen gemischten Gemeinden der Diaspora fast ausschließlich ehemalige Gottesfürchtige gewesen sind. Diese Gottesfürchtigen aber waren nicht nur in der Großstadt Antiochien, sondern überhaupt im Osten wie im Westen des römischen Weltreichs neben den Juden das bevorzugte Objekt der Heidenmission der hellenistischen Kirche. Andere als gottesfürchtige Heiden standen überhaupt nicht im Blick- und Zielpunkt der hellenistischen Kirche. Und aus diesen ehemals Gottesfürchtigen setzten sich die frühen «heiden»-christlichen Gemeinden im Osten wie im Westen des römischen Reiches zusammen, so daß erst viel später in langsam wachsendem Maße auch solche Heiden für die christlichen Gemeinden gewonnen wurden, die vorher noch in gar keiner Weise im theologischen und ethischen Einflußbereich der Synagoge und der alttestamentlichjüdischen Glaubenstradition gestanden hatten. Das beweisen auch gerade die – freilich verstreuten – Notizen des Paulus in seinen Hauptbriefen (Korinther-, Römer- und Galaterbrief). Diese «Heiden»-christen als ehemals Gottesfürchtige enthielten sich des Götzenopferfleisches (1.Kor.8,1–13;9,19–22;10,23-11,1), beobachteten die jüdischen Feiertage (1.Kor.5,7f;16,8;Röm.14,5), vor allem den Sabbat, und praktizierten den traditionell jüdischen Brauch einer Kopfbedeckung der

Frau im christlichen Gottesdienst (1.Kor.11,16), wie er in der Synagoge üblich war. Sie hielten die Reinheitsgebote (Röm.14,20f) und verzichteten aus ritualgesetzlichen Gründen auf den Genuß sowohl von Schweinefleisch wie von Libationswein, d.h. der Trankspende für die heidnische Gottheit (Röm.14,21). Das aus der Apostelgeschichte bekannte Aposteldekret (Apg.15,19;21,25) dürfte auf diese «Heiden»-christen zugeschnitten sein, indem es als Minimalforderungen Enthaltung vom Götzenopferfleisch, vom Blut des Erstickten und von verbotenen Verwandtenehen enthält (3.Mose.17f). Abgesehen von diesen synagogalen Gebräuchen, die aber in Wirklichkeit von Juden für gottesfürchtige Heiden formulierte, kultgesetzliche Bestimmungen darstellten, waren diese ehemals Gottesfürchtigen vertraut mit der alttestamentlich-jüdischen Schöpfungstheologie, dem Bekenntnis zum einen Gott (= Monotheismus), der apokalyptischen Erwartung von Gottesreich und Weltgericht, der normativen Geltung des Alten Testamentes wie dem Moral- und Kultgesetz des Mose und der daraus folgenden Rechtfertigungs- wie Verdienstlehre.

Wie die Paulusbriefe immer wieder beweisen, ist in keiner Weise damit zu rechnen, daß diese «Heiden»-christen als ehemals Gottesfürchtige schon insgesamt den völligen Bruch mit der Synagoge und ihrem Gesetzesverständnis vollzogen hatten: Vielmehr praktizierten sie eine verschieden abgestufte Ablösung vom Kultgesetz, die Mehrzahl wird sogar auch dem Kultgesetz weitgehend treu geblieben sein. Für die Synagoge aber wie für die aramäisch sprechende Gemeinde in Jerusalem galten sie gleichwohl als Heiden und nur in Ausnahmefällen als Juden.

So wird der Streit über die Enthaltung von Götzenopferfleisch in der korinthischen Gemeinde nur von diesem theologiegeschichtlichen Hintergrund her deutlich. In Korinth war es bei den gottesfürchtigen «Heiden»-christen aufgrund des mosaischen Kultgesetzes selbstverständlich gewesen, den heidnischen Kult und vor allem die heidnischen Kultmahle mit ihrem Götzenopferfleisch zu meiden. Man bittet deshalb Paulus um autoritative Auskunft darüber, ob man dieses Götzenopferfleisch essen dürfe, da die sogenannten «Starken» ihre im Evangelium begründete Freiheit über den heidnischen Kult und ihren Mahlzeiten bedenkenlos demonstrierten. Auf gleichartige Probleme bezieht sich der Römerbrief mit der bekannten Auseinandersetzung zwischen den «Schwachen» und «Starken» in der Gemeinde der Welthauptstadt Rom (Röm.14,1–15,13). Wir erhalten im Unterschied zu 1.Kor.8–10 einen konkreten Einblick in eine nichtpaulinische Gemeinde, die aber ebenfalls aus hellenistischen Juden und «gottesfürchtigen» Heidenchristen besteht. Die im Glauben Schwachen, d.h. die «gottesfürchtigen» Heidenchristen, verzichten auf Fleisch, das nicht dem Ritualgesetz entsprechend geschächtet ist, und auf Libationswein (14,2 und 21). Das Essen und Trinken von rituell Unreinem ist den Schwachen verboten, während die Starken, denen alles rein ist (14,14 und 20), das Ritualgesetz rundweg ablehnen.

Ein weiterer Gegensatz betrifft die «Unterscheidung» zwischen dem Sabbat und den anderen Wochentagen, bzw. zwischen den Fastentagen und den gewöhnlichen Tagen (Röm.14,5). Während die Schwachen nach dem mosaischen Kultgesetz die gebotenen jüdischen Feiertage einhielten, lehnen die Starken diese rituell motivierte Unterscheidung zwischen den Tagen ab.
Das heißt aber: Zum ersten Mal in der Geschichte der Jesusbewegung gab es unter den hellenistischen Judenchristen, wie unter den «gottesfürchtigen» Heidenchristen sowohl Gruppen, die das mosaische Kultgesetz weitgehend hielten wie auch solche, die es ablehnten. Die hellenistische Kirche – im Gegensatz zum historischen Jesus und den nachösterlichen Jesusgemeinden – kannte und praktizierte demnach keine einheitliche Stellungnahme zum mosaischen Kultgesetz; vielmehr gab es in den gemischten Gemeinden der hellenistischen Kirche im außerpaulinischen (Rom!) wie paulinischen (Korinth!) Bereich Starke und Schwache, d.h. Christen, die dem jüdischen, am Ritualgesetz orientierten Leben auch nach der Bekehrung verbunden blieben wie auch solche, die sich darüber hinwegsetzten. Daraus resultierten die permanenten Spannungen, Reibereien und Konflikte in den gemischten Gemeinden der hellenistischen Kirche im Osten wie im Westen des römischen Weltreiches.
Schließlich zeigt uns die auf dem Apostelkonzil beschlossene Kollekte (Gal.2,10; Röm.15,25–29), daß sowohl die «Säulen» Jakobus, Petrus und Johannes als auch die Jerusalemer Gemeinde insgesamt diese Kollektenvereinbarung – natürlich im Gegensatz zu Paulus – von vornherein im Sinne einer «heiden»-christlichen Anerkennung der heilsgeschichtlichen und sakralrechtlichen Vorzüge Israels und der Judenchristen verstanden haben. Für sie waren alle «heiden»-christlichen, ehemals «gottesfürchtige» Gemeinden wie für die Synagoge nicht gleichberechtigt und faktisch Gemeinden zweiten Ranges, weil sie im Unterschied zu den Jesusgemeinden nur eine abgestufte Toraerfüllung praktizierten, und d.h. weder beschnitten waren noch das ganze Kultgesetz vom Sinai hielten.

3. Die hellenistisch-judenchristliche Gemeindetradition.

Wie schon bei den nachösterlichen Jesusgemeinden, so ist auch das Kerygma, d.h. die Botschaft der hellenistischen Kirche, nur durch Rekonstruktion zu gewinnen. Hier wie dort gibt es keine direkten Quellenschriften. Aber die literarkritische Quellenbasis ist beide Male grundverschieden. Während die Jesustraditionen aufgrund der synoptischen Evangelien eruiert werden mußten, sind wir für die Rekonstruktion der Tradition der hellenistischen Kirche auf die echten Paulusbriefe angewiesen. Traditionsgeschichtlich besteht die vorpaulinische Gemeindetradition nicht aus Leben-Jesu-Stoffen, sondern aus Christusverkündigungs-

Traditionen. Hier wurde der Bericht über Taten, Lehre und Geschichte des historischen Jesus ersetzt durch die exklusiv christologisch bestimmte Verkündigung seines Todes und seiner Auferstehung von den Toten als Heilsereignisse. Soziologisch steht hinter der vorpaulinischen Gemeindetradition als Überlieferungsträger die hellenistische Kirche aus Juden- und «gottesfürchtigen» Heidenchristen, in der Propheten und Lehrer, Katecheten und Diakone, Missionare und Apostel am Werk sind.

Inbegriff der christlichen Botschaft überhaupt war in der hellenistischen Kirche der traditionelle Begriff «Evangelium» als mündliche Heilsbotschaft von der Totenauferweckung Christi, und der Glaube als persönliche Entscheidung für dieses Evangelium wurde nun zum alleinigen Kriterium des Christenstandes. Dementsprechend änderte sich auch die Christologie: Jesus ist nicht mehr wie in den Jesusgemeinden der ausschließlich seiner Wiederkunft harrende, himmlische und verborgene Menschensohn, sondern der jetzt schon herrschende, erhöhte Kyrios Jesus, der im Gottesdienst öffentlich-rechtlich angerufen und bekannt wird (1.Kor.12,3; Röm.10,9; Phil.2,11). Mit der Konzentrierung auf das Moralgesetz war der Weg frei für die kultische Deutung des Todes Jesu. Zum ersten Mal in der Geschichte und Theologie der Jesusbewegung wird der blutige Tod Jesu als Heilsereignis gedeutet, und zwar als Kapporät = Sühnort (Röm.3,25), als Bundesopfer (1.Kor.11,23ff) und als Sühne für unsere Sünden (Röm.5,6.8; Gal.2,20; 1.Thess.5,10;1.Kor.15,3ff u.a.). Als Erneuerer und Vollender der alttestamentlich-jüdischen Heils- wie Kultordnung sühnt Christus, der Messiaskönig (Röm.1,3f), die Sünden Israels und stiftet im Sakrament des Herrenmahls den neuen Bund mit dem neuen Gottesvolk. In der eingliedrigen Kurzformel «Gott hat Jesus von den Toten auferweckt» (1.Kor.6,14; 15,15; Röm.10,9), in der Langformel (1.Thess.4,14; 2.Kor.5,14) wie in der voll ausgebildeten sogenannten Glaubensformel (1.Kor.15,3bf) wird zum ersten Mal im Urchristentum die explizite Osterbotschaft entfaltet. Hier wird Ostern als Einsetzung in die offenbare Gottessohnwürde verkündet, als Erfüllung alttestamentlicher Weissagung gelehrt und durch die vorübergehende Erscheinung des Auferweckten vor seinen Anhängern historisch gesichert (1.Kor.15,3bff).

Die sündenvergebende Rechtfertigung meint nach den Bekenntnisformeln der hellenistischen Kirche in Röm.3,25; 4,25 und 1.Kor.6,11 den Schlußstrich unter die vormaligen Verfehlungen in der Vergangenheit und zugleich die erneute Ausrichtung auf den Heilsweg des Mosegesetzes in der Zukunft, entweder unter Einschluß oder Ausschluß des Ritualgesetzes. Keineswegs wird schon hier wie bei der späteren Heidenchristenheit das Ritualgesetz des Mose grundsätzlich und von allen Gemeindegliedern verabschiedet oder gar wie beim späten Paulus das Gesetz als Heilsmittler und Heilsgrund grundsätzlich kritisiert, vielmehr entsprechen sich Rechtfertigungsgeschehen und Mosegesetz als das Stehen im wiederhergestellten Gottesbund.

Die Kirche ist das neue Gottesvolk aus Judenchristen, denen eine auserwählte Zahl von «Heiden» als ehemaligen Gottesfürchtige (Röm.11,25) eschatologisch angegliedert wird. Das alte Gottesvolk hat den alten Gottesbund vom Sinai durch seine Verschuldungen entweiht, zerbrochen und befleckt. Im blutigen Tod Christi auf Golgatha sind die Verschuldungen gesühnt und ein neuer Bund geschlossen worden (Röm. 3,25f). Damit ist der alte Bund in der von Mose eingeleiteten Heilsgeschichte wiederhergestellt. Die hellenistische Kirche versteht sich darum als Gemeinde der Endzeit und somit als das wahre Israel, für das die Verheißungen des Alten Testaments erfüllt sind, und endlich als das Ziel der Geschichte Gottes mit seiner Schöpfung. In dieser Mitte haben die beiden geistspendenden Sakramente der Taufe (1.Kor.6,9–11) und des Abendmahls (1.Kor.11,23b–25) sichtbar den alttestamentlich-jüdischen Kult erneuert und vollendet.

Das Sakrament der Taufe ist hier nicht mehr nur die Übernahme des apokalyptischen Bußritus angesichts des nahen Weltgerichtes wie bei Johannes dem Täufer, sondern bewirkt die Reinigung von den Sünden, die Hineinnahme in den Machtbereich des gegenwärtigen Herrn, den Empfang des Heiligen Geistes und verpflichtet auf das verschärfte Moralgesetz (1.Kor.6,9–11; 2.Kor.1,21f; Röm.12,1f; 13,11ff u.a.). Im Sakrament des Herrenmahls (1.Kor.11,23b–25) kommt es zur eschatologischen Stiftung und Erneuerung des Bundes Gottes mit seinem neuen Bundesvolk, zur sakramentalen Communio Vereinigung mit Leib und Blut des Gekreuzigten und zur Vergebung der Sünden angesichts seiner nahen apokalyptischen Ankunft (1.Kor.16,22).

Mit den Jesusgemeinden steht auch die hellenistische Kirche in der apokalyptischen Naherwartung ihres Herrn (1.Kor.7,29f; Röm.13,11ff; 1.Kor.16,22), der Entrückung der lebenden Christen (1.Thess.4,16–17a) bzw. ihrer himmlischen Verwandlung (1.Kor.15,52) und der Totenauferstehung als Erlösung des Leibes (Röm.8,19–23.26f), während die Heiden gerichtet werden. In der nahen Parusie aber wird auch ganz Israel gerettet werden, während es gegenwärtig in der zeitweiligen Verstockung verharrt (Röm.11,25).

II. Die Heilsbedeutung des Mosegesetzes

1. Die gegensätzliche Stellung zum mosaischen Kultgesetz.

Die hellenistische Kirche kannte im Gegensatz zu den nachösterlichen Jesusgemeinden keine einheitliche Wertung des alttestamentlichen Zeremonialgesetzes mehr wie manchmal behauptet wird. Im Unterschied zu den Jesusgemeinden hat sie das entschärfte Kultgesetz nicht nur dem verschärften Moralgesetz untergeordnet, sondern teilweise sogar zum ersten Mal in der Geschichte der Jesusbewegung verabschiedet. Zwar haben Stephanus und seine Anhänger am Kultgesetz des Mose Kritik geübt und im Namen des gegenwärtigen Herrn seine absolute Heilsbedeutung und Notwendigkeit relativiert, aber keineswegs grundsätzlich verabschiedet. Nur weil die Stephanusanhänger, aus Jerusalem vertrieben, nicht mehr das gesamte Zeremonialgesetz des Mose für heilsnotwendig hielten, konnten sie zum ersten Mal in der Geschichte des Urchristentums in Antiochien gottesfürchtige Heiden und nicht mehr nur Juden missionieren und in den Gottesdiensten gemeinsam mit den Heidenchristen die Gemeindeagapen feiern, die zu dieser Zeit natürlich als gemeinsame Mahlzeit und noch nicht wie später als isolierte, eucharistische Abendmahlsfeier begangen wurde. Aber auch wenn die hellenistische Kirche zur keineswegs grundsätzlich kultgesetzfreien «Heiden»-mission überging und diese erst später auch planmäßig betrieb, also aus Juden- und Heidenchristen bestand, blieben für die «Schwachen», d.h. für die Judenchristen, das Kultgesetz und für die «gottesfürchtigen» Heidenchristen einzelne und bestimmte Kult- bzw. Zeremonialgebote eschatologisch in Kraft. Wenn wahrscheinlich für die Heidenchristen auch nicht alle vom Mosegesetz gebotenen Feiertage beachtet wurden, das Sabbatgebot wurde gehalten (1.Kor.5,7f; 16,8; Röm.14,5), vielleicht die Tempelsteuer an die geistliche Metropole Jerusalem gezahlt und gewisse kultgesetzliche Reinheits- wie Speisegebote befolgt, indem der heidnische Kult und die in ihm praktizierten Kultmahle strikt gemieden und auf Götzenopferfleisch, Libationswein und unkoscheres Schweinefleisch verzichtet wurde (1.Kor.8,1–13; 9,19–22; 10,23–11,1; Röm.14,20 und 21). Die christliche Frau mußte auch jetzt im christlichen Gottesdienst wie früher im jüdischen Synagogengottesdienst zum Zeichen ihrer schöpfungstheologisch motivierten Unterordnung unter den Mann eine Kopfbedeckung tragen (1.Kor.11,2ff).

Es kann meines Erachtens keinen Zweifel darüber geben, daß in der hellenistischen Kirche im Osten wie im Westen des römischen Weltreiches die Zeremonialgebote nicht nur Lebensnorm, sondern vor allem auch gut alttestamentlich und jüdisch Heilsweg und Heilsgrund waren. Aber auch wenn das mosaische Kultgesetz von den «Schwachen», d.h. den gottesfürchtigen Heidenchristen nur teilweise verabschiedet wurde, in den Augen der Synagoge und auch der Jesusgemeinden standen sie auf derselben Stufe wie die Heiden. Denn diese abgestufte Erfüllung des alttestamentlich-jüdischen Kultgesetzes war faktisch einer Außerkraftsetzung gleichzusetzen.

Andererseits haben die «Starken» in den gemischten Gemeinden der hellenistischen Kirche das mosaische Kultgesetz abgelehnt (1.Kor.8–10; Röm.14,1–15,13), also zum ersten Mal im Verlauf des Urchristentums ihre Freiheit von rituellen Geboten öffentlich demonstriert. Sie kannten keine Skrupel, aßen alles Fleisch – Götzenopfer – wie unkoscheres Schweinefleisch und tranken Götzenopferwein, verzichteten auf die

«Unterscheidung» von Tagen und den Unterschied von rein und unrein. Sie verachteten die Juden- wie Heidenchristen als «Schwache im Glauben» (Röm.14,1), da sich diese trotz ihres Glaubens an Christus nicht vom Ritualgesetz freimachen konnten. Aber trotz dieser gegensätzlichen Einstellung der hellenistischen Kirche zum mosaischen Ritualgesetz darf keinen Augenblick vergessen werden, daß sich die gemischten Gemeinden aus hellenistischen Juden und «gottesfürchtigen» Heidenchristen als das neue Gottesvolk des neuen Bundes (1.Kor.11,25) in der von Mose eingeleiteten Heilsgeschichte befanden.
Im blutigen Tod Christi als vollbrachter Sühne (Röm.3,25) ist der alte Sinaibund von Gott erneuert und wiederhergestellt worden, sodaß das neue Bundesvolk der hellenistischen Judenchristen, dem eine auserwählte Zahl von «gottesfürchtigen» Heiden (Röm.11,25) eschatologisch angegliedert wurde, in der heilsgeschichtlich-ungebrochenen Kontinuität mit dem alten Bundesvolk steht. Und Christus wird von der hellenistischen Kirche – dem neuen Bundesvolk und wahren Israel – als Erneuerer und Vollender der alttestamentlich-jüdischen Heils- und Kultordnung bekannt. Nur auf diesem Hintergrund wird verständlich, daß selbst diese gegensätzliche Einstellung der hellenistischen Kirche zum mosaischen Ritualgesetz keinen Bruch zu der von Mose eingeleiteten Heilsgeschichte Gottes mit seinem Volk bedeutet.

2. Die Konzentration des Mosegesetzes auf das Moralgesetz.

a) Die hellenistische Kirche wird, wie die folgenden Texte durchgängig zeigen, *auf das Moralgesetz des Mose verpflichtet.* An erster Stelle ist in diesem Zusammenhang das wohl in der Mission beheimatete Schlagwort der hellenistischen Kirche vor und neben Paulus zu nennen, das in dieser alternativen Form zu Unrecht mit dem aufgeklärten Diasporajudentum in Zusammenhang gebracht wurde, wie gleich zu sehen ist: «Die Beschneidung (übertragen: das Judentum) hat keine Heilsbedeutung und das Nichtbeschnittensein (übertragen: das Heidentum) hat ebenfalls keine Heilsbedeutung, sondern allein das Halten der Gebote Gottes» (1.Kor.7,19; ähnlich, jedoch ohne den typischen Nachsatz in Gal.5,6 und 6,15). Die aufgrund des alttestamentlichen Kultgesetzes für immer geltende Trennung zwischen dem kultisch reinen Juden und dem kultisch unreinen Heiden ist bedeutungslos geworden; denn für die hellenistische Kirche hat das im Alten Testament niedergelegte Zeremonialgesetz seine absolute Heilsmittlerrolle eingebüsst. Angesichts der weltweiten Evangeliumsverkündigung und Heidenmission ist allein noch das alttestamentlich-jüdische Moralgesetz exklusiver Heilsgrund. Das zweimal refrainartig wiederholte «ist nichts», d.h. hat keine Heilsbedeutung, spricht hier den Sachverhalt deutlich aus. Allein das Halten der Gebote Gottes, d.h. des

Moralgesetzes, ist nunmehr heilsnotwendig. Aus der bekannten Unterordnung des Kult- unter das Moralgesetz – so ja die Jesusgemeinden – ist in der hellenistischen Kirche die Alternative geworden. Nicht mehr das Kult- und Moralgesetz zusammen werden wie im Alten Testament, Judentum und den Jesusgemeinden als Heilsmittler vorgestellt und praktiziert, sondern nur noch das Moralgesetz. Diese Ablehnung des Kultgesetzes ist in keiner Weise gesetzesfeindlich, sondern verlagert nur die Gewichtung: Das Moralgesetz allein ist jetzt Heilsmittler und Kriterium im apokalyptischen Endgericht. In dem vorpaulinischen, paränetischen Formular *1. Thess. 4,1–8* werden die moralgesetzlichen Forderungen nicht wie in 1. Kor. 7,19 «Gebote Gottes», sondern «Anordnungen» genannt (1. Thess. 4,2). Im Profangriechischen wurde mit diesem Begriff gern der militärische Befehl bezeichnet. Der Zusammenhang von 1. Thess. 4,1–8 zeigt unmißverständlich, daß mit diesem Ausdruck allein die moralgesetzlichen Forderungen umschrieben werden, deren Erfüllung zu einem Gott wohlgefälligen Leben führt (1. Thess. 4,2–8). Der unabdingbare und verpflichtende Charakter dieser nur noch auf das Moralgesetz bezogenen Anordnungen und Gebote wird mit der Wendung unterstrichen, daß sie «durch den Herrn Jesus» gegeben wurden.

Von besonderer Wichtigkeit ist die dem Paulus vorgegebene Formulierung, daß «die Rechtsforderung des Gesetzes unter den Christen erfüllt werden muß» *(Röm. 8,4)*. Auch wenn Paulus nur fragmentarisch vorpaulinische Tradition zu Wort kommen läßt und die paulinische Kommentierung in 8,3 und 8,4b nicht ohne weiteres zur Sinnerhellung der traditionellen Formulierung herangezogen werden darf, leidet es keinen Zweifel, daß diese Tradition die christliche Erfüllung des Moralgesetzes als Konsequenz des Heilsgeschehens verkündigt und umschreibt. Für die hellenistische Kirche aber ist dieser Rechtsanspruch des Mosegesetzes in diesem Zusammenhang auf denjenigen des Moralgesetzes reduziert und mit der Liebesforderung identisch (vgl. z. B. Röm. 13,8–10). Dann aber ist die Liebe als Summe, Radikalisierung und Erfüllung aller Gebote zu betrachten und als nova lex (d. h. als neues Gesetz!) von nun an der einzige Heilsweg für den Christen. Nicht von ungefähr erinnern die Kommentare in diesem Zusammenhange an die typisch scholastisch-katholische Lehre von der fides caritate formata, d. h. dem Glauben, der durch die Liebe geformt wird. Theologisch-sachlich geurteilt wird aber damit das Evangelium bzw. der Geist zum Mittel der Gesetzeserfüllung.

b) *Die Paränesen (= kurze Mahnreden).* Neben der Bewahrung der Gebote, Anordnungen und Rechtsforderungen Gottes, die insgesamt sein Moralgesetz umschreiben, steht die Forderung nach dem Gott wohlgefälligen Wandel. Dieser rechte Gesetzeswandel nach dem Willen Gottes ist identisch mit der Heiligung des Christen und wird in verwandten katechetisch-paränetischen (d. h. belehrend-ermahnenden) Traditionen erhoben, die auf die jüdische Spruchethik und Weisheit zurückgehen.

So ist der von Paulus in seiner Frühphase übernommene Paränesetyp in

1.Thess.5,13b–18 weder originell noch enthält er besondere theologische Begründungen für die einzelnen Ermahnungen. Vielmehr werden verschiedenartige Mahnungen allgemeinen Inhalts lose aneinandergereiht in Form von ganz kurzen Sätzen und erinnern an die traditionelle Spruchliteratur. Die Tradition hat keine aktuelle Bedeutung, sondern ist die überkommene, allgemeine, spruchhafte Paränese der hellenistischen Kirche, die Paulus am Schluß seines Briefes zu Gehör bringt.

Dieses kleine paränetische Formular, ursprünglich in die Taufkatechese gehörend, beginnt aber gegen die übliche Einteilung nicht erst mit Vers 14, sondern bereits mit Vers 13b: Die Mahnung, untereinander Frieden zu halten, ist ganz allgemein und ohne jeden aktuellen Anlaß in der Gemeinde von Thessalonich formuliert (vgl. auch Röm.12,18!). Sie ist deshalb als Überleitung zu den folgenden und ebenfalls allgemeinen Mahnungen zu verstehen, die an die Gesamtgemeinde gerichtet sind und keine aktuelle Veranlassung haben. Auf diese allgemeine Friedensmahnung folgen ebenfalls ganz allgemein drei Gruppen von Gemeindegliedern, die der Sorge aller anempfohlen werden: Die Lässigen sollen streng zurechtgewiesen, die Kleinmütigen aufgemuntert und die Schwachen angenommen werden (Vers 14). Ohne besondere und konkrete Veranlassung wird im Gemeindeleben der würdige Wandel nach dem Willen Gottes gefordert. Auch hier werden nur Beispiele geboten, die aber eindeutig auf das Moral- und nicht mehr auf das Kultgesetz bezogen sind. Das Fehlverhalten einiger Gemeindeglieder – Lässigkeit, Kleinmut und Schwachheit – soll korrigiert und zurechtgeweisen werden. Diese Reihe lose aneinandergereihter, konkreter Beispiele gegenseitiger Ermahnungen in der Gemeinde wird nun aber bezeichnenderweise abgeschlossen durch die universale Forderung: «Seid langmütig gegen alle». Dieses betonte an den Schluß gestellte «gegen alle» ist selbstverständlich nicht im Blick auf die Gemeinde, sondern zugleich und vor allem gegenüber den Außenstehenden gesagt.

Denn gerade dieser allgemeine Aspekt wird in Vers 15 dann weitergeführt. Die Langmut als christliche Tugend und damit als moralgesetzliche Leistung hat in der ethischen Tradition vor und neben Paulus ihren festen Platz. So wird sie in Gal.5,22 im Tugendkatalog aufgezählt und in der ebenfalls von Paulus zitierten ethisch-religiösen Lehrrede (1.Kor.12,31b–13,21) erscheint die Langmut als eine Verhaltensweise der Liebe (1.Kor.13,4). Die Langmut gegen jedermann wird von Christen als Tugend gefordert, so daß diese Mahnung zur Grundregel und obersten Norm für das Verhalten von Christen zu Nichtchristen in Vers 15 ausgeweitet wird: «Seht zu, daß keiner einem andern Böses mit Bösem vergelte, sondern sucht allezeit Gutes zu tun, aneinander und an allen».

Mit dem betont an den Anfang gestellten «seht zu» wird der ganzen Gemeinde grundsätzlich verboten, Rache zu suchen, sondern vielmehr die Bruder-, Nächsten- und Feindesliebe zu üben. Dieselbe Forderung findet sich noch einmal in der ethischen Tradition von Röm.12,17–21 und dann in der Jesustradition in Mt.6,39ff.44ffparr., woher sie auch die hellenistische Kirche, allerdings ohne kenntlich gemachtes Jesuswort, übernommen hat. Diese traditionelle Forderung der Nächstenliebe als Summe und Erfüllung des mosaischen Moralgesetzes wird auch in der hellenistischen Kirche vor und neben Paulus entschränkt und auf alle Geschöpfe ausgeweitet.

Ohne inhaltlichen Zusammenhang zum Vorhergehenden werden in den Versen 16–18a weitere Mahnungen lose aneinandergereiht. Die Christen sollen fröhlich sein, ohne Unterlaß beten und Gott für alles danken. Auch diese Forderungen dürfen nicht – wie es leider oft geschieht – von den späteren Paulusbriefen her interpretiert werden, sondern stellen im Kontext dieser vorpaulinischen Taufkatechese Tugenden dar, die die Grundhaltung des Glaubenden betreffen.

Eine ausdrückliche Begründung des ausschließlich moralgesetzlichen Handelns wird dann in Vers 18b gegeben: Der durch die Heilstat in Christus Jesus näher bestimmte Wille Gottes setzt die Christen instand, wirklich so zu handeln. Dieser Wille Gottes, bestimmt durch Kreuz und Auferweckung Christi als exklusive Heilsereignisse, bezieht sich als Motivierung des Tuns nicht nur auf Vers 18a, sondern auf die gesamte Taufparänese Vers 13b–18. Das Heilsereignis in Jesus Christus, zugeeignet in der Taufe, verpflichtet wiederum jeden Einzelnen zum Halten des Moralgesetzes als Heilsweg in der Zukunft.

Auch in *Gal.5,26–6,10* liegt eine vorpaulinische Tradition vor, die Paulus selbst allerdings mit einem Rahmen versieht (durch die Lehre vom Wandel im Geist: Vers 25) und interpretiert («Pneumatiker», d.h. die im Machtbereich des Geistes Stehenden als Bezeichnung für Christen in 6,1). Der Überlieferungsträger dürfte auch diesmal wiederum die hellenistische Kirche sein. Kontext und Interpretationsschlüssel ist deshalb nicht die Tradition der Jesusgemeinden, sondern die hellenistische Kirche.

Auch dieses ethische Formular besteht aus kurzen, nur lose untereinander verknüpften Anweisungen und Einzelmahnungen ohne systematische Ordnung. Wie alle ethische Tradition, ist auch die vorliegende nicht situationsbezogen, hat also keine aktuelle, sondern usuelle, d.h. allgemeine und vor allem grundsätzliche Bedeutung. Inhaltlich wird das Moral- und nicht das Kultgesetz thematisiert. Während Vers 26 vor Ruhmsucht, Herausforderung und Neid warnt, wird in 6,1 ein neues Beispiel für den wohlgefälligen Wandel nach dem Willen Gottes angeführt: wird ein Gemeindeglied bei einem Fehltritt ertappt, so soll ihm mit Sanftmut begegnet und aufgeholfen werden, denn jeder ist der Versuchung ausgesetzt. Die hellenistische Kirche vor und neben Paulus weiß um die moralische Versuchlichkeit und Gebrechlichkeit jedes Einzelnen und fordert konkret zur Vergebung auf. Wir übergehen den theologisch hochbedeutsamen Vers 2, da dieser in einem Abschnitt gesondert behandelt werden muß (s. S. 164). Ohne inneren Zusammenhang wird in Vers 3 die Mahnung zur Selbstkritik angefügt: wenn einer meint, etwas zu sein, obwohl er doch nichts ist, dann täuscht er sich selber. Dieser Satz ist für sich genommen schwer verständlich und kann nur von Vers 4 her aufgeschlossen werden. Hier wird jeder Christ zur ehrlichen Prüfung seines eigenen Werkes im Sinne der Erfüllung des Moralgesetzes und Willens Gottes aufgerufen. Erst dann wird der Betreffende im Blick auf das apokalyptische Gericht Gottes Grund für das Rühmen hinsichtlich seiner selbst und nicht des anderen haben. Es gibt für diese hellenistisch-judenchristliche Tradition ein legitimes Sich-Rühmen, das auf der kritischen Erfüllung des göttlichen Moralgesetzes beruht und vor dem künftigen Thron Gottes offenbart wird. Gesetzeswerke – ganz jüdisch-judenchristlich gedacht – bringen Ruhm am Jüngsten Tag!

«Denn ein jeder wird seine eigene Sündenlast im kommenden Gericht Gottes tragen müssen» (Vers 5). Der Hintergrund dieser absoluten Feststellung ist traditionell jüdisch-apokalyptisch: «Die guten Taten erwachen, die bösen schlafen nicht mehr» (4.Esr.7,35; vgl. auch Sprüche der Väter VI 9 b: In der Sterbestunde begleiten den Gesetzesfrommen «nur Tora und gute Gesetzeswerke», und schließlich 14,13: «Ihre Werke folgen ihnen nach»). Diese traditionell jüdisch-apokalyptische Vorstellung, daß die Werke des Menschen, d. h. Gesetzesübertretungen (= Sünden) wie Gesetzeserfüllung (= Verdienste) den Menschen bis zum Jüngsten Tag begleiten werden, wird hier in Gal.6,5 noch präzisiert: die Last der eigenen Gesetzesübertretungen, also der eigenen Sünden, die Schuldbelastung, muß vom einzelnen Christen getragen und vor Gottes Endgericht mitgebracht werden. Erst dann wird sich herausstellen (so Vers 4!), ob der Einzelne Grund zum Sich-Rühmen hat. Wie lose die einzelnen Mahnungen zum Teil angefügt werden in einem solchen ethischen Formular zeigt Vers 6, der ohne Übergang völlig abrupt zur Unterstützung der christlichen Lehrer bzw. des Katecheten auffordert.

Durch die folgenden Verse 7–10 allerdings wird die katechetische Tradition schon durch das viermalige, apokalyptisch motivierte «Ernten» auf den Höhepunkt gebracht. Die moralische Ermahnungsreihe setzt mit dem drohenden «irrt euch nicht» ein: «Gott lässt sich nicht verspotten. Denn was der Mensch sät, das wird er auch ernten». Gott wird zwar faktisch durch die Übertretung seines Moralgesetzes fortwährend in dieser Welt von den Sündern verspottet und verlacht, aber das hat sein schreckliches Ende im nahen Endgericht. Die sprichwörtliche Wendung vom Säen und Ernten, ursprünglich eine Metapher aus dem bäuerlichen Leben, wird nun übertragen auf die Stellung des Menschen zum Moralgesetz Gottes: Was der Mensch sät, d. h. ob und wie er das Gesetz Gottes hält oder übertritt, wie zahlreich und groß seine Verdienste oder Sünden sind, das wird er ernten, und zwar in der Ernte des Weltgerichtes (Joel 4,13; 14,15). Das Leben des Menschen in diesem Aeon ist immer Saatzeit, erst die

Parusie am Beginn des neuen Aeon wird die Ernte bringen. Allerdings kommt alles darauf an, welche Samenart man ausstreut; denn der Mensch kann zwei grundsätzlich verschiedene Samenarten ausstreuen. Dann wird er nach dem Grundgesetz von Saat und Ernte naturnotwendig Lohn oder Strafe, ewiges Leben oder ewigen Tod für sein eigenes Tun bei der Parusie ernten (vgl. nur Spr.22,8; Hi. 4,8; 10,12; Hos.8,7; Test.Lev. 13,6). Aufgrund der jüdisch vorausgesetzten Willensfreiheit gibt Gott dem Menschen die Freiheit, sein Moralgesetz zu erfüllen, und lässt ihn damit sein ewiges Geschick selbst besorgen. Gott kennt nach der hellenistischen Kirche ebenfalls nur das Gesetz von Saat und Ernte, d.h. das unabänderliche Gesetz der Vergeltung für gute oder schlechte Taten.
In Vers 8 wechselt nun das Bild: Statt zwei unterschiedlicher Samenarten, die man säen kann, werden nun zwei gegensätzliche Felder bzw. Bodenarten unterschieden, auf die man den Samen streut. Damit aber wird dieser naturkundliche Grundsatz auf die bekannte, theologische Antithese von Fleisch und Geist angewandt. Allerdings ist es falsch, diese Antithese paulinisch und d.h. dualistisch von Gal.5,16ff her interpretieren zu wollen. Vielmehr wird dieser traditionelle Gegensatz Fleisch-Geist in der vorpaulinischen Tradition der hellenistischen Kirche gerade im ethischen Sinne der traditionellen Zwei-Wege-Lehre umschrieben. Wer auf sein Fleisch sät, d.h. das göttliche Moralgesetz übertritt, wird vom Fleisch Verwesung, d.h. ewigen Tod ernten, wer dagegen auf den Geist sät, wird vom Geist, also von Gott selber beim Endgericht das ewige Leben ernten. Denn nach dem Grundsatz der Vergeltung sind ewiges Leben bzw. ewiger Tod nichts anderes als Lohn oder Strafe für gute oder böse Werke, wobei nicht vergessen werden darf, daß die Gnade in diesem Zusammenhang nur die Funktion hat, auf den Heilsweg des Gesetzes zu führen.
Deshalb taucht in dieser vorpaulinischen Gesetzeskatechese auch ganz unpaulinisch die typisch jüdische Verdienstlehre auf: «Gutes zu tun lasst uns nicht müde werden. Denn zur rechten Zeit werden wir ernten, wenn wir nicht ermatten» (Vers. 9). Die Ernte wird durch die jeweilige Art Saat «naturnotwendig» vorbereitet, unbildlich gesprochen: Ist Ergebnis des eigenen moralischen Tuns im Sinne eines unentrinnbaren Geschicks. Natürlich geht das nicht ohne die Hilfe des Heiligen Geistes, aber diese wird dann im klassisch-jüdischen Sinne zum heilsnotwendigen Instrument der Gesetzeserfüllung. Derjenige, der das Gute im ethischen Sinne, d.h. das Moralgesetz, tut, wird in der kommenden Welt ernten, d.h. belohnt werden, aber er wird das ewige Leben als Lohn für seinen Gesetzesgehorsam nur dann von Gott erhalten, wenn er nicht vor der Zeit müde wird. Dahinter steht die traditionelle Metapher vom unermüdlichen Ringen bzw. Wettkampf des Frommen in der Arena der Tugend, dem der Christ sich lebenslang zu unterziehen hat. Nur wer in ständigem Kampf und mit unermüdlicher Anstrengung Zeit seines Lebens das Moralgesetz zu erfüllen bereit ist, kann im Jüngsten Gericht mit dem Lohn des ewigen Lebens

rechnen! Deshalb zieht 6,10 die abschließende Konsequenz: «Darum laßt uns, so lange wir noch Zeit haben, allen Gutes tun, am meisten aber den Hausgenossen des Christentums». Aus der Gewißheit des künftigen Lohnes leitet die vorpaulinische Tradition nun nochmals und definitiv die Aufforderung zum Tun des sittlich Guten ab. Weil das ewige Leben nur dem Gesetzestäter verheissen ist, muß die den Christen von Gott bis zur Parusie noch gnädig gewährte Frist allein für gute Werke genützt werden, und zwar allen Menschen gegenüber (so schon 1.Thess.5,15 und Röm.12,14.17ff).

Eindeutig beweisen alle diese drei ethischen Formulare, daß, wie schon Jesus und die nachösterlichen Jesusgemeinden, so auch die hellenistische Kirche die Feindesliebe kannte und praktizierte. Vor allem aber gilt diese Mahnung den Christen. Sie werden hier ganz unpaulinisch als die zum Hause Gottes Gehörigen genannt, wobei Glaube schon mit Christentum gleichzusetzen ist.

Die letzte große Mahnrede begegnet uns in *Röm.12,9–21*. Auch hier hat Paulus auf eine hellenistisch-judenchristliche Tradition zurückgegriffen. Dafür sprechen die folgenden Beobachtungen: das imperativische Verständnis der Partizipien vor allem in den Versen 9–13 lässt grundsätzlich darauf schließen, daß diese vorpaulinische Unterweisung auf einer aramäischen Textbasis beruht. Außerdem liegen nicht nur in 9b und 21 Anspielungen auf die bekannte jüdische Lehre von den beiden Wegen vor, sondern das gesamte ethische Formular ist ohne diese traditionelle Voraussetzung gar nicht verständlich. Schließlich weist diese Spruchreihe neben allgemeinen Mahnungen Reminiszenzen an Jesusworte und alttestamentliche Zitate auf. Allerdings werden diese Herrenworte im Unterschied zu den synoptischen Evangelien nicht als solche kenntlich gemacht, sondern einfach in die katechetische Überlieferung und Sammlung integriert und so ohne Unterschied mit den übrigen Mahnungen auf eine Stufe gestellt. Solche Erinnerungen an Jesusworte liegen in Vers 14 (=Mt.5,44 parr.), Vers 19 (=Mt.5,39ff parr.) und Vers 21 (=Mt.5,38ff parr.) vor.

Zugleich wird die griechische Übersetzung des Alten Testaments, die Septuaginta, des öfteren zitiert: Vers 16 = Spr. 3,7; Vers 17 = Spr. 3,4; Vers 15 = 5.Mos.32,25; Vers 20 = Spr. 25,11. Inhaltlich beurteilt bringt dieses traditionelle Formular Mahnungen, wie sie vor allem für Juden (aber auch Heiden) in Geltung standen. Der Form nach ist diese hellenistisch-judenchristliche Tradition als ethische bzw. moralgesetzliche Spruchreihe zu bestimmen, die in der Unterweisung für Christen ihren Sitz im Leben hatte. Wie in allen anderen, schon besprochenen, ethischen Formularen enthält auch die vorliegende Spruchreihe ohne strenge Logik aneinandergereihte Mahnungen, die nur mit Hilfe von Stichworten und Assoziationen verbunden sind. Trotzdem fehlt nicht ein gemeinsamer Nenner. Die ethische Überlieferung wird nicht zufällig eröffnet durch das

Stichwort der Liebe, das auch Mitte (=Vers 17) und Ende (=21) bestimmt und auch in allen übrigen Mahnungen immer wieder in den Blick kommt.
Vers 9a (=«Die Liebe sei ungeheuchelt») ist darum als Überschrift, Leitmotiv und Generalthema für die folgenden Verse anzusehen. Da aber alle Mahnungen ihr Zentrum in der Liebesforderung haben, bilden sie durchaus ein geschlossenes Ganzes. Was folgt (=9b–21) ist nichts anderes als eine katechetische Entfaltung und exemplarische Interpretation des Liebesgebotes auf dem Hintergrund der jüdischen Zwei-Wege-Lehre. Schon ein kurzer Überblick macht dieses deutlich. Auf die thematische Überschrift in Vers 9a folgt in Vers 9b deren Interpretation und Definition im alttestamentlich-jüdischen Sinne: Die Liebe ist Erfüllung und nicht Übertretung des Moralgesetzes. Die Verse 10–13 entfalten eine einheitliche Thematradition, worin die Liebe als Bruderliebe und Fremdenliebe (=Gastfreundschaft) entfaltet wird. Die Verse 14.17–21 schließlich fordern die Nächstenliebe als Liebe zu allen Menschen und als Höhepunkt wie Abschluß die Feindesliebe (=Vers 20).
Trotz der aufweisbaren, lockeren Aneinanderreihung von Einzelmahnungen, kann man keineswegs urteilen, daß von einer einheitlichen, ethischen Thematik keine Rede sein kann. Das Gegenteil ist vielmehr richtig: Röm.12,9–21 ist ein ethisches Formular, das den Christen in der Liebe als der Summe und Erfüllung des Moralgesetzes unterweist, wobei nacheinander zwischen Bruder-, Fremden-, Nächsten- und Feindesliebe unterschieden wird. Röm.12,9–21 erweist sich deshalb trotz aller formalen, stilistischen und vor allem inhaltlichen Unterschiede mit der ethisch-religiösen Lehrrede von 1.Kor.12,31–13,13 aufs engste verwandt. In beiden ethischen Überlieferungen der hellenistischen Kirche wird die Liebe als Summe und Erfüllung des mosaischen Moralgesetzes unverwechselbar herausgestellt und unübertrefflich charakterisiert.
Alle Taten der Christen nämlich werden von diesem ethischen Formular als Verhaltensweisen der Liebe bestimmt, sie ist ihr alleiniges Kriterium. Es geht um nichts anderes als um Werke der Liebe. Die Liebe selbst als Summe des Gesetzes (=Röm.13,8–10) ist das eigentliche Gesetzeswerk, die verdienstliche Leistung bzw. die höchste Tugend. In dieser theologischen Wertung der Liebe als Verdienst zeigt sich die Herkunft des vorpaulinischen Katalogs aus der hellenistisch-judenchristlichen Kirche vor und neben Paulus. Das ethische Formular in Röm.12,9–21 ist deshalb im Grunde nichts anderes als die beispielhafte Auslegung des mosaischen Moralgesetzes. Das Kultgesetz dagegen ist stillschweigend ausgeschlossen. Nicht zu Unrecht hat man deshalb seit der altkatholischen Kirche bis in die Gegenwart in dem vorliegenden Formular eine Sammlung von Lebensregeln und Tugenden für die christliche Gemeinde gesehen. Auch Röm.12,9–21 hat also keine aktuelle, sondern usuelle, d.h. allgemeine Bedeutung. Nicht die römische Gemeinde allein wird ermahnt, sondern in

und mit der Gemeinde zu Rom die Kirche aller Zeiten. Zudem werden keineswegs alle möglichen Situationen und ihre christliche Reaktion darauf angesprochen, sondern nur bestimmte Beispiele in den Blick gefasst. Daraus folgt schließlich, daß sich in dieser ethischen Unterweisung keine scharfe Gliederung vornehmen lässt. Höchstens kann man sagen, daß die Verse 9–16 (abgesehen freilich von Vers 14) vor allem auf das Leben in der Gemeinde, die Verse 14 und 17–21 hingegen auf das Verhältnis zu den Ungläubigen zu beziehen sind. Deshalb kann auch dieses vorpaulinische Formular wie die übrigen Formulare nicht von der Theologie des Paulus, sondern sachgemäß nur von der Theologie und Ethik der hellenistischen Kirche her ausgelegt werden.

Zum einzelnen: Die Überschrift «Die Liebe sei ungeheuchelt» (in Vers 9a) fordert die absolute und ungeteilte Sachlichkeit wie Unbedingtheit ihrer Hingabe heraus. Daß sie mehr ist als Gefühl, beweist zugleich ihre präzise Auslegung und Festlegung im alttestamentlich-jüdischen Verständnis. Die Liebe als Summe und Erfüllung des Gesetzes erweist sich nur dann als kein Schauspiel, wenn die Christen das Böse verabscheuen und dem Guten anhängen (Vers 9b), d.h. das Moralgesetz nicht übertreten, sondern es mit ganzer Leidenschaft tun (vgl. Test.Benj.8,1; Dan.6,10; Gad.5,2 u.a.). Die folgende Versgruppe 10–13 bildet formal wie inhaltlich eine Einheit und ist kunstvoll gestaltet. So enthalten die Verse 10 und 13 formal jeweils Zweizeiler, die Verse 11–12 dagegen Dreizeiler, während inhaltlich die ganze Versgruppe von der Bruderliebe Vers 10 und der Fremdenliebe (= Gastfreundschaft) Vers 13 umschlossen wird. Die Liebe, jetzt zugespitzt auf die Bruderliebe, soll herzlich sein und das andere Gemeindeglied höher einschätzen als das eigene Selbst (=Vers 10). Der nächste Dreizeiler (Vers 11) fordert den unablässigen Eifer, den brennenden Geist und den jederzeit bereiten Dienst. Nach Vers 12 sollen die Christen sich der eschatologischen Zukunft freuen, den Anfechtungen standhalten und unaufhörlich beten. Vers 13 schließt diese erste Ermahnungsreihe mit dem Gebot, Notleidende zu unterstützen und Gastfreundschaft zu üben, ab. Inhaltlich gehören auch die Verse 15 und 16 hierher: die Gemeinde wird wiederum zur Bruderliebe ermahnt, wenn sie mit den Fröhlichen sich freuen, mit den Trauernden klagen und eines Sinnes sein soll. Ihr Ort hat immer an der Seite der Niedrigen zu sein, auf gar keinen Fall sollen sie sich selbst für weise halten.

Die folgende Spruchgruppe 17–21, wozu auch Vers 14 gehört, bildet eine geschlossene thematische Einheit, weil nun die Liebe von 9a mit der Nächsten- und schließlich mit der Feindesliebe gleichgesetzt wird. Die Christen sollen ihre Verfolger segnen und nicht fluchen (Vers 14). Allen Menschen sollen sie Gutes tun und mit allen Geschöpfen Frieden halten, allerdings mit der doppelten Einschränkung: «Soweit es möglich ist» und «Was euch anbelangt» (Vers 17f). Ausdrücklich wird die Vergeltung bzw. Rache verboten und durch den Verweis auf 5.Mos.32,25 eingeschärft.

Das Gebot der Feindesliebe wird nicht durch das bekannte Jesuswort aus Mt.5,44a par. begründet, sondern mit dem Zitat von Spr. 25,21. Wer seinen hungrigen und dürstenden Feind speist und tränkt, häuft feurige Kohlen auf sein Haupt. Wahrscheinlich geht dieser Vers auf einen ägyptischen Bußritus zurück und umschreibt die erzwungene Sinnesänderung. Vers 21 schließlich weist auf Vers 17a und 1 zurück und bringt dieses ethische Formular zum Abschluß. Nur die Liebe überwindet das Böse durch das Tun des Guten, d.h. durch das Halten des Moralgesetzes.
Zusammenfassend ergibt sich: Das auf die hellenistische Kirche zurückgehende Formular Röm.12,9–21 stellt die moralgesetzliche Entfaltung der Liebesforderung dar: Ungeheuchelte Liebe heißt beispielhaft die Brüder, Fremden, Menschen und sogar die Feinde lieben!
c) Das *Mahnwort vom vernünftigen Gottesdienst (Röm.12,1f)*. Auch in Röm.12,1f hat Paulus auf eine Tradition der hellenistischen Kirche zurückgegriffen. Natürlich liegt kein eigentliches Zitat vor, sondern der Apostel hat in einem nicht mehr sicher zu bestimmenden Maß an traditionelle Stichworte und formelhafte Sprache der Gemeindeparänese angeknüpft. Darüber hinaus hat Paulus unter Aufnahme von Röm.6,13.16 und 19 das Darbringen des Gott wohlgefälligen Opfers als Hingabe der Leiber neu interpretiert. Dieses im übrigen vorpaulinische Mahnwort der hellenistischen Kirche stellt in inhaltlicher Hinsicht eine überaus geschlossene Einheit dar. Das heißt aber, für die Auslegung und Erfassung dieses vorpaulinischen Mahnwortes kann nicht die paulinische Theologie und Ethik, sondern allein die der hellenistischen Kirche in Betracht kommen. Wie die Parallelen in 1.Petr.2,5; Tit.3,5; Kol.3,10; Eph.4,23; 5,10 u.a. beweisen, dürfte dieses vorpaulinische Mahnwort in der Taufunterweisung der Christen verwendet worden sein. Typisch für den Inhalt dieses Mahnwortes an Getaufte ist nun aber, daß die seit Christi Tod und Auferstehung entscheidenden Kategorien des mosaischen Kultgesetzes auf die moralgesetzliche Ebene übertragen, also vergeistigt, werden.
So werden die Getauften von der hellenistischen Kirche eindringlich ermahnt, «ein lebendiges, heiliges und Gott wohlgefälliges Opfer darzubringen». Die traditionelle Wendung «ein Opfer darbringen» aus der griechischen Opfersprache wird durch die drei Prädikate im alttestamentlich-jüdischen Sinne verstärkt: Das Gott dargebrachte Opfer mußte den alttestamentlich-levitischen Bestimmungen des Kultgesetzes genau entsprechen, wenn es von Gott angenommen werden sollte. Diese Opferdarbringung wird nun – und damit kommen wir zum Leitmotiv des Mahnwortes – als «vernünftiger Gottesdienst» bezeichnet. Diese religionsgeschichtlich und theologisch hochbedeutsame wie befrachtete Formel hat ihren Ort in der stoisch-popularphilosophischen Kritik des antiken Opferwesens. Nicht blutige Tieropfer, sondern allein sittliche Opfer und Leistungen entsprechen dem Wesen des göttlichen Logos. Der stoisch motivierte Weltbürger allein begeht den vernünftigen, d.h. den dem göttlichen

Logos entsprechenden Gottesdienst, wenn er in all seinem Denken, Wollen und Handeln moralisch mit Gott übereinstimmt.
Das hellenistische Judentum (vor allem Philo) hat diese stoisch-popularphilosophischen Motive verarbeitet, so daß erneut vom sittlichen Handeln als lebendigem Opfer gesprochen wird (z. B. Sib.8,408).
Alle diese traditionell kultgesetzlichen Spezialbegriffe werden nun aber in Vers 2 auf die moralgesetzliche Ebene übertragen, d. h. vergeistigt und konkret moralisiert: Das wahre Opfer ist allein die Erfüllung des Moralgesetzes. Und der vernünftigte Gottesdienst wird dann von den Getauften begangen, wenn sie sich nicht dieser Weltzeit gleichstellen, sondern sich ethisch verwandeln durch die Erneuerung der Vernunft, «damit ihr prüfen könnt, was Gottes Wille ist, das Gute und Wohlgefällige und Vollkommene» (Vers 2). Das wohlgefällige Opfer als der vernünftige Gottesdienst wird dann dargebracht, wenn der Getaufte sich nicht dieser Weltzeit anpasst, sondern sich in seiner praktischen Vernunft von dem in der Taufe empfangenen Geist so beherrscht und erneuern lässt, daß er so als moralisch Verwandelter in Zukunft den Willen Gottes ständig prüft und als die Norm seiner Lebensführung anerkennt. Das Gute, Wohlgefällige und Vollkommene umschreibt das Verbindliche des Moralgesetzes im weitesten Sinne des Wortes.
Vers 2 wechselt also von der buchstäblich-rituellen auf die übertragenethische Ebene. Das wahre, allein Gott wohlgefällige Opfer wird nicht mehr im Tempel gemäß den kultgesetzlichen Bestimmungen dargebracht, sondern im Alltag der Welt aufgrund des Haltens des Moralgesetzes. Und der vernünftige Gottesdienst tritt im seit dem Christusereignis bereits angebrochenen neuen Aeon an die Stelle von heiligen Riten und Opfern des Kultgesetzes. Damit wird von der hellenistischen Kirche geradezu eine neue Gesetzesbestimmung von wahrem und falschem Opfer, von vernünftigem und unvernünftigem Gottesdienst festgesetzt. Nur die Erfüllung des Moral-, nicht mehr des Kultgesetzes ist gleichbedeutend mit dem Darbringen des lebendigen, heiligen und Gott wohlgefälligen Opfers, dem wahren Gottesdienst, nicht aber mehr das Darbringen von Tier-, Trank- und Speiseopfern aufgrund des Kultgesetzes. Die Art des Opfers muß dem Willen und Wesen Gottes entsprechen. Aber trotz aller Kritik der rituellen Opfergebote – nur der Täter des Moralgesetzes ist der wahrhaft Opfernde, der Übertreter desselben dagegen bringt Gott kein wohlgefälliges Opfer dar – bleibt das Herzstück des mosaischen Kultgesetzes auch im neuen Aeon bestehen; es gibt Gott wohlgefällige und nicht wohlgefällige Opfer, allerdings jetzt ausschließlich auf der Ebene des Moralgesetzes. Die entscheidenden Kategorien des kultgesetzlichen Denkens werden von der hellenistischen Kirche keineswegs aufgegeben: es gibt Opfer, die Gott wohlgefällig und solche, die Gott nicht wohlgefällig sind. Lediglich der kultgesetzliche Grundsatz des Alten Testaments und des Judentums wird verabschiedet! Für die hellenistische Kirche sind

lebendige, heilige und Gott wohlgefällige Opfer identisch mit der Erfüllung des mosaischen Moral- und nicht des Kultgesetzes, während Gott nicht wohlgefällige Opfer dementsprechend in der Übertretung der sittlichen Gebote bestehen. Das Halten des Moralgesetzes als das Tun des Willens Gottes ist das Gott allein wohlgefällige Opfer und damit heilsnotwendig. Denn wie in der alten Weltzeit neben dem moralischen vor allem das kultische Opfer Heilsbedeutung hatte, so führt in der seit Christi Tod und Auferstehung angebrochenen neuen Weltzeit bis zur Parusie nur noch das moralische Opfer zu Gott. Der in Christus schon angebrochene neue Aeon und das ausschließliche Erfüllen des göttlichen Moralgesetzes gehören für die hellenistische Kirche aufs engste zusammen.
Damit wird der Getaufte wiederum auf den Heilsweg des Gesetzes gestellt. Das Mahnwort von Röm.12,1f ist also im vorpaulinischen Sinne ein Gesetzeswort: Nur das Moral- ohne das Kultgesetz ist die alleinige Norm der christlichen Lebensführung.
d) *Die Zusammenfassung des Moralgesetzes im Liebesgebot.* Nach *Röm.13,8–10* (ähnlich Gal.5,14) – eine judenchristliche Tradition der hellenistischen Kirche – ist die Liebe Summe und Erfüllung des ganzen Mosegesetzes. Diesen Versen liegt eine in sich geschlossene kategorische Lehrunterweisung über die Liebe zugrunde. Diese Gesetzesbelehrung im Stil des Mahnwortes ist logisch und folgerichtig aufgebaut: Vers 8 beginnt mit einem Imperativ und einem Lehrsatz als Begründung. Vers 9 enthält die eigentliche Gesetzesbelehrung über 5.Mos.5,17–21 und 3.Mos.19,18. Vers 10a zieht die Konsequenz, während 10b zum Anfang zurückkehrt und abschließt.
Vorstellung und Hintergrund dieser ermahnenden Gesetzesbelehrung sind jüdisch. Daß die Liebe die Summe und das große Prinzip der Tora sind, wird schon seit Rabbi Hillel (ca. 20 v.Chr.–15 n.Chr.) in der pharisäisch geführten Synagoge vertreten. Die aus der Mathematik stammende Wendung «Zusammenfassend» beantwortet die typisch rabbinische Frage, auf welchen Generalnenner die zahllosen Gebote des Mosegesetzes gebracht werden können. «Das Gesetz erfüllen» entspricht der jüdischen Wortwendung, das Mosegesetz vollständig durch die Tat erfüllen. Die Aufzählung der Gebote (=Vers 9) nach der zweiten Tafel des Dekalogs entspringt der Gewohnheit des hellenistischen Diasporajudentums. Wenn dann aber schließlich pauschal von der Gesetzeserfüllung gesprochen wird, faktisch aber nur das Moralgesetz unter Ausschluß des Kultgesetzes gemeint ist, dann bewegen wir uns im hellenistischen Judenchristentum. So ist es mehr als wahrscheinlich, daß ein uns unbekannter theologisch-judenchristlicher Lehrer der hellenistischen Kirche diese ungemein prägnante Gesetzesbelehrung für die Katechese geschaffen hat.
Vers 8a beginnt mit einem ethischen Imperativ. Der Christ darf sich in nichts seinen Verpflichtungen entziehen, nur die Verpflichtung zur umfassenden, unbegrenzten und unabtragbaren Liebe muß bleiben. Begründet

wird diese Mahnung mit einem Lehrsatz (Vers 8b): Die Nächstenliebe ist die Erfüllung des ganzen Gesetzes. Jedes Gebot der Tora wird zusammengefasst im Liebesgebot (Vers 9). «Die Liebe tut dem Nächsten nichts Böses. So ist die Liebe die Erfüllung des Gesetzes» (Vers 10). Kein Zweifel, daß für diese Kreise der hellenistischen Kirche, die diese Tradition geschaffen haben, nur noch das sittliche Gesetz des Alten Testaments verbindlich war. Theologisch-sachlich heißt dies: Die Liebe, die als Sinn, Summe und Erfüllung der Tora ausdrücklich vom Gesetz gefordert wird (3.Mose.19,18), ist ein Gesetzeswerk, ja das Gesetzeswerk schlechthin. Die Liebe steht also nach Röm.13,8–10 im Horizont von Verdienst, Leistung und apokalyptischem Lohn; in keiner Weise geht es um eine Polemik gegen das Gesetz als Heilsweg und die Liebe als größtes Gesetzeswerk.

Keineswegs zufällig steht die Liebe im traditionellen, vorpaulinischen Tugendkatalog von *Gal.5,22* an der Spitze aller anderen Tugenden. Die Tugenden als moralische, nicht kultische Leistungen aber wurden schon im hellenistischen Judentum als Bekundung des Gehorsams gegenüber dem Moralgesetz verstanden und bringen Verdienst und Ruhm im apokalyptischen Endgericht. Wenn in diesem Tugendkatalog nun die Liebe an die erste Stelle tritt, dann wird sie – wie auch in 1.Kor.13 – als die höchste Tugend bzw. als das größte Gesetzeswerk eingestuft, die die übrigen Tugenden nicht nur überragt, sondern sie auch erst zur Vollendung bringt. Im übrigen beweist schon die bloße Übernahme von traditionellen Tugendkatalogen, daß die hellenistische Kirche das Mosegesetz in bestimmter Hinsicht auf das Moralgesetz reduziert hat.

Von ganz besonderer Bedeutung ist das *«Hohelied der Liebe» in 1.Kor.12,31b–13,13.* 1.Kor.13 hebt sich deutlich wegen seiner inhaltlichen und formalen Geschlossenheit wie Einheitlichkeit von den übrigen Kapiteln des 1.Korintherbriefes ab und hat kein Gegenstück in allen andern Paulusbriefen. Daß auch in diesem Text – wobei 12,31a als Abschluß zu Kapitel 12 gehört – mit vorpaulinischer, hellenistisch-judenchristlicher Tradition zu rechnen ist, dafür sprechen eine ganze Reihe von Beobachtungen und bisherigen Forschungsergebnissen. Neben der Häufung von Worten, die nur hier in den Paulusbriefen bzw. im Neuen Testament vorkommen, fallen die theologische Neutralität, die Absolutheit der «Liebe» sowie die völlige Abwesenheit jeglicher spezifisch christlicher Sprachtradition auf. Es fehlt nicht nur jegliche Christologie, sondern ebenso jede Aussage über den Heiligen Geist und über Gott, vom Fehlen der urchristlichen Verkündigungssprache ganz abgesehen. Auch die in den Versen 1–3 und 8f aufgezählten Begabungen haben weder etwas gemeinsam mit den paulinischen Charismen (=Wirkungen der Gnadenmacht: 1.Kor.12,4–11.28ff) noch mit den ursprünglich gnostischen «pneumatika» (=Geistesgaben: 12,1) der korinthischen Enthusiasten. Vielmehr stoßen wir auf eine verschiedenste religiöse Traditionen vermi-

schende Sprachtradition mit vorwiegend ethischen Inhalten auf der Grundlage eines hellenistischen Judentums. Symptomatisch ist bereits die Überschrift 12,31b: «Und ich zeige euch den allerhöchsten Weg». Dieser «ausgezeichnetste Weg» aber geht auf die traditionell jüdische Zwei-Wege-Lehre zurück und bezeichnet ethisch die Liebe als den Heilsweg, d.h. den alleinigen Zugang zu Gott und zur endzeitlichen Rettung des Frommen. Der allerhöchste Weg ist also traditionelle Umschreibung für eine Tugend (Philo Imm.142f.180), im vorliegenden Text für die Tugend der Liebe, die in abschließender und ausschließlicher Weise Heilsbedeutung hat. Der moralgesetzliche Spezialbegriff «Weg» als Zugang zu Gott als Heilsweg wird nun aber formelhaft mit «zeigen», d.h. lehren, verbunden; diese Lehrrede über die höchste Tugend «zeigt» im folgenden den Heilsweg schlechthin auf. Dieser Redetypus hat seine nächsten Sachparallelen im hellenistischen Judentum (4.Makk.1f und Test. Job26f).
Schon diese formelhafte Lehreröffnung und Überschrift 12,31b beweist, daß wir der Form nach in 1.Kor.13 eine ethische Lehrrede über die allerhöchste Tugend der Liebe als alleinigen Heilsweg und Heilsgrund vor uns haben, die ohne Parallele in den übrigen Paulusbriefen ist.
Die religionsgeschichtlichen Parallelen zu 1.Kor.13 reichen indes noch viel weiter: Die traditionell vorchristliche Frage nach der höchsten Tugend, welche die übrigen Tugenden nicht nur überragt, sondern sie erst zur Vollendung bringt, wurde in der Antike verschieden beantwortet, nämlich mit dem Hinweis auf die Tapferkeit (Tyrtäus), auf den Eros (Plato), die Wahrheit (3.Esr.4), die Weisheit (Sap.Sal.7) und die Rechtschaffenheit (Sir.24).
Nach unserer literarisch konzipierten Lehrrede in 1.Kor.13 ist die Liebe der höchste Weg, nämlich der Heilsweg schlechthin. Ohne sie gibt es kein Heil für den Menschen! Diese Liebe ist ein vorpaulinischer und vorchristlicher Begriff, der in der hellenistisch-stoischen wie alttestamentlich-jüdischen Tradition verwurzelt ist. Die direkte Ableitung führt auf den Boden des griechischen Alten Testaments und der Diasporasynagoge. Zwei Bedeutungen sind festzuhalten: In der heidnischen antiken Ethik ist die Liebe eine Tugend, während im Judentum die Nächsten- und Bruderliebe als gesetzerfüllendes, verdienstliches Werk verstanden wird. Dementsprechend ist die Liebe nach 1.Kor.13,1.23 eine Eigenschaft, die man «hat» und als Grundeigenschaft allein Wert verleiht. Ohne diese natürliche und übernatürliche Leistung des Menschen gibt es keinen Lohn und Verdienst (13,2 und 3).
Die übernatürlichen und natürlichen Begabungen werden dann ganz unpaulinisch als Fähigkeiten des religiösen Individuums verstanden (Vers 1–3). Während für Paulus solche Begabungen allein der Erbauung der christlichen Gemeinde dienen und keinen Verdienstcharakter tragen, erscheinen sie in dieser vorpaulinischen Tradition als im endzeitlichen Gericht vorweisbare Werke (Vers 1–3). Die Hauptsatzreihe in Vers 4–7

formuliert das Material der Tugend- und Lasterkataloge in Tätigkeitsworten, so daß alle Tugenden bzw. negierten Laster zu ethischen Verhaltensweisen der Liebe werden. Im Gegensatz zu Paulus steht die Liebe in ihrer Heilsbedeutung für den Menschen über dem Glauben (so schon Vers 2), so daß in Vers 7 der Glaube gar als ethische Verhaltensweise der Liebe erscheint. Die apokalyptischen Aussagen in Vers 8–13 schließlich werden in philosophische Begrifflichkeit umgesetzt (Vers 10 und 12). Die Gegenüberstellung von Kind und Mann (Vers 11f) ist ein bekanntes Thema im Griechentum, das Bildwort vom Spiegel (=Vers 12) war in der Antike äußerst beliebt und die Trias Glaube – Liebe – Hoffnung (=Vers 13) findet sich auch schon in 1.Thess.1,3 und 5,8. Die Aussage «wie auch ich erkannt worden bin» in Vers 12 bringt antienthusiastisch den jüdischen Gedanken der Gnadenwahl ins Spiel und das Bleiben von Glaube und Hoffnung in der kommenden Weltzeit (=Vers 13) widerspricht 2.Kor.5,7 und Röm.8,24f.

Zusammengefaßt heißt das: In 1.Kor.12,31b–13,13 liegt deutlich eine vorpaulinische und vorchristliche Tradition des hellenistischen Judentums vor, die unter interpretierender Vermittlung der hellenistischen Kirche auf Paulus gekommen ist. 1.Kor.13 ist eine kunstvoll aufgebaute und theologisch bis ins kleinste durchreflektierte Lehrrede eines uns dem Namen nach unbekannten ethisch-theologischen Lehrers innerhalb der hellenistischen Kirche. Da aber die Liebe Summe und Erfüllung des ganzen Mosegesetzes ist, stellt 1.Kor.13 im Grunde eine beispielhaft-katechetische Entfaltung des allumfassenden Mosegesetzes als einzigem Heilsmittler dar. Die paulinische Interpretation zeigt sich ausschließlich im Rahmen (1.Kor.12,31a und 14,1), und natürlich in der Kapitelfolge von 12–14, zu weiteren theologischen Korrekturen sah sich der Apostel nicht genötigt. Die nachfolgende Auslegung wird zeigen, daß in 1.Kor.13 eine moralgesetzliche Lehrrede über die Liebe als dem einzigen Heilsweg vorliegt, die deutlich in drei Abschnitte gegliedert ist (1–3.4–7.8–13).

Im ersten Abschnitt (1–3) werden die höchsten Möglichkeiten des religiösen Menschen aufgezählt: Die Eigenschaft und Fähigkeit, Menschen- und Engelsprachen zu beherrschen ist ohne die Liebe nichts anderes als ein tönender Gong und ein lärmendes Handbecken. Auch die Begabung von Prophetie, Mysterienwissen, Gnosis und Wunderglauben sind ohne die Liebe nichts. Selbst die größten Opfer, der Verkauf des ganzen Besitzes und das Feuermartyrium, nützen ohne die Liebe nichts, d.h. sie haben keinen Lohn und Verdienst im apokalyptischen Endgericht Gottes. Dabei geht es ursprünglich nicht um weltliche, d.h. philosophische, sportliche, geschäftliche u.s.w., sondern um streng religiös motivierte Eigenschaften und Fähigkeiten, eben Begabungen des religiösen Individuums, genauer des jüdischen Gesetzesfrommen wie des tugendsamen Heiden. Ohne den Geist Gottes, seine Gnade, sind diese höchsten natürlichen wie übernatürlichen Begabungen des Frommen nicht möglich. Trotzdem sind diese

Begabungen für den Einzelnen Grund zum Rühmen, denn sie haben Nutzen im apokalyptischen Endgericht, bringen Verdienst und Lohn, haben also Heilsbedeutung. Demgegenüber wird nun kritisch dreimal refrainartig die Liebe ins Feld geführt: Ohne die Liebe als die größte Fähigkeit und Eigenschaft des frommen Menschen haben alle anderen keinen eschatologischen Nutzen. Die Liebe als die höchste Tugend bzw. das größte Gesetzeswerk überragt nicht nur alle anderen Höchstleistungen und Eigenschaften, sondern bringt allein erst eschatologischen Nutzen am Jüngsten Tag. Die Liebe als Summe und Erfüllung des Moralgesetzes hat allein Heilsbedeutung und ist die einzig heilbringende Beziehung zu Gott, alle anderen Eigenschaften, Fähigkeiten wie Leistungen dagegen können nicht die Rettung im Endgericht bewirken. Ganz unpaulinisch, aber typisch jüdisch und judenchristlich wird die Liebe als höchste Tugend in den ausschließlichen Gegensatz zu den höchsten Möglichkeiten des Frommen gestellt, weil nur sie Heil und Rettung am apokalyptischen Gerichtstag Gottes bewirkt, nur sie «nützt»!
Im formgeschichtlich selbständigen Abschnitt (V.4–7) ist die Liebe alleiniges Subjekt und wird von ihr personifizierend mit fünfzehn Verben gesprochen. Die Gliederung der einfach aneinandergereihten Verhaltensweisen der Liebe ist nicht logisch, sondern rhetorisch. Höhepunkt und Abschluß ist die vierfache Wiederholung des «alles» in V.7, womit die alles umfassende Macht der Liebe prägnant zum Ausdruck gebracht wird. Der alttestamentlich-jüdische Hintergrund ist bekannt, vor allem das Formschema der V.4–7 hat seine nächste Sachparallele im Testamentum Issachar Kap. 4. Es kann nun aber nicht übersehen werden, daß das Wesen und Walten der Liebe durch die betonte Substantivreihe der Tugend- und Lasterkataloge aus dem hellenistischen Judentum beschrieben wird, die in 1.Kor.13,4–7 allerdings in Verbformen umgesetzt und der personifizierten Liebe zu- und untergeordnet werden. Sachlich-theologisch wird damit unüberhörbar betont, daß die Liebe die höchste aller Tugenden ist, die hier als tätig-ethische Verhaltensweisen der Liebe erscheinen ohne selbständige Heilsbedeutung. Sogar der Glaube wird nach V.7 ganz unpaulinisch (wie schon in V.2) zu einer bloß ethischen Verhaltensweise der Liebe.
Auch im letzten Abschnitt (8–13) bleibt die Liebe weiterhin das beherrschende Subjekt, nur wird jetzt ihre Ewigkeit gegenüber allen schon genannten natürlichen und übernatürlichen Leistungen des religiösen Menschen thematisiert, die am Jüngsten Tag vernichtet werden und aufhören. Prophetie, das Reden in Menschen- und Engelssprachen und die Gnosis werden im apokalyptischen Endgericht von Gott vernichtet werden, also für immer aufhören (V.8). Nur die Liebe ist ewig. Alles Erkennen und Prophezeien bleibt Stückwerk. Einmalig aber ist im Neuen Testament die Aussage vom Kommen des Vollkommenen (V.10). Gemeint ist natürlich das Kommen des Menschensohnes bei seiner Parusie, aber diese

ursprünglich apokalyptische Terminologie wird durch philosophierende Ausdrucksweise ersetzt. Mit der traditionellen Gegenüberstellung von Kind und Mann als einem natürlichen Phänomen (V.11) wird der Bruch zwischen zwei zeitlich einander ablösenden Phasen, den Lebensaltern, zum Bild für das Verhältnis von Stückwerk und Vollkommenem. Dem alten Aeon, d.h. dem Lebensalter des Kindes, entsprechen die natürlichen und übernatürlichen Leistungen, eben das Stückwerk, dem neuen Aeon dagegen, dem Lebensalter des Mannes, die Liebe als das Vollkommene. Mit V.12 wird wiederum ein neues, aber in der Antike beliebtes Motiv zur Sprache gebracht: Der Spiegel als indirektes Abbild der Wirklichkeit. Im vorliegenden Zusammenhang wird damit der jetzige Aeon als «Kinderzeit» umschrieben, die erkenntnismäßig nichts anderes als eine rätselhafte Spiegelschau vermag, während erst der neue Aeon als die «Erwachsenenzeit» das Schauen von Angesicht zu Angesicht bringt.
Die drei höchsten Tugenden werden zwar die «Kinderzeit» überdauern und auch in der durch die Parusie eröffneten neuen Weltzeit ewige Bedeutung haben, aber die Liebe ist die größte von ihnen (V.13). Warum? Weil die Liebe als Summe und Erfüllung des Gesetzes zugleich die höchste Tugend und das größte Gesetzeswerk ist, darum kann nur sie allein der einzige Heilsweg sein. Alle anderen Höchstleistungen des Frommen dagegen haben ohne sie überhaupt keine Heilsbedeutung oder werden in der Parusie aufhören, während alle übrigen Tugenden zu ethischen Verhaltensweisen der ewigen Liebe werden.

e) *Die Tugend- und Lasterkataloge.* Auch die zahlreichen Tugend- (Gal.5,22f;2.Kor.6,6) und Lasterkataloge (1.Thess.3,4b–6; Röm. 1,29–31; 13,13; 1.Kor.5,10f; 6,9f; Gal.5,19ff) in den paulinischen Briefen zeigen, daß Ethos weitgehend an die Stelle des Kultus getreten ist. Beispielhaft führen sie eine Reihe von Tugenden an, zu denen ausdrücklich aufgerufen wird, wie Liebe, Güte, Freude, Friede, Langmut, Freundlichkeit, Sanftmut, Enthaltsamkeit u.s.w., während vor Verfehlungen wie Götzendienst, Streitsucht, Unzucht, Ehebruch, Geldgier u.s.w. immer wieder gewarnt wird. Auch wenn zum größten Teil abstrakte Begriffe vorliegen, geht es um ganz konkrete Taten, nämlich um den sittlichen bzw. amoralischen Lebenswandel. Diese Kataloge weisen insgesamt eine festgeprägte Form auf, die allgemein ethische Begriffe ohne christlichen Einfluß enthalten. Ursprünglich in der hellenistisch-römischen Ethik der Popularphilosophie zu Hause, werden im hellenistischen Judentum die Tugenden als Toragebote und entsprechend die Laster als Toraübertretungen in die ethische Unterweisung aufgenommen: Die überlieferten Gebote des alttestamentlichen Moralgesetzes werden nun popularphilosophisch ausgelegt. Lange vor Paulus wurden diese Kataloge in der hellenistischen Kirche dazu verwandt, den Gegensatz von altem, heidnischem Leben und der neuen Existenz nach der Taufe zu charakterisieren. Der Getaufte wird nun darauf verpflichtet, in der Zukunft das Moralgesetz mit

Hilfe der göttlichen Gnade zu tun. Vor und neben Paulus zielen die Tugend- und Lasterkataloge als katechetische Entfaltung des mosaischen Moralgesetzes auf eine richtige oder falsche Leistung, die Gott im Endgericht belohnen oder richten wird. Sie stehen im Horizont des Leistungsschemas der jüdischen Werkgerechtigkeit und umschreiben die Norm, nach der Gott am Jüngsten Tag sein Urteil fällen wird (1.Kor.6,9f). Im göttlichen Endgericht, worin diese Weltzeit an ihr Ende kommt, wird die Leistung des Einzelnen – ob Tugend oder Laster –, also seine Werke darüber entscheiden, ob er von Gott gerechtfertigt oder verdammt wird. Mit anderen Worten: Die Tugend- und Lasterkataloge programmieren in popularphilosophischem Sprachgewand den jüdischen Glauben an den Heilsweg des (Moral-)Gesetzes.

f) *Das Moralgesetz als das Gesetz des Christus.* Der traditionsgeschichtliche Ort von *Gal.6,2* ist das vorpaulinische, ethische Formular von Gal.5,25–6,10. Die christliche Gemeinde wird in V.2a ermahnt, gegenseitig die Lasten zu tragen. Die Deutung von «die Lasten» ergibt sich aus 6,1, wo vom Zurechtbringen eines sündigen Gemeindegliedes die Rede ist. Die Lasten, die man gegenseitig in der Gemeinde geduldig tragen soll, sind also die Schwachheiten und Fehltritte, kurz: die immer neuen Sünden der Christen. Diese Mahnung, wechselseitig die Sünden zu tragen und d.h. zu vergeben, ist nichts anderes als eine andere Formulierung für das Liebesgebot. Darin wird «das Gesetz des Christus» erfüllt. Hinter dieser Formel dürfte die bekannte jüdische Tradition stehen, nach welcher der Messias als Lehrer der Tora diese in der Endzeit neu auslegen wird. Im wahrscheinlich gewollten Gegensatz zum Gesetz des Moses ist mit dem «Gesetz des Christus» das auf das Moralgesetz konzentrierte Mosegesetz gemeint, das mit dem Liebesgebot identisch ist. Aber dieses Liebesgebot in Gal.6,2 wird nicht wie im Formular vom Röm.12,9–21 auf die Bruder-, Fremdlings-, Nächsten- und Feindesliebe bezogen, sondern auf die Liebe zu den Sündern innerhalb der eigenen christlichen Gemeinde. Dieses Gebot der Sünderliebe als das Gesetz des Christus muß von allen Christen erfüllt werden; denn es ist von der hellenistischen Kirche als Heilsweg eschatologisch inkraftgesetzt worden.

3. Die Verschärfung des Moralgesetzes

Anders als in den nachösterlichen Jesusgemeinden wird die pharisäische Auslegung des Mosegesetzes, die sog. pharisäische Tora, von der hellenistischen Kirche in ihren mannigfaltigen Traditionen überhaupt nicht mehr erwähnt. Das ist kein Zufall! Im Hinblick darauf, daß in der hellenistischen Kirche die absolute Bedeutung des mosaischen Kultgesetzes von einem Teil der Gemeindeglieder verneint wurde, dürfte gleichzeitig dem völligen Schweigen über die pharisäische Tora zu entnehmen sein, daß

letztere grundsätzlich verabschiedet worden ist. Aber mit der teilweisen Relativierung des mosaischen Kultgesetzes und d. h. seiner zum Teil faktischen Verabschiedung in der hellenistischen Kirche geht nun gleichzeitig die Verschärfung des mosaischen Moralgesetzes einher. Die hellenistische Kirche folgt hier offensichtlich den nachösterlichen Jesusgemeinden und sogar dem historischen Jesus selbst.
So wird nach *1.Kor.7,10f* jede Ehescheidung – ob sie von der Frau oder dem Mann ausgeht – kategorisch untersagt. Ausdrücklich wird von Paulus dieses absolute Ehescheidungsverbot auf den historischen Jesus zurückgeführt, die allerdings für die Gemeinde aller Zeiten gilt. Allerdings ist dieses absolute Ehescheidungsverbot den hellenistischen Rechtsverhältnissen insofern angepaßt worden, als die Frau vor dem Manne genannt wird und außerdem in den nachösterlichen Jesustraditionen überall nach jüdischem Recht der Mann als der Entlassende gedacht (anders bereits Mk.10,12f) ist.
Außerdem hat die hellenistische Kirche in V.11 die Frage der Ehescheidung kasuistisch geregelt: Falls die Frau aber sich doch scheiden läßt, soll sie unverheiratet bleiben oder sich mit ihrem Manne wieder versöhnen. Auf jeden Fall gibt es für die hellenistische Kirche im Gegensatz zum Alten Testament und Judentum keine Ehescheidung, somit wird also das Moralgesetz eindeutig verschärft.
Darüber hinaus fordert die hellenistische Kirche – wie wir bereits gesehen haben – nicht nur die Bruder- wie Nächstenliebe, sondern die Feindesliebe (1.Thess.5,15; Röm.12,14 und 20) und verbietet radikal die Rache bzw. die Wiedervergeltung (Röm.12,17.19.21), die allein Gott vorbehalten bleibt.
Dieses verschärfte Moralgesetz als das Gesetz des Chhristus bleibt für die hellenistische Kirche selbstredend als Heilsfaktor bestehen.

III. Die rituelle und ethische bzw. ausschließlich ethische Praxis im Alltag der Welt.

1. Das Verhältnis von Heilsindikativ und Heilsimperativ.

Wie schon für die nachösterlichen Jesusgemeinden so ist auch für die hellenistische Kirche die Unterscheidung zwischen dem Indikativ der Heilszuwendung Gottes in Jesus Christus und dem Imperativ der Gesetzesforderung grundlegend. In Sühntod und Auferstehung Jesu von den Toten hat sich ein für allemal das Heil Gottes für seine Schöpfung ereignet. Das alte Bundesvolk hat zwar den alten Gottesbund vom Sinai durch seine Verschuldungen zerbrochen, entweiht und befleckt, aber im blutigen Tod Jesu Christi sind die Sünden gesühnt und ein neuer Bund mit seinem neuen Volk geschlossen worden (Röm.3,25). Die hellenistische

Kirche sieht sich deshalb in heilsgeschichtlicher Verbundenheit mit dem alten Gottesvolk stehen, hält die Geschichte Israels als die eigene fest und erblickt im neuen Bund (1.Kor.11,25) die Wiederherstellung des alten. Und dieses auf Golgatha von Christus vollbrachte, ein für allemal gültige Sühnopfer für unsere Sünden wird dem Einzelnen im Glauben durch Wort und Sakrament zugeeignet. Denn das Sakrament der Taufe bewirkt nach den Bekenntnistraditionen der hellenistischen Kirche die in Rechtfertigung und Heiligung geschehende Vergebung der Sünden sowie den Empfang des Heiligen Geistes. Dieser Indikativ des geschehenen Heils ist nun aber zugleich Verpflichtung auf das Gesetz vom Sinai als Heilsweg für die Zukunft. Dieser Heilsindikativ als die Gnade Gottes in Christus führt somit wiederum auf das Gesetz als Heilsfaktor und bewirkt konkret die Umkehr zum Willen Gottes. Die Heilstat Gottes in Christus schafft das neue Sein des neuen Bundesvolkes, dessen Folge der neue ethische Wandel ist. Der Tod Jesu, verkündigt als einmalige Sühneleistung bzw. die Vergebung der Sünden im Akt des Taufsakraments, steht für die hellenistische Kirche nicht im Widerspruch zum Gesetz als Heilsweg. Nirgends wird die Heilsnotwendigkeit des Gesetzes bestritten. Damit ist die Werkgerechtigkeit sakramental keineswegs abgefangen, sondern bestätigt. Die rituellen und ethischen bzw. ausschließlich ethischen Forderungen als Imperativ des Gesetzes haben deshalb dasselbe Gewicht wie der Heilsindikativ der Sündenvergebung. Mit dieser sachlichen Zuordnung des Indikativs der Heilszuwendung zum Imperativ der Gesetzesforderung verbleibt auch die hellenistische Kirche – wie übrigens schon vorher die nachösterlichen Jesusgemeinden – im alttestamentlich-jüdischen Bereich, indem es sich als neues Bundesvolk zur heilsgeschichtlichen Verbundenheit mit dem alten Bundesvolk bekennt. Denn selbst die sachliche Vorordnung des Heilsindikativs vor den Heilsimperativ stellt das alttestamentlich-jüdische Erbe nicht in Frage, sondern intensiviert es. Der für uns gestorbene und auferweckte Christus schenkt nicht nur das Heil der Sündenvergebung, sondern zugleich auch die Kraft zur Erfüllung des Gesetzes als dem unabänderlichen Willen Gottes, so daß das Handeln der Christen als Tun der Gebote Gottes die Konsequenz des geschehenen Heils ist.

Aber nirgendwo wird das Gesetz von der hellenistischen Kirche problematisiert oder als Heilsweg verabschiedet. Gerade auch für die hellenistische Kirche wird die Gnade niemals als Befreiung vom Gesetz, sondern vielmehr immer als Befreiung zum Gesetz als dem Heilsweg verkündigt und praktiziert. Denn die zuvorkommende göttliche Gnade und Liebe in Christus bleiben für die hellenistische Kirche wie für die gesamte Jesusbewegung die Kraft und das Mittel zum Tun des Gesetzes Gottes. Der das neue eschatologische Leben der Christen begründende und zusprechende Heilsindikativ schließt also gerade den Heilsimperativ des Gesetzes nicht aus. Dieses ist die erste und grundlegende, wenn auch nicht einzige Vor-

aussetzung der rituellen wie moralischen bzw. einseitig ethischen Praxis der hellenistischen Kirche.
Grundlegend ist also der Glaube an die Offenbarung des Willens Gottes, niedergelegt im Mosegesetz vom Sinai, an welches alle Juden wie «Heiden»-christen lebenslang als Heilsweg gebunden sind.
Die anderen Voraussetzungen sind folgende:
a. Diese Offenbarung des Willens Gottes ist durch den irdischen und erhöht-gegenwärtigen Christus als «das Gesetz des Christus» neu interpretiert und abgeschlossen worden. Alle Praxis – ob sie nun rituell und moralisch zugleich oder nur ethisch ausgerichtet war – ist für immer dadurch begründet worden, daß in Tod und Auferstehung Christi das Heil für alle Welt geschehen ist. In diesem Sinn kann von «christlicher» Praxis innerhalb der hellenistischen Kirche gesprochen werden.
b. Die dritte und wesentliche Voraussetzung der Praxis ist damit gegeben, daß alle Paränesen an die hellenistische Kirche als dem neuen Bundesvolk aus Juden- und «Heiden»-christen gerichtet sind, das heilsgeschichtlich aus der Wurzel Israels herausgewachsen ist. Gerade auch als neues Bundesvolk weiß sich die hellenistische Kirche aufgrund des Alten Testamentes und des Schöpfungsglaubens unaufgebbar dem alten Bundesvolk der Verheißung verbunden. Während die Taufe den einzelnen Glaubenden in den wiederhergestellten, neuen Gottesbund hineingenommen hat, kommt es im Abendmahl zur sakramentalen Erneuerung des Bundes mit seinem neuen Gottesvolk. Alle rituellen und ethischen Mahnungen werden deshalb ausschließlich an die Gemeinden des neuen Gottesvolkes gerichtet.
c. Die rituelle und ethische Praxis gibt es nur in dieser Weltzeit bis zur Ankunft ihres Herrn. Sie hat also nur begrenzte Gültigkeit für die Zeit der hellenistischen Kirche als des neuen Gottesvolkes.
Zusammengefasst heißt das: Die rituelle wie ethische bzw. einseitig ethische Praxis der hellenistischen Kirche ist eine eigenständige Größe. Sie ist zu unterscheiden einmal von der Praxis der nachösterlichen Jesusgemeinden (die das mosaische Ritual- wie Moralgesetz als Judenchristen völlig anerkannten) wie andererseits von derjenigen des späten Paulus (der das Gesetz als Heilsweg überhaupt ablehnte), ganz abgesehen natürlich von der Ethik der johanneischen oder anderer Schriften im Neuen Testament. Keinen Zweifel kann es allerdings darüber geben – wie wir immer wieder gesehen haben –, daß diese rituelle wie ethische bzw. ausschließlich ethische Praxis jeweils Lebensnorm wie Heilsweg in einem ist.

2. Die rituellen Normen

Mit Nachdruck muß in diesem Zusammenhang daran erinnert werden, daß die hellenistische Kirche zwar aus Juden- und Heidenchristen bestand, die ersteren aber ehemalige Diasporajuden und die «Heiden»-

christen ehemalige Gottesfürchtige im Bereich der Synagoge waren. Wie die nachösterlichen Jesusgemeinden gehörte auch die hellenistische Kirche zur umfassenden Jesusbewegung und stellte aufgrund ihrer Volkszugehörigkeit wie auch nach ihrer theologischen Herkunft als apokalyptische Endzeit- und Heilsgemeinde eine innerjüdische, religiöse Erneuerungsbewegung dar. Hinsichtlich ihres eigenen Selbstverständnisses wie auch ihrer Botschaft und Praxis stand die hellenistische Kirche gleichwohl im direkten und ungebrochenen Zusammenhang mit der alttestamentlich-jüdischen Traditions- und Heilsgeschichte Israels. Weder wurde dieses Grundgefüge grundsätzlich oder demonstrativ verlassen noch gar der alttestamentliche Überlieferungs- und Offenbarungsprozeß gesprengt. Allein die hellenistische Kirche ist das neue Bundesvolk der Endzeit, mit dem Gott durch die Sühne Christi den erneuerten Bund geschlossen hatte (Röm.3,25) und dem die «gottesfürchtigen» Heiden als die Halbproselyten Israels im Angesicht der nahen Ankunft Christi eschatologisch angegliedert wurden (Röm.11,25). Für sie als das wahre Israel, der heilige Rest und der Anfang des mosaischen Gottesvolkes sind alle Verheißungen des Alten Testaments erfüllt. So ergibt sich geradezu zwangsläufig die Heilsnotwendigkeit des Mosegesetzes, auch wenn mit Blick auf das traditionelle Ritualgesetz allerdings die schon genannte alternative Lösung für Zündstoff in den gemischten Gemeinden der hellenistischen Kirche im Osten wie im Westen des römischen Weltreichs sorgte.
Von welch fundamentaler Bedeutung diese ritualgesetzlichen Streitpunkte für die beiden Gruppen der «Schwachen» und «Starken» innerhalb der hellenistischen Kirche als dem neuen Bundesvolk waren, läßt sich noch an der ausführlichen und prinzipiellen Argumentation des Apostels Paulus in seinen Briefen ermessen: Abgesehen von denjenigen Judenchristen, die selbstverständlich das Ritualgesetz des Mose weitgehend beachteten, verabscheute ein Teil der «gottesfürchtigen» Heidenchristen den unreinen, heidnischen Kult und vor allem die damit im Zusammenhang stehenden unreinen Kultmahle mit ihrem dem Götzen geweihten Opferfleisch und dem ebenfalls den Götzen geweihten Libationswein (1.Kor.8,1–3; 9,19–22; 10,23–11,1; Röm.14,21) und praktizierten damit die auch für sie in Geltung stehenden, mosaischen Reinheitsgebote. Mit dem Verzicht auf nicht geschächtetes, also unkoscheres Schweinefleisch wurden auch die alttestamentlich-jüdischen Speisegebote anerkannt. Wenn weiterhin jüdische Feste, vor allem der Sabbat bzw. die Fastentage eingehalten wurden (1.Kor.5,7f; 16,8; Röm.14,5), hielt man sich außerdem an den rituell motivierten, jüdischen Festkalender. Ob auch noch die Tempelsteuer bezahlt wurde, ist nicht mehr auszumachen, aber unwahrscheinlich. Schließlich wurde von den «Schwachen im Glauben» sogar die aus der Synagoge praktizierte Verschleierung der Frau im christlichen Gottesdienst beibehalten.
Diese rituelle Praxis war für einen Teil der «gottesfürchtigen» Heiden-

christen Lebensnorm und Heilsweg zugleich, auch wenn aufgrund der bereits aufgezeigten Konzentration des Mosegesetzes auf das Liebesgebot in der hellenistischen Kirche das Ethos mehr und mehr an die Stelle des Kultus zu treten begann. Aber das war ein Prozeß, der Jahrzehnte andauerte und zur Zeit der hellenistischen Kirche noch lange nicht abgeschlossen war – ganz abgesehen von der bereits von uns genannten, damals aufsehenerregenden Tatsache, daß ein anderer Teil von Juden- und Heidenchristen in derselben Kirche das Kultgesetz bewußt und mit theologischen Argumenten ablehnte, also seine im Glauben begründete kultgesetzliche Freiheit öffentlich demonstrierte.
Damit aber dürfte ein wenig deutlicher geworden sein, warum im Hinblick auf die hellenistische Kirche nicht von einer Ethik im ausschließlichen und eigentlichen Sinne des Wortes gesprochen werden kann. Denn in der hellenistischen Kirche waren für einen Teil der Gemeindeglieder Ritus und Ethos zugleich, für einen anderen Teil dagegen nur das Ethos verpflichtend. Außerdem entfaltet die hellenistische Kirche nirgends weder ein ethisches oder rituelles System über die Sittlichkeit bzw. das Kultwesen, noch auch eine dem griechischen Denken verbundene Ethik, sondern bringt rituelles und moralisches Material nur im Zusammenhang von Paränesen, d. h. von kurzen Einzelanweisungen bzw. Mahnreden zur Sprache. Festzuhalten ist also in diesem Zusammenhang, daß es in derartigen Einzelanweisungen und Mahnreden für christliches Handeln und Verhalten nicht nur – wie oftmals angenommen wird – um Ethos, sondern ebenso auch um Ritus bzw. Kultus geht. Dabei war die heilsgeschichtliche Verbundenheit des neuen Bundesvolkes mit dem alten Gottesvolk die nie geleugnete Voraussetzung für die rituelle und ethische Praxis der hellenistischen Kirche.

3. Die ethischen Forderungen

a) *Das neue Gottesvolk.* Bevor wir das reichhaltige ethische Material entfalten können, muß wiederum auf den heilsgeschichtlichen Ort, den die Ethik der hellenistischen Kirche innehat, hingewiesen werden. Sie steht nicht im luftleeren Raum, sondern ihre Forderungen werden von einer Kirche formuliert und erhoben, die in der von Mose eingeleiteten und bestimmten Heilsgeschichte Israels steht. Weil Gott im blutigen Tod Christi auf Golgatha auf der Basis der vollbrachten Sühne seines Sohnes den neuen Bund mit seinem neuen Volk geschlossen hat, worin die zuvor geschehenen Sünden vergeben und der alte Bund vom Sinai wiederhergestellt wurde (Röm.3,25), muß nun das neue Bundesvolk bis zur nahen Ankunft seines Herrn dem Willen Gottes gemäß leben, seine Forderungen und Gebote erfüllen.
«Ethik» heißt im Sinne der hellenistischen Kirche nichts anderes, als daß das neue Bundesvolk den ethischen Forderungen seines Bundesgottes im

neuen Gottesbund von Golgatha entsprechen muß. Natürlich bezeichnet in den gemischten Gemeinden der hellenistischen Kirche «Ethik» nicht ein philosophisches System im Sinne der griechischen Denktradition und ihre Normen entstammen weder dem platonischen Reich transzendenter Ideen oder dem den Kosmos durchwaltenden stoischen Logos. «Ethik» ist vielmehr die systematisierende Darstellung der allgemeinen wie situationsgebundenen ethischen Aussagen und Forderungen der hellenistischen Kirche als dem «Israel Gottes» (Gal.6,16).

Konkret heißt das, daß die ethischen Forderungen der traditionellen formalen Gattung, der sog. Paränese, verhaftet bleiben. Die Paränese besteht aus kurzen Einzelanweisungen oder aus längeren Mahnreden. Nach Stichworten und thematischen Gruppen geordnet, haben diese Paränesen zumeist keine aktuelle, sondern allgemeine Bedeutung und enthalten nur kurze, grundsätzliche Begründungen. Die hellenistische Kirche hat die Paränese nicht selbst geschaffen, vielmehr konnte sie auf die volkstümliche Durchschnittsethik des Judentums wie der bekannten Tugendlehre der heidnischen, religiösen Antike zurückgreifen, wobei das Diasporajudentum die entscheidende Vermittlerrolle spielte.

Wie wir schon gesehen haben, hat die hellenistische Kirche weithin in ihrer Paränese ethisches bzw. moralgesetzliches Überlieferungsgut christianisiert, das ursprünglich der Gesetzesauslegung des hellenistischen Judentums innerhalb des römischen Weltreichs entstammt. Die ethische Unterweisung für das neue Gottesvolk aus hellenistischen Judenchristen und «gottesfürchtigen» Heidenchristen lebt ganz in den konkreten Einzelgeboten (1.Kor.7,19), Anordnungen (1.Thess.4,1f) und Rechtsforderungen (Röm.8,4) Gottes. Sie entfalten überaus nüchtern und praktisch, was der Wille Gottes angesichts des nahen Weltendes für das Handeln und Verhalten des Einzelnen bedeutet. Im ausgesprochenen Gegensatz zum laxen Lebenswandel der Heiden soll das neue Gottesvolk ganz im Sinne der streng jüdischen Ehemoral sexuelle Selbstzucht üben, indem der christliche Mann seine Ehefrau in «Heiligung und Ehre» (1.Thess.4,4) gebrauchen soll. Auch das zweite typische heidnische Laster der rücksichtslosen und betrügerischen Übervorteilung des Bruders im Geschäftsleben (1.Thess.4,6) wird den Angehörigen des Hauses Gottes (Gal.6,10) ausdrücklich untersagt. Beide Laster widersprechen dem Willen Gottes zur Heiligung und werden im nahen Endgericht geahndet werden (1.Thess.4,3–6).

Für das neue Gottesvolk gelten uneingeschränkt der Dekalog, die Zehn Gebote (Röm.13,9), wie denn auch unter dem neuen Vorzeichen das Gebot Gottes in den traditionellen Tugend- und Lasterkatalogen (Gal.5,22f; 2.Kor.6,6; Röm.1,29–31; 13,13; 1.Kor.5,10f; 6,9f; Gal.5,19ff) für die ethische Unterweisung fruchtbar gemacht wird. Während vor den Lastern wie Götzendienst, Streitsucht, Unzucht, Ehebruch, Geldgier u.s.w. ausdrücklich gewarnt wird, ist in den Tugendkatalogen

Liebe, Güte, Freude, Friede, Langmut, Freundlichkeit, Sanftmut, Enthaltsamkeit, gefordert. Ähnliche ethische Verhaltensweisen werden von der Lehrrede in 1.Kor.13,4–7 umschrieben, nur daß hier alle exemplarischen Tugenden bzw. negierten Laster in Tätigkeitswörter umgesetzt sind. Hier wie sonst handelt es sich um beispielhafte, keineswegs aber um vollständige, alle Situationen berücksichtigende Gebotsparänese. Gefordert wird immer wieder in typischer Weise die ganz konkrete Tat bzw. der sittliche Lebenswandel des Christen. Denn wer das Böse tut, d.h. auf das Fleisch sät, wird gerichtet, wer aber das Gute tut, d.h. auf den Geist sät, wird gerettet werden (Gal.6,7ff). Darum soll das ganze Leben des neuen Bundesvolkes ein lebendiges, heiliges und Gott wohlgefälliges Opfer sein (Röm.12,1f); denn der vernünftige Gottesdienst in dieser Weltzeit kann nur vom ethisch Verwandelten vollzogen werden, der zu prüfen imstande ist, was der Wille Gottes, das Gute, das Wohlgefällige und Vollkommene ist. Nur das neue Bundesvolk vollbringt in dieser schon vergehenden Welt den wahren Gottesdienst, indem es Gottes Gebote tut und so seinen Willen zur Heiligung erfüllt.

Das Verhältnis der Gemeindeglieder untereinander im neuen Bundesvolk soll nur von der Bruderliebe bestimmt sein (1.Thess.4,9; Röm.12,10). Sie soll herzlich sein und den anderen höher einschätzen als das eigene Selbst, wobei unablässiger Eifer, brennender Geist und jederzeit bereiter Dienst ihre spürbaren Zeichen sind. Mit den Fröhlichen soll man sich freuen, mit den Trauernden klagen und eines Sinnes sein. Notleidende sollen unterstützt und Gastfreundschaft geübt werden (1.Thess.5,14–18; Röm.12,10–13.15f). Die Christen werden vor Ruhmsucht und Neid gewarnt. Dem bei einem Fehltritt ertappten Bruder soll vergeben (Gal.5,26;6,1), die Kleinmütigen sollen ermuntert und die Schwachen angenommen werden. Langmut soll allein ihr Handeln und Verhalten gegen alle bestimmen (1.Thess.5,14). Allezeit fröhlich zu sein, ohne Unterlaß zu beten, für alles zu danken, das ist der Wille Gottes in Christus Jesus (1.Thess.5,17f).

Zusammengefaßt sind alle diese Forderungen im «Gesetz des Christus» (Gal.6,2). Die Glieder des endzeitlichen Bundesvolkes sollen wechselseitig die Sünden tragen und d.h. vergeben, womit noch einmal, wenn auch auf andere Weise, das Gebot der Bruderliebe wiederholt wird. Aber die Liebe, die vom neuen Gottesvolk gefordert wird, meint nicht nur die Bruder-, Fremdlings- und Sünderliebe, sondern schließt ebenso die Nichtchristen, alle Menschen und sogar die Feinde ein (1.Thess.5,15f; Gal.6,10; 1.Kor.13,5; Röm.12,14–21). Die Rache hat grundsätzlich keine Bleibe in dieser Endzeitgemeinde, weil sie von vornherein Gott selber überlassen werden soll (Röm.12,18–21).

b) *Das Weltverhältnis* der hellenistischen Kirche hat in dem berühmten Mahnwort von 1.Kor.7,29–31 seinen geradezu klassischen Ausdruck gefunden. Typisch apokalyptisch wird hier das Verhältnis zur Welt motiviert. Aber das apokalyptische Weltverhältnis in anderen innerjüdischen, religiösen Erneuerungsbewegungen war nicht einheitlich. Während aus der intensiven Naherwartung des kommenden Aeons für die jüdische Apokalyptik das passive Ertragen, das Bleiben und Gewährenlassen folgte (z.B.syr.Bar.10,9.13f; äth.Hen.48,7), traten die Qumran-Essener den Rückzug aus allen gesellschaftlichen Bindungen an und gründeten einen Mönchsorden mit einer Produktionsgenossenschaft am Toten Meer, während die Zeloten schließlich aktiven Widerstand gegen die römische Besatzungsmacht leisteten. Anders die hellenistische Kirche: Obwohl auch sie in der Naherwartung ihres Herrn stand (1.Thess.4,15ff; 5,1ff; 1.Kor.16 und 23 usw.), ist sie gleich weit entfernt von Weltverfallenheit und Weltvergötzung, Weltsucht, Weltflucht und Weltverachtung. Die apokalyptische Naherwartung, intensiviert durch die bereits geschehene Auferstehung Jesu von den Toten und den Geistempfang, bedingt die ausdrückliche Anweisung zur jetzigen Distanz gegenüber Ehe, Besitz, Trauer, Freude und überhaupt allem Weltbenützen, also zur Indifferenz, d.h. der inneren Teilnahmslosigkeit bzw. Gleichgültigkeit gegenüber diesem Aeon und seinem geschäftigen Treiben.

Aus demselben Grund ist es dem Christen auch verboten, mit seinem Bruder vor heidnischen Gerichten zu prozessieren. Vielmehr wird für denjenigen Bruder, der nicht auf sein Recht verzichten will und kann, die innergemeindliche Schiedsgerichtsbarkeit empfohlen. Vorbild waren auch hier die jüdischen Synagogengemeinden der Diaspora, die immer schon die Jurisdiktionsgewalt über ihre eigenen Mitglieder besaßen (vgl. 1.Kor.6,1–8).

Für die hellenistische Kirche ist also weder ein völlig negatives noch ein rein positives, sondern nur ein dialektisches Verhältnis zu dieser Welt, die seit Christus im Vergehen begriffen ist, kennzeichnend.

c) Diese Weltsicht ist nun aber auch beherrschend für *die unumstösslichen Schöpfungsordnungen;* denn der Glaube an den Schöpfer wie Erhalter dieser allerdings im Vergehen begriffenen Welt und an den Neuschöpfer der kommenden Welt begründet die schöpfungsmäßigen Normen für das Handeln der Christen bis zur nahen Ankunft ihres Herrn.

Die hellenistische Kirche folgt damit der Diasporasynagoge und ihrer Anschauung vom Weltenschöpfer, der in seiner Schöpfung von vornherein Über- und Untergeordnetes erschuf. Diese Lehre von den Schöpfungsordnungen, die mit naturrechtlichen Argumenten arbeitet, ist ebenso schon für das hellenistische Judentum wie auch für die hellenistische Kirche unumstößlich: Jeder Christ hat in seinem Stand zu bleiben, den ihm der Schöpfer- und Regierergott verordnet hat (1.Kor.7,20). Dieses schöpfungstheologisch motivierte Status-Quo-Prinzip betrifft z.B. den völkischen (Jude oder Grieche: 1.Kor.7,17f), den sozialen (Sklave oder Freier: 1.Kor.7,21ff), den geschlechtlichen (Mann oder Frau: 1.Kor.11,2ff) und politischen Stand (Staatsbürger oder Staatsoberhaupt:

Röm.13,1ff) der Christen. Jeder hat in dem Stand bzw. Beruf zu bleiben, in den ihn der Schöpfer- und Regierergott berufen hat (1.Kor.7,20); denn die Schöpfungsordnung ist für die hellenistische Kirche Heilsordnung, und der jeweilige Stand in der Schöpfungsordnung ist heilsmächtig. Daraus folgt nun aber die strikte Unterordnungsforderung an die christliche Frau (1.Kor.11,2ff), den christlichen Sklaven (1.Kor.7,21ff) und den christlichen Staatsbürger (Röm.13.1ff), womit auf den Willen des Schöpfer- und Regierergottes zurückgegriffen wird, der über- und untergeordnete Instanzen geschaffen und damit für den Christen verbindlich gemacht hat. Denn das Handeln im jeweiligen untergeordneten Stand hat Heilsbedeutung, dient dem eigenen Heil und ist letztlich Gesetzesdienst und damit Verdienst.

Anerkannt ist schließlich, daß die hellenistische Kirche in allen diesen drei genannten Fällen die Lösungen der hellenistischen Synagoge aufgenommen und christianisiert hat, indem die strikte Unterordnungsforderung an die christlichen Sklaven, Frauen und Staatsbürger mit ordnungstheologischen bzw. naturrechtlichen Argumenten untermauert wird. Am deutlichsten können diese mit dem Schöpfungsglauben gesetzten, unumstößlichen Normen in *Röm.13,1–7* bis in den Wortlaut hinein nachgezeichnet werden, da Paulus in diese ihm überkommene staatsbürgerliche Paränese sachlich nicht eingegriffen hat. Die Überschrift fordert von jedermann die Unterordnung unter die politischen Gewalten, denn jede politische Macht ist ohne Einschränkung von Gott eingesetzt (V.1b). V.2 zieht daraus eine grundsätzliche Folgerung: Jeder, der der politischen Gewalt Widerstand leistet, widersetzt sich der Anordnung des Schöpfer- und Regierergottes und wird von ihm verurteilt werden. Denn die magistralen Gewalten werden über die guten und bösen Taten ihrer Bürger wachen und belohnen bzw. bestrafen die Erfüllung oder Nichterfüllung des staatspolitischen Gesetzes (V.3). V.4 wiederholt die Begründung von V.1b, allerdings in persönlicher Anrede und spricht der politischen Macht das Recht auf Todesstrafe zu. V.5 zieht die Summe und verstärkt die Unterordnungsforderung durch die Aufnahme des Motivs des Gewissens. Deshalb muß auch das neue Bundesvolk Steuer, Zoll wie Furcht und Ehre dem Staat entrichten.

Gegenüber dem hellenistischen Judentum zeichnet sich diese staatsbürgerliche Paränese dadurch aus, daß die traditionell hellenistisch-jüdische Vorstellung von der allgemeinen Einsetzung der politischen Macht durch Gott hier nicht auf die Herrschaft selbst (vgl.Sap.Sal.6,1–9), sondern einseitig auf die Untergebenen angewandt wird. Außerdem schweigt diese Mahnrede völlig von einem in der Synagoge anerkannten und praktizierten Widerstandrecht und begründet die Unterordnungsforderung – wiederum ohne Analogie in den jüdischen Quellen – damit, daß die Aufständischen das Gottesgericht auf sich ziehen werden. Mit andern Worten: Mit Blick auf das Verhältnis der Christen zu den politischen Gewalten hat die hellenistische Kirche die schöpfungstheologisch motivierte Unterordnungsforderung der hellenistischen Synagoge nicht nur übernommen, sondern eindeutig verschärft. Sie steht dem Staat loyaler gegenüber als die hellenistische Synagoge!

d) Aus den beiden vorpaulinischen Ämterkatalogen in 1.Kor.12,28 (und 30) und Röm.12,6b–8 dürfte mit größter Wahrscheinlichkeit hervorgehen, daß das neue wie schon das alte Gottesvolk gewählte und bestallte *Amtsträger* besaß. Wir hören von Aposteln, Propheten und Lehrern (1.Kor.12,28f) bzw. von Propheten, Diakonen, Lehrern und Seelsorgern (Röm.12,6b–8). Wird die Gemeinde nach 1.Thess.5,12f ermahnt, die sie betreuenden Leiter bzw. Vorsteher anzuerkennen, so fordert Gal.6,6 dazu auf, ihre christlichen Lehrer bzw. Katecheten wirtschaftlich zu unterstützen. Was für die Katecheten gilt, dürfte allgemein auch für alle Amtsträger bzw. Leiter innerhalb der gemischten Gemeinde der hellenistischen Kirche nicht zu leugnen sein. Sie alle waren auf die tatkräftige Unterstützung der übrigen Gemeindeglieder angewiesen.

e) Die Ethik der hellenistischen Kirche ist – wenn wir das alles zusammenfassen – letztlich nichts anderes als ein verbindlicher und exemplarischer Kommentar zum Liebesgebot. Dieses ist nicht nur allen anderen Geboten eindeutig übergeordnet (Röm.13,8–10 und Gal.5,14), also das erste, vornehmste und größte Gebot, sondern die Liebe ist als Summe und Hauptsache der göttlichen Willensforderung die höchste Tugend, so daß alle Tugenden zu ethischen Verhaltensweisen der Liebe werden (1.Kor.13). Aber damit beginnen auch schon die Mißverständnisse in der Geschichte der neutestamentlichen Ethik, von denen die Paränese der hellenistischen Kirche *abzugrenzen ist.* Denn die hellenistische Kirche – wie schon vor ihr die Diasporasynagoge und später der Apostel Paulus – reduzierte und konzentrierte das mosaische Gesetz zwar auf das Liebesgebot, aber interpretierte dieses nicht einseitig und ausschließlich im Sinne einer Formal-, Situations- oder Gesinnungsethik als Ablehnung aller Materialethik. Selbstverständlich werden alle diese Begriffe wie Ethik, Formal-, Gesinnungs-, Situations- und Materialethik uneigentlich gebraucht, denn von einer systematisch durchreflektierten Ethik kann in der hellenistischen Kirche natürlich nicht die Rede sein. Weil das Liebesgebot zwar die oberste, aber nicht die einzige Norm ist, kann dieses Gebot nicht in der Weise absolut gesetzt werden, daß damit alle andern Gebote und inhaltlichen Forderungen des Moralgesetzes, also alle materialethischen Anweisungen überflüssig und unverbindlich werden. Die Mahnungen und Forderungen der hellenistischen Kirche sind immer konkret und ausführlich (1.Thess.4,1–8; 5,13b–18; Gal.5,26–6,10; Röm.12,9–21 und die Tugend- wie Lasterkataloge), ohne daß sie damit schon im paulinischen Sinne aller Leistungsethik bzw. allen Moralismus bar wären. Sie sind darüber hinaus bleibend normativ, also allgemein gültig, so daß sie für alle gemischten Gemeinden bis zur Parusie verpflichtend waren.

Ferner sehen in der konkreten Ethik der hellenistischen Kirche die Paränesen von einer speziellen Lage und Veranlassung völlig ab, es stehen also die usuellen, nicht aber die aktuell-situationsbezogenen Mahnungen im Vordergrund.
Weiterhin ist die Reduktion und Konzentration des Moralgesetzes auf das Liebesgebot im Sinne der Materialethik abzugrenzen von einer bloßen Situationsethik. Zwar wird in allen Mahnreden der hellenistischen Kirche der einzelne Christ des neuen Bundesvolkes durch das Liebesgebot in die augenblickliche und konkrete Situation gegenüber seinem Nächsten (z.B. Bruder, Fremdling, Feind, alle Menschen) eingewiesen, so daß der Liebende erkennen und wissen kann, wie seine von ihm geforderte Liebe ganz konkret verwirklicht werden muß. Aber damit werden keineswegs die konkreten Einzelgebote unverbindlich, unnötig oder gar prinzipiell überflüssig. So notwendig das stets neue Fragen nach Gottes Willen in der je eigenen Situation ist (Röm.12,1f), bleibt alle Situationsethik gebunden an die moralgesetzlichen Gebote bzw. die überlieferten ethischen Normen. Nirgendwo wird im gesamten paränetischen Material der hellenistischen Kirche erkennbar, daß die jeweils situationsbedingten Entscheidungen grundsätzlich dem Gewissen des einzelnen Angehörigen des neuen Bundesvolkes überlassen blieben. Die Situationsethik hat darum für die hellenistische Kirche – wie schon für das hellenistische Judentum – keine absolute Bedeutung, sondern nur ihr begrenztes und abgeleitetes Recht.
Sodann wäre es völlig abwegig, das Liebesgebot als das höchste, aber nicht als das einzige Gebot für das ethische Verhalten der Christen im Horizont einer sog. «Gesinnungsethik» interpretieren zu wollen. Gesinnung und Tat gehören schon nach dem Tugend- und Lasterkatalog untrennbar zusammen. Der gute Wille bzw. die beste Gesinnung allein genügen nicht, da es nach den Paränesen der hellenistischen Kirche entscheidend auf das Tun des Willens Gottes ankommt. Beides ist selbst schon für die pharisäische Erneuerungsbewegung (vgl. nur die «Sprüche der Väter»!) nicht auseinanderzureißen. Erst recht gilt für die hellenistische Kirche die Einheit und Unteilbarkeit von christlicher Gesinnung und vollbrachter Tat.
Schließlich ist das Verhältnis von Geist und Moralgesetz bzw. ethischen Geboten – wie wir schon sahen – nicht im paulinischen Sinne auszulegen. Während Paulus nicht müde wird, zu betonen, daß der Geist vom Moralgesetz als Heilsweg wegführt, ist die hellenistische Kirche wie das Alte Testament und Judentum davon überzeugt, daß der Geist als Kraft und Norm wiederum nach der Taufe auf den Heilsweg des Moralgesetzes zurückführt. Denn durch die Taufe empfängt der Christ den Geist (1.Kor.6,11) und lebt von nun an unter seiner Wirkung. Gerade die Wunderkraft des in der Taufe verliehenen Geistes ermöglicht den neuen sittlichen Wandel des Christen (1.Thess.4,8). Weil der Heilige Geist die eigentliche gottgeschenkte Möglichkeit des ethischen Gesetzeswandels

ist, gehören Gnade und menschliche Leistung durchaus in sich ergänzender Weise zusammen. Deshalb ist die Ethik der hellenistischen Kirche im Unterschied zu derjenigen des Paulus auch immer eine Gesetzes-, Verdienst- und Lohnethik wie im Judentum gewesen.
f) Umso dringlicher erhebt sich dann aber die auf allen traditionsgeschichtlichen Ebenen der neutestamentlichen Ethik diskutierte *Frage nach dem spezifisch Christlichen* dieser Ethik. In ihr kommt primär keine genuin christliche Begrifflichkeit zur Sprache, und es gibt im Vergleich mit der jüdischen wie heidnischen Umwelt keine neuen ethischen Inhalte. Neu ist vielmehr der christliche Begründungszusammenhang vom Christusereignis her, womit zugleich traditionell sittliche Maßstäbe wie Inhalte zum Teil einer Auswahl, Verschärfung oder Korrektur unterworfen werden, indem ethische Inhalte kritisch ausgewählt oder ethische Forderungen neu gewichtet und auch umgeprägt werden. Mit dem Vorzeichen vor der Klammer wird die Gnade Gottes in Christus zur neuen Kraftquelle ethischen Handelns und Verhaltens. Aber damit hat die hellenistische Kirche wie schon vor ihr die weltweite Diasporasynagoge bei der Übernahme der ethischen Traditionen der Umwelt nur die Begründungen ausgetauscht. Es darf hier nicht einen Augenblick übersehen werden, daß ein Teil der hellenistischen Juden- wie «gottesfürchtigen» Heidenchristen innerhalb der hellenistischen Kirche auch noch das mosaische Ritualgesetz als Heilsweg anerkannte und praktizierte, und der andere Teil zwar diese rituelle Praxis ablehnte, aber dem mosaischen Moralgesetz, d. h. der Ethik, selbstverständlich Heilsbedeutung zuerkannte. Natürlich wußte man in der hellenistischen Kirche um die moralische Gebrechlichkeit und Versuchlichkeit ihrer Gemeindeglieder. Aber der Heilige Geist bzw. die Gnade Gottes treten dem moralisch guten Christen an die Seite, damit die ethischen Forderungen des ewigen Moralgesetzes erfüllt werden können. Die häufig vertretene Auffassung, die Ethik des ältesten Urchristentums habe materiell nichts Neues zu bieten, trifft für die hellenistische Kirche tatsächlich zu. An der sachlichen und inhaltlichen Übereinstimmung der Ethik der hellenistischen Kirche mit der nichtchristlichen Volksethik des Judentums wie der heidnischen Popularphilosophie ist nicht zu zweifeln, auch wenn damit keineswegs gesagt werden soll, daß sie ein mehr oder weniger zufälliges Gemisch von verschiedenen, ethischen Umweltmotiven ist. So gehört die Ethik der hellenistischen Kirche historisch und sachlich in die übergreifende Jesusbewegung und damit in das Judentum!

4. Die Beweggründe

a) Grundlegende Bedeutung für die rituelle und ethische bzw. ausschließlich ethische Praxis des neuen Gottesvolkes hat *das Sakrament der Taufe*. Es ist nach 1.Kor.6,11 Abwaschung der Sünden, Heiligung und Rechtfertigung und hat als Konsequenz den neuen sittlichen Wandel (1.Thess.4,3.7). In ihr geschieht die sakramentale Übereignung des Heiligen Geistes, der fortan im Leben des Getauften alleinige Kraft wie Norm der Ethik ist.

b) Neben dieser sakramentalen Begründung des ethischen Imperativs findet sich sogleich *die apokalyptische, d.h. die auffällige Zuordnung* des Handelns zum nahen Ende von Welt und Geschichte. So wird die Indifferenz zur Welt in 1.Kor.7,29–31 apokalyptisch begründet: Dieser Aeon ist seit Kreuz und Auferstehung Christi im Vergehen begriffen. Darum werden alle, die das Moralgesetz übertreten, d.h. einen amoralischen Lebenswandel führen, von der nahen Gottesherrschaft ausgeschlossen (1.Kor.6,9f). Denn das Handeln in diesem schon seinem Ende entgegengehenden Aeon entscheidet nach Gal.6,8 über ewiges Leben oder ewiges Verderben (vgl. auch noch 1.Thess.4,6b und 2.Kor.5,10). D.h. aber, um schon jetzt und nicht erst bei Paulus auf ein viel behandeltes Problem neutestamentlicher Ethik kurz einzugehen, daß die ethischen Forderungen bereits lange vor Paulus in der hellenistischen Kirche nicht als Folge des Ausbleibens der Parusie verstanden werden können. Vielmehr gab es von Anfang an in dem Bereich der Überlieferung der hellenistischen Kirche ein Nebeneinander von apokalyptischen und ethischen Aussagen, in dem die zeitlich terminierte Naherwartung der Endvollendung das sittliche Verhalten der hellenistischen Kirche geradezu begründete. Die Ethik der hellenistischen Kirche ist deshalb von Anfang an *sakramental* wie *apokalyptisch* motiviert worden.

c) Neben der Dominanz der sakramentalen und apokalyptischen Motivierungen stößt man im ethischen Material der hellenistischen Kirche auf eine *Vielzahl von Begründungszusammenhängen* ethischen Handelns. So soll christliches Handeln vor Gott geschehen und ihm wohlgefällig sein (Röm.12,1f), sind der Nächste und Bruder das Maß meines Verhaltens (1.Kor.13,4–7; Gal.6,2). Ausnahmsweise wird auch einmal das bekannte Verbot der Ehescheidung als Wort des irdischen Jesus zitiert (1.Kor.7,10), während sonst nur Anklänge an Herrenworte vorliegen, ohne daß sie ausdrücklich als Worte des irdischen und erhöhten Herrn namhaft gemacht werden (Röm.12,14.19). Auch schöpfungstheologische Begründungen sind nicht besonders zahlreich, fehlen aber keineswegs. So wird ausdrücklich auf die Schöpfungsordnung zurückgegriffen, um die Unterordnungsforderung an die christliche Frau (1.Kor.11,2ff), den christlichen Sklaven (1.Kor.7,20) und den christlichen Staatsbürger (Röm.13,1ff) zu begründen.

Bei der Sichtung aller dieser vorliegenden Begründungszusammenhänge fehlt aber nun schließlich die entscheidendste und wichtigste. Für den einen Teil der hellenistischen Judenchristen wie «gottesfürchtigen» Heidenchristen innerhalb der hellenistischen Kirche gründete ja die rituelle wie ethische Praxis im ganzen Mosegesetz als bleibender Willenskundgebung Gottes, während der andere Teil der hellenistischen Judenchristen wie «gottesfürchtigen» Heidenchristen in derselben Kirche «nur» im mosaischen Moralgesetz das eigentliche heilbringende Motiv für ihr ethisches Handeln und Verhalten erblickte.

4. Kapitel
Der Kampf gegen gnostischen Libertinismus und gnostische Askese

I. Die Problemlage

Sie ist heute für den Neutestamentler, aber auch für den Nichtfachmann dank der reichen Literatur und der international vorliegenden Forschungsergebnisse leicht überschaubar. Vor allem ist auf das flüssig geschriebene und alle bisherigen Forschungsergebnisse zusammenfassende Standardwerk des Leipziger Religionswissenschaftlers K. Rudolph, Die Gnosis, Wesen und Geschichte einer spätantiken Religion, in diesem Zusammenhang ausdrücklich hinzuweisen.

Die Gnosis (=Erkenntnis) – der Begriff Gnostizismus sollte besser für die großen gnostischen Systeme des 2. und 3. Jh. reserviert bleiben – ist eine spätantike Erlösungsreligion der Erkenntnis von ausgeprägter Eigenart. Aufgrund der großen gnostischen Handschriftenfunde in Ägypten (Medinat Madi 1930 und Nag Hammadi 1945/46 bis 1948), im Irak (1931ff) und Turkestan (Turfan 1902–1914) sowie der Forschungsergebnisse der sog. «religionsgeschichtlichen Schule» (W. Bousset, R. Reitzenstein u.a.) und später Bultmanns und seiner Schüler konnte der Nachweis geführt werden, daß die gnostische Bewegung gleich alt oder älter als das Christentum war, auf jeden Fall aber von Anfang an eine nichtchristliche Erscheinung darstellt.

Im Hinblick auf das umfangreiche Quellenmaterial sind drei Gruppen von gnostischen Quellen zu unterscheiden:

1. Die gnostischen Originalschriften: das Corpus Hermeticum, die Mandäer-Rollen, die Texte von Nag Hammadi, die Thomasakten, die Oden Salomonis und die Manichaica.
2. Die durch Rekonstruktion zu gewinnende nachweisbar älteste Tradition der Frühgnosis bietet das Neue Testament selbst, und zwar in dreifacher Weise. Einmal sind hier die Gnostiker und ihre Traditionen in den paulinischen Briefen zu nennen (=1.2.Kor.; Gal., Röm. und Phil.), dann die gnostische Grundschrift des Johannesevangeliums und schließlich die Gnostiker und ihre Traditionen nach den späteren Schriften des Neuen Testaments (Kol., Apg.; Mt.-Evg.; Jh.-Briefe; Offb. des Joh.; das redigierte Joh.-Evg.; Pastoralbriefe; Judas- und 2.Petrusbrief).
3. Die umfangreichen Exzerpte aus gnostischen Schriften und die Darstellungen der Gnosis aus der Feder der sie bekämpfenden Kirchenväter, wie z. B. Irenäus, Hippolyt und Epiphanius.

Aufgrund dieses umfangreichen Quellen- und Textmaterials können die typischen Wesensmerkmale der gnostischen Erlösungsreligion genauestens festgestellt werden:

a.) Der antikosmische Dualismus, d. h. der Wesensgegensatz zwischen weltlosem Gott und gottloser Welt, unterscheidet sich grundlegend dadurch vom apokalyptischen (= dieser und der kommende Aeon) und griechischen Dualismus (= der Gegensatz von Diesseits und Jenseits),

daß auch und gerade das jüdische Mosegesetz wie heidnische Naturgesetz zum gottfeindlichen Kosmos gehört.
b.) Weil die Erlösung nur streng jenseitig vom weltlosen Gott kommen kann, ist die Gnosis von Haus aus eine typische Offenbarungs- und Erlösungsreligion.
c.) Konstitutiv für das gnostische Selbstverständnis ist weiterhin die Wesenseinheit von Erlöser und Erlösten.
d.) Aus dem rein negativen Weltverhältnis folgt die radikale und lebenslange Forderung der Entweltlichung der Gnostiker, denn Weltidentität ist Unheil, Welttrennung aber Heil.
e.) Ein besonderes Kennzeichen der Gnosis ist ihre blasphemische Schriftexegese. Gemeint ist damit das demonstrative Verfahren, aus den jeweils herangezogenen Texten den gegenteiligen Sinn herauszulesen, um damit die traditionelle Auslegung auf den Kopf zu stellen. Diese bewußt praktizierte Umkehrung von Sinn- und Wertverhältnissen der zitierten Texte gehört zum eigentlichen Wesen der gnostischen Schriftallegorese.
f.) Schließlich ist mit Nachdruck darauf hinzuweisen, daß die Gnosis eine parasitäre Religion war. Es gibt keine «rein» gnostischen Stoffe, da die Gnosis wie ein Parasit oder Pilz auf ihren z.B. griechischen, iranischen, babylonischen, ägyptischen, jüdischen, christlichen und islamischen «Wirtsreligionen» wucherte. Sie hat sich immer an fremde, vorgegebene religiöse Traditionen angelehnt, diese gewissermaßen ausgeliehen und sie rücksichtslos im gnostischen Sinne neu interpretiert und damit verfremdet. Andererseits ist das zugrundeliegende Existenz-, Welt- und Gottesverständnis der Gnosis religionsgeschichtlich nicht ableitbar aus der jüdischen, griechischen, christlichen oder iranischen Religion.
Die spätantike Gnosis ist trotz ihres parasitären Charakters ein einmaliges und eigentümliches Religionsgebilde von bestechender und unverwechselbarer Originalität.
Nach allem bisher Ausgeführten ist deutlich, daß die Chiffre «christliche Gnosis» keine eigene Religion und keine abgegrenzte Größe darstellt, genauso wenig übrigens wie z.B. die jüdische oder griechische Gnosis, vielmehr werden die vorgegebenen christlichen Traditionen gegen ihren Aussagensinn demonstrativ gnostisch gelesen und ausgelegt, d.h. konsequent gnostisiert.
Das noch immer heikelste und schwierigste Problem der ganzen Gnosisforschung überhaupt ist der Ursprung der Gnosis. Alle bisherigen Beobachtungen und Forschungsergebnisse weisen darauf hin, daß die Gnosis im syrischen Raum (die römische Provinz Syria) unter Einschluß der angrenzenden Gebiete Phönizien, Samarien, Dekapolis und Mesopotamien entstanden ist. Zeitlich ist die Gnosis etwa nicht lange vor der Entstehung der Jesusbewegung anzusetzen oder gar zur gleichen Zeit wie das Urchristentum, aber auf jeden Fall unabhängig von ihm. Trotz aller christlichen Einflüsse bleibt die Gnosis eine Konkurrenzbewegung zu den nach-

österlichen Jesusgemeinden, der hellenistischen Kirche und im Unterschied zu den von Paulus gegründeten Gemeinden im Orient wie in Europa eine typisch nichtchristliche Erscheinung. Denn wie die Nag Hammadi-Texte beweisen, hat die gnostische Religion in einem jüdischen Milieu außerhalb des Christentums ihren Ausgang genommen. Das aber ist keineswegs immer die vorherrschende Ansicht in der Kirche und Forschung gewesen.

Bis zum Beginn des 20. Jh. war faktisch die Behauptung der Kirchenväter maßgeblich gewesen, daß die Gnosis als eine christliche Häresie des 2. Jh. die Evangeliumsverkündigung der Urkirche verfälscht habe. Erst die Forschung der sog. «Religionsgeschichtlichen Schule» konnte diesen Irrtum korrigieren und nachweisen, daß die Gnosis von Haus aus eine nichtchristliche Religion und älter oder gleich alt wie das Urchristentum war. Das bis heute aufs heftigste umstrittene und immer noch nicht ausdiskutierte Problem im internationalen und interkonfessionellen Forschungsbereich liegt in der historischen und sachlichen Verhältnisbestimmung von Judentum/Christentum und Gnosis. Auch wenn heute feststeht, daß die Frühgnosis ihren Ausgangspunkt im Frühjudentum genommen hat (Nag Hammadi!), und nur die Qumran-Essener vom Toten Meer als einzige innerjüdische Erneuerungsbewegung den Dualismus in der Anthropologie, Soteriologie und Kosmologie, allerdings unter strikter Aussparung des Mosegesetzes, akzeptierte, so bilden Judentum und Gnosis religionsgeschichtlich wie theologisch eine Alternative. Denn niemals konnte im Judentum die Thora total dualistisch als widergöttliche Macht aufgefaßt, abgewertet und verabschiedet werden, ohne daß sich das Judentum selber aufgegeben hätte.

Das Problem «Gnosis und Neues Testament» ist deshalb so vorbelastet, weil es bis heute weder sicher datierbare gnostische Originaltexte aus der vorchristlichen Epoche noch aus der Zeit des Urchristentums gibt. Daraus allerdings den beliebten und oft gezogenen Schluß zu ziehen, daß somit ein gnostischer Einfluß auf neutestamentliche Schriften ausgeschlossen sei, ist gleichermaßen verfrüht wie verfehlt. Denn selbst unter der Voraussetzung, daß in naher Zukunft exakt datierbare gnostische Originaltexte aus dem 1. Jh. n.Chr. in Tonkrügen aufgefunden würden, wäre mit einem solchen Fund noch nichts über gnostische Einflüsse auf urchristliche Traditionen der neutestamentlichen Schriften entschieden. Trotzdem benötigen wir aber für die Erklärung bestimmter Traditionen, Motive, Vorstellungen und Schriften im Neuen Testament die Gnosis als Verstehensvoraussetzungen – übrigens wie auch das Alte Testament oder Judentum oder den Frühkatholizismus –, weil nur von dieser religionsgeschichtlichen Perspektive her bestimmte neutestamentliche Aussagen und Texte und Schriften sachgemäß ausgelegt werden können. Denn selbst dort, wo wir z. B. eindeutig vorchristliche Originalquellen – wie im Fall des Alten Testaments, des Judentums oder der griechischen Philosophie – vor uns haben, ist mit dem bloßen Vorhandensein solcher Quellen noch nichts über alttestamentliche, jüdische oder griechisch-philosophische Einflüsse auf einzelne neutestamentliche Traditionen und Texte ausgesagt. Ähnliches gilt für paulinische oder frühkatholische Texte im Neuen Testament: Ob ein betreffender Satz im Neuen Testament als paulinisch oder deuteropaulinisch, frühkatholisch oder nicht frühkatholisch anzusprechen ist, darüber entscheidet allein die Exegese. Deshalb darf, kann und muß die neutestamentliche Wissenschaft auch selbst über die Anfänge und den Ursprung der Gnosis und ihrer etwaigen Einflüsse auf bestimmte neutestamentliche Texte mitentscheiden, ja das entscheidende Wort mitsprechen.

II. Die Gnostiker und ihre Traditionen nach den Paulusbriefen

1. Der Wesensgegensatz

a) Ausgangspunkt ist die Entdeckung der gnostischen Elemente in der paulinischen Sprach- und Vorstellungswelt durch die religionsgeschichtliche Schule um die Jahrhundertwende und natürlich die daran anknüpfende, immense Forschungsarbeit bis zur Gegenwart. Diese Arbeit hat trotz aller Kontroversen jedenfalls eines gezeigt: Paulus hat in starkem Maße gnostisches Begriffsgut in die inhaltlichen Aussagen und Argumentationen seiner Briefe eingebracht, allerdings in immer schon korrigierter und redigierter Gestalt. Zugleich hat sich Paulus an zahlreichen Stellen seiner Korrespondenz mit den gnostischen Gegnern und ihren Lehren polemisch ausdrücklich auseinandergesetzt. D.h. aber: auf zweierlei Ebenen lassen sich wichtige Rückschlüsse für die frühe christliche Gnosis in den Paulusgemeinden ziehen. Einmal durch das Vorhandensein gnostischer Begriffe, Motive und Vorstellungen in den inhaltlichen Aussagen des Paulus selbst und zum anderen in der mit großer Leidenschaft geführten Polemik des Paulus gegen die Lehre seiner gnostischen Gegner. Aber für beide Ebenen gilt: Paulus hat immer dieses gnostische Material korrigiert und kommentiert, niemals bloß unverarbeitet in seine Evangeliumsverkündigung übernommen.
Das bedeutet aber, daß sich Theologie und Ethik der Gnostiker in den Paulusgemeinden nur durch Rückschlüsse und d.h. sorgfältige Rekonstruktion aus den vorliegenden Paulusbriefen selbst gewinnen lassen, da offensichtlich keine direkten, durchgehenden Quellenschriften vorliegen. Paulus stieß auf diese frühe Gnosis in seinen eigenen Gemeinden. Es waren judenchristliche Gnostiker (2.Kor.11,22f;Phil.3,2–5) mit mündlichen und auch schriftlichen Traditionen, welche sich verstreut in den Paulusbriefen finden. Diese frühe Gnosis, wie sie uns in den Paulusbriefen entgegentritt, aber war für die paulinischen Gemeinden keineswegs

eine von außen kommende fremde und heidnische Religion, vielmehr fühlten sich die Gnostiker als Christen und traten in den von Paulus gegründeten Gemeinden auch als solche auf. Gleichwohl war sie eine akute Gefahr, aber mehr von innen denn von außen. Für diese frühe Gnosis als eine innerchristliche Erscheinung stehen uns auf Grund von Rekonstruktionen genügend Material und vor allem ausreichend gesicherte Forschungsergebnisse seit der Jahrhundertwende zur Verfügung, um Verkündigung und Praxis, Theologie und Ethik dieser judenchristlichen Gnostiker in den Paulusgemeinden wenigstens in Umrissen nachzeichnen zu können. Dabei ist die Ethik von den judenchristlichen Gnostikern in den Paulusgemeinden so in ihre Theologie integriert worden, daß eine Darstellung des Ansatzes der gnostischen Ethik wenigstens die Grundzüge der gnostischen Theologie zu skizzieren hat.

b) Grundlegend für die judenchristlichen Gnostiker ist der ontologische Dualismus, d. h. der absolute und unüberbrückbare Wesensgegensatz zwischen zwei sich ausschließenden Herrschafts- und Machtbereichen, eben dem weltlosen Gott und der gottlosen Welt. Zwischen diesen beiden alles umspannenden Macht- und Herrschaftsbereichen gibt es nur den schroffen Bruch und die bleibende Trennung, niemals aber eine Entwicklung, Identität oder Kontinuität. Dieser Dualismus bestimmt alle Inhalte der gnostischen Theologie, also die Anthropologie, Christologie, Soteriologie, Ekklesiologie, Ethik und Eschatologie. Er allein ist das Vorzeichen vor der Klammer und der Schlüssel zum Verständnis der ganzen gnostischen Sprachtradition.

An erster Stelle findet sich in den Paulusbriefen der dualistische Gegensatz von Gott und Kosmos (1.Kor.1,20f; 2,6f.12; 3,19; 7,32–35), wobei letzterer durch die «Herrscher dieser Welt» (1.Kor.2,6.8) als gegensätzlicher Machtbereich bestimmt ist. Auf der menschlichen Seite entspricht diesem kosmologischen Gegensatz die Antithese zwischen Psychikern und Vollkommenen (1.Kor.2,6.14) bzw. Pneumatikern (= Geistträgern in 1.Kor.2,7ff). Die korinthische Gnosis unterscheidet anthropologisch schroff die Pneumatiker, die den Geist des weltlosen Gottes haben, und darum allein das Pneuma verstehen können, von den Psychikern (1.Kor.2,14) oder Sarkikern (1.Kor.3,1), die zum gottfeindlichen Kosmos (zu welchem auch die Psyche, d. h. die Seele, und die Sarx, d. h. das Fleisch zählen) gehören und die deshalb den weltlosen Geist dem Wesen nach niemals verstehen können. Typisch gnostisch stehen sich Pneumatiker und Psychiker/Sarkiker als die beiden ewig und dem Wesen nach geschiedenen Menschenklassen gegenüber. Die radikale Wesensdistanz als Unheil zwischen diesen Herrschaftsbereichen wird wiederum gnostisch als ein «Nicht-Erkennen» (1.Kor.1,21; 2,8.14) bezeichnet, während die Wesensübereinstimmung als Heil dementsprechend das «Erkennen», eben die Gnosis ist (1.Kor.2,11).

c) Derselbe gnostische Dualismus findet sich im vorpaulinischen Schema der antithetischen Entsprechung der beiden «Urmenschen», des Adam-Urmenschen und des Christus-Urmenschen in 1.Kor.15,20–22.44b–49 und Röm.5,12–21. Im Adam-Urmenschen sterben alle, entspricht das Geschick Adams dem aller Menschen und sind alle Menschen dem Herrschaftsbereich des Todes und versklavender Mächte unentrinnbar ausgeliefert. Im Christus-Urmenschen dagegen werden alle Pneumatiker lebendig gemacht, weil Christus Urheber und Bringer des Heils ist. Bei dieser Antithese von zwei Prototypen: Adam und Christus handelt es sich also um die dualistische Gegenüberstellung sich ausschließender Gegensätze und Herrschaftsbereiche, nämlich um die schon bekannte Antithese von Unheil und Heil.

d) Auch der in den Paulusbriefen häufig vorkommende Gegensatz von Fleisch und Geist (Gal.5,16ff; Röm.8,4ff u.a.) ist sachlich nichts anderes als eine Variation der schon bekannten Dualismen Gott und Kosmos, Adam und Christus. Im Blick auf die typischen Präpositionalverbindungen («Im Fleisch» – «im Geist» und «nach dem Fleisch» – «nach dem Geist») muß geradezu von einem technischen und absoluten Formelgebrauch bei den Gnostikern in den Paulusgemeinden gesprochen werden. Wiederum werden in diesen metaphysischen Kontrast von «Fleisch» und «Geist» durch die Hinzusetzung der Präposition «im Fleisch» oder «im Geist»-Sein ihr Herrschaftsbereich und durch die Hinzusetzung der Präpositionen «nach dem Fleisch» oder «nach dem Geist»-Wandel ihr kosmischer Machtcharakter herausgestellt. Eine dritte Möglichkeit gibt es nicht: Entweder befindet sich der Mensch im versklavenden Herrschaftsbereich des Fleisches oder aber des erlösenden Machtbereiches des Geistes.

e) Weiterhin wird ein und derselbe ontologische Dualismus durch die bekannte Antithese «Buchstabe» und «Geist» (2.Kor.3,6ff; Röm.2,27–29; 7,6; 10,4ff) unübertrefflich zum Ausdruck gebracht. Mit guten Gründen ist angenommen worden, daß diese Antithese als eine ursprünglich gnostische Kampfformel auf die Gnostiker in Korinth zurückgeht mit dem Inhalt: Das Alte Testament und alle religiösen Schriften der Antike sind tötender Buchstabe, lebensspendender Geist allein ist die gegenwärtige Offenbarung des himmlischen Geist-Christus. Bei diesem Verfahren geht es nicht um Vertiefung vorgegebener autoritativer Texte (z.B. Altes Testament, Judentum und Stoa) über den bloßen Vorder- und Wortsinn hinaus, sondern um die demonstrative Umkehrung von Sinn, Wert, Bedeutung und Wortlauf religiöser Texte, weil eben das gnostische Gottes-, Welt- und Heilsverständnis dem Wesen nach ein radikal anderes ist als das der vorgegebenen Quellen, im vorliegenden Falle des Alten Testamentes.

Auch die übrigen Antithesenpaare von Sklaverei und Freiheit/Sohnschaft (Gal.4,21ff; Röm.8,15; Gal.4,7; 2.Kor.3,17), unterem und oberem Jerusalem (Gal.4,21ff) und altem und neuem Bund (2.Kor.3,6.14) sind sich ausschließende Wesensgegensätze und spiegeln den gnostischen Dualismus von weltlosem Gott und gottloser Welt wider.

2. Der Mensch

Der aufgewiesene Dualismus bestimmt auch das Verständnis vom Menschen. Dem Bereich Gottes, des Geistes und des Christus sind die Pneumatiker zugeordnet, während die Psychiker bzw. Sarkiker hoffnungslos dem Herrschaftsbereich der Verhängnismächte Fleisch, Kosmos und Adam unterworfen sind (1.Kor.2,6ff; 3,1). Vortrefflich illustriert wird dieses gnostische Menschenverständnis durch die Tradition in Röm.7,14–25: Das unerlöste «Ich» (das nicht als das biographische Ich des Paulus gedeutet werden darf!) ist total ohnmächtig, verkauft unter die Sündenmacht, hoffnungslos besessen und in den Todesleib eingekerkert. So sehr ist der natürliche Mensch versklavt, daß er sich nicht einmal mehr in dieser seiner Verfallenheit selbst zu erkennen vermag. Röm.7,14–25 ist in seiner vorpaulinischen Gestalt der eigentliche Kommentar zu 1.Kor.15,20ff.44bff und Röm.5,12ff: Das «Ich» des natürlichen Menschen im Herrschafts- und Machtbereich des Adam-Urmenschen ist so völlig versklavt, daß er nicht einmal mehr von seiner Versklavung weiß. Der Dualismus von Sarx und Pneuma setzt sich also konsequent in der Anthropologie als dem Wesensgegensatz von Sarkikern und Pneumatikern fort.

3. Die Christologie

a) Derselbe Wesensgegensatz von weltlosem Gott und gottlosem Kosmos bestimmt auch die Christologie der judenchristlichen Gnostiker in den paulinischen Gemeinden. So wurde der irdische Jesus im Gottesdienst der korinthischen Gemeinde von ihnen öffentlich verflucht. Paulus hat diesen Kampfruf «Verflucht ist Jesus» (1.Kor.12,3) wortgetreu aufbewahrt. Das zugrundeliegende griechische Wort für «fluchen» ist jüdischer Sprachgebrauch (= dem Zorn der Gottheit Ausgeliefertes) und beweist wiederum, daß es sich um judenchristliche Gnostiker gehandelt haben muß. Sie bekennen sich zwar zum Geist-Christus, lehnen aber den irdischen Jesus aufs schärfste ab. Aufgrund ihres Dualismus trennten sie den Menschen Jesus vom Gott Christus und lieferten dem ersteren den Fluche aus. Dieselbe gnostische Christologie wird vom 1.Johannesbrief bekämpft: Man behauptete, «daß Jesus nicht der Christus sei» (1.Joh.2,22) und bestritt, daß der Geist Christus jemals «in das Fleisch gekommen sei» (4,2). Auch die gnostische Unterscheidung eines «Christus nach dem Fleisch» vom «Christus nach dem Geist» (2.Kor.5,16) zielt in dieselbe Richtung. Der erstere hat für sie keinerlei Bedeutung, ist unerheblich und wird dem Fluch des weltlosen Gottes öffentlich anheimgegeben. Heilsbedeutung hat allein der letztere, weil nur durch ihn das Heilsgeschehen vollendet worden ist. Die Verfluchung des Menschen Jesus bedeutet aber zwangsläufig die Verwerfung seiner Menschenwerdung und Passion. Die Botschaft vom Kreuzestod Christi ist den Gnostikern deshalb eine Torheit (1.Kor.1,18ff; Phil.3,19) wie die leibhafte Auferstehung von den Toten (1.Kor.15,12).

Christus kann vor den Gnostikern immer nur als himmlische Erlösergestalt, eben als «Herr der Herrlichkeit» (1.Kor.2,8) verstanden werden, da er im Sinne des gnostischen Dualismus niemals von den Mächten des Fleisches und des Kosmos tangiert werden darf. Der «Doketismus», der Christus nur einen Scheinleib zuspricht, ist deshalb die augenscheinlichste Konsequenz des Dualismus. Nur der präexistente, zwar im gottfeindlichen Kosmos erschienene, aber niemals wirklich Mensch gewordene, weil weltlose Erlöser hat durch sein Erscheinen die Unheilsmächte Fleisch, Sünde, Gesetz und Tod entmachtet und die Seinen befreit. Drei vorpaulinische Formschemata varieren dieses typische gnostische Thema der Christologie:

b) Typisch dafür ist die in den dualistischen Orientierungsrahmen gehörende Sendungsformel (Gal.4,4f/Röm.8,3): Gott sandte seinen präexistenten Sohn in den Kosmos, damit wir die Sohnschaft empfingen. Dasselbe Formschema mit festen Stichworten, dem Sendungs- und dem Heilssatz, findet sich auch in den johanneischen Schriften (Joh.3,17; 1.Joh.4,9.10.14). Diese Sendungsformel steht von Haus aus im dualistischen Bezugssystem: Gott sendet seinen präexistenten Sohn aus der oberen, himmlischen Herrlichkeitssphäre in den unteren Machtbereich des gottfeindlichen Kosmos, eben zu den vom Teufel versklavten Menschen. Denn Menschsein heißt typisch gnostisch Sklave-sein, damit – und jetzt wird der Heilssinn entaltet – aus Sklaven Söhne des weltlosen Gottes werden. Die Sendung des präexistenten Offenbarers ist also das eigentliche Heilsgeschehen, weder Geburt, Sterben noch Auferweckung werden anvisiert oder gar genannt. Damit sind die Verhängnismächte ein für allemal entmachtet, die Seinen befreit und zu Söhnen ihres himmlischen Vaters geworden.

c) Das vorpaulinische Schema der antithetischen Entsprechung der beiden «Urmenschen» Adam und Christus ist nichts anderes als die dualistisch-ontologische Interpretation des Heilswerkes Christi (1.Kor15,20ff.44b–49; Röm.5,12ff): Dem Geschick des Adam-Urmenschen entspricht das aller Menschen und dem Geschick des Christus-Urmenschen entspricht das aller Pneumatiker. Ein antithetisches Entsprechungsverhältnis waltet nun aber zwischen den beiden Urmenschen Adam und Christus: Weltlicher Adam und weltloser Christus stehen sich im Sinn des Dualismus, d.h. der sich ausschließenden Wesensgegensätze, gegenüber. In dem Adam-Urmenschen ist die gesamte Menschheit aller Zeiten dem Herrschaftsbereich des Todes und der übrigen versklavenden Mächte unterworfen, durch das Erscheinen des himmlischen Christus-Urmenschen dagegen kam es zur Entmachtung dieser Unheilsmächte, werden

die in diesem Herrschaftsbereich Versklavten befreit und in den Herrschafts- und Machtbereich des Lebens und des Geistes versetzt.
Beide Gestalten stehen in sich also in einem schroffen und universalen Dualismus gegenüber und scheiden die Welt des Unheils und des Heils in alternativer, radikaler und exklusiver Weise. Das mit dem Urmenschen-Schema verklammerte Mächtedenken erfaßt das Heils- wie Unheilsgeschehen als tiefgreifenden Herrschaftswechsel, eben als Wechsel von universalen Machtverhältnissen. Allein durch das Erscheinen des weltlosen, eben nicht zur irdischen Sphäre gehörenden zweiten Adam, des Christus-Urmenschen, ist unwiederbringlich eine neue heilbringende Machtsphäre, das Leben schlechthin, eröffnet worden. Von Menschwerdung, Kreuzestod und leiblicher Totenauferstehung ist wiederum – wie schon in der Sendungsformel – keine Rede, da im Sinne des gnostischen Dualismus der weltlose Christus-Urmensch durch sein bloßes, eben doketistisches Erscheinen die Todesmacht im irdischen Adam-Urmenschen-Bereich überwunden hat.
d) Der dritte und letzte Typus der dualistisch motivierten Christologie wird im berühmten Christushymnus (Phil.2,6–11) greifbar. Daß Paulus auch hier auf christlich-gnostische Tradition zurückgegriffen hat, beweisen die strophisch straffe Gliederung, das unpaulinische Vokabular, die sonst bei Paulus nicht erscheinende theologische Thematik und das völlige Fehlen von typisch paulinischen Verkündigungsaussagen. Allerdings ist dieser doketistische Hymnus auf den gottgleichen Erlöser von Paulus nicht nur vom Kontext ethisch, sondern in Vers 8 schroff antidoketistisch korrigiert worden, indem hier mit der wirklichen Menschwerdung und dem Tod am Kreuz der zugrunde liegende Dualismus von Paulus zerstört worden ist. Dieser ursprünglich aus zwei parallelen Strophen (Vers 6–7.9–11) mit je drei Doppelzeilern bestehende Hymnus besingt die Präexistenz und den Gestaltwandel des Erlösers, seinen kosmischen Ab- und Aufstieg wie seinen endgültigen Triumph über die Unheilsmächte. In einem geradezu dramatischen Geschehen werden die einzelnen aufeinanderfolgenden Phasen der Handlung des gottgleichen Erlösers umschrieben. Dabei ist die Christologie des Hymnus ganz im Sinne des gnostischen Dualismus entworfen und ausformuliert worden: Der in göttlicher Gestalt existierende, präexistente Christus nützte seine Gottgleichheit nicht aus (Vers 6), d.h. er betrachtete seine Wesenseinheit mit Gott nicht als Selbstzweck. Vielmehr wird mit Vers 7 in immer neuen Wendungen die einmalige Heilstat des im gottfeindlichen Kosmos erschienenen, präexistenten Erlösers überschwänglich gefeiert. Die Aussage «er entleerte sich» wird zugleich durch drei Partizipialwendungen erläutert: indem der Präexistente die Gestalt Gottes mit derjenigen des Sklaven vertauscht, erscheint der Weltlose in der Sphäre der Sklaverei; denn typisch gnostisch heißt Mensch-sein Sklave-sein, nämlich ausgeliefert sein an die Verhängnismächte. Aber dieser Gestaltwandel betrifft – da der Dualismus weltlo-

ser Erlöser und gottfeindliche Welt konstitutiv bleibt – nicht sein göttliches Wesen. Nur «im Abbild der Menschen» ist der Christus erschienen, nicht im Gleichbild. Der weltlose Christus ist nur in Entsprechung zu den versklavten Menschen erschienen, die Differenz himmlischer Erlöser – gottfeindliche Menschenwelt bleibt erhalten. Nur im «Auftreten» wurde er «wie ein Mensch» erfunden. D. h. aber: Phil.2,7 spricht eben nicht von der wirklichen Menschwerdung, oder gar von der Inkarnation, sondern doketistisch davon, daß die innerweltliche Existenz des weltlosen Christus nur eine Hülle, Verkleidung seines gleichgebliebenen göttlichen Wesens gewesen ist, um die Kommunikation mit den Versklavten zu ermöglichen. Und nur dieser Abstieg bzw. die Erscheinung des in der Wesenseinheit mit Gott befindlichen Erlösers im gottlosen Kosmos ist nach unserem Hymnus die Voraussetzung für die Entmachtung der Unheilsmächte. Dieser Triumph wird nun in den Versen 9–11 besungen. Mit der zweiten Strophe beginnt die neue und letzte Etappe des Erlöserweges: Für diese Heilstat wird der Erlöser wiederum in die anfängliche Präexistenzherrlichkeit erhöht und ihm der neue Name «Kyrios» von Gott verliehen, womit die Entmachtung aller Unheilsmächte, nämlich der himmlischen, irdischen und unterirdischen bereits vollzogen worden ist. Sie haben ihn bei der Inthronisation des Erlösers feierlich und rechtskräftig als Kyrios anerkannt, womit ihre Entmachtung dem Kosmos offenbar geworden ist. Das zeigt aber: Der Gestalt-, nicht aber der Wesenswandel des präexistenten und gottgleichen Erlösers hat die Entmachtung aller Verhängnismächte, die Befreiung der Seinen im gottfeindlichen Kosmos und damit ihre Versetzung in den Herrschafts- und Machtbereich des gegenwärtigen Pneuma-Kyrios bewirkt.

4. Der Christusleib

a) Zugeeignet wird die Heilstat Christi dem einzelnen Gläubigen durch das Sakrament der Taufe. Von besonderer Wichtigkeit ist in diesem Zusammenhang das vorpaulinische Taufformular in Gal.4,5b–7/Röm.8,14–17. Dieses Formular sieht in der Taufe die Vermittlung des Geistes, der den Menschen aus dem alten Herrschaftsbereich der Sklaverei in den neuen der Sohnschaft versetzt. Grundlegend ist der Dualismus von Sklaverei – Sohnschaft bzw. Sklave-Sohn, und zwar wird die Sohnschaft als dem Wesen nach neue zeitlich scharf von der Sklaverei als dem alten abgehoben (Gal.4,7/Röm. 8,15). Zugleich wird die Sohnschaft als empfangen bezeichnet (Gal.4,5/Röm.8,15), nämlich empfangen durch das Sakrament der Taufe. Ausdrücklich wird auch die Wirksamkeit des Geistes im Pneumatiker betont: Er wird von Gott in unser Herz gesandt, er selbst bezeugt unserem eigenen Geist, daß wir Gottes Kinder sind und nur durch den Geist können wir Gott als Vater im Gebet anrufen. Nur als die

vom Geist Getriebenen sind wir Söhne Gottes. Die ekstatisch-enthusiastische Komponente im Geistverständnis wird überdeutlich durch die beiden Ausdrücke «getrieben-werden» (Röm.8,14) und «rufen» (Gal.4,6/Röm.8,16) betont. Daraus wird konsequent gefolgert: Wenn sie bereits schon Söhne sind, dann auch Erben des endgültigen Heils.
Die Erscheinung des weltlosen Erlösers im Herrschaftsbereich der Sklaverei und die darin vollzogene Entmachtung der Unheilsmächte bewirkt die Befreiung der Versklavten, den Empfang der Sohnschaft durch das Taufsakrament. Ebenso behaupteten die Gnostiker eine schon verwirklichte Totenauferstehung, weil der Getaufte durch das Sakrament Anteil an der Auferstehung Christi erhielt (Röm.6,3b.4a.5). Das hymnische Fragment, die berühmte goldene Kette (Röm.8,29–30), verkündet ebenfalls die Taufe als Wiedergeburt, die bereits vollzogene Wesensverwandlung des Getauften, seine Gleichgestaltung mit dem Sohne, seine Rechtfertigung und schließlich seine Verherrlichung.
Von daher wird ohne weiteres verständlich, daß sich in Korinth christliche Gnostiker stellvertretend für Tote taufen ließen, (1.Kor.15,29), um sogar bereits Verstorbenen die Erlösung teilhaftig werden zu lassen.
b) Mit diesem ontologisch-dualistischen Taufverständnis ist nun nahtlos die Leib Christi-Lehre der Gnostiker verbunden. Die Taufe bewirkt als Befreiung von den versklavenden Verhängnismächten zugleich die sakramentale Eingliederung in den weltweiten Leib des himmlischen Urmenschen Christus (1.Kor.12,12; Röm.12,4f). Der Leib Christi als kosmische Größe wird aber nicht durch seine Glieder konstituiert, sondern ist im Hinblick auf seine Glieder präexistent. Gal.3,27f und 1.Kor.12,12f zeigen deutlich, daß Christus als der himmlische Universalmensch vorgestellt ist, der die entweltlichten Pneumatiker umfaßt wie ein Gewand und zusammen mit ihnen den Leib Christi bildet. Die Taufe wird hier verstanden als das «Ausziehen» des alten Adam- und das «Anziehen» des neuen Christus-Urmenschen. In diesem Leib sind alle nationalen, geschlechtlichen und sozialen Unterschiede belanglos geworden, da alle Pneumatiker untereinander und mit dem weltlosen Urmensch-Erlöser eine Wesenseinheit und Gemeinschaft bilden.
Der Einzelne wird durch das Sakrament der Taufe in diesen universalen präexistenten Christusleib eingegliedert (1.Kor.12,13; Gal.3,27; 2.Kor.1,21) und gewinnt lebenslang sakramentalen Anteil an dem weltweiten Leib des himmlischen Urmenschen im Abendmahl.
c) Eingliederung in den Christusleib führt so konsequent zum «*Sein in Christus*» (Gal.3,28). Diese primär ekklesiologische Formel «in Christus sein» bezeichnet im dualistischen Kontext das Sein der befreiten Pneumatiker im himmlischen Urmenschen-Christus (1.Kor.15,21f) und ist identisch mit dem Sein im Geiste. Im Wesensgegensatz dazu steht das Sein im Urmenschen Adam (1.Kor.15,21f) bzw. im Fleisch. Das Sein im universalen Adam-Urmenschen bedeutet den Tod, das Sein im universalen Chri-

stus-Urmenschen dagegen das ewige Leben, so daß beide Herrschafts- und Machtbereiche wie Tod und Leben im Wesensgegensatz zueinander stehen.

5. Die Ablehnung des Jüngsten Tages

a) Dieses Sein im erlösenden Christusleib bedeutet aber für den Gnostiker bereits die totale Wende, so daß jede Apokalyptik mit Parusie und Endgericht nach den Werken konsequent geleugnet wird. Die jüdische und urchristliche Erwartung einer allgemeinen Totenauferstehung mit dem Empfang des ewigen Lebens oder Todes wird mit Vehemenz abgelehnt: «Eine Auferstehung der Toten gibt es überhaupt nicht» (1.Kor.15,12). Paulus zitiert hier den Wortlaut einer Parole seiner gnostischen Gegner. Mit diesem dualistisch motivierten Kampfruf haben die judenchristlichen Gnostiker in den paulinischen Gemeinden grundsätzlich jede Erlösung des Leibes bestritten; denn die jüdisch-urchristliche Totenauferstehungshoffnung mußte als eine Erlösung des Leibes für dualistisch motivierte Theologie erscheinen. Der Leib des Pneumatikers ist nicht nur vergänglich, sondern vor allem verachtenswert, weil er wesenhaft zum widergöttlichen Herrschaftsbereich des Adam-Urmenschen, des Fleisches und des Kosmos gehört. Als völlig wertlose Behausung des weltlosen Pneuma-Selbst darf er niemals zum Leben erweckt werden bzw. kann er keinesfalls mit der Totenauferstehung in das definitive Heil einbezogen werden. Eine Erlösung, die sich im Sinne der jüdischen Apokalyptik auch noch auf den Leib und nicht ausschließlich auf das weltlose Pneuma-Selbst erstreckt, ist für gnostische Theologie Blasphemie!
Das Schlagwort «Totenauferstehung gibt es überhaupt nicht» ist also für die gnostischen Gegner des Paulus weder Ausdruck der Resignation, der Hoffnungslosigkeit oder gar des modernen Nihilismus, sondern die triumphierende Botschaft dessen, der das Heil gerade in der Erlösung vom gottwidrigen Leib erblickt.
Aber damit nicht genug! Weil die judenchristlichen Gnostiker in den paulinischen Gemeinden positiv eine dualistisch motivierte Vorstellung von postmortalem, aber radikal unapokalyptischem Heil haben, bestreiten sie mit diesem Schlagwort die leibliche Totenauferstehung nicht nur aus Widerspruch gegen die damit verbundene undualistische Erlösung des Leibes, sondern zugleich gegen die damit gesetzte futurische Eschatologie. Von einer apokalyptischen Naherwartung des Menschensohnes, der zukünftigen Entmachtung des Todes und einer kosmischen Katastrophe als den wesentlichen Inhalten des jüngsten Tages kann keine Rede mehr sein. Schließlich wird mit der Ablehnung der leiblichen Totenauferstehung bei der Parusie des Menschensohn-Jesus auch das damit verbundene apokalyptische Gericht der Menschen nach den Werken aufgrund des Mosegesetzes bestritten.

b) Neben diesem Kampfruf hat uns Paulus in 1.Kor.15,50a noch einen *Lehrsatz* der korinthischen Gnostiker aufbewahrt: «Fleisch und Blut können das Reich Gottes nicht erben.» Wie der Vergleich mit 1.Kor.6,9.10 und Gal.6,21 lehrt, liegt in 1.Kor.15,50a ursprünglich eine undualistische Taufkatechismusformel der hellenistischen Kirche zugrunde mit dem Inhalt: Die Übertreter des Mosegesetzes werden das Reich Gottes nicht erben. Diese Taufkatechismusformel ist von den Gnostikern polemisch in dreifacher Weise abgewandelt worden: a. Nicht die konkreten Sünder, die Gesetzesbrecher, sondern der natürliche Mensch überhaupt ist vom Reich Gottes ausgeschlossen. b. Fleisch und Blut haben nicht die Kraft, das dualistisch verstandene, durch den Tod hindurch gewonnene Heil zu gewinnen. c. Außerdem wird die Zukunftsform gestrichen und damit wird aus einer zeitlichen Taufkatechismusformel ein ontologischer Lehrsatz mit dem Inhalt: Der natürliche Mensch ist seinem Wesen nach vom definitiven Heil grundsätzlich ausgeschlossen. Die Übertretungen des Gesetzes sind demgegenüber völlig irrelevant.

c) Von besonderer Bedeutung ist in diesem Zusammenhang der *Textabschnitt 2.Kor.5,1–10,* wo die Forschung ziemlich genau die eschatologische Position der Gnostiker aufgrund der eingehenden Auseinandersetzungen mit ihnen rekonstruieren konnte.

Der Leib ist für sie nur ein vorübergehendes irdisches Zelt bzw. Haus (Vers 1.4) für das eigentliche Pneuma-Selbst. Ganz dualistisch wird hier der Leib von dem eigentlichen, in seinem Wesen nicht mehr negativ beherrschten, gnostischen Selbst unterschieden. In diesem Leib als der unangemessenen Hülle für das gnostische Selbst seufzt das letztere und möchte «ausgezogen» und nicht mehr «angezogen» werden (Vers 3 und 4; vgl. dieselbe dualistische Terminologie in 1.Kor.15,53–55). Der eigene Tod bedeutet in der individuellen, dualistischen Eschatologie das Ablegen des irdischen Kleides, des Leibes. Die «Nacktheit» (Vers 3) des gnostischen Pneuma-Selbst hat mit einem Zwischenzustand oder Wartezustand nichts zu tun, sondern umschreibt den definitiven Heilszustand und das eigentliche Heil und Heilsziel. Der Erlöste ist der Nackte, nämlich der von seinem irdischen Kleid, Zelt, Haus endgültig Befreite. Weil Heil für den Gnostiker Befreiung vom gottwidrigen Leib bedeutet, ist Nacktheit ein positiver terminus technicus, der den Wesensgegensatz zum Kosmos bildhaft umschreibt.

Im Augenblick des Todes (Vers 1) erwartet der Gnostiker als das eigentliche Erlösungsziel nicht die Auferweckung, sondern die Vernichtung des Leibes und d.h. die endgültige Trennung des nackten Pneuma-Selbst von der gottfeindlichen Welt. Solange der Gnostiker seine Heimat im Leibe hat, lebt er in der Fremde, fern von seinem Erlösungsziel, wird er aber von seinem Leib entfremdet, hat er endgültig seine Heimat beim Geist-Christus (Vers 6 und 8). Dabei ist typisch dualistisch die Identität des Pneuma-Selbst hier im gottfeindlichen Leib und Kosmos und nach dem individuellen Tode in der himmlischen Herrlichkeitswelt vorausgesetzt.

6. Die «Ethik» als geistgewirkte Emanzipation

a) Damit aber ist deutlich geworden, daß der Dualismus als Wesensgegensatz zwischen dem weltlosen Gott und dem gottlosen Kosmos alle Inhalte der gnostischen Theologie bestimmt und ihr eigentlicher Verstehens- wie Auslegungsschlüssel ist. Das wird nirgendwo so in seiner alles bisher geltenden aufsprengenden Kraft deutlich wie in der «Ethik» der judenchristlichen Gnostiker. Prüfstein für ihre revolutionär-ethische «Praxis» ist die Stellung zum alttestamentlich-jüdischen Kult- und Moralgesetz wie zum heidnischen Naturgesetz, die trotz aller terminologischen und sachlichen Unterschiede jeweils göttlichen Ursprungs und heilsnotwendig waren. Für die judenchristlichen Gnostiker gehören dagegen sowohl das jüdische Mose- als auch das heidnische Naturgesetz ohne Einschränkung auf die Seite des widergöttlichen Kosmos und Fleisches, sind also tötender Buchstabe und letztlich dämonischen Ursprungs. Darum wird es von ihnen grundsätzlich verworfen.
Wiederum hat uns Paulus eines ihrer provokativen Schlagworte in seinen Briefen aufbewahrt, die die theologische Szene grell beleuchten. Paulus zitiert offensichtlich den alles entscheidenden Kampfruf seiner Gegner in 1.Kor.8,1: «Wir haben alle Gnosis (=Erkenntnis).» «Gnosis», hier im Griechischen ohne Artikel gebraucht, war das eigentliche heilversprechende Schlüsselwort in der Theologie und «Ethik» nicht nur der korinthischen Gnostiker. Wer als schon von den Verhängnismächten Befreiter und in den Christusleib Eingegliederter, die Gnosis hat, also ein Pneumatiker ist, gehört bereits jetzt der himmlischen und weltlosen Herrlichkeitswelt an und besitzt die Freiheit vom widergöttlichen Kosmos. Konkret heißt das: Der Gnostiker ist befreit vom alttestamentlich-jüdischen Ritualgesetz und kann deshalb bedenkenlos am heidnischen Kult und seinen Kultmahlen teilnehmen, also demonstrativ Götzenopferfleisch essen (1.Kor.8,1–11,1). Auf diese ritualgesetzliche Problematik ist das zweite Schlagwort gemünzt: «Die Speise dem Bauch, und der Bauch den Speisen» (1.Kor.6,13a). Der Bauch als Organ der Verdauung gehört genauso wie die Speisen zum weltlichen Bereich. Es sind für den Gnostiker völlig neutrale Dinge, also theologisch bedeutungslos. Damit aber richtet sich dieser Kampfruf direkt gegen die alttestamentlich-jüdischen Speise- und Reinheitsgebote, die ausdrücklich zwischen verschiedenen Speisen unterscheiden und die Teilnahme an unreinen heidnischen Götzenopfermahlzeiten – weil beides kultisch verunreinigt – untersagten. Nichts anderes meint ein anderes gnostisches Schlagwort: «Speise aber wird uns nicht Gott nahebringen; weder haben wir einen Nachteil, wenn wir nicht essen, noch einen Vorteil, wenn wir essen» (1.Kor.8,8). Weder das Essen noch das Nichtessen betrifft das weltlose Pneuma des Gnostikers, handelt es sich doch hierbei um gänzlich bedeutungslose leibliche Vorgänge. Praktisch wird damit das ganze alttestamentlich-jüdische Ritualgesetz verab-

schiedet, weil es aufgrund des vorausgesetzten Dualismus eindeutig auf die Seite des verachtenswerten Kosmos gehört.
b) Zugleich aber wird auch die dualistisch motivierte *Freiheit vom mosaischen Moralgesetz* mit immer neuen provokativen Parolen zum Ausdruck gebracht und demonstriert. Mit dem Schlagwort «Alles ist mir erlaubt» (1.Kor.6,12a und 10,23) wird nun auch das mosaische Moralgesetz aus den Angeln gehoben. Dem Gnostiker, der auf Grund seiner Gnosis von allen weltlichen Unheilsmächten befreit wurde, ist alles erlaubt. Das zugrunde liegende griechische Wort für «es ist erlaubt» (éxestin) stammt als geprägte juristische Formel aus der jüdischen Gesetzeshermeneutik (vgl. nur 3.Makk.1,11; 4.Makk.5,18; Jos ant.8,404) und ist von den judenchristlichen, nachösterlichen Jesusgemeinden übernommen worden (vgl. Mk.2,14; 3,4; 6,18; 10,2 u.ö.). Aufgrund des Mosegesetzes ist den Israeliten bzw. Judenchristen etwas erlaubt oder nicht erlaubt, also strikt verboten. Wenn dieses Schlüsselwort der jüdischen Gesetzesdebatten nun im Munde der Gnostiker auftaucht, ist das ein weiterer Beweis dafür, daß diese Gnostiker in den paulinischen Gemeinden judenchristlicher Herkunft und somit bestens vertraut waren mit der jüdischen Gesetzeshermeneutik. Damit aber, daß allein dem Pneumatiker und nicht der Thora die totale Macht bzw. Vollmacht zugesprochen wird, ersetzt nun die schrankenlose, eben gesetzlose Freiheit des Gnostikers die Regeln der Thora. An die Stelle der göttlichen Thora tritt jetzt im Vollsinn des Wortes der weltlose, in göttlicher Wesenseinheit mit dem Erlöser stehende Pneumatiker. Das mosaische Moral- und Kultgesetz gehört dualistisch auf die Seite des gottlosen Kosmos, ist weder göttlichen Ursprungs noch der einzige, von Gott verordnete Heilsweg.
Von besonderer Bedeutung ist in diesem Zusammenhang *Gal.3,19c–22,* wo Paulus sicherlich auf schroff gesetzeszerstörende Aussagen seiner Gegner zurückgreift. Das Gesetz vom Sinai ist deshalb widergöttlichen Ursprungs, weil es «von dämonischen Engelmächten verordnet bzw. erlassen wurde». Sie und nicht Gott sind die Urheber des Gesetzes, indem sie sogar Einfluß auf seinen Inhalt genommen haben. Das sinaitische Gesetz in seinem heute vorliegenden Wortlaut, also der Konsonantentext, stammt nicht von Gott, sondern von dämonischen Mächten. Typisch gnostisch wird hier das Gesetz von Gott getrennt. Beweis ist für die judenchristlichen Gnostiker die altbekannte Tatsache, daß die Thora «durch die Hand eines Mittlers» auf Israel gekommen ist, sprachlich gesehen handelt es sich hierbei lediglich um einen sogenannten Hebraismus. Während dämonische Mächte als Urheber das Gesetz ausformuliert haben, wird Mose – der aber gar nicht dem Namen nach genannt wird! – als bloße Vermittlungsinstanz begriffen: Er war nichts anderes als ein Vermittler, der das von den dämonischen Engelmächten abgefaßte Gesetz an Israel weitergab. Der Vers 20 erläutert diesen Tatbestand in unmißverständlicher Weise. Nach dem hier vorausgesetzten Sprachgebrauch aber ist der

Mittler nicht Unterhändler bzw. Sprecher eines Einzelnen bzw. einer einzelnen Person, sondern stets einer Vielheit von Personen. «Gott aber ist immer nur ein Einziger.» Damit sind der alttestamentliche Text wie die offizielle jüdische Auslegung mit Hilfe der bekannten gnostischen Protestexegese auf den Kopf gestellt worden: Weil ein Mittler gewöhnlich eine Mehrheit von Personen vertritt, stammt das Sinaigesetz nicht von Gott, sondern wie der Mittler selbst von widergöttlichen Mächten, deren Funktionär auch der Mittler Mose ist.

Auch die nicht nur für jüdische Ohren blasphemische Aussage, daß die Zeit unter dem Mosegesetz identisch war mit der Zeit unter den heidnischen «Weltelementen» (Gal.4,3.5.9), hat Paulus von seinen gnostischen Gegnern übernommen. Weil das jüdische Gesetz für sie genauso wie die heidnischen Weltelemente universal versklavende Verhängnismächte sind, ist die Thora identisch mit den Satzungen der von den Heiden verehrten, kosmischen Elementen. Der jüdische Gesetzesdienst unterscheidet sich sachlich in nichts vom heidnischen Elementendienst! Für die judenchristlichen Gnostiker wird damit die jüdische Gesetzes- und die heidnische Naturreligion und somit die Geschichte des Judentums mit derjenigen des Heidentums gleichgesetzt. Wenn jüdisches wie heidnisches Gesetz dämonischen Ursprungs sind, und in einer Reihe mit den übrigen den Kosmos qualifizierenden Unheilsmächten wie Fleisch, Sünde und Tod gehören, dann hat die Gnosis schon zuzeiten des Paulus die für die Synagoge gotteslästerliche Gleichsetzung von Judentum und Heidentum vollzogen.

Das wohl klarste Zeugnis für eine gnostische Protestexegese des Alten Testaments im ganzen Neuen Testament findet sich in dem vorpaulinisch-gnostischen Text *Gal.4,21–31*. Hier werden die beiden Bundesschlüsse vom unteren, jetzigen Jerusalem (der Berg Sinai) und oberen Jerusalem (von einem Bund vom Berge Golgatha ist allerdings nicht die Rede!) mit Hilfe einer Mischung von Typologie und Allegorie in einen sich ausschließenden Wesensgegensatz gebracht (Vers 24): Der gesellschaftliche Stand der beiden Ehefrauen Abrahams, Sara mit ihrem Sohn Isaak und Hagar mit ihrem Sohn Ismael (vgl. Gen.16,15 und 21,21ff), wird gewaltsam zu einer allegorischen Chiffre für die beiden Bünde umgedeutet. Hagar ist die Sklavin, die den alten Sinaibund, und d.h. das dämonische Gesetz repräsentiert und als Mutter von Ismael und seiner Nachkommenschaft zur permanenten Gesetzessklaverei im unteren, jetzigen Jerusalem gebiert. Sara dagegen ist die Frau, die den neuen Bund des weltlosen Geistes und der völligen Gesetzesfreiheit, das «obere Jerusalem» repräsentiert und als Mutter von Israel und seiner Nachkommenschaft zur Freiheit im oberen, himmlischen und weltlosen Jerusalem gebiert.

Das eigentliche allegorische Argument der Gnostiker liegt im ersten Satz von Vers 25: «denn das Wort Hagar bezeichnet den Sinaiberg in Arabien». Damit wird die allegorische Gleichsetzung von Hagar mit dem

Berg Sinai vollzogen, so daß nach dieser dualistisch motivierten Exegese der Berg Sinai als der Schauplatz des Mosegesetzes von vornherein in Arabien, dem Lande der Nachkommen Hagars liegt. Wiederum weisen die alttestamentliche Textgrundlage, die ins Judentum gehörenden Motivzusammenhänge, die allegorische Auslegungsmethode, die Gegenüberstellung von jetzigem und oberem Jerusalem und die Vorstellung von Jerusalem als «unserer Mutter» auf jüdischen Einfluß und jüdische Tradition der Gnostiker. Aber diese bekannte jüdische Tradition und Auslegung werden blasphemisch auf den Kopf gestellt. Das Alte Testament wird gewaltsam gegen seinen Wortlaut wie Wortsinn und gegen die offizielle jüdische Auslegung dualistisch neu interpretiert; denn der Sinaibund und das damit gegebene Mosegesetz gelten nach alttestamentlich-jüdischer Tradition gerade Sara, ihrem Sohn Isaak und seinen Nachkommen, d.h. dem Volk Israel. In diesem gnostischen Kommentar dagegen wird durch eine gezielte Protestallegorese der Sinaibund samt dem Mosegesetz mit der Sklavin Hagar und ihrer Sklaverei, die sie ihren Nachkommen vererbt, identifiziert. Jetzt stehen die Gnostiker und Pneumatiker als die Gesetzesfreien dualistisch den Sarkikern als Gesetzessklaven, und die aus dem oberen Jerusalem Geborenen denen aus dem unteren Jerusalem gegenüber. Gegen den Text des Alten Testamentes werden die beiden Bünde gewaltsam auf den dualistischen Wesensgegensatz von Sklaverei unter dem dämonischen Gesetz und Freiheit von diesem Gesetz umgedeutet. Typisch gnostisch wird der «wahre» Sinn des versklavenden Mosegesetzes aufgedeckt und damit der Synagoge entrissen.

In einem *2.Kor.3,7–18* zugrunde liegenden gnostischen Kommentar wird Ex.34,29–35 in nicht mehr zu überbietender Weise umgedeutet. Nach dem alttestamentlichen Bericht und der jüdischen Auslegungstradition ist die Herrlichkeit auf dem Angesicht des Mose von ewiger Dauer, für die vorpaulinisch- gnostische Tradition dagegen vergänglich (Vers 7f). Außerdem hüllte Mose nach Ex.34 beim Herabsteigen vom Berge Sinai sein Haupt in eine Decke, weil Israel den Herrlichkeitsglanz auf seinem Angesicht nicht ertragen konnte. Der gnostische Kommentar dagegen läßt Mose sein Antlitz verhüllen, damit die Israeliten nicht das Ende der vergänglichen Herrlichkeit des Gesetzes sehen sollten (Vers 13)! Damit aber hinterging der Bundesmittler Mose die Israeliten am Sinai, indem er die vergängliche Herrlichkeit des Gesetzes gegen besseres Wissen unter einer Decke verbarg. Aufgrund dieses offensichtlichen Betrugsmanövers konnte Israel sein Versteckspiel nicht durchschauen und mußte zwangsläufig die Thora vom Sinai für die ewige, ausdrückliche Willensoffenbarung Gottes halten. Das aber war ein verhängnisvoller Irrtum, so daß ganz Israel «bis auf den heutigen Tag», sooft Mose, d.h. das Gesetz in ihren Synagogen verlesen wird (Vers 14f), verstockt bleibt. Dieser Verschleierungsversuch des Mose zum Zeitpunkt der Stiftung des Gesetzes bewirkte nach der Auslegung der judenchristlichen Gnostiker zugleich die Verstok-

kung Israels bis in die Gegenwart; denn Mose hat sie durch sein Versteckspiel am Berge Sinai bewußt daran gehindert, die Vergänglichkeit des von ihm vermittelten Gesetzes jemals durchschauen zu können. Dieselbe Decke liegt deshalb auf den Herzen aller Israeliten seit dem Sinaiereignis «bis auf den heutigen Tag», so daß Israel den wahren Sinn des Gesetzes als tötendem Buchstaben niemals erkennen kann. Der alte Bund und damit die Thora wurden also nicht erst im Laufe der Zeit zum «Dienst des Todes» (Vers 7) verfälscht, sondern sie waren es bereits zum Zeitpunkt der Stiftung.
Sooft aber Mose sich zum Herrn wandte, wird die Decke durch den Geist-Christus selber weggenommen (Vers 16). Mose wird hier wie in Vers 15 mit der Thora gleichgesetzt. D.h. aber: Das Sinaigesetz ist – weil es auf die bewußte Täuschung des Mose und das dadurch verstockte Israel zurückgeht – niemals das Zeugnis vom ewigen, wahrhaft göttlichen, allein das Heil vermittelnden Gesetz. Sooft aber «Mose» (=Thora) mit dem Geist-Christus konfrontiert wird, ist das Betrugsmanöver des Mose durchschaut, sein vermeintlich ewiger Gesetzesdienst als Dienst des Todes entlarvt und damit das Ende der Thora mit ihrem Konsonantentext gekommen. Denn nur in der Wende des «Mose» (=Gesetz) zum Geist-Christus wird der Thora für immer die Decke weggenommen und ereignet sich die Freiheit vom Gesetz. Vers 18 schließt mit dem triumphierenden Bekenntnis der Pneumatiker, daß sie allein ohne Decke die Herrlichkeit des Herrn im Spiegel schauen und dadurch in dasselbe Bild verwandelt werden von einer Herrlichkeit in die andere.
2.Kor.3,7–18 zeigt noch einmal ganz deutlich, daß der Gnostiker durch den Geist-Christus vom tötenden Mosegesetz ein für allemal befreit ist, weil er das Betrugsmanöver des Mose durchschaut hat. Für den Pneumatiker hat der Geist das Gesetz definitiv abgelöst.
c) Mit der schroffen Ablehnung des mosaischen Kult- und Moralgesetzes fällt weiterhin auch das *heidnische, dem Urchristentum durch die Diasporasynagoge vermittelte Naturgesetz dahin,* das «ungeschriebene Gesetz» der Griechen, das hinter den Pflichtentafeln, den Tugend- wie Lasterkatalogen und Regentenspiegeln steht. Wie aus der jeweiligen Polemik des Paulus hervorgeht, wurden von den Gnostikern in den paulinischen Gemeinden natürliche bzw. schöpfungsmäßige Ordnungen wie die Ehe (1.Kor.7,1), naturgesetzliche Differenzen zwischen Sklaven und Sklavenhaltern (Gal.3,27/1.Kor.12,3; auch 1.Kor.7,1ff) oder die schöpfungsmäßigen Unterschiede zwischen Mann und Frau (Gal.3,27/1.Kor.12,3; auch 1.Kor.11,2ff) bedenken- und schrankenlos aufgehoben. Sowohl das Naturgesetz wie auch die Schöpfungsordnungen sind Bestandteil des gottlosen Kosmos und darum verachtenswert und vor allem theologisch irrelevant.
Zusammengefaßt heißt das: Typisch gnostisch führt der exklusive Wesensdualismus zur Verabschiedung des Gesetzes überhaupt und nicht

wie z. B. in Qumran zur Radikalisierung des Gesetzes. Heil und Erlösung sind immer gleichbedeutend mit der Befreiung vom und niemals Befreiung zum Gesetz. In der Stellung zum Gesetz stellen Judentum wie Heidentum einerseits und Gnosis andererseits eine Alternative dar.

d) Wenn aber von den judenchristlichen Gnostikern das mosaische Moralgesetz ohne Einschränkung verworfen wird, gibt es *keine Ethik* des sittlichen Wandels nach dem Dekalog als Summe des Moralgesetzes. Da Fleisch und Sünde für den Gnostiker in den Paulusgemeinden weder moralische Folgen haben noch überhaupt moralische Phänomene sind, wird der Bereich des Moralischen nicht nur überholt, sondern schlechthin ausgeblendet. Die Welt als der negative Machtbereich ist nicht mehr wie im Judentum der gefährliche Schauplatz für moralische und auch rituelle Bewährung, sondern für die Gnosis der unheilbringende und versklavende Herrschaftsbereich, von dem der Gnostiker auf dem Wege der lebenslangen Entweltlichung erlöst werden muß. Auch das Gesetz als Heilsweg und Heilsfaktor ist irrelevant, und damit fällt die traditionelle Lohn- und Verdienstethik des Judentums. Weil jede Gesetzesfrömmigkeit wie Gesetzespraxis aufgrund des Dualismus ausgeschlossen ist, hat der Wandel nach dem Moralgesetz keine Heilsbedeutung mehr und wird jedes dem Moralgesetz entsprechende, ethische Verhalten ausgeschlossen.

Zugleich werden alle alttestamentlich-jüdisch motivierten Schöpfungsordnungen als dem unheilbringenden Kosmos zugehörig mit Vehemenz abgelehnt. Eine traditionelle Schöpfungsethik hat hier keinen Platz mehr. Und mit der demonstrativen Verwerfung des heidnischen Naturgesetzes fallen auch die moralisch verbindlichen Normen der griechisch-hellenistisch-römischen Ethik. Die seit Xenokrates bekannte und kanonische Trias von Logik, Physik und Ethik ist ebenso verschwunden wie die seit Plato gültigen vier Kardinaltugenden. Diese Ethik als Tugendlehre mit dem lebenslangen Kampf des moralischen Athleten in der Arena der Tugend und dem Lohn der Unsterblichkeit verbleibt grundsätzlich im Unheilsbereich des gottlosen Kosmos, so daß aller Tugendstolz, Tugendruhm und Tugendverdienst ohne jede soteriologische Bedeutung für das Heil des Menschen bleiben. Auch jede Sozialethik, die die Ordnungen innerhalb der Welt betreffen, gehört zum unheilbringenden Kosmos und wird demonstrativ verleugnet.

Vielmehr tritt an die Stelle von Gesetz und Ethik in der christlichen Gnosis die dualistische Pneumatika-Lehre. «Pneumatika» war Paulus aus der Sprache seiner gnostischen Gegner vorgegeben, wird von ihm allerdings polemisch benutzt. Als führender Begriff der korinthischen Enthusiasten kann «Pneumatika» im Deutschen nicht nur mit «Geistesgaben» wiedergegeben werden, sondern das griechische Wort meint pointiert die Wirkungen des antikosmischen Geistes als Geistesmacht, umschreibt also ebenso massiv wie demonstrativ die explosiven Einbrüche der jenseitigen Herrlichkeitssphäre, eben des weltlosen Geistes, in den gottlosen Kosmos. Diese Geisteswirkungen sind nach 1.Kor.12,28 und 30 vor allem mit ekstatischer Zungenrede, dramatischen Kraftwirkungen und sensationellen Wundern identisch. Die «Pneumatika» sind also unübersehbare Offenbarungen des Geistes in Ekstase und Wunder, provokative Demonstration und Emanzipation (=geistgewirkte Bindungslosigkeit). Die Geisteswirkungen als die wunderhaften, übernatürlichen und anormalen Demonstrationen, Kräfte und Wirkungen des weltlosen Pneuma-Christus im jeweiligen Pneumatikon sind niemals menschliche bzw. weltliche, sondern streng pneumatische Möglichkeiten, ausschließlich geistgewirkt und direkt aus dem weltlosen Geiste abgeleitet. Ihr Ort ist darum nicht der gottlose Kosmos, sondern der weltweite Christusleib, dem die Pneumatiker und ihre Pneumatika wesenhaft zugehören.

e) Die Wirkungen der Geistesmacht betreffen nun aber keineswegs nur Wunder und Ekstase, sondern offenbaren sich in den *unaufhörlichen provokativen Demonstrationen der Geistträger,* wenn sie in öffentlichen Gemeindeversammlungen mit ihren Schlagworten den irdischen Jesus verfluchen (1.Kor.12,3), den Jüngsten Tag mit der Totenauferstehung verwerfen (1.Kor.15,12) und die schrankenlose Freiheit hinsichtlich des Fleisches als dem widergöttlichen Herrschaftsbereich und dem Leib als dem versklavenden Kerker des göttlichen Geistes (1.Kor.6,12) praktizieren. Gerade diese letzte Parole wird bewußt umgesetzt in Libertinismus, d.h. in eine bedenkenlose sexuelle Freiheit (1.Kor.5,1–13). So hat offenbar ein christlicher Gnostiker in der korinthischen Gemeinde mit seiner Stiefmutter Geschlechtsverkehr, ein besonders grober Fall von Unzucht, der nach dem Urteil des Paulus nicht einmal bei den Heiden vorkommt (1.Kor.5,1). Denn die Ehe mit der zweiten Frau seines Vaters, der entweder verstorben oder von ihr geschieden ist, war sowohl nach jüdischem (3.Mose 18,7f; 20,11) als auch römischem Sexualrecht verboten. Weil alles Geschlechtliche aber zum widergöttlichen Kosmos gehört, tangiert es den weltlosen Geist in keiner Weise. Im Gegenteil! Die Wirkungen des weltlosen Geistes demonstrieren gerade darin ihre Überlegenheit über alles Weltliche, wenn der Pneumatiker demonstrativ den Geschlechtsverkehr der Beliebigkeit freigibt und jegliche Sexualethik öffentlich verabschiedet. Nirgends zeigt sich gnostische Entweltlichung und Weltverneiung wie Weltverachtung deutlicher als in der grundsätzlichen Bejahung der Prostitution (1.Kor.6,12–20). Wie sämtliche Speisen für den Bauch bestimmt sind, also jeglicher theologischen Bewertung enthoben sind, so berührt auch die Unzucht nicht sein eigenes Pneuma-Selbst. Gerade die zügellose Leibverachtung mit der demonstrativen Bejahung der Unzucht ist für den Gnostiker ein Pneumatikon, d.h. direkte Wirkung des weltlosen Geistes als Geistesmacht. Der hier und auch sonst in der Gnosis bezeugte Libertinismus ist nicht weltanschaulich (z.B. nihilistisch), sondern ausgesprochen theologisch motiviert. Er ist die Konsequenz des Wesensgegensatzes zwischen weltlosem Gott und gottloser Welt, wozu alles Geschlechtliche und damit der Geschlechtsverkehr dem Wesen nach gehören. Mit andern Worten: Der demonstrative Gang zur Dirne ist geistgewirkt, nämlich Wirkung des weltlosen Geistes und damit für den Gnostiker ein Pneumatikon! Aber dieser antikosmische Dualismus mit der radikalen Abwertung alles Leiblichen, Geschlechtlichen und Weltlichen zeigt sich nicht nur in der Zügellosigkeit, sondern mit demselben Gewicht als Gegenpol in der ekstatischen Leibverachtung. Diese typisch gnostische Bipolarität von Libertinismus wie Askese umschreibt für den Gnostiker nur die zwei Seiten ein und derselben Sache! Denn das Erlösungsziel bleibt sich hier wie dort gleich, die totale Entweltlichung des Pneumatikers.

Nichts beleuchtet das krasser, als die gnostische Parole: «Gut ist es für den Menschen, eine Frau nicht zu berühren», die Paulus in 1.Kor.7,1b zitiert. «Gut» hat die Bedeutung von ratsam, zum Heil nützlich und notwendig. «Berühren» ist im sexuellen Sinn zu verstehen, so daß jetzt dieser Kampfruf zu übersetzen ist: Heilsnotwendig ist es für den Menschen (=Mann), sich jeglichen Geschlechtsverkehrs mit einer Frau zu enthalten. Das gnostische Schlagwort in 1.Kor.7,1b fordert die prinzipielle Geschlechtsaskese, d.h. für Unverheiratete ebenso wie für Eheleute. Diese dualistisch motivierte Leib-, Geschlechts- und Ehefeindlichkeit ist neben Vers 1b auch aus anderen Argumentationen des Paulus in 1.Kor.7 zu erschließen.

So spricht Vers 10f (und auch Vers 27) für eine Auflösung schon bestehender Ehen und Vers 14 für die Furcht vor der Macht des Fleisches innerhalb einer Mischehe. Aus Vers 7 folgt, daß die Ehelosigkeit prinzipiell als die christliche Verhaltensweise angesehen wurde und nach Vers 28 gilt Heirat als Sünde. Aus Vers 32ff ist zu schließen, daß die Ehegatten Repräsentanten des gottlosen Kosmos sind, und der vielumrätselte Abschnitt 7,36–38 weist in die Richtung von «geistlichen» Ehen bzw. Verlöbnissen, in denen die sexuelle Gemeinschaft durch eine geistliche ersetzt wird.

Ohne Zweifel sind judenchristliche Gnostiker in Korinth öffentlich für die prinzipielle Geschlechtsaskese eingetreten, wobei noch mit Nachdruck darauf hingewiesen werden muß, daß ihre Parole in 1.Kor.7,1b genau das Gegenteil von 1.Mos.2,18 behauptet und im schroffen Gegensatz zum Juden- und Heidentum stand. Denn für erstere war die Ehe ein göttliches Gebot zur Erzeugung von Kindern und für letztere war die Ehe das Normale. Diese typisch gnostische Leib-, Geschlechts- und Ehefeindschaft wird immer wieder bezeugt durch die Berichte des altkirchlichen Ketzerbekämpfer und vor allem die gnostischen Originaltexte. Für Markion z.B. war die Ehe nichts anderes als Unzucht (Tert.adv.Marc.I 29).

f) So ist es schließlich nur konsequent, wenn die Geisteswirkungen (=Pneumatika) *die völlige Emanzipation* (=die geistgewirkte Schrankenlosigkeit) zum Ziele haben. Der weltlose Geist bewirkt in der Welt die

totale Entweltlichung des Geistträgers (=Pneumatiker), so daß die geistgewirkte Emanzipation die entscheidende Losung dieser judenchristlichen Gnostiker genannt werden muß. In diesem Zusammenhang von gnostischen Emanzipationserscheinungen ordnet sich nun aber auch der letzte und von Paulus zitierte Kampfruf der Gnostiker in Gal.3,27f ein, der fast gleichlautend in 1.Kor.12,13 und noch einmal in den nachpaulinischen Schriften (Kol.3,11) vorkommt. Dieses programmatische Schlagwort findet sich also mehrmals in den Paulusbriefen und der Paulusschule und läßt vermuten, daß Paulus auch dieses Mal eine Parole aus der Tauftradition der judenchristlichen Gnostiker aufgenommen hat, deren ekstatischer Schrei und revolutionäres Programm lautet:
«Da ist nicht Jude oder Grieche,
nicht Sklave oder Freier,
nicht Mann oder Frau.»
Dieses Schlagwort aber – und darauf kommt für ein sachgemäßes Verständnis alles an – wird sowohl in Gal.3 als auch in 1.Kor.12 mit der Taufe in den Leib Christi verbunden. In diesen weltweiten, präexistenten Leib des Geist-Christus wird der Pneumatiker durch die Taufe eingegliedert, er hat Christus wie ein Kleid «angezogen» (Gal.3,27). Damit aber wird die für die gesamte Antike durchaus revolutionär zu nennende heilsgeschichtlich-völkische («Jude oder Grieche»), sozialrechtliche («Sklave oder Freier»), und geschlechtliche («Mann oder Frau») Gleichheit bewirkt und praktiziert. Im Christusleib als der himmlischen Welt inmitten des gottfeindlichen Kosmos sind alle diese Unterschiede aufgehoben, werden sie als Unterscheidungsmerkmale der dämonischen Herrscher dieser Erde entlarvt und sind sie «in Christus» ein für allemal überwunden. Diese Parole ist auf gar keinen Fall eine erbaulich-religiöse Zementierung bestehender Weltverhältnisse, ein Status-Quo-Prinzip oder nur frommer Gefühlsüberschwang, sondern Programm der geistgewirkten, weil vom gegenwärtigen Geist eröffneten Emanzipation, wenn auch keineswegs in modern-politischem Sinn. Wer schon in die himmlische Welt versetzt ist und von himmlischen Kräften bestimmt ist und damit in radikalen Wesensgegensatz zur Welt als gottfeindlicher Unheilsmacht steht, kann diesen Kosmos mit allen seinen Schein-Unterschieden nur verneinen, sei es in radikaler Weltflucht oder sei es mit der Losung der Emanzipation oder gar in schrankenlosem Libertinismus. Jedenfalls findet der Gnostiker seine Grenze nicht in gesetzlichen, ethischen, rechtlichen, physischen oder gesellschaftlichen Vorgegebenheiten und Ordnungen, sondern er zerschlägt sie vielmehr, denn alle diese Schöpfungsordnungen, rechtlichen Gegebenheiten und Differenzen gehören dieser gottlosen Erde an, die aber unter der totalen und unentrinnbaren Herrschaft der dämonischen Mächte und des Teufels steht. Die in der Taufe bewirkte Wesenseinheit mit dem Geist-Christus und dem weltlosen Gott kann sich auf dieser gottfeindlichen Welt der Sklaverei, Lüge und Finsternis nur als geistge-

wirkte Emanzipation im umfassenden Sinne ausleben, die es für den Gnostiker also bewußt im Namen Christi und allezeit öffentlich zu demonstrieren gilt.

Das Einssein im Christusleib hat die heilsgeschichtlich relevante Trennung zwischen Juden und Heiden beseitigt, weil das den Gegensatz begründende Mosegesetz und hier besonders das Ritualgesetz theologisch belanglos geworden ist. Mit der Verwerfung des Mosegesetzes wurden auch alle Privilegien Israels, wie z. B. seine Erwählung durch Jahwe, die Verheißungen, die Bundesschlüsse und seine endgültige Rettung hinfällig. Umgekehrt sind die Heiden nicht mehr von Natur aus Sünder, Gesetzlose im rituellen wie moralischen Sinne, wofür sie im Endgericht von Gott gerichtet und verdammt werden. Diese ehemals heilsgeschichtlich fundamentale Trennung zwischen erwählten Juden und gottlosen Heiden und den damit vom Mosegesetz gelieferten Kriterien sind nichts anderes als Kriterien des widergöttlichen und rebellischen Kosmos und der zu verachtenden Unheilsmächte Fleisch, Sünde und Tod. Angesichts der Geisteswirkungen sind sie allesamt zu etablierten Belanglosigkeiten geworden.

Im weltweiten, aber gleichwohl weltlosen Christusleib existiert auch nicht mehr der fundamentale, sozialrechtliche wie gesellschaftliche Unterschied zwischen Sklavenhalter und Sklave, denn sie sind als Pneumatiker alle Einer in Christus. Sehr wahrscheinlich gilt diese geistgewirkte und auf radikal dualistischer Basis beruhende Emanzipationsparole nicht nur vor Gott und in der christlichen Gemeinde, also dem Gemeindegottesdienst, sondern auch im Alltag der Welt, allerdings «nur» zwischen christlichen Sklavenhaltern und christlichen Sklaven. Auch wenn von den Gnostikern niemals versucht wurde, die allgemeinantike Gesellschafts- und Rechtsordnung von Sklave und Freiem offiziell anzugreifen und die Sklaverei als solche abzuschaffen – dazu fehlten die Machtmittel – so kann die soziale Brisanz eines solchen programmatischen Schlagwortes doch kaum unterschätzt werden. Gewiß haben diese Gnostiker aufgrund ihrer Wesenseinheit mit dem Geistchristus für die christlichen Sklaven das Recht auf Freilassung aus der Sklaverei christlicher Sklavenhalter gefolgert. Weil die in der gesamten Antike in Geltung stehenden Sklavengesetze und die darauf beruhende Sklavenhaltergesellschaft ausschließlich auf die Seite des gottfeindlichen Kosmos als Unheilsmacht gehört, beanspruchten christliche Sklaven ihre Freiheit, d. h. ihre Freilassung seitens ihrer christlichen Sklavenhalter. Gegen diese emanzipatorische Absicht grenzt sich Paulus in 1.Kor.7,17–24 ausdrücklich negativ ab. Auch wenn dieses Schlagwort ein Ausdruck vorweggenommener Entweltlichung unter den Bedingungen dieser Welt gewesen ist, so dürfte die direkte gesellschaftliche Umsetzung sicher auf Schwierigkeiten gestoßen sein. Nach allem, was wir wissen, postulierten diese Gnostiker mit ihrer Parole die schon geschehene, vom Geist her begründete Entweltlichung der christlichen Sklaven und Sklavenhalter als endgültig, auch wenn die Wirklichkeit mit ihren praktischen Interessen dahinter zurückblieb. Sie waren und blieben Außenseiter im Urchristentum, auch wenn sie offensichtlich die Einzigen im Neuen Testament geblieben sind, die die Emanzipation christlicher Sklaven angestrebt haben. Daß solche Parolen selbst in der Spätantike nicht ohne Wirkung geblieben sind, beweisen die sog. Therapeuten und die Qumran-Essener, allerdings auf dem Boden des Judentums. Beide religiösen Gemeinschaften, die Qumran-Essener aber «nur» in ihrer Mönchsgemeinde am Toten Meer, verzichteten auf Sklaven, auch wenn ihr theologischer Begründungszusammenhang von dem der judenchristlichen Gnostiker völlig verschieden war.

Schließlich hat man mit dem Kampfruf «nicht Mann oder Frau» die geschlechtlichen Unterschiede zwischen Mann und Frau und vor allem die religiöse und kultische, aber auch rechtliche, politische und soziale Minderbewertung der Frau in der jüdischen wie heidnischen Antike radikal nivelliert. Weil das Pneuma-Selbst das allein Wesentliche des Menschen ist, und die Kraft des weltlosen Geistbesitzes auf die Seite des weltlosen Gottes gehört, sind alle geschlechtlichen Differenzen zwischen Mann und Frau lediglich Kriterien des zu verachtenden Leibes und damit des widergöttlichen Kosmos. Allein entscheidend ist jetzt die Wesenseinheit der Pneumatiker mit Gott und dem himmlischen Bereich. Diese Gnosis wurde und mußte selbstverständlich sowohl im Gottesdienst wie auch im Alltag der Welt in die Tat umgesetzt und sichtbar demonstriert werden, wie die Tatsache des Betens und Verkündigens der Frau in 1.Kor.11,5 einerseits und ihr gleichzeitiges unverschleiertes Auftreten nach 1.Kor.11,2ff andererseits beweist. Irgendwelche Sitten für eine unterschiedliche Kopfbedeckung bei Mann und Frau im Gottesdienst sind irrelevant und müssen beseitigt werden.

Weil die geistgewirkte Emanzipation die alleinige Losung ist, haben die judenchristlichen Gnostiker ihr Recht nicht nur gegenüber ihren christlichen Brüdern durchzusetzen versucht, sondern sind vor heidnische Gerichte gezogen (1.Kor.6,1ff). Wiederum wird hier noch einmal kraß deutlich, daß auch das Recht, die Gerichte und das Prozessieren zum widergöttlichen Kosmos gehören, das Pneuma-Selbst nicht tangieren können und damit der Beliebigkeit und theologischen Bedeutungslosigkeit verfallen sind.

Wir fassen zusammen: Im Christusleib hat der Gnostiker den physischen wie ewigen Tod längst hinter sich gelassen und gehört der himmlischen Welt als Erlöster an. Heil als innerweltliche Entweltlichung des weltlosen Pneumatikers ist gleichbedeutend mit seiner lebenslangen und schließlich nach seinem Tode endgültig vollzogenen Trennung vom gottlosen Kosmos, vom dämonischen Gesetz und von allen Ordnungen dieser Welt. Das Heil ist also Befreiung von der Macht der gottfeindlichen Welt, vom irdischen Leben und von der gesellschaftlichen Umwelt überhaupt. Zweifellos ist die Gnosis, wie sie uns zum ersten Mal im Neuen Testament nachweisbar in den Paulusbriefen entgegentritt, nicht als eine fremde heidnische Religion einzustufen, sondern als eine innerchristliche und innergemeindliche Erscheinung; denn ihre judenchristlichen Repräsentanten verstehen sich durchaus als Christen.

III. Die gnostische Grundschrift des Johannesevangeliums

Vorausgesetzt werden in diesem Zusammenhang die beiden wichtigsten Forschungsergebnisse im Hinblick auf das kanonische Johannesevangelium. Zu unterscheiden ist zwischen dem heute vorliegenden, überarbeiteten Johannesevangelium bzw. dem sog. «kirchlichen Redaktor» einerseits und seiner Vorlage, der Grundschrift bzw. dem vierten Evangelisten andrerseits. Wir können heute weitgehend methodisch kontrollierbar eine Grundschrift von ihrer Redaktion abheben, und damit die Konturen der Grundschrift wie auch die Tendenzen der Verarbeitung erkennen und bestimmen. Dem gegenwärtigen Johannesevangelium liegt also sehr wahrscheinlich eine Vorlage zugrunde, die einer umfangreichen, großkirchlichen Redaktion unterzogen wurde. Das heute vorliegende Johannesevangelium ist in literarkritischer Hinsicht uneinheitlich, da eine Urschrift von einer späteren, gegensätzlichen und umfangreichen Redaktion zu scheiden ist. Zugleich gehört diese Grundschrift religionsgeschichtlich in den Kontext der übergreifenden christlich-gnostischen Tradition, während die Redaktion theologiegeschichtlich in den beginnenden Frühkatholizismus am Anfang des zweiten Jahrhunderts nach Christus weist. Das unredigierte Johannesevangelium ist also weder judenchristlich noch paulinisch oder frühkatholisch, sondern eine christlich-gnostische und naiv-doketistische wie von dem schon bekannten Dualismus geprägte Schrift. Diese ist gattungsgeschichtlich als Dialog-Evangelium bzw. als Traktat von Offenbarungsreden und Katechesen anzusprechen und stellt historisch die älteste, gnostische Grundschrift aus Innersyrien dar, die wir zur Zeit besitzen. Die johanneische Verkündigung und Theologie hat demnach einen Prozeß durchgemacht, der von ältesten und eigenständigen Anfängen bis in die Großkirche am Beginn des zweiten Jahrhunderts reicht: also von der vorjohanneischen Gemeindetradition über die Grundschrift bis zur Johannes-Schule, zu der die Redaktion des Johannesevangeliums wie die drei Johannesbriefe gehören.
Das gegenwärtige Johannesevangelium ist somit weder ein Zufallsprodukt noch der bloße Versuch, verstreutes Traditionsmaterial der johanneischen Gemeinden zu sammeln und aufzuarbeiten, sondern die gezielte und systematische Redaktion und Edition eines bereits vorliegenden, christlich-gnostischen Evangelienbuches. Erst durch diese tiefgreifende und umfangreiche Bearbeitung hat die kirchliche Redaktion die Grundschrift mit ihrer häretischen Tendenz für die orthodoxe Großkirche am Beginn

des zweiten Jahrhunderts tragfähig gemacht. Das überlieferte Johannesevangelium kann also nicht anders denn als Spiegel der bewegten Geschichte des johanneischen Christentums gelesen werden: Wir schauen hinein in die aktuellen Auseinandersetzungen und schroffen Kämpfe der orthodoxen Kirche mit der gnostischen Häresie am Anfang des zweiten Jahrhunderts nach Christus. Zur Aufhellung dieser traditions- und theologiegeschichtlichen Entwicklungen des Johannesevangeliums hat sich die Trennung der Theologie der Redaktion von derjenigen der Vorlage tatsächlich aufs Beste bewährt.

1. Die christologische Heilsveranstaltung des bisher unbekannten Gottes

a) Läßt man diese spätere Bearbeitung zunächst einmal beiseite, dann kommt eine Grundschrift mit durchgehend dualistischer Theologie zum Vorschein. Dieser eigentümliche Dualismus entfaltet sich sowohl kosmisch-räumlich im Gegensatz von oberer und unterer Sphäre als auch zeitlos-wesensmäßig als Widerstreit zwischen dem göttlichen Herrschaftsbereich von Leben, Wahrheit und Licht und dem gesamten gottlosen Kosmos als dem teuflischen Machtbereich von Tod, Finsternis und Lüge. Wir treffen hierin den Schlüssel aller Auslegung der Grundschrift. Allerdings ist diese Entgegensetzung von Gott und Welt im johanneischen Sinne nur dann richtig bestimmt, wenn im Unterschied zum griechischen und apokalyptischen Dualismus auch und gerade das Gesetz bewußt auf die Seite des gottlosen, vom Teufel beherrschten Kosmos gehört, und das heißt dualistischer Gegenpol zur göttlichen Welt des Lebens ist. Typisch dafür sind die weitgehend austauschbaren Antithesenpaare «Licht» und «Finsternis», «Wahrheit» und «Lüge», «Geist» und «Fleisch», «Freiheit» und «Sklaverei», die durchwegs alternative Wesensbezeichnungen sind und die radikale Wesensdistanz zwischen diesen Polen bezeichnen. Für den Menschen gibt es nur diese beiden Existenzweisen: aus dem Geist (3,6), aus Gott (1,12; 7,17; 8,47), aus der Wahrheit (18,37), von oben (8,23), aus dem Himmel (3,31) sein, oder aber aus dem Fleisch (3,6), aus der Welt (8,23), aus dem Teufel (8,44), von der Erde (3,31) und von unten (8,23) sein.
Alle diese Qualifikationen sind deshalb austauschbar und gleichbedeutend, weil sie nichts anderes als den Wesensgegensatz ewiges Leben – ewiger Tod umschreiben und damit als das alles entscheidende antithetische Begriffspaar für Heil und Unheil bestimmt werden. Alle Menschen sind unentrinnbar im diabolischen Machtbereich gefangen und ihre teuflische Todesverfallenheit ist identisch mit ihrer völligen Gottesblindheit und Gottesfinsternis. Der Teufel als der die untere Welt versklavende Repräsentant in diesem dualistischen Weltbild ist der eigentliche Gegen-

spieler Gottes. Unangefochten herrscht er durch Sünde und Finsternis (8,31ff), Tod und Lüge (8,41ff). Vor allem ist der Teufel schon immer seinem Wesen nach ein Menschenmörder, so daß der Kosmos mit der ebenfalls ihm dienenden und von Lust zum Töten getriebenen Menschheit (8,44) zum bleibenden Todesgefängnis und Totenhaus wird. Gott und damit ewiges Leben sind diesem teuflischen Machtbereich unbekannt und unerschwinglich. Beide Sphären und Herrschaftsbereiche, die des Lebens und die des Todes, haben also dem Wesen nach nichts miteinander gemein, sondern sind nach 3,6 total getrennt. Eine Vermischung beider Machtbereiche ist daher typisch gnostisch unmöglich, so daß die himmlische Welt des unbekannten, weltlosen und oberen Gottes in absoluter Integrität und Unberührtheit von der irdischen unteren Welt des Teufels auf ewig geschieden ist. Ein drittes gibt es nicht! In diesem Dualismus wurzeln auch die dauernden Mißverständnisse des gottfeindlichen Kosmos (2,19ff; 3,3f; 4,10f.31ff; 6,41f; 7,33ff; 8,21f.31ff.51ff.56ff u.ö.). Alle diese Mißverständnisse lassen in den betreffenden Worten der Offenbarungsreden – wie z.B. Wasser, Brot, Licht, Weg – nur den irdischen, uneigentlichen Sinn erkennen, allein dem Glaubenden ist die himmlische und eigentliche Bedeutung erschlossen. Dieses Mißverständnis aber ist Zeichen des Unglaubens und des Verhaftetseins im gottlosen Kosmos.
Dieser Dualismus von weltlosem Heil und heilloser Welt ist das Vorzeichen vor der Klammer, d.h. er bestimmt die gesamte Sprach- und Vorstellungstradition des Johannes und damit alle Inhalte seiner Theologie.
b) In diesen Dualismus wird von Johannes die gesamte christologische Heilsveranstaltung des himmlischen Vaters durch den Sohn und d.h. die von Johannes in immer neuen Variationen ausformulierte Gesandtenchristologie eingezeichnet. Die Sendung des präexistenten Sohnes durch seinen Auftraggeber, den himmlischen Vater, in den unteren diabolischen Machtbereich des Todes und der Finsternis, mit dem Auftrag, der Welt den bisher unbekannten Vater und damit das ewige Leben zu offenbaren, ist das Schlüsselwort der johanneischen Christologie, die ohne Mythologie nicht auskommt. Diese Offenbarung des bis dahin unbekannten Gottes, die allein der Gesandte bringt, ist so absolut und exklusiv, daß kein Mensch weder vor ihm Gott kannte noch neben ihm Kunde von ihm erhalten kann und schon gar nicht nach ihm weitere Gottesoffenbarungen stattfinden werden (5,37f; 6,22f.46f; 8,19; 42ff.54f; 14,9f). Diese christologische Verkündigung der exklusiven Gottesoffenbarung ist nichts anderes als die direkte und innere Konsequenz aus dem alles beherrschenden Dualismus und identisch mit der für alle Zeiten gültigen Gabe des ewigen Lebens. Den unbekannten Gott (5,37; 6,46), den Ursprung des Lebens (5,21.26) kennen, heißt ewiges Leben haben, zum Kosmos gehören aber heißt, dem Teufel als Mörder (8,44; 12,31; 14,30) und damit dem ewigen Tod verfallen sein.
Diese Gesandtenchristologie, allerdings auf der Basis des Dualismus, ist

die Mitte des johanneischen Traktats von Offenbarungsreden und Katechesen. Nach dem ursprünglichen Prolog (1,1.3–13) ist Jesus der präexistente Logos, das Wort Gottes, der in unaufhörlicher Wesenseinheit mit Gott steht. Dasselbe unterstreicht das «Vater»-«Sohn»-Verhältnis (3,35; 14,31) und die bekannte Sendungsformel (5,36.38; 6,44; 7,16 u.ö.). Auf diese dreifache Weise macht der Evangelist deutlich, daß Jesus kein zweites göttliches Wesen bzw. eine Person neben Gott ist, sondern daß er als sein Offenbarungswille mit dem Vater wesenseins ist (10,30 und 38; 14,6.10f) bzw. Gott gleich ist (5,18.19.21–23). Auch sein Werk vollzieht sich in der immerwährenden Wesensgemeinschaft mit dem Vater. Die göttliche Liebe zur Menschenwelt (3,16) ist der Grund für die Sendung des Sohnes. Der präexistente, außerweltliche Gesandte und Sohn kommt «von oben», er stammt nicht aus dem widergöttlichen Kosmos, sondern ist von seinem Vater aus der himmlischen Herrlichkeit als unerkannt gebliebener Fremder in die teuflische, untere Welt der Lüge, Finsternis und des Aufruhrs gesandt worden, um den unbekannten Vater zu offenbaren und damit den wahren Weg zu dem der Welt unbekannten Gott aufzuzeigen (14,6ff). Gott kennen ist ewiges Leben, da er einzige Lebensquelle ist (5,21 und 26). Ebenso ist der Sohn vom Vater als sein Offenbarer mit göttlichem Leben ausgestattet worden (5,26), so daß der an ihn Glaubende in ihm ebenfalls ewiges Leben hat (11,25ff). Seine «Werke» umschreiben nichts anderes als das Überbringen dieser Offenbarung (14,34; 5,36; 10,25.32 u.a.). Dieser Auftrag Jesu (14,31; 19,30) aber zeigt, daß Offenbarer und Offenbarung im strengen Sinne sachidentisch sind. Die Welt ist letztlich nur Schauplatz, nicht aber mehr Objekt der Heilsveranstaltung Gottes; denn der von Gott geliebte Kosmos (3,16) besteht für Johannes letztlich nur aus den Gläubigen, aus denen, die sein Wort angenommen haben, also den Kindern Gottes (1,12) bzw. Söhnen des Lichtes (12,36), den aus dem Geist (3,5) bzw. von oben Geborenen (3,3), also denen, die ihn erkennen und lieben. Bei allen anderen stößt der Gesandte auf Haß, Unglaube und Mißverständnis; denn der gottlose Kosmos ist für Johannes identisch mit dem diabolischen Todeshaus der verfallenen Menschen (3,19). Der Evangelist kennt keine Zwei- oder Dreiteilung des Menschen, vielmehr ist dieser immer in seiner Gesamtheit verloren. Die dauernden Mißverständnisse beim Publikum demonstrieren, daß das Heil und der himmlische Gesandte streng jenseitigen, außerweltlichen und nicht irdischen Ursprungs sind und von dem Kosmos, also den gottlosen Menschen niemals verstanden, sondern immer nur abgelehnt werden können. Nach dieser johanneisch-dualistischen Konzeption sind alle Menschen Fleisch (3,6), stammen aus der widergöttlichen unteren Welt und stehen darum dem Licht, der Wahrheit und dem Geist, d.h. der Selbstoffenbarung des Offenbarers, völlig verständnislos und mörderisch-feindlich gegenüber.

Zwar wird die Welt nicht wie so oft in den späteren gnostischen Systemen

direkt auf die widergöttliche Finsternis, den Teufel, zurückgeführt, sondern – wenn auch nur einmal – als Werk des Schöpfungsmittlers proklamiert (1,3f). Gleichwohl erweist sich der dualistische Einfluß bei Johannes darin ungebrochen, daß die Erde in Wirklichkeit nicht mehr Schöpfung bleibt, sondern als gottloser Kosmos in radikalen Gegensatz zu Gott und seinem Gesandten gerät (1,5). Der Kosmos ist zwar durch den Logos geschaffen, aber durch die Erscheinung des Logos im Kosmos bleibt dieser nicht mehr Schöpfung, sondern wird zum Machtbereich des Teufels, zu Finsternis, Lüge und Tod. Die traditionelle Schöpfungsaussage des Logos-Hymnus wird also von diesem Evangelienbuch weder thematisiert noch aktualisiert. An die Stelle der traditionellen Schöpfungsaussage tritt die entweltlichende Geburt aus dem Geist (3,6), aus Gott (1,12) bzw. von oben (3,3.5), so daß der Zusammenhang der Schöpfung mit dem Endheil völlig verloren geht, weil dieses mit der endgültigen und jenseitigen Entweltlichung der Gläubigen identisch ist (11,25; 12,31f; 14,2ff). Schließlich ist die traditionelle Schöpfungsoffenbarung von Johannes ersetzt durch die exklusive Offenbarung des unbekannten Gottes durch den Offenbarer (6,46f; 8,19; 14,9f u.a.). Für Johannes wie die Gnosis gilt, daß die Welt Gott nicht kennt und daß Gott die Welt nicht kennt, weil zwischen beiden Herrschaftsbereichen eine unüberbrückbare, totale Wesensdistanz besteht. Diesem Dualismus entspricht es, daß der Offenbarer und der Erlöser zwar in die untere Erdensphäre hinabsteigt, aber nur eine «kleine Zeit» (7,33; 12,35) im gottlosen Kosmos weilt und vor allem trotz seiner menschlichen Gestalt doch durchwegs ein himmlisches Wesen bleibt.
Durch Gottes Erscheinen im Kosmos wird der johanneische Dualismus nicht etwa zerbrochen, da Jesus mit der Welt nichts zu schaffen hat und diese ihm auch nichts antun kann. Vielmehr schreitet er wie ein Gott und Fremder über sie hinweg und bleibt in seiner seinshaften Überlegenheit über den teuflischen Herrschaftsbereich der Sünde, des Todes und der Finsternis von ihr völlig unberührt. Er ist unabhängig von den Naturelementen (6,16–21) und allen menschlichen Bedürfnissen (4,10.31f), weil er zum oberen, weltlosen Machtbereich Gottes (8,23) gehört und mit dem unteren gottwidrigen Kosmos nichts gemein hat (8,23), der nicht einmal eine Ahnung davon hat, woher er kommt und wohin er geht (8,14).
Die irdische Existenz und Herkunft Jesu wird von Johannes zwar nicht doketistisch geleugnet, also für bloßen Schein erklärt, aber sie ist für den Glauben irrelevant. Jesus stammt einerseits aus Nazareth (1,45 in Galiläa (1,41) und man kennt seinen Vater Joseph, seine Mutter (6,41f; 7,27) und seine Brüder (7,2ff). Aber andererseits ist er der Sohn des unbekannten weltlosen Vaters, der himmlische Gesandte und Offenbarer. Beides ist für Johannes zutreffend und auf Grund des Dualismus vollauf verständlich: Für den gottfeindlichen Kosmos ist und bleibt Jesus ein gewöhnlicher am Kreuz gescheiterter Mensch, für den schauenden Glauben dagegen ist er der himmlische Sohn und gegenwärtige Erlöser. Das heißt aber: Jesu

innerweltliche Existenz und Herkunft ist zwar nicht Schein, sondern Realität, aber berührt nicht sein himmlisches, weltloses Wesen (14,30). Diese doppelte Wirklichkeit und letztlich Zweideutigkeit in der irdischen Erscheinungsweise Jesu bestimmt die Christologie der Grundschrift insgesamt und basiert auf dem alles beherrschenden Dualismus. Jesu innerweltliche Herkunft und Erscheinung werden zwar von den Glaubenden wie Unglaubenden physisch wahrgenommen, aber die letzteren wissen von seiner außerweltlichen Herkunft und seinem himmlischem Wesen nichts und sehen nur den gewöhnlichen Menschen oder den innerweltlichen Heilbringer. Für die Glaubenden aber ist seine menschliche Wirklichkeit ohne theologische Bedeutung, da der sehende Glaube nur auf den weltlosen Gesandten gerichtet ist, der im Wesensgegensatz zum Kosmos steht und von ihm lebenslang nicht tangiert wird. Obwohl Jesus nach Herkunft wie Erscheinung ein gewöhnlicher, irdischer Mensch ist, wird seine weltlose Gottheit und seine himmlische Wirklichkeit niemals von dem Machtbereich des teuflischen Kosmos berührt. Diese doppelte Wirklichkeit, die im Dualismus gründet, führt allein zu der Zweideutigkeit der Beurteilung der Erscheinung Jesu in der Grundschrift. Angesichts der irdischen Erscheinung Jesu kommt es immer wieder zur diametral entgegengesetzten Beurteilung seines Wesens (7,24; 8,14), wie es sich in den laufenden Mißverständnissen der Gesprächspartner Jesu spiegelt.

Auch die Doppelgleisigkeit des wahren und falschen Glaubens hat allein hier ihre oft beobachtete Ursache: Nach den irdischen Maßstäben, dem physischen Sehen (7,24; 8,14) und d.h. dem falschen Glauben, ist Jesus ein gewöhnlicher Mensch und höchstens der innerweltliche Wundermann, der Prophet (7,40), der traditionelle Messias (7,26.31.41), der irdische König von Israel (6,15; 12,12ff), der Davidssohn (7,42 und 12,34) oder aber ein Besessener (8,48). Der Kosmos und d.h. der Unglaube kennt nur die eine, eben undualistische Wirklichkeit. Nach den himmlischen Maßstäben aber, dem pneumatischen Sehen und d.h. dem wahren Glauben, ist Jesus auch und vor allem der nichtweltliche Gesandte und exklusive Heilsmittler, eben «Brot des Lebens» (6,35), «Licht der Welt» (8,12), «Auferstehung und das Leben» (11,25f) und «Weg, Wahrheit und Leben» (14,6).

Der Glaube lebt also in einer dualistischen Wirklichkeit. Gerade in diesen für die Grundschrift typischen und im Neuen Testament einmaligen «Ich bin»-Bildworten geht es ausschließlich um die Selbstoffenbarung und d.h. Gabe des weltüberwindenden ewigen Lebens durch den Gesandten. Alle diese Heilszusagen sind nicht bildlich, sondern eigentlich gemeint, weil der Offenbarer selbst Leben, Licht, Wahrheit, Weg usw. ist, und zwar als ein für immer gültiger Heilszuspruch. Diese Offenbarung als Gabe des ewigen Lebens geschieht jederzeit und für immer nur als exklusive Selbstvergegenwärtigung des himmlischen Gesandten und ist nichts anderes als die Aufforderung zum Glauben an den Offenbarer. Allein der aus der

oberen Welt gesandte Sohn ist im gottfeindlichen unteren Kosmos des Todes der Träger und Spender des außerweltlichen und ewigen und d.h. unanschaulichen Lebens. Diese den Tod für immer überwindende Lebensgabe aber wird von Johannes eingebunden in die Beziehung von Offenbarungswort des Gesandten und annehmendem Glauben.
Der Auftrag des Vaters umfaßt aber nicht nur nach Johannes die Offenbarung des bisher unbekannten Gottes durch den Sohn, sondern auch und gerade dessen Tod, den Jesus im Gehorsam und in Wesenseinheit mit dem Vater zu bestehen hat (3,14). Erst mit der siegreichen Rückkehr zum Vater hat er seinen Auftrag demonstrativ vollendet (14,31; 19,30); denn nur als Erhöhter und Verherrlichter kann er alle Söhne Gottes aus der unteren Welt zu sich in die obere göttliche Lebenswelt «ziehen» (12,32). Das heißt aber: Die urchristliche Botschaft vom Tode Jesu wie die ihm vorgegebene Passionsgeschichte sind von Johannes keineswegs als theologisches Problem oder als lästiges Traditionsgut empfunden, sondern können konsequent vom dualistischen Gesamtrahmen und der darin verwurzelten Offenbarerchristologie als siegreicher Abschluß des gesamten Sendungsgeschehens gedeutet werden. Der Tod Jesu ist für Johannes von vornherein der für das Geschick des Gesandten notwendige Abschluß im unteren Herrschaftsbereich des Teufels und wird deshalb von Anfang an in seinem Evangelienbuch thematisiert (3,14). Die Stunde Jesu als seine Todesstunde (7,30; 8,20) begleitet den Gesandten von Anfang an (12,23; 13,1; 18,4) und sein Kreuzestod ist die Konsequenz seiner dauernden Auseinandersetzungen mit den Juden (7,19.33f; 8,59; 10,39; 11,45ff u.ö.). Sein Tod ist der freiwillige Gehorsam des Gesandten gegenüber seinem Auftraggeber, dem Vater (14,31), der alles bis ins Kleinste geplant hat (18,11.33; 19,11). Weil der Gesandte zum oberen göttlichen Bereich gehört, ist sein Auftrag erst dann vollendet (19,30), wenn er wieder von der unteren, diabolischen Welt unversehrt zum Vater zurückgekehrt ist. Vor allem aber hat Johannes die ihm vorgegebene Passionsgeschichte (Kap.18,1–20,18) einmal durch die bewußt vorgeschaltete Hellenenrede (12,20–23.27–36) und Abschiedsrede (13 und 14), zum andern aber durch die Einführung von kleinen Offenbarungsreden in die traditionellen Passionsszenen (18,4–8; 19–23.33.37 und 19,11; 19,28 und 30) neu ausgelegt: Im Kontext seiner dualistischen Gesandtenchristologie vollzieht sich die Passion als Fortgang Jesu aus dem unteren diabolischen Bereich in die obere göttliche Lebenswelt. Aus der undualistischen Erzählung über die gottgewollte Kreuzigung des «leidenden Gerechten» ist nun etwas völlig anderes geworden: nämlich die Erzählung über den Gesandten, der bis zuletzt gehorsam seinen ihm vom Vater übergebenen Auftrag ausführt: «Es ist vollbracht» (19,28 und 30).
Darum wird der Tod Jesu von Johannes typisch gnostisch als «fortgehen» Jesu zum Vater (7,33; 8,14.21f; 13,3.36; 15,4f.28) oder einfach als «gehen» (14,2) verkündigt. Nirgendwo kommt es deutlicher zum Aus-

druck, daß der Tod des Gesandten als Durchgang nur der Beginn des Verherrlichungsgeschehens sein kann. Ebenso wird der Tod als «Aufsteigen» (3,13), «erhöht-werden» (3,14; 8,28; 12,32.34) und «verherrlicht-werden» (12,23.28; 13,31f; 14,13) umschrieben, so daß mit der Inthronisation Jesu in der oberen Welt Gottes der endgültige Abschluß der Sendung erreicht ist. In den meisten der Worte Jesu, die seinen Tod deuten, kommt unüberhörbar die räumliche Komponente zum Ausdruck: Der Tod als Übergang vom unteren diabolischen zum oberen göttlichen Herrschaftsbereich ist konstitutiver Teil des Erlösungsgeschehens, weil alles darauf ankommt, daß der Sohn wieder zu seinem Vater zurückkehrt. Zugleich wird aber der Tod des Gesandten als Entmachtung des Teufels verkündigt (12,32; 14,30). Der Diabolos ist der Lebensverneiner und Mörder von Anbeginn (8,44), der die gesamte Menschheit in seinem unteren Herrschaftsbereich für immer gefangen hält. Diese seine Todesmacht aber ist im Tode Jesu gebrochen, ein eschatologischer Herrschaftswechsel hat stattgefunden und damit hat der Gesandte für die Glaubenden ewiges Leben im oberen Bereich Gottes ermöglicht (11,25f; 12,32; 14,6). Dieser universale Machtwechsel bewirkt aber weiterhin das Gericht über diesen Kosmos (12,31): Johannes benutzt also ursprünglich apokalyptische Endzeitaussagen, weil er den Tod Jesu als Endgericht des Kosmos als der unteren, teuflischen Welt verkündigt. Nur dadurch, daß der Sohn bis zuletzt Gehorsam und Wesensgemeinschaft mit dem Vater aus der oberen Welt bewahrt hat, (4,34; 8,29b; 14,31; 19,28–30), wurde sein Auftrag vollendet und konnte der Herrscher dieser unteren Welt ein für allemal besiegt werden. In diesem Sinne entspricht das gesamte Geschick des Gesandten in der unteren Welt dem göttlichen Plan und Willen (18,11.30; 19,11), wonach der Menschensohn erhöht werden «muß» (3,14).
Erst jetzt, nach der Entmachtung des Teufels als des Herrschers über das Totenhaus der unteren Welt und dem Endgericht über diesen Kosmos, kann der zum Vater zurückgekehrte alle von oben Geborenen, die Söhne des Lichts, endgültig zu sich in die obere Welt Gottes «ziehen» (12,32). Damit aber wird der «Fortgang» des Gesandten zum Vater als gnostisches Interpretament des Kreuzestodes Jesu zum Beispiel eines sich stets wiederholenden Geschehens. Der Tod Jesu wird gezielt seiner Einmaligkeit entkleidet, weil der Abschiednehmende im Geiste immer wieder neu den Seinen kommt (14,2f). Für Johannes fallen deshalb Karfreitag, Ostern, Pfingsten und die Wiederkunft Jesu zusammen (14,18ff.22ff), so daß die in der unteren Welt an ihn Glaubenden ebenfalls für immer den Tod hinter sich gelassen haben (11,25f).
Um dieser dualistisch motivierten Heilsvergewisserung der Seinen willen muß nun schließlich der leidende Gesandte zum triumphierenden Herrscher werden. Denn Passion und Tod Jesu sind für Johannes gerade nicht der Beweis dafür, daß der aus der oberen Welt Gesandte nun durch die teuflische Macht der unteren Welt ausgeliefert ist, wodurch der Dualis-

mus nun doch schlußendlich aufgehoben wäre. Das wäre äußerer Schein. Nach dem Fleisch geurteilt wird zwar der Gesandte verhört, gegeißelt und gekreuzigt, er unterliegt in den Augen des Unglaubens. Der Glaubende jedoch, der bereits jetzt in Wesenseinheit mit der oberen, göttlichen Lebenswelt steht, sieht in allen Passionsereignissen (18,33ff; 19,11ff.24.28f.30) die Vollendung des Auftrags des Vaters, und im Tode die Erhöhung und Verherrlichung des Sohnes wie die Umkehr des Erlösers. In Wirklichkeit ist nicht Jesus am Kreuz gerichtet, sondern der Teufel und sein bisheriger Herrschaftsbereich, die untere Welt. Weil auch und gerade die Passion und der Tod des Gesandten bewußt vom Wesensgegensatz der obern und untern Welt interpretiert wurden, kommt es zu einer Umdeutung aller Schwachheitsaussagen in solche des Sieges und Triumphes: So in den Johannes vorgegebenen Szenen von Gethsemane (12,27–33), der Gefangennahme (18,3–8), dem Prozeß vor Pilatus (18,33–38) und dem Tod (19,28–30). Außerdem erzählt Johannes keine Verspottung des Gekreuzigten durch die Vorübergehenden, die jüdischen Synhedristen und die beiden Mitgekreuzigten, er kennt keine dreistündige apokalyptische Gerichtsfinsternis mehr, auch nicht den gewaltigen Todesschrei der Gottverlassenheit und das Zerreißen des Tempelsvorhangs. In Summa: Es fehlt jede Andeutung der Qual und des Leidens, so daß der leidlosen Haltung die Ausblendung der irdischen Wirklichkeit des Gesandten in der Passion entspricht. Für Johannes hängt derjenige am Kreuz, der soeben (19,28) seinen letzten Willen durchgesetzt hat und damit das ihm vom Vater aufgetragene Erlösungswerk erfüllt hat. Damit ist die gesamte traditionelle und undualistische Passionsgeschichte im dualistischen Horizont neu interpretiert worden. Die traditionellen Passionsaussagen werden zu Hoheitsaussagen oder weichen ganz den Souveränitätsdemonstrationen. Hinzuweisen ist auf die von Johannes bewußt eingefügten kleinen Offenbarungsreden in 18,4–8 (bei seiner Gefangennahme), in 18,19–23 (im Prozeß vor dem Hohenpriester Hannas), in 18,33–37 und 19,11 (im Prozeß vor Pilatus) und in 19,28 und 30 (die beiden letzten hoheitsvollen Offenbarungsworte des gekreuzigten Gesandten. Damit aber kommt die Menschheit typisch gnostisch zu kurz. Sie muß aber zu kurz kommen, weil nur dadurch, daß der Gesandte schon im eigenen Leiden und Tode als Friedensfürst triumphiert, auch die ihm nachfolgenden Glaubenden gewiß sind, den physischen und ewigen Tod längst hinter sich gelassen zu haben.

c) Die vom räumlichen Dualismus oben-unten entworfene Gesandtenchristologie bestimmt völlig das johanneische Verständnis der Erlösung. Die Existenz aller Menschen in der Welt als dem unteren Machtbereich des Teufels ist unentrinnbar durch ihre Todesverfallenheit bestimmt. Physisches Leben ist nicht nur Sein zum, sondern Sein im immerwährenden Tode, denn die nur physisch Lebenden sind die Toten (5,25), über denen der Zorn Gottes bleibt (3,36). Die Grundfrage des vom Teufel in dieser

Welt hoffnungslos versklavten Menschen nach dem Heil ist darum die Frage nach dem ewigen Leben im oberen göttlichen Herrschaftsbereich. Denn Gott ist der alleinige Quell und Ursprung des ewigen Lebens (5,21.26). Aber da der Mensch «unten» und nur Gott «oben» ist, kann im alles bestimmenden Horizont des kosmologischen Dualismus Erlösung und immerwährendes Leben nur von außen und «oben» kommen. Weil der unbekannte Gott Liebe ist und Leben schaffen will, ist er ständig auf Heilsvermittlung aus (3,16). Aber für Johannes ist dieser unbekannte Gott nicht der traditionelle Schöpfer im undualistischen Sinne, sondern der Lebensspender als dualistischer Gegenpol zu der teuflischen Todeswelt. Diese göttliche Liebe will den dem Teufel verfallenen Menschen Anteil geben am ewigen Leben, am immerwährenden todesfreien Heil. Die Liebe des unbekannten Gottes zur Menschenwelt ist nach Johannes der Ursprung der Erlösung der Menschen, indem sie zur Sendung des Sohnes durch den Vater führt. Der weltlose Gesandte kommt in den diabolischen Herrschaftsbereich der Finsternis und des Todes mit dem Auftrag, den bisher unbekannten Gott, seinen Vater, zu offenbaren. Wer aber Gott kennt, hat Leben, weil Gott der alleinige Lebensquell ist. Allein der vom Vater beauftragte Gesandte bringt in diese verlorene Menschenwelt das göttliche, ewige Leben, das er selber ist. Der Sohn, der aus der oberen göttlichen Lebenswelt in den gottfeindlichen unteren Kosmos der teuflischen Todesverfallenheit gesandt ist, bringt allein das wahre Leben.

Weil also der Gesandte von Gott zum exklusiven Heilsmittler bestimmt ist, wird die Erlösung der in der totalen Gottesfinsternis und Blindheit befangenen Menschen von Johannes exklusiv christologisch begründet. Allein der aus dem göttlichen Lebensbereich Gekommene (1,1ff) und mit dem göttlichen Leben begabte Sohn (5,26) kann kraft seiner wesensmäßigen Überlegenheit über die Todeswelt göttliches Leben spenden. Deshalb ist der so ausgestattete wie bevollmächtigte und seinem Auftrag der Lebensmitteilung bis zum Tode gehorsame Gesandte die Grundbedingung für die Erlösung der verlorenen Menschen. Der Glaube und das Erkennen von Vater und Sohn erschließt sich ihnen allererst durch die Selbstoffenbarung des Gesandten in seinem Wort. Deshalb vermittelt der Gesandte Glauben und Erkennen allein durch sein Wort der Selbstoffenbarung und schenkt in seinem Abstieg und Aufstieg die Anteilhabe am ewigen Leben.

Der Dualismus wie die von ihm her entworfene Gesandtenchristologie sind nach Johannes nicht nur der Grund für die Erlösung, sondern zugleich der Auslegungsschlüssel der johanneischen Erlösungslehre. Deshalb können und müssen nach Johannes Dualismus, Gesandtenchristologie und Erlösungslehre als untrennbare Wesenseinheit entfaltet werden. Hierbei erweist sich die Entscheidung des Menschen für oder gegen den in seinem Wort sich offenbarenden Gesandten als das Zentrum der johanneischen Erlösungslehre. Heil oder Unheil, d.h. Wesensgemeinschaft des Menschen mit Gott oder aber mit dem Teufel, sind ausschließlich Konsequenz der Glaubensentscheidung. Der Glaube ist der geschichtliche Ort inmitten der gottlosen, unteren Todeswelt, worin endzeitliches Heil aufstrahlt. Die Erlösungslehre des Johannes ist somit eindeutig vom Entscheidungsdualismus bestimmt. Deshalb beherrschen die Forderungen des Glaubens (1,12f; 3,16.18.36; 5,24f; 6,29; 12,36 u.ö.) und seine große Verheißung (3,16.18; 6,35; 7,37f; 11,25f u.ö.) die gesamte Grundschrift des Johannes. Dem entspricht es, daß der Glaube aus dem Hören dieses Offenbarer-Wortes kommt (5,24f; 10,27f; 18,37). Am Hören bzw. Nichthören des Wortes entscheidet sich hier und heute Heil oder Unheil. Denn Unglaube gegenüber dem Offenbarer ist Tod, Glaube an den Sohn dagegen ewiges Leben (3,16ff; 5,24f; 11,25f). Allein dem Glaubenden wird die Rettung vor dem Gericht (3,18; 5,24f), die Gotteskindschaft (1,12), der Zugang zum oberen göttlichen Lebensbereich (3,3.5) und die Wesensgemeinschaft mit den Himmlischen (14,23) verheißen. Mit im Urchristentum bislang nie dagewesener Konzentration und Radikalität wird von Johannes die Erlösung als Zueignung des ewigen Lebens sofort in der Glaubensentscheidung, d.h. in der Annahme des Offenbarerwortes, zuteil. Mit der Glaubensentscheidung ist das johanneische Heilsziel, nämlich der Lebensbesitz, erreicht. Glaube ist für Johannes Anteilhabe am ewigen Leben in der oberen göttlichen Welt, das sprachlich sehr eindrucksvoll durch den Gebrauch des Perfekts (5,24) und des präsentischen «Habens» (3,15f.36; 5,24; 6,40.47; 8,12 u.ö.) zum Ausdruck gebracht wird. Glaube und Lebensbesitz fallen deshalb für Johannes zeitlich wie sachlich zusammen; denn der Glaube ist der endgültige Übergang vom ewigen Tod zum ewigen Leben.

Umgekehrt ist Unglaube das Endgericht als das Verbleiben im ewigen Tode (3,18), so daß die ursprünglich apokalyptisch-futurischen Endgerichtsaussagen im Horizont einer präsentischen Eschatologie völlig neu verkündigt werden: Die Glaubenden sind darum für Johannes die Erlösten, eben die nie mehr Dürstenden (4,13; 6,35) und Hungernden, die in kein Gericht mehr Kommenden (5,24), die nie mehr in der Finsternis Wandelnden (8,12), die bis in Ewigkeit den Tod nie mehr Sehenden (8,51) und Schmeckenden (8,52), die nie mehr Sterbenden (11,26) und die allein zum Vater Kommenden (14,6). Der Glaubende ist von oben (3,3), aus dem Geist (3,5) bzw. aus Gott geboren (1,12), gehört zu den Söhnen des Lichts (12,35f), hat also ein neues Sein erhalten. Die im unteren Herrschaftsbereich des Teufels verbleibenden Ungläubigen sind für Johannes dagegen kein Verkündigungsgegenstand, da ihre Verlorenheit in Finsternis und ewigem Tod definitiv ist.

Diese erlösende Glaubensentscheidung ist aber weder im Sinne einer Willensfreiheit noch gar als eine freie und fromme Leistung und ein verdienstliches Werk auszulegen. Der johanneische Glaube weiß sich vielmehr nur

durch Gottes Tat begründet, so daß allein die Erwählung durch Gott (6,37.39.44), bzw. den Sohn (5,21) der Glaubensentscheidung nicht nur vorangeht, sondern diese eschatologisch begründet. Die göttliche Erwählung stellt sicher, daß das Heil den geistlich Toten von außen und von oben durch den erwählenden und schöpferischen Akt Gottes herangetragen werden muß (=die Zeugung von Gott 1,13; die Geburt von oben 3,3 bzw. aus dem Geist 3,5). Aber die Prädestination durch Gott ist nicht das einzige, um den Glaubenden seines Heiles gewiß zu machen. So lange er sich noch im gottwidrigen Kosmos befindet, ist er der Heilsverunsicherung ausgesetzt, und bedarf er der Bewahrung durch Jesus. Dieser gibt ihm ausdrücklich die Versicherung, daß er keinen der zu ihm Kommenden «hinausstoßen» (6,37) oder gar «verlieren» (6,39) wird. Außerdem werden der Vater und der Sohn zu ihm kommen und Wohnung bei ihm beziehen (14,23). Schließlich wird dem Glaubenden die Verheißung des Abschiednehmenden zuteil, daß der Geist -Paraklet als die immerwährende Präsenz des Heils «bis in Ewigkeit» bei ihm bleiben wird (14,16f.26f).
Weil der Heilsindividualismus im Mittelpunkt des Erlösungsgeschehens steht, wird die Kirche nicht eigens als Thema entfaltet. Eine Lehre und Theologie von der Kirche fehlt völlig. Weder taucht der Begriff «Kirche» auf noch werden die Jünger als «Apostel» bezeichnet. Johannes zeigt überhaupt kein Interesse am Gottesdienst und den Sakramenten noch an der Gemeindeorganisation. Johannes kennt auch nicht die heilsgeschichtlich motivierte Vorstellung vom wahren Gottesvolk der Endzeit (so die Jesusgemeinden) oder die Gleichsetzung von Kirche und Leib Christi (so Paulus). Der Ruf des Gesandten im unteren Herrschaftsbereich des Teufels, des Todes und der Finsternis wendet sich immer nur an Einzelne (1,35ff; 3,1ff; 4,7 u.a.), von denen er Glauben erwartet. Allein ihre Glaubensentscheidung für das Offenbarungswort des Gesandten konstituiert nach Johannes die Kirche. Die vom Gesandten Gerufenen und Erlösten sind seine «Jünger» (8,31), die «Seinen» (1,11), die «Brüder» (20,17), «Freunde» (11,11), «Geliebte» (11,5), die «Söhne» (8,34f; 1,12; 12,36), «aber auch Frauen wie Maria Magdalena» (20, 11–18) und die Samaritanerin (4,9ff) haben bei Johannes die gleiche Rolle wie die Männer. Da Johannes nirgends eine Abstufung von Diensten und Ämtern in der Gemeinde kennt, gilt für ihn nur das allgemeine Priestertum aller Glaubenden als Erlösten. Aber auch wenn der Glaubende bereits jetzt Anteil an der oberen göttlichen Welt des Lebens hat, wird dieser präsentische Lebensbesitz nicht innerweltlich verrechnet, sondern hat eine nachtödliche Zukunft (11,25f; 12,31f; 14,2f). D.h. der den Tod überwindende Gesandte ermöglicht zugleich mit seiner Erhöhung und Verherrlichung die total entweltlichte Existenz seiner Jünger jenseits des Todes (14,2–10). Denn ewiges Leben «haben» ist für Johannes todesfreies Leben für immer zu besitzen, sei es in dieser unteren teuflischen Welt oder nach dem individuellen Tode in der oberen göttlichen Welt.

Aber damit ist die traditionell urchristliche und apokalyptische Erwartung der Parusie des Menschensohnes, des Endgerichtes und der kosmischen Endereignisse von Johannes preisgegeben. Der für ihn konstitutive Gesamtzusammenhang von Dualismus, Gesandtenchristologie und Erlösung hat zu einer konsequenten Vergeschichtlichung, Individualisierung und Vereinnahmung der traditionellen Apokalyptik geführt. Diese Umdeutung ist so radikal und einmalig im ganzen Neuen Testament, daß sie im folgenden in aller Kürze dargestellt werden muß.

Schon lange bekannt ist, daß Johannes die apokalyptische Zukunft im Sinne der zeitlich begrenzten Naherwartung der Parusie des Menschensohnes und eines kosmischen Enddramas mit einem neuen Himmel und einer neuen Erde zwar gekannt hat, aber grundsätzlich ablehnt. Er ist auch nicht mehr wie z.B. die Synoptiker vom theologisch zu bewältigenden Problem der Verzögerung des Jüngsten Tages bestimmt. Nirgendwo malt Johannes die Zukunft mit apokalyptischen Farben. Aber auch vom urchristlich so heiß ersehnten Zeitpunkt des Jüngsten Tages ist bei Johannes ebensowenig die Rede wie von den typisch apokalyptischen Endereignissen und ihren Vorzeichen. Das Endgericht ist kein kosmisches Ereignis mehr, über dem die Sonne sich verfinstert, der Mond seinen Schein verliert und die Sterne vom Himmel fallen (z.B. Mk 13,24ff). Auch die Enderlösung fällt für Johannes keineswegs mehr mit der leiblichen Totenauferstehung als dem Empfang des ewigen Lebens zusammen. Und schon gar nicht ist Johannes von der apokalyptischen und urchristlichen Erwartung einer Neuschöpfung von Himmel und Erde umgetrieben. Eschatologische Neuschöpfung ereignet sich für ihn nur noch in Gestalt der «von oben» (3,3) bzw. «aus dem Geist» (3,5) Geborenen, eben der Kinder Gottes (1,12) und Söhne des Lichtes (12,36).

Mit andern Worten: An die Stelle der traditionellen, apokalyptischen, urchristlichen Parusie-Endzeiterwartung ist bei Johannes eine gnostisierende, eben anthropologisch und individuell orientierte Lebenserwartung getreten. Symptomatisch ist, daß in der Urschrift des Johannesevangeliums der Begriff «Hoffnung» völlig fehlt und das Verbum «hoffen» bezeichnenderweise nur einmal und dazu noch im uneigentlichen Sinne gebraucht wird (5,45). Mit der Ablehnung der jüdisch-judenchristlichen Apokalyptik hat Johannes zugleich eine gnostische, eben anthropologische und individuell orientierte Eschatologie ausgearbeitet. Dabei wird keineswegs auf die charakteristischen Stichworte der apokalyptisch-futurischen Parusieerwartung verzichtet, aber sie werden in tiefgreifender und einzigartiger Weise umfunktioniert.

Weil der Gesandte als der exklusive Heilsmittler allein die Erkenntnis des bis dahin unbekannten Gottes und damit das ewige Leben vermitteln kann, fallen für Johannes die Sendung des Sohnes und die Parusieendereignisse zusammen (3,16ff): Die Sendung des Sohnes, die unter Einschluß seines Todes auf die Liebe des Vaters zurückgeht, wird verkündigt als das eschatologische Ereignis schlechthin, in dem sich das Weltgericht vollzieht. Zwar wird Jesus vom Vater in den Kosmos gesandt, um diesen zu retten, aber nicht nur 3,18, sondern die gesamte Grundschrift zeigen, daß solche Sendung im Gericht über diese Menschenwelt endet. Das, was die traditionelle Apokalyptik vom Menschensohn bei seiner Parusie am Ende der Zeiten erwartet, nämlich das definitive Gericht über die Menschen und den Kosmos überhaupt, das ereignet sich bereits jetzt in der Sendung des Sohnes. Wer glaubt, hat das üblicherweise in der Zukunft erwartete Endgericht bereits hinter sich (3,18), wer dagegen nicht glaubt, ist schon gerichtet (3,18), wird also in Ewigkeit dem Tode verhaftet bleiben. Das heißt aber: Nicht nur fallen die dualistisch motivierte Sendung und ursprünglich apokalyptisch-futurische Parusie zusammen, sondern dementsprechend sind Glaube und Unglaube als ewiges Leben bzw. ewiger Tod das Endgericht als der jeweilige Jüngste Tag jedes einzelnen Menschen.

Von größter Bedeutung sind in diesem Zusammenhang die beiden Pneumatikersprüche in 5,24 und 25, die Johannes als autoritative Erlösungsverkündigung bereits seiner Gemeindetradition entnommen hat:

«Wahrlich, wahrlich, ich sage euch:
Wer mein Wort hört und glaubt dem, der mich gesandt hat, hat ewiges Leben, und er kommt nicht in das (End-)Gericht, sondern er ist vom Tode ins Leben hinübergeschritten.
Wahrlich, wahrlich, ich sage euch:
Die Stunde kommt, und sie ist jetzt schon da, in der die Toten die Stimme des Sohnes Gottes hören werden,
und die, die sie hören, leben werden.»

Beide Pneumatikersprüche haben zwar die traditionell apokalyptischen Worte beibehalten, aber diese wie die traditionell urchristlich-apokalyptische Parusieerwartung radikal im Kontext der dualistischen Gesandtenchristologie umgedeutet und damit gnostisch vereinnahmt. Nicht am Ende der Tage, in einem apokalyptisch-kosmischen Drama werden sich ewiges Leben und ewiges Gericht ereignen, sondern im Hier und Jetzt der Annahme bzw. Ablehnung des Offenbarerwortes des Gesandten. Der Glaubende braucht kein zukünftiges Gericht und keinen ewigen Tod mehr zu fürchten, er hat sein individuelles Endgericht bereits erfahren und gehört schon jetzt der oberen Lebenswelt Gottes an. In Wahrheit ist er bereits mit seinem himmlischen Erlöser auferstanden. Das gehörte und im Glauben angenommene Offenbarungswort des Gesandten ist ewiges Leben, weil es bereits den physischen wie ewigen Tod bedeutungslos werden läßt und in die himmlische Wesensgemeinschaft von Vater und Sohn versetzt.

Vor allem 5,25 macht noch einmal unüberhörbar klar, daß Johannes mit der traditionell jüdischen wie judenchristlichen Apokalyptik und Parusieenderwartung vertraut war, sogar die typisch apokalyptischen Stich-

worte aufnahm, aber dualistisch vereinnahmte, indem sie nun auf das eschatologische Jetzt des Offenbarungswortes des Gesandten umgedeutet werden. Nicht mehr der apokalyptische Menschensohn, sondern der Gesandte übt das Endgericht und spendet das ewige Leben, und zwar im Vollzug des gegenwärtigen Offenbarungswortes (5,25): So war für die Tradition das «Kommen der Stunde» ursprünglich im Sinne der Apokalyptik auf den Jüngsten Tag des zu seiner Parusie kommenden Menschensohnes bezogen, an dem alle begrabenen und in den Gräbern schlummernden Toten leibhaftig auferweckt werden. Aber für Johannes ist diese Stunde bereits da! Denn die begrabenen Toten sind nun alle Menschen, die im unteren Herrschaftsbereich vom Teufel im Totenhaus gefangengehalten werden. Die gesamte Menschenwelt ist geistlich tot, obwohl sie irdisch noch am Leben ist.
Das «Hören» bezieht sich demzufolge nicht mehr auf «die Stimme» des Menschensohnes beim Ende von Himmel und Erde, sondern auf die «Stimme» des Gesandten, der anstelle des apokalyptischen Menschensohnes im Hier und Jetzt Tod und Leben austeilt. Das heißt aber: Der gesamte Motiv- und Vorstellungshorizont der jüdischen und urchristlichen Menschensohn-Apokalyptik – das Kommen der Stunde, die Toten, das Hören der Stimme – wird seines ursprünglichen Sinnes entleert und bewußt in den neuen Bedeutungszusammenhang von Dualismus und Gesandtenchristologie gezwungen.
Gegen das traditionell urchristliche Bekenntnis der Martha von der apokalyptischen Auferstehung der Toten am Jüngsten Tage (11,24) richtet sich ausdrücklich das Offenbarungswort von Jesus (11,25). Die hier der Martha in den Mund gelegte, traditionelle Bekenntnisaussage ist für Johannes nicht mehr nur unzureichende und auslegungsbedürftige Vergangenheit. Vielmehr wird der traditionell apokalyptische Begriff der «Auferstehung», der in der Grundschrift ohnehin nur hier in 11,23–25 auftaucht, von Johannes sogleich in den Gesamtzusammenhang der dualistischen Gesandtenchristologie versetzt: «Totenauferstehung» ereignet sich nur noch im allein Leben vermittelnden Wort des Gesandten und im annehmenden Glauben. Dabei wird die traditionell apokalyptische Erwartung der allgemeinen Totenauferstehung völlig umfunktioniert: Das «Ich bin»-Offenbarungswort des Gesandten tritt an die Stelle des apokalyptischen Menschensohn-Weltrichters, «Auferstehung» ist nun Gegenwart des Heilsbesitzes und der kosmische apokalyptische Horizont wird auf den individuellen Aspekt reduziert. Schließlich fällt auf, daß der traditionelle Begriff der apokalyptischen Auferstehung (der Toten) in diesem Offenbarungswort sofort mit dem göttlichen Leben parallelisiert wird und in der folgenden Einladung zum Glauben konsequent durch «Leben» ersetzt wird. «Auferstehung» umschreibt auf Grund von 11,25f den erlösenden Schritt aus dem unteren diabolischen in den oberen, göttlichen Herrschaftsbereich und fällt mit der Glaubensentscheidung zusammen.

Die Auferstehung ist ein präsentisches Heilsgut, und identisch mit dem ewigen Leben, das der Glaubende bereits empfangen hat. Er stirbt zwar wie alle anderen Menschen den physischen Tod, aber er wird ewig leben (11,25b). Und andrerseits gilt nach 11,26, daß jeder, der noch physisch lebt, niemals in ewigem Tod sterben wird. Der Tod überhaupt ist für den Glauben bedeutungs- und wesenlos geworden, seine gottfeindliche Macht ist für immer gebrochen.

Mit der konsequenten Ausarbeitung einer präsentischen Eschatologie auf der Basis von Dualismus und Gesandtenchristologie aber hat Johannes keineswegs die Zukunft des Glaubens überhaupt preisgegeben. Denn die endgültige Entweltlichung des Glaubenden geschieht in der je eigenen Todesstunde, wenn der zum Vater fortgegangene Gesandte die Seinen von der Erde weg zu sich in den oberen göttlichen Lebensbereich «ziehen» wird (12,32). Das definitive Heilsziel hat also nach Johannes eine durchaus postmortale Zukunft nach dem individuellen Tod. Der Hintergrund dieser Zusage ist die gnostische Vorstellung, daß der Erlöser und die Erlösten für immer zusammengehören, das seinen Ausdruck in der Sammlung der Zerstreuten im gottfeindlichen Kosmos findet. Mit dem Aufstieg des Gesandten in die obere Lebens- und Lichtwelt Gottes vollzieht sich das endgültige Erlösungswerk, nämlich die definitive Entweltlichung der Seinen im jeweiligen Tod. Das «ziehen» des Erhöhten und Verherrlichten beginnt allerdings schon im unteren Herrschaftsbereich des Todes mit dem Angebot der Glaubensermöglichung (6,44) und vollendet sich in der jeweiligen Todesstunde des Glaubenden, wenn dieser vom Inthronisierten zu sich in den oberen Lebensbereich Gottes «gezogen» wird (12,32), wo allein ewiges Leben ist (8,21). Ewiges Leben als totale Entweltlichung ist für die Glaubenden nur durch die räumliche wie wesensmäßige Entfernung aus der unteren Welt als dem Totenhaus des Teufels möglich.

Nach 14,2f ist es der erklärte Wille des von seinen Jüngern Abschied nehmenden Gesandten, daß alle seine Freunde mit ihm den himmlischen Ort der Herrlichkeit erreichen, den er selbst für sie bereitet hat. Durch den Fortgang Jesu zu seinem Vater im oberen Herrschaftsbereich droht den Jüngern die Angst der Vereinsamung (14,1). Ihr tritt der Gesandte mit der tröstlichen Zusicherung und Verheißung entgegen, daß er sie nicht als «Waisen» im Kosmos zurückläßt (14,18), sondern ihnen vielmehr seinen weltlosen «Frieden» gibt (14,27) und v.a. auf die «vielen Wohnungen» im Hause seines himmlischen Vaters hinweist (14,2). Ja, Jesus selbst wird vorangehen, ihnen eine Stätte zu bereiten, um sie dann bei seinem Wiederkommen endgültig zu sich zu nehmen, «damit, wo ich bin, auch ihr seid» (14,3).

Auch hier in 14,2 und 3 dürfte Johannes auf einen traditionellen Pneumatikerspruch seiner Gemeinden zurückgegriffen haben. «Die vielen Wohnungen», das «Haus» des Vaters, das «Kommen», das «Zubereiten» und

das «zu sich nehmen» – alle diese Heilsbegriffe sind ursprünglich in der apokalyptischen Menschensohnerwartung beheimatet –, die aber schon vor Johannes auf die Zukunft nach dem individuellen Tod des Jüngers umgedeutet worden sind. Die im unteren Todesgefängnis des Teufels zurückbleibenden Jünger sollen beim Fortgang Jesu nicht erschrecken. Denn einmal stehen für sie viele Wohnungen im oberen Lebensbereich Gottes bereit. Zum anderen wird Jesus ihnen nach seiner Rückkehr «nach oben» eine Stätte bereiten, endlich wird er immer wieder zu ihnen in der jeweiligen Todesstunde kommen, um sie herauf zu sich in das obere Reich des ewigen Lebens heimzuholen. Auch die Parusie als die apokalyptische Wiederkunft ist nach 14,3 kein in der apokalyptischen Zukunft erwartetes einmaliges, kosmisches Ereignis wie im Judentum und Judenchristentum, sondern ein stets sich wiederholendes Geschehen. Immer wieder kommt Jesus im Geist zu den Seinen in der Todesstunde, seine «Parusie» vollzieht sich immer wieder neu. Indem der Gesandte den Weg in seine ewigen Wohnungen bereitet, ist er sogar selbst dieser Weg (14,16). Die Jünger kennen den Weg in die obere Lebens- und Lichtwelt Gottes (14,4–6) und und den Gesandten als Führer, der sie hinaufholt, der selber in Person der Weg ist. Dieses Wissen um den Heilsweg und um den Heilsführer ist mit Recht als Zentrum der gnostischen Religion angesehen worden. Der endgültige kosmische Vollzug der Erlösung als der totalen Entweltlichung im jeweiligen Tod steht also jedem Glaubenden noch bevor, so lange er im unteren teuflischen Machtbereich dieser Erde weilt. Im jeweiligen individuellen Tod dagegen verläßt der Glaubende räumlich und wesensmäßig endgültig das irdische Totenhaus des Teufels und findet eine ewige Wohnung im oberen göttlichen Lebensbereich, allerdings nur unter dem Beistand des ihn nach oben geleitenden Geist-Christus, der ja in seiner Person für immer den Weg nach oben repräsentiert (14,6).
14,2ff verheißen also ein immer neues Kommen des Erhöhten zum Glaubenden auf der unteren Erde, den er zu sich holt. Abschied wie Wiederkommen des Gesandten im Geist der Wahrheit (14,16f.18.23.26) ereignen sich immer wieder neu, weil der ehemals Scheidende zum für immer Bleibenden wird (14,16f) und der Weggehende kein anderer ist als der immer wieder im Geist Wiederkommende (14,18f). Die Wiederkunft Jesu wird also gegen alle traditionelle Apokalyptik im individuellen und geschichtlichen Sinne auf die Seinen im Kosmos bezogen, und das endgültige Heilsziel sind die Bleibestätten im oberen Bereich Gottes. Erst mit dieser himmlischen Einigung und Wesenseinheit der Erlösten im oberen Machtbereich Gottes ist das Auftragswerk des Gesandten und Erlösers endgültig abgeschlossen. Dann erst sind die Glaubenden nicht mehr zerstreut im unteren diabolischen Kosmos, wo Licht und Finsternis, Wahrheit und Lüge, Tod und Leben im Streit liegen, sondern sind in der oberen Herrlichkeit mit dem Himmlischen für immer vereint.
Zusammengefaßt heißt das: Die Erlösung liegt für Johannes von Anfang

(5,21; 6,44) bis zur engültigen Entweltlichung im individuellen Tod als der unwiderruflichen Aufnahme in die himmlischen Wohnungen allein in der Hand Gottes und seines Gesandten, der den Glaubenden von seiner Erwählung und seinem Aufenthalt im unteren Todeshaus des Teufels bis zu seiner Aufnahme im oberen Lebensbereich Gottes ständig führt.

2. Die Vereinnahmung des Gesetzes

Bei der Lösung der umstrittenen Gesetzesproblematik in der johanneischen Grundschrift hängt alles von dem Ansatz ab, mit dem bei der Deutung eingesetzt wird. Dabei sollte man nicht primär von der Begriffsgeschichte oder einem undualistisch-exegetischen oder systematischen Darstellungskonzept ausgehen, sondern allein von der alles beherrschenden, dualistisch motivierten Gesandtenchristologie die Gesetzesanschauung des Johannes erhellen. Nur so kann die johanneische Deutung des Gesetzes genau festgelegt werden.

Der aus dem göttlichen, oberen Lebensbereich vom Vater gesandte Sohn kommt in den untern teuflischen Herrschaftsbereich des Todes und der Finsternis, in dem alle Menschen unentrinnbar von den Verhängnismächten der Sünde, des Fleisches und des Todes versklavt sind. In dieses Totenhaus bringt der Gesandte ewiges Leben, das er selber ist, und damit Freiheit von der Sünde des Fleisches und des Gesetzes. Der Gesandte hat nur einen Auftrag im Kosmos durchzuführen, den unbekannten Gott zu offenbaren und damit den Glaubenden, die diese Offenbarung annehmen, göttliches Leben zu bringen. Das heisst aber: Die Offenbarung und das ewige Leben werden von Johannes exklusiv auf den weltlosen Gesandten konzentriert. Dieser ist der alleinige Offenbarer und Bringer des göttlichen Lebens und damit des exklusiven Heils schlechthin. Der einzige Heilsweg für die Seinen zum oberen Lebensbereich des Vaters ist darum der Gesandte (14,4–6).

Der Auftrag des in den gottfeindlichen Kosmos gekommenen Gesandten besteht ja nicht in der Verkündigung der Thora als alleiniger Offenbarung Gottes oder in der Aufforderung zum Tun von heilsentscheidenden Gesetzeswerken. Weder die Bestätigung ihrer Heilsnotwendigkeit noch die Verheißung des ewigen Heils für den Gesetzestäter gehören zu den Aufgaben des Gesandten. Johannes widerspricht dem jüdischen und heidnischen Grunddogma, daß es kein echtes Gottesverhältnis und damit ewiges Leben ohne gesetzliche Leistung gibt. Vielmehr gehört das Gesetz dualistisch nach Johannes in den unteren, diabolischen Bereich von Tod, Finsternis und Lüge, niemals aber in den oberen, göttlichen Bereich von Leben, Wahrheit und Licht. Denn das Gesetz ist für Johannes weder identisch mit der göttlichen Heilsoffenbarung noch ist es der alleinige Heilsmittler, das dem Täter und seinen verdienstlichen Gesetzeswerken

ewiges Leben zuzusprechen vermag. Der alleinige Heilsmittler und einzige Heilsweg ist vielmehr der in den Kosmos vom Vater Gesandte und heilsnotwendig ist allein die Annahme seines Offenbarungswortes.
Das Wort «Gesetz» meint inhaltlich das mosaische Gesetz im engeren Sinne (=Pentateuch) (1,45; 7,19.23.51; 18,31; 19,7) als auch das Alte Testament im ganzen (1,45; 12,34). Sachlich theologisch unterscheidet Johannes aber nicht zwischen dem «Gesetz» und der «Schrift». Denn beide sind für Johannes unterschiedslos Hinweis und Zeuge für Christus, d.h. den in den Kosmos gekommenen Gesandten (1,45 und 5,45f = Gesetz; 5,39; 19,24 u.ö. = Schrift).
Dagegen kennt Johannes eine andere Unterscheidung, die auf das Gesetz als Gebot/Norm für ein bestimmtes Handeln einerseits und das Gesetz als Hinweis/Zeuge für Christus andererseits zielt. Auf jeden Fall ist das Gesetz in den am Dualismus orientierten Offenbarungsreden ein nicht nur letztlich, sondern grundsätzlich entbehrliches und nur noch in der aktuellen Situation der Auseinandersetzung mit der Synagoge nötiges, d.h. zeitgeschichtliches Requisit. Das Gesetz ist für Johannes kein theologisches Thema mehr, sondern nur noch ein zeitgeschichtliches motiviertes Argumentationsmittel.
a) Der Gesandte ist zwar Jude (4,9) seiner Geburt nach (1,45; 6,41f; 7,27.41), aber er tritt während seines befristeten Aufenthaltes im unteren, diabolischen Kosmos wie ein Nichtjude auf. Er wird zwar primär zu den «Seinen» (1,11), als den Juden, gesandt, und er kam in «das Seine» (1,11), d.h. nach Judäa mit Jerusalem und dem Tempel als seinem Zentrum, aber die Juden haben den Gesandten abgelehnt, verfolgt und schließlich getötet. Darum sind «die Juden» für Johannes als empirisches Volk keine heilsgeschichtliche Größe mehr, sondern ein ausschließlich dualistischer Begriff. Als «Teufelssöhne» vollstrecken sie den mörderisch-zerstörerischen Willen ihres «Vaters» (8,37ff) und sind darum für den Gesandten identisch mit dem gottlosen Kosmos.
Weiterhin ist des öfteren vom Passa (2,13; 4,45; 5,1; 6,4; 11,55), dem Tempelweihfest (10,22) und Laubhüttenfest (7,14.37) bei Johannes die Rede, aber sie werden distanziert als Feste «der Juden» (5,1; 6,4; 11,55) bezeichnet, an denen Jesus eben nicht aktiv im Sinne des alttestamentlich-jüdischen Ritualgesetzes teilnimmt. Sie sind vielmehr für den Gesandten nur Szenarium für seine dualistisch motivierten Offenbarungsreden.
Schließlich werden dem Gesandten von den Jüngern wie von seinen Feinden die typisch jüdischen Hoheitstitel, wie z.B. Messias (1,41.45; 3,28; 4,19; 11,27 u.a.), Prophet (1,45; 4,19; 9,17; 6,14 u.a.), König von Israel (1,49; 12,13; 6,15; 18,36f) und Davidssohn (12,34) zuerkannt, aber alle diese traditionell jüdischen und judenchristlichen Hoheitstitel werden ihres ursprünglichen Sinnes entkleidet und gegen ihre ursprüngliche Bedeutung dualistisch vereinnahmt. Es sind ja insgesamt undualistische Hoheitstitel, die nun von Johannes in den Gesamtzusammenhang von

Dualismus und Gesandtenchristologie versetzt werden und damit grundsätzlich ihre ursprüngliche, eben undualistische, Bedeutung verloren haben. Das «Königtum» des Gesandten besteht nur noch im gegenwärtigen Gericht und Heil im Sinne von 3,18; 5,24f; 11,25f und 12,31f.

Von daher gesehen ist es also nur konsequent, wenn auch das Kultgesetz des Mose vom Gesandten immer wieder abgelehnt wird. Zwar ist des öfteren von seinem Auftreten und Aufenthalt in der Synagoge (6,59) und 18,20), im Tempel (5,14; 10,23; 18,20), in der Halle Salomos (10,23) und in der Schatzkammer im Tempel die Rede (8,20). Auch wird oftmals vom Evangelisten ausdrücklich vermerkt, daß der Gesandte im Tempel lehrte (7,14.28; 8,20.59; 18,20). Aber er kommt keineswegs an diese für die Juden heiligste Stätte, um anzubeten und zu opfern, sondern nur, um seine am Dualismus orientierten Offenbarungsreden zu halten. Der Tempel von Jerusalem und sein Kult gehören in den unteren diabolischen Herrschaftsbereich und sind nur Staffage für seine Offenbarung aus dem oberen Lebensbereich Gottes.

Aber der Gesandte steht nicht nur dem Tempel und seinem Kult distanziert gegenüber, sondern in der Szene 2,14–16 und 18–20 geht er weit darüber hinaus, indem er dessen Zerstörung ankündigt. Rücksichtslos hat hier Johannes die drei Traditionen aus dem Markusevangelium, nämlich die Tempelreinigung (Mk.11,15.19), die Wunderzeichenforderung (Mk.8,11–13) und das Wort von der Tempelzerstörung (Mk. 13,2) von der Passionsgeschichte getrennt, an den Anfang der Tätigkeit Jesu in Jerusalem gestellt und außerdem aufs engste verbunden. Auf die Tempelaustreibung hin fordern die Juden ein Jesus und sein Tun legitimierendes Wunderzeichen, worauf der Gesandte mit der Ankündigung von seiner Tempelzerstörung und dem Aufbau eines völlig neuen, nicht mit Händen gemachten Tempels antwortet. Der im unteren Machtbereich des Teufels erschienene weltlose Gesandte beginnt als erste Handlung, sämtliche Opfertiere, die Verkäufer von Opfertieren und die Geldwechsler gewaltsam aus dem Jerusalemer Tempel auszutreiben und kündigt als Wunderzeichen für «die Juden» die völlige Zerstörung ihres bisherigen Heiligtums und die Errichtung des neuen Tempels an, d. h. die Stätte der Anbetung des weltlosen Gottes im Geist und in der Wahrheit. Alle drei Szenen bringen das Gericht der Offenbarung über den Jerusalemer Tempel und seinen Kult. Das heißt aber, das mosaische Ritualgesetz wird vom Gesandten souverän aufgehoben!

Wie der Dialog Jesu mit der Samaritanerin in 4,20–26 beweist, ist das verfeindete Verhältnis zwischen Juden und Samaritanern wegen der verschiedenen Kultplätze vordualistisch gedeutete Vergangenheit. Schon die Frage der Samaritanerin (4,10), ob Jerusalem oder Garizim der rechte Ort der Gottesanbetung und Verehrung sei, ist für den Gesandten längst überholt. Der Streit um die Kultplätze ist für Johannes ein Problem des unteren Todesbereiches. Jüdischer wie samaritanischer Kult ist nach Johannes

ein innerweltlicher, unechter und damit illegitimer Kult, denn Jerusalem und Garizim waren noch nie Kultstätten aufgrund wirklicher Offenbarung. Diese bringt allein der Gesandte, er ermöglicht die wahre Gottesanbetung im «Geist und Wahrheit». Die vom Gesandten gebrachte neue Gottesverehrung ist nicht mehr an Kultplätze im unteren Herrschaftsbereich gebunden, sondern ist identisch mit dem Glauben an den Gesandten, der allein den bis dahin unbekannten Vater, der Geist ist, offenbart. Aber auch das Sabbatgebot ist für die johanneische Gemeinde kein theologisches Problem mehr. Ausdrücklich trägt Johannes in 5,9c nach, daß Jesus am Sabbat einen Lahmen geheilt hat. Aber im Unterschied zu den Sabbatheilungen in den synoptischen Evangelien steht hier nicht diese im Vordergrund, sondern der Befehl des Wundertäters an den Geheilten, sein Bett aufzuheben und umherzutragen (5,10). Jesus heilt also nicht nur einen Chronischkranken am Sabbat, sondern befiehlt auch noch eine den Sabbat demonstrativ verletzende Tat (5,11). Darauf «verfolgen» die Juden Jesus, weil er ganz offensichtlich das heiligste Gebot des mosaischen Kultgesetzes mißachtet hat (5,16). Die Imperfekte im Griechischen, die eine Handlung als andauernd charakterisieren, beweisen, daß Jesus nicht nur bei dieser Gelegenheit den Sabbat bewußt gebrochen hat, (5,16). Der Gesandte pariert diesen Angriff der Juden mit einer – in den Augen der Synagoge – noch gotteslästerlicheren Antwort: Sein Wundertun am Sabbat entspricht völlig dem Wirken seines himmlischen Vaters (5,17f). Das heißt aber: Das ständige Wirken Gottes und des Sohnes ist nicht vordualistisch auf das Schöpferwirken zu beziehen, sondern meint nach 5,21ff das Spenden des ewigen Lebens oder dessen Verweigerung im Vollzug des Offenbarungsgeschehens. Dieses Offenbarungswirken des weltlosen Gesandten (wie des Vaters!) aber hat zur Konsequenz die Aufhebung des Sabbatgebotes. Genausowenig wie sein Vater kennt der Sohn einen Sabbat und damit ein Kultgesetz. Denn das Offenbarungswirken von Vater und Sohn geht ständig weiter (5,17), auch und gerade am Sabbat, und zwar deshalb, weil sie wesenseins sind. Diese Alternative von dualistisch motiviertem Offenbarungswirken und undualistischem, mosaischem Kultgesetz ist für die Synagoge blasphemisch und häretisch, denn der ständige Sabbatbruch wird nach 5,9c–18 durch das ständige Offenbarungswirken Jesu legitimiert. Der Gesandte setzt sich souverän über das Sabbatgebot und damit über die Autorität des mosaischen Kultgesetzes hinweg.
Die Auseinandersetzung von 5,1–18 um den Sabbat wird in dem Abschnitt 7,15–24 zu Ende geführt. So nehmen die Verse 21–24 Bezug auf den Sabbatbruch durch die Heilung des Lahmen in 5,1–18 und die Tötungsabsicht der Juden in 5,17f. Der eigentliche Vorwurf des Gesandten an die Juden wird provokativ in 7,19 zur Sprache gebracht: Nur den Juden hat Mose das Gesetz in Gestalt des Sabbatgebotes gegeben, diese aber handeln nicht danach, da sie ständig durch den Vollzug der Beschnei-

dung das mosaische Gesetzesgebot übertreten, um das von Mose ihnen gegebene Beschneidungsgebot zu erfüllen (7,22–24). Für Johannes sind die Juden die eigentlichen Gesetzesbrecher, die sich hierfür zu Unrecht auf Mose berufen. Denn die Beschneidung muß am achten Tag nach der Geburt des israelitischen Knaben vorgenommen werden, auch wenn dieser Tag ein Sabbat ist. Wenn aber schon der Sabbat durch die Ausübung der Beschneidung annulliert werden darf, um das noch wichtigere Beschneidungsgebot des Mose nicht zu übertreten, wie viel mehr muß man die Aufhebung des Sabbatgebotes geradezu fordern, wenn der Gesandte einen Menschen an diesem Tage wunderbar geheilt hat. Die Verteidigung der Sabbatheilung durch den Gesandten ist also wiederum dualistisch motiviert, auch wenn sie sich formal auf der Ebene jüdischer Schul- und Gesetzesdiskussion bewegt. Wenn Mose zwar den Juden das Kultgesetz in Gestalt des Sabbatgebotes gegeben hat, die Juden aber nicht danach handeln, sondern um der Beschneidung willen ständig den Sabbat brechen, wie erst kommt Jesu dazu, als Gesandter des bis dahin unbekannten Vaters, das Sabbatgebot zu halten, wenn er einen Menschen am ganzen Leib gesund macht. Vielmehr gehört das Sabbatgebot als Gabe des Mose an «die Juden» in den unteren Herrschaftsbereich der Finsternis und des Todes, in dem allein der Gesandte sowohl wunderbare Heilung als auch ewiges Heil bringen kann, das er selber ist.
Dieselbe souveräne Verachtung des Sabbatgebotes wird in Kapitel 9 von Johannes polemisch wiederholt. Wie in Kapitel 5 hat Johannes an die traditionelle Wundergeschichte (9,1–7) von der Heilung eines Blindgeborenen ein umfangreiches Streitgespräch angefügt (9,8–41), das nachträglich – ebenso auch in Kap. 5 – durch die Verse 14 und 16 das Wunder zur Sabbatheilung stempelt. Umständlich wird in den Versen 6 und 7 das Heilungsverfahren am Sabbat beschrieben: Jesus speit auf den Boden, macht einen Teig aus dem Speichel und streicht dem blind Geborenen diesen Teig auf die Augen. Der Grund, daß Johannes sich diese umständlich beschriebene Manipulation, statt des sonst üblichen wunderwirkenden Wortes aneignen konnte, ist in seiner Polemik gegen die Synagoge zu sehen, nach der menschlicher Speichel am Sabbat nicht verwandt werden darf. Aber der Gesandte setzt sich demonstrativ über diese rituellen Sabbatschranken hinweg. Wenn Jesus anschließend den Blinden mit dem Teig zum Siloateich, der am Südabhang des Tempelberges in Jerusalem gelegen war, schickt, damit er sich dort die Augen wasche, dann demonstriert auch dieser zusätzliche Befehl und seine Ausführung am Sabbat die gewollte Verletzung des Sabbatgebotes durch den Gesandten. In der dem Johannes vorgegebenen Wundergeschichte hat das alles nichts mit dem Sabbat zu tun. Dadurch aber, daß Johannes ausdrücklich zweimal bemerkt, daß diese Wunderheilung am Sabbat geschah, wird diese Wundertat zum demonstrativen Sabbatbruch, denn die Herstellung eines Teiges aus Speichel und Erde, die Bestreichung eines kranken Gliedes wie

die Sendung des Blinden zum entfernten Siloateich am Sabbat war nach pharisäischer Gesetzesauslegung verboten, weil sie Arbeit bedeutet. Auch das Sabbatgebot als zentraler Bestandteil des mosaischen Kultgesetzes kann für Jesu die Wunder einschließenden Offenbarungswirken keine Schranke sein. Denn für die Dauer der vom Vater für den Gesandten festgesetzten Zeit seines Erdenwirkens ist er «Licht der Welt» (9,5) und muß er die Zeit für sein Heilswirken nutzen (9,4). Allein das lebenvermittelnde Offenbarungswirken des Gesandten läßt das Kultgesetz des Mose in Gestalt des Sabbatgebotes bedeutungslos werden.

So ist es nur konsequent, wenn der Gesandte im Streitgespräch mit den Juden distanziert davon spricht, daß «Mose euch die Beschneidung gegeben» hat (7,22). Das für die Juden gewichtigste ritualgesetzliche Gebot, nämlich das der Beschneidung, gehört für den Gesandten dualistisch in den unteren Bereich des Todes und der Finsternis. Es hat wie das gesamte Kultgesetz des Mose keinen Anspruch mehr auf ihn wie auf die ihm folgenden «von oben Geborenen». Seine Macht ist für immer gebrochen und von einer Heilsbedeutung kann keine Rede mehr sein.

Die Stellung des Johannes wie der johanneischen Gemeinde zum Kultgesetz des Mose kann folgendermaßen zusammengefaßt werden: Lediglich das Sabbat- (= Kap. 5, 7 und 9), das Tempel- (= Kap. 2 und 4) und das Beschneidungsgebot (= Kap. 7) werden in den Streitgesprächen des Gesandten mit den Juden verhandelt, nicht dagegen die Reinheits-, Speise-, Opfer- und Fastengebote wie in den nachösterlichen Jesusgemeinden. Aber auch diese drei ritualgesetzlichen Gebote haben für die johanneischen Gemeinden keine theologische Relevanz mehr. Weder kennt Johannes die Entschärfung des Kultgesetzes wie die nachösterlichen Jesusgemeinden noch die Konzentrierung des Kultgesetzes auf das Moralgesetz bei dessen gleichzeitiger, teilweiser Anerkennung wie in der hellenistischen Kirche. Das Kultgesetz des Mose hat für Johannes seine heilsmittlerische Funktion eingebüßt und ist nicht mehr heilsnotwendig, womit aber nach jüdischem Verständnis in blasphemischer Weise die ganze Thora des Mose relativiert wird. Auf jeden Fall gehört das Ritualgesetz der Juden wie diese selbst zum unteren diabolischen Machtbereich des Todes und der Finsternis.

Der Rückgriff auf das mosaische Kultgesetz ist bei Johannes allerdings zweifach motiviert: Er war einmal zeitgeschichtlich nötig, weil Johannes Judenchrist war, der sich mit «den Juden» auseinandersetzt und für Judenchristen schreibt. Die aktuelle Situation der johanneischen Gemeinden erklärt also, warum das mosaische Kultgesetz als Thema und Argumentationsmittel in der aktuellen Auseinandersetzung mit der Synagoge eingesetzt wird. Zum andern lag eine sachliche Notwendigkeit vor: Der Gesandte war Jude und war zuerst zu Israel als seinem Eigentum (1,11) und den Juden als «den Seinen» (1,11) gesandt. Die daraus folgende Kontroverse um die Bedeutung des Kultgesetzes für den Gesandten war also nicht zufälliger, sondern eminent sachlicher Natur. Alle diese geschilderten Konfliktsituationen sollen die einzigartige und exklusive Stellung des aus dem oberen Lebensbereich Gottes stammenden Gesandten herausstellen.

b) Das Mosegesetz ist für die Juden von Anfang an nicht nur eine Kult-, sondern zugleich eine Rechtsordnung. An mehreren Stellen der Grundschrift wird das Mosegesetz als Maßstab bzw. Regel für rechtliches Handeln verwendet, allerdings nur von seiten des unteren gottfeindlichen Kosmos. In diesem Zusammenhange erinnert Nikodemus die Hohenpriester und Pharisäer daran (7,51), daß mit Blick auf Jesus kein Mensch nach dem mosaischen Gesetz verurteilt werden darf, bevor er gehört, verhört und seine Schuld festgestellt worden ist (vgl. 5.Mose 1,16f; 17,4). Das Mosegesetz sichert jedem vor Gericht Angeklagten ein korrektes Strafverfahren zu. Aber Nikodemus wird mit dieser Berufung auf das Mosegesetz als Rechtsordnung von den Hohenpriestern und Pharisäern verdächtigt und mit dogmatischen Gegengründen zurückgewiesen.

Nach der Übergabe Jesu an Pilatus (18, 28–32) durch die Juden möchte Pilatus «diesen Menschen» wieder loswerden und versucht, allerdings vergeblich, diese bei ihrer eigenen Verantwortung gegenüber dem mosaischen Gesetz als ihrer Rechtsordnung zu behaften. Die Juden sollen Jesus nach ihrem Gesetz richten, was aber von ihnen abgelehnt wird, da das Synhedrium als oberste jüdische Instanz von Jerusalem nicht mehr das Recht der Kapital- bzw. Blutgerichtsbarkeit innehatte (18,31).

Von besonderer Wichtigkeit ist in diesem Zusammenhang die Szene in (19, 1–7). Die Juden haben Jesus zwar bisher politisch bei Pilatus als messianischen Aufrührer verdächtigt, aber Pilatus findet ihn zu Recht schuldlos. Nun ändern sie ihre Taktik und lassen Pilatus wissen, es gehe in der Tat um eine ausschließlich jüdisch-religiöse Anklage der gotteslästerlichen Gottessohnschaft. Jesus hat dauernd gegen ihr Gesetz verstoßen, indem er von sich aus unaufhörlich behauptet, Gottessohn zu sein (5,18; 8,58; 10,33 u.ö.), womit er sich Gott gleich gemacht hat. Für dieses Delikt der Gotteslästerung schreibt das Mosegesetz in der Tat (3. Mose 24, 16) die Todesstrafe der Steinigung vor. Mit diesem Anspruch der Gottgleichheit hat er nach dem Gesetz Gott gelästert und muß dafür sterben. Das heißt aber: Das Gesetz als Rechtsordnung verhängt das Todesurteil über den Gesandten als Gesetzesbrecher und Gotteslästerer. Damit wird für den Glauben offenbar, daß das Gesetz dualistisch auf die Seite des unteren, diabolischen Machtbereiches gehört und ausdrücklich die Handhabe für die Juden liefert, den aus dem oberen göttlichen Lebensbereich stammenden Gesandten und einzigen Heilsmittler zu töten.

Dem entspricht der polemische Schlußdialog (9,39–41) des Gesandten mit den Pharisäern. Die Pharisäer werden von ihm als vor Gott Blinde entlarvt, weil sie fälschlicherweise überzeugt sind, aus dem Mosegesetz Gottes Erkenntnis und Gottes Willen ableiten zu können. Aber das Mosegesetz ist kein Heilsmittler mehr, weil es weder Erkenntnis des weltlosen Gottes noch auch das Heil des ewigen Lebens vermitteln kann, sondern macht vielmehr blind vor Gott und seinem Gesandten. Die Pharisäer verwerfen die Erkenntnis des Gesandten zugunsten des Gesetzes und sind damit als Blinde schon jetzt verloren und gerichtet.

Nun wird verständlich, warum das Mosegesetz als Moralgesetz bzw. Dekalog und d.h. als Verhaltensnorm für moralgesetzliches Handeln von Johannes überhaupt nicht mehr thematisiert wird. Weil aus der Thora des Mose weder die Erkenntnis noch der Heilswille Gottes gewonnen werden kann, kommt das Gesetz als Maßstab für moralisches Handeln überhaupt nicht mehr in den Blickpunkt. Im bezeichnenden Unterschied zur Auseinandersetzung mit dem mosaischen Kultgesetz ist das mosaische Moralgesetz für Johannes weder ein Argumentationsmittel noch ein polemisches Thema. Das Moralgesetz als Kriterium für christliches Handeln wird in der Grundschrift überhaupt nicht erwähnt oder problematisiert. Johannes kennt weder die Verschärfung des Moralgesetzes wie die nachösterlichen Jesusgemeinden und die hellenistische Kirche noch die Reduktion des Kultgesetzes auf das Moralgesetz wie bestimmte judenchristliche und «heiden»-christliche Gruppen der hellenistischen Kirche. Johannes ist auch die paulinische Lösung unbekannt, daß Christus das Ende des Gesetzes als Heilsweg ist. Der Gesandte ist für Johannes nicht nur das Ende des Gesetzes als Heilsweg, sondern des Gesetzes überhaupt. Die Heilsbedeutung von Gesetzeswerken wird grundsätzlich bestritten. Die Heilsgewißheit und die individuelle Erwählung des Glaubenden stehen im Gegensatz zum Moralgesetz und zu jeder Form von Werkgerechtigkeit. Der Glaubende ist allein auf das himmlische und weltferne Heil ausgerichtet, sodaß alle moralgesetzlichen Forderungen nicht nur nicht vernachlässigt, sondern überhaupt nicht mehr in den Blick genommen werden. Weil der Glaube allein am Gesandten hängt, der exklusiv das Leben ist und bringt, hat das Tun des Moralgesetzes um des eigenen Heiles willen keinerlei Bedeutung mehr. Der «von oben» Geborene hat erkannt, daß der Wandel nach dem Moralgesetz wie dieses selbst dem unteren, diabolischen Todesbereich verhaftet bleibt, und dem Heil geradezu zuwiderläuft. Nicht das Moralgesetz wird zum konstitutiven Teil der Erlösung, sondern der Gesandte ist der exklusive Heilsmittler. An die Stelle des Moral- und damit des Gesetzes überhaupt tritt in der johanneisch-dualistischen Theologie die Offenbarung des Gesandten.

All dies erinnert an die judenchristlichen Gnostiker in den paulinischen Gemeinden. Für den Gesandten gehört das Moralgesetz zum unteren Machtbereich des Teufels, des Todes und der Finsternis. Aber damit ist der johanneische Ansatz bei der Deutung des mosaischen Gesetzes noch keineswegs ganz zum Tragen gekommen. Denn der demonstrativen Verabschiedung des Moralgesetzes und damit des Mosegesetzes überhaupt entspricht nun auf der anderen Seite die konsequente und lückenlose

Umdeutung ursprünglich moralgesetzlicher Schlüsselbegriffe. Der johanneische Ansatz ist dadurch gekennzeichnet, daß alle moralgesetzlichen Wertbegriffe in den Gesamtzusammenhang von Dualismus und Gesandtenchristologie versetzt und damit in den Dienst der alles bestimmenden Glaubensentscheidung gestellt werden. So antwortet der Gesandte auf die typisch gesetzliche Frage der Juden: «Was sollen wir tun, damit wir die Werke Gottes verrichten?» «Das ist das Werk Gottes, und daß ihr an den glaubt, den jener gesandt hat» (6, 28f.). Das Tun der Werke Gottes ist nun nicht mehr mit den Gesetzeswerken identisch, die heilsnotwendiges Kriterium des Weltgerichtes sind, sondern das Werk Gottes offenbart sich allein im Glauben an den Gesandten und hat mit dem traditionellen Gesetz und den von ihm geforderten verdienstlichen Gesetzeswerken nichts mehr gemein. Vor allem aber wird der ursprünglich moralgesetzliche Begriff «Werk» meistens von Johannes im Zusammenhang seiner dualistisch motivierten Gesandtenchristologie verstanden: Der Gesandte tut «das Werk», das ihm sein Auftraggeber, nämlich der himmlische Vater, aufgetragen hat (4,34; 5,36; 9,4; 10,25.32.37f; 14,10–11 u.a.). Dieses Werk des Gesandten ist niemals das Gesetzeswerk, sondern die Offenbarung des bis dahin unbekannten Gottes, der allein immerwährendes Leben ist und bringt.

Auch der Wille Gottes ist nach Johannes weder im Mosegesetz niedergelegt, noch zielt der Wille Gottes auf die Erfüllung des Gesetzes. Vielmehr wird dieser Begriff durchwegs im Sinne einer Gesandtenchristologie gebraucht: Der Gesandte tut den Willen dessen, der ihn in den unteren diabolischen Machtbereich gesandt hat, d.h. er führt gehorsam das Offenbarungswerk seines Vaters aus (4,34; 5,30; 6,38; 7,17).

Vom «Gebot» ist in der Grundschrift nur einmal die Rede, und hier wiederum im Kontext der Gesandtenchristologie (14,31). Das Gebot des Vaters an den Gesandten ist sein Sendungsauftrag und ist unvereinbar mit den Geboten des Mosegesetzes. So ist auch nicht mehr vom Halten des Gesetzes die Rede, sondern der Mensch wird aufgefordert, das Wort des Gesandten zu halten (8,51.52; 14,23), was gleichbedeutend ist mit der Annahme seines Offenbarerwortes. Oder das Wort wird wiederum christologisch gebraucht: Der Gesandte hält das Wort des Auftraggebers, seines Vaters (8,35).

Der Wandel des Menschen orientiert sich nicht mehr am Gesetz, sondern an den dualistischen Begriffen von Licht und Finsternis, die nach 12,35 die Entscheidung von Glauben oder Unglauben umschreiben.

Auch der traditionell jüdische und judenchristliche Begriff des «Jüngers» wird von Johannes dualistisch umgedeutet. Jünger ist, wer im Wort des himmlischen Gesandten bleibt (8,31) und ist identisch mit dem «von oben» Geborenen (3,3), dem Kind Gottes (1,12), bzw. dem Sohn des Lichtes (12,36).

Auch die Worte «Lehre» (7,16f), «der Lehrer» (1,39; 3,2.10; 20,16 u.a.)

und «lehren» (z. B. 8,28) stehen nicht mehr im Bedeutungsfeld der mosaischen Gesetzeslehre, sondern umschreiben den Gesandten und dessen heilbringende Offenbarungsrede, seine erlösende Offenbarertätigkeit. «Nachfolgen» meint nicht mehr undualistisch das Einhergehen hinter dem Gesetzeslehrer, sondern ist gleichbedeutend mit der Hinwendung zum Gesandten und mit dem Glauben an ihn (1,37f; 8,12 u. a.). Auch der Begriff «Sünde» kennzeichnet in der Grundschrift nicht mehr die Übertretung des Gesetzes, sondern den Unglauben, das Sein im unteren, diabolischen Machtbereich der Finsternis. Deshalb erscheint «Sünde» außer in 8,24 (aber abgesichert durch 8,21) immer im Singular (8,34f.41.43; 9,39ff). Dementsprechend meint Sündlosigkeit nach 8,46 nicht die moralgesetzliche Untadeligkeit, sondern sein Woher aus Gott. Freiheit bedeutet nun nicht mehr das Freisein zum Tun des erlösenden Gesetzes, sondern die Befreiung vom gottlosen Kosmos durch das Ja zum weltlosen Gesandten (8,32 und 36). Auch die typisch moralgesetzlichen Begriffe wie «Lüge» und «Wahrheit» (8,44), «Ungerechtigkeit» (7,18) und «gerecht» (5,30 und 7,24), «wohlgefällig» (8,29) und «gottesfürchtig» (9,31) werden zu dualistischen umfunktioniert.
Schließlich ist dieser Umdeutungsprozeß nirgendwo deutlicher zu beobachten als am Begriff «lieben». Liebe ist nicht mehr die Summe und Erfüllung der Mosethora und das größte Gesetzeswerk, sondern Ausdruck gegenseitiger Wesenseinheit der vor- und außerweltlichen Himmlischen von Vater und Sohn mit den entweltlichten Glaubenden (14,21.23.28.31). Liebe meint also nicht mehr eine affektvolle Beziehung zwischen Personen oder die Hingabe an das Mitgeschöpf (Nächster, Bruder, Feind), ist also keine Haltung und Handlungsweise mehr im moralgesetzlichen Sinne, sondern umschreibt dualistisch die eigentliche und vollendete Wesensgleichheit der Himmlischen.
Zusammengefaßt heißt das: Die johanneisch-dualistische Gesandtenchristologie bietet keinen Ansatz für die positive oder gar heilsmittlerische Würdigung des Mosegesetzes. Nirgendwo kommt das provokativer zum Ausdruck, als wenn der himmlische Gesandte im Dialog mit den Juden von «eurem Gesetz» redet (7,19.22; 8,17; 10,34) oder wenn Nikodemus von «unserem Gesetz» (7,51) und die Juden von ihrem Gesetz (19,2) sprechen. Der unüberbrückbare Wesensgegensatz zwischen dem Gesandten und «den Juden» wird damit scharf kontrastiert. Jesus redet wie ein Fremder von «eurem Gesetz» und vom «Gesetz der Juden». Diese abwertende Redeweise ist deshalb konsequent, weil der «Vater der Juden» der Teufel ist (8,44), der aber identisch ist mit dem Herrscher dieses Kosmos (12,31; 14,30), so daß das «Gesetz der Juden» für Johannes nichts anderes ist als das Gesetz des unteren, diabolischen Machtbereiches der Finsternis, der Lüge und des Todes. Darum wird die Antithese Mose-Gesandter in 6,32 direkt angesprochen und stehen sich die Jünger des Mose nach 9,28f unversöhnlich den Jüngern des Christus gegenüber.

Typisch gnostisch führen Dualismus und Gesandtenchristologie zur Verneinung des Mosegesetzes überhaupt, und nicht wie z.B. in den ebenfalls vom Dualismus beeinflußten qumranessenischen Schriften zur Verschärfung des mosaischen Kult- wie Moralgesetzes. Heil heißt für Johannes immer Befreiung der Glaubenden durch den Gesandten vom Gesetz und nicht wie im Judentum Befreiung durch Moses zum Gesetz als Heilsweg.
c) Schließlich ist auch vom heidnischen Naturgesetz, im Urchristentum vermittelt durch die Diasporasynagoge, bei Johannes keine Rede mehr. Ein Passus wie z.B. Röm.2,14 sucht man in der Grundschrift vergebens: Nach Paulus ist zwar das Gesetz keineswegs der unantastbare Privatbesitz der Juden, vielmehr tun die Juden «von Natur», was das Gesetz fordert (Röm.2,14). In der Natur sind die unvereinbaren moralgesetzlichen Normen angelegt, denen die menschliche Vernunft entsprechen kann und soll. Die Heiden beweisen durch ihr Handeln, daß die Gesetzesforderungen in ihr Herz geschrieben sind. Aber von Johannes wird diese altgriechische Tradition des «ungeschriebenen Gesetzes» bewußt gemieden, weil dieses wie das geschriebene Gesetz der Juden in den unteren diabolischen Machtbereich des Todes gehört. Der Glaubende, der mit der Annahme des Offenbarerwortes des himmlischen Gesandten immerwährendes Leben bereits empfangen hat, ist an dieses Vernunft- und Naturgesetz der Heiden nicht mehr gebunden.
Auch von dem Gewissen als einem weiteren Zeugen dieses Naturgesetzes ist bei Johannes ebensowenig die Rede wie von den Gedanken, die sich untereinander anklagen oder verteidigen (so Röm.2,14f). Diese Stimme im Menschen, die sich deutlich von seinem eigenen Wollen und Urteilen unterscheidet, also eine Instanz ist, vor der er sich zu verantworten hat, kannte auch das Heidentum zur Zeit des Johannes. Das Zeugnis des Gewissens ist identisch mit dem Gesetz Gottes und letzlich mit dem Gesetz der Juden. Für Johannes haben das Gewissen wie der himmlische Gerichtstag mit seinen Anklagen und Verteidigungen keine theologische Relevanz, weil das Gewissen als das ins Herz der Heiden geschriebene Gesetz zum gottlosen Kosmos gehört. Das Tun dieses ungeschriebenen Gesetzes bringt für Johannes ebensowenig die Unsterblichkeit wie das Tun der geschriebenen Thora das ewige Leben. Deshalb wird das heidnische Naturgesetz von Johannes nicht einmal mehr erwähnt, geschweige denn, daß dagegen polemisiert wird. Für den Glaubenden hat es jede Heilsbedeutung verloren, da ewiges Leben durch den individuellen Tod hindurch nur durch das Offenbarungswort des Gesandten vermittelt werden kann. Das heißt aber: Auch in der Beziehung zum Gesetz stellen Judentum und Heidentum für Johannes keine Alternative mehr dar, da sowohl das jüdische Mose- wie das heidnische Naturgesetz ihre heilsmittlerische Rolle total eingebüßt haben und allein im unteren Todesgefängnis ihre Wirksamkeit entfalten.
d) Freilich ist die Ablehnung des mosaischen Gesetzes als Gebot/Norm

für ein bestimmtes Handeln nur die eine Seite der johanneischen Gesetzestheologie. Auf der andern Seite ist das Gesetz, das ja von Johannes sachlich nicht von der «Schrift» unterschieden wird (vgl. 1,45; 5,45f; 10,34 = Gesetz; 5,39; 19,24.28.36 u.a. = Schrift!) Hinweis und Zeuge für die dualistische Gesandtenchristologie. Nur vom himmlischen Gesandten her und nur durch ihn wird für Johannes der wahre und alleinige Sinn des Gesetzes bzw. der Schrift erschlossen. Er allein bestimmt den Sinn des Gesetzes derart ausschließlich, daß jeder andere Verstehens- und Auslegungszugang ausgeschlossen und dem gottfeindlichen Kosmos zugewiesen wird. Nach johanneischem Verständnis gelten die Schriften des Mose und der Propheten als Christuszeugnis (1,45), aber nur der Glaube versteht solche Hinweise. So bringt Philippus dem Nathanael die frohe Botschaft: «Wir haben den gefunden, von dem Mose im Gesetz und die Propheten geschrieben haben, Jesus, den Sohn Josephs aus Nazareth» (1,45). In Jesus, dem vom Vater beauftragten Gesandten, erfüllen sich die Heilsweissagungen des Alten Testamentes. Aber der sofortige Einwand des Nathanael beweist («Was kann aus Nazareth Gutes kommen?» Vers 46), daß eine solche johanneisch-dualistische Gesandtenchristologie nicht mit Hilfe der Schrift nachgewiesen werden kann. Nur die Jünger als «von oben» bzw. aus dem Geist Geborene, nicht aber der Kosmos und d.h. die aus dem Fleisch Geborenen können diesen Schriftbeweis verstehen.

Vor allem der letzte Abschnitt im Streitgespräch des Gesandten mit den Juden (5,39–47) ist nichts anderes als die aktuelle Auseinandersetzung der johanneischen Gemeinde mit der Synagoge über die Bedeutung des Gesetzes bzw. der alttestamentlichen Schrift als Christuszeugnis. «Ihr (= die Juden) durchforscht die Schriften, weil ihr meint, in ihnen ewiges Leben zu haben; gerade diese sind es, die von mir zeugen» (5,39). Johannes leugnet nicht, daß in Israel die Schriften fleißig und unermüdlich durchforscht werden, weil man im Mosegesetz glaubt, ewiges Leben zu haben. Der Eifer der Juden wird keineswegs in Abrede gestellt. Für diesen typisch jüdischen Standpunkt bedeuteten die eifrige Erforschung und gehorsame Erfüllung des im mosaischen Gesetz niedergelegten Gotteswillens das ewige Leben. So heißt es etwa in den «Sprüchen der Väter» (2,8): «Wer sich Worte der Thora erworben hat, hat sich das Leben der zukünftigen Welt erworben» (vgl. ferner Ps. Sal. 14,1f; Sir.17,11; Bar. 14.1 u.a.). Aber der Versuch – unabhängig vom Gesandten – im Mosegesetz ewiges Leben zu haben, ist ein Irrweg. Nur der Gesandte offenbart den bis dahin unbekannten Gott und damit das Leben, das er selber ist. Nach Johannes legen die Schriften nicht Zeugnis ab für das allein heilsnotwendige Mosegesetz und die für das Heil entscheidenden Gesetzeswerke, sondern für den exklusiven Heilsmittler Jesus, der mit seinem Offenbarungswort allein das ewige Leben bringt.

Weil die Juden sich weigern, zu Jesus zu kommen (5,14), bleiben sie im Tode. Mit 5,45–47 kommt diese Auseinandersetzung des Gesandten mit

den Juden über die Bedeutung des Mosegesetzes auf den eigentlichen Höhepunkt:
«Meint nicht, daß ich euch beim Vater anklagen werde; es gibt einen, der euch anklagt, Mose, auf den ihr eure Hoffnungen gesetzt habt. Denn wenn ihr Mose glaubtet, würdet ihr mir glauben; denn über mich hat jener geschrieben. Wenn ihr aber seine Schriften nicht glaubt, wie werdet ihr meinen Worten glauben?»
Nicht der Gesandte wird die Juden wegen ihrer Glaubensverweigerung bei seinem Vater anklagen, sondern Mose selbst, für die Synagoge der eigentliche Fürsprecher, auf den sie alle ihre Hoffnung gesetzt haben, ist bereits jetzt auf dem Plan. Mit keinem Wort ist angedeutet, daß Mose diese Anklägerfunktion nur im oberen Lebensbereich vor Gottes Thron gegen die ungläubigen Juden übernehmen wird, im Gegenteil: Wenn das Mosegesetz bzw. die alttestamentlichen Schriften die dualistische Gesandtenchristologie zur Sprache bringen, dann erhebt Gott durch Mose bereits jetzt in den Schriftlesungen überall in den Synagogen Anklage gegen die Juden. Denn sie glauben weder Mose und seinem Christuszeugnis in seinem Gesetz noch den Worten des im Geist wiedergekommenen Christus in der christlichen Verkündigung. Der Glaube an Mose und sein Gesetz ist nach 5,46 identisch mit dem Glauben an den Gesandten und sein Offenbarungswort. Wahrer Gesetzesgehorsam heißt für Johannes Glaube an den himmlischen Gesandten. Damit aber wird dem Mosegesetz ein völlig anderer Sinn unterschoben, indem es gegen seinen Wortlaut wie gegen die gesamte jüdische Auslegungstradition für die johanneisch-dualistische Gesandtenchristologie vereinnahmt wird. Gerade die überragende theologische Autorität der Juden, der Geber der allein heilbringenden Tora, nämlich Mose, hat über diesen vom Vater aus dem oberen Lebensbereich in das untere diabolische Todesgefängnis gesandten Offenbarer geschrieben, und das heißt gezeugt. Die wirkliche Anerkennung «seiner Schriften» müßte geradewegs zum Glauben an den Gesandten führen, womit natürlich der alttestamentliche Sinn wie die jüdische Auslegung blasphemisch umgekehrt wird. Aber von einer solchen Offenheit gegenüber dem Gesandten aufgrund des Gesetzesstudiums ist bei den Juden zur Zeit des Johannes nichts zu spüren. In dieser völligen Inbesitznahme des Mosegesetzes bzw. der Schrift zeigt es sich, wie unorthodox Johannes das Alte Testament gebraucht. Das heißt aber: In Joh. 5,39. 45–47 entreißt der himmlische Gesandte die alttestamentlichen Schriften den Juden, auf die sie doch ihren Glauben gründen, sowie ihre Berufung auf Mose, ihren eigentlichen Religionsstifter, indem er das Alte Testament für sich und seine Offenbarung gegen den Buchstaben in Anspruch nimmt und Mose obendrein als Ankläger der Juden verkündigt. Damit aber werden alle Aussagen sowie Sinn- und Wertverhältnisse demonstrativ umgekehrt und im johanneisch-dualistischen Sinne vereinnahmt. Für die Juden als den eigentlichen religiösen Repräsentanten des unteren diabolischen Kosmos

bleibt eine solche Gesetzesexegese unverständlich, denn nur der entweltlichte Glaubende als der aus dem Geist Geborene versteht solche Hinweise (3,14; 4,25; 8,56; 12,16 u.a.) und liest das ganze Gesetzesbuch der Juden als unmittelbares Christuszeugnis!

In 8,17f wird das Mosegesetz von Johannes als Zeuge für das «Ich bin» des Offenbarers, allerdings wiederum gegen seinen Wortsinn, in Anspruch genommen: Die mosaische Gesetzesbestimmung aus 5. Mos. 17,6; 19,15 besagt, daß das Zeugnis zweier Zeugen übereinstimmen muß. Betont polemisch formuliert der Evangelist: «Das Zeugnis zweier Menschen.» Das ist, wenn auch in einem anders gearteten Sinne, beim Gesandten der Fall: Nicht nur Jesus zeugt für sich, sondern auch der himmlische Vater legt für ihn Zeugnis ab. Die Selbstoffenbarung des Gesandten im «Ich bin» wird also auch vom Mosegesetz bezeugt, allerdings in einem Sinne, der der ursprünglichen Forderung ins Gesicht schlägt. Denn hier wird das Zeugnis des Mosegesetzes ja nicht auf zwei Menschen, sondern auf Gott und seinen Gesandten angewandt. Die Vereinnahmung des Gesetzes wird damit bis zum äußersten getrieben, die spitzfindige Beweisführung hinkt allerdings, weil es sich bei Johannes erstens im Unterschied zur alttestamentlichen Gesetzesvorschrift nicht um einen kriminellen Tatbestand handelt, zweitens diese Prozeßbestimmung den Zeugen in eigener Sache gerade verwirft, und schließlich geht es drittens im Rahmen der johanneischen Gesandtenchristologie nicht um eine äußerliche, feststellbare Tatsache im Sinne der mosaischen Zeugenforderung.

Johannes 8,37–40 zeigt das intensive Bemühen des Evangelisten, Abraham als geistigen Vater und die Abrahamskindschaft den Juden zu entreißen und in den Dienst der eigenen Theologie zu stellen. Die Juden berufen sich angesichts der Offenbarung des Gesandten auf die Vaterschaft Abrahams: «Unser Vater ist Abraham.» Aber wiederum bestreitet Jesus, daß diese Berufung zu Recht erfolgt. Denn Sohn Abrahams sein heißt, Abrahams Werke tun.

Abraham haßte weder die Wahrheit, noch hatte er Lust am Mord. Er war also nicht gegen die zukünftige Offenbarung des Gesandten verschlossen. So ist jeder, der das Wort des Gesandten im Glauben annimmt, ein Sohn Abrahams. Das heißt aber: Der Erzvater Abraham gehört nicht auf die Seite der Juden, sondern des Offenbarers und der Seinen, und die Abrahamssohnschaft wird von Johannes rechtmäßig für die Christen in Anspruch genommen. Abraham ist nicht mehr der Vater der Juden, sie sind vielmehr die Kinder des Teufels (8,44), sondern gegen den Wortsinn des Alten Testamentes und seine jüdische Auslegung ist er der Vater der an den Gesandten Glaubenden.

Und in 8,56–58 wird der Erzvater Abraham offen für die johanneisch-dualistische Gesandtenchristologie vereinnahmt: «Euer Vater Abraham jubelte, daß er meinen Tag sehen sollte, und er sah ihn und freute sich»

(8,56). Wieder nimmt der Evangelist die bedeutendste Gestalt der Schrift neben Mose für seine Theologie mit der demonstrativen Umkehrung aller Sinnverhältnisse in Anspruch. Abraham und der präexistente Gesandte stehen keineswegs im Gegensatz zueinander, wie der gottlose Kosmos in Gestalt der Juden meinte, wenn sie dem Wortlaut zu Recht Abraham gegen Jesus ausspielen wollen oder Mose gegen den präexistenten Logos (wie schon 5,45f); vielmehr reichen sich beide freudig die Hand. Abraham gehörte und gehört in den oberen Lebensbereich Gottes, deshalb bejaht er den Gesandten, denn seine ganze Hoffnung war auf ihn ausgerichtet. Das «er sah» und «er freute sich» von 8,56 meint nicht die Freude, die Abraham empfand, als er die zukünftige Heilszeit schaute (wie etwa die Schöpfung jubelt angesichts des endzeitlichen Priestermessias in Test. Levi 18), sondern vielmehr, daß Abraham in seiner gegenwärtigen himmlischen Existenz im oberen Lebensbereich Gottes am Geschick des Gesandten mit Freuden Anteil nimmt. Man wird wohl nicht zu weit gehen mit der Annahme, daß für Johannes die Postexistenz nicht nur Abrahams, sondern sämtlicher Erzväter und des Mose feststeht. Aber sie jubeln nicht mehr über die endzeitliche Ankunft eines messianischen Thoralehrers, Priestermessias oder politischen Königs Israels, sondern über die Ankunft des weltlosen Gesandten im unteren Machtbereich des Teufels, der Finsternis und des Todes. Wiederum wird auch hier die herkömmlich ganz undualistisch gezeichnete Erzvätergestalt Abrahams den Juden entwunden und rigoros in Beziehung zur dualistischen Gesandtenchristologie gesetzt.

Gnostisierend ist zweifellos auch die Auslegung von Psalm 82,6 in Joh. 10,34–36. Die Juden sehen in der Gottgleichheit Jesu eine Gotteslästerung. Daraufhin antwortet ihnen Jesus: «Ist nicht in eurem Gesetz geschrieben: Ich habe gesagt, ihr seid Götter? Wenn es jene Götter genannt hat, an die das Wort Gottes erging, und die Schrift nicht außer Geltung gesetzt werden kann, könnt ihr dann zu dem, den der Vater geheiligt und in die Welt gesandt hat, sagen: Du lästerst, weil ich gesagt habe: Ich bin Gottes Sohn?» Das Gesetzeswort enthält Psalm 82,6, in dem Gott die alttestamentliche Gemeinde als «Götter» angeredet hat. Mit Hilfe der rabbinischen Auslegungsmethode, die vom Geringeren auf das Schwerere schließt, wird die «Götter»-Aussage von Psalm 82 auf den vorliegenden Streitfall angewandt. Das heißt also: Wenn nun schon das Mosegesetz die Israeliten im Alten Bund als Götter bezeichnet hatte, dann muß das noch viel mehr für Jesus gelten, den Gott exklusiv geheiligt und in den unteren Herrschaftsbereich des Teufels gesandt hat. Das Mosegesetz in Gestalt von Psalm 82,6 wird von Johannes gegen seinen ursprünglichen Wortsinn auf die dualistische Gesandtenchristologie bezogen: Gegen alle jüdische Auslegung wird es zum Zeugen des göttlichen Gesandten. Aber zugleich ist festzuhalten, daß die Anrede der Israeliten im Alten Bund im Psalm 82,6 durch den Empfang des Wortes Gottes zwar christologisch ausgewertet, aber nicht grundsätzlich auf das Zeugnis für die johanneisch-dualistische Gesandtenchristologie eingeschränkt werden kann. Denn diese erstaunliche Anrede gilt ja bereits für das alte Gottesvolk, wird also von Johannes gleichsam unter der Hand auf die Glaubenden bezogen und damit ekklesiologisch ausgeweitet. Die Annahme des göttlichen Offenbarungswortes versetzt die Glaubenden in die himmlische Welt und gewährt ihnen Teilhabe an Gottes Leben. Die Glaubenden als die «von oben» Geborenen, die Söhne und Kinder Gottes, haben als die «Götter» mit dem unteren, gottfeindlichen Kosmos nichts mehr zu schaffen.

Das heißt aber: Das Mosegesetz ist für Johannes nicht nur Zeuge der dualistischen Gesandtenchristologie, sondern zugleich Hinweis auf die dualistische «Götter»-Ekklesiologie des Johannes, weil die Annahme des Offenbarungswortes des Gesandten als des Wortes Gottes durch die Glaubenden diese zu «Göttern» macht.

Auch die traditionellen Weissagungsbeweise in der Passionsgeschichte, die ursprünglich Jesus als den leidenden Gerechten verkündigten (so 19,24.28.36), bestätigen nun für Johannes das Geschick des gehorsam seinen Auftrag erfüllenden Gesandten.

Schließlich lehren auch die bloßen Anspielungen von Joh. 1,1 an 1. Mose 1,1, von 1,51 an 1. Mose 28,12 und 3,14 an 4. Mose 21,8f, daß das Gesetz als Schrift von den johanneischen Gemeinden konsequent als Christuszeugnis und damit als christliches Buch, wenn auch gegen sein ursprüngliches Verständnis, vereinnahmt wurde.

Dabei darf nicht übersehen werden, daß das Gesetz als Schrift für Johannes nur Zeuge für den Gesandten ist (5,47 u.a.), während dieser selbst Worte Gottes redet (3,34) und seine Offenbarungsreden das Heil bringen und bewirken (5,47). Aber den Juden und d.h. dem Kosmos überhaupt bleibt es verwehrt, die Schriften als Christuszeugnis zu lesen, das bleibt allein den Glaubenden vorbehalten.

Dieser Sachverhalt wird sehr schön durch die beiden Streitgespräche in 7,40–44 und 12,34ff belegt, wenn von den Juden aus der Schrift nach dem Wortlaut gerade die traditionell davidische Messianologie und nicht die johanneisch-dualistische Gesandtenchristologie herausgehört und abgeleitet wird. Der künftige Messias stammt nach der Schrift bzw. dem Gesetz aus davidischem Geschlecht und kann nur in der Davidsstadt Bethlehem geboren sein (7,41f nach 2. Sam. 7,12f; Jes. 11,2; Mich. 5,1). Somit widerspricht das von den Juden wörtlich verstandene Gesetz der johanneisch-dualistischen Gesandtenchristologie. Gerade das Mosegesetz hindert die Juden zu Recht daran, eine positive Stellung gegenüber dem weltlosen und vom Vater beauftragten Gesandten zu beziehen.

In 12,34 beharren die Juden auf dem Wortlaut des Mosegesetzes: «Wir haben aus dem Gesetz gehört, daß der Messias bis in Ewigkeit bleibt.» Hier beruft sich das jüdische Volk auf das Gesetz als Zeuge für den für

immer herrschenden Davidssohn und Messiaskönig (neben Psalm 89,37 vgl. Jes. 9,6; Ez. 37,25; Ps. Sal. 17,4). Die traditionell jüdische Messianologie und nicht die johanneisch-dualistische Gesandtenchristologie steht nach dem historischen Wort in Übereinstimmung mit dem Gesetz.
Das Gesetz der Juden nach seinem Wortlaut bleibt also nach Johannes dem unteren Herrschaftsbereich des Teufels, des Todes und der Finsternis verhaftet, und zwar sowohl als moralgesetzliche Forderung wie auch als Zeuge für die traditionell davidische Messianologie. Für den Gnostiker dagegen ist Jesus als der himmlische Gesandte das einzige Thema des Gesetzes. Weil diese dualistische Gesandtenchristologie den Sinn und Inhalt des Gesetzes völlig bestimmt, hat das Gesetz jegliche Eigenbedeutung verloren und wird souverän gegen seinen ursprünglichen Wortsinn und die gesamte jüdische Auslegungstradition vereinnahmt. Indem der Gesandte alle Sinn- und Wertverhältnisse des Gesetzes demonstrativ umkehrt, bleibt dieses selbst samt allen alttestamentlichen Heilsgestalten – Abraham, Mose und die Propheten – ohne historische Konturen und interessiert einzig in seiner Funktion als Zeuge des himmlischen Gesandten. Exegetisch läßt sich diese Zeugenfunktion vom Text her nicht nachweisen, sondern nur gegen den Wortlaut einbringen. So ist das Gesetz im Sinne des Johannes für die Glaubenden nur noch Sprachmaterial, Argumentationsmittel und christliche Zeugnistradition für die ihm aufgezwungene dualistische Gesandtenchristologie.

3. Die Verabschiedung der Ethik

a) Der vom Vater aus der oberen göttlichen Sphäre in den unteren, diabolischen Bereich gesandte Sohn hat nicht den Auftrag, eine neue oder alte Moral zu bringen und in seinen Offenbarungsreden eine Individual-, Gemeinde- oder gar Sozialethik zu lehren. Die gesamte traditionelle Ethik – das lehrt schon ein flüchtiger Blick in die Grundschrift des Johannesevangeliums – hat keinen Platz in der dualistischen Gesandtenchristologie. Denn alles moralische Handeln bezieht sich ja nur auf den unteren widergöttlichen Kosmos. Und schon gar nicht kann dieses ethische Handeln des Christen eine Bedeutung für sein eigenes Heil haben. So ist zu Recht in der bisherigen Forschung die Frage gestellt worden, ob das Johannesevangelium überhaupt in eine neutestamentliche Ethik hineingehört. Diese Frage ist mit Blick auf das gegenwärtige Johannesevangelium eindeutig zu bejahen, während für die Grundschrift der Beweis im folgenden geführt werden muß. Zwar werden auch im gegenwärtigen Johannesevangelium alle mit der Ethik zusammenhängenden Fragen und Aussagen massiv zurückgedrängt und reduziert, aber in der Grundschrift stößt man auf ein beharrliches und demonstratives Schweigen.
Die von Johannes komponierten Offenbarungsreden des himmlischen

Gesandten entfalten überhaupt keine Ethik oder auch nur vereinzelt moralische Ermahnungen. Nach der johanneisch-dualistischen Theologie ist der von oben Geborene allein auf das obere, weltlose und weltferne Heil als immerwährendes Leben ausgerichtet. Allein der Glaube hat das ewige Leben. Deshalb hängen der Glaube und die Liebe Gottes allein am Gesandten, so daß alle Forderungen der Liebe, die auf den Nächsten, Bruder oder Feind gerichtet sind, bedeutungslos werden. Sämtliche Kult-, Moral- und Sozialbezüge werden deshalb nicht nur vernachlässigt, sondern absichtlich ausgeblendet. Denn um den Nächsten, Bruder und Feind brauchen sich die Söhne des Lichts nicht mehr zu kümmern. Der Kosmos als negativer, weil vom Teufel beherrschter Machtbereich ist für Johannes nicht mehr wie im Judentum und Heidentum der gefahrvolle Ort für ethische und rituelle Bewährung, sondern ein Unheilsbereich, von dem der aus dem Geist Geborene total erlöst werden muß. Der moralische Wandel wird niemals zu einem konstitutiven Element erhoben. Johannes kennt auf Grund seiner gnostisierenden Gesamtsicht von Dualismus, Gesandtenchristologie und Erlösung keine Gesetzes-, Lohn- und Verdienstethik, vielmehr, jeglicher traditionelle Heilsweg wird radikal ausgeschlossen. Die Gegenwart des Christen ist nicht mehr durch ethische und rituelle Beanspruchung qualifiziert.

Konkret heißt das: Johannes bringt nicht mehr die Tugend- und Lasterkataloge zur Sprache, wie sie vor allem in der hellenistischen Kirche und bei Paulus, aber auch in andern Schriften des Neuen Testamentes üblich sind. Diese Kataloge rufen beispielhaft zum sittlichen Lebenswandel auf und warnen vor den Lastern. Johannes dagegen verwirft die hellenistisch-römische Ethik, in der der Kampf des Frommen in der Arena der Tugend mit dem Lohn der Unsterblichkeit belohnt wird. Konsequent lehnt er das grundlegende Dogma der religiösen Antike ab, daß es kein echtes Gottesverhältnis des Frommen ohne tugendhafte Leistung des Menschen gibt. Ebenso fehlt im Johannesevangelium die soziale. Auslegung des Liebesgebotes, wie sie in den bekannten Haustafeln des Neuen Testaments zu finden ist. Solche Haus- bzw. Pflichtentafeln, in der stoischen Ethik ausgebildet, sind Ermahnungen, die nach einem festen Schema die verschiedenen Stände mit ihren Pflichten von Frauen und Männern, Kindern, Sklaven und Sklavenhaltern im Hause, in der Gesellschaft und gegenüber dem Staat festlegen. Es handelt sich also um sittliche Forderungen und bürgerliche Pflichten, die jedermann bekannt waren und die dem bürgerlichen Anstand der griechisch-römischen Gesellschaft entsprechen. Programmatisches Stichwort war das die gesamte stoische Moralpropaganda zusammenfassende «wie es sich gehört» bzw. «wozu man verpflichtet ist» als feststehende gesellschaftliche Konvention. Viele dieser ethischen Pflichtentafeln, die letztlich auf das ungeschriebene, ewige und göttliche Naturgesetz als altgriechischer Volksethik zurückgehten, war die harmonische Einfügung des Einzelnen in den ewig göttlichen Kosmos als ein in sich ruhendes und vom unwandelbaren Gesetzen bestimmtes Seins- und Ordnungsgefüge in Gesellschaft, Natur und Staat. Jeder, der mit dieser zeitlos gültigen Ordnung der Weltvernunft in Übereinstimmung lebte, ist innerlich frei und unsterblich.

Keine Spur mehr findet sich im Johannesevangelium von den natürlichen schöpfungsmäßigen Ordnungen wie der Ehe oder von den naturgesetzlichen Differenzen zwischen Sklaven und Sklavenhaltern. Von den weltlichen Sozialordnungen ist nirgends die Rede, und es gibt kein Interesse an der Gestaltung des alltäglich-bürgerlichen Lebens. Der Grund hierfür ist darin zu suchen, daß für die johanneisch-dualistische Theologie das Naturgesetz wie auch die Schöpfungsordnungen zum unteren diabolischen Kosmos gerechnet werden, deshalb also für den aus dem Geist Geborenen unwesentlich und für sein Heil bedeutungslos geworden sind. Blasphemisch werden alle traditionellen Wertverhältnisse der griechisch-römischen Ethik umgekehrt: Ewiges Leben ist nicht mehr an die moralische und sozialethische Anstrengung des Frommen gebunden.

Ebenso ist das Mosegesetz ohne jede Bedeutung für die «Ethik» des Johannes. Für diesen gibt es weder eine direkte noch indirekte Kontinuität zwischen dem mosaischen Gesetz und der christlichen Ethik. Denn – wie wir bereits gesehen haben – findet sich in der Grundschrift aber auch nicht die geringste Spur von alttestamentlich-jüdischer Gesetzesethik mit Werkgerechtigkeit, Verdienst- und Leistungsdenken und dem Lohn des ewigen Lebens im apokalyptischen Endgericht. Die Eigenart der johanneischen «Ethik» wird noch schärfer erkannt, wenn man zum Vergleich die Ethik Jesu, der Jesusgemeinde und der hellenistischen Kirche heranzieht. Kein Wort mehr wie bei Jesus und den nachösterlichen Jesusgemeinden über die Ehescheidung, die Wiedervergeltung und Feindesliebe, keine Warnung vor Besitz, Sorge, Richten und Furcht. Weder werden Meineid und Eid überhaupt, noch der Ehebruch und der begehrliche Blick oder der Mord und der Zorn verboten. Die Stellung zum Staat wird nicht zum Thema, und die Fülle der sittlichen Gebote wird niemals im Doppelgebot der Gottes- und Nächstenliebe zusammengefaßt.

Vom reichhaltigen ethischen Material der hellenistischen Kirche ist nichts mehr übriggeblieben. Es gibt keine Mahnung mehr zu Bruderliebe, Gastfreundschaft, Langmut, Fröhlichkeit, Gebet, Dank, Mitfreude oder Mittrauer, zu unablässigem Eifer und stets bereitem Dienst, und es fehlt die Warnung vor Unzucht und Neid. Johannes kennt kein «Gesetz des Christus» mehr oder die eindringliche Mahnung, die rechte Mitte zwischen Weltsucht und Weltflucht bis zum Kommen des Herrn auszuhalten. Er weiß auch nichts mehr von den Unterordnungsforderungen an die Frau, den Sklaven und die Staatsbürger, oder die Ermahnung an die Gemeinde, ihre Leiter und Lehrer anzuerkennen und wirtschaftlich zu unterstützen. Es fehlen überhaupt sämtliche allgemeinen und speziellen Mahnungen und Anweisungen für Dienst und Funktion in wie außerhalb der

Gemeinde. Passend zum Fehlen des Vaterunsers wird auch nicht mehr der Schöpfergott als der für alle seine Geschöpfe fürsorgende Vater verkündigt. Wie Johannes sich keinerlei Mühe mehr macht mit konkreter Paränese, so fehlt bei ihm ebenso die gesamte eschatologische Ethik. Aber er arbeitet auch nicht wie die judenchristlichen Gnostiker in den paulinischen Gemeinden eine rigoristische oder libertinistische Ethik aus. Schließlich hat Johannes nirgendwo das Liebesgebot im Sinne einer Individual-, Sozial-, Gemeinde- oder Schöpfungsethik ausgelegt. Nicht einmal im uneigentlichen Sinne kann man bei Johannes von Situations-, Gesinnungs- oder Materialethik sprechen.

Aber trotz dieser geradezu erdrückenden Flut von ethischen Fehlanzeigen gibt es nun doch wenigstens einige wenige Fälle, in denen sich Johannes, wenn auch nur indirekt, zu gängigen urchristlich-ethischen Themata äußert.

So steht der Gesandte nach Joh. 4,5–9 über dem vordergründigen und dem unteren Herrschaftsbereich zugehörigen Problem der Kluft zwischen Samaritanern und Juden. Die Samaritaner waren ein heidnisches Mischvolk und galten den Juden als halbe Heiden. Beide waren einander verhaßt und jeder fromme Jude hatte sich vor verunreinigendem Verkehr mit Samaritanern zu schützen. Aber für den Gesandten gehört diese Trennung zwischen erwählten Juden und gottlosen, halbheidnischen Samaritanern in den unteren Machtbereich des Teufels und der Finsternis, während sich seine Offenbarung unterschiedslos an Juden und Samaritaner richtet (4,10ff.19ff).

Dieses dualistisch motivierte Desinteresse des Johannes an den Spannungen zwischen den religiösen Gruppen der Samaritaner und Juden muß nun nach 12,20–36, der sog. Hellenenrede des Gesandten, auch auf den Gegensatz Juden-Heiden ausgedehnt werden. Nach 12,20–22 wollen einige Heiden Jesus sehen. Wie überall im damaligen Urchristentum wird es sich um sogenannte Gottesfürchtige gehandelt haben, die sich als Heiden dem Judentum zugewandt hatten. Ähnlich der hellenistischen Kirche werden auch die johanneischen Gemeinden diese Heiden als ehemalige Gottesfürchtige missioniert und in ihre eigenen Reihen aufgenommen haben, denn die ehemals heilsgeschichtlich fundamentale Differenz zwischen Juden und Heiden samt den damit vom Mosegesetz gelieferten Kriterien sind seit der Ankunft des Gesandten im Kosmos bedeutungslos geworden. Juden, Samaritaner wie Heiden werden jetzt nach Johannes durch den Gesandten aufgefordert, seine Offenbarungsrede anzuerkennen und damit alle innerweltlichen, religiösen Schranken dem unteren Machtbereich der Finsternis und des Teufels zuzuordnen. Nur wer sich in Gegensatz zu diesem gottfeindlichen Kosmos begibt und die himmlische Offenbarung des Gesandten im Glauben annimmt, ist für immer gerettet.

Auch die völlige Nivellierung der geschlechtlichen Unterschiede und die Gleichberechtigung zwischen Mann und Frau wird von Johannes nicht eigens thematisiert, sondern eher beiläufig, aber wie selbstverständlich angesprochen. Ganz unbefangen beginnt der Gesandte am Brunnen von sich her ein theologisches Gespräch (4,5ff) mit einer Frau, was für einen theologischen Lehrer in Israel mehr als ungewöhnlich war. Aber noch ungewöhnlicher ist es im Blick auf die Jesusgemeinden und die hellenistische Kirche, wenn dieselbe Frau, nachdem sie zum Glauben gekommen ist (4,19.29), nun selber im Dienst der öffentlichen Evangeliumsverkündigung dargestellt wird (4,39ff). Ohne Zweifel haben wir hier dieselbe theologische Motivation wie in 1. Kor. 11,2ff vor uns: Weil alle geschlechtlichen Unterschiede zwischen Mann und Frau letztlich Maßstäbe des Fleisches und des unteren diabolischen Machtbereiches sind, das allein Wesentliche und Heilsnotwendige aber die Annahme des Offenbarungswortes des Gesandten ist, wird die Gleichberechtigung der Geschlechter vor Gott und in der Gemeinde ganz unbefangen demonstriert. Wie in 1. Kor. 11,2ff und 12,13 wird auch hier in Joh. 4 die gnostische Position scharf beleuchtet.

Noch weiter geht in dieser Hinsicht die johanneische Erzählung von der Erscheinung des Auferstandenen vor Maria in 20,14–18, die in Wirklichkeit eine christlich-gnostische Auffahrtsgeschichte darstellt. Maria hält den Auferstandenen für den Gärtner, worauf sich Jesus zu erkennen gibt. Im Gegensatz zu den Auferstehungsgeschichten in Mt. 28,9 und Lk. 24,9 wird es Maria ausdrücklich untersagt, den Auferstandenen zu berühren. Vielmehr bekommt sie als einzige den Auftrag an die Jünger, zwar nicht seine leibhaftige Auferstehung und Erscheinung, wohl aber in dualistischer Weise die traditionelle Osterbotschaft als Auffahrt bzw. Fortgang zum Vater zu verkündigen (Vers 17). Maria Magdalena ist nach Johannes die erste und einzige Zeugin des Ostergeschehens. Johannes weiß nichts von den mannigfachen Erscheinungen des Auferstandenen vor Petrus und den Zwölf, vor Jakobus und allen Aposteln (1. Kor. 15,3bff). Hier ist vielmehr in ganz unjüdischer Weise der erste und einzige Zeuge für die Auferstehung Jesu als Auffahrt zum Vater eine Frau, die nach jüdischem Recht nicht einmal prozeßfähig ist.

Provokativer kann es urchristlichen Ohren nicht formuliert werden: Die religiöse und rechtliche Inferiorität der Frau in der heidnischen wie jüdischen Antike findet ihr definitives Ende an der alle geschlechtlichen Unterschiede einebnenden Heilsbotschaft des Johannes, daß nur «von oben» bzw. aus dem Geist und nicht aus dem Fleisch Geborene – ob Mann oder Frau – in das Reich Gottes kommen können.

Dagegen wird von Johannes die für die Antike so brennende Sklavenfrage überhaupt nicht erwähnt.

Und auch die beiden Offenbarungsworte des Gesandten in 18,36 und 19,11 machen keine Wesensaussagen über die politische Gewalt bzw. den Staat im Licht von Röm. 13,1–7. Wenn der Gesandte im Prozeß vor Pilatus betont, daß seine Herrschaft nicht «von dieser Welt» ist (18,36), dann

ist diese typisch dualistische Herkunftsaussage zugleich und vorzüglich eine Wesensaussage. Im Gegensatz zu Pilatus als dem Repräsentanten des römischen Imperiums ist Jesu Macht die des himmlischen Gesandten und niemals die irgend einer irdisch-politischen Instanz, die – so die Konsequenz des zugrundeliegenden Dualismus – in den unteren diabolischen Herrschaftsbereich gehört. Andererseits nimmt der Gesandte den traditionellen Hoheitstitel «König» ausdrücklich in Anspruch, definiert ihn aber völlig neu im johanneisch-dualistischen Sinne (18,37): Sein Königtum stammt von oben, und er weilt nur deshalb eine kurze Zeit im unteren Kosmos, um den bis dahin unbekannten Gott zu offenbaren, d.h. Zeugnis für die Wahrheit abzulegen. Nur wer aus Gott, aus der Wahrheit stammt, hört Jesu Stimme und kann seine lebenbringende Offenbarung im Glauben anerkennen (18,37), was eben Pilatus unmöglich ist.
Nichts anderes sagt auch 19,11: Jesus antwortet Pilatus «Du hättest keine Macht über mich, wenn es dir nicht von oben gegeben wäre». Die Exegese ist sich mit Recht darüber einig, daß auch hier nicht von Röm. 13 her interpretiert werden darf, als ob Johannes über die Einsetzung des Prokurators oder gar der staatlichen Gewalt und Autorität durch Gott predigen wolle. Vielmehr liegt der Ton darauf, daß der Gesandte seinen Auftrag bis zuletzt erfüllen muß, ganz im Sinne des Heilsplans seines göttlichen Auftraggebers. Der Tod als Rückkehr zum Vater wird nur scheinbar in die Hände des Pilatus gelegt, in Wirklichkeit entspricht er dem göttlichen Heilsplan und wird durch ein völlig unwissendes Werkzeug vollzogen.
Aber auch wenn beide Stellen 18,36 und 19,11 nicht von Röm. 13 her zu interpretieren sind, so wird doch indirekt von Johannes sehr deutlich alle staatliche und politische Macht dualistisch abgewertet: Die politische Gewalt bzw. der Staat sind von «aus diesem Kosmos» (18,36) bzw. «von hier» (18,36), d.h. sie wird dem unteren diabolischen Kosmos zugeordnet und steht der Herrschaft bzw. dem Reich Jesu in der oberen, göttlichen Sphäre dualistisch gegenüber. Auch ihre amtliche Funktion und staatliche Autorität wird auf keinen Fall dem oberen göttlichen Bereich des Lebens und der Wahrheit zugeordnet. Die politische Macht gehört im Gesamtzusammenhang von Dualismus, Gesandtenchristologie und Erlösung eindeutig in den unteren Machtbereich des Teufels, der Lüge, der Finsternis und des Todes. Darum kennt Johannes auch nicht wie die Jesusgemeinden, die hellenistische Kirche und Paulus die bekannte Forderung an die Christen, sich der staatlichen Gewalt unterzuordnen. Vielmehr wird der politische Amtsträger – hier in der Person des Pilatus – in die Entscheidung gestellt, dem Gesandten zu glauben oder im immerwährenden Tode zu bleiben. Alles andere ist gänzlich bedeutungslos.
Jegliches mitmenschliche, soziale, gesellschaftliche und politische Handeln ist keine Aufgabe für den johanneischen Christen. Zur Hilfeleistung an den Nächsten, Bruder, Feind, Armen, Kranken, Bedrängten oder den

in einer Sünde Verstrickten fehlt jegliche Mahnung, ebenso die Aufforderung an die Frauen, sich den Ehemännern, an die Sklaven, sich den Sklavenhaltern, an die Staatsbürger, sich den jeweiligen politischen Gewalten oder an die Kinder, sich den Eltern unterzuordnen. Alles innerweltliche ethische Handeln des Christen wird weder um des Nächsten, Bruders und Feindes noch um des eigenen Heiles willen geübt. Nächstenliebe und Tugendübung, Ethik, Paränese und Gesetzesfrömmigkeit werden wie selbstverständlich außer Acht gelassen, weil sie im Horizont johanneisch-dualistischer Theologie nur ohnmächtige Möglichkeiten des unteren, gottlosen und toten Kosmos repräsentieren. Die Ethik kann im Rahmen dieser ausgeprägt dualistischen Gesandtenchristologie niemals zum zweiten konstitutiven Teil der Erlösung werden, ja, sie verliert jegliche Bedeutung überhaupt.

b) Dennoch kennt auch Johannes keine Dogmatik ohne «Ethik»! Allerdings muß im Sinne des Johannes das Wort «Ethik» konsequent in Anführungsstriche gesetzt werden, weil es keinen eigentlichen Gebrauch dieses Wortes mehr bei ihm gibt.

«Ethik» im johanneischen Sinn als Programm der lebenslangen, innerweltlichen Entweltlichung bedeutet, dem widergöttlichen Kosmos total abzusagen und allein die weltlosen, oberen Himmlischen, nämlich den außerweltlichen Vater und seinen Sohn, den Gesandten, zu lieben. Der von oben stammende Gesandte fordert niemals zum Handeln im unteren, teuflischen Machtbereich des Kosmos oder gar zur Weltveränderung, sondern immer nur zum Glauben auf, der aber nichts anderes ist als der permanente Vollzug der Entweltlichung. An die Stelle der moralischen Forderungen und eingehenden, vielfältigen Weisungen tritt bei Johannes exklusiv die Glaubensforderung. Sämtliche Imperative des Gesandten sind ausschließlich auf den Glauben ausgerichtet. Der Selbstoffenbarung bzw. Auslegung des Gesandten in den Ich bin-Bildworten folgt immer die Einladung zum Glauben (z.B. 6,35; 8,12; 11,25; 12,35f). Die Heilsimperative des johanneischen Gesandten haben also nichts mit denen der nachösterlichen Jesusgemeinden oder der hellenistischen Kirche gemeinsam. Sie sind niemals Anweisung zum Tun des verschärften Moral- bzw. entschärften Kultgesetzes als Heilsweg. Dementsprechend hat auch die immer wieder erhobene Glaubensforderung als Aufforderung zur Entweltlichung mit den traditionellen Glaubensaussagen des Alten Testamentes des Judentums wie des Urchristentums nichts mehr zu tun. Diese sind ja vor- und undualistisch, nicht aber dualistisch motiviert und ausgerichtet.

Was aber heißt «glauben» nach Johannes? Die Erlösung ereignet sich allein durch das glaubende Hören der Offenbarungsrede des Gesandten. Der Glaube ist das Ja zum weltlosen Gott und das Nein zur gottlosen Welt. Die Glaubensentscheidung als Eintritt in das ewige Leben der oberen Welt Gottes ist zugleich Beginn und Vollzug der innerweltlichen Entweltlichung der Glaubenden, d.h. der existentiellen Trennung vom unteren, diabolischen Kosmos und seinen verhängnisvollen Bindungen. Glaube ist also nach Johannes der permanente Vollzug der lebenslangen Entweltlichung.

Johannes führt demnach den «ethischen» Vollzug der Glaubenden als der «von oben» bzw. aus dem Geist Geborenen als totale Trennung von der unteren Welt, eben als Ent-Weltlichung unmittelbar auf den kosmisch-räumlichen Dualismus zurück. Verweltlichung ist Unglaube, Endgericht und immerwährendes Bleiben im unteren Todesgefängnis, Entweltlichung aber ist Glaube und ewiges Leben. Das Ja zur Offenbarung des von oben kommenden Gesandten schließt das Nein zum unteren Kosmos ein. Aber Erlösung als Anteilhabe am ewigen Leben der oberen, göttlichen Welt wie Entweltlichung als Befreiung von der unteren Todeswelt sind nicht die Folge, sondern der Vollzug des Glaubens. Aus dieser radikalen Distanz zum unteren Kosmos resultiert weder ein Enthusiasmus oder ein Libertinismus noch gar der ethische Imperativ, sondern allein die innerweltliche Askese. Diese dualistisch motivierte Askese als totale Entweltlichung bzw. Weltentsagung und Weltflucht ist für Johannes aber eindeutig Erlösungs-Askese. «Ethik» nach Johannes meint also die lebenslange Praxis des antikosmischen Dualismus von Seiten der «von oben» Geborenen. Positiv wird das Heil von Johannes als Anteil am ewigen Leben und negativ als Trennung von der Welt verkündigt. Positive wie negative Heilsbeschreibungen sind für Johannes nur die zwei Seiten ein und der selben Sache. Mit andern Worten: Im Bereich der «Ethik» als Programm der innerweltlichen Entweltlichung ist der von oben stammende Gesandte das einzige und absolute Kriterium des Verhaltens des johanneischen Christen. Jesus bestimmt völlig den Inhalt der «Ethik» als Entweltlichung. Johannes erhebt noch nicht wie später der 1.Johannesbrief die direkte Forderung der Entweltlichung. Diese ist vielmehr mit der Glaubensforderung identisch und fällt mit ihr zusammen. Zwar kennt auch Johannes der Sache nach die Bewährung des Glaubens, aber diese äußert sich niemals in ethischer, sondern allein in dualistischer Diktion. Nicht der ethische, sondern allein der dualistische Vollzug des Glaubens hat nach Johannes Heilsbedeutung. Ohne die räumlich-dualistische Basis und die ausschließliche Konzentration der Todesüberwindung auf den Glauben an den weltlosen Gesandten kann die johanneische «Ethik» als die Forderung nach lebenslanger Entweltlichung überhaupt nicht verstanden werden.

Nur dieser dualistische Orientierungsrahmen läßt erkennen und verstehen, daß und warum in den johanneischen Gemeinden wie beim vierten Evangelisten an die Stelle der traditionellen Ethik von Judentum, Heidentum und Urchristentum die Entweltlichung des Glaubenden trat und treten muß, die durch die Stichworte innerweltlich, vorläufig, lebenslang und individuell hinreichend umschrieben ist. Der johanneische Christ wird durch den Gesandten total vom unteren Herrschaftsbereich des Teufels, der Finsternis und des Todes befreit und damit von allen Bindungen, die mit der Geburt aus dem Fleisch (3,6) unauflösbar gesetzt sind. Er wird konkret befreit von der Welt des physischen Existierens und der Umwelt aller menschlichen, familiären, völkischen, geschlechtlichen, sozialen, rechtlichen, religiösen, politischen und ethischen Bindungen, die allesamt zur Sphäre des Fleisches gehören. Ungemein lehrreich ist in diesem Zusammenhang die theologische Sachkritik der traditionell undualistischen Wundergeschichten in den Kpp. 5,6,9 und 11 durch die dualistische Gesandtenchristologie. Die Wunder sind für Johannes gerade nicht mehr wie im gesamten Urchristentum die göttliche Hilfe für die leidende, gequälte und zerstörte Schöpfung, sondern Herausstellung und Steigerung der Herrlichkeit des Gesandten (11,4) und letztlich Hinweis auf die obere Lebenswelt Gottes, für die der Kosmos als Schöpfung irrelevant ist. So wird das Wunder der irdischen Brotvermehrung für die hungernde Volksmenge im Grunde überholt durch die Offenbarung des Gesandten als «Das Brot des Lebens» (6,35). Das Wunder der Auferweckung des toten Lazarus wird durch das Offenbarungswort in Joh. 11, 25f, nach dem der Gesandte selbst die Auferstehung und das Leben ist und jedem Glaubenden verheißt, daß er in Ewigkeit nicht sterben wird, eigentlich überflüssig und bedeutungslos. Darüber hinaus haben die Wunder für den Betroffenen keinerlei Heilsbedeutung. Denn ob ein «von unten» bzw. aus dem Fleisch Geborener physisch durstig (4,7ff), hungrig (6,5ff), lahm (5,5ff), blind (9,1ff) oder tot (11,21) oder physisch sehend, gehend, satt oder lebendig ist, hat angesichts des Offenbarungswortes des Gesandten keinerlei Bedeutung mehr. Denn alle diese Wundertaten verbleiben im unteren gottlosen Kosmos. Entscheidend ist allein, ob der «von unten» bzw. aus dem Fleisch Geborene durch das Wunder der Geburt «von oben» bzw. aus dem Geist damit zum pneumatisch Sehenden, Gehenden, Sattgewordenen und ewig Lebenden geworden ist. Gerade das Lazaruswunder beweist, daß das bloße Wunder einer Wiederbelebung des Leichnams für das Heil des Menschen irrelevant ist. Er muß physisch ja ein zweites Mal sterben. Lebensentscheidend dagegen ist für den Menschen vielmehr, ob er das Offenbarungswort des Gesandten im Glauben angenommen hat. Dann wird er zwar den irdischen Tod sterben und dennoch das ewige Leben erben.

Alle traditionellen Wunder, die nur die untere, zerstörte Welt betreffen, sie also in irgendeiner Weise wiederherstellen wollen, haben keine Heilsbedeutung und können bestenfalls für den Glaubenden Zeichen der oberen Lebenswelt Gottes sein. Das eigentliche Wunder ereignet sich bei der Annahme des Offenbarungswortes des Gesandten und bringt für den Glaubenden immerwährendes Leben, Sehen, Sattsein und Löschung allen Durstes. Das Wunder aller Wunder ist für Johannes die Geburt aus Gott (1,13), von oben (3,3) bzw. aus dem Geist (3,5) und ist identisch mit der totalen Entweltlichung. Gerade die völlige Neuinterpretation der traditionellen Wundergeschichten durch Johannes zeigt augenfällig, daß die dualistische Trennung des Göttlichen von der Welt zum völligen Weltverlust in allen Bereichen der johanneischen Theologie führen muß und im vorliegenden Fall in der Ausblendung der Ethik endet. Auch und gerade die «von oben» Geborenen müssen lebenslang vom unteren Kosmos isoliert, also innerweltlich entweltlicht werden!

Aber dieser vorläufigen Entweltlichung folgt dereinst die endgültige, noch ausstehende Entweltlichung, wenn der erhöhte Christus den aus dem Geist Geborenen in der jeweiligen Todesstunde zu sich von der Erde weg in die Höhe «zieht» (12,31f) bzw. die nun völlig entweltlichten Söhne Gottes in die himmlischen Wohnungen aufnimmt (14,2ff).

Das Erlösungsziel besteht darum nicht in einem moralischen Lebenswandel um des eigenen Heiles willen oder in der Veränderung der Welt und ihrer Strukturen noch im apokalyptisch-kosmischen Sieg Gottes am Jüngsten Tag über alle seine Widersacher. Heil als ewiges Leben in der oberen Licht- und Lebenswelt Gottes ist für Johannes nur möglich und denkbar als räumliche, absolute Trennung des Christen von dem unteren Kosmos als der Todes- und Finsterniswelt des Teufels, d. h. als vorläufige Entweltlichung während der Zeit des Erdenlebens und als endgültige Entweltlichung durch den individuellen Tod hindurch.

IV. Die Gnostiker und ihre Traditionen nach den späteren Schriften des Neuen Testamentes

Eine weitere, erst durch die religionsgeschichtliche Schule um die Jahrhundertwende in der modernen Exegese mehr und mehr erschlossene Quelle für die Frühzeit der Gnosis sind die späteren Schriften im Neuen Testament: die Pastoral- und Johannesbriefe, die Offenbarung Johannes, der Kolosser-, Judas- und zweite Petrusbrief, das Matthäusevangelium und die Apostelgeschichte des Lukas: Alles Schriften also, die in einem Zeitraum von etwa 80 (= Kolosser), bis 150 n. Chr. (= 2. Petrus) in Syrien, Kleinasien und Italien des damaligen römischen Weltreiches entstanden sind. So unterschiedlich dieses Schrifttum auch zu beurteilen ist, die Theologen und Amtsträger als Verfasser dieser Schriften haben sich an zahlreichen Stellen ihrer Korrespondenz bewußt mit den Lehren und Verhalten ihrer christlich-gnostischen Gegner auseinandergesetzt und diese – wie schon vor ihnen Paulus – mit Nachdruck, aber ohne überhaupt in eine Diskussion einzutreten, zurückgewiesen. Traditionsgeschichtlich haben wir dieselbe Situation wie in den Paulusbriefen und im gegenwärtigen Johannesevangelium vor uns: Theologie wie Ethik der Gnostiker können nur auf Grund einer minutiösen Rekonstruktion aus den genannten Schriften selbst erhoben werden.

Auf jeden Fall stießen die dem Namen nach nicht mehr bekannten Theologen als Verfasser dieser späteren Schriften im Neuen Testament auf diese Frühgnosis in ihren eigenen Gemeinden. Wie schon für die paulinischen und johanneischen Gemeinden war die Gnosis für alle diese Gemeinden, die hinter den genannten Schriften stehen, keine von außen kommende, fremde Erscheinung; denn auch diese gnostischen Irrlehrer verstanden sich als Christen und traten als solche auf. Die äußerst leidenschaftliche Polemik in allen diesen späteren Schriften des Neuen Testaments läßt freilich erkennen, was für eine lebensbedrohende Gefahr diese frühe Gnosis als eine innerchristliche Erscheinung für die werdende rechtgläubige Großkirche darstellte. Auch wenn wir also auf der ganzen Linie auf Rückschlüsse angewiesen sind und bleiben, stehen uns genügend Forschungsmaterial und vor allem allseits anerkannte Auslegungsergebnisse seit Jahrzehnten zur Verfügung, um Theologie und Ethik auch dieser christlichen Gnostiker in der Großkirche der beiden letzten Jahrzehnte des ersten und der ersten Hälfte des zweiten Jahrhunderts n. Chr. rekonstruieren zu können.

1. Die Pastoralbriefe

a) Der pseudonyme Verfasser der Pastoralbriefe, zu dem die beiden Briefe an Timotheus und der Brief an Titus gehören, sieht sich am Anfang des 2. Jh. einer geschlossenen Front von Irrlehrern gegenüber, die ein bedrohliches Ausmaß angenommen hat. Die Irrlehrer, gegen die sich die Pastoralbriefe in schroffer Weise wenden, dürften als eine einheitliche Größe anzusprechen sein, da die Gegner offenbar eine judenchristliche Spielart der Gnosis vertreten. Aufgrund des Ausmaßes der gnostischen Irrlehre und der leidenschaftlich geführten Auseinandersetzung sind die Pastoralbriefe zu recht als Dokumente des frühkatholischen Abwehrkampfes gegenüber der judenchristlich-gnostischen Häresie angesehen worden. So kommen diese Irrlehrer einerseits aus der Beschneidung (Tit.1,10), halten an den jüdischen Reinheitsvorschriften fest (Tit.1,14f) und kämpfen um das Mosegesetz (Tit.3,9). Sie erheben eindeutig den Anspruch, Lehrer des Mosegesetzes zu sein (1.Tim.1,7) und nehmen Geld für ihre Lehrvorträge (l.Tim.6,5; (1.Tim.6,5; Tit.1,11).
Andererseits sind diese judenchristlichen Irrlehrer eindeutig Gnostiker, die sich ihrer «Gnosis» rühmen (1. Tim. 6,20) und behaupten, den weltlosen, höchsten und bisher unbekannten «Gott zu kennen« (Tit. 1,6). Zu den beiden typischen Schlagworten der gnostischen Irrlehre kommt eine gnostisch-spekulative Ausdeutung der alttestamentlichen Geschlechtsregister (1.Tim.1,4; Tit.1,14; 3,9) im Anschluß an den biblischen Schöpfungsbericht. Typisch gnostisch ist auch ihre Parole, daß die apokalyp-

tisch-zukünftige Totenauferstehung schon geschehen sei (2.Tim.2,18), weil sie einerseits eine leibliche Auferstehung schroff zurückweisen und zum andern den Besitz der Gnosis mit der Erlösung gleichsetzen. Nicht alle Menschen, sondern allein die Pneumatiker (= die aus dem Geist Geborenen), finden Erlösung (1.Tim.2,4.6; 4,10). Während die Psychiker (= die Seelischen), die Sarkiker (= die Fleischlichen) oder die Hyliker (= die Stofflichen) im Verderben verbleiben.

Diese antikosmische und weltnegative Einstellung der gnostischen Irrlehre aufgrund des bekannten Dualismus führt zu den – von den Pastoralbriefen aufs heftigste bekämpften – Emanzipationsbestimmungen gegenüber der Frau (1.Tim.2,11ff; 2.Tim.3,6; Tit.2,5), den Sklaven (1.Tim.6,1f; Tit.2,9f) und dem Staat (1.Tim.2,1f; Tit.3,1f). Ebenfalls dualistisch begründet ist die Verachtung der natürlichen Schöpfungsordnungen, der Eheschließung (1.Tim.4,3; 5,14) und des Kindergebärens wie der Familie (1.Tim.3,4f; Tit.2,1ff). Um das weltlose und strenge Pneuma selbst so weit wie möglich vor der Verunreinigung der unteren, irdischen Materie zu schützen, wird strenge Askese anempfohlen. Man gebietet das Nahrungsfasten (1.Tim.4,3.8; 5.23f; Tit.1,14) und verbietet Weingenuß (1.Tim.5,23).

Für diese judenchristlich-gnostischen Irrlehrer ist also der typische dualistische Wesensgegensatz von weltlosem, oberem Gott und gottloser, unterer Welt aggressives Missionsprogramm, vor allem unter schnell begeisterten Frauen (2.Tim.3,6f; Tit.1,11). Diese judenchristlich bestimmte Gnosis allerdings mit den großen gnostischen Systembildungen oder gar bestimmten gnostischen Schulhäuptern des 2. Jh. n. Chr. in Verbindung zu bringen, besteht kein Anlaß. Auch die ebenfalls in der Exegese der Pastoralbriefe immer wieder vertretene Ansicht, der Kampf der Pastoralen gegen die Ketzer sei an die Adresse Markions gerichtet, ist mehr als unwahrscheinlich. Diese oft geäußerte Vermutung stützt sich auf 1.Tim.6,20, wo ausdrücklich vor den «Antithesen der angeblichen Gnosis» gewarnt wird. «Antithesen» war freilich ein bedeutendes Werk des Gnostikers Markion. Aber diese Spätdatierung der von den Pastoralen bekämpften, gnostischen Häresie scheitert schon aus folgenden zwei Überlegungen: Einmal ist dieses Wort «Antithesen» keine ausreichende Basis für die Identifizierung der Gegner mit Markion und zum andern fehlen alle andern uns bekannten typisch markionitischen Merkmale.

Vielmehr haben wir es bei diesen Irrlehren um eine schon selbständig durchorganisierte und zahlenmäßig keineswegs kleine gnostische Bewegung zu tun, die in den christlichen Gemeinden Kleinasiens auftritt und intensiv Anhänger zu werben sucht. Zwar redet der 1.Tim. des öfteren nur von «Einigen», die vom Glauben abgefallen sind (1,6.19; 4,1; 5,19; 6,10.21). Aber hier wie bei Paulus (Röm.3,8; 1.Kor.4,18; Gal.1,7 u.a.) liegt bereits geprägter Stil der Ketzerpolemik vor, der nicht ohne weiteres auf wirkliche Zahlenverhältnisse umgemünzt werden darf. Die Pastoralen sprechen vielmehr davon, daß sich diese gnostische Irrlehre «wie ein Krebsgeschwür» verbreiten wird (2. Tim. 2,17), und daß diese Irrlehrer mit Erfolg in die christlichen Häuser «hineinschleichen» (2. Tim. 3,6) und Mission treiben. Nach Tit. 1,10 gibt es «viele Schwätzer und Verführer» und nach 2. Tim. 2,17 sind sogar führende kirchliche Vertreter wie Hymenaios und Phyletos abgefallen und bekennen sich nun öffentlich zur bekämpften Irrlehre.

Alles in allem erhält man aufgrund der Pastoralen den berechtigten Eindruck, daß die gnostische Häresie weder erst vor kurzem entstanden noch zahlenmäßig eine unbedeutende Sekte darstellt. Vielmehr besitzt sie für alle drei Briefe ein die Kirche lebensbedrohendes Ausmaß, die aufgrund ihrer einheitlichen Front nicht unterschätzt werden darf. Dementsprechend hat sich der Stil des antignostischen Kampfes seit Paulus grundlegend gewandelt: Paulus setzt sich in seinen Briefen sorgfältig theologisch und konkret mit den judenchristlichen Gnostikern auseinander, er kennt keine starr ausformulierte Lehrtradition, sondern entfaltet argumentativ seine Kreuzestheologie gegenüber den von ihm gegründeten Gemeinden. Die Pastoralen dagegen verbieten kategorisch jede Auseinandersetzung mit den gnostischen Irrlehrern (1. Tim. 6,20; 2. Tm. 16–23; Tit. 3,9) und bestehen auf einer rigorosen Trennung zwischen «Orthodoxie» und «Häresie». Jede Beschäftigung mit ihrer Falschlehre führt nur zu nutzlosem Streit (1. Tim. 1,4) und fördert außerdem noch ihre Veröffentlichung und Verbreitung (2. Tim. 2,16f). Statt dessen wird immer wieder die «gesunde» Lehre eingeschärft (1. Tim. 1,10; 2. Tim. 4,3; Tit. 1,9 u.a.) und die rechte gegenüber der falschen Lehrtradition betont (1. Tim. 1,10; 4,6; 2. Tm. 4,3; 2. Tit. 1,9; 4,1f; 2. Tim. 2,16ff; Tit. 1,6.11–14 u.a.). Diese ausgebildete Lehrtradition ist von Paulus begründet (1. Tim. 1,1.11f; 2. Tim. 1.1.11; Tit. 1,1–3) und dann an seine Mitarbeiter weitergegeben worden (1. Tim. 1,18; 2,15), die dann von allen Amtsträgern der Gesamtkirche bis zur Parusie rein bewahrt werden muß (2. Tim. 1,12ff; 2,8; 3,14–17). Weil die gnostischen Irrlehrer von der wahren Lehre abgefallen sind, verstoßen sie gegen das Gewissen (1. Tim. 1,19), den Verstand (1. Tim. 6,5; 2. Tim. 3,8) und die Wahrheit (2. Tim. 2,18). Die ordinierten (1. Tim. 4,14; 2. Tim. 1,6), in apostolischer Aufeinanderfolge stehenden (2. Tim. 2,2; 1. Tim. 1,5) und besoldeten Amtsträger (1. Tim. 5,3; 2. Tim. 2,6f) in der rechtgläubig verfaßten Gesamtkirche scheiden sich grundsätzlich von den Gnostikern, die Betrüger (2. Tim. 3,13), Lügner (1. Tim. 4,2) und gewinnsüchtige Leute (1. Tim. 6,5) sind.

b. Von besonderer Wichtigkeit ist die rigoristische (= unerbittliche Strenge) «Ethik» dieser christlichen Gnostiker, die aufgrund ihres antikosmischen Dualismus die Schöpfungswirklichkeit, die natürlichen Ordnungen und alles Leibliche grundsätzlich verneinen, um so den oberen, weltlosen und rein pneumatischen Lebensbereich Gottes zu gewinnen. Typisch für die gnostische Verachtung der vom minderwertigen Schöpfergott gesetzten Ordnungen ist das Verbot der Ehe (1. Tim. 4,3). Das erinnert an die von Paulus zitierte Parole der korinthischen Gnostiker, daß es gut sei, keine Frau anzufassen (1. Kor. 7,1). Hier wie dort gehören Ehe, Geschlechtsgemeinschaft und Kinderzeugen dualistisch zum unteren, vom Teufel beherrschten Kosmos. Da Heirat und Ehe es mit dem von den Dämonen regierten Leib zu tun haben, muß beides völlig verhindert werden. Außerdem wird mit einem solchen Verbot der Gnostiker die Schöpfungsordnung des Gottes dieser unteren und schmutzigen Welt vollständig zerstört.

Spätere, großkirchliche Ketzerpolemik von Irenäus (adv. haer. I 24,2; 28), Tertullian (gegen Marcion II,9), Hippolyt (refut. V8,33) und Klemens von Alexandrien (strom. III 12,2; 45,1 u.a.), ergibt dieselbe gnostische Position: Heiraten, Geschlechtsverkehr und Kinderzeugen stammen vom unteren Schöpfergott, dem Satan, sind obszön und unzüchtig und müssen deshalb für alle Zeiten unterbunden werden. Dieses Eheverbot als der Ausdruck dualistisch motivierten Hasses gegen den unteren Schöpfergott als Satan wird nun weiter belegt durch die überaus positive Betonung der Ehe durch die Pastoralbriefe (1. Tim. 2,15; 5,14; 2,4).

In diesem Zusammenhang ist auch 1. Tim. 2,15 zu verstehen, nach der die gnostischen Irrlehrer apodiktisch verkündeten, daß das Kindergebären der Frau diese von der Erlösung ausschließt, weil in ihm das Werk des Teufels so recht zum Tragen kommt. Denn Gebären und Geborenwerden stehen für den Gnostiker unter dem Fluch, weil nur durch sie das Leben im unteren Todeshaus und im Herrschaftsbereich des Teufels fortgepflanzt wird und unentrinnbar vom Unglück und ewigen Tod bestimmt ist. Alles Leibliche, Geschlechtliche wie Kreatürliche ist für den Gnostiker dämonischen Ursprungs und muß für alle Zeiten verabscheut werden. So ist es nur konsequent, wenn die von den Pastoralbriefen bekämpften Gnostiker auch die natürliche Ordnung der Familie verachten. Auch das geht wiederum indirekt aus der oftmaligen und überaus positiven Bezeugung der Familie hervor: die Erziehung der Kinder und die Führung des Hauses (1. Tim. 3,4f), die Sorge für die Angehörigen und die im gleichen Hause (1. Tim. 2,8; 5,8) wie überhaupt die Ermahnung zur Häuslichkeit (1. Tim. 2,5) – das alles gehört für die Gnostiker in den unteren, diabolischen Herrschaftsbereich des Todes.

Diese familiäre und häusliche Ordnung, und d.h. die Familienethik, gehören zu der vom Demiurgen geschaffenen Welt, die, weil sie teuflisch, unzulänglich und ekelhaft ist, nur noch mit Haß und absoluter Verweigerung bedacht werden muß. Weil der alttestamentliche Schöpfergott mit dem Satan blasphemisch gleichgesetzt und seine Schöpfung, die gesamte untere Weltwirklichkeit wie Geschichte und Materie dualistisch verworfen wird, findet sich, wie schon bei den gnostischen Gegnern des Paulus, so auch bei den von den Pastoralbriefen bekämpften Gnostikern, die dauernde Anstiftung zur Emanzipation der Frau, des Sklaven und des politischen Staatsbürgers. Die demonstrative Verwerfung der Schöpfungsordnung und die Emanzipationsbestrebungen sind zwei kommunizierende Röhren, da beide Male natürliche Ordnungen des Teufels zerstört werden.

Wie die überaus scharfe Reaktion der Pastoralbriefe (vgl. nur 1.Tim.2,9–15; 2.Tim.3,6; Tit.2,3–5) beweist, dürfte die Emanzipation der Frau hier schon viel weiter vorangeschritten sein als bei den Gnostikern in der von Paulus gegründeten Gemeinde in Korinth (1.Kor.11,1ff). Vor allem die scharfe Frontstellung des Verfassers in 1.Tim.2,9–15 gegen die gnostische Frauenemanzipation läßt ganz konkrete Rückschlüsse auf die häretische Praxis zu:

«Ebenso die Frauen, in ehrbarer Haltung mit Sittsamkeit und Zucht sollen sie sich schmücken, nicht mit Haarflechten und Goldschmuck oder Perlen oder kostbaren Kleidern, sondern mit dem, was sich für Frauen geziemt, die sich zu Gottes Verehrung bekennen: mit guten Werken. Die Frau soll im Schweigen lernen, in aller Unterordnung; zu lehren aber erlaube ich der Frau nicht, noch dem Manne dreinzureden, sondern sie hat in Stillschweigen zu verharren. Denn Adam wurde zuerst erschaffen, danach Eva. Und nicht Adam wurde verführt, sondern die Frau ließ sich verführen und geriet in Übertretung. Sie wird aber durch Kindergebären gerettet werden, wenn sie im Glauben und Liebe und Heiligung verharrt in der Zucht.» Wenn die Pastoralbriefe hier erstens mit äußerster Schärfe gegen den Schmuck und die weibliche Putzsucht vorgehen, zweitens den christlichen Frauen im öffentlichen Gottesdienst das Verkündigen und Lehren apodiktisch verbieten und drittens schließlich mit ausdrücklichem Verweis auf die anfängliche Schöpfungsordnung zur kompromißlosen Unterordnung der Frau unter ihren Mann auffordern, so wird dadurch die gnostische Propaganda mit dem Ziel der aktuellen Frauenemanzipation mehr als deutlich. Weil für die Gnostiker der schöpfungsmäßige bzw. natürliche Unterschied von Mann und Frau direkt auf den Demiurgen als Teufel zurückgeht, dieser aber nach ihrem Verständnis durch den Geist-Christus und den christlichen Gottesdienst aufgehoben ist, gilt nicht mehr das jüdische, heidnische und christliche Gebot der Unterordnung, sondern vielmehr die völlige Gleichstellung der Geschlechter. Diese Gleichordnung der Frau ist also ein bewußter Verstoß gegen die Schöpfungsordnung des Demiurgen und die Aufhebung der Reihenfolge bei der Erschaffung von Mann und Frau. Sie muß vom Gnostiker in der Nachfolge des Geist-Christus rückgängig gemacht werden. Der offenkundige Beweis für diese demonstrative Verachtung der vom teuflischen Schöpfergott bei seiner Schöpfung inszenierten Unterordnung der Frau unter den Mann ist die Tatsache, daß für die Gnosis die christliche Frau öffentlich im Gottesdienst lehrt – eben wie der Mann! Weil die Frau nach gnostischer Anthropologie die gleiche Position wie der Mann im Gottesdienst einnimmt, kann und soll sie auch dieselbe Funktion ausüben. Diese gnostische Propaganda steht also konsequent für die Emanzipation der Frauen ein, die wie die Männer im Lernen, Lehren und Wirken in der Gemeinde und im Gemeindegottesdienst ihre gottgewollte Aufgabe sahen. Alles «Schweigen», bloße Lernen, sich Unterordnen unter den Mann usw. wäre in den Augen der Gnostiker Rückfall in die jüdische, heidnische wie gleichermaßen christliche Praxis, also Unglauben, und würde nur beweisen, daß die allein Heil schaffende «Gnosis» des höchsten, weltlosen Gottes unerreichbar geblieben sei.

So ist es kein Zufall, sondern revolutionäre Taktik, wenn Frauen nach 2. Tim. 3,6 die bevorzugten Adressaten der gnostischen Propaganda und Missionsarbeit sind. Gerade die lern- und fragebegierigen Frauen waren ein unschätzbarer Anknüpfungspunkt für die Emanzipationsparolen der Gnostiker.

Christliche Freiheit wurde von den Häretikern auch als Emanzipation von der natürlichen Ordnung des Staates praktiziert, worauf 1. Tim. 2,1 und Tit. 3,1 hinweisen. Zu erinnern ist in diesem Zusammenhang an die gnostische Grundschrift des Johannesevangliums (vgl. Joh. 18,36 und 19,11!), in der alle staatliche und politische Gewalt dualistisch abgewertet wird. Da sie dem unteren diabolischen Kosmos zugeordnet ist, steht sie dem Reich Jesu im oberen, göttlichen Lebensbereich dualistisch gegenüber. Schon Johannes kannte nicht mehr wie die Jesusgemeinde, die hellenistische Kirche und Paulus selbst die traditionelle Forderung an den Christen, sich der staatlichen Macht unterzuordnen. Die eindringliche Mahnung von 1. Tim. 2,1f, «Bitte, Gebet, Fürbitte und Danksagung zu verrichten ...für Kaiser und Danksagung zu verrichten ... für Kaiser und alle Obrigkeiten ...» läßt auf dem Hintergrund des betont antignostischen Kampfes der Pastoralen den berechtigten Schluß zu, daß diese Loyalitätsbekundung gegenüber dem Staat von den Irrlehrern verweigert wurde. Die Gnostiker konnten auf gar keinen Fall beim höchsten Gott für den Staat und seine Autoritäten Fürbitten einlegen, wenn diese eindeutig aufgrund des Dualismus in den unteren Machtbereich des Satans, der Finsternis und des Todes gehören.

In dieselbe Richtung geht die Forderung, sich «den Obrigkeiten und Gewalten unterzuordnen» (1. Tim. 3,1f). Unterordnung unter den Staat und seine Organe bedeutet für den Gnostiker Anerkennung des unteren Schöpfergottes und seiner von ihm gesetzten Schöpfungsordnungen. Dem Dualismus entspricht vielmehr die entgegengesetzte Konsequenz: Absage an den Staat heißt Demonstration der weltlosen Freiheit als Emanzipation auch von dieser zu verachtenden Ordnung.

Und schließlich lehren die Mahnungen an christliche Sklaven, sich ihren Besitzern unterzuordnen (1. Tim. 6,1; Tit. 2,9f), daß von den Gnostikern auch die soziale Emanzipation verfochten wurde. Auch die rechtliche Ordnung der Sklaverei wird von den Gnostikern in den unteren dämonischen Bereich des Kosmos verwiesen und ist kein Kriterium der oberen

Lebenswelt Gottes. Die auf radikal dualistischer Basis beruhende Emanzipationsparole von Gal. 3,27ff/1. Kor. 12,13 und Kol. 3,11 beleuchtet ja den Hintergrund, von dem sich diese apodiktische Unterordnungsforderung an die Sklaven in den Pastoralen abhebt. Von den Gnostikern werden alle geschlechtlichen (= Mann und Frau), politischen (= Obrigkeit und Untertanen) und sozialrechtlichen (= Sklave und Sklavenhalter) Ordnungen aufgehoben, weil sie als Kriterium des Demiurgen entlarvt und durch Christus ein für allemal überwunden sind.
Der dualistisch motivierte Rigorismus zeigt sich aber auch weiter in einer strengen Nahrungsaskese (1. Tim. 4,3f; 5,23ff; Tit. 1,13ff), in der nicht nur der gnostische Protest gegen die untere, diabolische Welt und Schöpfungswirklichkeit laut wird, sondern diese geradezu demonstrativ im wahrsten Sinne des Wortes ausgehungert werden soll! Das gnostische Gebot, sich bestimmter Speisen zu enthalten, wird direkt in 1. Tim. 4,3; 1. Tim. 5,23 und Tit. 1,15 indirekt bezeugt. Auf die Enthaltung von Weingenuß dürfte sehr wahrscheinlich 1. Tim. 5,23 hinweisen. Dabei handelt es sich freilich nicht um ein zeitweiliges Fasten, wie es in der Antike von den verschiedenen Religionen praktiziert wird, sondern um eine grundsätzliche, weil dualistisch begründete Verwerfung von bestimmten Speisen und Getränken. Der gnostische Lebenswandel in dem vom Teufel beherrschten Kosmos wird dadurch bestimmt, daß er mit dem Entzug von bestimmten Nahrungsmitteln die Schöpfung des Demiurgen an der Wurzel treffen und vernichten will, nämlich in seiner immerwährenden Regeneration von Speise und Trank. Durch die rigorose Nahrungsaskese wird vom Gnostiker lebenslang die Trennung zwischen dem minderwertigen Schöpfergott und dem höchsten Gott praktiziert.
Zusammengefaßt heißt das: Die Pastoralen sind in der Tat frühkatholische Dokumente des antignostischen Kampfes. Weil die von ihnen bekämpften Gnostiker mit ihrer Sexual- wie Nahrungsaskese die natürlichen Ordnungen des Schöpfergottes, der aber für sie mit dem Satan identisch ist, verachten, betonen die Pastoralbriefe im Gegenzug mit dem Zentralbegriff der antiken Ordnungsethik die «Eusebeia», d.h. die Gott wohlgefällige Ehrfurcht vor der von ihm geschaffenen Ordnung (vgl. nur 1. Tim. 2,1ff; 4,7f; 5,4 u.a.).

2. Die Johannesbriefe

a) Der erste und zweite Johannesbrief sieht die Leser von Irrlehrern bedroht – im dritten Johannesbrief dagegen ist von einer solchen Gegnerschaft nichts mehr zu spüren – deren Repräsentanten aber weder Juden oder Heiden, sondern aus dem johanneischen Christentum selbst hervorgegangen sind (1. Joh. 2,18f. 26; 3,7). Da sie also aus der johanneischen Kirche selbst stammen und nicht von außen in die Gemeinde eingedrun-

gen sind, handelt es sich wie schon im gegenwärtigen Johannesevangelium, so auch im ersten und zweiten Johannesbrief um das Problem von Rechtgläubigkeit und Ketzerei in den eigenen Reihen. Aus den polemischen, apologetischen und paränetischen Abschnitten im 1. und 2. Johannesbrief hat die Forschung zu Recht auf christliche Gnostiker als die bekämpften Gegner geschlossen. Aber diese christlichen Gnostiker sind weder aus der Gemeinde bis jetzt öffentlich-rechtlich ausgeschlossen worden, noch haben sie sich freiwillig von ihr getrennt, um eine eigene Gemeinde zu gründen. Vielmehr haben diese gnostischen Christen den Anspruch erhoben, allein den bisher unbekannten Gott und seinen Gesandten als Offenbarer und Bringer des ewigen Lebens zu kennen, somit also die wahren und echten Christen zu sein. Weitestgehende Übereinstimmung besteht in der Exegese auch darin, daß der 1. und 2. Johannesbrief nur gegen eine einzige gegnerische Front von christlich-gnostischen Irrlehrern kämpft und nicht gegen mehrere.
Obwohl es sich also um Gemeindeglieder handelt, werden sie unmißverständlich als Antichristen (1. Joh. 2,18; 4,3), Pseudopropheten (1. Joh. 4,1) und Verführer (1. Joh. 2,26; auch 1,6; 3,7) gekennzeichnet. Diese Häretiker stellen für die rechtgläubigen Gemeinden eine gefährliche Bedrohung dar, da ihr besorgniserregender Einfluß noch keineswegs gebrochen ist (1. Joh. 4,1ff).
Von besonderer Bedeutung ist in diesem Zusammenhang das Verhältnis der gnostischen Irrlehrer zum Johannesevangelium. Wenn die gegenwärtige Gestalt des Johannesevangeliums als Niederschlag eines innerjohanneischen Traditions- und Redaktionsprozesses zu begreifen ist, dann ist bei jedem Vergleich zwischen Johannesevangelium und Johannesbriefen zwischen der ursprünglichen, christlich-gnostischen Grundschrift und dem redigierten, heute vorliegenden Johannesevanglium zu unterscheiden. So wie der Redaktor des Johannesevangeliums die gnostische Grundschrift neu interpretiert hat, so bekämpfen der 1. und 2. Johannesbrief die gnostischen Irrlehrer. Das heißt aber: Theologiegeschichtlich und sachlich gehören die christlich-gnostische Grundschrift und die christlich-gnostischen Häretiker der Johannesbriefe aufs engste zusammen, zumal es sich beide Male um johanneische Christen handelt. Der beste und sachgemäßeste Kommentar zur theologischen Position der im 1. und 2. Johannesbrief angegriffenen Gegner ist darum das nicht redigierte Johannesevangelium und umgekehrt. Hier gibt es nicht nur Anknüpfung, sondern wirkliche Übereinstimmungen und Sachparallelen. Es ist auch keineswegs so, daß die betreffenden Stellen aus dem Johannesevangelium erst nachträglich gnostisch interpretiert und so zum Vergleich mit den aus dem 1. und 2. Johannesbrief erhobenen Gegneraussagen herangezogen werden können. Vielmehr bekämpfen der Redaktor der Grundschrift wie der Verfasser des 1. und 2. Johannesbriefes die gleichen Gegner, nämlich christliche Gnostiker!

Ist das gesehen und anerkannt, dann sind die immer wieder zu Recht herangezogenen Parallelen z.B. aus dem Schrifttum des Gnostikers Kerinth und des Märtyrerbischofs Ignatius von Antiochien, um von den späteren gnostischen Systemen einmal abzusehen, durchaus legitim. Aber Priorität in historischer wie in theologiegeschichtlicher Hinsicht beansprucht die christlich-gnostische Grundschrift des Johannesevangeliums. Typisch für die Theologie der von den Johannesbriefen bekämpften Gnostiker ist wie in der Grundschrift des Johannesevangeliums der ausgeprägte kosmologische Dualismus als der Gegensatz zwischen dem göttlichen Herrschaftsbereich von Leben, Wahrheit und Licht und dem teuflischen Machtbereich von Tod, Finsternis und Lüge. Die Gegensätze von Gott und Kosmos (1. Joh. 2,15–17; 4,5f; 5,4.19), von Licht und Finsternis (1. Joh. 2,8), von Leben und Tod (1. Joh. 3,14), Wahrheit und Lüge (1. Joh. 2,21; 1,6; 2,4; 4,20) und Liebe und Haß (1. Joh. 2,9ff) umschreiben geradezu in klassischer Weise die gnostische Position der vom 1. Johannesbrief bekämpften Gegner. Für den Menschen gibt es nur zwei Existenzweisen: aus Gott (1. Joh. 2,29; 3,9; 4,7; 5,1.4), dem gottlosen Kosmos (1. Joh. 4,4f) geboren oder gezeugt sein. Die Menschenwelt besteht für die Häretiker nur aus Gottes- und Teufelskindern (1. Joh. 3,10), die entweder im Licht oder in der Finsternis wandeln (1. Joh. 1,5–7; 2.9–11), im Leben oder im Tode sind (1. Joh. 3,14), aus Gott oder aus dem Kosmos herstammen (1. Joh. 4,2f); denn der Kosmos liegt unentrinnbar im Machtbereich des Satans (1. Joh. 5,19).
Dieser aus der Grundschrift des Johannesevangeliums bekannte Dualismus von weltlosem Heil und heilloser Welt ist auch für die christlich-gnostischen Irrlehrer der Johannesbriefe das Vorzeichen vor der Klammer und bestimmt alle Inhalte ihrer Theologie und Ethik, wie wir sogleich sehen werden. Allerdings liegt dieser Dualismus nur in antignostischer Polemik, und d.h. in verkirchlichter Form vor. So wird der gnostische Dualismus in 1. Joh. 2,8 historisiert, in 1. Joh. 2,29; 3,9; 5,18 auf das Tun der Gerechtigkeit bezogen, also ethisiert und in 1. Joh. 2,21; 2. Joh. 1f. 4ff. dogmatisiert, indem «die Wahrheit» jetzt gleichbedeutend ist mit der kirchlichen Lehre und Orthodoxie.
An erster Stelle steht die Gesandtenchristologie, die wie in der johanneischen Grundschrift dualistisch motiviert ist und vom ersten, aber auch vom zweiten Johannesbrief aufs heftigste attackiert und zurückgewiesen wird. Die gnostischen Christen leugnen nach 1. Joh. 2,22 und 5,1, daß Jesus der Christus bzw. der Sohn Gottes ist (1. Joh. 4,15 und 5,5). Für die Gegner waren «Christus» und «Gottessohn» Umschreibungen für den präexistenten (1. Joh. 1,2; 2.13a), himmlischen (1. Joh. 4,9; 5,20) Gesandten, der von dem Menschen Jesus unterschieden und getrennt wird. Der himmlische Heilsbringer hat mit dem geschichtlichen Menschen Jesus nichts mehr zu tun. Diese scharfe Trennung zwischen dem himmlischen Gesandten und dem Menschen Jesus, die auf dem Dualismus Gott und

Kosmos beruht, wird in 1. Joh. 4,2f (vgl. auch 2. Joh. 7) präzisiert: Aus Gott sein heißt, bekennen, daß Jesus Christus im Fleisch gekommen ist, nicht aus Gott sein heißt dagegen, dem Menschen Jesus jegliche theologische Bedeutung absprechen. Strittig ist also, wie in der gnostischen Grundschrift des Johannesevangeliums, die Inkarnation (vgl. Joh. 1, 14–18), nicht dagegen die Erscheinung des Gesandten und Heilbringers. Die christlichen Gnostiker nach dem 1. und 2. Johannesbrief bestreiten wie die Grundschrift des Johannesevangeliums, daß Jesus «im Fleisch» gekommen bzw. Fleisch geworden ist.
Auch 1. Joh. 5,5f wendet sich polemisch gegen die Irrlehre, die wiederum aufgrund ihres Dualismus bestreitet, daß der mit dem Sohn Gottes identische Gottessohn «durch Wasser und Blut gekommen ist». Und um ganz sicher zu gehen, hebt der Verfasser im Nachsatz (1. Joh. 5,6b) noch einmal sich abgrenzend hervor: «nicht im Wasser allein, sondern im Wasser und im Blut». Diese Polemik ist nur aufgrund der antignostischen Frontstellung verständlich, daß sich Wasser und Blut auf die beiden geschichtlichen Daten des Lebens Jesu, nämlich auf Taufe und Kreuzestod des wirklichen Menschen Jesus beziehen. Gerade das letztere leugnen die christlichen Gnostiker aufgrund ihres Dualismus: Der Gottessohn ist nur «durch Wasser» (= die Taufe) gekommen, d. h. seit seiner Taufe, aber unter Ausschluß seines Todes, ist Jesus der Heilsbringer und Offenbarer. Dagegen wird die Passion aufgrund dieses dualistisch motivierten Erlösermythos ausgeklammert. Heilsnotwendiges Interesse besitzt nur der im gottlosen Kosmos erschienene Gesandte, weil nur der pneumatische Christus, nicht aber der sarkische Jesus Heilsbedeutung hat. Deshalb wird nicht nur die Kreuzigung Jesu, sondern die damit aufs engste verknüpfte Verkündigung vom Sühnetod Jesu Kraft seines Blutes für uns bzw. für unsere Sünden abgelehnt (1. Joh. 1,7; 4,10.14; 3,16; 2,12 u. a.).
Nur die Sendung des Sohnes ist für die christlichen Gnostiker Glaubensgegenstand; denn sie ereignete sich nur zu dem einen Zweck, damit wir leben (1. Joh. 4,1). Ausdrücklich wird in 1. Joh. 4,9 Joh. 3,16f zitiert, ein christologischer Zentralsatz der gnostischen Grundschrift des Johannesevangeliums. Wer diesen Sohn hat, hat das Leben (1. Joh. 5,11f); denn der Gesandte allein ist der Offenbarer und Bringer des ewigen Lebens.
b) Wie im nicht überarbeiteten Johannesevangelium wird auch von den gnostischen Irrlehrern im 1. und 2. Johannesbrief die Erlösung von dem Moralgesetz und der Ethik abgekoppelt, indem letztere für den christlichen Gnostiker ohne theologische Bedeutung sind. So ist die Mißachtung der Gebote des Moralgesetzes Gottes durch die Häretiker ein häufiger Angriffspunkt des Verfassers des 1. Johannesbriefes.
In dem Abschnitt 1. Joh. 2,3–6 werden gleich dreimal Behauptungen der Gegner zitiert (Vers 4a., 5b und 6a) und dann im Nachsatz zurückgewiesen. Typisch gnostisch behaupten die Häretiker in 2,4: «Ich habe ihn (= Gott) erkannt.» Dieser These, den bisher unbekannten Gott durch die

Offenbarung des Gesandten Jesus Christus erkannt zu haben, steht das Nicht-Halten seiner Gebote entgegen. Aus dieser Polemik folgt, daß sich für die Gegner Gnosis und Moralgesetz gegenseitig ausschließen. Der einzige Heilsweg für die christlichen Gnostiker ist Gott, der seinen Sohn zum Empfang des Lebens in den gottlosen Kosmos gesandt hat, nicht aber das Gesetz. Diese wie die Gebote werden konsequent beiseite gelassen, da sie dualistisch auf die Seite des teuflischen Kosmos gehören.

Auch in 1. Joh. 2,5b begegnet eine vom Verfasser aufgenommene Gegenthese: «Daran erkennen wir, daß wir in ihm sind», weil seine Gebote gehalten werden. Das schlagwortartig vorangestellte «daran erkennen wir» dürfte sehr wahrscheinlich auf die Gnostiker hinweisen, die das Sein in Gott aber gerade nicht moralgesetzlich verankerten, also vom Halten der Gebote abhängig machten, wie der Verfasser des 1. Johannesbriefes. Vielmehr handelt es sich bei dieser Formulierung um eine ausgesprochen häretische Seins- und Ortsanweisung: der Pneumatiker gehört seinem Wesen nach in die obere Licht- und Lebenswelt Gottes, die aber niemals an die Bedingung des Haltens des Moralgesetzes geknüpft ist.

Schließlich greift der Verfasser in 1. Joh. 2,6 auf eine weitere Gegenthese zurück, erkenntlich an der Einleitungsformel: «Wer sagt ...», wenn analog zum Sein in Gott nun das «Bleiben in ihm» ausformuliert wird. Im Kontext gnostischer Theologie betont das «Bleiben in Gott» die unaufhebbare Wesensübereinstimmung und Wesenseinheit der Gnostiker mit dem weltlosen Gott und seinem Sohn, und zwar wie der polemische Nachsatz beweist, ohne Bedingung. Der Verfasser kann dieser christlich-gnostischen These vom Bleiben in Gott nur zustimmen, wenn er daran die Bedingung knüpft, daß der fortan in Gott Bleibende die Gebote hält entsprechend der Lebensführung Jesu. Aber gerade diese letzte moralgesetzlich motivierte Bedingung ist von den Gnostikern abgelehnt worden. Niemals kann das Bleiben in Gott als präsentisches Heilsziel von seiner Lebensführung abhängig gemacht werden. Vielmehr verlief ihre Argumentation aufgrund des Dualismus genau umgekehrt: Weil der christliche Gnostiker Gott erkannt hat, also in ihm ist und bleibt, hat das Halten der Gebote bzw. der moralgesetzliche Lebenswandel keinerlei Bedeutung mehr. Die vom 1. Johannesbrief bekämpften Gegner erklärten sich über jedes Moralgesetz erhaben und waren demzufolge an keine Gebote mehr gebunden. Wie in der Grundschrift des Johannesevangeliums, so kommt auch hier bei den Irrlehrern ein betonter Antinomismus zu Tage und ist die logische Konsequenz von Dualismus, Gesandtenchristologie und Erlösung.

Auch der Abschnitt 1. Joh. 1,5–10 ist deshalb von größter Bedeutung, weil wiederum provokative Parolen der christlichen Gnostiker vom Verfasser zwar wirklich aufgenommen, aber leidenschaftlich zurückgewiesen werden (die Verse 5, 6, 8 und 10).

Zunächst zitiert der Verfasser die typisch dualistische These seiner Geg-

ner: «Gott ist Licht» (Vers 5), in der beide übereinstimmen. Daß Gott Licht ist, wird zwar von beiden Kontrahenten anerkannt und ist nach Vers 5a Inhalt der christlichen Botschaft, aber aus dieser gemeinsamen These werden grundverschiedene Konsequenzen gezogen. Die Parole «Gott ist Licht» setzt den kosmologischen Dualismus von Gott als Licht, Leben und Wahrheit und vom Teufel als Finsternis, Tod und Lüge voraus. Die Irrlehrer umschrieben damit wie die Grundschrift des Johannesevangeliums den Wesensgegensatz zwischen weltlosem Gott und gottloser Welt. Daß Gott Licht und d.h. zugleich Leben und Wahrheit ist, ist nur durch den Gesandten den Seinen offenbart worden. Damit hängt zugleich die nächste These seiner Gegner in Vers 6 zusammen, die der Verfasser ebenfalls wörtlich zitiert: «Gemeinschaft haben wir mit Ihm», nämlich mit dem oberen, weltlosen Gott, der Licht ist, und ihnen vom Gesandten offenbart wurde. «Gemeinschaft» aber ist für die Gegner kein ethisch-soziologischer, sondern ein dualistischer Begriff, der nach dem Selbstverständnis der Pneumatiker ihre Wesensgemeinschaft und Einheit mit dem vor- und außerweltlichen Gott und seinem Gesandten umschreibt. Die christlichen Gnostiker haben also mit ihren Schlagworten behauptet, daß sie aufgrund ihrer durch den Gesandten vermittelten Wesensgemeinschaft mit dem weltlosen Gott, der Licht, Leben und Wahrheit ist und bringt, bereits erlöst sind. Daraus folgt nun aber die gotteslästerliche Konsequenz für den Verfasser, daß sie von sich die lebenslange und grundsätzliche Sündlosigkeit behauptet haben. Das belegt der Verfasser mit zwei Parolen, die er wiederum wörtlich zitiert:
«Sünde haben wir nicht» (Vers 8) und
«Wir haben nicht gesündigt» (Vers 10).
Für die christlichen Gnostiker begründet demnach die Wesenseinheit der Pneumatiker mit dem weltlosen Gott die Freiheit von den Sünden, die Sündlosigkeit. In diesen beiden typisch gnostischen Kampfworten, die sachlich dasselbe aussagen, steckt nun aber eine theologische Brisanz, die auf den ersten Blick kaum erkannt und eruierbar ist. Zunächst wird mit diesen beiden Parolen das mosaische Moralgesetz wie in der Grundschrift des Johannesevangeliums als Kriterium für christliches Handeln ausgeschlossen. Die Begriffe «Sünde» und «sündigen» kennzeichnen im Horizont der gegnerischen Theologie ja nicht mehr die schuldhafte Übertretung des Moralgesetzes, sondern den Unglauben als das Sein im unteren teuflischen Machtbereich der Finsternis. Dementsprechend meint Sündlosigkeit (vgl. Joh. 8,46!) nicht die moralgesetzliche Untadeligkeit, sondern dualistisch die Herkunft aus Gott, die ewige Wesensgemeinschaft mit dem Licht. Weil der Gnostiker allein auf das himmlische und weltferne Heil ausgerichtet ist, werden alle moralgesetzlichen Forderungen nicht nur vernachlässigt, sondern überhaupt mißachtet. Weil dem gnostischen Geistmenschen allein an Gott und seinem Gesandten liegt, der exklusiv das Leben ist und bringt, hat das Tun des Moralgesetzes um des eigenen

Heiles willen keine Bedeutung mehr. Für die christlichen Gnostiker gehört das Moralgesetz zum unteren Machtbereich des Teufels, des Todes und der Finsternis. Weil das Moralgesetz demonstrativ verabschiedet wird (so die Polemik des Verfassers in Vers 6b, aber auch z.B. in 3,22f und 5,2f), «ein Lebenswandel in der Finsternis» geführt wird, werden das Bekennen von Sünden als sittliche Verfehlung (= Vers 9) wie die Vergebung der Sünden, verweigert. Auch von der sühnenden Kraft des Blutes Jesu, von seinem Sühnetod, kann keine Rede mehr sein. Der demonstrativen Verabschiedung des Moralgesetzes und damit des Gesetzes überhaupt entspricht nun andererseits die konsequente dualistische Umdeutung ursprünglich moralgesetzlicher Schriftbegriffe wie im vorliegenden Falle von Sünde und Sündlosigkeit.

Zusammengefaßt heißt das im Blick auf 1,5–10 und 2,3–6: Die Gnostiker, die Gott erkannt haben, also in ihm sind und wesenseins mit ihm geworden sind, haben weder Sünden noch haben sie gesündigt. Sie sind deshalb niemals Sünder; denn Sünde und sündigen sind für den Gnostiker keine ethischen, sondern ausschließlich dualistische Begriffe. Damit allerdings – und dagegen richtet sich die dauernde Polemik des Verfassers – werden alle zentralen urchristlichen Inhalte, wie die Ermahnung zum Tun der Gebote Gottes, die Sünden als Übertretung des Gesetzes, das heilsnotwendige Sündenbekenntnis wie die darauf folgende Sündenvergebung Gottes, basierend auf dem blutigen Sühnetod Jesu, zu Belanglosigkeiten erklärt und abgelehnt.

Noch einen Schritt weiter – aber in derselben Richtung – geht 1. Joh. 3,9: «Jeder, der aus Gott gezeugt ist, tut keine Sünde, weil sein Same in ihm bleibt, und er kann nicht sündigen, weil er aus Gott gezeugt ist.» Wiederum liegt ein Spitzensatz der gnostischen Häretiker vor, den der Verfasser zwar wörtlich zitiert, aber vom Kontext her völlig neu, eben ethisch akzentuiert hat. Vor allem wird nun noch einmal, allerdings in kraß gnostischer Weise, die Sündlosigkeit gedeutet. Dabei begründet die Zeugung aus Gott die Wesensgemeinschaft mit ihm (1. Joh. 1,6ff) und seine Erkenntnis (2,3ff). Nur weil der Gnostiker aus Gott geboren ist, kann er ihn und seinen Gesandten überhaupt erkennen und ist er wesenseins mit ihm. Das Motiv taucht nicht nur weiter in 1. Joh. 2,29; 4,5 und 7 auf, sondern ebenfalls in der dem Johannesevangelium zugrunde liegenden Grundschrift (Joh. 1,13 und 3,3–8).Das heißt aber: Das Thema von der heilsnotwendigen Zeugung aus Gott setzt den Dualismus weltloser Gott – gottloser Kosmos bzw. Heil und Unheil voraus. Für die Gnostiker gibt es nur zwei mögliche Herkunftsbestimmungen des Menschen. Entweder ist er aus dem Fleisch bzw. aus dem Willen des Mannes (Joh. 1,13; 3,6) und d.h. «von unten» gezeugt, oder aber aus Gott (Joh. 1,13) bzw. aus dem Geist (Joh. 3,6) gezeugt. Zugrunde liegt die gnostische Überzeugung, daß der natürliche alte Mensch im unteren, teuflischen Machtbereich des Fleisches niemals ohne göttliche Hilfe und Schöpfung in den

oberen Lebensbereich Gottes, zu seinem Heil gelangen kann. Dazu bedarf es eines völlig neuen Zeugungsaktes Gottes. Erst die Geburt aus Gott bzw. dem Geist setzt den radikal neuen Ursprung, der allein heilswirksam ist. Das Heil entspringt nicht dem Wollen und Bemühen des Menschen und hat schon gar nichts mit dem Gesetz wie Gesetzeswirken etwas zu tun. Der aus dem Fleisch geborene Mensch ist seinem Wesen nach heilsunfähig, exklusiven Zugang zum weltlosen Heil Gottes vermittelt allein die Geburt aus Gott. Darum werden in 1. Joh. 4,7b die Zeugung aus Gott und die Erkenntnis Gottes nebeneinander genannt, wobei für die Irrlehrer selbstredend vorausgesetzt wird, daß nur die Zeugung aus Gott dem Gnostiker die Erkenntnis eben desselben Gottes, die Gnosis, ermöglicht. Weil der aus Gott und nicht aus dem widergöttlichen Fleisch Geborene wesensgleich mit Gott ist, vermag nur er ihn auch zu erkennen.
Aber die Gegner erhoben nicht nur den Anspruch, aus Gott gezeugt zu sein, die die Wesensgleichheit mit dem außer- und vorweltlichen Vater und Sohn begründet, sondern waren zugleich davon überzeugt, daß der Same Gottes in ihnen bleibt! Die nur hier abrupt auftauchende Redeweise vom Samen Gottes hat der Verfasser mit dem ganzen Vers von den christlichen Gnostikern übernommen. Mit «Samen» als Bildwort für die Herkunft aus dem jenseitigen und weltlosen Geist wird typisch dualistisch die Herkunft aus dem oberen Lebensbereich Gottes umschrieben. Das Geist-Selbst des Gnostikers, das nicht aus dem Fleisch bzw. aus dem gottlosen Kosmos stammt, ist damit als wesensgleich mit dem göttlichen Geist gekennzeichnet. Damit ist der ganze, dualistisch motivierte Vorstellungszusammenhang von Same, Zeugung aus Gott, Geburt und Wiedergeburt komplett, die die Heilsgewißheit des Gnostikers begründet. Denn die Zeugung aus Gott durch den göttlichen Samen (= Geist) ist identisch mit dem ewigen Leben als Überwindung der Vergänglichkeit, der alle Nicht-Pneumatiker unterworfen sind (1. Joh. 2,18–27; 5,13). Sie sind die alleinigen Kinder Gottes (1. Joh. 3,1f. 10; 5,2) und Pneumatiker (= Geistmenschen, 4,1), die das «Salböl» (1. Joh. 2,20 und 27) empfangen haben. Auch die Redeweise vom «Salböl» wie die vom «Samen» ist Bildwort für den göttlichen Geist, allerdings jetzt nicht als Umschreibung für den schöpferischen, sondern vielmehr den bekehrenden Geist. Weil die Gegner im dualistischen Wesensgegensatz zu allem aus dem Fleisch Geborenen aus Gott gezeugt sind und sein Same in ihnen bleibt, vermögen nur sie allein Gott zu erkennen (1. Joh. 2,4; 4,7b), weil sie wesensgleich mit ihm sind (1. Joh. 1,6). Aus dem allem folgt aber konsequent, daß diese christlichen Gnostiker die großkirchliche, apokalyptisch ausgerichtete Endzeithoffnung verworfen haben. Aus den polemischen Ausführungen des Verfassers geht hervor, daß die bekämpften Gnostiker wie die Grundschrift des Johannesevangeliums (Joh. 5,24 = zitiert in 1. Joh. 3,14; dann weiter Joh. 6,47; 11,25f u. ö.), eine präsentische Eschatologie vertraten und die traditionelle Parusie Christi (= 1. Joh. 3,1f), das künftige Gericht

(1. Joh. 2,28; 4,17f) wie überhaupt sämtliche apokalyptischen Ereignisse leugneten. Der aus Gott gezeugte, in dem der göttliche Same für immer bleibt, hat das ewige Leben und bedarf keinerlei darüber hinausgehender apokalyptischer Ereignisse mehr.
Nach der vom Verfasser zitierten Parole 1. Joh. 3,9 leiteten die aus Gott Gezeugten die direkte Konsequenz ab, daß sie weder eine Sünde tun noch sündigen können. Wiederum darf die Sündlosigkeit nicht im moralgesetzlichen Sinne mißverstanden werden. Daß der aus Gott Gezeugte, weil der göttliche Same in ihm bleibt, nicht mehr sündigt, heißt ja gerade nicht, daß die Gnostiker die Gebote des Moralgesetzes halten bzw. sich keine Gesetzesübertretung zuschulden lassen kommen. Das würde ja bedeuten, daß der aus Gott Gezeugte das Moralgesetz anerkennt und die Gebote erfüllt. Aber das Gegenteil ist der Fall, wie die dauernde Polemik des Verfassers gegen die Häretiker beweist. Also kann die Sündlosigkeit des aus Gott Gezeugten nicht im traditionellen Sinne moralgesetzlich, sondern nur im gnostischen Sinne dualistisch verstanden werden. «Nicht mehr sündigen» heißt deshalb für den Geistmenschen unter demonstrativer Verwerfung des Moralgesetzes und des Gesetzes überhaupt nicht mehr nur aus dem Fleisch gezeugt sein, also im Unglauben verharren, und darum nicht mehr im unteren, teuflischen Machtbereich der Finsternis und der Lüge versklavt sein. Sündlosigkeit ist für den Gnostiker ein anderer Begriff für aus Gott gezeugt sein, für den bleibenden Besitz des göttlichen Geistes und damit dualistische Umschreibung für die immerwährende Wesensgemeinschaft mit dem weltlosen Gott. Sündlosigkeit ist eine dualistische Wesens-, nicht aber eine moralgesetzliche Tatbestimmung!
Der Nachsatz in 1. Joh. 3,9b verschärft diese Provokation noch, wenn von der Parole des Nicht-mehr-sündigens zu der des Nicht-mehr-sündigenkönnens fortgeschritten wird. Der aus Gott Gezeugte kann deshalb nicht mehr sündigen, weil der göttliche Same für immer in ihm bleibt, also die Geburt aus Gott nie mehr rückgängig gemacht werden kann. Die Zeugung aus Gott, der Besitz des göttlichen Samens, die Wesensgemeinschaft mit Gott wie die Gnosis – das alles führt bei den Gegnern zur Bestreitung der Möglichkeit des Sündigens, der Überlegenheit über jedes Moralgesetz wie zur Freiheit von allen Geboten. Die aus Gott Gezeugten praktizieren also konsequent einen bewußten Antinomismus.
Nirgendwo wird dieser deutlicher als in 1. Joh. 3,4, wo der Verfasser sich direkt auf die Gegner in seinen Gemeinden bezieht und zwischen Rechtgläubigkeit und Irrlehre unterscheidet: «Jeder, der die Sünde tut, tut auch die Gesetzlosigkeit, und die Sünde ist diese Gesetzlosigkeit.» Der Verfasser definiert genau, was Sünde ist und weist damit die gegenteilige These der Gnostiker mit Nachdruck zurück. Für sie ist nämlich die Sünde keineswegs identisch mit der Gesetzlosigkeit, vielmehr wußten sie sehr genau, und zwar dualistisch begründet, zwischen beiden zu unterscheiden. Denn für die alttestamentlich-jüdische wie urchristliche Überlieferung

wurden «Sünde» und «Gesetzlosigkeit» selbstverständlich bedeutungsgleich verwendet, wie die Übernahme der beiden alttestamentlichen Zitate Ps. 31,1f in Röm. 4,7f und Jer. 38,34 in Hebr. 10,17 beweist. Sünde ist für das Alte Testament, Judentum und Urchristentum identisch mit Gesetzlosigkeit, weil jede Sünde ein Verstoß gegen die Thora Gottes ist. Das aber bestreiten gerade die Gnostiker. Für sie hat Sünde überhaupt keine moralgesetzliche Bedeutung mehr, sie hat weder etwas mit dem Gesetz Gottes zu tun noch meint sie die Übertretung des Moralgesetzes, das Nichthalten der Gebote oder die Mißachtung des Willens Gottes. Weil das Moralgesetz dualistisch disqualifiziert wird, also nicht zum Lebensbereich Gottes gehört, haben auch die damit im Zusammenhang stehenden Schlüsselbegriffe wie Sünde, Sündigen und Gesetzlosigkeit ihre ursprüngliche moralgesetzliche Bedeutung eingebüßt und sind zu dualistischen Begriffen umfunktioniert worden. Sünde als dualistische Kategorie hat nichts mehr mit dem Verstoß gegen das Moralgesetz und seine Gebote zu tun, ist also keineswegs mehr bedeutungsgleich mit Gesetzlosigkeit, sondern ist eine vom Tun unabhängige Wesensbestimmung. «Sünde» heißt versklavt sein im Unglauben, meint Geburt aus dem Fleisch und umschreibt die Wesenseinheit mit dem teuflischen Kosmos. Deshalb tut der Gnostiker keine Sünde (= dualistische Kategorie), auch wenn er Sünden (= moralgesetzliche Kategorie) als Gesetzesübertretungen begeht. Die letzteren aber sind für den Gnostiker so bedeutungslos wie die Thora Gottes. «Sünde» und «Gesetzlosigkeit» liegen also für die Irrlehrer auf zwei völlig verschiedenen Bedeutungs- und Seinsebenen und werden peinlich genau auseinandergehalten.
Schließlich wurde nach 1. Joh. 3,7 auch der traditionell alttestamentlich-jüdische wie urchristliche Schlüsselbegriff der Gerechtigkeit von den Gnostikern widerrechtlich in Besitz genommen: «Kinder, keiner soll euch täuschen: wer die Gerechtigkeit tut, ist gerecht, wie jener gerecht ist.» Der Verfasser bezeichnet die christlichen Gnostiker in der Gemeinde als solche, die seine Leser täuschen. Er setzt sich also wiederum mit der Parole seiner Gegner auseinander, die von sich nicht nur die Sündlosigkeit, sondern auch noch die Gerechtigkeit behaupteten (vgl. auch noch 2,29 und 3,10). Für die Gnostiker aber ist «Gerechtigkeit» keine moralgesetzliche Kategorie mehr, also vor dem Gesetz gerecht zu sein. Für die alttestamentlich-jüdische wie urchristliche Tradition konstituieren die gerechten Taten des Menschen, die den Gesetzesforderungen entsprechen, seine Gerechtigkeit vor dem Gesetz, und weil das Gesetz der geoffenbarte Wille Gottes ist, ist die Gesetzesgerechtigkeit identisch mit der Gerechtigkeit vor Gott. Für die Gnostiker aber ist «Gerechtigkeit» ein dualistischer Begriff, so daß die Gerechtigkeit des aus Gott Gezeugten vom gerechten Tun, dem Moralgesetz und seinem von ihm geforderten Handeln völlig unabhängig ist. Gerechtigkeit meint nicht die moralgesetzliche Untadeligkeit, die Rechtschaffenheit, sondern umschreibt als Seins-

bestimmung die Lebensgemeinschaft mit dem weltlosen Gott und seinem Gesandten. Nimmt man den Dualismus «Kinder Gottes» und «Kinder des Teufels» aus 1. Joh. 3,10 auf, dann wird man unter Berücksichtigung des ganzen polemischen Abschnittes 3,4–10 folgern müssen: Der christliche Gnostiker, der die Sünde als Gesetzlosigkeit tut, ist keineswegs ein Kind des Teufels, sondern ein Kind Gottes, denn die Sünden als Gesetzesübertretungen berühren sein göttliches Wesen überhaupt nicht mehr. Der aus Gott Gezeugte ist sündlos und gerecht, auch und gerade dann, wenn er – moralgesetzlich gesprochen – Sünde tut. Für die Gnostiker sind die Kinder Gottes die Gerechten schlechthin, auch wenn sie das Gesetz Gottes nicht halten und halten wollen! Die Kinder des Teufels dagegen sind die Ungerechten und Sünder, auch wenn sie das Gesetz Gottes lebenslang halten.

Aus der Mißachtung des Moralgesetzes folgt bei den christlichen Gnostikern konsequent die Ablehnung jeglicher Ethik. Das zeigt sich nirgendwo deutlicher als in der radikalen Umdeutung des Begriffs «Lieben». In 1. Joh. 4,20 zitiert der Verfasser eine weitere Parole seiner Gegner, kenntlich an der Einleitung «Wenn jemand sagt», die ebenfalls in 1,6.8.10 und 2,4.6.9 auftaucht. Das wörtliche Zitat lautet demnach: «Ich liebe Gott». Der Verfasser stimmt dieser These zwar zu, stellt aber gleichzeitig bei den Irrlehrern den Bruderhaß fest (Vers 20b), und bezichtigt sie deshalb in 20c als Lügner. Daraus ist aber zu schließen, daß die Gnostiker eine vom Tun unabhängige Liebe zu Gott behaupteten und demonstrativ ihre Brüder nicht liebten. Wie in der Grundschrift des Johannesevangeliums (vgl. 8,42; 14,15.21.23.31), ist «Liebe» für die Häretiker nicht mehr Summe und Erfüllung der Mosethora, die höchste Tugend oder das größte Gesetzeswerk. Wie Sünde, sündigen, Sündlosigkeit, Gerechtigkeit und gerecht, so auch ist die Liebe überhaupt kein alttestamentlicher Begriff mehr. Er hat auch keine ethische Bedeutung im Sinne von Liebesgesinnung, sondern ist Ausdruck gegenseitiger, eigentlicher und vollendeter Wesensgemeinschaft bzw. Gleichheit der von Gott Gezeugten mit dem vor- und außerweltlichen Himmlischen, von Vater und Sohn im gottlosen Kosmos. Liebe meint also nicht mehr undualistisch die affektvolle Beziehung zwischen Personen oder die Hingabe an das Mitgeschöpf in Gestalt des Nächsten, Bruders oder des Feindes, ist also gerade keine Haltung und Handlungsweise im moralgesetzlichen Umfeld. Vielmehr umschreibt die gnostische Parole «ich liebe Gott» dualistisch die Erkenntnis und Wesenseinheit des aus Gott Geborenen mit dem wesensgleichen Gott. Nur dem Wesen nach gleiches kann sich erkennen und lieben. Diese Liebe ist für den Gnostiker die Gegenwart des Heils als immerwährendes Leben. Der Anspruch des Bruders, des Nächsten oder des Feindes existiert für ihn überhaupt nicht, ja ist völlig belanglos.

Nun wird auch die unaufhörliche Polemik des Verfassers gegen die Verletzung des Gebotes der Bruderliebe verständlich (z. B. 1. Joh. 2,9–11;

3,1.10ff.14f.17f.22; 4,8.20f; 5,2; 2.Joh.4–6) und gegen einen Lebenswandel «in Finsternis» (1.Joh.1,6). Ihre Liebe zu Gott schließt eine Liebe für den Bruder und Mitmenschen aus, typisch gnostisch lehnen sie jede Individual- und Gemeindeethik ab. Die Liebe als Wesenseinheit mit Gott ist die Gegenwart des Heils, so daß schließlich auch alle Sozialbezüge vernachlässigt und mißachtet werden: «Wer aber seinen Lebensunterhalt hat und seinen Bruder Not leiden sieht und verschließt sein Erbarmen vor ihm, wie bleibt die Liebe Gottes in ihm?» (1.Joh.3,17). Das heißt aber: Die Gnostiker haben auch jede sozialethische Auslegung des Liebesgebotes abgelehnt, weil alleiniges Heilsthema die Liebe als Wesensgemeinschaft mit Gott, nicht aber ein Sozialverhalten ist. Auch wenn man bei den Irrlehrern nicht von Libertinismus (= moralische Zügellosigkeit) sprechen kann, überzeugende Argumente gegen eine solche Entwicklung werden von dieser Position – wie die gnostische Bewegung insgesamt ja erweist – nicht mehr zu erwarten sein.

3. Der Kolosserbrief

a) Auch der Kolosserbrief ist von einer äußerst heftig geführten Auseinandersetzung mit der christlichen Gnosis bestimmt. Die Abwehr dieser christlich-gnostischen Irrlehrer vor allem in dem für unsere Fragestellung besonders wichtigen Abschnitt 2,4–23 gibt dem Kolosserbrief im ganzen sein unverwechselbares Gepräge. Ob die gnostischen Irrlehrer von außen in die Gemeinde eingedrungen oder selbst aus ihr hervorgegangen sind, läßt sich nicht mehr mit Sicherheit ausmachen. Auf jeden Fall ist die Abfassung des Kolosserbriefs durch diese christlichen Gnostiker veranlaßt worden, so daß uns der Brief unschätzbare Einblicke in die frühe Ausbreitung der christlichen Gnosis gewährt, die immerhin nach 2,4 und 8 in der Gemeinde von Kolossä nicht ohne Erfolg geblieben ist.
Allerdings fehlen sämtliche direkten Quellen über den Inhalt der Irrlehre, die zwar dem Verfasser und seinen Lesern bekannt war, aber von uns erst mühsam aus den Anspielungen, Zitaten, Entgegensetzungen und Korrekturen im Text selbst rekonstruiert werden muß.
Auffallend ist, daß die judenchristlichen Irrlehrer ihre Botschaft selbst «Philosophie» genannt haben (2,8), das sehr wahrscheinlich ein Schlagwort der kolossischen Häresie gewesen ist. Freilich ist mit dieser Selbstbezeichnung der gnostischen Lehre keineswegs mehr die auf rationaler Wissenschaft gründende Philosophie der Griechen gemeint, sondern eine ausgesprochene Offenbarungsreligion, die die rechte Erkenntnis (1,9; 2,2f; 1,6f; 3,10) des Menschen, des Kosmos und der oberen Gottheit vermittelt, also typisch gnostisch Erlösung ist und verleiht. Deshalb wird sie in 1,9 pneumatisch genannt, so daß die «Philosophie» bzw. Gnosis und Weisheit (1,9.28; 2,3; 3,16; 4,5) ohne den Dualismus von Geist und

Fleisch bzw. Gott und Kosmos gar nicht verständlich ist. Diese ihre «Philosophie» = Gnosis als ausgesprochen dualistisch motivierte und ausgerichtete Offenbarungs- und Erlösungslehre beruht nun aber nach 2,8 auf «Tradition», d.h. einer ehrwürdigen Überlieferung, die, weil sie auf mysterienhafter Schau gründet (2,18), erlösendes Geheimwissens vermittelt. Die vom Kolosserbrief bekämpfte Häresie hat ihren Anhängern verheißen, erlösende Gnosis (2,3) und Vollkommenheit (1,28; 3,14; 4,12) sowie die Fülle der Gottheit (1,9.19; 2,9f) zu bringen.

Der nach der Meinung des Kol. eigentliche Streitpunkt ist die häretische Lehre von den «Weltelementen» (2,28), was aus den Abgrenzungen der Christologie gegenüber den Weltelementen deutlich hervorgeht. Ursprünglich sind mit diesem mythologischen Begriff die natürlichen Gewalten und Kräfte in Natur und Geschichte gemeint. Für die christlichen Gnostiker dagegen sind sie identisch mit den Engelmächten (2,18) und kosmischen, personalen Gewalten (2,10 und 15), wie die Entgegensetzung Weltelemente-Christus in 2,8 beweist. Diese Weltelemente sind für die Irrlehrer die allmächtigen Mittler bzw. Zwischenmächte zwischen dem unteren (3,1f), materiellen Machtbereich der Finsternis (1,13), der Weltmacht Fleisch (2,11) und der oberen (3,1f) Welt des Pneuma (1,9), des Lichtes (1,12) und der «Fülle der Gottheit» (2,9). Sie repräsentieren nach diesem typisch gnostischen Dualismus den Leib Christi und sind als kosmische Mächte die «Fülle» der Gottheit, an deren Spitze Christus steht. Ausdrücklich bekämpft der Kol. die häretische Lehre der Gnostiker, daß in den Weltelementen die ganze Fülle der Gottheit leibhaftig wohnt. Zweifellos glaubten die Irrlehrer, daß die Weltelemente als die kosmischen und erlösenden Engelmächte die «Fülle» der Gottheit repräsentieren. Diese Weltelemente sind als kosmische, göttliche Mächte die Herrscher des Alls, so daß auch noch die Christen ihnen unausweichlich ausgeliefert sind. Deshalb muß der Mensch ihnen «Verehrung» zollen (2,18), um der unteren, materiellen Welt zu entkommen und teilhaftig zu werden der oberen, göttlichen Welt der «Fülle» (2,9). Von besonderer Wichtigkeit ist nun aber weiter die Tatsache, daß der Kult in Analogie zu den Mysterien vollzogen wurde, auch wenn aufgrund der fragmentarischen Texte offene Fragen bleiben. Aber der Ausdruck in 2,18: «wie er bei einer Weihe geschaut hat» läßt keinen Zweifel daran, daß die christlich-gnostischen Anhänger der Philosophie Elemente der Mysterienreligionen aufgenommen haben. Wie dort üblich haben die Irrlehrer die Weihe empfangen und bei diesem Einweihungsritus die «Schau» der Weltelemente, also der göttlichen Zwischenmächte erlebt. Auch der Ausdruck «Eigenkult» in 2,23, der auf die Gegner zurückgehen dürfte, unterstreicht den Mysteriencharakter ihres Kultes. Die Einweihung in die Mysterien der Weltelemente geht ausdrücklich auf ihre freie Entscheidung zurück.

Auch der Begriff «Ehre» in 2,23 kann nur aus diesem Mysterienzusammenhang erklärt werden: Der Kult der Weltelemente und die gehorsame Befolgung ihrer «Satzungen» (2,22) bringen den Häretikern «Ehre» ein. «Ehre» meint aber in der Sprachtradition der Mysterien, wo er geläufig war, die Vergottung der Eingeweihten (= der Mysten) durch die betreffende Gottheit. Im Zusammenhang der kolossischen Philosophie ist mit «Ehre» offenbar dualistisch das Erfülltwerden mit den Gotteskräften der allmächtigen Weltelemente umschrieben worden und d.h. die Errettung aus dem unteren, materiellen Herrschaftsbereich der Finsternis und die Versetzung in den oberen Lichtbereich der Gottheit. Es ist deshalb nur konsequent, wenn sich die Eingeweihten und Gesättigten, die die Fülle der Gottheit Schauenden und Vergotteten, eben als «Philosophen», und «Vollkommene» mit gnostischem Selbstbewußtsein (1,28 und 4,12) ausgeben.

Schließlich dürfte aus 2,11 hervorgehen, daß die christlichen Gnostiker die Forderung der Beschneidung erhoben haben (2,11). In Anknüpfung an den jüdischen Aufnahmeritus werden die Irrlehrer der Christus-Beschneidung einen mysterienhaften Initiationsakt gesehen haben, durch den der Beschnittene in die Gemeinde derer aufgenommen wurde, die neben Christus auch die Weltelemente als die erlösenden Zwischenmächte verehrten. Die Beschneidung gehörte wie die Mysterienweihe und der freiwillige Engelkult zu den heilsnotwendigen Sonderleistungen, die die christlichen Gnostiker gegenüber den Gemeindechristen von Kolossä erhoben und propagierten.

Allerdings hat diese Beschneidung als Einweihungsritus in den Kreis der Gnostiker nur noch dem Namen nach etwas mit der alttestamentlichen-jüdischen Tradition zu tun. Denn der jüdische Ritus der Beschneidung wurde von den judenchristlichen Gnostikern in Kolossä nicht mehr im Kontext des Alten Testamentes als Bundeszeichen verstanden und schon gar nicht mehr als lebenslange Verpflichtung auf das ganze Mosegesetz. Vielmehr bewirkt die «mit Händen» vollzogene Beschneidung typisch dualistisch «das Ausziehen des Fleischesleibes» (2,11). Dahinter steht die auch in 2.Kor.5,1ff von Paulus bekämpfte typisch gnostische Anschauung, daß das dem Wesen nach in die untere Gotteswelt gehörende Pneuma-Selbst, das wahre Ich des Gnostikers, in dem vom teuflischen Schöpfergott geschaffenen «Leib des Fleisches» verbannt ist. Zur Erlösung kommt es nach der kolossischen Irrlehre offenbar dadurch, daß der Beschnittene von der Unheilsmacht «Fleisch» befreit wird. Denn der Kerker des Fleischesleibes gehört dem Wesen nach zum unteren teuflischen Kosmos. Daß der ursprünglich alttestamentlich-jüdische Beschneidungsritus von der judenchristlichen Gnosis im radikal dualistischen Sinne vereinnahmt werden konnte, dafür ist das gnostische Philippus-Evangelium aus der oberägyptischen Bibliothek von Nag-Hammadi ein unverdächtiger Zeuge, wenn es in § 123 heißt: Abraham habe uns durch seine Beschneidung gelehrt, «daß es nötig ist, das Fleisch zu vernichten». Gerade durch die Übernahme des demonstrativ dualistisch interpretierten Beschneidungsritus dokumentiert der judenchristliche Gnostiker, daß der untere diabolische Kosmos mit seinem Fleischesleib als Schöpfung des niederen Demiurgen vernichtet werden muß, wenn die Erlösung des Pneuma-Selbst stattfinden soll. Deshalb ist die Beschneidung im diametralen Gegensatz zu seiner alttestamentlich-jüdischen Deutung für die Irrlehrer ein heilsnotwendiger Initiationsritus, angeordnet von den Weltelementen als den Repräsentanten der Fülle der Gottheit, um die Verachtung der Welt als der Schöpfung des niederen Demiurgen öffentlich zu demonstrieren.

Auch wenn manche Fragen offen bleiben, in Umrissen ist die «Philosophie» der judenchristlichen Gnostiker in Kolossä deutlich erkennbar. Ausdrücklich muß noch einmal hervorgehoben werden, das die vom Kol. bekämpfte Irrlehre nicht außer-, sondern innerhalb des Christentums auftaucht. Keinesfalls hat man den christlichen Glauben aufgeben, sondern vielmehr durch die Gnosis zu seiner eigentlichen Vollendung bringen wollen. Gerade das ist gnostisches Programm! Die auch von den Gnostikern unbestrittene Anerkennung Christi sollte durch die Verehrung der Weltelemente ergänzt und überhöht werden, was vom Schreiber des Kol. immer wieder aufs schärfste verneint wird. Nur wenn der Christusglaube mit der Weltelementenverehrung verknüpft wird, kann der Christ die eigentliche und ganze Erlösung erreichen. Das überaus Gefährliche der «Philosophie» in Kolossä wie der Gnosis überhaupt lag ja gerade darin, daß sie ihre Lehre keineswegs als unüberbrückbaren Gegensatz zum Christus des Gemeindeglaubens, sondern wegen der kosmischen Mächte und Gewalten als dessen heilsnotwendige Ergänzung und Vollendung verstanden wissen wollte. Nur durch die demütige Verehrung der kosmischen Weltelemente wird der Zugang zu Christus erschlossen, der an ihrer Spitze steht und damit die Fülle der Gottheit erschließt. Darum sind für die gnostischen Irrlehrer in Kolossä Annahme ihrer «Philosophie», Beschneidung, Einweihung und Schau der Weltelemente wie Engelverehrung Vorbedingung für das Heil, das allerdings gnostisch in der endgültigen Freiheit von der widergöttlichen Materie der teuflischen Welt und des Fleischesleibes besteht.

b) Mit dieser «Philosophie» und d.h. dem Wissen um die Existenz kosmischer Mächte sind nun für die christlichen Gnostiker unmittelbar die göttlichen Herrschaftsansprüche der Weltelemente gegeben. Diese personal wie kosmisch vorgestellten Weltelemente herrschen über die Welt und die Menschen und verlangen von den von ihnen beherrschten Menschen lebenslange «Verehrung» (2,18). Nur wenn der Gnostiker, der im gottwidrigen Kosmos (2,20), im «Fleischesleib» (2,11) und «Machtbereich der Finsternis» (1,13) lebt, sich den göttlichen Herrschaftsansprüchen der Weltelemente unterwirft, vermag er der unteren, materiellen Welt zu entrinnen und den ersehnten Zugang zur «Fülle der Gottheit» zu gewinnen und d.h. der Erlösung teilhaftig werden (2,10). Deshalb muß der Gnostiker aus Gründen des eigenen Heils ihre Gebote und Lehren (2,22) wie ihre Satzungen (2,20) befolgen. Von besonderer Wichtigkeit ist in diesem Zusammenhang die schwer zu deutende Rede von «dem gegen uns lautenden Schuldschein, der mit seinen Satzungen uns feindlich gegenüberstand» (2,14). Aus der polemischen Formulierung des Verfassers des Kol., daß Gott diesen Schuldschein, der von uns selbst unterschrieben war, am Kreuz Christi gleichsam aufgehoben hat, wird man schließen können, daß hier wiederum geprägte Terminologie der kolossischen Philosophie zum Vorschein kommt. Dieser «Schuldschein» umfaßte die Dogmata, d.h. die konkreten Satzungen und Normen, zu deren Einhaltung die christlichen Gnostiker um ihres eigenen Heiles willen sich offensichtlich bei dem Initiationsakt der Beschneidung verpflichtet, also ihn selber unterschrieben hatten. Dieser «Schuldschein» ist identisch nach der Irrlehre in Kolossä mit der altehrwürdigen «Tradition» (2,8) und d.h. den göttlichen Herrschaftsansprüchen der personalen und kosmischen Herrscher des All. Nur wer sich ihren Herrschaftsansprüchen unterwirft, also ihre Gebote erfüllt, ihre Lehren annimmt und ihren Dogmen im tätigen Gehorsam folgt, kann auf Erlösung hoffen. Denn alle die damit verbundenen, religiösen Sonderleistungen sind für die christlichen Gnostiker heilsnotwendig. Deshalb hat sich der Gnostiker bei der Einweihung beschneiden lassen und den Weltelementen gegenüber diesen «Schuldschein» unterschrieben und steht der so Eingeweihte lebenslang in steter Dienstbereitschaft (2,18 und 23), in der Verehrung der kosmischen und erlösenden Engelmächte (2,18) und d.h. zusammengefaßt im selbsterwählten Kult (2,23). Wie diese Satzungen und Gebote der Weltelemente ganz konkret aussahen, darauf antwortet der von unübersehbarer Polemik beherrschte, zentrale Abschnitt Kol. 2,16–23. In ihm finden wir nicht nur Abspielungen und Konturen der «Ethik» der kolossischen Irrlehrer, sondern der Verfasser zitiert mehrfach wörtlich gnostische Tabuvorschriften und Schlagworte!

Weil die Gemeindechristen sich nicht an diese Satzungen der Weltelemente halten, werden sie von den Gnostikern mit geistlichem Hochmut und in überheblicher Weise (2,18), verurteilt (2,16a). Aufgrund ihrer Gnosis und Weihe halten sie sich für befugt, innerhalb der kolossischen Gemeinde einerseits die Nichtgnostiker abzuurteilen und andererseits zum Befolgen ihrer Sonderlehren aufzufordern, und d.h. den Schuldschein zu unterschreiben. Kriterien ihres Richtens und Verurteilens sind ganz bestimmte, dualistisch motivierte Tabuvorschriften einer strengen Erlösungsaskese.

So fordern die christlichen Gnostiker die strenge Enthaltung von bestimmten Speisen und Getränken (2,16a), wahrscheinlich von Fleisch und Wein. Solche Speisegebote gab es nicht nur im Kultgesetz des Mose und Judentum (Philo, Vit. contempl. 73f; Test. Rub. 1,10), sondern allgemein in der heidnischen Antike. Aber die Unterschiede sind deutlich. Während im Alten Testament und Judentum die Speisegebote als Bestandteil des mosaischen Kultgesetzes der sichtbare Ausweis der göttlichen Erwählung Israels vor den Heidenvölkern ist, hatte das Fasten bei den Griechen und Römern die Funktion, den Frommen der Gottheit näher zu bringen bzw. ihn auf den Empfang einer Offenbarung vorzubereiten. In der «Philosophie» von Kolossä dagegen stehen die Speisegebote in einem dualistisch-gnostischen Kontext. Sie sind Satzungen und Gebote, die auf die kosmischen Weltelemente zurückgehen. Das beweist auch in Vers 21 das vom Verfasser zitierte apodiktische Speiseverbot: «Du sollst nichts kosten», das ausdrücklich mit Sexual- und Reinheitsvorschriften kombiniert wird. Dieselben Verbote werden übrigens von den christlichen Gnostikern z.B. nach 1.Tim.4,3; Tit.1.14 erhoben. Hier wie dort können diese Speisegebote nicht – wie oft in der Auslegung geschehen – zu naturgemäßen Regeln oder moralischen Weisungen verharmlost, also undualistisch interpretiert werden. Vielmehr handelt es sich bei diesen Speisegeboten um den gezielten Protest gegen die vom Teufel geschaffene untere, widergöttliche Schöpfung. Die demonstrative Verachtung und Verwerfung bestimmter Speisen und Getränke ist Ausdruck des gnostischen Hasses gegen den Demiurgen und die von ihm geschaffene Unheilswelt, die es durch strenge Nahrungsaskese auszuhungern gilt. Darüber hinaus hält der Gnostiker sein Pneuma-Selbst fern von solchen Nahrungsbelastungen, die es an den gottlosen Kosmos fesseln und seinen Aufstieg in die Fülle der Gottheit gefährden könnten. Die rigorose Nahrungsaskese ist also für die christlichen Gnostiker in Kolossä demonstrativ zur Schau getragener Haß gegen den Herrscher dieses Kosmos und unmittelbar Vorbereitung des erlösenden Aufstiegs zum höchsten Gott.

Neben den Speisegeboten gehört zu den Satzungen der kosmischen Mittlermächte auch das Einhalten von festgesetzten heiligen Zeiten: «Fest, Neumond und Sabbat» (2,16). Nicht nur diese drei kultischen Begriffe, sondern auch ihre Reihenfolge findet sich im Alten Testament, genauer der griechischen Bibel (Hos.2,13; Ez.45,17; in anderer Reihenfolge 1.Chr.13,31; 2.Chr.2,3; 31,3 und in jüdischer Literatur). Aber während nach alttestamentlich-jüdischer Tradition der Gott des alten Bundes diese heiligen Tage und Zeiten selbst ausgesondert hat, also insgesamt heilsgeschichtlich motiviert waren, und der Sabbat darüber hinaus Israel zum Zeichen Erwählung gegeben war, haben sie in der «Philosophie» einen völlig anderen theologischen Sinn bekommen. Die penible Befolgung der Festzeiten ist jetzt Ausdruck der kategorischen Verehrung der Weltelemente, die die Bahnen der Gestirne und damit den Kalender regieren und so die kosmische Ordnung des Alls garantieren. Auf jeden Fall scheint der bewußte Rückgriff auf die alttestamentlich-jüdischen Kultzeiten zu beweisen, daß die gnostischen Irrlehren auf jüdischen Ursprung zurückgehen. Aber die der alttestamentlich-jüdischen Überlieferung entnommenen

Speisegebote wie die Beachtung von Festtagen und natürlich die Praktizierung des Beschneidungsritus haben nichts mehr mit dem alttestamentlich-jüdischen Kultgesetz des Mose zu tun. Auch das Stichwort Gesetz (des Mose) kommt im Kol. überhaupt nicht mehr vor. Vielmehr muß der Gnostiker, weil er im Fleischesleib von der himmlischen Welt getrennt ist, den kultischen Forderungen der Weltelemente nachkommen, wenn er die göttliche Erfüllung gewinnen will. Das heißt, anstelle des Gehorsams gegenüber dem Mosegesetz ist bei den Gnostikern die kultische Verehrung der Weltelemente getreten, wenn sie ausgesonderte, heilige Tage und Zeiten genau beobachten.
Vor allem aber läßt die rigorose Forderung der totalen Sexualaskese in 2,21 auf christliche Gnostiker schließen: «Du sollst nicht anfassen!» Auch dieses Verbot, das nach Vers 20 direkt als Befehl der Weltelemente verstanden werden muß, hat absolute Bedeutung und schließt jeden Widerspruch aus. Obwohl hier kein Objekt genannt wird, bedeutet «anfassen, zu nahe kommen» wie in 1. Kor. 7,1 den Geschlechtsverkehr, so daß die christlichen Gnostiker in Kolossä wie in Korinth (1. Kor. 7,1) und in den Pastoralbriefen (1. Tim. 4,3) die sexuelle Enthaltung gefordert haben. Es handelt sich bei diesem absoluten und rigorosen Gebot der völligen Sexualaskese um eine typische Tabuvorschrift, mit bestimmten Personen, in diesem Fall mit der Frau, nicht in Kontakt zu treten. Typisch dualistisch-gnostisch gehören die Geschlechtsgemeinschaft, die Ehe und das Kinder-zeugen wie -gebären zum unteren, finsteren Machtbereich des Teufels, der den Kosmos unentrinnbar beherrscht und von dem alles Leibliche herkommt. Alles Leibliche und Geschlechtliche wird vom Geist her abgewertet, ja gehaßt; denn es fesselt lebenslang an die widergöttliche Materie und verfehlt darum das eigentliche Erlösungsziel, die völlige Entweltlichung des Pneumatikers. Deshalb lautet in Korinth bei den gnostischen Gegnern des Paulus die sinngleiche Parole: «Heilsnotwendig ist es für den Mann, sich jeglichen Geschlechtsverkehrs mit einer Frau zu enthalten» (1. Kor. 7,1). Wie in Kolossä sind auch in Korinth die christlichen Gnostiker für die grundsätzliche und völlige Sexualaskese eingetreten, denn die damit zum Ausdruck kommende Leib-, Geschlechts- und Ehefeindschaft war durch ihren schroffen Dualismus bedingt. Das Eintreten auf den sexuellen Kontakt mit einer Frau heißt Verlassen des oberen, weltlosen und pneumatischen Lebensbereiches Gottes und Eintreten in den finsteren, unteren Machtbereich des Satans. Neben 1. Kor. 7,1 ist 1. Tim. 4,3 eine weitere Sachparallele zu Kol. 2,21. Auch die in 1. Tim. 4,3 bekämpften Irrlehrer der judenchristlichen Gnostiker haben das Verbot des Geschlechtsverkehrs mit Speisevorschriften kombiniert, so daß überall der gleiche antikosmische Dualismus von den Gnostikern praktiziert wurde. Mit dem völligen Verzicht auf Heirat, Ehe, Geschlechtsverkehr und Kinderzeugen wie -gebären wird der Gott dieser Welt, nämlich der Satan, an seiner Wurzel getroffen und vernichtet. Weil man die vom

satanischen Schöpfergott geschaffene untere Welt nicht verlängern, sondern aushungern will, muß vom christlichen Gnostiker die totale Geschlechtsaskese geübt werden, um zur Fülle der Gottheit zu gelangen. Denn die gehorsame Erfüllung der Gebote und Satzungen der Weltelemente als der lebenslangen Abkehr von dem Kosmos ist heilsnotwendige Bedingung für die definitive Entweltlichung im je eigenen Tode des Gnostikers.

Schließlich verbietet die dritte Tabuvorschrift: «Du sollst nicht berühren» (2,21) den Kontakt mit bestimmten, für unrein erklärten Gegenständen überhaupt! Im Hintergrund dieses absoluten Berührungsverbotes stehen ursprünglich die alttestamentlich-jüdischen Reinheitsvorschriften des mosaischen Ritualgesetzes. Die Unreinheit haftet nicht nur bestimmten Gegenständen, Personen, Tieren und Handlungen an, sondern ist durch Kontakt auch etwas Übertragbares. Eine solche Unreinheit schließt nach alttestamentlich-jüdischem Verständnis von Gott aus, so daß nur durch die Erfüllung bestimmter kultgesetzlicher Vorschriften der Verunreinigte wieder rein wird. Aber dieser alttestamentlich-jüdische Hintergrund ist für die kolossische «Philosophie» nur noch ein Anknüpfungspunkt; denn aus den Reinheitsgeboten des alttestamentlichen Bundesgottes sind jetzt unter der Hand asketische Taburegeln der «Weltelemente» geworden mit dem Ziel, den Gnostiker von jeglicher Kontaktaufnahme mit bestimmten Gegenständen überhaupt als den Repräsentanten des gottlosen Kosmos zu schützen. Mit anderen Worten: Die Reinheitsgebote der Weltelemente werden jetzt von der Irrlehre dualistisch im Sinne der Weltflucht und nicht mehr heilsgeschichtlich-gesetzlich im Sinne des für Gott reinen Gottesvolkes begründet.

Alle diese Gebote und Lehren (2,22), eben «Dogmen» der Weltelemente, hatten nur ein, allerdings heilsnotwendiges Ziel, den Gnostiker vom gottwidrigen Kosmos zu lösen, ihn zu entweltlichen. Deshalb bezeichneten die Irrlehrer ihre lebenslange Entweltlichung nach 2,23 als «Kasteiung des Leibes». Aber auch dieses schonungslose Verhalten gegenüber dem Leib dient letztlich nur dem «Ablegen des Fleischesleibes» (2,11) überhaupt. Wir hatten schon darauf hingewiesen, daß das Ausziehen, wie es wirklich heißt, des Fleischesleibes mit dem Initiationsakt der Beschneidung beginnt (2,11), lebenslang durch die genannten Formen der Askese fortgesetzt wird und schließlich im individuellen Tod sich vollendet. Die Begriffsbildung «Leib des Fleisches» umschreibt den menschlichen Leib dualistisch als vorübergehende Hülle für das weltlose Pneuma-Selbst in seiner irdischen Hinfälligkeit und Vergänglichkeit, aber auch beherrscht von der dämonischen Weltmacht «Fleisch». Dieser Fleischesleib als Repräsentant der gottwidrigen Materie muß wie ein Kleid – so die gnostisch-dualistische Heilslehre – ausgezogen, abgestreift werden. Ursprünglich auf die Begrifflichkeit und Praktiken der Mysterienreligionen zurückgehend (vgl. schon Gal. 3,27 u. a.), werden diese Begriffe «ausziehen/ablegen» dann dualistisch interpretiert, wie schon 2. Kor. 5, 1–10 beweist. So wie das Pneuma-Selbst bei seiner Geburt in den gottwidrigen Kosmos hinein den Fleischesleib «angezogen» hat (2. Kor. 5,3f), so muß im je eigenen Tode des Gnostikers dieser Fleischesleib wieder wie ein Kleid abgestreift, d. h. endgültig ausgezogen werden. Er muß im gottlosen, unteren Kosmos zurückbleiben, wenn das «nackte» (2. Kor. 5,3) Pneuma-Selbst durch die erlösende Hilfe der kosmischen Zwischenmächte, den Weltelementen, zur Fülle der Gottheit im oberen Lichtbereich aufsteigen soll.

«Ethik» ist somit auch für die christlich-gnostischen Irrlehrer in Kolossä nichts anderes als die lebenslange, aber vorläufige Entweltlichung des Pneumatikers durch die mannigfachen Tabuvorschriften der Weltelemente, die dann durch die definitive Entweltlichung im individuellen Tode und im damit ermöglichten nachtodlichen Aufstieg des nackten Pneuma-Selbst zum höchsten Gott abgeschlossen wird. Diese radikale Entweltlichung des Gnostikers als «Ethik» ist für ihn Heilsweg und Erlösungsaskese in einem. Denn das Erlösungsziel besteht einzig in der Weltflucht und seinem schließlichen Auszug aus dem gottfeindlichen Kosmos und Fleischesleib in die obere, immerwährende Lebenswelt des Christus und der Fülle der Gottheit.

4. Das Matthäusevangelium

Auch Matthäus steht – wie die meisten späten Schriften des Neuen Testaments – in direktem und indirektem Abwehrkampf gegen die Gnosis. Daß Matthäus sich aufs heftigste und oftmals ausdrücklich mit Gegnern der Rechtgläubigkeit in seinem Evangelienbuch auseinandersetzt, ist bereits im letzten Jahrhundert gesehen und herausgestellt worden. Allerdings konnte die gegnerische Front, gegen die Matthäus kämpft, bis heute nicht eindeutig bestimmt werden, so daß wenigstens ein kurzer Überblick über die bisherigen Forschungsergebnisse nicht ausgeklammert werden kann.

Daß es sich bei den falschen Propheten, vor denen Matthäus warnt (7,15 und 24,11), um eine gegenwärtige und nicht zukünftig-apokalyptische Gefahr (so 24,24) handelt, wird allerdings allgemein anerkannt. Auch kann es sich nicht um Zeloten oder allgemein um jüdische Gegner handeln, die dann in typisch alttestamentlicher Sprachtradition als Falschpropheten bezeichnet werden, da sie von Matthäus in 7,21f eindeutig als Christen gekennzeichnet werden. Aufgrund der von Matthäus ausdrücklich erwähnten Charakteristika der Falschpropheten ist es kaum wahrscheinlich, in ihnen echte oder vermeintliche Pauliner zu sehen, da sie sich nirgends auf ihren Glauben unter Ablehnung der Werke berufen.

Ähnliches gilt von dem Versuch, die Falschpropheten allgemein auf einen palästinensisch-judenchristlichen Enthusiasmus zurückzuführen. Daß es

überhaupt nicht um eine konkrete Auseinandersetzung des Matthäus mit bestimmten Irrlehrern in seiner Gemeinde geht, sondern um allgemeine Gemeindeparänese, ist dagegen noch unwahrscheinlicher.
Vielmehr dürfte es sich bei den Gegnern des Matthäus sehr wahrscheinlich um typische Gnostiker handeln: Sie annullieren das Gesetz Gottes und erweisen sich damit als Antinomisten (5,17f). Als Libertinisten üben sie Gesetzlosigkeit (7,23; 24,12; 13,41), bringen schlechte Früchte (7,17f) und tun nicht den Willen Gottes (7,21). Als Falschpropheten verführen sie die Gemeinde (24,10ff) und berufen sich demonstrativ auf ihre Pneumatika (= außergewöhnliche Geistesgaben, 7,22). Wenn man alle diese Charakteristika der Irrlehrer genügend berücksichtigt und darüber hinaus auch den antihäretischen Kampf des Matthäus nicht isoliert betrachtet, sondern einordnet in den übergreifenden antignostischen Abwehrprozeß, wie er uns erkennbar in den Pastoral-, Johannesbriefen, der Offenbarung des Johannes, dem Kolosser-, Judas- und 2. Petrusbrief entgegentritt, dann dürfte es keinen begründeten Zweifel darüber geben, daß Matthäus sich in seinem Evanglienbuch ebenfalls mit typisch christlichen Gnostikern auseinandersetzt, die sich ihrem Auftreten und Handeln als Antinomisten, Libertinisten, Pneumatiker und Pseudopropheten erweisen. Denn diese Irrlehrer, die programmatisch die Ansicht vertraten, daß das Gesetz des Mose seit dem Kommen des Christus für die Kirche endgültig abgeschafft sei, können weder als Juden noch Juden- und Heidenchristen noch als ehemalige Gottesfürchtige identifiziert werden. Es kann sich auch nicht allgemein um hellenistische Christen, sondern nur und pointiert um christliche Gnostiker handeln!
Wie schon in allen bisher behandelten späten Schriften des Neuen Testaments treten die Gnostiker innerhalb der matthäischen Kirche auf, handelt es sich um christliche Gnostiker, die die christlichen Gemeinden nicht von außen, sondern von innen bedrohen. Direkte Polemik gegen christliche Gnostiker findet sich im Matthäusevangelium vor allem in 5,17f; 7,12–27 und 24,10–13. Aufgrund dieser Texte kann die «Ethik» der christlich-gnostischen Irrlehrer deutlich erkennbar herausgearbeitet werden.
Die Abwehr des gnostischen Antinomismus kommt programmatisch in 5,17 zum Ausdruck:
«Meint nicht, daß ich gekommen sei,
das Gesetz oder die Propheten aufzulösen.
Nicht bin ich gekommen aufzulösen, sondern zu erfüllen.»
Sprachgebrauch und theologische Polemik lassen keinen Zweifel, daß dieser prägnante Spruch auf Matthäus zurückgeht. Das «Denkt nicht» (vgl. noch 10,34) wehrt hier die häretische Auffassung der gnostischen Antinomisten ab, die propagierten, daß mit Jesu Sendung das Mosegesetz nicht aufgerichtet, sondern abgeschafft worden sei. Das zugrunde liegende griechische Wort meint im Deutschen «abschaffen», «außer Geltung setzen», «annullieren». Auch die Formel «Gesetz und (bzw. oder in

verneinenden Aussagen) Propheten» ist typisch matthäisch (7,12; 22,40), so daß «die Propheten» hier wie in 7,12 und 22,40 als Interpreten des Mosegesetzes, nicht aber als Repräsentaten der Verheißung in den Blick kommen. Die Formel umfaßt also das Alte Testament in seinem ausschließlich gesetzlichen und gebietenden Inhalt.

Im Gegensatz zu Matthäus bestreiten die christlichen Gnostiker, daß das göttliche Gesetz für die Kirche noch irgendwelche Bedeutung besitzt, und zwar seit dem Kommen des Erlösers Jesus. Typisch gnostisch hat nach ihrer irrigen Meinung Jesus das Mosegesetz, den Willen Gottes, nicht völlig aufgerichtet, durch seine Lehre, sondern im Gegenteil total annulliert, abgeschafft. Das ist nach gnostischer Propaganda der eigentliche Sinn der Sendung Jesu. So ist es kein Wunder, wenn in der Exegese von Mt. 5,17 zu Recht auf die Sachparallele in 1. Kor. 6,12 hingewiesen wird. Denn die dortige Parole im Munde der korinthischen Gnostiker: «Alles ist mir erlaubt» entspricht direkt dem Schlagwort der matthäischen Gnostiker, daß der Christus mit seinem Kommen das Gesetz abgeschafft, also die völlige Gesetzesfreiheit für die christliche Gemeinde gebracht habe.

Diesem typisch gnostischen Mißverständnis der Sendung Christi tritt Matthäus in aller Schärfe entgegen, indem er die damit verbundenen antinomistischen Tendenzen zurückweist und die gnostische Parole in ihr Gegenteil verkehrt.

Dieselben antinomistischen Tendenzen finden sich ebenfalls in der gnostischen Grundschrift des Johannesevangeliums (Joh. 8,17; 10,34; 19,7; 7,29.22 und öfter) und bei den Gnostikern im 1. Joh., im Kol., der Off., des Jud. und 2. Petr., wie wir bereits gesehen haben.

Der geschichtliche und theologische Zusammenhang der gnostischen Gegner des Mt. mit denen der übrigen späten Schriften des Neuen Testaments ist also der Schlüssel zum Verständnis dieser die Gemeinde des Matthäus bedrohenden Antinomisten. Dementsprechend hat Matthäus auch nicht allein gegen Antinomisten und Libertinisten gekämpft. Vielmehr steht Matthäus wie die Verfasser der gesamten späten Schriften des Neuen Testaments in demselben Abwehrkampf gegen die immer mächtiger werdende gnostische Häresie. Ihnen gegenüber betont Matthäus 5,18, einem von ihm übernommenen Spruch der Jesusüberlieferung, daß das Gesetz bis hin zu Jota und Häkchen unverbrüchlich sei und gerade die eschatologische Sendung die völlige Durchsetzung des Willens Gottes zum Ziele hat. Ausdrücklich wird von Matthäus mit der Jesustradition gegen die christlichen Gnostiker der Buchstabe der Mosethora für unvergänglich erklärt.

Auf jeden Fall dürfte deutlich geworden sein, daß Matthäus sein Gesetzesverständnis in der aktuellen Auseinandersetzung mit christlichen Gnostikern entwickelt und artikuliert hat, die aufgrund ihres antikosmischen Dualismus das gesamte Mosegesetz – also Kult – wie Moralgesetz – in den unteren, dämonischen Machtbereich des Teufels verbannten und konsequent wie demonstrativ annullierten. Die Abschaffung des Gesetzes als des Willens des Demiurgen ist das Werk des Christus und spielt in der gnostischen Christologie, nicht nur bei den Gegnern des Mt., die entscheidende Rolle.

Dieselbe aktuelle Polemik des Matthäus gegen gnostische Irrlehrer spiegelt der Abschnitt Mt. 7,12–27 wider.

Aufschlußreich ist schon das «Tun» in 7,12. Damit werden alle bisherigen Weisungen der Bergpredigt von 5,21–7,11 in der sog. Goldenen Regel zusammengefaßt, diese aber mit der matthäischen Formel «das Gesetz und die Propheten» gleichgesetzt, die schon in 5,17 die Bergpredigt einleitet. Die gesamte Bergpredigt ist somit das von Jesus vollmächtig ausgelegte Gesetz, der Wille Gottes, der für die Kirche des Matthäus von bleibender Gültigkeit ist. Darüber hinaus belegen die beiden Klammern von 5,17 und 7,12, daß Matthäus die gesamte Bergpredigt antignostisch ausgerichtet und verstanden wissen wollte. Weil die Falschpropheten und Irrlehrer unentwegt in ihrer Verkündigung behaupteten, daß seit dem Kommen Christi das Gesetz seine Gültigkeit ein für allemal eingebüßt habe, betont Matthäus im Gegensatz dazu, daß Jesus in typologischer Entsprechung zum Sinai «auf dem Berge» mit seiner Bergpredigt das Gesetz gerade aufgerichtet und seine eschatologische Bedeutung unüberhörbar für die Christenheit eingeschärft hat.

Damit aber ist die vollmächtige Auslegung und eschatologische Ausrichtung des Mosegesetzes durch den Messiaskönig Jesus beendet (= 5,17–7,12), das folgende (= 7,13–27) ist nicht nur allgemeine Gemeindeparänese, sondern vor allem aktuelle Auseinandersetzung mit den Gnostikern als den Falschpropheten, Libertinisten und Pneumatikern.

Eröffnet wird der Kampf gegen die Antinomisten durch das in der griechisch-hellenistischen wie auch alttestamentlich-jüdischen Antike bekannte Bildwort von der engen Pforte in der matthäischen Gestalt der beiden Wege (7,13f). Matthäus stellt die Irrlehrer und die von ihnen verführten Gemeindechristen nochmals in aller Schärfe vor die Entscheidung. Die Gnostiker gehen durch die weite Pforte und den bequemen Weg in das ewige Verderben. Warum? Weil sie das durch Jesus ausgelegte und verschärfte Gesetz Gottes verachten und ablehnen. Zugang zum Ewigen Leben gibt es nur auf dem schmalen Wege des Gesetzes, des Gesetzesgehorsams und der guten Werke.

Seinen aktuellen Bezug bekommt das Bild- und Mahnwort von der engen Pforte und den beiden Wegen ausdrücklich durch den Vers 15, den Matthäus selbst gebildet und hier eingefügt hat:

«Hütet euch vor den falschen Propheten,
die in Schafskleidern zu euch kommen,
von innen her aber sind sie reißende Wölfe.»

Traditionell ist das Bild von den Pseudopropheten (= Irrlehrer) als Wölfe (vgl. 1. Mose 49,27; Zeph. 3,3; Ez. 22,27; Joh. 10,12; Apg. 20,28f u. a.).

Sie geben sich äußerlich als wirkliche Christen und sind von ihnen nicht zu unterscheiden. Hier ist eindeutig belegbar, daß die falschen Propheten äußerlich Christen sind, innen aber und d. h. aufgrund ihrer theologischen Einstellung sind sie reißende Wölfe, die nach 24,11 die wahren Christen als Schafe zur Gesetzlosigkeit verführen und die Liebe erkalten lassen, also zum Abfall vom Gesetz Gottes verführen. Traditionell ist auch das Bild von den Christen als Schafen bzw. der Gemeinde als Schafherden. Die Gemeinde des Matthäus ist in der akuten Gefahr, von den falschen Propheten verführt zu werden und ihrer Irrlehre zum Opfer zu fallen. Keinen Zweifel gibt es mehr, daß diese Falschpropheten Christen sind, in der Kirche des Matthäus auftreten und ihre missionarische Tätigkeit entfalten. Aber sie sind in Wirklichkeit als christliche Gnostiker Wölfe, die die Schafe reißen und töten.
Weil die Falschpropheten als gnostische Christen von außen ganz den Schafen der Herde Christ gleichen, muß Matthäus den rechtgläubigen Christen Kriterien an die Hand geben, um die Wölfe in Schafskleidern von den Schafen, die falschen Propheten von den wahren bzw. die gnostischen Christen von den orthodoxen zu unterscheiden. Dieses Kriterium wird von Matthäus im folgenden in 7,16-20 gegeben und entfaltet: Die Falschpropheten sind allein an ihren Früchten zu erkennen (7,16 und 20!), d. h. sie bringen nur schlechte Früchte hervor, tun keine guten Werke, mit einem Wort: sie tun die Gesetzlosigkeit. Durchgeführt wird diese Polemik gegen die Libertinisten und Antinomisten mit Hilfe der Bildrede vom Baum und seinen Früchten, die zwar von Matthäus noch einmal, und zwar in 12,33–35, angeführt wird. Aber im Unterschied zu 12,33ff hat Matthäus hier in Kapitel 7 diese traditionelle Bildrede eindeutig auf die Falschpropheten bezogen und aktualisiert (Vers 16a und 20), außerdem ethisch akzentuiert («gute» und «böse Früchte» = Gesetzeswerke und gesetzlose Werke) und schließlich die ganze Bildrede ausschließlich auf die Werke und nicht mehr auf die Botschaft der Gnostiker ausgerichtet.
Weil die Gegner des Matthäus die Gültigkeit des Gesetzes dualistisch bestreiten, indem sie es als Richtschnur des christlichen Lebens grundsätzlich ablehnen, sind sie faule Bäume, die nur schlechte Früchte bringen, d. h. bewußt und demonstrativ die Gesetzlosigkeit tun. Gesetzesgehorsam bzw. Gesetzlosigkeit sind für Matthäus das ausschlaggebende Kriterium, an dem man die christlichen Gnostiker erkennen und entlarven kann. Ihnen wird in 7,19 – einem Gerichtswort aus der Predigt Johannes des Täufers (= 3,10b) – das apokalyptische Verderben angedroht. Die christlichen Gnostiker als Antinomisten und Libertinisten werden im apokalyptischen Feuergericht des Menschensohnes Jesus dem ewigen Tod überantwortet werden.
Auch 7,21–23 bestätigt noch einmal diesen Sachverhalt. Das Kyrios-Bekenntnis der Falschpropheten ist für sie ein Ersatz für das Tun des Willens Gottes, d. h. des Gesetzes. Typisch gnostisch haben die Häretiker

in den Gemeinden des Matthäus sich zum Kyrios Christos bekannt, dieses Kyriosbekenntnis allerdings dualistisch interpretiert im Sinne des weltlosen Herrlichkeitschristus, aber gleichzeitig das Gesetz verachtet. Damit erweisen sich diese falschen Propheten für Matthäus als «reißende Wölfe», denn sie leugnen gerade das Zentrum der matthäischen Verkündigung, daß nur derjenige das Ewige Leben erben wird, der das von Jesus ausgelegte und verschärfte Mosegesetz in seiner Ganzheit lebenslang befolgt. Für sie gilt gerade das Gegenteil: Nur wer das Gesetz des niederen und teuflischen Demiurgengottes nicht tut, wird erlöst.

Besonders aufschlußreich ist nun der Vers 22, in dem Matthäus offensichtlich Schlagworte bzw. Kampfparolen seiner christlich-gnostischen Gegner wörtlich zitiert und zu einer fiktiven Gerichtsszene ausformuliert hat:

«Viele werden an jenem Tage zu mir sagen:
haben wir nicht in Deinem Namen geweissagt
und in Deinem Namen Dämonen ausgetrieben
und in Deinem Namen viele Wunder getan?»

Matthäus hat diese Gerichtsschilderung gegenüber Lk. 3,26 entscheidend geändert und aktualisiert. Die vor dem Gerichtsthron Christi Angeklagten und sich hier Verteidigenden sind diejenigen nach 7,21, die das Gesetz abgeschafft und den Willen Gottes nicht getan haben. Es sind also die Falschpropheten mit den schlechten Früchten (7,15ff) und die Täter der Gesetzlosigkeit (7,23). Diese christlichen Gnostiker, also keine Heiden oder Juden, berufen sich am Jüngsten Tage auf ihre Pneumatika, d.h. auf ihre enthusiastischen Geistesgaben. Die Gnostiker sind nach 7,22 eindeutig Pneumatiker. Unsachgemäß ist es, wenn in der Auslegung immer wieder von Charismen gesprochen wird; da Charisma von Paulus als kritischer Maßstab für Pneumatika gegen die korinthischen Enthusiasten ins Feld geführt worden ist. Hier in Mt. 7,22 aber geht es in der Verteidigungsrede der angeklagten Gnostiker nicht um Charismen als Gnadengaben im paulinischen, sondern um Pneumatika als Geistesgaben im gnostischen Sinne. Sie berufen sich vor Gericht auf Prophetie, Dämonenaustreibungen und Krafttaten. Dieselben Pneumatika finden sich als Prophetie in 1. Kor. 12.10 und 24; als Exorzismen bzw. Heilungswunder in 1. Kor. 12,39 und als Krafttaten bzw. Mirakel in 1. Kor. 12,10 und 39. «Pneumatika» war terminus technicus der korinthischen Enthusiasten (1. Kor. 2,13.15; 12,1; 14,1 u.ö.) und meint konkret die Wirkungen des antikosmischen und antinomistischen Geistes als Geistesmacht im gottlosen Kosmos. Diese Geisteswirkungen sind nach 1. Kor. 12 wie Mt. 7 mit Prophetie, dramatischen Kraftwirkungen und sensationellen Wundern identisch und können nur auf der Basis des Dualismus von weltlosem Geist und gottloser Welt recht verstanden werden. Darüber hinaus ist eine solche Verteidigungsrede am Jüngsten Tag nur für christliche Gnostiker möglich; denn nach Mt. 7,22 tritt bei ihnen an die Stelle von Gesetz und Ethik die dualistisch motivierte Pneumatika-Lehre. Die vor dem

Jüngsten Gericht angeklagten Gnostiker verteidigen sich gerade mit dem Rückgriff auf ihre Pneumatika angesichts nicht nur des völligen Mangels an Gesetzeswerken, sondern ihrer lebenslangen Demonstration der Gesetzlosigkeit. Der Zusammenhang mit 7,21 läßt demnach keinen anderen Schluß zu, daß die christlichen Gnostiker tatsächlich überzeugt seien, mit ihrem Kyrios-Bekenntnis und ihren geleisteten Pneumatika den völligen Mangel an Gesetzeswerken kompensiert zu haben. Aber für Matthäus hat Christus niemals das Gesetz abgeschafft, sondern gerade aufgerichtet, so daß die dualistisch motivierten Pneumatika niemals der heilsnotwendige Ersatz für prinzipiellen Antinomismus und Libertinismus sein können.

Ausdrücklich zitiert Matthäus in 7,23 die Bannformel des Weltrichters:
«Und dann werde ich ihnen erklären:
niemals habe ich euch erkannt!
Weichet von mir, die ihr die Gesetzlosigkeit tut.»

Als einziger unter den Synoptikern hat Matthäus das Stichwort «Gesetzlosigkeit» zu einem theologisch-aktuellen und d.h. pointiert antignostischen Begriff ausgearbeitet (vgl. außer 7,23; 13,41; 23,28; 24,12). Die Irrlehrer sind Wölfe, die Schafe reißen, faule Bäume, die nur schlechte Früchte hervorbringen und die Gesetzlosigkeit tun. Damit werden die Falschpropheten von Matthäus eindeutig als Libertinisten gekennzeichnet und von Christus dem ewigen Tod überantwortet.

Das Schlußgleichnis vom Hausbau (7,24–27) paßt ausgezeichnet in diese aktuelle, weil antignostische Polemik des Matthäus: Er will seine Kirche noch einmal abschließend vor der lebensbedrohenden Gefahr der gnostischen Falschpropheten warnen. Die Gnostiker, die das Gesetz annullieren und es nicht befolgen, sind törichte Menschen, die beim Jüngsten Gericht im ewigen Tode enden werden. Die rechtgläubigen Christen dagegen, die das Gesetz und damit den Willen ihres himmlischen Vaters getan haben, gründen ihr Haus auf den Felsen, dem die Gerichtskatastrophe nichts anhaben kann. Als Kluge werden sie im Endgericht gerettet werden.

In bezeichnender Weise kommt die innerkirchliche Bedrohung der matthäischen Kirche durch die christlichen Gnostiker 24,10–13 zum Ausdruck. Wiederum bekämpft Matthäus die gleichen Falschpropheten, aber der Zusammenhang ist aufgrund der großen apokalyptischen Rede vor seinen Jüngern auf dem Ölberg in Jerusalem (24,3ff) ein gänzlich anderer. Die Warnung vor den Falschpropheten (24,11) steht nun unter der grundsätzlichen Frage nach dem Zeichen der apokalyptischen Ankunft Jesu und der damit beginnenden «Vollendung dieses Aeons» (24,3). Für Matthäus aber gehört das verführerische Auftreten der antinomistischen Irrlehrer zu den apokalyptischen Zeichen der beginnenden Endzeit. Die Auseinandersetzung der matthäischen Kirche mit den christlichen Gnostikern in der Ökumene (24,14) wird von Matthäus – und das ist ein neuer Akzent im Kampf gegen die gnostische Häresie – mit den Wirren der apokalyptischen Endzeit in Verbindung gebracht. Die gnostischen Häretiker sind für Matthäus und seine Gemeinde unübersehbare Zeichen der beginnenden apokalyptischen Endgeschichte. Wiederum tauchen auch hier die typischen Merkmale des antihäretischen Kampfes auf: die Falschpropheten, die viele aus der rechtgläubigen Gemeinde verführen. Viele kommen aufgrund der gnostischen Propaganda zu Fall und trennen sich innerlich oder äußerlich von der Gemeinde. Die Gesetzlosigkeit wird voll und die Liebe erkaltet (= 24,10–12). Endgültige Rettung gibt es nur für diejenigen, die sich nicht von den Falschpropheten verführen lassen. Auch in 24,10ff erscheinen die Gnostiker als Antinomisten und Libertinisten, die die Gemeinde zur Gesetzlosigkeit verführen.

Zusammengefaßt wird man sagen können: Weil die gnostischen Gegner des Matthäus die Gültigkeit des Gesetzes überhaupt ablehnen, mahnt Matthäus ständig zum Tun des Willens Gottes (3,7ff; 7,13ff; 24ff; 8,11ff; 11,20ff; 12,33ff; 16,27; 22,10 usw.). Im Endgericht wird nur nach den Gesetzeswerken gefragt werden, so daß die wahren Jünger Gebote erfüllen müssen. Und weil die Häretiker von keinem Endgericht mehr wissen wollen, betont Matthäus besonders stark die Gerichtserwartung (7,21ff; 13,36ff; 25,31ff u.a.). Die Entstehung der eigenständigen matthäischen Gesetzestraditionen und ethischen Überlieferungen wie deren Absicherung durch die Lehrgewalt des Petrus (Mt. 16,18f) und Disziplinargewalt der Kirche (Mt. 18,18) läßt sich nur aus der innerkirchlichen Situation erklären.

5. Die Apostelgeschichte

Besondere Bedeutung für unsere Fragestellung hat die Rede des Paulus in Milet vor den aus Ephesus herbeigerufenen Gemeindeältesten, den Bischöfen (Apg. 20,17–38). Sie ist zwar eine der insgesamt 24 Reden der Apg., die alle auf Lukas zurückgehen, aber sie stellt insofern gegenüber den bisherigen Reden einen neuen Typus dar, als sie die einzige in der Apg. ist, die sich an Christen richtet. Lukas bietet hier gewissermaßen das «Testament des Paulus», indem er der Gegenwart seiner eigenen Kirche mit dem Hinweis auf die von den Aposteln verfaßte Kirche aufhilft. Alle die in dieser Abschiedrede des Paulus in Milet enthaltenen Weisungen wurden für Lukas notwendig, weil Paulus als der letzte von den 12 Aposteln legitimierte nun abtritt, und seine Reise als Gefangener nach Rom und seine Gefangenschaft unmittelbar bevorstehen.

Darüberhinaus handelt es sich um die einzige Rede in der Apg., die ausdrücklich von gnostischen Irrlehrern spricht und vor ihnen warnt. Lukas geht es also nicht in erster Linie um den Abschied des Paulus von den ephesinischen Gemeindeleitern; dies ist nur das notwendige Gewand

für die eigentliche Aussage: Kirche kann im Ablauf der Heilsgeschichte allein dann erhalten bleiben, wenn die apostolische Tradition durch apostolische Amtsnachfolge gegenüber gnostischen Häretikern abgesichert wird. Deshalb versichert Lukas gleich in Vers 20 und beteuert denselben Sachverhalt noch einmal in Vers 27, daß Paulus das ganze und vollständige Evangelium öffentlich und in den Hausgemeinden verkündet hat, ohne etwas für das Heil der Christen Notwendiges zu verschweigen bzw. zurückzuhalten. Auch den Gemeindeleitern hat er nach Vers 27 «den ganzen Ratschluß Gottes» verkündet. Auch wenn hier traditioneller Stil der Abschiedsreden überhaupt vorliegt, so können die wiederholten und mit solchem Nachdruck hervorgehobenen Beteuerungen, nichts vor den Gemeinden geheimgehalten zu haben, nur den einen konkreten Anlaß haben: Lukas wendet sich hier gegen christliche Gnostiker, die ihre Geheimlehren auf Paulus zurückführten und sie den bloßen Psychikern vorenthielten. Die überlieferte paulinische Lehrtradition dagegen ist ausreichend, mehr ist im Gegensatz zu den Gnostikern nicht erforderlich und an sie allein hat sich die rechtgläubige Kirche bis zur Wiederkunft ihres Herrn zu halten.
Die Verantwortung dafür, daß die apostolische Tradition unverfälscht von der rechtgläubigen Kirche bewahrt wird, tragen die Presbyter als Bischöfe (= Vers 28). Sie sollen als Hirten die Schafherde weiden und sie vor den Verführungen der gnostischen Irrlehrer schützen. Denn so läßt jetzt Lukas Paulus den ganz konkreten Anlaß seiner Abschiedsrede formulieren: «Ich weiß, daß nach meinem Hingang grausame Wölfe zu euch kommen werden, die die Herde nicht verschonen, und selbst aus eurer Mitte werden Männer aufstehen, die Verkehrtes reden, um die Jünger hinter sich her zu ziehen» (Vers 29). Nach dem Tode des Paulus werden die Gnostiker in die Gemeinden eindringen. Wie in Mt. 7,15 (vgl. aber auch Did. 16,3; Ign-. Phil. 2,2 u. a.) werden die Häretiker «reißende Wölfe» genannt, die die «Herde» (= Gemeinde) zugrunde richten werden. Nach Vers 29 dringen sie von außen in die Gemeinde ein, während sie nach Vers 30 in ihnen selbst aufstehen werden. Abgesehen von der Wertung «Verkehrtes», «verdrehtes Zeug» erfahren wir über den Inhalt ihrer Theologie und Ethik nichts. Aber das dürfte auch gar nicht nötig gewesen sein, weil zu Beginn des 2. Jh. n. Chr. die lukanischen Gemeindeältesten längst mit der gnostischen «Ethik» und Praxis bekannt waren. Mit anderen Worten: Die «Ethik» der von Lukas bekämpften gnostischen Irrlehre ist sachlich deckungsgleich mit derjenigen gewesen, auf die wir in den späten Schriften des Neuen Testaments überhaupt stoßen: Antinomismus und Libertinismus wie totale Entweltlichung waren ihre entscheidenden Stichworte. Bleibt nur noch abschließend festzuhalten, daß für Lukas sowohl die apostolische Tradition als auch das apostolische Amt die beiden entscheidenden Faktoren im antignostischen Ketzerkampf waren.

6. Die Offenbarung des Johannes

Der Apokalyptiker Johannes hat in einer schweren Krisenzeit von Patmos an sieben Gemeinden in Kleinasien geschrieben, um sie in ihrer Not, aber auch Schuld zu mahnen, aufzurichten und zu strafen. Von zwei Seiten sieht der Apokalyptiker die Kirche bedroht, einmal innerlich von der Gnosis und zum andern äußerlich von der politischen Macht des römischen Imperiums. Es interessiert uns in diesem Zusammenhang ausschließlich die innere Situation der kleinasiatischen Gemeinden, die durch das Nachlassen bzw. Verlassen der «ersten Liebe» (2,4), durch Lauheit, aber auch durch Standhaftigkeit und Treue gekennzeichnet ist. Insbesondere aber sind gnostische Ketzer in den Gemeinden aufgetreten, denen nach dem Urteil des Johannes nicht genügend Widerstand entgegengesetzt worden ist. Diese Gefahr der Gnosis sowie die kompromißlose antignostische Polemik des Apokalyptikers findet sich allerdings nur in den Sendschreiben, nicht dagegen in den Visionen. Wie im Johannesevangelium und in den Johannesbriefen ist auch die Kirche in Kleinasien von der Gnosis bedroht. Wir schauen hinein in die aktuellen Auseinandersetzungen und Kämpfe der rechtgläubigen Großkirche mit der gnostischen Irrlehre am Beginn des 2. Jh. n. Chr.

Konkret werden die Gemeinden von Ephesus (2,2 und 6), Pergamon (2,14f), Thyatira (2,20–24) und Sardes (3,4) von Johannes gerügt, weil sie den Gnostikern in ihren eigenen Reihen nicht genügend Widerstand entgegengesetzt haben. Trotz der verschiedenen Ketzerbezeichnungen (Bileamiten, Nikolaiten, die Prophetin Isebel) und der zum Teil unterschiedlichen Anschuldigungen weist die Polemik des Johannes so viel gleichlautende bzw. ähnliche Merkmale auf, daß auf eine einheitliche gegnerische Front der christlichen Gnosis geschlossen werden kann. So werden die gnostischen Irrlehrer in Ephesus (2,6) und Pergamon (2,15) Nikolaiten genannt. Auch wenn der Ursprung dieser Bezeichnung bis heute nicht restlos geklärt ist, so dürfte die altkatholische Deutung noch am wahrscheinlichsten sein, die diese Selbstbezeichnung christlicher Gnostiker auf Nikolaos von Antiochien zurückführt, der dem Führungsgremium der Sieben in der hellenistischen Kirche (Apg. 6,5) angehörte. Wenn die Nikolaiten in Off. Joh. 2,14 zugleich Anhänger Bileams genannt werden (4. Mos. 22–24; 25ff und 31,16), so sollen damit von Johannes nicht zwei verschiedene gnostische Gruppen bezeichnet werden, sondern wie Bileam einst die Israeliten zum Götzendienst anstiftete, so verführen die Nikolaiten Christen innerhalb der Gemeinde von Ephesus, Pergamon und Sardes zum gnostischen Libertinismus. Mit anderen Worten: Bileamiten und Nikolaiten sind ein und dieselben gnostischen Irrlehrer, die in den kleinasiatischen Gemeinden von Johannes bekämpft werden.

In der Gemeinde von Thyatira dagegen war eine Prophetin die Anführung der christlichen Gnostiker. Johannes nennt sie polemisch Isebel als altte-

stamentlicher Typus für die gnostische Irrlehre in Thyatira. Als heidnische Ehefrau des israelitischen Königs Ahab hatte sie den Propheten Elia verfolgen lassen (1. K. 16,31ff), sowie Götzendienst und Unzucht getrieben (2. K. 9,22). Sie war in Wirklichkeit eine falsche Prophetin, die im gnostischen Sinne mit Erfolg missionierte und ein ausschweifendes Leben führte. Ihr selber wie ihren Anhängern wird von Johannes das göttliche Strafgericht angedroht (2,21ff). Die einzelnen Anschuldigungen gegen die gnostischen Irrlehrer in den kleinasiatischen Gemeinden können wie folgt zusammengefaßt werden:
1. Durch ihre gnostische Propaganda und Lehrtätigkeit betrügen und verführen sie die Gemeindeglieder. Johannes disqualifiziert die Häretiker in Ephesus als Falschapostel und Lügner (2,2), und in Pergamon als Nachahmer Bileams und Verführer der Gemeinde (2,12f). Die Prophetin Isebel ist eine Falschprophetin, die die «Knechte» Christi verführt (2,20 und 24).
2. Typisch gnostisch ist ihr hochgesteigertes Selbstbewußtsein wie ihr überhebliches Überlegenheitsbewußtsein gegenüber den nichtgnostischen Gemeindegliedern. Die Sendboten des Nikolaos nannten sich «Apostel» in Ephesus (2,2) und in Thyatira war eine Prophetin, von Johannes abfällig «Isebel» genannt, die Leiterin der christlichen Gnostiker. Sie behaupten, «die Tiefen des Satans» zu kennen. Mit diesem von Johannes wohl mit Absicht korrigierten Schlagwort ist ursprünglich der Anspruch der Gnostiker gemeint, die Abgründe der Fülle der Gottheit und die Geheimnisse der Weltmächte erkannt zu haben. Ist diese Exegese richtig, dann liegt hier eine kaum mehr zu überbietende Persiflage der demonstrierten Überheblichkeit der Gnostiker vor, weil sie nach der Umkehrung ihrer Gnosis nur noch die Thesen und Geheimnisse Satans erkennen. 3. Vor allem aber ist der ethische Wandel verwerflich und wird von Johannes mit äußerster Schärfe gebrandmarkt. Johannes «haßt» wie die Gemeinde in Ephesus «die Werke der Nikolaiten» (2,6), nämlich ihre libertinistische Ethik, die sich direkt aus ihrem antikosmischen Dualismus von weltlosem Gott und gottloser Welt ableitet. Von größter Wichtigkeit sind auch hier wiederum die Parallelen zur antignostischen Polemik des Paulus im 1. Kor. Hier wie dort nimmt der christliche Gnostiker demonstrativ an Götzenopfermahlen in den heidnischen Tempeln teil (vgl. nur 1. Kor. 8,1–11,1 und Off. Joh. 2,14 und 20). Der Gnostiker, der «alle Gnosis» hat (1. Kor. 8,1), gehört als Pneumatiker schon jetzt der jenseitigen Herrlichkeitswelt des höchsten Gottes an und besitzt die Freiheit vom gottlosen Kosmos. Darum ist der Gnostiker – das beweisen der 1. Kor. wie die Sendschreiben der Apok. Joh. – befreit vom alttestamentlich-jüdischen Kultgesetz, so daß er bedenkenlos am heidnischem Kult teilnehmen und Götzenopferfleisch essen kann. Alle Speisen – auch und gerade die ritualgesetzlich verbotenen – gehören zum widergöttlichen Bereich des Teufels und sind für den Gnostiker theologisch irrelevant (1. Kor. 6,13a und 8,8). Weil das alttestamentlich-jüdische Ritualgesetz aufgrund des

Dualismus auf die Seite des verabscheuungswürdigen und darum zu hassenden Kosmos gehört, wird es vom christlichen Gnostiker verabschiedet, so daß man bedenkenlos Götzenopferfleisch essen kann.
Aber die libertinistische Ethik der Gnostiker zeigt sich vor allem in der dualistisch-motivierten Freiheit vom mosaischen Moralgesetz. Wie in Korinth (vgl. das Schlagwort «alles ist mir erlaubt» in 1. Kor. 6,12a und 10,23) so auch in Pergamon (2,14) und Thyatira (2,20) ist die Unzucht nicht nur erlaubt, sondern geradezu geboten. Nicht nur das mosaische Kult-, sondern auch und gerade das mosaische Moralgesetz und damit alle Ethik gehören dualistisch auf die Seite des unteren, diabolischen Kosmos. Für den Gnostiker ist das Gesetz weder göttlichen Ursprungs noch gar der entscheidende Heilsmittler. An die Stelle des göttlichen Moralgesetzes tritt jetzt der in Wesensgemeinschaft und Wesenseinheit stehende Gnostiker. Unzucht als der nur weltliche Umgang mit Weltlichem tangiert nicht das Wesen des eigentlichen Pneuma-Selbst, schadet also der Erlösung des Gnostikers keineswegs. Wegen dieses libertinistischen Lebenswandels wird den Gnostikern von Johannes das Gericht Gottes angekündigt (2,15f.22 u. a.).

7. Der Judasbrief

Der Judasbrief ist in seiner Ganzheit nichts anderes als ein antignostisches Flugblatt bzw. eine antihäretische Kampfschrift, die sich in der Form eines Briefes an die gesamte Christenheit wendet. Zwar werden die Irrlehrer mit ihrem lasterhaften Lebenswandel vom Verfasser in übelster Weise beschimpft, aber eine wirkliche Auseinandersetzung mit ihren Lehren und Praktiken findet nirgends statt. Der Verfasser entrüstet sich mehr über ihr schändliches Treiben und schildert ausführlich ihre Vorläufer im Alten Testament (8–16), als daß er ihre Theologie und Praxis mit Argumenten widerlegt. Auch wenn die Anschauungen der Gegner nur umrißhaft rekonstruiert werden können, so viel ist deutlich, daß sich die überaus schroffe Polemik gegen christliche Gnostiker der antinomistischen Richtung richtet, die das Kommen des Antichrists verkörpern (17f). Ob sich die Häretiker von außen in die Gemeinde «eingeschlichen» (4) haben oder ob der Konflikt in ihnen selbst ausgebrochen ist, kann nicht mehr ausgemacht werden, ist aber auch für die Darstellung ihrer «Ethik» von untergeordneter Bedeutung. Jedenfalls läßt der Judasbrief keinen Zweifel daran, daß es sich – wie in allen bisher behandelten neutestamentlichen Schriften – um christliche Gnostiker handelt, die nicht außerhalb der Kirche stehen. Dafür sprechen mehrere Gründe: Sie nehmen an den Agape-Abendmahls-Feiern teil (12), beteiligen sich also aktiv am Gottesdienst und Gemeindeleben der rechtgläubigen Christen und entfalten eine erfolgreiche Missionstätigkeit um Lohn (16), vor allem unter Wohlhabenden und Gebildeten (16). Da sie typisch gnostisch in der Kirche zwischen Psychikern (= die Träger einer nur irdisch-vergänglichen Seele) und den Pneumatikern (= die eigentlichen Gnostiker) unterscheiden, spalten sie die Gemeinden (19), auch wenn sie von den der apostolischen Tradition verpflichteten (3f), rechtgläubigen Gemeindegliedern noch geduldet werden (27f).

Auf jeden Fall will der Verfasser dieses antignostischen Flugblattes in den bedrohten Gemeinden die Trennung der Häresie von der Orthodoxie durchsetzen. Wie in Korinth (1. Kor. 2,6ff.14; 3,1) trennen die gnostischen Gegner des Jud. dualistisch zwischen den Pneumatikern, die dem Wesen nach zur oberen Lichtwelt des höchsten Gottes, und den Psychikern bzw. Sarkikern, die zum unteren gottlosen Kosmos gehören. Diesem anthropologischen Wesensgegensatz von Pneuma und Sarx-Psyche entspricht auf der kosmologischen Seite der Dualismus zwischen den beiden sich ausschließenden Machtbereichen, des lebenschaffenden Pneuma und der tötenden Sarx. Aufgrund dieser dualistischen Scheidung der Christen in Pneumatiker und Psychiker erweisen sich die Irrlehrer als typische Gnostiker, die auf die rechtgläubigen Christen als Psychiker hochmütig herabsehen. Denn sie behaupten, ekstatischer Visionen und besonderer Offenbarungen teilhaft zu sein (Vers 8) und d. h. die wahre Gnosis zu besitzen. Außerdem reden sie aufgrund ihres pneumatischen Selbstbewußtseins «hochfahrende Dinge» (8.10), und lästern bzw. verachten die Herrschaft des niederen Demiurgengottes (15f) wie der ihm unterstehenden Engelmächte, der Archonten. Der Weltschöpfer und Gesetzgeber wie die Engel werden typisch gnostisch als untere, niedrige Unheilsmächte vom höchsten Gott getrennt und verachtet.

Schließlich entspricht dieser dualistischen-pessimistischen Weltverachtung ihre libertinistische Ethik, mit der die christlichen Gnostiker demonstrativ ihre dualistisch motivierte Freiheit von der alttestamentlichen Offenbarung des Schöpfergottes und seines Moralgesetzes bekundeten. Weil das Moralgesetz und jegliche sittliche Ordnung überhaupt dualistisch auf den unteren diabolischen Machtbereich des bösen Schöpfergottes begrenzt ist, ist es für den Gnostiker geradezu eine Pflicht, durch Übertretung seiner Moralgebote und seiner von ihm gesetzten Ordnungen den Demiurgen zu mißachten und zu verhöhnen (4.7f.16 und 18), indem sie ihr Fleisch beflecken (8 und 22). Darüber hinaus beweist die schrankenlose Freiheit gegenüber den Moralgeboten die Unversehrtheit des Pneuma-Selbst durch die untere Welt der Materie und des Leibes. Aus derselben dualistischen Grundeinstellung haben andere Gnostiker normalerweise die weltentsagende Askese als totale Entweltlichung dem Libertinismus vorgezogen. Aber sowohl radikale Askese als auch Libertinismus sind die zwei Seiten ein und desselben dualistisch motivierten, schrankenlosen Überlegenheitsbewußtseins, das keineswegs auf die christlichen Gnostiker des Jud. beschränkt ist, sondern – wie die Belege in 1. Kor. 5

und 6 und Off. Joh. 2,6.14f.22ff beweisen – im Urchristentum und der frühen Kirche auch sonst praktiziert worden ist. Eine weitere Parallele zu den Gnostikern in Korinth (vgl. 1. Kor. 11) sind nach Jud. 12 die Ausschweifungen bei den Abendmahlsfeiern, die jede Rücksichtnahme auf die mitfeiernden Psychiker vermissen läßt und nur das eigene Heil des Pneumatikers im Auge hat. Der Ketzerbestreiter Irenäus hat diese libertinistische Ethik der Gnostiker treffend charakterisiert: «Wie nämlich das Gold im Kote seine Schönheit nicht verliert und sein Wesen bewahrt ..., so werden auch sie (= die Gnostiker) nicht beschädigt noch verlieren sie ihr pneumatisches Wesen, da die materiellen Taten sie nicht berühren» (adv. haer. I 6,2).
Allerdings besteht kein Anlaß, diese libertinistischen Gnostiker mit den ausgebildeten, gnostischen Systemen des 2. Jh. n. Chr. in Verbindung zu bringen, Parallelen sind vielmehr die übrigen späten Schriften des Neuen Testaments.

8. Der 2. Petrusbrief

Der Zweck des 2. Petr. ist ausschließlich der Bekämpfung der christlichen Gnostiker gewidmet. Aus diesem Grunde hat diese jüngste Schrift des neutestamentlichen Kanons in 2. Petr. 2 den Jud. – aber nicht nur hier – weitgehend übernommen und überarbeitet, so daß die Ketzerpolemik massiv verstärkt wird. Statt detaillierter Argumente wird den Irrlehrern (2,1) mit derben Schimpfworten («Ein Hund kehrt zu seinem Auswurf zurück» und «ein Schwein bettet sich, um sich im Kot zu wälzen», 2,22), einprägsamen, alttestamentliche Strafbeispielen (Engelfall, 2,4; Sintflut, 2,5; Sodom und Gomorrha, 2,6) und farbigen Bildern (2,10.12.14f.18 u. a.) der Untergang angedroht. Bei solcher pauschalen Verunglimpfung der Gegner kann man kaum mehr sachliches Informationsmaterial über den Jud. hinaus erwarten. Obwohl es sich bei den Gnostikern um eine gegenwärtige Bedrohung der rechtsgläubigen Kirche handelt, hat der Apostelfürst Petrus in seinem Testament (= der 2. Petr.!) das Auftreten der Ketzer in den letzten Tagen vorhergesagt (3,1–3). Ihre Lehre erheben sie gegen den ursprünglichen Wortsinn der Texte aus dem Alten Testament (1,20). In den Augen des Hüters der Orthodoxie aber ist diese gnostische Umdeutung der alttestamentlichen Schriften eigenmächtig (1,20) und d. h. unbefugt. Nach 3,16 haben sie nicht nur die Briefe des Paulus «verdreht», sondern auch die «übrigen Schriften» Alten und Neuen Testaments verfremdet. Gerade diese Vorwürfe treffen präzis die typisch gnostische Schriftauslegung: Indem sie alttestamentliche und neutestamentliche Texte ihrem Ansinnen rigoros unterwerfen, also ihren Sinn für ihre Zwecke gewaltsam ausbeuten, stellt diese ihre Protestexegese eine Bedrohung der rechtgläubigen Kirche dar. Und gerade im Vollzug der Interpretation von christlichen und ebensosehr nichtchristlichen Texten entfaltete sich gnostische Theologie und «Ethik».

Ein weiteres, aber typisches Merkmal dieser gnostischen Irrlehrer (2,1) ist ihre Leugnung der Parusie, d.h. der apokalyptischen Wiederkunft des Herrn zum Gericht und Heil (3,4). Diese radikale Ablehnung der jüdischen Apokalyptik mit der Ankunft des Menschensohn-Weltrichters, der Vernichtung des alten Aeons und der Neuschöpfung von Himmel und Erde ist typisch gnostisch. An ihre Stelle trat eine präsentische und individuelle Eschatologie. Einige Beispiele mögen das belegen: Schon die korinthischen Gnostiker verwirrten die Gemeinde mit ihrer Parole: «Eine Totenauferstehung gibt es überhaupt nicht» (1. Kor. 15,12). Die vorjohanneische Grundschrift betonte immer wieder die volle Präsenz des Heils (3,17ff; 5,24f; 11,24ff u. a.) und die von den Pastoralbriefen bekämpften christlichen Gnostiker vertraten die These: «Die Auferstehung der Toten ist schon geschehen» (2. Tim. 2,18). Ebenso wird die Verneinung der apokalyptischen und urchristlichen Parusieerwartung sowohl von späteren original gnostischen Schriften (Ev. Thom. 51; Reginusbrief 45,26ff) als auch von den Kirchenvätern polemisch bestätigt (Ir. adv. haer. I 23,5; II 31,2; Just. Ap. I 26,4).

Daß es sich bei diesen von den Aposteln vorhergesagten Häretikern um christliche Gnostiker handelt, legt vor allem auch die Freiheitsparole von 2,19 nahe, in der das gnostische Schlagwort «Freiheit von der Vergänglichkeit» direkt an die Parole: «alles steht mir frei» der korinthischen Gnostiker erinnert (1. Kor. 6,12 und 10,23). Hier wie dort hat dieser dualistisch motivierte Kampfruf der Gnostiker zur pneumatischen Revolte gegenüber jeglicher schöpfungsmäßigen, moralgesetzlichen, kirchlichen und bürgerlichen Ordnung geführt (2,2.10.13f.18 u. a.). Im Gegensatz zu den vom Teufel versklavten Psychikern und Sarkikern ist der Gnostiker aufgrund des Pneuma-Selbst von allen gesetzlichen und schöpfungsmäßigen Ordnungen des niedrigen Demiurgengottes befreit, und diese schrankenlose, weil dualistisch begründete Freiheit muß lebenslang nicht nur propagiert, sondern vor allem praktiziert werden. Immer wieder schildert der 2. Petr. ihr libertinistisches Treiben: Die Gnostiker leben in «Ausschweifungen» (2,2), tun «gesetzwidrige Werke» (2,8) und sind «in Gier nach Befleckung hinter dem Fleisch her» (2,10). Ihre «fleischlichen Begierden» haben Köderwirkung für die neubekehrten Heiden (2,18). Sie verachten durch ihren das Moralgesetz ausschaltenden Libertinismus «die Herrschermächte» Gottes oder Christi (2,10). Neben der Schwelgerei (2,13b) tritt immer wieder die sexuelle Gier: «Ihre Augen sind voller Gier nach der Ehebrecherin und blicken ruhelos nach Sünden aus» (2,14). Den «geraden Weg» (2,15), d.h. Gehorsam gegenüber Gottes Gesetz, haben sie gegen «die Gesetzeswidrigkeit» eingetauscht (2,16). Weil sie «den Weg der Gerechtigkeit» und das «heilige Gebot» dualistisch annullieren (2,21), also die gesamte christliche Ethik demonstrativ auf den unteren

Demiurgengott und seine Helfer zurückführen, wird ihnen vom Verfasser der «Lohn für ihre Ungerechtigkeit» (2,13), eben die ewige Verdammnis, angedroht.

Allerdings ist gegenüber dem Jud. insofern eine wichtige Verschiebung eingetreten, als von gemeinsamer Agape und Abendmahlsfeiern zwischen häretischen Gnostikern und orthodoxen Gemeindechristen keine Rede mehr ist. Während Jud. 12 noch diese gemeinsamen Agapen voraussetzt, spricht 2. Petr. 2,13 ausdrücklich von ausschweifenden Privatmählern.

5. Kapitel
Der Apostel Paulus

A. Die Frühphase der paulinischen Ethik

I. Der frühe und der späte Paulus

1. Auswertung der bisherigen Entwicklungshypothesen

Daß die paulinische Theologie und Ethik eine Entwicklung mit tiefgreifenden Veränderungen durchgemacht haben, wird seit über hundert Jahren im internationalen Rahmen diskutiert. Um so mehr erstaunt die Tatsache, daß sämtliche Veröffentlichungen über die paulinische Ethik von diesen Forschungsergebnissen so gut wie keine Notiz nehmen. Man muß es schon kurios nennen, wenn alle Darstellungen der paulinischen Ethik die bewußte Unterscheidung zwischen einer Früh- und Spätphase entweder nicht kennen oder sie mit Vehemenz ablehnen. Nur ganz vereinzelt und am Rande kommt man auf diese Unterscheidung zu sprechen, ohne sie allerdings zum beherrschenden Ansatz einer Ethik des Apostels zu machen.

Da fast alle Untersuchungen zur paulinischen Ethik nicht zwischen dem frühen und dem späten Paulus unterscheiden, erheben sie faktisch, wenn auch unkontrolliert und unbewußt, die spätpaulinische Ethik. Die gängige Meinung und Parole lautet auch heute noch: Es gibt nur einen Paulus und deshalb auch nur eine Ethik; alle bisherigen Entwicklungshypothesen oder gar Thesen von tiefgreifenden Wandlungen innerhalb der paulinischen Ethik sind inhaltliche Konstruktion.

Deshalb ist zuerst ein kurzer, wenn auch kritischer Überblick über die bisherigen Ergebnisse der internationalen Forschung mit ihren wichtigsten Entwicklungshypothesen unumgänglich. Denn ohne die Annahme und den Nachweis einer tiefgreifenden Entwicklung und Wandlung innerhalb der paulinischen Ethik kann diese aufgrund seiner Briefe weder rekonstruiert noch gar interpretiert werden. Paulus hat sich eben in seinen ethischen Anschauungen samt den Begründungszusammenhängen und Normen geändert. Und auf diese Änderung kommt alles an, wenn die Ethik des Paulus gerade auch in ihrer Bedeutung für die Gegenwart herausgearbeitet werden soll.

a) Seit über hundert Jahren ist das Problem einer Entwicklung innerhalb der paulinischen Theologie und Ethik in der deutschen Forschung erkannt und zu lösen versucht worden. Von größter Bedeutung sind hier die scharfsinnigen Untersuchungen von C. Holsten, A. Lüdemann und O. Pfleiderer zu nennen. Sie alle kamen zur Unterscheidung von zwei Anthropologien und damit zusammenhängend von zwei verschiedenen Erlösungslehren, einer jüdisch-juridischen und einer hellenistisch-dualistischen (= «ethisch-physischen»). Dort: Willensfreiheit, Erfüllbarkeit des Gesetzes, Sünden als Verfehlungen, Anrechnung der Gerechtigkeit und

Glaube. Hier: das Fleisch bewirkt die Sünde und damit den Tod, Erlösung ist Befreiung von der Macht des Fleisches. Zwischen beiden Anschauungen herrscht ein zeitliches Nacheinander: während die jüdisch-juridische Anthropologie und Erlösungslehre in die Frühphase des Paulus gehört, ist die hellenistisch-dualistische seiner Spätphase zuzurechnen und wird als die eigentliche Ansicht des Apostels gewertet.

Diese Entdeckung einer «Entwicklung innerhalb des paulinischen Lehrbegriffs» und die damit verbundene Annahme «verschiedener Phasen im Denken und Leben» des Paulus hat bis in die Moderne gewirkt.

So wurde und wird die These einer Entwicklung der paulinischen Eschatologie von einem breiten Strom der Forschung vertreten, die einen langsamen Hellenisierungsprozeß der paulinischen Eschatologie annahm und aus der Brieffolge von 1. Thess. über den 1. Kor. und 2. Kor. bis zum Phil. eruiert werden kann. In diesem Zusammenhang betonen zum Beispiel J. Jeremias, W. Marxsen, E. Bammel, W. Grundmann, E. Güttgemanns, C. H. Hunzinger und J. Becker, daß Paulus in 1. Thess. 4,13ff nur die traditionell apokalyptische Erwartung der Totenauferweckung bei der Parusie kenne, während er in 1. Kor. 15,23.51ff; 2. Kor. 5,1–5; Phil. 1, 21ff; 3,20f auf eine Verwandlung und Vereinigung mit dem Kyrios Christos vor der Parusie schon im Augenblick des Todes der Christen hofft.

Diese Divergenzen zwischen den verschiedenen Hoffnungsanschauungen des Paulus können nicht harmonisierend als Akzentverlagerungen aufgehoben werden, sondern sind Indiz dafür, daß sich in der Eschatologie des Paulus ein tiefgreifender Wandel vollzogen hat, so daß er in der Spätphase zu einer neuen Bekenntnisaussage der Hoffnung durchstößt. Die These einer grundsätzlichen Entwicklung innerhalb der paulinischen Eschatologie ist also in seinen Hauptbriefen mit Leichtigkeit nachweisbar und keinesweges als inadäquater Auslegungsversuch zu diffamieren.

Eine weitere Entwicklungshypothese betrifft die Rechtfertigungslehre. G. Strecker wie U. Wilckens weisen unabhängig voneinander zu Recht darauf hin, daß der frühe Paulus eine ausgeführte Rechtfertigungslehre noch nicht kennt, sondern diese vielmehr erst vom Gal. an in den späteren Hauptbriefen erscheint (Gal. 2f; Phil.3 und Röm. 3f). Diese Rechtfertigungslehre, die im 1. Thess. fehlt, als akut polemische Kampfeslehre ist erst aus den großen Kämpfen mit jüdischen und judenchristlichen Gegnern erwachsen und von Paulus in den genannten späteren Hauptbriefen entfaltet worden. Auch in diesem Fall hat sich Paulus geändert, und zwar aufgrund der Angriffe seiner jüdischen und judenchristlichen Gegner. Dieser Judaismus erfordert alle Aufmerksamkeit des Paulus, vor allem aber ein grundsätzliches Durchdenken der traditionellen Gesetzes- und Rechtfertigungsthematik. Paulus hat sich dieser zentralen Problematik gestellt und sich dabei selbst gewandelt. Das alles läßt darauf schließen, daß er die ihn als eigenständigen und überragenden Theologen der Urchristenheit auszeichnende Rechtfertigungslehre erst in der Spätphase seiner Wirksamkeit im Osten des römischen Weltreiches entfaltet hat. Sie ist dem frühen Paulus des 1.Thess. noch gänzlich unbekannt, da er hier immer noch in der theologischen Abhängigkeit seiner hellenistischen Mutterkirche steht. Erst die jahrelangen und überaus scharfen Auseinandersetzungen mit nomistischen Judenchristen haben ihn gezwungen, die polemisch gewonnene Position der Rechtfertigungslehre mit der alles entscheidenden Antithese «allein aus Glauben – nicht aus Werken des Gesetzes» als das Zentrum des Evangeliums und des christlichen Glaubens überhaupt herauszuarbeiten. Wiederum ist mit Nachdruck festzuhalten, daß Paulus erst in der Spätphase seines Wirkens zu einer grundsätzlich neuen Darlegung seiner Rechtfertigungslehre vorgestoßen ist, die er in seiner Frühphase nach Ausweis des 1.Thess. weder gekannt noch seinen Gemeinden vorgetragen hat. Auch in der Erlösungslehre ist also die These einer grundsätzlichen und tiefgreifenden Entwicklung nicht mehr von der Hand zu weisen.

In diesen Forschungstrend gehörte der Versuch von H. Hübner, innerhalb des paulinischen Gesetzesverständnisses eine Entwicklung zwischen dem antinomistischen Gal. und dem positiven Röm. anzunehmen. Aber dieser Versuch kann schon deshalb nicht überzeugen, weil beide Hauptbriefe in die Spätphase gehören und außerdem beide die Rechtfertigungslehre als antijudaistische Kampfeslehre entfalten. Im übrigen steht z.B. die antinomistische Aussage von Röm.5,20 der Gesetzeskritik im Gal. in nichts nach. D.h. aber: Die Gesetzeslehre des Paulus hat schon eine Entwicklung durchlaufen. Nur ist diese nicht in den späten Hauptbriefen anzusiedeln, sondern – wie wir gleich sehen werden – verläuft die entscheidende Zäsur zwischen dem frühen 1.Thess. einerseits und den übrigen späten Briefen andererseits.

Schließlich hat J.L.Houlden tiefgreifende Wandlungen in der paulinischen Ethik aufweisen wollen, indem er eine ursprünglich leidenschaftliche Askese aufgrund der apokalyptischen Eschatologie von seiner späteren konventionellen Weltverantwortung bzw. -anpassung abhob. Aber dieser Versuch ist mißlungen; weder kennt die Frühphase der paulinischen Ethik (= der 1.Thess.) eine apokalyptisch motivierte Askese noch die Spätphase eine ausschließlich konventionelle Weltverantwortung und -anpassung (vgl. 1.Kor.7,1ff !).

Damit wird aber keineswegs die an sich berechtigte These einer ethischen Entwicklung des Paulus verworfen. Sie ist vielmehr das Thema dieses ganzen folgenden Abschnittes.

b) In der deutschen Paulusforschung wird meistens nicht zur Kenntnis genommen bzw. zu leicht vergessen, daß das umstrittene Thema einer theologischen und ethischen Entwicklung des Paulus im angelsächsischen und amerikanischen Bereich seit langem von nicht zu übersehender Bedeutung ist. Überblickt man die Forschungsgeschichte, dann ist kritisch folgendes festzuhalten: Eine Reihe von angelsächsischen und amerikani-

schen Neutestamentlern weist auf die inhaltlichen Differenzen zwischen 1. Kor. 15 und 2. Kor. 5 hinsichtlich der Eschatologie oder zwischen dem 1. Thess. als einer frühen Stufe und dem 1. Kor./2. Kor. als einer späteren Stufe der eschatologischen Entwicklung von Paulus hin. Schließlich konstatiert eine dritte Gruppe von Forschern Entwicklungen im Hinblick auf die verschiedensten Themata bei Paulus, wie z. B. Sterben und Auferstehen mit Christus, die paulinische Ethik, die Anschauung vom Leibe Christi, die Werk-Glaube Antithese, das Gesetzesverständnis oder die Rechtfertigungslehre.
Auch in der angelsächsischen wie amerikanischen Forschung besteht also weithin Einigkeit darüber, daß sich in der Lehre des Paulus anhand seiner Briefe eine Entwicklung innerhalb seiner Theologie und Ethik bemerken läßt.
Wertet man kritisch die bisherigen Entwicklungshypothesen in der deutschen und angelsächsischen wie amerikanischen, vereinzelt auch französischen Forschung aus, so wird man an der Tatsache nicht mehr vorübergehen können, daß zwischen dem frühen und dem späten Paulus eine Entwicklung innerhalb seiner Theologie wie Ethik stattgefunden hat. Vor allem aber hat diese hundertjährige immense, internationale Forschungsarbeit gezeigt, daß der Begriff der «Entwicklung» nicht nur eine Tendenz zur Verdeutlichung bestimmter Anschauungen und Vorstellungen umschreibt, sondern daß zwischen der Früh- und Spätphase paulinischer Theologie und Ethik Spannungen, ja sogar Differenzen und tiefgreifende Wandlungen bestehen, die nicht harmonisierend ausgeglichen werden dürfen, um eine scheinbare Einheit wie Geschlossenheit der paulinischen Lehre zu erreichen. Vielmehr ist vom Exegeten mit Nachdruck festzuhalten, daß Paulus sich in seiner Lehre geändert hat, und diese Entwicklung eine inhaltliche Veränderung des Ursprünglichen nicht aus-, sondern einschließt.

2. Der frühe 1. Thess. und die späten Hauptbriefe

Auf diesem Hintergrund der Forschungsgeschichte erhält die literarische Zäsur zwischen dem 1. Thess. als dem ältesten überlieferten Paulusbrief und den späteren Hauptbriefen ihr besonderes Gewicht. Denn ohne eine sorgfältige Differenzierung innerhalb der echten Paulusbriefe (= der 1. Thess. einerseits und Gal., 1. und 2. Kor., Phil., Röm. andererseits) ist ein Verstehen der paulinischen Ethik heute jedenfalls nicht mehr möglich. Weil der 1. Thess. der früheste uns erhaltene Paulusbrief ist, hat er für die Entwicklung der Ethik von der Früh- zur Spätphase erstrangige Bedeutung. Ja, als einziges Zeugnis frühpaulinischer Theologie und Ethik hat der 1. Thess. geradezu die Schlüsselstellung inne.
a) Schon lange ist der Forschung aufgefallen, wie theologisch und ethisch

dürftig die Aussagen in diesem Brief ausgefallen sind, die der frühe Paulus hier macht. Man hat mit Recht darauf hingewiesen, daß sich die frühpaulinische Sprache im 1. Thess. noch nicht aus der traditionellen Terminologie seiner hellenistischen Kirche gelöst hat und der aufmerksame Leser von seiner anfänglichen Begrifflichkeit überrascht wird. Im Gegensatz zu seinen späteren Hauptbriefen stößt man im 1. Thess. nur auf einige einfache theologische und ethische Themata des frühen Paulus. Und schließlich ist der 1. Thess. im Unterschied zu den späten Paulusbriefen am stärksten von der urchristlichen Apokalyptik bestimmt.
Vergegenwärtigt man sich alle diese Charakteristika des 1. Thess., die gerade das Typische der späteren Pauluslehre zu Recht vermissen lassen, dann kann man verstehen, wenn frühere theologische Forschergenerationen den ganzen 1. Thess. für unecht gehalten haben. (vgl. K. Schrader, F. C. Baur und ein Teil der sog. Tübinger Schule: Vollmar und Holsten!). Auch wenn diese spektakuläre Bestreitung der Echtheit des 1. Thess. heute keine Anhänger mehr findet, so wird stattdessen seine Einheitlichkeit abgelehnt bzw. werden einzelne Textabschnitte für nichtpaulinisch gehalten (z. B. 2,13–16; 4,1–8.10b–12; 5,1–11.12–22). Aber auch diese literarkritischen Versuche sind nicht überzeugend, da sie als Kriterium für die Ausscheidungen paulinischer Abschnitte im 1. Thess. durchweg die spätpaulinische Lehre seiner Hauptbriefe heranziehen.
Zuzugeben ist, daß – gemessen an der Theologie und Ethik der Spätphase seiner Briefe – die Aussagen im 1. Thess. vielen Exegeten dürftig erscheinen und tatsächlich das Typische und Zentrale der Paulusbotschaft vermissen lassen. Die Folge war, daß der 1. Thess. fast durchweg nur zur Abrundung und Bestätigung seiner aus den späten Paulusbriefen erhobenen Theologie und Ethik herangezogen wurde.
Aber wie die neuesten Untersuchungen gezeigt haben, sind das alles keineswegs Symptome für die Hypothese einer Unechtheit oder auch nur Uneinheitlichkeit des 1. Thess., sondern vielmehr Beweis dafür, daß der 1. Thess. eine frühe Entwicklungsstufe paulinischer Lehre dokumentiert, ja, das einzige noch erhaltene Dokument paulinischer Theologie und Ethik darstellt. Darin liegt der einzigartige Wert gerade dieses Schreibens des Apostels. Nur eine Gesamtanalyse des 1. Thess. kann die bisherigen Entwicklungshypothesen, die den frühen vom späten Paulus grundsätzlich unterscheiden, auf eine einigermaßen sichere Grundlage stellen. Schon der statistische Befund ist mehr als aufschlußreich: Es fehlen nicht nur die für den späten Paulus wichtigen Begriffe, sondern auch die damit verbundenen theologischen und ethischen Konzeptionen. So fehlt der für die paulinische Spätphase charakteristische Fleisch-Geist-Dualismus und überhaupt jegliche kritische Reflexion über das Gesetz als Heilsweg. Es fehlt der singularische Sündenbegriff (2,16 redet von den Sünden im Plural, nicht von der Sünde als alle Menschen versklavende Sündenmacht). Die Rechtfertigungs- und die Befreiungslehre sind nicht bezeugt. Es feh-

len weiter die dualistisch motivierte Präexistenz- und Sendungschristologie wie die Kreuzestheologie. Von der Auffassung der Gemeinde als Leib Christi und einer ontologisch-sakramentalen Taufinterpretation ist ebenfalls keine Rede. Vor allem aber fehlt für unseren Zusammenhang der Wandel «im/nach dem Geist» und die typisch spätpaulinische Charismenlehre. In der Eschatologie hat der frühe Paulus noch nicht die traditionelle Auferstehungshoffnung als Wesensverwandlung der Gläubigen entwikkelt.

Diese Beispiele, die ohne weiteres vermehrt werden können, legen also nicht nur eine literarische Zäsur zwischen dem 1. Thess. und den späten Hauptbriefen nahe, sondern beinhalten vor allem auch eine theologische Zäsur zwischen dem frühen und dem späten Paulus. D. h. aber: Aufgrund des Fehlens der wichtigsten Begriffe und ganzer Theologumena im 1. Thess. im Vergleich mit den späten Hauptbriefen und aufgrund der Diskrepanz zwischen den theologischen und ethischen Aussagen im 1. Thess. und den späten Paulusbriefen kann eine Entwicklung innerhalb des paulinischen Denkens nicht mehr ausgeschlossen werden. Das gilt, auch wenn die Situationsbedingtheit aller Paulusbriefe keineswegs vernachlässigt werden darf und schon gar nicht behauptet werden soll, daß der 1. Thess. die gesamte in der Frühphase von Paulus vertretene Theologie und Ethik enthält.

Vielmehr ist festzuhalten, daß der 1. Thess. im wesentlichen die Frühphase paulinischer Theologie und Ethik repräsentiert, die bewußt von der Spätphase, die in den Hauptbriefen dokumentiert wird, zu unterscheiden ist. Der Apostel hat sein Evangelium nicht immer in gleichbleibender Gestalt verkündigt, so daß mit einer Entwicklung innerhalb seiner Wirksamkeit gerechnet werden muß. Wo aber liegt dann die entscheidende historische, nicht nur literarische Zäsur, wenn wir noch deutlich den frühen Paulus aufgrund des 1. Thess. und den späten Paulus anhand seiner späten Briefe erkennen können?

b) Die Ausbildung des typischen Evangeliums des späten Paulus, wie es der Kirche seit nahezu zweitausend Jahren vertraut ist, ist die Konsequenz aus den Erfahrungen, die er im Osten des römischen Weltreiches, d. h. im Umkreis des ägäischen Meeres gemacht hat. Aber zunächst einige Abgrenzungen: Die entscheidende historische Zäsur zwischen der Früh- und Spätphase des Wirkens des Paulus ist nicht in seiner Briefkorrespondenz zu sehen; denn die schriftlichen Dokumente aus seiner Hand vom 1. Thess. an bis zum Röm. sind keineswegs insgesamt dem späten Paulus zuzusprechen, da der 1. Thess. erwiesenermaßen in die frühpaulinische Phase gehört. D. h. aber: Das bloße Faktum der Briefkorrenspondenz des Paulus kann nicht als Wendepunkt zwischen dem frühen und dem späten Paulus angesehen werden.

Auch das Faktum einer selbständigen Heidenmission, d. h. einer mehr oder weniger unabhängigen, kultgesetzfreien Heidenmission von seiner

Mutterkirche Antiochia, ist nicht als Wendepunkt zwischen dem frühen und dem späten Paulus anzusehen. Schon der frühe Paulus hat wahrscheinlich vor dem Apostelkonvent in Jerusalem eine organisatorisch von Antiochia unabhängige, also eigenständige Mission in Europa (Thessalonich, Philippi und Korinth) betrieben. Paulus ist also nicht erst in den Jahren nach dem Apostelkonvent zum selbständigen Heidenmissionar schlechthin geworden.

Von daher ist es weiter unwahrscheinlich, daß der Zwischenfall in Antiochien (Gal. 2,11ff) die entscheidende Zäsur zwischen der Früh- und Spätphase paulinischer Theologie und Ethik darstellt. Auch wenn oft genug behauptet worden ist, daß mit diesem Zwischenfall in Antiochien die entscheidende Wirkungsperiode beginnt, in der Paulus ganz auf sich allein gestellt und organisatorisch losgelöst von seiner Mutterkirche in Antiochien als selbständiger Heidenapostel seine apokalyptisch motivierten Missionspläne vor der nahen Parusie verwirklichen kann. Daß aufgrund dieser Kontroverse in der gemischten Gemeinde von Antiochien eine noch größere organisatorische wie leitungsmäßige Unabhängigkeit des Paulus von Antiochien eingeleitet wurde, soll damit nicht in Abrede gestellt werden. Aber auch mit diesem Zwischenfall in Antiochien war noch keineswegs der völlige, vor allem theologische Bruch mit seiner Mutterkirche auf dem Gebiet der Verkündigung, Theologie und Ethik gegeben, beginnt also noch keineswegs die Spätphase des Paulus.

Erst die ständigen Kämpfe und Auseinandersetzungen des Paulus mit judenchristlichen Gnostikern einerseits und judaisierenden Nomisten, die das Gesetz als Heilsweg propagierten, andererseits – nachweisbar aufgrund seiner Korrespondenz mit der galatischen, korinthischen, philippischen und römischen Gemeinde – stellen diese entscheidende historische wie theologische Zäsur dar und markieren den Beginn der Spätphase der paulinischen Theologie und Ethik.

Erst diese großen Kämpfe zwangen den späten Paulus zur grundsätzlichen und polemischen Reflexion über Gesetz, Glaube, Rechtfertigung und Ethik und bestimmen seine Argumentation, wie sie aufgrund der späten Briefe bleibende Bedeutung erlangt haben. Erst diese jahrelangen Erfahrungen und Kämpfe schlagen sich in der Gestalt nieder, in der er sein Evangelium unverwechselbar entfaltete und sich selber dabei wandelte. Von alledem ist im 1. Thess. überhaupt noch nichts zu sehen, weil die theologische Abhängigkeit von seiner hellenistischen Mutterkirche noch in gar keiner Weise gelockert war; vielmehr waren Theologie und Ethik des frühen Paulus sachidentisch mit der Verkündigung der hellenistischen Kirche. Die tiefgreifende Wandlung des frühen zum späten Paulus beginnt erst mit der Zeit der großen Kämpfe mit seinen gnostischen und judaistischen Gegnern und ist so erst in den späten Hauptbriefen nachweisbar.

II. Der frühe Paulus als Repräsentant der Ethik der hellenistischen Kirche

Paulus kommt selbst des öfteren auf seine Vergangenheit zu sprechen, und zwar sowohl auf seine vorchristliche Zeit wie seine christliche Frühphase, allerdings erst in den späten Hauptbriefen (Gal.1,6ff; Phil.3,4ff; 1.Kor.15,9; 2.Kor.11,22 u.a.). So sind wir in der günstigen Lage, das wichtigste aus der Frühphase seines Lebens wie seiner Verkündigung rekonstruierenn zu können. Allerdings ist bei der Auswertung dieser biographischen Angaben insofern Vorsicht geboten, als in allen genannten Texten die Vergangenheit des frühen Paulus aus der Sicht des späten Paulus gedeutet wird. Nicht der frühe, sondern der späte Paulus ist in allen rückschauenden Aussagen vorausgesetzt, wobei die Auslegung außerdem den polemischen Zusammenhang, in dem Paulus diese biographischen Angaben macht, nicht unberücksichtigt lassen darf.

1. Die pharisäisch-apokalyptische Vergangenheit

Über Einzelheiten bzw. die einzelnen Etappen seines Lebens vor seiner Bekehrung zum Christentum spricht Paulus niemals in seinen Briefen. Nur in der akuten Auseinandersetzung mit seinen Gegnern wird Paulus gezwungen, darauf hinzuweisen, daß er sich eines reinen jüdischen Stammbaumes rühmen konnte (Phil.3,5; 2.Kor.11,22), daß er der innerjüdischen Erneuerungsbewegung der Pharisäer angehörte (Gal.1,14; Phil.3,5) und die Kirche heftig verfolgt hat (Gal.1,13; 1.Kor.15,9; Phil.3,6).
Zum Einzelnen: In Phil.3,5 kommt Paulus ausdrücklick auf seine glänzende und lobenswerte, jüdische Vergangenheit zu sprechen. Zuerst beschreibt Paulus präzis in Vers 5 die vier von Geburt an ererbten Privilegien eines Angehörigen des auserwählten Volkes Gottes:
a) Aufgrund des mosaischen Kultgesetzes wurde er am achten Tage beschnitten (1.Mose17,12); er ist also beschnittener Jude von Geburt an, weder ein Proselyt noch ein Gottesfürchtiger.
b) Er stammt «aus dem Volke Israel», ein Ehrentitel, der die Erwählung durch Jahwe umschreibt.
c) Sogar seine Zugehörigkeit zu einem der zwölf Stämme Israels, dem Stamm Benjamin, kann Paulus nachweisen. D.h. aber: seine Familie und Vorfahren müssen einen Stammbaum gehabt haben bzw. ihre Abstammung durch die sorgfältige Registrierung der Geschlechterfolge abgesichert haben.
d) Er ist «ein Hebräer von Hebräern», womit noch einmal seine rein jüdische Abstammung im Gegensatz zu den unreinen Heiden abgehoben wird.

Dann nennt Paulus die Verdienste, die er sich selber aufgrund seiner gesetzlichen Leistung erworben hat: er trat freiwillig in die pharisäische Erneuerungsbewegung ein, womit er sich zu einer besonders strengen Gesetzeserfüllung mit allen Konsequenzen verpflichtet hatte. Dieser sein radikaler Thoragehorsam machte ihn zum Verfolger der Kirche (Vers 6). Und schließlich betont Paulus ausdrücklich, daß er sich nach der vom mosaischen Gesetz geforderten Gesetzesgerechtigkeit untadelig wußte.
Auch in Gal.1,13f berichtet er von seiner Verfolgung der Kirche in der Zeit vor seiner Bekehrung und nennt als Grund für diese Verfolgertätigkeit seinen außergewöhnlichen Eifer für die «väterlichen Überlieferungen», ein pharisäischer terminus technicus (Sir. 8,9 u. a.), der nicht nur die geschriebene Mosetora, sondern nach pharisäischer Überzeugung auch die über die Väter auf Mose selbst zurückgehenden Gesetzesauslegungen und Traditionen als Heilsweg umfaßte. Aber im Unterschied z.B. zur essenischen Erneuerungsbewegung verschärften die Pharisäer das mosaische Kult-, entschärften aber das mosaische Moralgesetz. In der gewissenhaften Befolgung sowohl des mündlichen wie geschriebenen Gesetzes übertraf der Pharisäer Paulus nach eigenem Zeugnis viele Altersgenossen in seinem Volk. Es war offenbar eine stark von der Apokalyptik geprägte pharisäische Strömung, der Paulus anhing.

2. Die Bekehrung und Berufung durch die hellenistische Kirche

Die «Offenbarung Jesu Christi» (Gal.1,12b), auf die der späte Paulus seine Bekehrung und seine Berufung zum Heidenapostel zurückführt, fand vor Damaskus statt. Dieses «Damaskuserlebnis» bewirkt die Bekehrung des Pharisäers und Christenverfolgers Paulus, beinhaltet den Bruch mit seiner jüdischen, konkret kultgesetzlichen Lebensweise und begründet sein Christsein (Gal.1,15f). Die Bekehrung aber schließt zugleich seine Berufung zum Apostel «unter den Heiden» (Gal.1,16) ein, die von ihm in gewollter Anlehnung an alttestamentlich-prophetische Berufungsberichte (vgl. Jer.1,5; Jes.49, 1.5f; 52,7) ausformuliert wird. So viel ist also deutlich, daß der späte Paulus das «Damaskuserlebnis» jedenfalls nicht primär unter dem Aspekt der Bekehrung, sondern im Horizont seines Sendungsauftrages und Apostelamtes verstanden hat.
Übersetzt in die kirchengeschichtliche Situation seiner Zeit heißt das: Paulus wurde als Pharisäer von der Evangeliumsverkündigung der hellenistischen Kirche vor Damaskus zum Christentum bekehrt. Durch ihre Botschaft, nicht durch diejenige der nachösterlichen Jesusgemeinden wurde Paulus Christ und Angehöriger der hellenistischen Kirche in Syrien. Mit anderen Worten: Paulus selbst führt sein Christsein auf die Christusverkündigung der hellenistischen Kirche Syriens zurück. Ziel des «Damas-

kuserlebnisses» ist die Verkündigung «unter den Heiden», womit sein Sendungsauftrag von Anfang an klar umrissen ist. Paulus ist vor Damaskus von der hellenistischen Kirche zum Heidenapostel berufen worden. Unter «Heiden» sind allerdings zu dieser Zeit die Gottesfürchtigen zu verstehen, die im engen Kontakt zu Glaubensbekenntnis und Gesetzespraxis der Synagoge standen. Damit ist keineswegs – wie oft spekuliert wird – schon über die Gesetzesfrage überhaupt im Sinne des späten Paulus entschieden worden, denn in Gal.1,12b. 15f wird die Berufung keineswegs schon mit den Kategorien der Rechtfertigungslehre der paulinischen Spätphase artikuliert. Vielmehr dürfte Paulus mit seiner Bekehrung und Berufung zum Heidenapostel nur das mosaische Kultgesetz wie auch die mündliche pharisäische Thora – beide als Heilsfaktor propagiert – verworfen haben. Diese Ablehnung des mosaischen Kultgesetzes wie der pharisäisch-mündlichen Überlieferung entspricht ja wenigstens teilweise nicht nur der Praxis seiner hellenistischen Mutterkirche, sondern vor allem auch dem 1. Thess. als dem einzigen Dokument des frühen Paulus. Von einer grundsätzlichen Ablehnung des mosaischen Moralgesetzes als Heilsweg dagegen kann weder zum Zeitpunkt der Bekehrung noch bei der Abfassung des 1. Thess. durch den frühen Paulus die Rede sein. Hier hat man sich bewußt davor zu hüten, die eigentlichen zentralen Theologumena des späten Paulus schon in seiner Frühphase vorauszusetzen oder gar einzutragen.

3. Der Apostel der hellenistischen Kirche

Gleich nach seiner Berufung zum Heidenapostel reist Paulus nach Arabien, das sich etwa mit dem Gebiet des heutigen Jordanien deckt, um – was am wahrscheinlichsten ist – unter den dortigen Heiden = Gottesfürchtigen zu missionieren (Gal. 1,17). Diese insgesamt dreijährige Missionsarbeit (vgl. die Zeitangabe «nach drei Jahren» in Vers 18) ist freilich vom gerade Bekehrten und Berufenen nicht auf eigene Faust betrieben worden. Vielmehr dürfte dieser Sendungsauftrag in der Arabia im Rahmen des damaszenischen Missionswerkes stattgefunden haben. Denn «nach drei Jahren» kehrt Paulus wiederum nach Damaskus zu seiner Mutterkirche zurück, die ihn ja zum christlichen Glauben bekehrt hat. Man wird also damit zu rechnen haben, daß die Missionstätigkeit des jungen Heidenapostels Paulus in Arabien im Auftrag seiner Mutterkirche von Damaskus durchgeführt wurde, also auch organisatorisch ganz von Damaskus abhängig war.

Im Rahmen des antiochenischen Missionswerkes hat der frühe Paulus dann von Antiochien aus vierzehn bzw. elf Jahre in Syrien und Kilikien, also im Gebiet um die Städte Antiochien und Tarsus gewirkt.

Schließlich wird man annehmen dürfen, daß Paulus noch vor dem Apostelkonvent in Jerusalem eine in organisatorischer, wenn auch nicht theologischer, Hinsicht, von Antiochia unabhängige, kultgesetzfreie Heidenmission in Europa (Thessalonich, Philippi, Korinth) durchgeführt hat. D.h. aber: Die Berufung des Paulus zum Apostel der Heiden = Gottesfürchtigen durch die hellenistische Kirche hat zur Konsequenz, daß der frühe Heidenapostel seine kultgesetzfreie Mission unter gottesfürchtigen Heiden zum größten Teil im Auftrag seiner hellenistischen Mutterkirche betrieb, also seinen Sendungsauftrag von den christlichen Gemeinden in Damaskus und Antiochien empfangen hatte.

4. Der Delegat der hellenistischen Kirche

Noch auf dem Apostelkonvent in Jerusalem (Gal.2,1ff) und selbst bei einem allfälligen eigenen, frühpaulinischen Missionswerk in Europa ist die theologische Abhängigkeit des frühen Paulus von seiner hellenistischen Mutterkirche mit ihrem Zentrum in Antiochien in keiner Weise gelockert. Paulus ist hier immer noch Mitglied einer Verhandlungsdelegation im Auftrag der Gemeinde von Antiochien, zu der auch Barnabas und der unbeschnittene Heidenchrist Titus gehören. Genauer: Paulus war Partner des Barnabas, der wiederum Mitglied des Führungsgremiums der Gemeinde von Antiochien war. Ziel und Ergebnis der Verhandlung auf dem Jerusalemer Apostelkonvent war die Anerkennung der kult-, nicht aber moralgesetzfreien Heidenmission durch die Jerusalemer «Säulen», an der die Verhandlungsdelegation der hellenistischen im Unterschied zur Jerusalemer Kirche elementar interessiert war. Für unsere Fragestellung aber ist entscheidend, daß Paulus diese zweite Jerusalemreise von Antiochien aus als berufenes Mitglied der Verhandlungsdelegation von der antiochenischen Gemeinde antrat. Auch wenn er wahrscheinlich zu dieser Zeit bereits ein eigens kultgesetzfreies Missionswerk in Europa betreut, aus dem theologischen Schatten seiner hellenistischen Mutterkirche ist er noch in gar keiner Weise herausgetreten. Der frühe Paulus ist bevollmächtigter Delegat der hellenistischen Kirche gegenüber der aramäisch sprechenden Urgemeinde in Jerusalem.

5. Der Repräsentant der Verkündigung, Theologie und Ethik der hellenistischen Kirche

Der frühe Paulus – von seiner Bekehrung durch die hellenistische Kirche vor Damaskus bis zur Abfassung seiner Hauptbriefe in der Zeit der großen Kämpfe mit seinen gnostischen und judaistischen Gegnern – vertrat in Verkündigung, Theologie und Ethik die Position seiner hellenistischen Mutterkirche. Deshalb ist die frühpaulinische Theologie und Ethik sachidentisch mit der Verkündigungskonzeption dieser Kirche. Wir können deshalb pauschal auf den Abschnitt 3: Die hellenistisch-judenchristliche Gemeindetradition verweisen (S. 143ff). Das dort Ausgeführte gilt inhaltlich – sachlich auch für den frühen Paulus. Man darf den frühen Paulus zwar auf keinen Fall vom späten Paulus her interpretieren, wohl aber von der kerygmatischen Konzeption seiner hellenistischen Kirche: die Frühphase der paulinischen Ethik und die Ethik der hellenistischen Kirche interpretieren sich gegenseitig. Der 1. Thess. ist das einzige Dokument der frühpaulinischen Ethik, dem wir uns nun zuzuwenden haben.

III. Der 1. Thess. als einziges Zeugnis der frühpaulinischen Ethik

1. Das verschärfte Moralgesetz als Heilsweg und Lebensnorm

a) Der frühe Paulus hat seine Ethik so in seine Gesetzeslehre integriert, daß eine Darlegung der frühpaulinischen Ethik notwendig die Grundzüge der frühpaulinischen Gesetzeslehre skizzieren muß. Darüber hinaus liegt das alles entscheidende Kriterium für die Unterscheidung einer Früh- und Spätphase paulinischer Ethik in der gegensätzlichen Wertung und Beurteilung des Mosegesetzes vom Sinai. Alle anderen Kriterien dagegen – so wichtig sie sind – haben dessen ungeachtet nur eine sekundäre Funktion. Schon der frühe Paulus hat das Kultgesetz des Mose nicht nur entschärft wie die nachösterlichen Jesusgemeinden, sondern als Heilsweg und Lebensnorm grundsätzlich verworfen. Das geht aus folgenden Überlegungen eindeutig hervor: Paulus wurde nach eigenem Zeugnis bei seiner Bekehrung mit der Evangliumsverkündigung unter den Heiden als Gottesfürchtigen beauftragt (Gal.2,16). Auf dem Apostelkonvent in Jerusalem nimmt er demonstrativ den unbeschnittenen Heidenchristen Titus mit (Gal.2,1ff). In diesem Zusammenhang betont Paulus ausdrücklich, daß dieser auf dem Konvent von den Jerusalemer Judenchristen nicht zur Beschneidung gezwungen wurde. Beides aber dürfte voraussetzen, daß Paulus vor dem Apostelkonvent eine kult-, nicht aber moralgesetzesfreie Heidenmission betrieben hat, ohne die Heidenchristen der vom mosaischen Ritualgesetz geforderten Beschneidung als Heilsbedingung zu unterwerfen.

Auch die hellenistische Kirche, der Paulus nach seiner Bekehrung vor Damaskus angehörte, hat – wenn auch nicht grundsätzlich – kultgesetzfreie Mission unter Heiden als ehemaligen Gottesfürchtigen betrieben. Vor allem im 1. Thess. als Dokument der frühpaulinischen Ethik ist mit keinem Wort mehr von dem Kultgesetz die Rede. Nirgendwo zitiert Paulus im 1.Thess. rituelle Gebote des Alten Testamentes, die für die Christen noch verbindlich im Sinne des Heilsweges wären. Nirgendwo nimmt

Paulus im 1. Thess. eine Gegenüberstellung von ethischen und kultischen Geboten vor, vielmehr dürfte für den frühen Paulus, und zwar von seiner Bekehrung an, im Christusglauben ein unreflektiert wirksames Kriterium der Sachkritik gegeben sein, die eine Unterscheidung zwischen dem Kult- und Moralgesetz vornahm und das letztere stillschweigend als Heilsfaktor und inhaltliche Norm christlicher Lebensführung verwarf.
Schließlich sind sämtliche Paränesen im 1. Thess. 4 und 5 ausschließlich moralgesetzlich bestimmt, die Begriffe Heiligung/heilig nur noch moral- und nicht mehr kultgesetzlich begründet und die Motivierung der ethischen Anweisungen rein moralgesetzlich orientiert.
Fazit: Nach dem Zeugnis des 1. Thess. kennt der frühe Paulus noch keine Unterscheidung zwischen dem Mosegesetz als Heilsweg und als Lebensnorm, dafür aber die Unterscheidung im Mosegesetz zwischen dem Kult- und dem Moralgesetz, wobei er das erstere für die Christen verwirft. Wenn aber das mosaische Ritualgesetz pauschal abgelehnt wird, anerkennt Paulus auch nicht mehr die volle Autorität des Mosegesetzes als definitive Offenbarung des Willens Gottes. Und diese Brechung der Gesetzesautorität ist vom frühen Paulus vollzogen worden. Anders allerdings – wie wir sogleich sehen können – fällt seine Stellung zum mosaischen Moralgesetz aus. Das mosaische Moralgesetz dagegen wird vom frühen Paulus in der Nachfolge seiner hellenistischen Mutterkirche nicht nur bejaht und der christlichen Gemeinde eingeschärft, sondern rigoros verschärft. Paulus fordert nicht nur die Bruder- und Nächstenliebe (1. Thess.4,9), sondern die Feindesliebe und verbietet kategorisch die Rache und Wiedervergeltung (1.Thess.5,15).
b) Von besonderer Wichtigkeit ist 1.Thess.4,4: als positives Gegenmittel gegen die Unzucht fordert Paulus die Einehe, die in Heiligung bzw. und Ehrerweisung des Mannes gegenüber seiner Frau geschlossen und lebenslang geführt werden soll. Die Ehe ist für den frühen Paulus eine religiössittliche Pflicht. Damit werden unausgesprochen sogleich die Polygamie, die Ehescheidung und der Ehebruch von Paulus verboten. D. h. aber: Die christliche Einehe ist eine Verschärfung, nicht aber Beseitigung des mosaischen Moralgesetzes.
Auch das absolute Verbot der Unzucht wie Prostitution, Päderastie und Homosexualität gehört im weiteren Sinne hierher. Vor allem wird in diesem Zusammenhang die Diskriminierung der (Ehe-)Frau beseitigt, wenn vom christlichen Ehemann gefordert wird, seiner eigenen Frau «in Heiligung und Ehrerweisung» lebenslang zu begegnen. Ohne Zweifel wird mit dieser Verschärfung von ethischen Geboten die Autorität des alttestamentlichen Moralgesetzes gesteigert, nicht aber gemindert oder gar aufgehoben. In allen genannten Beispielen wird das Moralgesetz mit seinen inhaltlichen Forderungen als verbindliche Norm des christlichen Lebenswandels vorausgesetzt. Der frühe Paulus wußte sich den sittlichen Forderungen des Mosegesetzes verpflichtet, da es in besonderer und einmaliger

Weise den göttlichen Willen repräsentierte. Indem Paulus das verschärfte Moralgesetz bejahte, hat er die Gemeinden immer wieder unter seine autoritativen, ethischen Normen und Gebote gestellt. Das verschärfte Moralgesetz allein und nicht mehr das Kultgesetz ist für den frühen Paulus die Offenbarung des ewigen Gotteswillens, so daß in dem ethischen Teil des 1. Thess (= Kapitel 4 und 5) eine Kontinuität der moralgesetzlichen Normen im alten und neuen Bund besteht. Daß das verschärfte Moralgesetz seine durchschlagende, alles andere überragende Autorität für den frühen Paulus verloren hätte, ist nach allem Gesagten schlechthin ausgeschlossen. Im Gegenteil! Es ist für ihn in dieser Weltzeit wie im Jüngsten Gericht (1.Thess.4,6) letztgültige Instanz. Das alttestamentliche Moralgesetz als Gesetz Gottes wird vom frühen Paulus im 1.Thess.4 und 5 diskussionslos vorausgesetzt und den Gemeinden eingeschärft. Ja, mit dem hellenistischen Judentum und seiner hellenistischen Kirche setzt der frühe Paulus das ungeschriebene Sittengesetz der Heiden mit dem geschriebenen Moralgesetz vom Sinai gleich. Zwar wird diese Gleichsetzung nicht weiter durchreflektiert oder gar entfaltet, aber deutlich in 1.Thess.4,12 vorausgesetzt. Die hier zum Ausdruck kommende Rücksichtnahme der Ge-meinde auf das Urteil der Heiden über das moralgesetzliche Verhalten der Christen (= «damit ihr gegen die da draussen anständig wandelt ...») setzt bewusst die Gemeinsamkeit von ethischen Normen und Kriterien bei Christen und Heiden voraus. Die Forderungen des universalen Moralgesetzes sind allen Menschen bekannt, auch wenn ihr Handeln dieser Einsicht meistens zuwiderläuft.

Das verschärfte, mosaische Moralgesetz (= heidnisches Naturgesetz) hat also in der frühpaulinischen Ethik sein Recht keineswegs verloren, vielmehr ist der Inhalt des Gesetzes mit den ethischen Weisungen des Apostels deckungsgleich. Dieser indirekten Berufung auf das alttestamentliche Moralgesetz entspricht einerseits das Fehlen der Vokabel «Gesetz» im 1.Tess. und andererseits die zahlreichen indirekten Anspielungen auf das Alte Testament: 1.Thess.4,5 = Ps.79,6; 4,6 = Ps.94,2; 4,8 = Ez. 3627; 4,9 = Jer.31,34f; 5,22 = Hi.1,1.8 u.a.).

D. h. aber: Sowohl der inhaltliche Rückbezug auf das verschärfte, alttestamentliche Moralgesetz als auch die alttestamentliche Prägung der Paränese haben der frühpaulinischen Ethik anhand des 1. Thess. ein noch größeres Gewicht verliehen. Dementsprechend hat der frühe Paulus nirgends im 1. Thess. zwischen dem verschärften Moralgesetz als Heilsweg und als Lebensnorm unterschieden. Überhaupt ist es nicht zufällig, wenn im 1. Thess. jede kritische Reflexion über die Bedeutung des Moralgesetzes fehlt, von einer Problematisierung des Moralgesetzes ganz abgesehen. Erst recht ist für den frühen Paulus des 1. Thess. keine Bestreitung des Gesetzes als Heilsweg vorauszusetzen. D.h. aber, die Ablehnung des Moralgesetzes als Heilsfaktor und Heilsbedingung ist keineswegs mit seiner Bekehrung und überhaupt nicht in seiner Frühphase gegeben. Denn

die großen Kämpfe mit seinen judaistischen und gnostischen Gegnern beginnen erst in seiner Spätphase. Die Spitzenthese des späten Paulus mit seiner Verwerfung des Gesetzes als Heilsfaktor und der alleinigen Geltendmachung als Norm des christlichen Lebenswandels findet sich eben noch nicht im 1. Thess.
Auch der Tod Jesu, verkündigt als einmalige, eschatologische Sühne, steht nicht im Widerspruch zum Gesetz als Heilsweg (1. Thess. 5,9). Der Begriff Glaube/glauben kommt zwar relativ häufig im 1. Thess. vor, steht aber nirgends in Antithese zu den Werken. Vielmehr beweist die Trias Glaube, Liebe, Hoffnung in 1. Thess.1,3 und 5,8, daß diese drei Begriffe durch die Näherbestimmung Werk, Arbeit und Geduld als ethische Handlungs- und Verhaltensweisen gekennzeichnet werden (so 1,3). Besonders auffallend ist, daß der frühe Paulus hier keine kritische Reserve gegen die Verbindung von Werk und Glaube hat. Das Werk, das im Glauben besteht, ist die erste und notwendigste Leistung bzw. Tugend, dann folgen erst die Mühe der Liebe und die Geduld der Hoffnung. Nach 5,8 begegnet sie als ethische Forderungen und Umschreiben somit als Werke den moralgesetzlich begründeten und normierten Lebenswandel der Söhne des Lichtes in der apokalyptischen Endzeit. Wie im Judentum hat auch der frühe Paulus den Glauben als Werk bzw. Tugend verstanden.
Da der frühe Paulus im 1. Thess noch nicht die spätere Rechtfertigungslehre entwickelt hat, ist für die Frühphase die traditionelle Rechtfertigungsanschauung seiner hellenistischen Kirche vorauszusetzen: Rechtfertigung wird hier bekanntlich verstanden als einmaliger Erlaß der Sünden vor der Taufe. Die Vergebung als Rechtfertigung steht dann aber nicht grundsätzlich der Geltung des Gesetzes für die Zukunft des Gerechtfertigten entgegen. Von einem grundsätzlich gesetzeskritischen Sinn der spätpaulinischen Rechtfertigungslehre ist im 1. Thess. noch nichts zu spüren. Vielmehr ist abschließend mit Nachdruck festzuhalten, daß der frühe Paulus mit seiner Anerkennung des verschärften Moralgesetzes als Heilsweg und als Lebensnorm in der ungebrochenen Tradition mit dem Nazarener, den nachösterlichen Jesusgemeinden und seiner hellenistischen Mutterkirche steht.
c) Von grundsätzlicher Bedeutung sind 1. Thess.4,1 und 2. Diese beiden Sätze sind die Grundlegung der frühpaulinischen Ethik. Sie sind nicht nur die Überschrift für die folgende Paränese 4,3–8, sondern diese Grundsatzäußerung hat der frühe Paulus bewußt und programmatisch den beiden paränetischen Kapiteln 4 und 5 vorangestellt. Mit diesen beiden Spitzensätzen ermahnt der frühe Paulus grundsätzlich und autoritativ die Söhne des Lichts zu einem ethischen Lebenswandel im Herrschaftsbereich des Lichts (vgl. 5,4f), und zwar in ausdrücklicher Erinnerung an seine eigene Unterweisung in der Vergangenheit.
Diese Mahnung (= Paraklese) bringt also den Thessalonichern nichts Neues, vielmehr handelt es sich um geformte ethische Weisungen und

Regeln, die bereits von Paulus überliefert und von der Gemeinde empfangen worden sind. Unabhängig von allen wechselnden Situationen ist Gottes Wille den Thessalonichern bekannt und offenbar, ist also jegliche Absolutsetzung der Situationsethik von vornherein relativiert worden. Beide Begriffe «empfangen» und «überliefern» sind nun aber traditionstechnische Fachausdrücke für den Traditionsprozeß vor allem im Judentum (vgl. Abot 1 als klassische Belegstelle!).

Die Thessalonicher haben in der Missions- und vor allem Gemeindepredigt die ethische (= moralgesetzliche) Tradition vom Apostel empfangen, die er ihnen als gültige und autoritative Unterweisung überliefert hat. Schon für den frühen Paulus ist also die ethische Tradition – mit traditionstechnischen Fachausdrücken umschrieben – Gegenstand des Überlieferungsprozesses und Inhalt der Paraklese. Das der Gemeinde schon längst Bekannte wird vom Apostel immer neu eingeschärft, sie werden also keineswegs mit der Zeit überflüssig, sondern müssen erneut in Erinnerung gebracht und aktualisiert werden. D. h. aber: Auch wenn die frühpaulinische Paränese durchaus situationsbezogen ist und keine zeitlosen, moralischen Wahrheiten verbreitet, so stehen in der konkreten Ethik des frühen Paulus gleichwohl die usuellen, nicht aber aktuellen Mahnungen im Vordergrund. Weil die Thessalonicher nicht zu tadeln sind (vgl. nur 4,1 und 10 und die im 1. Briefteil von Paulus ausgesprochene Anerkennung) ergehen die paulinischen Ermahnungen nicht aufgrund einer besonderen Situation, sondern gelten für jede Situation der Gemeinde in der Welt. Aber auch wenn Paulus im 1.Thess.4,1ff ohne besondere Veranlassung schreibt, so ist seine Mahnung doch konkret, die immer neu wegen der Gefährdung der Kinder des Lichts im Machtbereich der Finsternis wiederholt und befolgt werden muß. Daß Paulus daneben auch aktuell-situationsbezogene Mahnungen kennt, beweist z. B. 1. Thess.4,13ff.

Der Inhalt der von Paulus weitergegebenen Überlieferung wird gleich zweimal mit dem Begriff des «Wandelns» umschrieben (4,1). «Wandeln» (hebräisch halach) ist terminus technicus im Alten Testament und Judentum für den ritual- wie gleichermaßen moralgesetzlich begründeten und normierten Lebenswandel des frommen Israeliten (vgl. 2. Kön.20,3; Ps.12,9; Spr. 8,20; Pred.11,9). Dieser übertragene und deshalb uneigentliche Sprachgebrauch ist im Griechentum unbekannt. Da der frühe Paulus das mosaische Ritualgesetz ablehnt, wird bei ihm dieser traditionelle Begriff nur noch auf die moralgesetzlich begründete und normierte Lebensführung des Christen angewandt. Im 1. Thess. haben wir also die frühpaulinische Grundlegung der christlichen Halacha vor uns, d. h. im Gegensatz zur alttestamentlich-jüdischen Halacha hat nur noch der Lebenswandel nach dem Moralgesetz Heilsbedeutung. Wie wichtig dem frühen Paulus dieser geprägte alttestamentlich-jüdische Begriff des «Wandelns» ist, zeigen weiter 1. Thess.2,12 und 4,2: Der frühe Paulus fordert die Thessalonicher nachdrücklich auf, würdig zu wandeln, was nichts

anderes bedeutet, dem verschärften Moralgesetz gemäß sein Leben zu führen. Im Begriff «würdig» liegt das Motiv der Verpflichtung, und zwar im Sinne des Verdienstgedankens (vgl. Gen. R. 8 zu 1,26), nämlich Gott gegenüber so zu wandeln, daß man im Endgericht Lohn und nicht Strafe, ewiges Leben und nicht ewiges Verderben empfängt (so auch 1.Thess.2,12). Beim frühen Paulus ist also der würdige Lebenswandel im Kontext der Gesetzesethik zu interpretieren. Denn die Auserwählten, die das verschärfte Moralgesetz getan haben, also würdig wandeln, werden bei der Parusie als die Heiligen dem Kosmos repräsentiert werden (1.Thess.3,13). Allerdings unter apokalyptischem Vorbehalt: für den frühen Paulus sind die Christen nicht schon in der Gegenwart die Heiligen – diese Anrede fehlt nicht ohne Grund im ganzen 1. Thess. –, sondern erst in der nahen Parusie Christi. Auf jeden Fall aber sind für den frühen Paulus die Gesetzesgehorsamen wie im Judentum die Heiligen! Sie können deshalb gewiß sein, daß Gott die an ihnen begonnene Heiligung bei der Parusie vollenden wird (1. Thess. 5,23f).
In 1.Thess.4,12 fordert der frühe Paulus die Thessalonicher zu einem anständigen bzw. ehrbaren Lebenswandel auf. Ursprünglich meint das Wort in der Profangräzität seit Euripides in der griechischen Umwelt die sittlich einwandfreie Haltung und Lebensführung aufgrund des heidnischen Natur- bzw. Moralgesetzes. In der Septuaginta (z. B. 4.Makk.6,2) bezeichnet dasselbe Wort den Lebenswandel des Juden aufgrund und nach dem Mosegesetz, und zwar unter Einschluß des Ritualgesetzes. Im 1. Thess. dagegen wird mit diesem traditionellen Begriff der nur noch moralgesetzlich einwandfreie Lebenswandel umschrieben, den der frühe Paulus mit Rücksicht auf die heidnische Umgebung fordert. Damit aber wird eines ganz deutlich: das ursprünglich der popularphilosophischen Ethik entstammende Wort «anständig, ehrbar» wird vom frühen Paulus alttestamentlich-jüdisch gedeutet. Der anständige Lebenswandel ist gleichzusetzen mit dem Lebenswandel nach dem Moralgesetz, dem Dekalog.
Von besonderer Wichtigkeit im vorliegenden Zusammenhang ist die Aussage des frühen Paulus in 1. Thess. 2,10: er beruft sich hier betont auf seinen frommen, gerechten und untadeligen Lebenswandel vor Gott und den Menschen in Thessalonich. Diese Trias spiegelt formelhaften Sprachgebrauch wider: schon der erste Begriff «fromm» (nur hier bei Paulus!) steht im Griechischen oft neben gerecht. Dieser Doppelausdruck umschreibt hier das, was göttlicher und menschlicher Rechtsforderung entspricht. In der LXX hat «fromm» einen eindeutig ethisch-religiösen Inhalt, parallel zu vollkommen und gerecht, und kennzeichnet die Lebensführung des Gesetzesfrommen. In 1. Thess.2,10 kommt nur der jüdische Sprachgebrauch in Betracht: in Ps. Sal.4,23 sind die Frommen die Gott Fürchtenden und nach Ps. Sal.4,25 die Gott Liebenden. Im Gegensatz dazu stehen die Sünder und Gesetzesbrecher (vgl. Lk. 1,75; Off-

. Joh. 15,4 und 16,5 usw.). Fromm wandelt demnach ein Christ, wenn er den göttlichen Forderungen seines verschärften Moralgesetzes entspricht. Paulus ist also in Thessalonich vor Gott und den Menschen moralgesetzesfromm gewandelt. Das zweite Adverb «gerecht» meint im Griechischen eine Tugend und im Alten Testament wie im Judentum das Gerechtsein im Sinne der Gesetzesnorm. Der Gesetzestäter ist der Gerechte schlechthin.

Der frühe Paulus greift also in 1. Thess. 2,10 auf den alttestamentlich-jüdischen Sprachgebrauch zurück. Er ist in Thessalonich vor Gott und den Menschen «gerecht» gewandelt, wobei das verschärfte Moralgesetz Beweggrund und Norm seiner vorbildlichen Lebensführung ist. Auch das dritte Adverb ist in der LXX Übersetzung für vollkommen, fromm und gerecht. Wenn sich der frühe Paulus in 2,10 auf seinen frommen, gerechten und untadeligen Lebenswandel in Thessalonich beruft, so ist nach allem bisher Ausgeführten ein moralgesetzlich begründeter und normierter Lebenswandel gemeint. Schließlich darf der apokalyptisch-dualistische Aspekt von «wandeln» nicht außer acht gelassen werden: der Gesetzeswandel der Christen als Kinder des Lichts vollzieht sich im Herrschaftsbereich des Lichts und nicht der Finsternis (1. Thess. 5,4f).

Aber die Thessalonicher sollen nicht nur einen sittlichen Lebenswandel führen, sondern zugleich auch «Gott gefallen». Auch dieser alttestamentlich-jüdische Sprachgebrauch (vgl. 1. Mose 5,22. 24; 6,9; 24,40; Ps. 26,3; Sir. 44,6 u. ö.) meint nichts anderes als seinen Willen tun. Der Israelit, der die Forderungen des mosaischen Ritual- und Moralgesetzes erfüllt, hat das Wohlgefallen Jahwes. Für den frühen Paulus gefallen die Thessalonicher Gott dann, wenn sie nur noch im und nach dem verschärften Moralgesetz wandeln. Mit anderen Worten: Die moralgesetzlich begründete und normierte Lebensführung des Christen ist sachidentisch mit ihrem gottgefälligen Wandel.

Für den frühen Paulus gibt es nach 1. Thess. 4,1f ein konkretes, in den apostolischen Weisungen begegnendes «wie» des Lebenswandels und Gottgefallens, über dem das göttlich-notwendige «muß» steht. Die Thessalonicher haben von Gott die moralgesetzliche Tradition empfangen, so daß sie von nun an wissen, wie sie wandeln und Gott gefallen müssen. Mit diesen beiden Stichworten des «wie» und des «muß» hinsichtlich des christlichen Lebenswandels wird exakt vom frühen Paulus die Funktion des verschärften Moralgesetzes als Heilsweg und Lebensnorm umschrieben, ohne daß seine spätere Rechtfertigungslehre mit der Antithese von Glauben und Werken im Blick wäre. Denn das «Wie» des Lebenswandels und Gottgefallens erhält seine inhaltliche Norm durch das verschärfte Moralgesetz. Dieses normative Wie wird dann in den Versen 4–6 von Paulus beispielhaft durch Tugenden wie Laster konkretisiert. Wer sich nicht nach dieser göttlichen Norm des Moralgesetzes richtet, wird deswegen von Gott im nahen Endgericht verworfen werden (1. Thess. 4,6b).

Zugleich wird von Paulus mit dem Wort «Muß» die unbedingte und absolute Notwendigkeit zum Ausdruck gebracht, die ein Geschehen, in unserem Fall der Lebenswandel des Christen, hat. Seine eigentliche Relevanz erhält das Muß durch die Instanz bzw. Macht, die hinter der Notwendigkeit der geforderten christlichen Lebensführung steht. Diese Macht ist das Gesetz als Offenbarung des Willens Gottes. Nach dem hier aufgenommenen Sprachgebrauch der LXX kommt der im Mosegesetz vom Sinai offenbare Wille Gottes im «Muß» zum Ausdruck. Die Macht des Gesetzes beruht nach 1. Thess. 4,1–6 darin, daß er den Gesetzestätern das ewige Leben verheißt, und dem Gesetzesbrecher den ewigen Tod androht. Deshalb «müssen» die Christen in Thessalonich das Gesetz tun und sind sie lebenslang dem moralgesetzlichen Lebenswandel verpflichtet. Die Macht des Gesetzes beruht demnach in seinem Anspruch als alleiniger Heilsmittler. Es ist das einzige Kriterium beim apokalyptischen Endgericht; denn Gott urteilt hier, ob sein Wille im Gesetz getan wurde oder nicht. Deshalb korrespondiert dem heilsmittlerischen Gesetz die Heilsnotwendigkeit des gottgefälligen Lebenswandels. Ohne ihn gibt es kein Heil. Das «Muß» des moralgesetzlichen und gottgefälligen Lebenswandels bringt prägnant die Funktion des verschärften Moralgesetzes als Heilsweg und Lebensnorm zum Ausdruck, die letztlich auf den Heilswillen Gottes zurückgeht. Weil das Gesetz als geoffenbarter Wille Gottes und damit als Heilsweg *die* Macht ist, muß der Christ notwendig dieser Gesetzesmacht entsprechen. Konkret: er «muß» einen dem verschärften Moralgesetz entsprechenden Lebenswandel führen. Es handelt sich also keineswegs nur um ein «inneres» Müssen im Sinne der griechischen autonomen Vernunft, sondern dieses «Muß» begegnet den Thessalonichern in der Gestalt vom Apostel übergebenen und von der Gemeinde empfangenen Geboten und Anweisungen.

Deshalb wird das verschärfte Moralgesetz als Offenbarung der Willensmacht Gottes vom frühen Paulus in 1. Thess. 4,1 als Heilsgrund und Norm des Lebenswandels der Söhne des Lichts im Machtbereich des Kyrios Jesus verkündet und praktiziert. Umgekehrt nimmt der frühe Paulus in 4,6 die alttestamentliche und später formelhafte jüdische Redeweise vom «Nicht-Erkennen Gottes» als Nichtkennen seines Willens im Moralgesetz auf. Weil die Heiden im Unterschied zu den Christen Gott und d. h. seinen Willen nicht kennen, führen sie einen sittenlosen, moralgesetzwidrigen Lebenswandel. Positiv gewendet heißt das: Die Erkenntnis des göttlichen Willens wirkt sich für den frühen Paulus konkret in Heiligung und anständigem Verhalten aus. Lobend anerkannt wird in 4,1 der gottgefällige Lebenswandel der Thessalonicher, nur sollen sie auf diesem Wege noch mehr Fortschritte machen. Die Ermahnung zielt auf einen möglichst hohen Grad der ethischen Vollkommenheit, womit im Kontext der Thessalonicher auf die Stufenfolge von einmaliger Rechtfertigung in der Taufe und lebenslanger Heiligung angespielt wird.

Diese der Gemeinde überlieferte Tradition (= 4,1) ist zweifellos identisch mit den in Vers 2 genannten Anweisungen bzw. Geboten, die der Apostel der Gemeinde «gegeben», d.h. «überliefert» hat. Es ist keine Frage, daß Paulus schon früh eine Lehr- und Unterweisungstätigkeit auf dem Gebiet des christlichen Ethos kannte und praktizierte. Das alles zeigt noch einmal mit aller wünschenswerten Deutlichkeit, daß er den ethischen Lebenswandel der Christen mit seinen zahllosen täglichen Entscheidungen auf gar keinen Fall dem Augenblick und der freien Entscheidung des einzelnen Christen überlassen hat. Vielmehr gibt es gleichbleibende Gebote und Normen, die trotz aller Situationswechsel die selben bleiben und von allen Christen befolgt werden müssen.

Ausdrücklich spricht der frühe Paulus in 4,2 von einer Mehrzahl von moralgesetzlichen Anweisungen bzw. Geboten, sodaß wie im Alten Testament und Judentum der Wille Gottes mit einer Vielheit von Anordnungen und Forderungen gleichgesetzt wird. Zugleich betont der Apostel, daß er der Gemeinde nichts neues mitteilt, da sie alles Nötige in ethischen Fragen längst weiß. Paulus hat ihnen die moralgesetzliche Tradition schon früher «überliefert». Sie ist gerade in der Vielheit und Konkretheit der einzelnen Gebote bleibend normativ, weil Gottes Wille im verschärften Moralgesetz sich immer gleich bleibt. Darum sind die Christen ihm stets zum ganzen Gehorsam verpflichtet, weil diese sittlichen Gebote bis zur nahen Parusie Wegweisung für alle christliche Lebensführung bleibt. Daß die frühpaulinische Paränese nur Beispiele von moralgesetzlichen Einzelforderungen, also nur eine Auswahl der ethischen Überlieferung bietet, beeinträchtigt in keiner Weise ihre Allgemeingültigkeit und grundsätzliche Autorität. Die Unvollständigkeit und Unabgeschlossenheit der paulinischen Weisungen geht deutlich in 4,6 aus der Abschlußformel «über alle diese» (zu ergänzen: Sünden) hervor. Denn Paulus hat in 4,4f ja nur zwei Sünden, die Unzucht und die Unredlichkeit, als die ihm offenbar wichtigsten Beispiele lasterhaften Lebenswandels neben vielen andern genannt, die von ihm nicht erörtert werden. Auch wenn Paulus hier nur zwei Beispiele des Moralgesetzes mehr oder weniger zufällig aufzählt, ihre Gültigkeit ist mit dieser offenbar katechetischen Gewohnheit nicht angetastet.

Daß der moralgesetzlich begründete und normierte Lebenswandel der Christen Heilsbedeutung hat, geht abschließend aus 5,9 hervor: Während die Nichtchristen dem Zorngericht Gottes verfallen, hat Gott die Christen «zur Erwerbung des Heils» bestimmt. Statt des einfachen «Heils» formuliert der frühe Paulus pointiert: «Erwerbung des Heils». Damit wird ausdrücklich die notwendige, und d.h. im Kontext der Gesetzes- und Rechtfertigungslehre des frühen Paulus, die heilsnotwendige Beteiligung seitens der Christen herausgestellt. Das Tun des verschärften Moralgesetzes ist Bedingung für die Erwerbung des zukünftigen Heils. Für den frühen Paulus hat die Ethik sehr wohl etwas mit dem Erlangen des Heils zu tun. Im Licht vom Röm. 3,28, also im Kontext der Gesetzes- und Rechtfertigungslehre des späten Paulus, ist eine solche Aussage allerdings unpaulinisch zu nennen. Oder anders formuliert: Das alles ist zwar paulinisch im Sinne der frühpaulinischen, aber unpaulinisch im Sinne der spätpaulinischen Ethik. Die abschließende Bemerkung «durch unsern Herrn Jesus Christus» signalisiert zugleich, daß nicht das Tun des Christen allein ihm das endzeitliche Heil verschafft. Vielmehr ist Jesus Christus die Kraft für den moralgesetzlichen Lebenswandel des Christen und damit das Mittel zur Erwerbung des Heils. Der Sühntod Jesu Christi (5,10) steht aber nicht im Widerspruch zum Gesetz als Heilsweg, und die Ethik gehört für den frühen Paulus eindeutig auf die Seite des Gesetzes.

2. Voraussetzungen und Motive der frühpaulinischen Ethik

a) 1. Thess. 5,18 ist die einzige Belegstelle im ganzen 1. Thess., in der das christliche Handeln und Verhalten ausdrücklich mit dem Willen Gottes motiviert wird. Auch die Parallele in 4,3 beweist, daß der Wille Gottes die vorher genannten Gebote und Anweisungen zusammenfaßt. Deshalb stoßen wir in 5,18 (aber auch 4,3) auf die typisch alttestamentlich-jüdische Anschauung vom Tun des Willens Gottes als der Summe seiner Forderungen im Gesetz (Ps.39,9, 102,21; 142,10; 1. Esra 9,9; 4. Makk.18,16 u. a). Das vom verschärften Moralgesetz geforderte Handeln und Verhalten ist identisch mit dem Willen Gottes als Willensmacht. Näher bestimmt wird der Wille Gottes als ethische Motivation durch die traditionelle Formel «in Christus Jesus». Mit dieser aus seiner hellenistischen Kirche übernommenen Formel wird aber nicht der durch Christus vermittelte oder gar geoffenbarte Wille Gottes bezeichnet, sondern es ist der Gotteswille im Machtbereich des Christus, der nur von den Kindern des Lichts erfüllt werden kann. Der Wille Gottes wird also durch diese traditionelle Formel apokalyptisch-dualistisch näher bestimmt.

In 1. Thess. 5,18b begründet der Wille Gottes, der hier nicht Gottes Heilsabsicht, sondern seine moralgesetzlichen Forderungen umschreibt, ausdrücklich die vorangehenden Mahnungen nicht nur der Verse 16–18a, sondern alle ethischen Anweisungen von 5,14–18a. Das heißt: Alle diese ethischen Forderungen in 5,14–18a sind Beispiele dessen, was Gott von den Söhnen des Lichts im Machtbereich des Christus als der apokalyptischen Endzeit verlangt. Der Wille Gottes, geoffenbart im Dekalog, ist Grund und Kraft für den ethischen Lebenswandel der Christen, so daß die frühpaulinische Ethik in 5,18b eindeutig theozentrisch motiviert wird. Aber es darf nicht außer acht gelassen werden, daß der Gotteswille vom frühen Paulus antijüdisch und zum Teil auch antijudenchristlich ausschließlich mit dem Moralgesetz unter Wegfall des Ritualgesetzes identifiziert wird.

b) Ein weiteres Motiv der frühpaulinischen Ethik ist die Berufung der

Christen durch Gott. Unter «Berufung» ist im Kontext des 1. Thess. der geschichtliche Akt zu verstehen, durch den der Einzelne aufgrund der mündlichen Evangeliumsverkündigung zum Glauben kam und sich taufen ließ. Diesem Ruf gilt es in Zukunft im lebenslangen Dienst (1,9) zu folgen. Die Berufung ist also effektiv (vgl. 1,4; 2,12; 4,7 und 5,24) und aufgrund der drei letzten Belegstellen immer auf den Lebenswandel der Betreffenden bezogen. Daß die Berufung immer ethisch bzw. moralgesetzlich bestimmt und ausgerichtet ist, beweist 4,7: «Denn nicht aufgrund von Unreinheit hat euch Gott berufen, sondern in der Weise der Heiligung». Meist wird allerdings nachlässig übersetzt: Gott hat euch nicht zur Unreinheit sondern zur Heiligung berufen, weil der prägnante Präpositionswechsel im Griechischen übersehen wird. Aber die erste Präposition bezeichnet nicht das Ziel oder den Zweck = «zu Unreinheit», sondern den Grund oder die Bedingung = «aufgrund von Unreinheit». Das heißt, die Thessalonicher waren zwar unrein, aber nicht aufgrund ihrer Unreinheit hat Gott sie berufen, sondern – modal – «in der Weise der Heiligung». Damit gewinnt der Präpositionswechsel eine zentrale Bedeutung. Gott hat Unreine zu Heiligen berufen. Beide antithetischen Begriffe umschreiben im Alten Testament wie Judentum die ritual- und moralgesetzliche Lebensweise. Wie aber der vorangehende kleine Lasterkatalog und der 1. Thess. insgesamt zeigen, ist diese Bedeutung reduziert und eindeutig auf das Moralgesetz eingeschränkt worden: Heiligung umschreibt jetzt nur noch das Halten des Moralgesetzes und Unreinheit den moralgesetzwidrigen Lebenswandel der Heiden, das ganze heidnische Wesen und Verhalten als Unsittlichkeit.

Am Anfang des Christenstandes mit der Taufe steht die göttliche Berufung in der Weise der Heiligung; in der Gegenwart der Getauften der Söhne des Lichts stehen sie unter der lebenslangen Forderung nach einem heiligen, würdigen und reinen Lebenswandel. Unreinheit ist nach 1. Thess. 5,4 gleichzusetzen mit der Finsternis. Im Machtbereich der Finsternis sein, heißt den unreinen, moralgesetzwidrigen Lebenswandel der Söhne der Finsternis vollführen (5,4f). Weil Gott aber bei der Berufung des einzelnen Christen schon sein Heiligungswerk eingeleitet und bewirkt hat, muß nun der getaufte Sohn des Lichts lebenslang die Heiligung des Willens Gottes verwirklichen. Die Berufung in Heiligung hat also nach 1. Thess. 4,7 zur selbstverständlichen Konsequenz die Forderung nach einem dem Moralgesetz entsprechenden Lebenswandel. Die göttliche Berufung als Gabe und Aufgabe ist zentrales Motiv der frühpaulinischen Ethik.

c) Die fundamentale Bedeutung des heiligen Geistes Gottes für die frühpaulinische Ethik geht eindeutig aus der Kardinalstelle 1. Thess. 4,8 hervor: Wer nicht die ethischen Anweisungen des Apostels befolgt, verachtet nicht nur den Menschen und Apostel Paulus, sondern Gott selbst, der – und hierin liegt eine weitere paränetische Motivation – den Christen ständig seinen heiligen Geist gibt. Ausdrücklich werden hier die moralgesetzlichen Forderungen des Apostels mit denjenigen Gottes selber gleichgesetzt. Aber derselbe Gott hat nicht nur das verschärfte Moralgesetz durch den Apostel den Christen gegeben, sondern er gibt (Präsens!) ihnen immerfort seinen Heiligen Geist, damit sie sein Gesetz überhaupt erfüllen können. Damit wird der sittliche Wandel auf die bewegende und erneuernde Kraft des Geistes zurückgeführt. Nirgends aber wird im 1. Thess. der Geist vom frühen Paulus mit enthusiastischen Erscheinungen wie Mirakel, Glossolalie und besonderen Kraftwirkungen in Verbindung gebracht. Wie im Alten Testament, Judentum (Qumran) und der hellenistischen Kirche wird der heilige Geist in der Frühphase des Paulus ausschließlich als Grund und Kraft der Heiligung aufgefaßt, eben als das, was den Menschen so von Grund auf umgestaltet, daß er die Gebote erfüllen kann. Der heilige Geist Gottes ist damit die gottgeschenkte Möglichkeit des neuen sittlichen Lebenswandels der Christen.

Auch ist nach 4,8 die Wirksamkeit des Gottesgeistes keineswegs auf besondere Augenblicke im Christenleben einzuschränken, weder auf vereinzelte Geisteserscheinungen noch auf außergewöhnliche Situationen und besondere Geistträger (= Pneumatiker) in der Gemeinde. Im Gegenteil: Der heilige Geist ermöglicht lebenslang das ethische Handeln und Verhalten des Christen. Gegeben hat Gott seinen heiligen Geist in und mit der Taufe (4,8; 1,5). Mit dieser Auffassung des Geistes als Taufgabe steht der frühe Paulus im Kontext der hellenistischen Kirche (vgl. nur 1. Kor. 6,11; 2 Kor. 1,22). Hinzuweisen ist allerdings darauf, daß in 1. Thess. 4,8 gerade nicht auf die einmalige Geistverleihung bei der Taufe, sondern ausschließlich die dauernde, lebenslange Wirksamkeit des heiligen Geistes seit der Taufe im Christenleben abgehoben wird. Paulus hat das Partizipium Präsens «der seinen heiligen Geist dauernd in euch hinein gibt» unmißverständlich formuliert. Gerade die dauernde Gabe des heiligen Geistes Gottes ist nach dem frühen Paulus eine weitere, tröstliche Begründung für die Einschärfung des moralgesetzlichen Lebenswandels (4,1–2) bzw. der Heiligung (4,3–6). Der pflichtgemäße und gottgefällige Lebenswandel (4,1) wird also ermöglicht durch den Geist, der damit zur Kraft und zum Mittel der Erfüllung des Moralgesetzes wird. Mit ihm unterstützt Gott das Werk der Heiligung in den Gläubigen. Gott hat einen lebenslangen Anspruch auf die Erfüllung seines Willens im verschärften Moralgesetz, weil er seinen heiligen Geist als Antriebskraft für den geforderten, ethischen Lebenswandel ständig gibt. Der heilige Geist wird nach 1. Thess. 4,8 von Gott nur gegeben, um den geforderten Gehorsam gegenüber seinem Willen im geoffenbarten Moralgesetz zu wirken und zu erfüllen. Ohne die ständige Gabe des heiligen Geistes im Machtbereich des Lichtes ist es den Söhnen des Lichtes überhaupt nicht möglich, den apostolischen Weisungen nachzukommen. Wirkliche und völlige Gebotserfüllung gibt es darum nur im Herrschaftsbereich des Lichtes durch die ständige Gabe des heiligen Geistes.

Diese dauernde, dynamische Wirksamkeit des Gottesgeistes als der wirksamen Gegenwart des Heils ist auf das Tun des heilsnotwendigen Moralgesetzes ausgerichtet. Damit aber wird der heilige Geist wie schon in Qumran zur Funktion des Gesetzes und nicht umgekehrt. Nach der frühpaulinischen Ethik befreit darum der heilige Geist als Gabe Gottes wiederum zum Gesetz als Heilsweg, nicht aber wie beim späten Paulus vom Gesetz als Heilsweg. Das heißt: Gott gibt den Menschen sein Gesetz und Gott gibt zugleich denselben Menschen die Kraft zur Erfüllung seines Gesetzes.

Hinzuweisen ist allerdings darauf, daß der bekannte Geist-Fleisch-Dualismus der Spätphase im 1. Thess. fehlt. Trotzdem liegt im 1. Thess. kein undualistischer Geistbegriff vor, denn der Geist als Gabe Gottes wird nur denen gegeben, die im Herrschaftsbereich des Lichtes bzw. des Christus sind, also nur den Söhnen des Lichtes, nicht den Söhnen der Finsternis.

Von entscheidender Bedeutung in 4,8 ist schließlich die Anspielung auf Ez. 36,27 (37,14) für das Verständnis des heiligen Geistes als Motiv der ethischen Lebensführung. So verheißt Jahwe in Ez. 36,27, seinen Geist in das Innere der Israeliten zu geben, damit die Satzungen bzw. Gesetze von Israel «bewahrt und getan werden». Die göttliche Verheißung ist nach 1. Thess. 4,8 in der apokalyptischen Endzeitgemeinde erfüllt: Der heilige Geist ist der christlichen Gemeinde in der Endzeit gegeben worden. Diese eschatologische Gottesmacht befähigt die Christen zu einem neuen Lebenswandel, indem die Gebote Gottes jetzt wirklich und ganzheitlich erfüllt werden. Es ist also alles andere als Zufall, wenn der frühe Paulus in 4,8 bewußt auf die Verheißung in Ez. 36 anspielt.

Zusammengefaßt heißt das: Die Pneumatologie des frühen Paulus nach dem Zeugnis des 1. Thess. unterscheidet sich wesentlich von derjenigen in seiner Spätphase. Denn der frühe Paulus hat nirgends den Geist als eschatologische Gottesmacht dem Christus zugeordnet, also nirgends die Pneumatologie an der Christologie orientiert. Nirgendwo spricht der frühe Paulus vom Geist als Geist Christi (wie später in Röm. 8,9) oder identifiziert den Geist ausdrücklich mit dem Kyrios (so z. B. 2. Kor. 3,17). Vielmehr spricht der frühe Paulus im 1. Thess. dreimal vom heiligen Geist (1,5.6; 4,8) und einmal absolut von dem Geist (5,19). Vor allem beweist die Kardinalstelle 4,8, daß für den frühen Paulus der heilige Geist ausschließlich Geist Gottes ist. Kriterium des Geistes ist die Theologie und nicht die Christologie. Im Gegensatz zu seiner Spätphase zählt der frühe Paulus die Begründung der Ethik durch die bewegende Kraft des Geistes eindeutig zu den theozentrischen und nicht christologischen Motiven. Denn im heiligen Geist bekundet Gott selber in der apokalyptischen Endzeit seine Gegenwart und Macht auf der Erde. Das Geistverständnis des frühen Paulus erweist sich damit als traditionell, d.h. der hellenistischen Kirche verhaftet, wenn er den heiligen Geist als Vergegenwärtigung Gottes versteht. Zudem ist die Wortbildung «heiliger Geist» typisch alttesta-

mentlich. Er wird heilig genannt, weil seine eigentliche Wirksamkeit die Heiligung ist. Aber im Unterschied zum Alten Testament und Judentum wird der Heiligkeitsbegriff vom frühen Paulus nicht mehr kult-, sondern nur noch ausschließlich moralgesetzlich orientiert; denn die Heiligkeit des Geistes Gottes erweist sich darin, daß er die Erwählten auf den Weg der Heiligung (4,3 und 7) und damit auf den Heilsweg des verschärften Moralgesetzes führt. Das ist die eigentliche Wirkung des heiligen Geistes.
Die Formel «im Geist wandeln» findet sich im 1. Thess. noch nicht; denn der frühe Paulus hat den heiligen Geist noch nicht als Machtbereich, Sphäre oder Aeon verstanden. Ebenso ist der heilige Geist als Norm des neuen Wandels im 1. Thess. unbekannt, da die spätpaulinische Formel «nach dem Geist wandeln» hier fehlt.
d) Ein weiteres Motiv der frühpaulinischen Ethik findet sich in 1. Thess. 4,9: «Über die Bruderliebe besteht keine Notwendigkeit, euch zu schreiben; denn ihr seid selbst von Gott belehrt, einander zu lieben». Die paränetische Motivation ist darin zu sehen, daß die Gemeinde von Thessalonich «gottgelehrt» ist. Das zugrundeliegende griechische Wort kommt nur hier im Neuen Testament vor und dürfte eine Aufnahme der alttestamentlich-jüdischen Verheißung von Jer. 31,37f (aber auch Jes.54,13; Ps.Sal.17,32) sein. Sie besagt im Einzelnen, daß in der apokalyptischen Endzeit alle Israeliten die rechte Gotteserkenntnis besitzen, die das rechte, gottgemäße Handeln in sich schließt, so daß kein Israelit seinen Bruder zu belehren braucht. Wie ist das möglich? Jahwe selber wird in der messianischen Endzeit sein Gesetz «in ihr Inneres geben und es in ihr Herz einschreiben», so daß das Wissen vom Mosegesetz und seine Erfüllung zusammenfallen.
Mannigfache Traditionen im Judentum beweisen, daß das Judentum die göttliche Belehrung über das Gesetz von der Heilszeit erwartete. Auf eine Geistesmitteilung aber wird in 1.Thess.4,9 im Gegensatz zu 4,8 und d. h. zu Ez.36,27 gerade nicht abgehoben. Das heißt aber für die Auslegung für 4,9: Die Belehrung der Thessalonicher von Gott über das verschärfte Moralgesetz unter Ausschluß des Ritualgesetzes ist der Grund der vorpaulinischen Ethik, konkret der Mahnung zur Bruderliebe. Diese göttliche Unterweisung über das göttliche Gesetz befähigt die Thessalonicher, es auch zu tun. Zugleich ist diese Belehrung durch Gott die Erfüllung der alttestamentlichen Verheißung und damit der Ausweis dafür, daß die Christen in der apokalyptischen Endzeit stehen. Von Gott selber im verschärften Moralgesetz belehrt zu sein, ist nach der Meinung des frühen Paulus die Antriebskraft für den moralgesetzlichen Lebenswandel der Gemeinde.
e) Wie wir gesehen haben, hat schon die hellenistische Kirche vor und neben Paulus die Ethik durch die akute Naherwartung des apokalyptischen Endgerichtes motiviert. Der frühe Paulus hat also die apokalyptische Begründung der Ethik übernommen und im 1. Thess. wiederum

angewandt. Nach 1. Thess. 4,6b wird Gott als Rächer über alle diese Laster verkündigt, d.h. über alles das, was der Heiligung, die sich gerade in der Befolgung der Gebote erweist, widerspricht. Das unmittelbar bevorstehende Endgericht Gottes wird – wie in der jüdischen Apokalyptik und der hellenistischen Kirche – ein Strafgericht für alle diejenigen sein, die das verschärfte Moralgesetz in ihrem Lebenswandel übertreten haben. Gott wird dann eine gerechte Vergeltung üben, indem er sie dem ewigen Tod überantwortet. Zugleich werden im nahen Endgericht diejenigen von Gott gerettet und mit dem ewigen Leben belohnt werden, die z.B. Keuschheit bewahrt, eine monogame Ehe in Heiligung und Ehrerweisung geführt und Unehrlichkeit im Geschäftsleben (4,4–6a) gemieden haben. Die Erfüllung des verschärften Moralgesetzes – in 4,4–6a werden von Paulus nur einige Beispiele genannt – wird von Gott im nahen Endgericht überreichlich belohnt werden.

Der frühe Paulus spricht also in 4,6b unmißverständlich von dem nahen Endgericht nach den Werken, und zwar auch für den Christen. Das traditionelle Thema von dem Gericht nach den Werken ist ein entscheidendes und direktes Motiv für die sittliche Anstrengung. Die Ethik ist auch für den frühen Paulus der zweite konstitutive Teil der Erlösung, und die Gerichtsparänese ist notwendig, weil das endgültige Gericht nach den Werken noch aussteht. Sie ist also weder eine gelegentliche Inkonsequenz, noch ein entlehntes pädagogisches Mittel. Ohne die moralgesetzliche Bewährung gibt es für den Christen keine Heilsvollendung. Typisch jüdisch bzw. judenchristlich wird das verschärfte Moralgesetz zum Kriterium des Jüngsten Tages.

Auch nach 5,11 ist die nahe Parusie Christi motivierende Kraft für den sittlichen Wandel, während das in 5,2 und 4 damit verbundene Bildwort vom Dieb in der Nacht Gerichtsansage über die Söhne der Finsternis ist. Nicht die Plötzlichkeit, sondern die Nähe des «Tages des Kyrios» intensiviert die Forderung zum ethischen Wandel an die Kinder des Lichts. Die Einbettung der frühpaulinischen Ethik in den apokalyptischen Licht-Finsternis-Dualismus ist in 5,4f und 8 unverkennbar.

In diesem Zusammenhang der Gerichtsaussagen sind als direktes Motiv zum Handeln die feierlichen «Vor»-Aussagen zu nennen, die eindeutig auf das Erscheinen des Christen vor dem apokalyptischen Gerichtsthron Gottes und des Herrn Jesus hinweisen (vgl. 1,3; 2,19; 3,13). Die Einschärfung der apokalyptischen Gerichtsbotschaft steht also beim frühen Paulus im Dienste der Intensivierung des moralgesetzlichen Lebenswandels der Kinder des Lichts in der Endzeit.

Gerade dieses Neben- und Ineinander von Ethik und Apokalyptik im 1. Thess. beweist, daß für den frühen Paulus die Nähe des Jüngsten Tages das moralgesetzliche Handeln nicht lähmt, sondern intensiviert. Die paränetische Einschärfung des würdigen, anständigen und gottgemäßen Lebenswandels angesichts der Nähe der Parusie ist also weder eine Notlösung noch gar eine Anpassung an den alten Aeon, sondern Konsequenz der sakramentalen Versetzung aus dem Herrschaftsbereich der Finsternis in denjenigen des Lichts. Die apokalyptisch-dualistisch ausgerichtete Ethik des frühen Paulus ist niemals Kompensation der Parusieverzögerung, sondern umgekehrt die unerläßliche Konsequenz des nahen Endgerichts. Allerdings wäre es falsch zu behaupten, daß für den frühen Paulus die akute Apokalyptik allein Basis und Zentrum seiner Ethik sei, diese also in der Frühphase ausschließlich eschatologisch motiviert worden sei. Vor allem darf nicht übersehen werden, daß die frühpaulinische, im Unterschied zur spätpaulinischen Eschatologie keinesfalls ausschließlich von der Christologie bestimmt wird; denn die präsentische Dimension der Eschatologie, also die Heilsgegenwart, wird sowohl christologisch als auch theozentrisch ausformuliert. So werden Kreuz und Auferstehung Jesu nach 4,14 und 5,9f eindeutig als eschatologische Ereignisse verstanden, die den Beginn der apokalyptischen Aeonenwende ankündigen. Ebenso deutlich aber ist im 1. Thess., und zwar mehrheitlich, daß die präsentische Komponente der frühpaulinischen Eschatologie theozentrisch orientiert ist. So werden die Berufung der Christen, die Gabe des heiligen Geistes und die Bekehrung und die Belehrung im Gesetz direkt auf Gott zurückgeführt – ebenfalls alle eschatologische Ereignisse, die den Beginn der apokalyptischen Endzeit und die Gegenwart des Heils umschreiben. Ähnliches gilt für den futurisch-apokalyptischen Aspekt der frühpaulinischen Eschatologie, die Heilszukunft. Es ist indes keine Frage, daß die Enderwartung vom frühen Paulus auch christologisch artikuliert wird. Nach 1,3; 2,19; 3,13; 4,15; 5,23 richtet sich die Endhoffnung auf die Parusie Jesu Christi, auf den Tag des Kyrios (5,2.4) bzw. auf das Sein mit Christus (1,14.18; 5,10). Ebenso aber wird nach 1,10; 2,12; 5,9 der Jüngste Tag theozentrisch umschrieben.

Das heißt aber: Auch wenn die apokalyptische Hoffnung vom frühen Paulus weder systematisch entfaltet noch im Sinne der jüdischen Apokalyptik ausgemalt wird, so sehr ist deutlich, daß die Eschatologie als wesentliches Motiv der frühpaulinischen Ethik sowohl in ihrem präsentischen als auch futurischen Aspekt christologisch wie theozentrisch bestimmt wird.

f) Der frühe Paulus kennt durchaus die christologische Motivation der Ethik. Nach 1.Thess.4,1 («im Kyrios») und 4,2 («durch den Kyrios») wird der Kyrios Jesus als Grund und Kraft für den Lebenswandel der Christen verkündigt. «Im Kyrios» hat zwar im Kontext von 1. Thess. 4,1 und 2 dieselbe motivierende Bedeutung wie «durch den Kyrios», aber die Akzente liegen anders. Die motivierende Aussage «im Kyrios Jesus» ist eine betont apokalyptisch-dualistische und umschreibt das Sein der Kinder des Lichts im Machtbereich des Kyrios bzw. des Lichts (vgl. 5,4f) als Beweggrund für den moralgesetzlichen Lebenswandel der Erwählten in der Endzeit. Die Abgrenzung der beiden sich bekämpfenden Machtbereiche wird durch den apokalyptischen Licht-Finsternis-Dualismus vollzogen (5,4f). Zugleich sind der Kyrios Jesus, aber auch der Apostel als Beispiel in seinem Leiden und Tod aufgrund seines Gehorsams gegenüber dem Willen Gottes Norm und Kriterium für die Nachahmung (Imitatio) und so für das ethische Handeln der Christen (1. Thess. 1,6f; auch 2,14). Die Leiden des Paulus und des irdischen Kyrios haben die Thessalonicher nachgeahmt, sodaß die implizite Forderung der Imitatio nach dem 1. Thess. eindeutig im Bereich der Ethik steht. Trotz allem ist die Christologie für den frühen Paulus noch keineswegs wie in seiner Spätphase die alles bestimmende Basis und damit der entscheidende Horizont seiner Ethik. Vielmehr ist die vereinzelte christologische Begründung ein – wenn auch wichtiges – Motiv unter einer Vielzahl von Motivationen der frühpaulinischen Ethik.

g) Der Ungläubige verübt Sünden (4,4f), lebt «im Herrschaftsbereich der Finsternis» (5,4) und gehört zu den «Söhnen der Finsternis» und der «Nacht» (5,4ff). In den Machtbereich Christi bzw. des Lichtes gerät er durch das Hören des Evangeliums (5,4f), d.h. konkret durch die Annahme der Umkehr und Heilsbotschaft (1,9f) und das Getauftwerden. Die Kirche als apokalyptische Endgemeinde nimmt den umkehrwilligen Gläubigen auf durch das Sakrament der Taufe. Hier ist zunächst festzustellen, daß das Taufsakrament im 1. Thess. an keiner Stelle direkt erwähnt wird. Andererseits kann das große Taufkapitel in Röm. 6 aus der spätpaulinischen Phase nicht den Leitfaden der Interpretation von etwaigen Taufaussagen im 1. Thess. abgeben; denn von einem der Sündenmacht Abgestorben – und mit Christus begraben sein ist im 1. Thess. eben noch nicht die Rede! Damit aber ist noch lange nicht gesagt, daß der frühe Paulus im 1. Thess. keinen Bezug auf die Taufe nimmt. Das Gegenteil ist der Fall, wenn man sorgfältig auf indirekte Anzeichen bzw. Anspielungen achtet. So wird im 1. Thess. 5,4–8 nicht nur indirekt auf die Taufe als der sakramentalen Versetzung des Menschen aus dem Herrschaftsbereich der Finsternis in den des Lichts Bezug genommen (5,4–5), sondern die Ethik als der Kriegsdienst der Söhne des Lichts im apokalyptischen Endkampf (5,6–8) sakramental begründet. Das heißt, der «Licht-Finsternis»-Dualismus wie die daran sich anschließende Paränese von 5,4–8 begegnen auch sonst im Neuen Testament bei der Taufe und dürften Anzeichen für die Aufnahme einer vorpaulinischen Tauftradition sein. Allerdings liegt kein fertiges Traditionsstück vor, sondern der frühe Paulus hat in 5,4–8 auf überlieferte Wendungen und Wortkombinationen der Taufsprache zurückgegriffen. Auffällig ist zunächst der nur im 1. Thess. 5,4f begegnende Licht-Finsternis-Dualismus, Licht und Finsternis erscheinen wie in der qumranessenischen Erneuerungsbewegung (1QS und 1QM) als zwei Sphären, d.h. als zwei sich ausschließende, kosmologische Herrschaftsbereiche und Mächte, die miteinander im Streit liegen. Daß hier geprägte Terminologie vorliegt, beweist auch die verwandte Stelle Röm. 13,11ff.

Wie ein Vergleich mit den ebenfalls traditionellen Aussagen in Kol. 1,12–14; Eph. 5,8; Apg. 16,8; Joh. 12,36; 1. Petr. 2,9 und vor allem Röm. 13,11–13 beweist, ereignet sich der alles entscheidende Wechsel aus dem Machtbereich der Finsternis in den des Lichtes aufgrund der Taufe. Aufgrund des apokalyptischen Mächtedualismus Licht-Finsternis bewirkt die Taufe die Versetzung der Ungläubigen ins Licht, werden sie zu Söhnen des Lichts und können jetzt auf dem Wege des Lichts wandeln, d. h. Werke des Lichts vollbringen. Die Taufe umschreibt also die Eingliederung in den neuen Herrschaftsbereich des Lichts und trennt andererseits die beiden im Streit miteinander liegenden Machtbereiche in der Weise, daß nur ein Versetztwerden und ein Herrschaftswechsel von einem zum anderen führen. Mit diesem kosmologischen, apokalyptischen Mächtedualismus ist zugleich der anthropologische Dualismus gesetzt: Die einstigen «Söhne der Finsternis» werden durch die Taufe zu «Söhnen des Lichts»; wir haben also beide Male überlieferte Taufsprache vor uns. Die Gegenwart des eschatologischen Seins wird stark unterstrichen durch den viermaligen, präsentischen Indikativ: «Ihr seid nicht mehr in der Finsternis» (5,4), «ihr seid alle Söhne des Lichts und des Tages» (5,5a), «wir sind nicht mehr (Söhne der) Nacht noch (Söhne der) Finsternis» (5,5b) und «wir aber sind (Söhne des) Tages» (5,8a). Das eigentlich futurische Geschenk der Sohnschaft ist also durch den Vollzug der Taufe zur Heilsgegenwart geworden. Daraus wird von Paulus mit der bekannten Wendung «also nun» die ethische Konsequenz aus dem Getauftwerden gezogen (5,6–8): die Söhne des Lichts im Herrschaftsbereich des Lichts sollen wachsam und nüchtern sein, die Waffen des Lichts anziehen und den geforderten Kriegsdienst in der apokalyptischen Endzeit angesichts der nahen Parusie leisten. Basis und Horizont aber des apokalyptischen Kriegsdienstes ist das verschärfte Moralgesetz. Schon der frühe Paulus kennt also die sakramentale Begründung (5,4f) der Ethik (5,6–8).

h) Schließlich wird die Anweisung zum anständigen Lebenswandel (4,12), nämlich sich ruhig zu verhalten, die eigenen Angelegenheiten zu besorgen und mit eigenen Händen zu arbeiten (4,11b) vom frühen Paulus begründet mit der Rücksichtnahme auf die «draußen Stehenden» (vgl. auch 1. Kor. 5,12), d. h. die Heiden. Entscheidend sind auch hier nicht – wie oft vermutet wurde – die bürgerlichen Motive, sondern die damit verbundene Absicht, die Heiden für die christliche Endzeitgemeinde zu gewinnen. Die missionarische Motivation steht also eindeutig im Vordergrund. Die Christen als die Söhne (Kinder) des Lichts sollen sich so verhalten, daß sie nicht auf die Unterstützung durch die heidnischen Mitbürger als den Söhnen der Finsternis angewiesen sind, und so weder der heidnischen Umwelt in ihrer Gesamtheit noch den einzelnen heidnischen Mitbürgern zur Last fallen. Indem die Söhne des Lichts ihrer Arbeit- und Berufspflicht im Sinne des dritten Gebotes (Ex. 20,9) nachkommen, geben sie den Nichtchristen ein gutes Beispiel und werben für die Sache des Evangeliums in der apokalyptischen Endzeit.

Fazit: Wegen der Vielfalt der ethischen Motivation kann man einzelne Momente weder verabsolutieren noch isolieren. So wird zwar auch die frühpaulinische Ethik von der Taufe her motiviert, aber man kann sie deshalb noch lange nicht im Ganzen als «Sakramentsethik» bezeichnen, ebensowenig übrigens als «Pneuma-Ethik», «Telos-Ethik» oder «Kyrios-Ethik». Vielmehr hängen im 1. Thess. die verschiedenen Begründungen nicht nur miteinander zusammen, sondern wechseln oftmals einander ab. Deshalb wird man sagen müssen, daß das durch Christus verschärfte Moralgesetz Gottes die umfassende Motivierung und eigentliche Wurzel der frühpaulinischen Ethik ist.

3. Indikativ und Imperativ nach dem 1. Thess.

a) Auffällig und singulär im Vergleich mit den späten Hauptbriefen ist der literarische und formale Aufbau des frühen 1. Thess. Während die Briefe des späten Paulus – wie z. B. der Gal. und Röm. – die traditionelle Dreiteilung mit Einleitung, eigentlichem Briefkorpus (mit der klassischen Abfolge von «Dogmatik» und «Ethik») und dem Briefschluß aufweisen, kann von dieser traditionellen Dreiteilung im 1.Thess. noch keine Rede sein. Hier tritt vielmehr an die Stelle des eigentlichen Briefkorpus mit seinem dogmatisch-theologischen Teil die Einleitung bzw. das Proömium als Danksagung. Außerdem ist diese im Unterschied zu den Einleitungen der späten Paulusbriefe ungewöhnlich lang und umfaßt den ganzen ersten Briefteil, nämlich die ersten drei Kapitel (= 1,1 – 3,13). Schließlich weist diese Einleitung nicht die traditionell einleitende Funktion auf, wie sie aus den Hauptbriefen des späten Paulus bekannt ist. Diese Einleitung als Danksagung gehört formal mit dem traditionellen Briefschluß (5,23ff) zur konventionellen Briefrahmung, nicht aber zum eigentlichen Briefkorpus, das in 4,1–5,22 zu finden ist.

Der Briefinhalt selbst aber enthält keine «Dogmatik», sondern ausschließlich Paränese bzw. «Ethik». Das eigentliche Briefkorpus enthält die Aufforderung zum vollkommenen, würdigen und gottgemäßen Lebenswandel, worauf auch das Schwergewicht des ganzen Briefes liegt. Mit anderen Worten: Der früheste Paulusbrief enthält neben einem außergewöhnlich langen Proömium als Danksagung nur noch den ethischen Teil unter Weglassung des dogmatisch-theologischen Teiles. Schon dieser, in formaler Hinsicht, ungewöhnlich zu nennende Aufbau des 1. Thess. hat Konsequenzen für die sachlich-theologische Einordnung und Beurteilung des 1. Thess.: Ethik ist nicht nur sein eigentliches Thema, sondern zugleich sein ausschließlicher Inhalt. Die Kapitel 4 und 5 sind also nicht als ethische Briefpartien oder speziell paränetische Abschnitte anzusprechen, sondern sie sind gegenüber der Einleitung als Danksagung das eigentliche Briefkorpus. Auch die bekannte Folgerungspartikel «also, folglich», mit der Paulus in der Spätphase den 2. Teil als «Ethik» auf die «Dogmatik» folgen läßt (z. B. Gal.5; Röm.12 u. ö.), hat in der Frühphase einen anderen Stellenwert. Denn 1. Thess. 1–3 enthalten ja nicht die «Dogmatik», sondern sind eine einleitende Danksagung für die Erwählung der Gemeinde, die auf die zukünftige Rettung im Endgericht zielt. Die Erwählung ist demnach im 1. Thess. keineswegs der voraussetzungslose, bedingungslose Zuspruch von Heil; der Heilszuspruch der Erwählung wird vielmehr eingeschränkt durch die Bedingung, das Moralgesetz als Heilsweg zu praktizieren. Wo der ethischen Aufforderung nicht entsprochen wird, bleibt auch der Heilszuspruch der Erwählung nicht mehr existent. Es ist deshalb nur konsequent, wenn in den Kapiteln 1–3 statt der «Dogmatik» ein Proömium steht, das ausdrücklich den an Bedingungen und Voraussetzungen geknüpften Heilszuspruch entfaltet, während in den Kapiteln 4 und 5 die «Ethik» dargelegt wird. Die Folgerungspartikel jeweils am Anfang des neuen Briefteils hat also in der Früh- und Spätphase eine andere theologische Funktion. In der Frühphase (= 1. Thess. 4,1) versteht Paulus seine Ethik als Konsequenz des eingeschränkten – weil an die Bedingung des moralgesetzlichen Lebenswandels gebundenen Heilszuspruchs. Hier ist der Heilsindikativ faktisch in den Heilsimperativ integriert. In der Spätphase dagegen ist es genau umgekehrt.

Im Vergleich mit den späten Briefformularen (Gal. und Röm.) nimmt schon der formale Aufbau des 1. Thess. als einziges Dokument aus der Frühphase des Paulus eine bemerkenswerte Sonderstellung ein.

Thema des 1. Thess. ist darum der würdige Wandel der Erwählten in der durch Drangsale (Satan, Versuchung, Verfolgung) gezeichneten, apokalyptischen Endzeit angesichts der nahen Parusie des Kyrios, und zwar im dirkten Anschluß an die Missionspredigt der hellenistischen Kirche.

b) Die Evangeliumsverkündigung als Ganze (2,2.4.9) wird in 2,3 ausdrücklich vom frühen Paulus mit der «Paraklese» (= Zuspruch, Ermahnung) gleichgesetzt. Nach 4,1f wird vom frühen Paulus der Inhalt der Paraklese mit dem moralgesetzlichen Lebenswandel identifiziert. Die vom Apostel überlieferte und von der Gemeinde empfangene, moralgesetzliche Tradition ist der Inhalt der gegenwärtigen Paraklese als ethische Mahnrede. Wie hier so steht auch in 2,12; 4,10; 5,11 und 14 die Bedeutung «Ermahnen» im Vordergrund. Wichtig ist auch die Beobachtung, daß in 4,2 Inhalt der Ermahnung die moralgesetzlichen Anweisungen des Apostels sind, und auch in 4,11 mit dem anständigen Lebenswandel verbunden ist. Anders 3,2 und 7, wo dasselbe Wort im Deutschen mit «Ermuntern» bzw. «Trösten» wiedergegeben werden muß. Für den frühen Paulus hat somit die Paraklese in der Bedeutung von ethischer Mahnrede schon rein zahlenmäßig, aber auch sachlich den Vorrang vor der Paraklese als tröstendem Zuspruch. In der Frühphase ermahnt Paulus die Christen, denen die Sünden der Vergangenheit durch die Taufe vergeben wurden, daß sie für die Zukunft das verschärfte Moralgesetz halten sollen. Das Wort bzw. die Wortgruppe dürfte der frühe Paulus sehr wahrscheinlich von seiner hellenistischen Kirche übernommen haben. Besonders auffallend und lehrreich ist der statistische Befund in den hellenistischen Makkabäerbüchern (2., 3. und 4. Makk). Hier kommt das griechische Wort im Sinne von Ermahnen häufig vor (2.Makk.6,12; 7,5; 3.Makk.1,4; 5,36; 4.Makk.8,17; 10,1 u. ö.) und im 2.Makk.2,3 sogar in der ausdrücklichen Verbindung von Ermahnung und Gesetz des Mose. Das Wort steht also in vorchristlicher und vorpaulinischer Zeit von Haus aus im Kontext der Thora als Heilsweg bzw. der Tugendlehre.

c) Es ist zur Gewohnheit geworden, das Verhältnis von Erlösungslehre und Ethik mit den Stichworten Indikativ und Imperativ bzw. Gabe und Aufgabe oder Rechtfertigung und Heiligung zu umschreiben. Das ist durchaus möglich und vor allem dann richtig, wenn darauf hingewiesen wird, daß diese Verhältnisbestimmung nicht erst vom frühen Paulus geschaffen, sondern bereits von seiner hellenistischen Kirche tradiert wurde (vgl. nur die vorpaulinische Tauftradition in 1. Kor. 6,9–11). Grundlage und Voraussetzung des neuen christlichen Gehorsams ist das eschatologische Heilshandeln Gottes in Jesus Christus, das heißt sein Sühntod und seine Auferstehung von den Toten (1. Thess. 4,14 und 5,10). Dieses Heilsgeschehen wird dem Einzelnen zugeeignet durch Glaube und Taufe (5,4f), konkret: die Christen sind von Gott erwählt (1.4) und berufen (2.12; 4,7 und 5,24), ihnen ist der heilige Geist permanent gegeben (4,8) und sie sind von Gott gelehrt worden (4,9). Durch die Taufe sind sie dem Machtbereich der Finsternis entrissen und in den Herrschaftsbereich des Lichtes versetzt worden (5,4f), hat sich also der dualistisch-apokalyptisch motivierte Herrschaftswechsel vollzogen. An die Getauften als den Gliedern der apokalyptischen Endzeitgemeinde und Söhnen des Lichts ergeht darum der Heilsimperativ, die Werke des Lichts zu tun und d. h. das verschärfte Moralgesetz zu erfüllen. Auch der frühe Paulus kann schon neben den Indikativ, (sie sind durch die göttliche Berufung schon geheiligt, 4,7) spannungsvoll den Imperativ setzen, wonach sie zugleich der göttlichen Willensforderung der lebenslangen Heiligung nachkommen sollen (4,3). Man hat in der Forschung diese Doppelpoligkeit als eine Antinomie zu bestimmen versucht, d. h. als ein Verhältnis von zwei zwar sich formal widersprechenden, sachlich aber zusammengehörigen Aussagen. Der Imperativ der ethischen Mahnung ist gegründet im Indikativ der geschehenen Taufrechtfertigung.

Aber das frühpaulinische Verhältnis von Indikativ und Imperativ ist nicht im Sinne des alten Pindarwortes «werde der du bist» (Pyth.2,72) zu interpretieren, sondern im Kontext der jüdischen und judenchristlichen Ethik. Aus der indikativischen Heilszusage folgt der Imperativ der Gehorsamsermahnung gegenüber dem verschärften Moralgesetz, wird der Imperativ aus dem Indikativ abgeleitet. Dieses Begründungsverhältnis ist sehr gut

ablesbar aus den Folgerungspartikeln «also nun», «folglich nun» am Beginn der paränetischen Briefabschnitte 4,1 und 5,6. Diese traditionellen Folgerungspartikeln am Anfang der ethischen Ausführung signalisieren, daß der frühe Paulus seine Ethik als mahnende Einschärfung des Moralgesetzes versteht, als Folge der eschatologischen Übereignung des Heilsgeschehens durch Glaube und Taufe (1,1–3,13 und 5,4f). In der Paulusforschung hat man deshalb zurecht in diesem Zusammenhang darauf hingewiesen, daß die Ethik nicht als eine autonome oder finale, sondern als eine konsekutive Ethik zu bestimmen ist, was allerdings eigentlich nur für den frühen, nicht aber für den späten Paulus zutrifft. Denn diese frühpaulinisch und letztlich vorpaulinische Verhältnisbestimmung von Indikativ und Imperativ ist damit keineswegs der gesetzlichen Perspektive entnommen, wenn man nicht bewußt oder unbewußt vom späten Paulus her interpretiert. Für den frühen Paulus gilt – wie für den Protestantismus durch die Jahrhunderte – die Taufrechtfertigung als der Beginn des Christenlebens, dem heilsnotwendig die Heilung zu folgen hat. Das Erlösungsgeschehen wird deshalb auch nicht freigehalten von menschlicher und dankbarer Mitwirkung, wie die Stufenfolge von Rechtfertigung und Heiligung im Christenleben beweist. Faktisch wird damit der Imperativ bzw. die Ethik für den frühen Paulus zur Ergänzung und Vervollständigung des göttlichen Handelns, so daß sich der Glaube in der Liebe vollendet. Der Imperativ realisiert bzw. verwirklicht letztlich den Indikativ, so daß der Indikativ in Wahrheit beim frühen, nicht aber späten Paulus in den Imperativ integriert ist!
Weil es im 1.Thess. weder eine Kritik des Gesetzes als Heilsweg gibt noch von einer definitiven Bestreitung der Werke die Rede ist, auch eine grundsätzliche Antithese von Glauben und Werken im Sinne der späten paulinischen Rechtfertigungslehre fehlt, ist das Geschehen der Rechtfertigung zeitlich limitiert. Vom frühen Paulus wird die Taufrechtfertigung als Beginn des Christenlebens betrachtet, die den Gerechtfertigten von nun an den Wandel nach dem verschärften Moralgesetz, eben das Tun der Gesetzeswerke ermöglicht. Im Sinne der traditionellen Gesetzes-, Verdienst- und Lohnethik kann das frühpaulinische Verhältnis von Indikativ und Imperativ nur als Synthese, nicht aber als Antithese von Gnade und Werken interpretiert werden. Zugleich ist die frühpaulinische Ethik immer ethica viatorum, d.h. Ethik für die Söhne des Lichts, für die zwar der alte Aeon der Finsternis im Vergehen begriffen ist, der neue Aeon des Lichts in seiner das All umfassenden Offenheit aber erst in der nahen Parusie anbrechen wird.

4. Die ethischen Anweisungen im 1.Thess.

a) Es ist sicher kein Zufall, daß im ganzen 1.Thess. zwar nicht von Rechtfertigung, dafür aber um so öfter von Heiligung die Rede ist. Denn die Rechtfertigung als einmaliger Erlaß der Sünden vor der Taufe ist für den frühen Paulus Voraussetzung und Beginn des Christenlebens, der notwendig die lebenslange Heiligung bis zur Parusie, folgen muß. Und auf der Heiligung liegt deshalb folgerichtig im 1. Thess. das Schwergewicht. Schon statistisch gesehen ist die Wortgruppe nicht zu übersehen: so findet sich das Wort heilig fünfmal, Heiligung fünfmal, heiligen einmal und Heiligkeit einmal im 1. Thess. Zugleich belegen alle diese Stellen, daß der Heiligkeitsbegriff aus der alttestamentlich-jüdischen Tradition stammt. Aber im Gegensatz dazu wird er vom frühen Paulus nicht mehr kult-, sondern nur noch moralgesetzlich verstanden. Die sittliche Heiligung hat die kultische abgelöst. Die Heiligung der Christen ist der Gesamtinhalt des fordernden Gotteswillens. Diese Mahnung zur Heiligung wird in den beiden folgenden und parallelen Infinitiven 4,3b–6a paradigmatisch in einem kleinen Laster- wie Tugendkatalog entfaltet: Verbot der Unzucht; Verbot der Eheschließung und -führung in fleischlicher Gier; Gebot der christlich-monogamen Ehe in Heiligung und Ehrerweisung; Verbot der Unredlichkeit im Geschäftsleben; Gebot der Ehrlichkeit. Die vom Apostel geforderte Heiligung erweist sich konkret in exemplarischen, individualethischen Anweisungen für das Geschlechts-, Ehe- und Geschäftsleben. In 4,3–6a meint Heiligung den Lebenswandel nach dem Moralgesetz, also ein vom Christen gefordertes, sittliches Handeln, während die Heiligung nach 4,7 den einmaligen göttlichen Akt des Geheiligtwerdens in der Taufe umschreibt. Zusammenfassend heißt das: Für den frühen Paulus ist die Heiligung als moralgesetzlicher Lebenswandel das eigentliche Ziel der Wirksamkeit des heiligen Geistes Gottes (4,7f); denn der heilige Geist wird ständig von Gott den Gläubigen gegeben, um die Heiligung zu bewirken.

b) Mit 4,9 beginnt ein neuer Abschnitt der Paränese: Nicht mehr die Heiligung, sondern die Bruderliebe rückt jetzt in den Mittelpunkt der apostolischen Ermahnung. Die Bruderliebe ist für Heiden gleichbedeutend mit der Liebe zum Blutsverwandten, d. h. mit der Geschwisterliebe und für Juden identisch mit der Liebe zum Volksgenossen. Aber schon vor Paulus (vgl. Röm. 12,10) meint Bruderliebe die brüderliche Liebe der Gemeindeglieder untereinander, und dieselbe Bedeutung hat das Wort in 1. Thess. 4,9f. Aber der Apostel fügt zugleich hinzu, daß die Thessalonicher in dieser Beziehung keiner Mahnung bedürfen, weil sie diese bereits unter sich und gegen alle Brüder in Mazedonien erwiesen haben. Außerdem sind sie, von Gott selber in seinem Gesetz darüber belehrt worden, sich untereinander zu lieben. Der Inhalt der göttlichen Belehrung als der Unterweisung im Moralgesetz ist die christliche Bruderliebe, in der sich die Thessalonicher bisher auch als gelehrige Schüler Gottes erwiesen haben, wie Paulus ausdrücklich anerkennt. Die Forderung der Bruderliebe geht auf die göttliche Belehrung der Gemeinde über das Gesetz zurück. Sie ist offenbar die höchste sittliche Tugend in der apokalyptischen Endzeit, in der Jer.31,34 eschatologisch erfüllt wird. Nach 4,10a ist sie aber nicht nur eine Gesinnung, sondern ein «Tun», wenn Paulus in 4,10b trotzdem mahnt, dann nicht, daß die Thessalonicher die Bruderliebe üben, sondern daß sie immer mehr Fortschritte (wie in 4,1!) in der Bruderliebe machen sollen. Weil die Bruderliebe zum moralgesetzlichen Lebenswandel gehört, kann die Bruderliebe bzw. Liebe überhaupt quantifizierend gesteigert werden. Indem die Thessalonicher von Paulus aufgefordert werden, noch mehr Liebeswerk an den Brüdern zu tun, wird ihr moralgesetzlich motivierter und genormter Lebenswandel immer mehr vervollkommnet, schreiten sie also in der Heiligung voran. Die (Bruder)-Liebe wird also eindeutig gefordert und geboten, auch wenn von der Liebe zu Gott oder Christus im 1. Thess. expressis verbis keine Rede ist. Auch von der Liebe als oberster Norm ethischen Handelns und Verhaltens findet sich im 1. Thess. keine Spur. Da sie auch noch kein Charisma wie in der spätpaulinischen Ethik, sondern vielmehr Gesetzeswerk bzw. Tugend, wird sie primär auf Heiligung, Vervollkommnung und Verdienst des Handelnden und erst sekundär auf den Dienst am Bruder, Nächsten und Feind ausgerichtet.

c) Neben andere ethische Gebote (Keuschheit, monogame, christliche Eheschließung und -führung, Ehrlichkeit, Bruderliebe u. a.) stellt der Apostel ohne ersichtlichen Anlaß das Gebot der Arbeit. So mahnt Paulus in 1. Thess. 4,11 und 12 zu einem ruhigen Leben, zum Besorgen seiner eigenen Angelegenheit und zur Handarbeit bzw. fleißigen Arbeit. Diese Aufforderung zur Arbeit ist weder durch die Apokalyptik noch durch ihr Fehlen verursacht, sondern durch den Dekalog. Deshalb geht es auch nicht um eine Arbeitspflicht im moralphilosophischen Sinne, etwa als bürgerliche Erziehung zur Arbeitsamkeit, sondern pointiert um das im Dekalog stehende moralgesetzliche dritte Gebot, sechs Tage in der Woche zu arbeiten und alle seine Werke zu tun (Ex. 20,9). Arbeitsamkeit ist also Gehorsam gegen das dritte Gebot, während Arbeitsscheu seine Übertretung bedeutet. Paulus mahnt also zur Erfüllung dieses göttlichen Gebotes. Die Söhne des Lichts werden von Paulus mit Verweis auf das Moralgesetz zur Berufs- und Arbeitspflicht angehalten. Anders z. B. die Qumranessener: Hier wird die Arbeitspflicht nicht moral- sondern kultgesetzlich begründet: nach 1QS 5,2 haftet nämlich «Unreinheit an all ihrem Besitz», sodaß die Qumran-Essener als Söhne des Lichts zum eigenen Lebensunterhalt nicht auf die Unterstützung der Söhne der Finsternis angewiesen sein dürfen.

Die paulinische Ermahnung ist also nicht – wie oft angenommen wird – in einer speziellen Gemeindesituation begründet: sei es, daß der apokalyptisch motivierte Müßiggang in Arbeitsniederlegung sich äußerte oder daß die Arbeitsunlust griechischer Gewohnheit entsprach. Vielmehr sind 4,11 und 12 ganz jüdisch und judenchristlich gedacht: Der frühe Paulus hat

aufgrund des Moralgesetzes auch das Gebot der Arbeit eingeschärft. Nach dem Alten Testament ist Arbeit die der Menschheit vom Schöpfergott gesetzte Aufgabe (1. Mos. 2,15) und gehört darüber hinaus zur moralgesetzlich geregelten Ordnung für das Leben Israels: «Sechs Tage sollst du arbeiten und alle deine Werke tun», 2. Mos. 20,9). Sie ist also von Anfang an eine vom Gesetz geheiligte Pflicht (vgl. Spr. 6,6ff; 10,4 u. ö.), so daß auch die pharisäischen Schriftgelehrten angewiesen waren, ein Handwerk zu erlernen (Abot 2,2), sehr anders als in der griechisch-römischen Antike, in der seit der klassischen Zeit (Plato, Aristoteles, Cicero) die Arbeit immer mehr abgewertet wurde.
Auf einen aktuellen Anlaß für diese Mahnung deutet im 1.Thess. also nichts hin. Im Gegenteil: Nach 4,11 – «wie wir euch schon geboten haben» – wiederholt Paulus nur Anweisungen, die er den Thessalonichern schon bei ihrer Missionierung und Gründung der Gemeinde gegeben hatte. In 4,11f liegt also wiederum usuelle und keine aktuelle Paränese vor. Angesichts des hereinbrechenden Endes sollen sich die Söhne des Lichts um so mehr an das Moralgesetz halten, das ausdrücklich die sechs Tage Arbeitspflicht einschärft. Dieser anständige Lebenswandel als missionarisches Motiv wird letztlich also durch das dritte Gebot des Dekalogs bestimmt. Die Forderung der Heiligung ist genauso wie diejenige der Arbeitsamkeit moralgesetzlich motiviert. Abschließend ist nur noch mit Nachdruck darauf hinzuweisen, daß Paulus nach 1. Thess. 2,9 Tag und Nacht gearbeitet hat, um niemandem in der Gemeinde zur Last zu fallen. Paulus hat sich sowohl in seiner Früh- als auch Spätphase immer mit eigenen Händen seinen Lebensunterhalt verdient (vgl. 1.Kor. 4,12; 2.Kor. 12,14).
d) In der kleinen Taufparänese 1. Thess. 4,6–8 werden die Söhne des Lichts zum Kriegsdienst im apokalyptischen Endkampf der Mächte ermahnt. Im Unterschied zu der vom Indikativ getragenen Tauftradition der Verse 4 und 5 treten nun die Mahnungen und Anweisungen in den Versen 6–8 beherrschend in den Vordergrund, die die ethische Konsequenz aus dem Getauftsein der Söhne des Lichts ziehen. Diese äußerst prägnante, wenn auch knappe Taufparänese ist durch den Wechsel von der zweiten zur ersten Person Pluralis gekennzeichnet und speziell durch das folgernde «also, folglich nun» eingeleitet. Diese typisch paulinische Folgerungspartikel zum Beginn der Paränese signalisiert, daß der frühe Paulus die Ethik als direkte Konsequenz des im Taufsakrament dem einzelnen Zuteilwerdenden versteht, wie er es in dem unmittelbar vorangehenden Briefabschnitt umschrieben hat. Der frühe Paulus behaftet die Getauften bei dem ihnen bis zur nahen Parusie durch die Taufe übereigneten Sein als Söhne des Lichts und des Tages (vgl. nur die gehäuft auftretenden Indikative in 4f, aber auch in 8a) und ermahnt sie eindringlich, diesem in ihrem Lebenswandel existenziell zu entsprechen: Es gilt von nun an wachsam und nüchtern zu sein und für den Kriegsdienst im

apokalyptischen Endkampf die Waffenrüstung der Söhne des Lichts anzulegen. Unsere Verse sind demnach als typische Taufermahnung zu verstehen.

Diese kleine Taufparänese in 1.Thess.4,6–8 hat nun aber – worauf zurecht immer wieder hingewiesen worden ist – ihre direkte Sachparallele in Röm.13,11–14. Hier wie dort hat Paulus auf traditionelles Motiv- und Aussagengut seiner hellenistischen Kirche zurückgegriffen, das ebenfalls von ihm leicht überarbeitet worden ist (so z.B. Röm.13,11a und c; 13a und 14). Der wesentliche Unterschied zwischen beiden Belegstellen liegt allerdings in der Begründung der Ethik; Während in Röm.13,11f die apokalyptische Naherwartung der Parusie die ethische Ermahnung begründete, hat in 1.Thess.5,4ff diese Funktion das Taufsakrament übernommen. Der eindringliche Hinweis auf die Kürze des noch verbleibenden, alten Aeon dient jetzt einzig dazu, die Ganzheit und die Radikalität des moralgesetzlichen Gottesdienstes im Alltag der alten Weltzeit einzuschärfen. Angesichts des herannahenden Tages, d.h. der Parusie erklingt der apokalyptische Wächterruf, vom Schlafe aufzuwachen (Röm.13,11b), «die Werke der Finsternis» abzulegen (Vers 12b) und «die Waffen des Lichts» anzulegen (Vers 12c). Der angefügte kleine Lasterkatalog verbietet beispielhaft den moralgesetzwidrigen Lebenswandel in der Finsternis (Röm.13,13). Abgesehen von der unterschiedlichen Begründung der Ethik in 1.Thess.5,4ff und Röm.13,11ff sind beide Paränesen, was ihr Vorstellungs-, Wertungs- und Normsystem betrifft, aufs Engste verwandt, so daß Röm.13,11ff zur Interpretation von 1.Thess.5,4ff herangezogen werden kann.

Das zeigt vor allem eine Analyse des religionsgeschichtlichen Hintergrundes. So ist das ethische Thema vom Kriegsdienst der Söhne des Lichts in der Endzeit angesichts der nahen Parusie und ihrem Kampf gegen die widergöttlichen Mächte im typisch apokalyptischen Dualismus von altem und neuem Aeon verankert. Dem kosmologischen Dualismus Licht-Finsternis entspricht derjenige von Gott und Satan, ist also ein Mächtedualismus und repräsentiert zwei Herrschaftsbereiche, die miteinander im Streit liegen. «Licht» und «Finsternis» sind also nicht bildlich zu verstehen, sondern gehören als apokalyptisch-dualistische Metaphern zur uneigentlichen Redeweise, wobei das Bild für die Sache selbst, d.h. für die zwei sich entgegenstehenden Macht- und Herrschaftsbereiche wie die damit gesetzten «Wege» steht. Wie z.B. in 1QS 3,19 wird demnach mit der Licht-Finsternis-Antithese der jeweilige Heils- oder Unheilsbereich bezeichnet, dem der Mensch alternativ ausgeliefert ist. Dieses Zweimächtedenken der Apokalyptik setzt sich konsequent im anthropologischen Dualismus der «Söhne des Lichts» und «Söhne des Tages» oder der «Söhne der Finsternis» und «Söhne der Nacht» (1.Thess.5,4ff) fort. Die Menschen gehören entweder als Söhne des Lichts, d.h. der Gerechtigkeit zum Herrschaftsbereich des Lichts, also Gottes und des Christus, oder aber als Söhne der

Finsternis, d. h. der Ungerechtigkeit, zum Machtbereich der Finsternis, also des Teufels und seiner Helfershelfer. In der Taufparänese von 1. Thess. 5,6–8 werden die Söhne des Lichts mit den Christen, die guten Willens sind, identifiziert, die Söhne der Finsternis mit den Nichtchristen und Bösen als den zwei ausschließlichen Menschengruppen.

Der überall zugrunde liegende apokalyptische Dualismus von altem und neuem Aeon setzt sich nun schließlich fort im ethisch–soteriologischen Dualismus; Licht und Finsternis sind nicht nur zwei alles bestimmende Machtsphären, sondern zugleich auch die beiden sich ausschließenden Möglichkeiten des Lebenswandels bzw. der «Wege», auf denen die Menschen wandeln und an deren Ende bei der nahen Parusie Heil oder Unheil stehen.

Der frühe Paulus steht hier also in einer alten dualistischen Tradition der apokalyptischen 2-Wege-Paränese (z. B. Qumran, Testamente der 12 Patriarchen und äth. Henoch). Der Tugend- und Lasterkatalog in 1QS4, 2–14 zeigt auf anschauliche Weise, daß die beiden Machtbereiche Licht und Finsternis sich im Lebenswandel der von ihnen beherrschten Menschen, den Söhnen des Lichts und den Söhnen der Finsternis, d. h. in ihren «Wegen» (1QS4,1f), auswirken. Die Tugenden sind hier verstanden als Erfüllungen, während die Laster als Übertretungen des Gesetzes verstanden sind. Der Dualismus der beiden Macht- und Herrschaftsbereiche Licht und Finsternis wirkt sich entweder in den «Wegen des Lichtes» (1QS3,20 und 4,2ff), d. h. den «Wegen der Gerechtigkeit und Wahrheit» (4,2) und der apokalyptischen Heilszusage aus (4,6b–8) oder in den «Wegen der Finsternis» (3,21), eben in den Lastern (4,9ff) und der Androhung des apokalyptischen Gerichts aus (4,11b–14). «Licht» und «Finsternis» bezeichnen also in diesem apokalyptisch-dualistischen Zusammenhang Heil bzw. Unheil, ewiges Leben bzw. ewigen Tod bei der Parusie. Wie «Tag» und «Nacht» sind sie mehr als bloße Zeit –, vielmehr pointiert dualistische Wesensbegriffe. Daraus folgt, daß sich der Qumran-Essener lebenslang in der Situation des Kampfes und der Anfechtung befindet (1QS3, 21ff; 4,20ff). In diesen weit gesteckten Interpretationsrahmen gehören nun 1. Thess. 4,6–8 und Röm. 13,11–14. Auch hier beeinflußt der apokalyptische Mächtedualismus den ethischen Lebenswandel der Menschen und zwar in dreifacher Weise:

a) «Wach» und «nüchtern» sein sind apokalyptisch-dualistische Metaphern in diesem eschatologischen Wächterruf 4,6, die die Existenzweise im Machtbereich des Lichtes, des Tages und der Gerechtigkeit und damit den neuen Aeon überhaupt umschreiben. Konkret heißt das: Die Söhne des Lichts tun das verschärfte Moralgesetz. Ganz entsprechend bezeichnen «schlafen» und «trunken» sein als apokalyptisch-dualistische Metaphern die Verfallenheit an den alten Aeon, den Machtbereich der Finsternis und der Nacht. Ihre Söhne tun die Gesetzwidrigkeit bzw. die Laster: Somit sind die antithetischen, apokalyptisch-dualistischen Metaphern

vom Wachen und Schlafen, nüchtern und trunken sein sachlich mit den moralgesetzlichen Anweisungen des Apostels identisch.
b) Sachlich gleichbedeutend ist die Aufforderung «die Werke der Finsternis» abzulegen. Sie sind Werke der Gesetzlosigkeit, Laster (Röm.13,13) und kennzeichnen den moralgesetzwidrigen Lebenswandel der Söhne der Finsternis (Röm.13,12). Dementsprechend sind die Werke des Lichts als die Wege des Lichts identisch mit den Verhaltensweisen des neuen Menschen im neuen Aeon, dem anständigen Lebenswandel der Söhne des Lichts (Röm.13,13). Wiederum sind also «ablegen» wie «anziehen», «Werke der Finsternis» wie «Werke des Lichts» apokalyptisch-dualistische Metaphern, mit denen paränetisch zum ethischen Lebenswandel des neuen Menschen im neuen Aeon als ständige Aufgabe aufgerufen wird.
c) Schließlich gehört zur typischen Taufermahnung die Aufforderung zum Anziehen der geistlichen Waffenrüstung, denn die Gegenwart ist die Zeit des apokalyptischen Endkampfes. Die «Waffen des Lichts» (Röm.13,12) sind die Waffen der Gerechtigkeit, also Handlungs- und Verhaltensweisen gemäß dem Moralgesetz Gottes, während die «Waffen des Unrechts» (so 4Qtest25) mit dem moralgesetzwidrigen Lebenswandel der Söhne der Finsternis gleichzusetzen sind. Ethik ist nach 1.Thess.5,8 und Röm.13,12f als Kriegsdienst der Söhne des Lichts im apokalyptischen Kampf zwischen den beiden Mächten des Lichts und der Finsternis nichts anderes als der moralgesetzliche Lebenswandel. Die Söhne des Lichts werden im Sinne einer ethischen Nüchternheitsforderung angewiesen, die geistliche Waffenrüstung anzulegen: «Wir aber, die wir dem Tag angehören, sollen nüchtern sein, angezogen mit dem Panzer des Glaubens und der Liebe und mit dem Helm der Hoffnung auf Rettung». Dabei muß beachtet werden, daß die Selbstaufforderung: «Wir sollen nüchtern sein» im folgenden durch das Partizip Aorist «angezogen ...» fortgesetzt wird. Damit wird die apokalyptisch-dualistische Metapher der Nüchternheit (und Wachsamkeit) durch das wiederum traditionelle Bild der Waffenrüstung unter Anspielung auf Jes.59,17 sowohl präzisiert, als auch konkretisiert: Glaube, Liebe und Hoffnung sind als Panzer und Helm anzuziehen. Die überlieferte Trias Glaube, Liebe und Hoffnung aber, wie sie im 1.Thess.1,3 als Zusammenfassung die geforderten ethischen Verhaltensweisen umschreibt, meint konkret dem moralgesetzlich motivierten wie normierten Lebenswandel der Söhne des Lichts in der apokalyptischen Kriegssituation. Glaube, Hoffnung und Liebe sind darum als Gesetzestugenden die eigentlich ethischen Vollzugsmöglichkeiten des Nüchternseins wie des Gerüstetseinsollens. Die anzulegende Waffenrüstung (1.Thess.5,8 und Röm.13,12) mit der traditionellen Trias, Glaube, Liebe, Hoffnung ist also in Wirklichkeit ein paradigmatischer Tugendkatalog, dem apokalyptisch-dualistisch der Lasterkatalog (Röm.13,13) entgegensteht. Mit diesen Tugend- und Lasterkatalogen werden alter und neuer Aeon, alter und neuer Mensch, einst und jetzt scharf gegeneinander abgegrenzt. Die

genannten Existenzmodi des Glaubens, der Liebe und der Hoffnung betreffen also das ethische Verhalten, sind moralgesetzliche Kategorien und überschreiten keineswegs das Gebiet der Ethik. Man darf eben 1.Thess. 5,4–8 nicht ohne weiteres und dazu noch unbewußt etwa von Röm.6,12ff her und somit die frühpaulinische von der spätpaulinischen Ethik her interpretieren. Glaube, Liebe und Hoffnung als Näherbestimmung der Selbstaufforderung zur Nüchternheit begegnen in 1.Thess.5,8 eindeutig als Inhalt einer das ethische Verhalten betreffenden, moralgesetzlichen Anweisung des Apostels. Als beispielhafte geforderte Tugenden stehen sie im apokalyptisch-dualistischen Gegensatz zu den Lastern (Röm.13,13), die von den Söhnen des Lichts um ihres eigenen Heiles willen gemieden werden müssen. Die anzulegende Waffenrüstung ist also nichts anderes als der auch sonst in 1. Thess. 4 und 5 geforderte Lebenswandel nach dem verschärften Moralgesetz in der apokalyptischen Endzeit.

Die Getauften als die Söhne des Lichts sind nicht nur in den neuen Herrschaftsbereich des Lichtes und des Christus versetzt, sondern damit zugleich in die neue apokalyptische Endzeit mit dem Kampf gegen die Mächte der Finsternis eingewiesen worden. Der sakramentale Indikativ der Taufe hat den Söhnen des Lichts zwar ein neues Sein übereignet, aber was grundsätzlich und eschatologisch geschehen ist, muß nun in der noch verbleibenden Zukunft bis zur nahen Parusie verwirklicht und angeeignet werden. Das neue Sein im Machtbereich des Lichtes hängt nach der früh-, nicht spätpaulinischen Ethik von der Entscheidung bzw. dem Gehorsam gegenüber dem verschärften Moralgesetz der Söhne des Lichtes ab. Basis und Horizont des apokalyptisch-dualistisch motivierten Kriegsdienstes ist darum das verschärfte Moralgesetz. Das neue Sein gehört für den frühen Paulus eindeutig in die Ethik, man gewinnt das geschenkte Heil nur, wenn es im moralgesetzlichen Lebenswandel realisiert wird, indem die Wege des Lichtes beschritten, die Werke des Lichtes getan werden. Auch in der ethischen Anweisung zum Anlegen der Waffenrüstung sals einer pointiert apokalyptisch-dualistischen Metapher stoßen wir auf diesen Vorbehalt, diese entscheidende Bedingung und Voraussetzung, womit der in Taufe gegebene Indikativ des Heils nachträglich eingeschränkt wird. Die Ethik, hier in 1.Thess.5,4–8 vorgestellt als Kriegsdienst der Söhne des Lichts im Kampf mit der Macht der Finsternis, ist in der Tat menschliche Reaktion auf das göttliche Heilshandeln Gott in der Taufe, worin die «Werke der Finsternis» (Röm.13,12) abgelegt, d.h. die Laster gemieden (Röm.13,13) und die Werke des Lichts, d.h. die Tugenden getan werden müssen. Mit anderen Worten: Für den frühen Paulus ist der Kriegsdienst der Söhne des Lichts als der Gehorsam gegenüber dem verschärften Moralgesetz Heilsweg und Lebensnorm zugleich. Wiederum ist deutlich, daß für den frühen Paulus der Heilsindikativ der Taufe in den Heilsimperativ des ethischen Lebenswandels integriert ist; die Taufe als sakramental vollzogener Herrschaftswechsel führt die Söhne des Lichts nicht vom Gesetz als Heilsweg fort, sondern stellt sie allererst auf den Heilsweg des Gesetzes.

e) Von besonderer Wichtigkeit ist der Abschnitt 5,12–22, da er die einzigen gemeindeethischen Anweisungen im 1. Thess. enthält. Thema von 5,12–22 sind die ethischen Anweisungen für das Handeln und Verhalten in der Gemeinde, also die Auferbauung der Gemeinde in der apokalyptischen Endzeit. Ein besonderer Anlaß in der Gemeinde ist nicht erkennbar, es liegen also auch hier wiederum usuelle, nicht aber aktuelle Paränesen vor. Übergreifendes und zusammenfassendes Thema der gemeindeethischen Forderungen ist die Liebe als die Summe und Erfüllung des verschärften Moralgesetzes. Das Stichwort «Auferbauen» taucht zwar nicht in diesem paränetischen Schlußabschnitt auf, wohl aber in 5,11 mit seinem Appell an die gegenseitige Erbauung der Gemeindeglieder. Dieses Stichwort und dieser letzte Vers (5,11) leiten von selbst über zu den gemeindeethischen Mahnungen von 5,12ff und sind zugleich Überschrift über den folgenden Schlußabschnitt 5,12–22, in dem die Auferbauung der Gemeinde und das Gemeindeleben das einzige Thema ist. Ohne daß eine scharfe Trennung im einzelnen möglich wäre, zerfällt dieser Abschnitt der Gemeindeethik in fünf lose und assoziativ aneinander gereihte Mahnungen:

1. Zuerst mahnt Paulus die Thessalonicher, die besonderen Tätigkeiten bzw. freiwilligen Leistungen einzelner Gemeindeglieder für das Gemeindewohl anzuerkennen und hochzuschätzen (5,12–13a). Von besonderen Gemeindeämtern oder Gemeindebeamten ist hier nicht die Rede. Im einzelnen zählt Paulus an besonderen Tätigkeiten folgende auf: Die Thessalonicher sollen die Liebesdienste innerhalb der Gemeinde (vgl. 1,3) anerkennen, die erfahrungsgemäß mit persönlichen Mühen und Opfern verbunden sind. Sodann soll die Fürsorge für die Gemeinde (vgl. Röm. 12,8) und schließlich die strafende Zurechtweisung wie der ermunternde Zuspruch gegenüber Irrenden und strauchelnden Gemeindegliedern anerkannt werden. Diejenigen, die sich so für das Wohl und die Auferbauung der Gemeinde einsetzen, die sollen alle Gemeindeglieder «um ihres Werkes willen», d. h. wegen ihrer Verdienste für die Gemeinde hoch einschätzen (5,13a).

2. Die zweite Mahnung ist auf das brüderliche Verhalten der Gemeindeglieder untereinander gerichtet. Die Gemeinde soll Frieden halten (Vers 13b) und das Fehlverhalten von unordentlichen, kleinmütigen und schwachen Gemeindegliedern zurechtweisen (Vers 14). Auch für diese Mahnung ist keine besondere Veranlassung erkennbar oder gar anzunehmen. Vielmehr trifft sie für die christliche Gemeinde zu allen Zeiten zu, denn schließlich bedürfen alle Gemeindeglieder der Nachsicht, Geduld wie Langmut.

3. Mit 5,15 fügt Paulus den ausgesprochen gemeindeethischen Ermahnungen noch eine traditionell individualethische hinzu: «Sehe zu, daß keiner

den anderen Böses mit Bösem vergelte, sondern verfolgt allezeit das Gute untereinander und für alle Menschen». Wir stoßen hier auf eine der Hauptregeln frühpaulinischer und christlicher Ethik überhaupt: ausdrücklich wird die genaue Vergeltung bzw. die Rache dem Christen verboten und ebenso nachdrücklich das Gebot der Bruder-, Nächsten- und Feindesliebe erhoben. Wir haben in 5,15 eine Mahnung zum Verhalten der Gemeindeglieder untereinander wie zu allen Menschen vor uns. Damit wird das alttestamentliche Moralgesetz verschärft, auch wenn diese Verschärfung vorpaulinisch ist und von ihm im Kontext paränetischer Tradition übernommen wurde. Wie die hellenistische Kirche vor und neben ihm fordert der frühe Paulus nicht nur die Bruder- und Nächstenliebe, sondern die Feindesliebe und verbietet kategorisch die persönliche Rache.

4. Zur Ethik gehört nach 5,16–18 die Forderung, daß die Söhne des Lichts allezeit fröhlich sind, unablässig beten und in jeder Situation danken. Freude, Gebet und Dank zählen für den frühen Paulus zu den Haupttugenden christlicher Existenz und werden ausdrücklich begründet mit dem Willen Gottes.

5. Abgeschlossen wird diese mehr oder weniger unverbundene gemeindeethische Spruchreihe durch Mahnungen zum Verhalten gegenüber prophetischem Geist und prophetischer Rede in der Gemeindeversammlung (Verse 19–22). Meistens wird in der Exegese von der Charismenlehre des späten Paulus her interpretiert. Aber der frühe Paulus in 1.Thess. kennt noch keine Charismenlehre, weil er sich noch nicht in der Auseinandersetzung mit seinen christlich-gnostischen Gegnern befindet. Vielmehr steht in dieser wiederum losen Aneinanderreihung von fünf Mahnungen das Phänomen der alttestamentlich-jüdischen wie jüdisch-judenchristlichen Prophetie in den Gemeindeversammlungen im Mittelpunkt:

«Den prophetischen Geist löscht nicht aus,
Prophetenreden verachtet nicht,
alles aber prüft,
das Gute behaltet,
haltet euch von allem Bösen fern».

Diese fünf abschließenden Mahnungen werden nicht nur durch das innergemeindliche Phänomen der Prophetie zusammengehalten, sondern in ihnen kommt die Hervorhebung und außerordentliche Wertschätzung des prophetischen Geistes und der prophetischen Rede in der Gemeinde und Gemeindeversammlung unüberhörbar zum Ausdruck. In diesem gemeindeethischen Schlußpassus ist betont nicht vom heiligen Geist als Mittel der Gesetzeserfüllung die Rede (so 4,8!), sondern – allerdings ebenfalls alttestamentlich-jüdisch – vom Geist der Prophetie bzw. vom prophetischen Geist Gottes und der prophetisch inspirierten Rede innerhalb der Gemeinde und Gemeindeversammlung. Überlieferungs- und Funktionsträger waren die urchristlichen Propheten, die nach Ausweis des vorpau-

linischen Ämterkataloges in 1.K.12,28 nach den Aposteln und vor den Lehrern das wichtigste Amt in der hellenistischen Kirche vor und neben Paulus und so wohl auch in den paulinischen Gemeinden innehatten. Wie die Apostel und Lehrer dürften auch die Propheten einen relativ geschlossenen Kreis mit anerkannter Autorität dargestellt haben. Da zum prophetischen Geist im Urchristentum das Feuer gehört (vgl. Mt. 3,11 par.; Apg. 2,3), warnt Paulus die Gemeinde davor, das Feuer des prophetischen Geistes auszulöschen, d.h. es bewußt zurückzudrängen oder gar zum Erlöschen zu bringen (5,19). Ebenso soll niemand in der Gemeinde die Prophetenreden verachten (5,20). Beide Anweisungen haben also zum Inhalt, den in den Gemeindepropheten vorhandenen heiligen Geist Gottes auf gar keinen Fall zum Schweigen zu bringen. Zugleich verlangt Paulus ausdrücklich kritische Prüfung der Prophetenreden (5,21f): die auf die Propheten hörende Gemeinde soll nichts ungeprüft, d.h. kritiklos annehmen. «Alles» soll sie sorgsam prüfen, womit von Paulus die Gesamtheit aller prophetischen Geisteswirkungen und alle Prophetenreden gemeint sind. Der prophetische Geist wie die von ihm gewirkten Prophetenreden sollen für die christliche Gemeinde weder undiskutierbar noch unkontrollierbar sein. Sie müssen nämlich von der versammelten Gemeinde auf ihr ethisches Wert- und Normensystem hin abgeschätzt werden. Und das verlangt von jedem einzelnen Gemeindeglied nüchterne, kritische Prüfung wie Erprobung. Daß es in der prophetischen Verkündigung der Frühphase paulinischer Ethik vor allem um die Aktualisierung des verschärften Moralgesetzes Gottes geht, beweist die Zerlegung des «alles»: das sittlich Gute bzw. Richtige soll die Gemeinde festhalten, d.h. bewahren, praktizieren und hochschätzen; das ethisch Böse bzw. Verwerfliche dagegen unter Anspielung auf Hiob 1,1.8 ablehnen.
Damit wird vom frühen Paulus in 1.Thess.5,19–22 Hauptaufgabe und Inhalt der Prophetie knapp, aber prägnant umrissen: Sie ist keine Wahrsagerei und nicht bloße Enthüllung der Zukunft, aber auch nicht Schriftauslegung, sondern Offenbarung des Gotteswillens für die Gegenwart der Endzeitgemeinde. Vom Kontext der frühpaulinischen Geistlehre und des 1. Thess. überhaupt wird man bei der Prophetie besonders an die Verkündigung des Willens Gottes für die gegenwärtig versammelte Endzeitgemeinde denken müssen, worauf auch die ethischen Begriffe «das Gute», «das Böse» und «das Prüfen» deutlich hinweisen. Die Prophetie wird also nach 5,19–22 unter dem Aspekt der Ermahnung zu einem würdigen, sittlichen Lebenswandel zu sehen sein. Sie ist aktuelle Auslegung des Moralgesetzes und d.h. der vom Apostel der Gemeinde überlieferten ethischen Tradition in die praktische Situation hinein, damit die Gemeinde ganz konkret weiß, was sie in der jeweiligen Situation zu tun hat. Der prophetische Geist bzw. die prophetische Rede sind also der Wegweiser und ständige Helfer der Gemeinde für den ethischen Lebenswandel in der Endzeit.

f) Terminologie und Sache der Nachahmung (griech. mimesis, lat. imitatio) finden sich im 1. Thess. relativ häufig, nämlich in 1,6, 1,7 und 2,14. Die Nachahmungsvorstellung, zu der konstitutiv das Vorbild und der Nachahmer gehören, weist religionsgeschichtlich in das Griechentum und ist erst sekundär von hier aus in das Judentum eingedrungen. In den Apokryphen und Pseudepigraphen wie bei Philo geht es vor allem um Nachahmung der Tugend (Sap. Sal. 14,1f), des Menschen (Test. Benj. 3,1; 4,1) und Gottes (Test. Ass. 4,3; Philo De sacr. Ab. et Caini 64 u. ö.), wobei der ethische Aspekt eindeutig im Vordergrund steht.
Auch beim frühen – nicht dagegen späten Paulus! – gehört die Nachahmungsvorstellung in den Bereich der Ethik und schließt jede andere sachliche Ortsbestimmung aus, auch wenn die Nachahmung im 1. Thess. nicht ausdrücklicher Gegenstand der ethischen Anweisung ist. So sind nach 1,6 Paulus und der irdische Kyrios ethisches Vorbild für die Thessalonicher (1,6), die Gemeinde von Thessalonich ihrerseits prägender sittlicher Typos für die Gemeinden in Mazedonien und Achaia (1,7) und die Gemeinden in Judäa andererseits nachzuahmendes Beispiel für die Thessalonicher (2,14).
In allen drei Fällen spricht Paulus von Analogien in Situationen und Verhalten, also von Schicksalsgemeinschaft in Drangsal, Anfeindungen und Leiden. Im Kontext des 1. Thess. steht die Nachahmungsvorstellung zweifellos im Horizont der Ethik: Leiden, Drangsale und Anfeindung des Paulus, Jesu wie der Gemeinden von Thessalonich und Judäa sind Norm und Kriterium für das ethische Verhalten der Söhne des Lichts im apokalyptischen Endkampf.

B. Die Spätphase der paulinischen «Ethik»

I. Die spätpaulinische Lehre vom Gesetz

1. Zum spätpaulinischen Begriff des Gesetzes

Ohne zu übertreiben kann festgestellt werden, daß die spätpaulinische Lehre vom Gesetz in der Christenheit weithin in Vergessenheit geraten und sogar in der Fachtheologie mit vielen Unklarheiten wie Unsicherheiten belastet ist. Gerade weil aber die Gesetzeslehre Paulus' gesamte Theologie und vor allem seine «Ethik» bestimmt, kann letztere in ihrer unverwechselbaren Signatur nur dann sachgemäß verstanden und entfaltet werden, wenn die originär spätpaulinische Freiheit vom Gesetz als die nie aufgegebene Basis seiner «Ethik» in ihrer ganzen Radikalität herausgestellt wird. Denn bis heute ist die spätpaulinische Lehre vom Gesetz nicht nur dem jüdischen Glauben unannehmbar geblieben, sondern auch in der christlichen Kirche aller Konfessionen weithin unzureichend oder überhaupt nicht realisiert worden.

Zuerst einmal ist mit Nachdruck festzuhalten, daß auch der späte Paulus den Gesetzesbegriff des vorchristlichen Judentums übernommen hat. So hatte der Begriff «Gesetz» eine vierfache Bedeutung: er bezeichnet das Alte Testament im ganzen (z. B. Röm.3,19; 1.Kor.14,21), den Penateuch (Röm.3,21; 1.Kor.9,8f) wie den Dekalog (Röm. 2,20ff), das Einzelgebot (Röm.7,8–13), das Gesetz der Heiden (Röm. 2,14f) und schliesslich uneigentlich die Norm bzw. Regel (Röm. 7,2f).

Sachlich-theologisch geht der späte Paulus aber weder vom alttestamentlichen Gesetzes- (=Anerkennung des Kult- wie Moralgesetzes), noch vom pharisäischen, essenischen und zelotischen Gesetzesverständnis (= Verschärfung des Kult- wie Moralgesetzes), aus, aber auch nicht vom Gesetzesverständnis der Jesusgemeinden (= Unterordnung des entschärften Kult- unter das verschärfte Moralgesetz), sondern ausschließlich vom Gesetzesverständnis seiner hellenistischen Kirche: Ablehnung des mosaischen Ritualgesetzes mit den «Starken» und Verschärfung des Moralgesetzes, dessen Heilsnotwendigkeit allerdings von ihm bestritten wird.

Die schroffen, ja geradezu skandalösen Antithesen der paulinischen Gesetzesaussagen sind schon immer aufgefallen. Auf der einen Seite wird von Paulus das Mosegesetz aufs schärfste kritisiert und kategorisch abgelehnt: widergöttliche Engelmächte und nicht Gott sind die Urheber und Vermittler des Mosegesetzes (Gal.3,19). Dieses ist ein fluchbringender (Gal.3,10.13), die Sünden mehrender (Gal.3,19f) und zeitlich begrenzter Zusatz (Gal.3,19). Nach Röm.5,20 ist es unberechtigt bzw. geradezu verkappt in die Welt eingedrungen. Das alttestamentlich-jüdische Gesetz ist sachidentisch mit den kosmischen «stoicheia», den heidnischen Weltelementen (Gal.4,3ff), und der Bundesschluß vom Sinai gebiert in die Sklaverei (Gal.4,21ff). Die Thora als tötender Buchstabe aufgrund des Betrugsmanövers des Mose vom Sinai (2.Kor.3,7ff) und die Gerechtigkeit aus dem Gesetz hält Paulus nach Phil. 3,7ff für «skybala», für Exkremente. Auf dieser schroffen Abwertung. des Gesetzes folgt konsequent die Freiheit des Christen vom Gesetz (Röm.3,28; 7,4.6 und 10,4).

Auf der anderen Seite wird das Gesetz von Paulus hoch gelobt und anerkannt: es ist heilig, gerecht und gut (Röm.7,12), das Gute (Röm.7,13), – ja sogar pneumatischen Ursprungs (Röm.7,14). Paulus bekennt von sich selber, daß er kein «anomos», sondern ein «ennomos» ist (1.Kor.9,20f). Darum wird der Gerechtfertigte von ihm ausdrücklich immer wieder auf das Gesetz Gottes verpflichtet (Röm.13,8ff; Gal.5,13f), soll die Rechtsforderung des Gesetzes von den Christen erfüllt werden (Röm. 8,4), geht es um das Halten der Gebote Gottes (1. Kor. 7,19) und richtet Paulus das Gesetz in seiner Evangeliumsverkündigung auf anstatt es zu vernichten (Röm.3,31).

Wie sind diese – zunächst jedenfalls – widersprüchlichen und zwiespältigen Aussagen zu verstehen? Hat sich Paulus in dieser für ihn zentralen Gesetzesproblematik nicht klar ausgedrückt? Liegt hier eine echte Aporie vor, oder muß man diese Antinomien einfach als paulinisch akzeptieren? Oder sind sie schließlich dialektisch auflösbar? Ausgangspunkt meiner folgenden Überlegungen zur Gesetzestheologie des Paulus ist auch hier die zwar seit langem in der Forschung bekannte, aber erst in der jüngeren Zeit an Gewicht zunehmende Unterscheidung zwischen dem frühen und dem späten Paulus bzw. einer Früh- und Spätphase und damit die These einer Entwicklung innerhalb der paulinischen Theologie und Ethik. Während die frühpaulinische Theologie von seiner Bekehrung in Damaskus bis zur Abfassung des 1.Thess. sachidentisch ist mit der kerygmatischen Konzeption seiner antiochenischen Mutterkirche, datiert seine Spätphase vom Gal. an. Die Frühphase der paulinischen Gesetzestheologie ist aufgrund des 1.Thess. und des Traditionsmaterials der hellenistisch-judenchristlichen Kirche Antiochiens, das Paulus reichlich in seinen Briefen aufbewahrt hat, in Umrissen gut erkennbar. Das mosaische Kultgesetz hat seine beherrschende Stellung verloren und ist faktisch verabschiedet worden.

Mit der grundsätzlichen Relativierung des mosaischen Kultgesetzes und d.h. seiner faktischen Verabschiedung in der Frühphase des Paulus geht nun aber gleichzeitig die Verschärfung desselben Moralgesetzes einher. So wird kategorisch jede Ehescheidung untersagt (1.Kor.7,10), nicht nur die Bruder- wie Nächstenliebe, sondern die Feindesliebe gefordert (Röm.12,14.20; 1.Thess.5,15)und die Rache bzw. Wiedervergeltung grundsätzlich verboten (Röm.12,17). Aber dieses verschärfte Moralgesetz behält seine Heilsbedeutung in der frühpaulinischen Gesetzeshermeneutik. Nirgendwo gibt es Anzeichen dafür, daß dieses verschärfte Moralgesetz in seiner Heilsnotwendigkeit und Heilsmittlerschaft grundsätzlich in Frage gestellt oder gar bestritten wurde. Beides geschah vielmehr erst in der Spätphase der paulinischen Gesetzestheologie, nämlich vom Gal. an. Die späte Gesetzeshermeneutik des Paulus begann zu dem Zeitpunkt, als der Apostel sich einmal mit judenchristlichen Gegnern auseinanderzusetzen hatte, die auf das Gesetz als Heilsweg nicht verzichten wollten und zum anderen als er auf massiven Widerstand der christlichen Gnosis in seinen eigenen, von ihm gegründeten Gemeinden, stieß. Freilich lassen sich die christlichen Gnostiker und ihre Tradition in den späten Paulusbriefen (also Gal., Kor., Röm. und Phil.) nur durch Rekonstruktion gewinnen. Es waren judenchristliche Gnostiker mit mündlichen und schriftlichen Traditionen, aber noch ohne durchgehende Quellenschriften (vgl. oben S. 183ff.).
Aber angesichts der genannten widersprüchlichen Gesetzesaussagen kann die fundamentale Verstehensfrage erst dann befriedigend beantwortet werden, wenn nachgewiesen wird, daß Paulus im überlieferten Mosege-

setz unterscheidet zwischen den inhaltlichen Forderungen des Gesetzes und der dazugehörenden Wertung. Da das Gesetz Gottes nichts anderes ist als die Forderung der Nächstenliebe, wird es von Paulus rückhaltlos anerkannt und praktiziert. Da aber dieses Gesetz zugleich sich selbst als Heilsweg und Heilsmittler dem Täter präsentiert und das Tun der Gesetzeswerke als conditio salutis wertet, wird es von Paulus abgelehnt. Beweis dafür sind die beiden zentralen Belegstellen Gal.3,12 und Röm.10,5, in denen Lev.18,5 zitiert und zurückgewiesen wird: «Darum sollt ihr meine Satzungen und meine Vorschriften halten. Der Mensch, der danach tut, wird durch sie leben; ich bin der Herr».
In Gal.3,6f macht Paulus grundsätzlich klar, daß das Tun des Gesetzes und das Leben aus dem Glauben unvereinbare Gegensätze sind. Die Glaubensgerechtigkeit ist der einzige Heilsweg: ‹Das Gesetz ist nicht bestimmt vom Grundsatz: «aus Glauben», sondern «wer sie (= die Gebote) tut, wird durch sie (bzw. in ihnen) leben»›. Das Gesetz als Heilsweg und die Gesetzeswerke als Bedingung des Heils, diese Wertung, die von Lev.18,5, also vom Gesetz selbst vorgenommen ist, wird von Paulus verworfen und hat keine Gültigkeit mehr für den Christen.
Auch in Röm.10,5f wird die durch Mose repräsentierte Gesetzesgerechtigkeit von Paulus abgelehnt und antithetisch der Glaubensgerechtigkeit gegenübergestellt, weil sie die als Leistung verstandene Tat fordert, eben das verdienstliche Gesetzeswerk, und einzig dem Gesetzestäter zeitliches und ewiges Leben verheißt: «Denn Moses schreibt: Der (Mensch), der sie (= die Gerechtigkeit aus dem Gesetz) tut, wird durch sie leben» (so die Textform A als der wahrscheinlich ursprüngliche Text).
Für den späten Paulus ist das Mosegesetz nach seinem ursprünglichen, buchstäblichen, d.h. alttestamentlich – jüdischen Sinne erstens identisch mit der Forderung der Gottes- und Nächstenliebe (Dtn.6,4f und Lev.19,18). Es fordert die vollständige Erfüllung seiner Forderungen durch die Tat. Diese Gebote bzw. Gesetzeswerke als verdienstliche Leistungen müssen vom Menschen um seines Heils willen getan werden. Zweitens enthält es die Wertung der Gesetzeswerke als conditio salutis, der Gerechtigkeit als Gesetzesgerechtigkeit und der Liebe als Summe und Erfüllung des Gesetzes als höchste Tugend (Röm.13,8–10; Mk.12, 28–34). Die Gerechtigkeit und die Liebe werden demnach als gesetzeserfüllende Werke verstanden. Es enthält drittens den Anspruch, der alleinige Heilsmittler, der alleinige Heilsweg bzw. das alleinige Kriterium in der Rechtfertigung zu sein und hat zum vierten die Macht, die apokalyptische Vergeltung, Heil oder Unheil, beim Jüngsten Tag zu wirken.
Es ist deutlich, der späte Paulus bejaht das Gesetz, weil es Gottes Forderung der Nächstenliebe enthält; er lehnt dasselbe Gesetz kategorisch ab, weil es beansprucht, der alleinige Heilsmittler zu sein und dem Täter zeitliches und ewiges Leben zusagt. Die Forderung der Liebe im Gesetz ist und bleibt für Paulus Gottes Offenbarung, aber die Wertung dieser

Liebe ebenfalls im Gesetz als verdienstliches Werk ist Wirkung der Sünde als Verhängnismacht.

2. Die Anerkennung des Gesetzes

Nun läßt sich schon eher verstehen, warum der späte Paulus das gesamte Gesetzesmaterial seiner hellenistischen Mutterkirche Antiochiens gerade auch in seiner Spätphase übernommen und das Gesetz – wie wir gleich sehen werden – in höchsten Tönen gelobt, aber den im Gesetz enthaltenen Anspruch als Heilsweg gestrichen und eine völlig neue Wertung an seine Stelle gesetzt hat.
Grundlegend ist der Abschnitt Röm.12, 6–21. Paulus bezieht sich in 12,8b–21 auf eine traditionell-katechetische Spruchreihe, die inhaltlich als exemplarische Interpretation des mosaischen Moralgesetzes und d.h. als paränetische Entfaltung der Liebesforderung zu verstehen ist. Diese judenchristliche Tradition, die mit synoptischem Material und alttestamentlichen Zitaten arbeitet, wertet die Liebe selbstverständlich als Gesetzeswerk. Paulus hat zwar diese moralgesetzliche Tradition übernommen, aber durch die betonte Voranstellung der Charismenliste in 12,6–8a bewußt neu gerahmt und gewertet. In Röm.12,8b dagegen geht die Charismenliste unmerklich in eine Aufzählung allgemeiner ethischer Weisungen über («aus seinem Besitz geben, in der Fürsorge stehen und Almosen geben») und d.h., die Charismenlehre ist jetzt der Horizont, innerhalb dessen die ursprüngliche Gesetzesparänese ihren theologischen Ort gewinnt. Paulus übernimmt zwar die inhaltlichen Forderungen des Gesetzes (= 12, 8b–21!), aber die Liebe ist nach Röm.12,6–8a nicht mehr das größte Gesetzeswerk oder die höchste Tugend, also Verdienst, sondern Charisma, Frucht des Geistes, also Berufung zum Dienst.
Dasselbe gilt für alle übrigen allgemeinen (z.B. Röm.12,1f; 13,8–12; Gal.5,13–16) wie speziellen Paränesen (1.Kor.5,1–13; 6,1–11.12–20; Kap.7; 8,1–13; 12–14; 2.Kor.8–9; Röm.14,1–15,13). Alles Handeln und alle Verhaltensweisen der Christen sind nach Paulus charismatisch zu werten, nämlich als Dienst an allen Geschöpfen, niemals aber als egoistisches und verdienstliches Streben nach dem eigenen Heil, das Gott zum applaudierenden Zuschauer entmachtet und das Mitgeschöpf zum beliebigen Objekt meiner Tugendübungen entmenschlicht.
In Röm.8,3f wird von Paulus die christliche Erfüllung der Rechtsforderung des Gesetzes als Zweck des Heilshandelns Gottes in Christus verkündigt. Diese Rechtsforderung des Gesetzes ist identisch mit der Liebesforderung, und diese Liebe als Summe des ganzen Gesetzes muß nach Paulus auch vom Christen erfüllt werden. Aber diese Liebe vollendet sich nicht im Wandel nach dem Fleisch, sondern im Wandel nach dem Geist. Denn der Wandel des Christen im Herrschaftsbereich des Geistes anerkennt

zwar die Gesetzesforderungen, wertet aber das Liebe-üben nicht als Aufruf zum verdienstlichen Werk, sondern als Berufung zum Dienst.
In derselben Weise kann der späte Paulus ganz unbefangen von der Bewahrung der Gebote (1.Kor.7,19) sprechen. Die überall vom Gesetz zurecht geforderte Liebe entspricht dem Willen Gottes, aber diese Liebe mit dem Konsonantentext als verdienstliche Leistung verstehen und werten, heißt Wandel nach dem Fleisch, sie umgekehrt gegen den Konsonantentext aber als charismatischen Dienst allen Geschöpfen verstehen und werten, heißt Wandel nach dem Geist.
Paulus übernimmt in 1.Kor.12,31b–13,13 bekanntlich eine hymnisch-paränetische Tradition seiner hellenistischen Kirche, in der die Liebe als die höchste und ewige Tugend gefeiert wird, die die übrigen Tugenden nicht nur überragt, sondern sie erst zur Vollendung bringt. Aber nach der paulinischen Interpretation und Redaktion, die ausschließlich im Kontext (1.Kor.12,31a und 14,1) und im Ganzen seiner Theologie steckt, ist die Liebe als Summe und Erfüllung des Gesetzes nicht mehr die höchste Tugend und das größte Gesetzeswerk des homo religiosus, sondern das größte Charisma. D.h.: Mit der Anerkennung der Liebe als der Zusammenfassung des Willens Gottes fällt ihre traditionelle Wertung als Verdienst.
Paulus zitiert freilich immer wieder die traditionellen Tugendkataloge und anerkennt damit die verpflichtende Bedeutung der Tugenden als Gebote Gottes für den Christen (z.B. Gal.5,21f; 2.Kor.6,6 und entsprechend die Lasterkataloge). Aber die Tugenden sind nach Gal.5,22 «Frucht des Geistes» und nicht als fromme und verdienstliche Werke gewertet. Der vernünftige Gottesdienst (Röm.12,1f) des Christen im Alltag der Welt als das Tun des Guten, Wohlgefälligen und Vollkommenen ist für Paulus unverzichtbar, aber er ist nicht mehr verdienstliches Gesetzeswerk, sondern Wandel nach dem Geist als charismatischer Dienst an allen Menschen.
In der theologisch hochbefrachteten Begriffsverbindung «das Gesetz des Christus» (Gal.6,2), wird in deutlicher Abgrenzung gegenüber dem «Gesetz des Mose» dieses nicht nur auf die Liebesforderung hin konzentriert, sondern im Unterschied zu seiner alttestamentlich-jüdischen Prägung ausschließlich von der Tat und dem Verhalten des präexistenten und inkarnierten Gottessohnes her in seinem Inhalt neu definiert (Phil.2,5ff; 2.Kor.8,9; Röm.5,1ff; Gal.2,20 u.a.): Es bildet die Liebe Christi, seine Selbstaufgabe und Selbsterniedrigung ab. Nur in dieser christologischen Neufassung wird die traditionelle alttestamentliche Liebesforderung als Summe und Erfüllung des Mosegesetzes von Paulus eschatologisch in Kraft gesetzt und prägnant dem «Gesetz des Mose» entgegengestellt. Diese Liebe als das neue eschatologische Sein des Christen für den Nächsten unter Einschluß des Feindes ist die Erfüllung des «Gesetzes des Christus». In solcher radikal eschatologischen und christologischen Neuinterpretation wird jede dem «Gesetz des Mose» inhärente Wertung des

Willens Gottes als Heilsweg und conditio salutis ausgeschlossen. Erst jetzt wird verständlich, warum Paulus dieses Gesetz – nämlich die Liebesforderung Gottes unter Ausschluß des im Alten Testament und Judentum mitenthaltenen Anspruchs des Gesetzes als Heilsweg und der Wertung der Liebe als Verdienst – in Röm.7,12 ausdrücklich heilig, gerecht und gut nennt. Er bekennt sich ausdrücklich zur Würde und Hoheit des Gesetzes: es ist heilig, stammt also von Gott selber. Paulus wiederholt seine Bekenntnisaussage und bezieht sie sogar auf das einzelne Gebot, das ausdrücklich heilig, gerecht und gut genannt wird.

Dieses Gesetz ist nicht Sünde (Röm.7,7), sondern von Gott dem Menschen zum Leben gegeben (Röm.7,10), es ist das Gute schlechthin (Röm.7,3.16.18.19.21). Das Gesetz ist nach Röm.7,22 Gottes Gesetz. Alle diese göttlichen Hoheits- und Würdeprädikate werden von Röm. 7,14 überholt, wenn dieses «Gesetz des Christus» sogar «pneumatikos» genannt wird, also im Rahmen der dualistischen Konzeption eindeutig dem Herrschafts- und Machtbereich des Geistes und nicht dem Herrschafts- und Machtbereich des widergöttlichen Fleisches, der Scinssphäre des Menschen vor und außerhalb des Evangeliums, zugewiesen wird. Das Gesetz als bloße Forderung ohne den dazugehörenden widergöttlichen Anspruch als Heilsweg ist nach Paulus unbezweifelbar göttlichen, himmlischen Ursprungs!

Daher kann Paulus mit Nachdruck in einer viel umrätselten Formulierung sagen, er sei kein «anomos theou» sondern ein «ennomos Christou» (1.Kor.9,21). Keineswegs liegt hier ein uneigentlicher Gebrauch von nomos = Gesetz im Sinne von Norm oder Regel vor, sondern nomos wird beidemal von Paulus im eigentlichen Sinne gebraucht: Er lebt nicht ohne das Gesetz Gottes, sondern steht im Gesetz des Christus. Damit aber wird die bisherige Gesetzesinterpretation bestätigt: Paulus bejaht in der Tat das Gesetz Gottes als Liebesforderung, lehnt aber seine Wertung als verdienstliche Leistung ab und steht damit im Gesetz des Christus.

In den jahrelangen Auseinandersetzungen mit der Synagoge um seine Rechtfertigungstheologie kann Paulus in Röm. 3,31 die auf den ersten Blick unbegreifliche Behauptung wagen: mit seinem Evangelium von der Rechtfertigung des Gottlosen allein aus Glauben ohne Gesetzeswerke vernichte er nicht das Gesetz, sondern richte es gerade auf. Paulus greift hier bewußt rabbinischen Sprachgebrauch auf, nach dem «vernichten der Tora» bedeutet, das Gesetz ungültig zu machen und dementsprechend «aufrichten der Tora» meint, ihren ursprünglichen intendierten Sinn zu erheben und zur Geltung zu bringen. In den Augen der Synagoge und des Judentums ist die paulinische Rechtfertigungstheologie die Auflösung des Gesetzes schlechthin, die Preisgabe der Privilegien Israels und die Verabschiedung der Verdienstlehre. Paulus dagegen verteidigt sein Rechtfertigungsevangelium, das ohne das Gesetz geoffenbart wurde (Röm.3,21), und den Gottlosen ohne Gesetzeswerke gerechtspricht (Röm.3,28),

indem er sich hier ausdrücklich zur bleibenden Geltung und Autorität der Tora bekennt. Die Verkündigung seines Rechtfertigungsevangeliums ist keineswegs die Verabschiedung, sondern gerade die Inkraftsetzung der Tora! Dieser für den Juden wie den Judenchristen unauflösliche Widerspruch läßt sich nur dann aufknoten, wenn man mit Paulus zwischen der göttlich gültigen Forderung des Gesetzes und dem ungültigen Anspruch des Gesetzes unterscheidet. Das Aufrichten und nicht Auflösen des Gesetzes im Vollzug der Rechtfertigungsverkündigung bedeutet, seine ursprüngliche Intention als Liebesaufforderung gegen seinen schon im Mosegesetz enthaltenen Anspruch als Heilsweg und Aufruf zur Werkgerechtigkeit zu erheben und zur Geltung zu bringen. Aber diese ursprüngliche Bedeutung des Gesetzes als Liebesforderung ist nicht erst durch spätere Überlieferung verdeckt sodann zum Leistungsprinzip pervertiert worden, sondern ist schon im Gesetz selbst nachzulesen (z.B. Lev.18,5). Nur gegen dessen eigenen Wortlaut wird für Paulus das Gesetz zum Zeugen der Glaubensgerechtigkeit (Röm.3,21) und damit zum Hinweis auf das Charismenevangelium.
So kann Paulus in Röm. 8,7 völlig konsequent im Lehrstil feststellen, daß das Gesetz der gute Wille Gottes, Ungehorsamkeit gegenüber dem Gesetz aber Feindschaft gegen Gott ist. Weil das Gesetz mit seiner Forderung wie Wertung kein Leben schaffen kann, steht es auch nicht im Gegensatz zu den Verheißungen Gottes (Gal.3,21). Und gegen diejenigen, die das Liebesgebot als Frucht des Geistes erfüllen, hat das Gesetz nichts einzuwenden (Gal. 5,23).
Aber Paulus anerkennt nicht nur das überlieferte mosaische Moralgesetz, sondern gerade auch seine Verschärfung, wie sie bereits die nachösterlichen Jesusgemeinden und ihnen folgend die hellenistische Kirche lange vor Paulus aufbewahrt haben. Er bekennt sich ausdrücklich zum absoluten Verbot der Ehescheidung (1.Kor.7,10), fordert über die Nächsten- und Bruderliebe hinaus mehrfach die Feindesliebe (1.Thess.5,15; Röm.12,14.20) und untersagt die Wiedervergeltung und Rache, die allein Gott selbst vorbehalten bleiben soll (Röm.12,17.19.21). Nach 1.Kor.7,1.8.26 wird das Allein- und Ledigsein des Menschen (im Gegensatz zu Gen.2,18) «gut» genannt; Heirat und Wiederheirat soll man dagegen meiden. Diese Forderung der totalen Geschlechtsaskese bedeutet im Sinne des Paulus aber keine Aufhebung der inhaltlichen Forderung des alttestamentlichen Moralgesetzes, sondern vielmehr seine Verschärfung. Sie bedeutet auch kein besonderes Verdienst, sondern allein die Berufung zum Dienst als Charisma. D. h. aber: Der in der hellenistischen Kirche vor und neben Paulus damit verbundene Anspruch des verschärften Moralgesetzes als Heilsfaktor und Heilsbedingung wird von Paulus verworfen und durch die Charismenlehre ersetzt. Das Unterlassen von Ehescheidung und Rache wie das Liebe-üben sogar gegenüber dem Feind oder die totale Geschlechtsaskese sind für Paulus niemals mehr verdienstliche Leistung

und damit Bedingung für das eigene Heil, sondern Berufung für den Dienst am Nächsten wie an allen Geschöpfen.
Fazit: Es besteht überhaupt kein Zweifel, daß Paulus das Mosegesetz bejaht und anerkennt als Gesetz Gottes, als heilig, gerecht und gut, und sogar an seiner pneumatischen Herkunft ausdrücklich festhält. Beweis dafür ist weiterhin auch die Tatsache, daß Paulus das gesamte Gesetzesmaterial seiner hellenistischen Mutterkirche gerade auch in seinen der Spätphase zuzurechnenden Hauptbriefen immer wieder zur Sprache gebracht hat. Ja, er übernimmt sogar die Verschärfung des Moralgesetzes der hellenistischen Kirche vor und neben ihm und versieht sie ausdrücklich mit seiner apostolischen Autorität.
Die Geltung des mosaischen Gesetzes wird demnach vom Apostel weder auf den alten Aeon eingeschränkt noch auf einen uneigentlichen Gebrauch eingeengt. Paulus war auch kein Antinomist noch hat er gnostisch das Mosegesetz als ganzes verabschiedet. Allerdings unterscheidet er im Gesetz des Mose in der Tat zwischen alt und neu, zwischen Gültigem und Ungültigem, zwischen bloßer Forderung und vorgegebenem Anspruch, so daß nur noch die bloße Forderung und nicht mehr sein Anspruch als Heilsweg im neuen Aeon Gültigkeit besitzt.

3. Die Verpflichtung auf das Gesetz

Auf eben dieses Gesetz als Liebesforderung wird der Christ gerade auch im neuen Herrschafts- und Machtbereich des Evangeliums und des Geistes ausdrücklich und immer wieder von Paulus verpflichtet. Der Christ muß Liebe als Summe des Gesetzes üben, sie ist das eigentliche Charisma: «Niemandem sollt ihr etwas schulden, außer dem einen: einander zu lieben; denn wer den Andern liebt, hat das Gesetz erfüllt» (Röm. 13,8). Der kategorische Imperativ mit der doppelten Negation (= niemandem nichts schuldig bleiben) verlangt vom Christen, daß er sich keinem Menschen in nichts entziehen darf, die Verpflichtung zur umfassenden, unbegrenzten und unabtragbaren Liebe soll gerade uneingeschränkt gelten. Dieser kategorische Imperativ wird in Vers 8b durch einen Lehrsatz begründet: Die Nächstenliebe ist die Erfüllung des ganzen Gesetzes. Indem Paulus den Christen kategorisch auf die als Summe und Erfüllung des ganzen Gesetzes verstandene Liebe verpflichtet, wird die Autorität des Gesetzes im neuen Aeon gerade durch die Evangelimsverkündigung von Paulus eschatologisch in Kraft gesetzt. Das Gesetz kommt damit erst im neuen Herrschafts- und Machtbereich des Geistes zu seinem endgültigen Ziel und seiner eigentlichen Geltung.
Nach Röm. 8,4 hat die Sendung des präexistenten Sohnes in den gottlosen Kosmos und seine Menschwerdung im widergöttlichen Herrschaftsbereich des Fleisches, also die Heilstat Gottes schlechthin, nur den einen Zweck,

daß das Gesetz unter uns Christen erfüllt werden soll. Stärker kann die bindende Verpflichtung des Gesetzes gerade für den Christen von Paulus nicht mehr herausgestellt werden. Daß das Evangelium damit faktisch zum Mittel der Gesetzeserfüllung wird, stört ihn deshalb nicht, weil die Liebe nicht mehr als Verdienst, sondern ausschließlich als Dienst gewertet wird.

Deshalb vollzieht sich in der Evangeliumsverkündigung fortwährend die Aufrichtung des Gesetzes, indem sein ursprünglicher Sinn als Liebesforderung erhoben und die Liebe nur noch als Dienst zur Geltung gebracht wird (Röm. 2,31).

Gerade der Christ als Glied des weltumspannenden Christusleibes wird von Paulus deshalb immer wieder zum Halten der Gebote Gottes aufgefordert (1. Kor. 7,19). Diesem «Gesetz des Christus» (Gal. 6,2) ist der Christ zeitlebens unterstellt, weil die Liebe als eschatologisch motiviertes Da-Sein für den Nächsten niemals abgeschlossen ist.

Darum gibt es keinen Brief des Paulus, der nicht voll ist von Imperativen, Mahnungen und Warnungen, von allgemeinen und speziellen Paränesen, mit einem Wort: der nicht das «Gesetz des Christus» einschärft. Systematisch ist von daher die Frage eines tertius usus legis (= «dritter Gebrauch des Gesetzes») für die Glaubenden von Paulus unabwendbar gestellt und kann nach allem bisher gesagten nur positiv beantwortet werden. D. h. aber: Paulus setzt das Gesetz als verbindliche Norm christlicher Lebensführung voraus und hat es immer wieder in seinen Briefen mit allem Nachdruck geltend gemacht. Es ist also nicht falsch, wenn in der Paulusforschung zwischen dem Gesetz als Heilsweg und dem Gesetz als Lebensnorm unterschieden wird: der Anspruch des Gesetzes als Heilsweg ist eschatologisch vorbei, sein Anspruch als verbindliche ethische Norm dagegen wird von Paulus festgehalten. Aber auch diese oft vertretene Gleichsetzung von Gesetz und Lebensnorm bzw. verbindlicher Norm ethischer Lebensführung bleibt unscharf und trifft noch nicht die eigentliche Pointe der spätpaulinischen Lehre vom Gesetz, weil sie das Vermögen des Gesetzes ausschließlich im ethischen Sinne umschreibt und festlegt. Die unaufgebbare Spitze seiner Gesetzeslehre liegt vielmehr darin, daß das Mosegesetz und hier in besonderer Weise der Dekalog von Paulus als Charismenkatalog radikal neu interpretiert wird: die Zehn Gebote bzw. die Gesetzesforderungen überhaupt werden von Paulus nicht mehr als gesetzerfüllende Werke allein um des eigenen Heiles willen gewertet, sondern als Charismen, und d. h. als Berufung zum Dienst allein um des Nächsten willen.

4. Die Verwerfung des Gesetzes

Zugleich aber hat Paulus die provokativen Schlagworte und Kampfrufe

seiner judenchristlich-gnostischen Gegner in der Spätphase seiner Gesetzestheologie übernommen und das Gesetz in schroffster Weise abgelehnt. Aber im klaren Gegensatz zur totalen Verabschiedung des Mosegesetzes durch die judenchristlichen Gnostiker eliminiert Paulus «nur» den im Gesetz enthaltenen Anspruch als Heilsweg, die Wertung der verdienstlichen Werke als Heilsbedingung und die Macht des Gesetzes, die apokalyptische Vergeltung am Jüngsten Tage zu wirken, während die Liebesforderung als Summe und Erfüllung des Gesetzes dagegen antignostisch bejaht wird.
Auf die bohrende Frage nach Sinn und Bedeutung des Gesetzes überhaupt (Gal.3,19a) gibt Paulus in dem folgenden Passus Gal.3,19–25 die bekannten, provokativen Antworten: «Das Gesetz ist wegen der Übertretungen hinzugefügt worden» (3,19b). Es führt nach Röm.3,20 zur Erkenntnis der Sünde, zu Fluch und Verurteilung (Gal.3,10). Die Tora ist nicht präexistent (b.Pes. 54a: Billerbeck II 353) und gehört keineswegs zu den sieben Dingen, die vor der Welt erschaffen wurden, sondern sie ist nichts anderes als ein Zusatz, Fremdkörper, Anhängsel und Gegentestament. Die Tora ist nicht ein Zaun gegen die Sünde und der Heilsweg für Israel, um Verdienste zu sammeln, sondern hat allein den Zweck, die Übertretungen hervorzurufen (ähnlich Röm.3,20). Das Gesetz als Instrument der dämonischen Sündenmacht reizt zum Sündigen; «die Kraft der Sünde ist der Nomos» (1.Kor.15,56). Das Gesetz ist auch keineswegs ewig (Bar.4,1 u.ö), sondern ein Zwischenfaktor, eine Episode und weltgeschichtliche Phase, weil es nur bis zu der Zeit gültig ist, «bis der Same käme». Die Tora ist ein harter Zuchtmeister (Gal.3,23f), die Unmündigen in Sklaverei zu halten (Gal.4,3).
Noch weiter geht die abwertende Kritik des Nomos in Röm.5,20: Seine Stellung im Welt und alle Zeiten umspannenden Wesensgegensatz der beiden sich ausschließenden Herrschafts- und Machtbereiche des Adam und Christus Anthropos (Röm.5,12–21) wird mit «pareiselthen» umschrieben. Die im hellenistischen Wortgebrauch vorherrschende negative Bedeutung «sich einschleichen, unberechtigt und geradezu verkappt in einen Kreis eindringen» (so auch Gal.2,4) wird von Paulus in einem eindeutigen abwertenden Sinne auf das Gesetz angewandt, was im Zusammenhang des ontologisch-dualistisch motivierten, antithetischen Entsprechungsschemas meint: zwischen dem Hereinkommen von Sünde und Tod aufgrund der Adamstat einerseits und demjenigen von Gerechtigkeit wie Leben aufgrund der Christustat andererseits hat sich der Nomos unberechtigt eingeschlichen. Er ist nichts anderes als ein «Zwischenspiel».
Sogar der auf dualistisch-gnostische Polemik zurückgehende Satz, daß dämonische Engelmächte als Vermittler und Urheber des Gesetzes Einfluß auf seinen Inhalt genommen haben (Gal. 3,19c), wird von Paulus ausdrücklich bejaht. D.h. aber, daß die Formulierung des Gesetzestextes

widergöttlichen Mächten überlassen wurde, der Nomos also in seiner heute vorliegenden Gestalt nicht von Gott stammt. Der Wille Gottes ist keineswegs identisch mit dem vorliegenden Konsonantentext des Mosegesetzes, sondern er ist pervertiert worden – aber nicht erst nachträglich vom Menschen zum Leistungsprinzip, sondern schon zum Zeitpunkt seiner Stiftung, und zwar von dämonischen Engelmächten! Diese anstößigen Feststellungen beziehen sich nach dem Kontext der paulinischen Gesetzestheologie indes nicht auf das Gesetz als Liebesforderung, wohl aber auf das Gesetz mit seinem Anspruch als alleiniger Heilsmittler und Heilsweg. Deshalb ist die verdienstliche Leistung fordernde Mosetora nichts anderes als ein «Pädagoge auf Christus hin» (Gal.3,22–25), der die gesamte Menschheit in der Kerkerhaft gefangen hielt und uns den Weg in die Freiheit vom Gesetz als Heilsweg versperrte.
In Gal.4,3ff vollzieht Paulus sogar die Gleichsetzung von jüdischem und heidnischem Gesetz, von jüdischem Gesetzesdienst und heidnischem Elementendienst, von Judentum und Heidentum. Denn das Gesetz als Aufruf zur Werkgerechtigkeit ist eine personifizierte, universal versklavende, kosmische Verhängnismacht wie Fleisch, Sünde und Tod.
Dieses Gesetz qua Wertung als alleinige Heilsbedingung gilt nach Gal. 4,21ff nicht Sara und ihren Nachkommen, sondern gegen das Alte Testament der Sklavin Hagar. Alle, die diesem Gesetz der Sklaverei dienen, sind nach dem Fleisch gezeugt und geboren.
Das Gesetz, so lehrt Paulus in Röm.7,7–13, kann und soll gar nicht zu Erfüllung, Gehorsam und verdienstlichem Werk führen, weil der Mensch nach dem Rechtfertigungsevangelium nicht durch eigene Leistung und scheinbar verdienstliches Tun gerettet wird, sondern allein durch den Glauben an Jesus Christus (Gal.2,16 und Röm.3,21). In Wahrheit dient das Gesetz dazu, die widergöttliche Macht der Sünde zu stärken, es ist nichts anderes als ein Stachel und Instrument der Sündenmacht, wodurch der Mensch fortwährend betrogen und schließlich getötet wird. Das Gesetz in seinem Anspruch als Heilsgrund und Heilsmittler führt in den Tod und niemals in das Leben, und darum ist es nach Röm.7,7–13 nichts anderes als eine Teufels- und Todesmacht.
In 2.Kor.3,7–18 gehen die schroffen Antithesen auf Paulus zurück. Alter und neuer Bund verhalten sich zueinander wie Buchstabe und Geist, wie töten und lebendigmachen (Vers 4) wie der Dienst des Todes zum Dienst des Geistes (Vers 7f), wie der Dienst der Verurteilung zum Dienst der Gerechtigkeit (Vers 9), wie das Vergängliche zum Bleibenden (Vers 11). Ja, Paulus kann sogar im Vers 13 mit der Vorlage sagen, daß Mose mit seinem Verschleierungsversuch Israel «bis heute» daran gehindert hat, die Vergänglichkeit des Gesetzes vom Zeitpunkt seiner Stiftung an zu erkennen. Aber im Gegensatz zu seiner Vorlage in 2.Kor.3,7.13–18 läßt er sich nicht zu der gnostischen Konsequenz der totalen Ablehnung des Gesetzes führen, sondern typisch paulinisch ist das Gesetz in seinem

Anspruch als Heilsweg und Heilsmittler ein Dienst des Todes und der Verurteilung und somit für die Christen nicht mehr gültig.
Seine letzte und schärfste ablehnende Stellungnahme zum Gesetz findet sich in Phil. 2,4b–9. Da das Gesetz zur Aufrichtung der eigenen Gerechtigkeit herausfordert, und diese als verdienstliches Werk wertet, dient es dem Fleisch und ist nicht nur wertlos und unbrauchbar, sondern zugleich verabscheuungswürdig. Nur an dieser Stelle findet sich das aus der Vulgärsprache stammende «skybalon» im ganzen Neuen Testament. Die für den pharisäischen Juden Paulus geltenden Höchstwerte wie das Gesetz als Heilsmittler, die vom Gesetz geforderte Heilsleistung, die Gesetzesgerechtigkeit und so weiter sind für den christlichen Paulus nichts anderes mehr denn Vertrauen in die Macht des Fleisches und letztlich Dreck und Kot, Exkremente. Ein vulgäres Wort der Gasse wendet Paulus auf das Gesetz an, das seinem Täter das Leben verheißt.
Schließlich wird die paulinische Hermeneutik des Mosegesetzes in besonders ausdrücklicher Weise durch die vom Apostel übernommene Formel «Buchstabe und Geist» erschlossen. Diese Formel «gramma-pneuma» findet sich zum ersten Male in 2.Kor.3,6, während die übrigen Belegstellen im späteren Röm. anzutreffen sind (Röm.2,27ff;7,6). Nicht ohne Grund ist angenommen worden, daß diese Antithese auf eine gnostische Kampfformel der Enthusiasten in Korinth zurückgeht, mit dem Inhalt: Das Gesetz des Mose ist tötender Buchstabe, lebendigmachender Geist ist allein die gegenwärtige Offenbarung des himmlischen Geist-Christus. Diese ursprünglich judenchristlich-gnostische Antithese von gramma und pneuma ist aber identisch mit dem ontologischen Wesensgegensatz von Fleisch und Geist (Gal.5,16ff; Röm.8,2ff), von erstem und zweitem Adam-Anthropos (1.Kor.15,20ff und 45ff; Röm.5,12ff) sowie von Kosmos und Theos (1.Kor.1,18ff). Da aber Paulus im Gegensatz zu den Enthusiasten von Korinth mit Hilfe dieser Kampfformel keineswegs das Gesetz überhaupt verwirft, sondern innerhalb des Gesetzes zur inhaltlichen Unterscheidung von Gültigem und Ungültigem auffordert, ist sie zurecht als die älteste hermeneutische Überlegung im Neuen Testament selbst angesehen worden. Für Paulus ist das Gesetz als Heilsweg und Heilsmittler deshalb tötender Buchstabe, weil es den Frommen zur Selbstrechtfertigung und damit in den Tod führt. Andererseits ist dasselbe Gesetz Leben schaffender Geist, weil die Liebe als Summe und Erfüllung des Gesetzes vom Evangelium nicht mehr als Verdienst, sondern nur noch als Dienst gewertet wird.

5. Die Befreiung vom Gesetz

Nun kann wirklich verstanden werden, warum Paulus in seiner Spätphase unentwegt die Freiheit bzw. die Befreiung vom Gesetz verkündet. Heil ist

für ihn identisch mit der Befreiung vom und niemals zum Gesetz als Heilsweg. Von größter Bedeutung ist in diesem Zusammenhang die Tatsache, daß Paulus in Röm. 7,1–6 die Freiheit vom Gesetz als Heilsweg aus dem Gesetz selbst begründet, und zwar in doppelter Weise. Zuerst zitiert Paulus den bekannten pharisäisch-rabbinischen Grundsatz: Mit seinem Tod ist der Mensch dem Machtbereich der Tora entnommen (Vers 1b). Dann fügt er in Vers 2f ein weiteres Argument aus der Toradiskussion hinzu: Die Bestimmungen des Mosegesetzes besagen, daß die verheiratete Frau von der ehelichen Bindung befreit ist, sobald ihr Mann gestorben ist. Daraus zieht Paulus Vers 4–6 die Konsequenz: Da die Christen durch den Leib Christi, d.h. durch seinen Tod am Kreuz, dem Gesetz gestorben sind, sind sie auch endgültig vom Gesetz getrennt (vgl. auch Gal.2,19), also definitiv vom Gesetz durch Christus befreit. Der Geist hat das Gesetz als Heilsmittler beim Christen abgelöst (7,6). Die Tora als solche nach dem nachzulesenden Konsonantentext ist für den Christen durch das Evangelium abgeschafft; denn einen wie auch immer gearteten Übergang vom buchstäblichen Gesetz zum allein rettenden Evangelium und umgekehrt gibt es für Paulus nicht mehr. Der Geist im Gegensatz zum Fleisch hat nicht nur ein besseres Verständnis des Gesetzes ermöglicht und unter den Pneumatikern durchgesetzt, sondern er hat dieses endgültig abgelöst.
Ebenso schließen sich die Gesetzes- und Glaubensgerechtigkeit aus; denn nach Röm. 3,21 wird die Gottesgerechtigkeit als Glaubensgerechtigkeit «ohne das Gesetz» offenbar. Weil die Gottesgerechtigkeit als eschatologisches Heil in der ganzen Schöpfung gilt, schaltet sie das zur Werkgerechtigkeit auffordernde Gesetz aus, somit gibt es für den Christen keinen Übergang mehr vom Gesetz als Heilsmittler zum Evangelium als Zuspruch der Glaubensgerechtigkeit.
Insbesondere ist die Botschaft von der Rechtfertigkeit des Gottlosen allein aus Glauben und nicht aus Werken des Gesetzes (Gal.2,16/Röm.3,28) identisch mit der Freiheit vom Gesetz als Heilsbedingung. Denn nach Paulus wird das Geschehen der Rechtfertigung zeitlich nicht limitiert. Die Rechtfertigung ereignet sich nicht nur am Anfang, sondern durchweg im christlichen Leben ohne Werke des Gesetzes, ebenso in der Todesstunde und auch im Jüngsten Gericht. Das Gesetz wird nicht nur immer wieder im Vorgang des Rechtfertigungsgeschehens ausgeschaltet, so daß für die Zukunft dann doch wieder das Gesetz als Heilsweg gilt – so Qumran (vgl. 1QS11,2ff.11–15 u.a.) und 4.Esra 8,32–39 –, sondern das Gesetz wird von Paulus für immer und nicht nur zeitweilig, d.h. grundsätzlich als Heilsfaktor verabschiedet. Auch die Antithese von Glauben und Gesetzeswerken gilt nach Paulus grundsätzlich. Das Gesetz hat im Christenleben für immer seine Rolle verspielt, Kriterium der Rechtfertigung und Erlösung zu sein.
Nach Röm.10,4 ist Christus des Gesetzes Ende zur Gerechtigkeit für

jeden, der glaubt. Die internationale wie interkonfessionelle Exegese übersetzt «telos» im allgemeinen mit Ende, während v.a, die Systematik mit der Bedeutung Erfüllung und Ziel operiert. Philologisch sind beide Bedeutungen möglich, nicht aber vom Kontext der paulinischen Gesetzestheologie her, wie wir immer wieder gesehen haben. Für Paulus stehen Christus und Gesetz keineswegs in einem dialektischen Verhältnis, sondern stellen vielmehr sich ausschließende Wesensgegensätze und Machtbereiche dar, ebenso wie Adam und Christus, sarx und pneuma, Buchstabe und Geist, weil das Gesetz beansprucht, der alleinige Heilsmittler zu sein.

Zwar kann Paulus in 1.Kor.6,12 und 10,23 sogar die Formel «alles ist mir (= als Pneumatiker) erlaubt» übernehmen, die offenbar ein beliebtes Schlagwort der gnostischen Judenchristen in Korinth war. Paulus bejaht grundsätzlich die Freiheit von der Herrschaft des Gesetzes als Heilsweg, aber wie jedesmal der kritische Kommentar zeigt, lehnt Paulus nicht dualistisch das Gesetz überhaupt ab, indem er den Christen in die schrankenlose Willkür entläßt. Vielmehr hat die Freiheit des Pneumatikers ihre Grenze am Nutzen für die Gemeinde und dem Aufbau des Leibes Christi. Hart und unüberbrückbar wird von Paulus in Röm.8,2 beides zusammengefügt: «Denn das Gesetz des Geistes und des Lebens hat dich ein für allemal befreit vom Gesetz der Sünde und des Todes». Wie in Gal.6,2 und Röm.3,27 wird auch hier «das Gesetz» eigentlich und nicht übertragen, also bildlich gebraucht; denn die Genitivkonstruktion hat qualifizierende Bedeutung. Das gegen seinen Wortlaut interpretierte Gesetz des Mose, das unter der Herrschaft des Geistes und des Lebens im Machtbereich des Christus steht, wird zum Charismenkatalog, daß die Zehn Gebote bzw. die Liebesforderung als Summe des Gesetzes überhaupt als Charismen verstanden und gewertet werden und d. h. als Berufung zum Dienst allein um des nächsten willen. Dieses Gesetz, das Geist und Lebens ist, bringt und bewirkt, befreit den Christen vom Gesetz der Sünde und des Todes und d.h. von seinem Anspruch, der alleinige Heilsmittler zu sein, von seiner Wertung der Liebe als conditio salutis und von seiner vermeintlichen Macht, am Jüngsten Tage ewiges Leben zuzusagen oder zu verweigern.

Die Christen allein sind die Kinder der Freien (Gal.4,31) und stehen in der Freiheit und Macht des Geistes und nicht unter der versklavenden Herrschaft des Gesetzes (Gal.5,18ff und Röm.8,2ff). Denn: «Der Herr ist der Geist. Wo aber der Geist des Herrn ist, da allein ist Freiheit» (2.Kor.3,17). Der Kyrios allein befreit durch die Macht des Geistes die Versklavten vom Gesetz als Heilsweg, eben dem tötenden Buchstaben.

Zusammenfassend können wir jetzt sagen: Die Freiheit vom Gesetz erweist sich nach Paulus in der Freiheit, innerhalb des tradierten Mosegesetzes zu unterscheiden zwischen seiner gültigen Forderung der Liebe und seiner ungültigen Wertung der Liebe als Gesetzeswerk und höchste

Tugend, eben als Verdienst. Die Liebesforderung ist auch für Paulus gültig, ungültig dagegen ist die Wertung der Liebe als verdienstliche Leistung, der Anspruch des Gesetzes als alleiniger Heilsmittler bzw. Heilsweg zu sein und die Wirkung der apokalyptischen Vergeltung, dem Gesetzestäter ewiges Leben, dem Gesetzesbrecher aber ewiges Verderben vergelten zu können.
Die eigentliche Sachproblematik der paulinischen Gesetzestheologie liegt demnach nicht in der oft wiederholten Alternative: das heilige, gute und gerechte Gesetz auf der einen und der dieses Gesetz nachträglich zum Leistungsprinzip pervertierende Mensch auf der anderen Seite, nicht in der Alternative von ursprünglicher Intention (= Zuspruch des Lebens) und faktischer Funktion (= es führt den Menschen in das Verderben) oder vom ursprünglichen Wesen des Gesetzes und seiner geschichtlichen Auswirkung, sondern von Anfang an war dieser Aufruf zur Werkgerechtigkeit im Konsonantentext selber enthalten. Seit der Stiftung (Gal.3,19c; 2.Kor.3,13) hat die sinaitische Tora selbst (Lev.18,5) die Liebe als Heilsbedingung und damit als verdienstliches Werk gewertet, hat sie sich selbst alleinigen Heilsgrund und Heilsmittler dem Frommen präsentiert. Die Tora selbst ruft nach Paulus zur Werkgerechtigkeit auf, wertet also die Liebe als Verdienst und nicht wie das Evangelium als Charisma, d.h. als Berufung zum Dienst.

II. Die spätpaulinische Lehre vom Geist und von den Geistesgaben als «Ethik»

1. Der Geist als Ursprung, Kraft und Norm des sittlichen Lebenswandels

Die spätpaulinische Lehre vom Geist ist äußerst komplex, aber auch mit Blick auf die johanneische die profilierteste im Neuen Testament. Mit dem Alten Testament und vor allem apokalyptischen Judentum ist auch für Paulus der Geist die eschatologische Gottesmacht als Anbruch der apokalyptischen Endzeit, und mit der hellenistischen Antike verzichtet Paulus keineswegs auf das Verständnis des Pneuma als unübersehbarer Demonstration von Wunder und Ekstase. Vor allem aber sind Geist und Fleisch weltbeherrschende Mächte und Herrschaftsbereiche, die in einem sich ausschließenden Wesensgegensatz zueinander stehen. Ohne diesen kosmischen Dualismus ist die spätpaulinische Geistlehre nicht zu verstehen; deren strikt christologische Orientierung ist von Paulus im Kampf mit der christlichen Gnosis in seinen eigenen Gemeinden ausgearbeitet worden. Nicht nur daß die Wendung «im Geist» und «in Christus» parallel laufen, Paulus spricht außerdem vom Geist als dem Geist Christi (Röm.8,9), des Sohnes (Gal.4,6) bzw. des Herrn (2.Kor.3,17b), so daß in

2.Kor.3,17 der erhöht-gegenwärtige Kyrios mit dem Pneuma ausdrücklich gleichgesetzt wird. (2.Kor.3,17a). Mit dieser christologischen Orientierung des Geistes hat Paulus das von ihm übernommene Geistverständnis entscheidend neu ausgelegt: Der Geist als weltbewegende Macht, in kosmischer Antithese zum Fleisch, ist und bleibt die irdische Gegenwart und Herrschaft des auferweckten und erhöhten Herrn. Und dieser so verstandene Geist ist für den späten Paulus nicht nur die wunderbare Macht des Mirakels und der Ekstase, der übernatürlichen Kräfte und Demonstrationen, sondern vor allem der Inbegriff des neuen Lebens und die Norm des ethischen Wandels. Das Unverwechselbare der spätpaulinischen Geistlehre liegt gerade darin, daß er nicht nur die spektakulären und außergewöhnlichen Phänomene wie Gloßolalie (= ekstatisches Zungenreden), dramatische Kraftwirkungen und Wunder in besonderen Situationen als geistgewirkt ansieht – so die hellenistische Welt und christliche Gnosis, allerdings mit unterschiedlicher Begründung –, sondern gerade die Erfüllung der Liebesforderung als Summe des ganzen Gesetzes auf die Wunderwirkung des Geistes zurückführt. Der weltbewegende Kampf des Geistes gegen das Fleisch (Gal.5,17) wirkt sich nach Paulus gerade auf dem Gebiet des ethischen Handelns des Christen aus. Die Freiheit von den Unheilsmächten Sünde, Fleisch, Gesetz und Tod, die allein der Geist wirkt, manifestiert sich nach dem späten Paulus im neuen ethischen Lebenswandel. Nur der Geist ist für den Apostel Ursprung, Kraft und Norm der sittlichen Lebensführung, wie besonders charakteristisch in folgenden Sätzen zum Ausdruck kommt: Weil die Christen vom Gesetz getrennt worden sind, dienen sie ihrem Herrn in der Neuheit des Geistes (Röm.7,6). Nichts anderes sagt die Wendung vom «im Geist sein» (Röm.8,5) oder «im Geiste wandeln» (Gal.5,16). Beidemal wird von Paulus der Geist als Kraft und Ursprung des neuen, ethischen Lebenswandels der Christen definiert. Und weil der Geist mit dem Herrn identisch ist, ohne ihn nicht gegeben wird, steht der ethische Wandel unter der Norm des Geistes, muß der Christ «gemäß dem Geiste» bzw. in der «Neuheit des Lebens» (Gal.5,25; Röm.8,4 und 13f) wandeln (Röm.6,4). Wie wir bereits im 1. Thess. gesehen haben, ist der Begriff «Wandel» traditionell und umschreibt im Alten Testament und Judentum den Wandel im und nach dem Mosegesetz. Der späte Paulus aber nimmt eine völlige Neuorientierung vor, wenn er als beherrschenden Maßstab für den ethischen Wandel des Christen nicht mehr das Gesetz, sondern den Geist in Anspruch nimmt und darüber hinaus diesen Wandel nach dem Geist dem Wandel nach dem Fleisch unüberhörbar kontrastiert (Röm.8,4).
«Nach dem Fleisch wandeln» läßt einmal das Gesetz Gottes als Heilsweg und die Gesetzeswerke als Heilsbedingung werten und zum andern dasselbe Gesetz durch einen lasterhaften Lebenswandel übertreten. Im Wesensgegensatz dazu heißt «nach dem Geist wandeln», die Liebesforderung als Summe des Gesetzes nur noch als Dienst, nicht aber mehr als

Verdienst zu werten und den vermeintlichen Anspruch des Gesetzes als Heilsmittler ablehnen. Keine Frage aber ist, daß der Dualismus, d.h. der Wesensgegensatz der weltbewegenden Mächte Geist und Fleisch die spätpaulinische «Ethik» bestimmt: Der Christ und seine Lebensführung soll nicht unter der beherrschenden Norm des Fleisches, sondern des Geistes stehen. Seit H. Gunkel (Die Wirkungen des Heiligen Geistes nach der populären Anschauung der apostolischen Zeit und der Lehre des Apostels Paulus, 1888) wird immer wieder in der Paulusforschung behauptet, daß die Ethisierung des vom Apostel vorgefundenen Geistbegriffes und -verständnisses das eigentlich paulinische Spezifikum seiner Pneumatologie ist. Aber schon im Judentum (besonders Qumran!) wird die Erfüllung des Gesetzes auf die Gabe des Geistes zurückgeführt, fand also eine Ethisierung, bzw. Neu- und Umdeutung des Pneumabegriffes statt. Daß aber der Geist zum Instrument der Erfüllung des Gesetzes als Heilsweg und zur Wertung der Gesetzeswerke als Heilsbedingung wird, das hat der späte Paulus mit Leidenschaft immer wieder bestritten. Zwar ist der Geist für ihn Grund, Kraft und Norm des «ethischen» Wandels, aber nicht mehr Mittel der Erfüllung des Gesetzes als Heilsmittler und der Wertung der Liebe als Verdienst.

Der späte Paulus hat den Geist deshalb nicht ethisiert, d.h. zur Funktion der Ethik werden laßen, weil er keine Ethik als Gesetzes-, Lohn- und Verdienstethik wie im Judentum und keine Ethik als Tugend- oder Morallehre wie im Heidentum mehr kennt. Keineswegs entläßt der späte Paulus den Christen damit in den Quietismus oder gar Libertinismus. Vielmehr führen der Geist und die Geistes- bzw. Gnadengaben auf das Gesetz als Zeugen der Glaubensgerechtigkeit und nicht auf das Gesetz als Heilsweg, zum Dienst an allen Geschöpfen und nicht zum Verdienst um des eigenen Heiles willen. Der sittliche Wandel «im Geist» und «nach dem Geist» vollzieht sich für den Apostel in der Freiheit des Geistes, der von aller Ethik als Verdienst und Tugendruhm befreit. Weil an die Stelle der Ethik der geistgemäße Wandel getreten ist, ist das Wort «Ethik» beim späten Paulus in Anführungsstrichen zu setzen, weil es für ihn endgültig seine eigentliche Bedeutung verloren hat.

2. Die Charismenlehre als «Ethik»

Der Geist gliedert nach Paulus die Pneumatiker durch die Taufe in den weltweiten Christusleib ein; denn «im Geiste» sein (Röm. 8,8f) ist identisch mit «im Leibe Christi» sein. Der Christusleib als das irdische Wirkungsfeld und der irdische Machtbereich des Geistes steht im Wesensgegensatz zur Machtsphäre des Fleisches und der Sünde. In diesem Christusleib herrschen zwar eschatologische Gleichheit und Aufhebung aller nationalen, sozialen und geschlechtlichen Unterschiede (Gal.3, 27f;

1.Kor.12,13f) – alle sind Träger ein und desselben Geistes –, aber gleichwohl Vielfalt der Geistes- bzw. Gnadengaben (1.Kor.12,12a.14–26; Röm.12,4–8), denn jeder hat sein eigenes Charisma von Gott empfangen und keiner geht leer aus. Die traditionelle Leib-Organismus-Vorstellung (1.Kor.12,12a.14–26;Röm.12,4–5) wird von Paulus also auf die Pluralität der Geistes- bzw. Gnadengaben angewandt. Nach 1.Kor.12,1 und 3 sind die Charismen (= Gnadengaben) als Wechselbegriff zu pneumatika (= Geistesgaben) ebenfalls dem Geist zugeordnet und vom Geist gewirkt. Deshalb sind nach 1.Kor.12,7 Charisma und Offenbarung des Geistes sachlich dasselbe.
a) Die philologischen, religions-, traditions- und theologiegeschichtlichen Forschungsergebnisse hinsichtlich des Wortes «Charisma» sind gesichert, so daß wir in aller Kürze darauf zurückgreifen können. Das Verbalsubstantiv meint von Haus aus Gabe, Geschenk, Wohltat oder Hulderweisung. Auffallend ist, daß urchristliches Belegmaterial fehlt; die alttestamentlichen (Ps. 30,22 Theodotion; Sir. 7,33 Codex S; 38,30 Codex B) und jüdischen Belege (Philo leg. all. III 78; der Begriff fehlt ganz bei Josephus) sind textkritisch als späte Varianten einzustufen, und hebräische Aequivalente sind nicht zu verzeichnen. Auch im griechischen Sprachbereich steht es nicht besser: Der Rhetor und Sophist Alkiphron aus dem 2.Jh.n.Chr. bietet den ersten sicheren Beleg (Ep.III 17,4), von den Papyri aus dem 4.Jh.n.Chr. ganz abgesehen. Es dürfte also Paulus gewesen sein, der das in der hellenistischen Umgangssprache nicht gerade häufige Wort in die christliche Theologie eingeführt hat (7mal im 1.Kor., 1 mal im 2.Kor. und 6 mal im Röm.).
Das Wort Charisma bzw. die Sache der Charismenlehre findet sich also weder in den nachösterlichen Jesusgemeinden noch im gnostischen Enthusiasmus und eigentlich auch nicht in den späteren Briefen des Neuen Testaments (Past; 1 Petr; auch Did; 1. Clem; Justin und Irenäus), da hier aus dem paulinischen Charisma das Amtscharisma des Amtsträgers geworden ist.
Allerdings ist der Sprachgebrauch bei Paulus nicht einheitlich, auch wenn das in der Forschung oft genug behauptet worden ist. Eine erste Orientierungs- und Auslegungshilfe bietet die Unterscheidung zwischen einem allgemeinen, unterminologischen (1.Kor.1,7; 7,7; 2.Kor.1,11; Röm.1,11; 5,15f; 6,23; 11,29), und einem speziellen bzw. spezifischen Sprachgebrauch (die Charismenkataloge in 1.Kor. 12,4–11.28–30; Röm.12,6-8). Außerdem liebt es Paulus, den Charismabegriff zu umschreiben, so 1.Kor.12,4; «die Zuteilung der Charismen»; 1.Kor.12,11: «Der Geist teilt einem jeden zu wie er will»; 1.Kor.7,17: «Wie der Herr einem jeden zugeteilt hat, wie Gott einen jeden berufen hat, so soll er wandeln»; Röm.12,3; «ein jeder so, wie ihm Gott das Maß zugeteilt hat»; Röm.12,6: «Wir haben aber verschiedene Gnadengaben gemäß der uns gegebenen Gnade», oder die äquivalente «Berufung» (1.Kor.7,17.20; Röm.11,29) und «diakonia» (1.Kor.12,5) zu gebrauchen.
Aber Paulus hat nicht nur den Charisma-Begriff zum ersten Mal in die

christliche Verkündigung übernommen, auch die Existenz und Zusammenstellung der drei Charismenkataloge in 1.Kor.12,4–11.28–30 und Röm. 12,6–8 sind sein Werk. Diese Listen folgen keiner systematischen Ordnung: weder vermeidet Paulus Überschneidungen noch scheut er sich, ohne weiteres von Personen zu Sachbezeichnungen hinüberzuwechseln. Weil mit diesen Beispielen Fülle und Unterschiedlichkeit der Charismen zum Ausdruck gebracht werden soll, sind alle Versuche, in diesen Listen eine in den paulinischen Gemeinden vorhandene wirkliche Gemeindeordnung wiederfinden zu wollen, zum Scheitern verurteilt. Vielmehr sind die Charismenlisten der apostolische Wille und Wunsch – so sollte es nach Paulus eigentlich in den Gemeinden zugehen –, keineswegs aber spiegeln sie tatsächlich vorhandene charismatische Verfaßung der von ihm gegründeten Gemeinden wider.

Die hervorgehobenen bzw. außerordentlichen Charismen lassen sich vor allem auf Grund der drei Charismenlisten – übersichtshalber wie folgt gliedern:

1. Zu den kerygmatischen Charismen bzw. den Charismen der Verkündigung gehören die Funktionen der Apostel, Propheten, Lehrer und Seelsorger,
2. zu den diakonischen Charismen bzw. den Charismen der Dienst- und Hilfeleistung die Diakone und Diakonissen,
3. zu den pneumatisch-ekstatischen Charismen die Glossolalie, die wunderbaren Heilungen, Exorzismus und überhaupt demonstrative Wirkungen göttlicher Kräfte,
4. zu den kybernetischen Charismen bzw. den Charismen der Leitung und Verwaltung schließlich die Bischöfe, Vorsteher und Erstlinge und
5. nach 1.Kor.14,26 hat jeder Christ in der Gemeindeversammlung eines dieser Charismen, d. h. liturgische bzw. gottesdienstliche Gaben wie Lied, Belehrung, Offenbarung, Zungenrede und Übersetzung, die ebenfalls – wie Paulus ausdrücklich hervorhebt – der Erbauung des Christusleibes dienen sollen.

Diese Vielfalt wie Einheit der Geist- bzw. Gnadengaben liegt darin begründet, daß «alles ein und derselbe Geist» wirkt, «der jedem besonders zuteilt, was er will» (1.Kor.12,11).

Schon jetzt wird eines ganz deutlich: Paulus kennt nur die charismatische Gemeinde, und die Charismen sind nicht eine außerordentliche , sondern eine ganz und gar alltägliche, nicht eine auf einen bestimmten Personenkreis eingeschränkte, sondern im Christusleib als der Kirche ganz allgemeine Erscheinung, und vor allem nicht eine damalige, sondern eine höchst gegenwärtige und zentrale Erscheinung in der paulinischen Gemeinde. Alles, was der Gemeinde, die als Christusleib aus vielen Gliedern besteht, nützt (1.Kor.12,7), ihrem Aufbau dient (1.Kor.14) und in der Liebe geschieht (1.Kor.13), ist Charisma. Denn Charisma ist nach Paulus zunächst Gabe, Geschenk und Zuteilung, dann Manifestation,

Konkretion und Individuation ein und desselben Geistes, die Wirkung der Gnade als Gnadenmacht und schließlich Berufung zum Dienst am Nächsten unter Einschluß des Feindes, auf keinen Fall aber ein pneumatisches Statusprinzip, weder ein amtliches Privileg eines statischen Herrschaftsverhältnisses noch gar Anlaß zum Ruhm aufgrund frommer Leistung. Die Charismen sind vielmehr Verwirklichung des allgemeinen Priestertums aller Glaubenden. Wenn aber die paulinische Charismenlehre die konkrete Darstellung des neuen Lebenswandels der gerechtfertigten Gottlosen und somit letztlich nichts anderes ist als die Übertragung des paulinischen Rechtfertigungsevangeliums in die Kirche hinein, dann ist die Konsequenz unausweichlich: Nicht nur der Charismabegriff ist von Paulus in die urchristliche Theologie eingeführt und theologisch gewichtet worden, sondern auch die Charismenkataloge in ihrer exemplarischen Zusammensetzung gehen auf ihn zurück, so daß seine Charismenlehre als sein persönlicher, theologisch sorgfältig durchreflektierter und im Neuen Testament einmalig gebliebener Entwurf anzusehen ist.

b) Von größter Bedeutung und Tragweite ist nun aber weiterhin die Tatsache, daß Paulus offensichtlich durch die gnostischen Enthusiasten in Korinth zur Ausarbeitung seiner unverwechselbaren Charismenlehre provoziert worden ist; denn ihre antienthusiastische Zielsetzung ist unverkennbar. Pneumatika war terminus technicus der korinthischen Enthusiasten (1.Kor.2,13.15; 12, 1; 14,1 u.a.) und meint ebenso massiv wie demonstrativ die explosiven Einbrüche der jenseitigen Herrlichkeitswelt in den gottlosen Kosmos, also vor allem ekstatische Zungenreden, dramatische Kraftwirkungen und sensationelle Mirakel. Wirkungen des dualistisch motivierten Pneuma sind weiter die provokativen Demonstrationen der Freiheit und die Vollmacht der gnostischen Pneumatiker, die sich in doketischen (1.Kor.12,3), in antiapokalyptischen (1.Kor.15,12) antinomistischen (1.Kor.6,12f) und alle Unterschiede nivellierenden Schlagworten (Gal.3,28; 1.Kor.12.13) bekunden.

Schließlich gehört auch der ethische Libertinismus (1.Kor.5,1–13; 6,12–20) oder der ethische Rigorismus (1.Kor.7,1) zu den pneumatischen Demonstrationen. Die «pneumatika» als die wunderhaften, übernatürlichen und anormalen Demonstrationen, Kräfte und Wirkungen des jenseitigen Pneuma-Christus im jeweiligen Pneumatiker, die vor allem der Selbsterbauung und somit dem religiösen Individualismus dienen, sind nur verständlich im Horizont des gnostischen Wesensgegensatzes von weltlosem Gott einerseits und gottlosem Kosmos als Unheilsmacht andererseits, welcher der Mensch aus eigener Kraft nicht entrinnen kann. Die Reaktion des Paulus auf die durch den dezidiert gnostischen Dualismus motivierten «pneumatika» ist eindeutig: Paulus vermeidet zwar nicht grundsätzlich den terminus technicus «pneumatika», ersetzt ihn aber oftmals durch «charismata», verdrängt aber keineswegs die mit den «pneumatika» gemeinte Sache aus seinen Charismenlisten, auch wenn er sie

unüberhörbar kritisiert. So relativiert er die «pneumatika» durch die Einführung des Leib-Organismus-Gedankens (1.Kor.12,12–27) und des Kriteriums des Nutzens (1.Kor.12,7) und der Liebe (1.Kor.13); so kritisiert er sie durch die Aufnahme der profanen Dienste (1.Kor.12,5; Röm.12,7) der Hilfs- (1.Kor.12,28; Röm.12,8) und Verwaltungsleistungen (1.Kor.12, 28), die er den «pneumatika» grundsätzlich gleichstellt; so setzt er weiter die von den korinthischen Enthusiasten am höchsten geschätzte Glossolalie ostentativ an den Schluß (1.Kor.12,10. 28–30), während er sie in der Charismenliste Röm. 12, 6–8 sogar ausläßt (wie denn hier die ekstatischen pneumatika überhaupt nicht erwähnt sind!), und stellt stattdessen die Prophetie polemisch an den Anfang (1.Kor.14). Das alles beweist: Paulus verachtet keineswegs die mit den enthusiastischen «pneumatika» demonstrierte Sache: Ekstase und Wunder als unübersehbare Manifestation des Pneuma. Aber indem er konsequent den Charismenbegriff einsetzt, macht er unmißverständlich klar, daß die Macht des Geistes nur christologisch verstanden werden kann; denn Charisma ist das von Christus beschlagnahmte «pneumatikon», die Individuation und Konkretion der Gnadenmacht, die zeitlebens in den Dienst am Nächsten unter Einschluß des Feindes stellt.
Die paulinische Charismenlehre erweist sich somit als die kritische Neuinterpretation der enthusiastischen pneumatika-Lehre der korinthischen Gnostis oder anders formuliert: Die paulinische Charismenlehre ist die polemische Antwort des Apostels auf die dualistische pneumatika-Lehre seiner judenchristlich-gnostischen Gegner in seinen Gemeinden. Damit aber meldet sich das letzte, aber – wirkungsgeschichtlich beurteilt – wohl auch folgenreichste Problem, das mit der paulinischen Konzeption der Charismen gestellt ist,
c) nämlich das Verhältnis von Charisma und «Ethik». Das schließt nach Paulus ein Dreifaches ein: 1. Alles Handeln bzw. die nova oboedientia muß charismatisch verstanden werden. Grundlegend ist der Abschnitt Röm. 12,6–21. Der Charismenkatalog leitet hier nicht nur bewußt den großen paränetischen Schlußabschnitt des Röm. ein (Röm.12,9–15,13), sondern schon in der eigentlichen Charismenliste 12,6–8 geht die Anweisung für die herausgehobenen Charismatiker (Vers 6–8a) mit Vers 8b in allgemeine ethische Anweisungen («aus seinem Besitz geben, in der Fürsorge stehen und Almosen geben») über, die dann ohne sichtbaren Unterbruch in 12,9–21 durch eine katechetisch-judenchristliche Tradition, die mit synoptischem Material und alttestamentlichen Zitaten arbeitet, vervollständigt werden. Es ist deshalb nur sachgemäß, wenn in der Forschung der Charismabegriff konsequent ins «Ethische» ausgeweitet worden ist. Darüber hinaus leitet die Charismenliste (12,6–8) – wie soeben bereits angedeutet – die große Schlußparänese 12,9–15,13 im Röm. ein. Sie ist der hermeneutische Auslegungsschlüssel nicht nur für die paränetische Tradition 12,9–21, sondern ebenso für die staatsbürgerliche Paränese in

13,1–7, die Zusammenfaßung des ganzen Gesetzes im Liebesgebot 13,8–10, die Taufparänese 13,11–14, sondern gerade auch für die spezielle Paränese mit Blick auf die Starken und Schwachen in der römischen Gemeinde 14,1–15,13. Die Charismenlehre ist der Horizont innerhalb dessen die Schlußparänese des Röm. ihren theologischen Ort hat. Dasselbe gilt für die traditionell paränetischen Spruchreihen bzw. allgemeinen Paränesen, z.B. in Röm. 12,1f; Gal 5,13–6,10; Phil.1,27–30; 2,1–11.14–18; 4,4–7. Nicht mehr nur die Frage nach der religions- und traditionsgeschichtlichen Herkunft der paränetischen Spruchreihen (judenchristliche Traditionen mit synoptischen Jesussprüchen, AT-Zitate, Weisheitsregeln, apokalyptische Taufparänese sowie Laster- und Tugendkataloge), sondern der Aufweis ihrer Funktion im Rahmen paulinischer Theologie und «Ethik» ist die entscheidende Aufgabe der Interpretation. Denn die «Paränese» des Paulus steht nicht mehr im Horizont einer Gesetzes- und Lohnethik, sondern ist durchgehend bestimmt von seiner Charismenlehre, von der allein sie ihre christliche Verbindlichkeit erhält. Über den Inhalt des sittlich Guten herrscht bei Christen und Nichtchristen weithin Übereinstimmung; der Unterschied allerdings liegt in der andersartigen Motivierung und Realisierung. Denn christlicher Gehorsam geht keineswegs im moralischen Verhalten auf, ist vielmehr geistgewirkt, geistlicher Gottesdienst im leiblichen Bereich und weltlichem Alltag (Röm.12,1f), «Wandel im Geist» (Gal.5,16), charismatische Tugend, «Frucht des Geistes» (Gal.5,22) und d.h. zusammengefaßt: Konsequenz der geschehenen Rechtfertigung, nicht aber gesetzlich-verdienstliche Leistung der Frommen und damit Bedingung für die künftige Rechtfertigung. Daßelbe gilt von den speziellen «Paränesen» innerhalb der Paulusbriefe, z.B. 1.Kor.5,1–13;6,1–11.12–20;7; 8,1–13;12–14;2.Kor.8–9; Röm.14,1–15,13: Alles Handeln des gerechtfertigten Gottlosen als neuer Kreatur ist nach Paulus charismatischer Dienst an allen Geschöpfen, niemals aber egoistisches und verdienstliches Streben nach dem eigenen Heil. Das antinomistische Anliegen der paulinischen Charismenlehre zeigt sich in der Interpretation des «Ethischen» (= moralgesetzliche Forderungen) in dem Bereich der Gnadenwirkungen, womit dieses unüberhörbar relativiert wird. 2. Aber auch sämtliche Verhaltensweisen der Christen sind nach Paulus charismatisch: in Ehrerbietung einander höher achten (Röm. 12,10), in Hoffnung sich freuen, in Trübsal standhalten, im Gebet verharren (Röm.12,12), mit den Fröhlichen sich freuen, mit den Trauernden klagen, einen Sinn untereinander haben (Röm.12,15f) und schließlich die apokalyptische Haltung des «schon nicht mehr» als der apokalyptischen Indifferenz der Welt gegenüber (1.Kor.7,29–31). Schließlich gehören auch die sog. Peristasenkataloge Röm. 8, 1.Kor. 4.6.11 und 12 hierher, in denen von Paulus die Leiden und Gefahren, die Entbehrungen und Nöte auch der christlichen Existenz genannt werden. Solche Kataloge waren zwar in der religiösen Antike (Judentum und Stoa) bekannt, aber bei Paulus stehen diese Peristasenkataloge im Kontext seiner Charismenlehre: Die Leiden sind für ihn Charisma, d.h. Berufung zum Dienst und Dasein für Andere, nicht aber wie in Apokalyptik und Stoa Verdienst, also Gesetzeswerk für den Empfang des ewigen Lebens bzw. die Unsterblichkeit oder gar die Sühne für eigene oder andere Sünden! Freilich ist nicht schon die Haltung als solche Charisma; sie wird es nur, wenn sie in der Grundverfassung der Agape, d.h. als Berufung zum Dienst am Nächsten geschieht.

3. Schließlich hat Paulus die «Ethik» bzw. «Paränese» als Charismenlehre nicht nur auf Dienste und Funktionen inner- und außerhalb der Gemeinde angewandt, sondern sogar auf jeden sozialen, völkischen, geschlechtlichen und gesellschaftlichen Stand ausgeweitet. So ist der völkische Stand des Juden oder Heiden ebenso Charisma (1. Kor.7,17–20) wie derjenige des Unverheiratet- oder Verheiratetseins (1.Kor.7,7). Die eigentlichen Sachprobleme beginnen nun aber bei der paulinischen Gleichsetzung von sozialem (Sklave und Sklavenhalter: 1.Kor.7,17–24), geschlechtlichem (Mann und Frau: 1.Kor.11,2–16) und politischem (Staatsbürger und staatliche Gewalt: Röm. 13,1–7) Stand und Charisma. Paulus nimmt bekanntlich in allen drei Fällen die Lösungen der hellenistisch-jüdisch-judenchristlichen Sozialethik auf, indem er die strikte Unterordnungsforderung an die christlichen Sklaven, Frauen und Staatsbürger mit naturrechtlichen bzw. ordnungstheologischen Argumenten mehr oder weniger stark untermauert. Es besteht allerdings ein entscheidender Unterschied: das Handeln des Christen im jeweiligen Stand dient nicht mehr wie im Judentum und Heidentum der eigenen Rechtfertigung, sondern ist einzig und allein charismatischer Dienst am Nächsten. Christus ist für Paulus nicht der Bringer einer neuen Gesetzesethik, sondern der Spender der Charismen. Deshalb kennt Paulus keine «Ethik» mehr als Gesetzes- und Verdienstethik weder als griechisch-hellenistische Tugendlehre noch als jüdischen Wandel nach dem Mosegesetz. Paulus gebraucht auch nicht mehr die griechischen Begriffe Ethos und Paränese. Denn «Ethik» ist von Haus aus, d.h. von ihrer Herkunft aus der griechisch-philosophischen Tradition die Tugend- oder Morallehre, d.h. sie zielt immer auf den lebenslangen Kampf des moralischen Athleten in der Arena der Tugend um den Lohn bzw. Kranz der Unsterblichkeit: Das tugendhafte Leben wird von den Göttern belohnt. Die griechisch-römische Ethik bzw. Moraltheologie geht deshalb aus von der Autonomie des Einzelnen und steht im Horizont der Selbstvollendung mit Verdienst und Tugend. Weil die Ethik von Haus aus anthropozentrisch menschliche Leistung und menschliches Verdienst herausstellt, also gerade auf Tugendstolz und Tugendruhm aus ist, wird sie von Paulus abgelehnt. Ebensowenig kennt Paulus die jüdische Halacha als Wandel (= Halach) nach dem Gesetz des Mose.

Zusammengefaßt heißt das: Die Charismenlehre des Paulus umgreift und fundiert zwar seine gesamte «Ethik», geht aber keineswegs in ihr auf.

Trotz der genannten Einschränkungen ist die paulinische Charismenlehre als «Ethik» die bleibende, weil im Evangelium von der Rechtfertigung der Gottlosen allein aus Glauben begründete, Alternative zur Leistungs-, Gesetzes- und Lohnethik der religiösen Antike.

III. Die Voraussetzungen und Begründungen der spätpaulinischen «Ethik»

1. Die Christologie als Grund und Maß christlichen Lebenswandels

Ausgangspunkt und Basis der spätpaulinischen «Ethik» ist das eschatologische Heilshandeln Gottes in Christus. Damit weist diese wichtigste Begründung, die der Apostel dem gesamtem Handeln der Gemeinde und ihrer Glieder gibt, auf den Gott, der der Welt in Christus das Heil ein für allemal geschenkt und im Christusleib die Christen in sein Heilshandeln bestimmend und maßgebend einbezogen hat. Dieses eschatologische Heilsereignis ist aber nichts anderes als die Antwort Gottes auf die heillose Situation der Menschheit und gesamten Schöpfung: Weil Gottes Wille als Liebesforderung nicht getan wird, obschon alle Geschöpfe ihn kennen, sie vielmehr permanent gesündigt haben, stehen Heiden (Röm.1,18–32) wie Juden (Röm.2,1–3,20) als die Repräsentanten der gesamten Menschheit schlechthin unter dem Gotteszorn. Zwar stimmt der gesetzesstrenge Jude dem Gesetz zu und will das Gute (Röm.7,14–20), vermag sogar der fromme Heide kraft «Vernunft» und «innerem Menschen» den göttlichen Willen zu vernehmen und anzuerkennen (Röm.1,18ff; 7,21–25), aber nach Paulus ist sowohl der gesetzesstrenge Jude als auch der fromme Heide «unter die Sündenmacht verkauft» (Röm.7,14), von der Unheilsmacht Fleisch versklavt (7,14), dämonisch besessen (7,18 und 20), in die Gefangenschaft abgeführt (7,23) und im «Leib des Todes» eingekerkert (7,24). Hoffnungslos versklavt von den weltumspannenden Unheilsmächten Sünde, Fleisch und Tod weiß der Mensch vor und außerhalb des Evangeliums aber nichts davon und ist diese Situation gerade der Erfahrbarkeit entzogen. So ist der Mensch im Herrschaftsbereich des Adam-Urmenschen (Röm.5,12ff) ein Wesen, das nicht aus sich selbst bestimmt werden kann. Da es als Geschöpf nur von außerhalb seiner selbst existiert, kann seine unentrinnbare Versklavung auch nur von außerhalb, eben vom Evangelium aufgedeckt werden und ist nur im Rückblick dem Christen einsichtig.

Was also keinem Menschen möglich war, weil er nicht einmal von seiner dämonischen Besessenheit etwas wußte oder auch nur ahnte, das allein tat Gott: Durch die Sendung seines Sohnes (Röm.8,3f; Gal.4, 4f), durch das Erscheinen des Christus im gottfeindlichen Kosmos (1.Kor.15,20ff.

44b–49;Röm.5,12–21) und durch die Erniedrigung des gottgleichen Präexistenten bis hin zum Kreuzestod (Phil.2,6–11) hat er die Unheilsmächte Sünde, Fleisch, Gesetz und Tod ein für allemal entmachtet und eine neue heilbringende Machtsphäre in Christus, einen neuen erlösenden Herrschaftsbereich, nämlich im Leib des Christus eröffnet. Mit dieser typisch spätpaulinischen Verkündigung des Heilswerkes Christi als Wechsel von universalen Machtverhältnissen, eben als der alles entscheidende Herrschaftswechsel, ist das Sündigen-Müssen grundsätzlich beendet und der christliche Lebenswandel ermöglicht worden.
Zugleich verkündigt der Apostel das Heilsereignis auf Golgatha mit kultisch-juridischen Kategorien: Christi blutiger Kreuzestod auf Golgatha bewirkt die eschatologische, einmalige Sühne der Sünden für das neue Gottesvolk (z.B. Röm.3,25; 1.Kor.11,23ff; 1.Kor.15,3bff). So erneuert und verkündet Christus durch seinen Heilstod als der einzige und wahre Mittler zwischen Himmel und Erde die alttestamentliche Heilsordnung und besiegelt sie mit seinem Blut.
Das eschatologische Heilswerk Christi auf Golgatha wird also vom späten Paulus in einer doppelten Begrifflichkeit – ontologisch-dualistisch einerseits und kultisch-juridisch andererseits – und damit im engsten Zusammenhang mit zwei unterschiedlichen christologischen Leitbildern ausformuliert, nämlich mit dem der Sühne und mit dem der Entmachtung.
Dementsprechend kann und darf auch die christologische Begründung der spätpaulinischen «Ethik» nicht einseitig – wie es meistens geschieht – dargestellt und damit in ihrer Reichweite verkürzt werden. So wird einmal der Sühne- bzw. Opfertod Christi als Grund und Kraft des «ethischen» Wandels der gerechtfertigten Gottlosen verkündigt. Weil Christus «als unser Passalamm geschlachtet worden ist», gilt es den alten Sauerteig der Unreinheit, Bosheit und Schlechtigkeit wegzuschaffen und dem eschatologischen Passa der Endzeit gemäß in «ethischer» Reinheit und Wahrheit sein Leben zu führen (1.Kor.5,7f). Weil Christus auch für den «schwachen» Bruder gestorben ist, darf der «Starke», obwohl er die Erkenntnis hat, kein Götzenopferfleisch essen, um dem «Schwachen» keinen Anstoß zu geben und ihn damit zu verachten und zu richten (1.Kor.8,11). Nach 2,Kor.5,14f ist Christus für alle gestorben, damit die Lebenden nicht mehr sich selbst leben, sondern dem, der für sie gestorben und auferweckt ist. Dieser Sühntod Christi als Liebestat hat einen neuen heilbringenden Herrschaftsbereich eröffnet. Weil ihre Sünden gesühnt sind, sind sie frei geworden für den Dienst an der Gemeinde, im neuen Leben und neuen Gehorsam ein für allemal befreit von der Selbstsucht, die eigenen Sünden durch vermeintliche Verdienste sühnen zu müssen, werden die durch den Opfertod Christi Entsühnten nun von der Liebe Christi fortan beherrscht. Sie wurde im Sterben für uns Sünder offenbar und ermöglicht unsere Liebe gegenüber dem schwachen, in seinem Gewissen schwankenden Bruder.

Wie in 2.Kor.5,14f wird auch in Röm.14,9f die spätpaulinische «Paränese» von der Heilstat Christi her motiviert: «Denn dazu ist Christus gestorben und lebendig geworden, daß er über Tote wie Lebende herrsche». Der aufgrund seines Sühntodes für unsere Sünden zur universalen Herrschaft erhöhte Christus motiviert und qualifiziert all unser Handeln, so daß jegliches Richten und Verachten des schwachen Bruders in der Gemeinde kein Lebensrecht hat. Der Sühntod Christi als Erweis seiner Liebe ist sowohl Ausgangs- als auch Zielpunkt christlichen Lebenswandels wie der spätpaulinischen «Ethik» überhaupt. Diesem Herrn zu leben und zu sterben ist für Paulus die einzige ethische Möglichkeit im Alltag der Welt und schließt apodiktisch jedes andere Kriterium christlichen Handelns von vornherein aus.
Auch Röm.14,15 und 16 haben wiederum den konkreten Fall des schwachen Bruders in der Gemeinde der Welthauptstadt Rom im Auge: Die Grenze meiner Freiheit liegt im zeitlichen und ewigen Heil des Bruders, «für den Christus gestorben ist». Die Heilstat Christi, nämlich sein Sühntod für uns Sünder als Liebeserweis, soll auch mein eigenes Handeln bestimmen. Wer den für uns gestorbenen Christus als Erlöser und Hüter meines Bruders und Mitgeschöpfes verleugnet, in dem er dessen Gewissen vergewaltigt und ihn damit richtet wie verachtet, pervertiert den Sinn und die eschatologische Reichweite der Heilstat Christi. Weil die Liebe in seinem konkreten Handeln nicht den rechten Glauben begrenzt, verläßt er nicht nur selber den Bereich des Heils, sondern bringt gerade den Bruder mit seinem angeschlagenen Gewissen um das zeitliche und ewige Heil. «Gemäß der Liebe wandeln» (Röm.14,15) heißt für den späten Paulus, daß allein die Liebe Christi in seinem Opfertod für uns die bleibende Norm aller christlichen «Ethik» ist.
Aber – entgegen einem landläufigen Mißverständnis – motiviert der späte Paulus seine «Ethik» und «Paränese» nicht nur durch den Rückgriff auf die Heilstat Christi als Sühn- bzw. Opfertod für uns Sünder, sondern ebenso durch den Rückgriff auf die Heilstat Christi als Entmachtung der Unheilsmächte Sünde, Fleisch, Gesetz und Tod. Wenn auch mit einer andern Terminologie, so wird wiederum die Christologie zum beherrschenden Ausgangs- und Zielpunkt christlicher «Ethik». Nach Röm.8,3f bestand die eschatologische Heilstat Gottes darin, daß er seinen präexistenten Sohn in den Herrschaftsbereich des Sündenfleisches sandte und am Kreuz den Sühntod sterben ließ. Beides nun, Inkarnation wie Sühntod des von Gott gesandten, präexistenten Sohnes, zielt nur auf eines, nämlich die Erfüllung der « Rechtsforderung des Gesetzes» unter uns Christen. Deutlicher kann es nicht gesagt werden: Sendung, Inkarnation wie Passion sind Ansatzpunkt und Basis der spätpaulinischen «Ethik» als Wandel nach dem Maßstab des Geistes. Der Fleisch gewordene und am Kreuz die Sünde entmachtende Sohn ist der alleinige Grund für das «ethische» Handeln des Christen. Nur dieser Heilsweg des präexistenten,

menschgewordenen und am Kreuz sühnenden Sohnes begründet in der Spätphase seine «Ethik». Aber es ist nicht eine Ethik des Lohnes und Verdienstes, sondern eine «Ethik» des Wandels nach dem Kriterium des Geistes im Gegensatz zu der Norm des Fleisches. Daß dieses eschatologische Heilshandeln in Christus tiefste Verwurzelung wie umfassendste Motivierung spätpaulinischer «Ethik» ist, geht schließlich aus den paränetischen Einleitungswendungen am Briefeingang (1.Kor.1,10 und 2.Kor.10,1), am Beginn des «ethischen» Schlußteils des Röm. (12,1f) und am Schluß des Röm. mit der eindringlichen Mahnung um Fürbitte für ihn hervor (Röm.15,30ff).

Nach Praeskript (1.Kor.1,1–3) und Danksagung (1,4–9) beginnt Paulus seinen ersten Brief an die Korinther mit einer Ermahnung zur Wiederherstellung der Einigkeit und Einheit der Gemeinde «durch den Namen unseres Herrn Jesus Christus» (1,10). Da nach antikem Verständnis der Name die Person repräsentiert, wird gleich bei der Eröffnung der Korrespondenz grundsätzlich vom späten Paulus der Kyrios Jesus Christos als Grund und Kraft der Paränese genannt. Da bekanntlich der ganze 1.Kor. aus Antworten des Paulus auf Anfragen der Gemeinde besteht, dürfte mit der christologischen Begründung der paränetischen Aussagen eine Grundsatzäußerung vorliegen, mit der die spätpaulinische «Ethik» gleich bei der Eröffnung der Korrespondenz programmatisch begründet wird. Die konkrete Mahnung, die Spaltungen in der Gemeinde zu überwinden und ihre Einheit wie Einigkeit wieder herzustellen, wird allein ermöglicht und bewirkt durch den erhöht-gegenwärtigen Christus.

So leitet auch die grundsätzliche Ermahnung «durch die Freundlichkeit und Milde Christi» (2.Kor.10,11) den sogenannten Zwischen- oder Tränenbrief ein (2.Kor.10,1–13,10): Die Eigenschaften und Verhaltensweisen des Präexistenten sind Voraussetzung und Grund der apostolischen Abrechnung mit den «Überaposteln» in Korinth und der eindringlichen Mahnung an die Korinther, sich dementsprechend zu verhalten. Die Freundlichkeit und Milde Christi begründen also nach 2.Kor.10,1 den neuen Wandel und leiten als Grundsatzäußerung den ganzen Brief ein.

Auch in Röm.15,30–32 ermahnt Paulus die ganze römische Gemeinde am Schluß seines Briefes «durch unseren Herrn Jesus Christus», sich bei ihrer Fürbitte mit aller Kraft bei Gott dafür einzusetzen, daß er von den ungehorsamen Juden in Judäa gerettet werde, aber auch zugleich dafür, daß seine Überbringung der Kollekte von den «Heiligen», d.h. den aramäischen Judenchristen in Jerusalem, angenommen wird. Wie in 2.Kor.10,1 ist das «durch» + Genitiv kein Latinismus, sondern hat wie immer instrumentale Bedeutung. Paulus will mit seiner Berufung auf Jesus Christus den Grund seiner Mahnung und des christlichen Existenzwandels ausdrücklich nennen und wirksam werden lassen.

Schließlich leitet Paulus in Röm.12,1 «Ich ermahne euch nun, Brüder, durch die Barmherzigkeit Gottes» den «ethischen» Schlußteil des Röm.

ein. Der ursprünglich alttestamentliche Ausdruck «Barmherzigkeit» bezeichnet die in Christus erschienene Gnade Gottes. Spätpaulinische «Ethik» kann nur deshalb ihre Ansprüche erheben, weil sie die in Christus geschehene Barmherzigkeit nicht nur immer wieder bezeugt, sondern diese als alleinige Voraussetzung und ausschließlichen Grund christlichen Lebenswandels herausstellt. Nur Christus hat in seinem Heilswerk nach Paulus alle «Ethik» begründet und ermöglicht, so daß dieser Satz in Röm.12,1 zu Recht vom Apostel den folgenden Kapiteln 12–15 im Röm. vorangestellt wurde. Abschließend kann also nur festgehalten werden, daß die christtologische Begründung für die spätpaulinische Paränese wie «Ethik» fundamentale Bedeutung hat.

Aber der Apostel geht noch einen Schritt weiter darüber hinaus: Die spätpaulinische «Ethik» wird nicht nur mit dem Heilswerk Christi als Sühntod und Entmachtung der Unheilsmächte begründet, sondern Inkarnation wie Erniedrigung zum Kreuzestod des Präexistenten haben «ethische»-vorbildhafte Bedeutung. Die Selbstentäußerung wie Selbstverleugnung des Präexistenten in Menschwerdung und Kreuzestod sind bleibender Maßstab für das christliche Leben. Damit wird die spätpaulinische «Ethik» nicht nur mit dem Heilswerk Christi begründet, sondern zugleich an ihm als Vorbild, Beispiel und Maßstab orientiert. Wie der frühe, so spricht auch der späte Paulus mehrmals von der Nachahmung des Vorbildes Christi: 2.Kor.8,9; 1.Kor.11,1; 2.Kor.10,1; Röm.15,3ff und 7f und Phil. 2,6–11. Die Nachahmungsvorstellung, zu der das Vorbild bzw. Beispiel und der Nachahmer gehören, weist von Haus aus in das Griechen- wie Judentum. Dabei darf nicht übersehen werden, daß die Imitatio- bzw. Exemplumethik theologisch- sachkritisch in den Horizont der Gesetzes-, Lohn- und Verdienstethik gehört. Nachahmung des Vorbildes ist Heilsweg und Bedingung des Heils in einem, bewirkt also für den Nachahmer Verdienste. Von daher ist es mehr als verständlich, wenn die evangelische Paulusexegese immer wieder nicht nur ihre Vorbehalte gegen die Imitatiovorstellung wie – ethik im Bereich der Paulusbriefe angemeldet, sondern sie bewußt umgedeutet oder rundweg bestritten hat. Aber dazu besteht nicht der geringste Anlaß. Die traditionelle und vom späten Paulus übernommene Imitatiovorstellung steht bei ihm selbstredend im Horizont und Kontext seiner Gesetzes- und Charismenlehre: Der Christ, der das Vorbild seines Herrn nachahmt, wertet diese seine Nachahmung doch nicht mehr als Verdienst und damit als conditio salutis, sondern als Charisma, und d.h. als Berufung zum Dienst. Nachahmung Christi geschieht im Herrschaftsbereich des Geistes und nicht des Fleisches, nicht mehr um des eigenen Heiles, sondern ausschließlich um des Nächsten willen. Daß diese Imitatio- bzw. Exemplum-«Ethik» für den späten Paulus kein theologisches Sachproblem mehr darstellt, sondern konsequent von seiner Gesetzeslehre her verstanden und in seine Charismenlehre integriert wer-

den muß, dafür sind die nun zu besprechenden Belege der Nachahmung Christi ein deutlicher Beweis.
So ist die Menschwerdung des präexistenten Sohnes Gottes für den späten Paulus Norm und Maßstab christlichen Verhaltens wie Handelns. Paulus ermahnt in Röm.15,7f die römische Gemeinde: «Darum nehmt einander an, wie auch Christus euch angenommen hat». Weil der Präexistente durch seine Inkarnation die Schwachen wie die Starken angenommen hat, wird an Christi Selbstentäußerung bei seiner Menschwerdung die Paränese orientiert. Die in der «für uns» geschehenen Menschwerdung manifest gewordene Liebe ist Kriterium und Beispiel des Zusammenlebens in allen christlichen Gemeinden. Gegenseitiges konkretes Annehmen überwindet die Differenzen zwischen Starken und Schwachen, so daß alle Verschiedenheiten in der Entsprechung zur Inkarnation des Präexistenten den Christusleib erbauen müssen.
Auch in 2.Kor.8,9 ist der Gehorsam des Präexistenten in seiner Menschwerdung Vorbild für die Lebensführung der Christen. «Ihr kennt ja die Gnade unseres Herrn Jesus Christus, daß er, obwohl er reich war, um euretwillen arm wurde, damit ihr durch seine Armut reich würdet». Mit dem Reichtum Christi ist die Gottgleichheit und Wesensgemeinschaft des Präexistenten mit dem himmlischen Vater, mit dem Armwerden die Aufgabe seiner Gottheit und seine Menschwerdung gemeint. Um der Korinther willen geschah dieser Wechsel, darin seine Gnade und Liebe bekundend (2.Kor.8,9a), damit die Korinther an göttlichen Gaben reich würden (2.Kor.8,7)!. Dieser menschlich unbegreifliche Heilsweg Christi soll nun Vorbild für ihr Handeln sein. Konkret: Sie sollen sich reichlich an der Kollekte für die Gemeinde in Jerusalem beteiligen. Aber diese Almosen sind keine verdienstlichen Gesetzeswerke um des eigenen Heils willen mehr, sondern Gnade (2.Kor. 8,1f), «Dienst» bzw. «Gnadenwerk», also ein Charisma der Freigebigkeit. Wie die Korinther durch die Armut Christi reich geworden sind, so sollen die jetzt reichen Korinther aus echter Liebe die armen Jerusalemer finanziell unterstützen. Mit einer solchen Liebesgabe nach Röm.15,3f wird ebenfalls die Menschwerdung des Präexistenten einschließlich seiner Erniedrigung zum Kreuz Vorbild für das Handeln der Christen. Wie der Mensch Gewordene nicht an sich selbst Gefallen hatte, sondern in seiner Passion der Geschmähte schlechthin um unseretwillen wurde, so sollen auch die «Starken» und Christen überhaupt «die Schwächen der Schwachen» mittragen und sich nicht selber zu gefallen suchen. Das ganze Sinnen, Trachten und Handeln soll der Nachahmung des Vorbildes Christi, nicht auf den eigenen Nutzen, gerichtet sein. Vielmehr verpflichtet uns das Vorbild des Menschgewordenen und gekreuzigten Gottessohnes, den Nächsten zu lieben, also das zu tun, was Gott gefällt: Wie der geschmähte und leidende Christus sollen seine Nachahmer sich der Hilfsbedürftigen und Schwachen annehmen, ihre Schmach mittragen. Aber diese Pflicht der Christen, die Schwächen der Schwachen

zu tragen nach dem Vorbild Christi ist kein Gesetzeswerk, sondern vielmehr Charisma, also Berufung zum Dienst.
Schließlich und v.a. der Christushymnus in Phil.2,6ff hat für den späten Paulus «ethisch»-vorbildhafte Bedeutung. Der seine Gottheit aufgebende Präexistente hat mit dieser seiner Entäußerung, Menschwerdung und Passion nicht für sich selbst, nur für uns Menschen gelebt und wurde damit zum Maßstab «ethischer» Lebensführung: Paulus ermahnt die Philipper wie der sich Entäußernde, Gottgleiche (Phil. 2,7) nicht «auf das Ihre, sondern auf das der Andern» bedacht zu sein (Phil.2,4), sich wie der Menschgewordene zu erniedrigen (Phil.2,8 und 4) und wie der Gekreuzigte gehorsam zu sein (Phil.2,8 und 12). So werden Selbstentäußerung wie Opfer des Präexistenten und Inkarnierten bis zum Kreuzestod zum nacheifernswerten Beispiel für die von Paulus geforderte «ethische» Haltung der Gemeinde. Immer also besteht ein Korrespondenzverhältnis zwischen dem Grundzug des Geschenks Christi und der Aufforderung, diesem Beispiel im christlichen Verhalten zu folgen. Keine Frage ist übrigens mehr, daß der späte Paulus seine Ethik nicht an dem Verhalten des irdischen Jesus, sondern an den in der Inkarnation einschließlich der Passion sich offenbarenden Verhaltensweisen von Erniedrigung und Gehorsam orientiert hat.
Das gilt auch für 1.Kor.11,1 und 2.Kor.10,1. Die Imitatio bzw. Vorbild-«Ethik» des späten Paulus bezieht sich nirgends auf den irdischen Jesus, sondern immer auf den sich entäußernden, erniedrigenden und gehorsamen, also den präexistenten und inkarnierten Gottessohn. In diesen Verhaltensweisen offenbaren sich Sanftmut und Milde Christi (2.Kor.10,1) wie seine Gnade (2.Kor.8,9).
Und ebenso ist mit Nachdruck festzuhalten: Die Nachahmung des vorbildhaften Verhaltens und «ethischen» Beispieles des sich in seiner Menschwerdung und Passion erniedrigenden Präexistenten ist kein verdienstliches Gesetzeswerk, sondern charismatische Nachahmung als Berufung zum Dienst an der Gemeinde und an allen Geschöpfen Gottes. Damit ist alle Werkgerechtigkeit christologisch von vornherein nicht nur abgefangen, sondern ausgeschloßen; denn die Konformität mit seinem Vorbild ist nichts anderes als Wirkung seiner Herrschaft.

2. Die soteriologische Begründung

Von allergrößter Bedeutung für das rechte Verständnis der «Ethik» in der Spätphase des Paulus ist die anerkannte Tatsache, daß er seine «Ethik» mit der Soteriologie (= Erlösungslehre) begründet hat. Allerdings bedeutet es eine Verarmung, wenn nicht gar Verkürzung, wenn – wie es oft geschieht – die spätpaulinische Erlösungslehre einseitig mit der Rechtfertigungslehre identifiziert wird, ohne von seiner Befreiungslehre überhaupt

Notiz zu nehmen oder sie gar nicht zu kennen. Ohne eine sorgfältige Darlegung der spätpaulinischen Rechtfertigungs- wie Befreiungslehre ist seine «Ethik» in ihrer Zielrichtung nicht zu verstehen. Dasselbe gilt für eine bewußte oder unbewußte Ausklammerung der spätpaulinischen Gesetzes- und Charismenlehre. Man kann es deshalb nur als völlig unberechtigt, aber auch unverständlich bezeichnen, wenn im internationalen wie interkonfessionellen Bereich die spätpaulinische Rechtfertigungs- und Befreiungslehre für die sachgemäße Erfassung seiner «Ethik» weithin unberücksichtigt geblieben ist.

Der späte Paulus kannte nämlich zwei soteriologische Leitbilder: Einmal die mit juridisch-forensischen Begriffen arbeitende Rechtfertigung und zum anderen die mit ontologisch-dualistischen Begriffen ausformulierte Befreiungslehre. Anders ausgedrückt: In der Spätphase kann Paulus das vergangenheitliche Christusgeschehen sowohl juridisch-forensisch interpretieren als einen Akt der Rechtfertigung des Gottlosen allein aus Glauben ohne Gesetzeswerke als auch ontologisch-dualistisch verkündigen als einen Akt der Befreiung der Versklavten von den Unheilsmächten Sünde, Fleisch, Gesetz und Tod.

Für den späten Paulus wird das Geschehen der Rechtfertigung zeitlich niemals begrenzt. Die Rechtfertigung des Gottlosen geschieht nicht nur am Anfang, sondern durchweg im christlichen Leben, in der Todesstunde wie im Jüngsten Gericht «ohne Werke des Gesetzes» (Gal.2,16 und Röm.3,28). Die Gesetzeswerke als Leistungen begründen niemals einen Anspruch vor Gott und konstituieren niemals sein Gerechtsein. Werke haben weder vor noch nach der Bekehrung die Funktion, zur Rechtfertigung etwas beizutragen. Rechtfertigung des Gottlosen allein aus Glauben ist niemals Befreiung zum, sondern immer vom Gesetz als Heilsweg. Die spätpaulinische Rechtfertigungsbotschaft widerspricht dem jüdischen und heidnischen Grunddogma, daß es kein echtes Gottesverhältnis ohne menschliche Leistung gibt.

Der späte Paulus anerkennt zwar die traditionell jüdische wie heidnische Überzeugung, daß die Übertretung des Gesetzes das Gottesgericht nach sich zieht, er verwirft aber zugleich das ebenfalls traditionell heidnische wie jüdische Dogma, daß die Erfüllung des Gesetzes als Heilsweg das ewige Leben bzw. die Unsterblichkeit bringt. Für den Apostel wird nicht nur im Vorgang der Rechtfertigung das Gesetz immer wieder ausgeschaltet, derart, daß es in der Folge doch wiederum zum Heilsweg würde (so z.B. in Qumran), sondern das Gesetz wird für immer und grundsätzlich als Heilsweg verabschiedet. «Grundsätzlich» und d.h. in Vergangenheit, Gegenwart und Zukunft besteht eine Antithese und nicht Synthese von Glaube und Werken. Die immer wieder diskutierte Verhältnisbestimmung von gerecht erklären und gerecht machen ist für den späten Paulus ein Scheinproblem; denn Gott schafft durch die schöpferische Kraft seines Wortes dem Gottlosen zur neuen Kreatur, indem er ihn gerecht spricht und gerecht macht. Allerdings gibt es die gerechtfertigte Existenz als Geschöpf aus dem Nichts (Röm.4,17) nur im rechten und lebenslangen Hören auf das Evangelium. Weil der Gerechtfertigte nie aufhört, ein Gottloser zu sein, wird er auch immer nur, und zwar jeden Morgen neu, als Gottloser gerechtfertigt. Das führt zu einer letzten Konsequenz: Das «allein aus Glauben und ohne Werke des Gesetzes» steht nicht nur im Gegensatz zu den jüdischen Gesetzeswerken, sondern auch zu den «Werken», die der Christ nach der Rechtfertigung durch die ständige Hilfe des heiligen Geistes bzw. der Gnade hervorbringt. Das aber ist die Meinung des späten Paulus! Denn das «ohne Werke» wird von ihm keineswegs zeitgeschichtlich auf die jüdische Situation eingeschränkt, sondern bezieht sich gerade auch auf die «Werke», die der Christ im Heilsstand tut. Nach Gal.2,16 und Röm.3,28 gilt also: Der Mensch wird immer nur aufgrund des Glaubens an Jesus Christus ohne Werke des Gesetzes gerechtfertigt. Wenn aber nach dem späten Paulus das Tun und die Liebe des Gerechtfertigten keinerlei Bedeutung für sein eigenes Heil hat, ist es dann überhaupt irrelevant? Im Gegenteil! Der gerechtfertigte Gottlose allein aus Glauben ist niemals zu einer vertrauensvoll-gehorsamen Passivität verurteilt, sondern zu einer lebenslangen Aktivität aufgerufen. Das paulinische Rechtfertigungsevangelium als die Verkündigung der Offenbarung der Gottesgerechtigkeit ist keineswegs handlungsfeindlich. Der Rechtfertigungsglaube, den Paulus verkündigt und zu dem er ruft, enthält keineswegs eine Verneinung aller Aktivität, Taten und Anstrengungen des Menschen, vielmehr soll der Christ dem Guten in der Welt Bahn brechen und dem Bösen wehren. Die geschehene Rechtfertigung fordert weder Verzicht auf das eigene Handeln noch führt es zur Resignation und zur Passivität gegenüber dem allein handelnden Gott. Zwar wird ein direkter Zusammenhang von Rechtfertigungslehre und «Ethik» in einzelnen Sätzen des späten Paulus (im Unterschied zur Verbindung von Ethik und Befreiungslehre) nicht sichtbar. Aber die sachliche Verbundenheit wie Einheit von Rechtfertigungsgeschehen und «ethischem» Verhalten wird in der Argumentation des Apostels sowohl vorausgesetzt wie entfaltet. Weil Rechtfertigung in den Herrschafts- und Machtbereich Christi eingliedert, kann «Ethik» nicht mehr von der vorausgegangenen «Dogmatik» getrennt werden. Wenn in der Rechtfertigung sich die Übergabe der mit Gott versöhnten Kreatur an die Herrschaft Christi vollzieht, hat das alles auch Konsequenzen auf dem Felde des sittlichen Verhaltens und wirkt sich im Leben der Gerechtfertigten als der neue Gehorsam aus. Der neue «ethische» Wandel der gerechtfertigten Gottlosen ist darum nichts anderes als die Manifestation der Herrschaft Christi, durch die er sie beschlagnahmt und in seinen Dienst ruft.

«Ethik» ist für den späten Paulus die Kehrseite unserer Rechtfertigung und nichts anderes als die weltbezogene Realität der Rechtfertigung. Deshalb kennt der späte Paulus weder eine Ergänzung von Glaube und Werk

noch eine Stufenfolge von Rechtfertigung und Heiligung. Rechtfertigung steht eben für ihn nicht nur am Anfang des Christenlebens, auf den dann geradezu heilsnotwendig die Heiligung zu folgen hat; Heiligung ist vielmehr die im Bereich des Handelns festgehaltene Rechtfertigung. Der späte Paulus kennt auch nicht mehr die alt-neue Unterscheidung einer doppelten Rechtfertigung, d.h. eine Rechtfertigung aus Glauben in der Taufe, die nicht auf Grund von Werken, sondern allein durch die vergebende Gnade Gottes geschehen ist, und einer Rechtfertigung aus Werken im Endgericht. Er spricht weder von «guten Werken» noch von Werken im Hinblick auf den Gerechtfertigten, sondern durchweg im Singular vom Werk des Christen (1.Kor.3,13 u.ö.) und von Frucht bzw. Frucht-bringen (Röm.3,22; Phil.1,11). Nach allem bisher Gesagten ist von vornherein ausgeschlossen, daß die «Ethik» jemals zum zweiten konstitutiven Teil der Erlösung wird.
Kein anderes Bild ergibt die spätpaulinische Befreiungslehre in Relation zur «Ethik». Weil Christus die Versklavten zur Freiheit befreit bzw. berufen hat (Gal.5,1 und 13), entfaltet Paulus in Röm. 5-8 nach verschiedenen Seiten die Befreiung von den Verhängnismächten Tod (Röm.5,1–21), Sünde (6,1–23) und Gesetz (7,1–6) durch die Macht des Geistes (8,2-17). Denn allein der Geist-Kyrios ist und bewirkt Freiheit. Vor allem in Röm. 6,18 und 22 stellt der späte Paulus einen direkten Zusammenhang von Befreiungslehre und «Ethik» her, wenn aus dem befreienden Handeln Gottes in Christus direkt die Forderung des neuen Lebens abgeleitet wird. Weil die Versklavten von der Sündenmacht befreit wurden, sind sie zu Sklaven gemacht worden für die eschatologisch offenbarte Gerechtigkeit. Damit ist der ontologisch-dualistische Hintergrund der spätpaulinischen «Ethik» mehr als deutlich: «Ethik» ist für den späten Paulus Sklavendienst im Herrschaftsbereich der Gottesgerechtigkeit (6,18), bzw. Gottes selber (6,22). Der Mensch ist niemals ohne einen Herrn: entweder dient er der Sünden- oder der Gottesmacht. Als von den Unheilsmächten durch Christus Befreite werden sie aber gerade nicht in die Schrankenlosigkeit entlassen, sondern sollen ihre Glieder der Gerechtigkeit und Heiligung zur Verfügung stellen (Röm.6,19).
Da aber die Befreiung der Versklavten von den Verhängnismächten sachidentisch ist mit der Rechtfertigung der Gottlosen allein aus Glauben ohne Werke des Gesetzes kommen wir damit zur letzten und entscheidenen Frage: Welchen theologischen Stellenwert hat das Handeln des Christen? Der späte Paulus unterscheidet deutlich zwischen dem Tun des Christen als Gesetzeswerk und d.h. als Verdienst und dem Tun des Christen als Charisma und d.h. als Dienst. Entscheidend ist, wie die Tat gedeutet wird durch den Täter, ob sie als Gesetzeswerk und d.h. als Verdienst für das eigene Heil zu beurteilen ist, oder ob die Liebestat allein um Gott und des Nächsten willen eben als Dienst getan worden ist. Denn das ganze Mosegesetz ist nach Paulus zusammengefaßt in der Liebesfor-

derung (Gal.5,14; Röm. 13,8–10). Die Liebe ist Summe und Erfüllung des Gesetzes. Aber diese Liebe ist für Paulus nicht ein das Gesetz erfüllendes Werk, das größte Gesetzeswerk, nicht die höchste Tugend, sondern die Frucht des Geistes (Gal. 5,22) wie das größte Charisma (1.Kor.13), und d.h. als Berufung zum Dienst am Nächsten. Die Liebe ist für Paulus niemals Verdienst, sondern ausschließlich Dienst. Diese für den späten Paulus konstitutive Unterscheidung zwischen der Tat der Liebe als Gesetzeswerk zur Sicherung des eigenen Heiles und der Tat der Liebe als Charisma und Dienst an allen Geschöpfen ist keineswegs an der objektiven Wirklichkeit konkreten Tuns abzulesen. Die objektiv wahrzunehmende Wirklichkeit der konkreten Liebestaten ist beide Male dieselbe, z.B. das Freundschaftüben, Gutes tun, auf Rache verzichten, die Verfolger segnen, Frieden halten usw. – grundverschieden ist hingegen die Wertung bzw. Deutung durch den betreffenden Täter.

Als noch so strenger Beobachter kann ich nicht wahrnehmen, ob die Liebestat Verdienst oder Dienst ist. Entscheidend ist vielmehr die Feststellung und Wertung der Tat durch den betreffenden Täter. Definiert und zensiert der Täter seine Liebestat als Verdienst für sein eigenes Heil, dann bleibt sie ein Gesetzeswerk. Definiert und zensiert der Täter seine Liebestat dagegen als Dienst am Nächsten und nur als Dienst, dann ist sie Wirkung der Gnade als Gnadenmacht. Aber: Diese die Tat bestimmende Festlegung und Wertung ist nach Paulus nicht im Sinne einer subjektiven Gesinnung mißzuverstehen. Definierung wie Zensierung meiner eigenen Liebestat als Dienst oder als Verdienst sind wiederum nach Paulus nicht mein Werk, sondern entweder die Wirkung der Macht des Geistes im Herrschaftsbereich des Christus, oder aber die Wirkung der Sünden- und Todesmacht im Herrschaftsbereich des Adam (Röm. 5,12ff). Definierung wie Zensierung des Tuns stehen somit nicht in der Macht des Menschen, sondern sind entweder Wirkung der Macht des Fleisches oder des Geistes. Die Macht der Sünde und des Fleisches lassen mich meine Liebestat immer als Verdienst festlegen und werten, die Macht des Geistes dagegen als Dienst.

Gott will nicht – so Paulus – , daß der Christ sein Heil in die eigenen Hände nimmt, er kann es auch gar nicht, und darüber notwendig die anderen Mitgeschöpfe zur Heillosigkeit verdammen. Die Sorge um das persönliche Heil sollen und dürfen wir getrost in Gottes Hände legen. Allein aus Glauben werden wir gerechtfertigt jeden Tag neu bis zum Endgericht vor Gottes Angesicht, ohne eigene Werke. Das ist der Inhalt des paulinischen Evangeliums, die Existenzberechtigung der evangelischen Kirche und Kirchen. Der Gott, der sich aller Geschöpfe erbarmen will, mißt uns nicht an unseren vermeintlichen Verdiensten. Nur wer vom Willen zur Selbstrechtfertigung auf Grund eigener Gesetzeswerke geheilt wurde, wird frei zum Dienst der Gerechtigkeit und bleibt wie sein Herr im Dienen frei. D.h. aber abschließend: Die spätpaulinische Rechtfertigungs- wie Befreiungslehre stellen die soteriologische Begründung seiner «Ethik» dar. Rechtfertigung wie Befreiung bewirken nichts anderes als die Übergabe an die Herrschaft Christi, entlassen den Christen aber nicht in die private Isolation, sondern stellen ihn in den lebenslangen Dienst gegenüber Gott und allen Menschen.

3. Die ekklesiologisch-sakramentale Begründung

Wer von den Verhängnismächten Fleisch, Sünde, Gesetz und Tod befreit bzw. als Gottloser allein aus Glauben gerechtfertigt wurde, ist in den Herrschaftsbereich des Christus, seinen weltumspannenden Leib, versetzt worden, so daß seine christliche Existenz als ein «Sein in Christus bzw. im Herrn» bezeichnet werden muß. Diese Redeweise vom «in Christus» bzw. «im Herrn»-sein ist vielmehr auf den erhöht-gegenwärtigen, also pneumatischen Christus (2.Kor.3,17), nicht aber den irdischen Jesus bezogen. Das «in Christus» ist also in erster Linie eine ekklesiologische Formel und umschreibt das Eingefügtsein in den Christusleib als der Kirche durch die Taufe (1.Kor.12, 13; Gal. 3,27; 2.Kor.1,21). Diese Eingliederung in den Christusleib, der hinsichtlich seiner Glieder präexistent ist, macht den einzelnen befreiten bzw. gerechtfertigten Christen zum Glied am Leibe Christi (1.Kor.12,12–31; Röm.12,3f), seiner Kirche auf Erden. Als ausgesprochen ekklesiologische Formel hat sie primär eine räumliche Bedeutung und kann mit «im Geiste» (Gal.5, 25) und «im Leibe» wechseln, wobei die dualistisch-ontologische Antithese zum «im Fleisch» - (Röm.8,8) «im ersten Adam»- (1.Kor.15,22) sein selbstredend immer mitgedacht werden muß. Vor diesem Hintergrund wird ohne weiteres verständlich, daß christliche Existenz als «Sein im Leib des Christus» bzw. des Herrn von ebendemselben pneumatischen Christus mit Beschlag belegt wird. Es ist also alles andere als Zufall, sondern theologische Konsequenz, wenn diese ekklessiologische Formel im Kontext der Paränese auftaucht, vom späten Paulus also eindeutig zur ekklesiologischen Begründung der «Ethik» herangezogen wird.
So beschließt die feierliche «in Christus»-Formel den ersten Abschnitt mit Röm.6,1–11, in der die Befreiung von der Sündenmacht durch die Taufe verkündigt wird. Daraus zieht Röm.6,11 die Konsequenz, daß die Christen das in der Taufe ihnen zugeeignete Heilsgeschehen verbindlich annehmen und im täglichen Leben bewähren sollen. Grund und Kraft für diesen Vollzug der eschatologischen Existenz aber ist das Sein in Christus. Nur wer in den weltumspannenden Herrschaftsbereich des erhöht-gegenwärtigen Christus eingegliedert ist, also von der Sündenmacht befreit wurde (Röm.6,7f.), kann von nun an nur noch für Gott und den Nächsten da sein. Der neue Gehorsam des Christen als das uneingeschränkte Dasein für alle Geschöpfe ist dem Christen nur möglich im Christusleib als

dem Herrschaftsbereich des Christus. Nur dieses empfangene Sein in Christus begründet nach dem späten Paulus das «ethische» Verhalten der Christen, ermöglicht allein seine «Ethik» als gelebte Eschatologie.
Und auch der zweite Abschnitt in Röm.6, nämlich die eigentliche Taufparänese in 6,12–23, endet wiederum mit der feierlichen Schlußformel «in Christus Jesus». Mit 6,23 wird nämlich die gesamte, vorausgegangene Taufparänese ekklesiologisch begründet. Denn «Ethik» ist nach 6,12–22 nichts anderes wie Sklavendienst tun im Herrschafts- und Machtbereich des Christus, der Gerechtigkeit und Gnade. Aber der Ermöglichungsgrund dafür ist allein damit gegeben, daß der Getaufte von nun an sein Sein in Christusleibe hat. Während die Sündenmacht als Sold den zeitlichen wie ewigen Tod auszahlt, erhält als Gnadengabe Gottes das ewige Leben derjenige, der «in Christus» die Herrschaft dieses Herrn ergreift und festhält. Nur so kann er Gott und dem Nächsten dienen, wenn er nicht seinen Herrn verleugnen will.
Wer in Christus ist, wird von seinem Herrn in Beschlag genommen, so daß nicht zufällig die ekklesiologische Formel «in Christus» mit derjenigen «im Herrn» im Kontext der Paränese wechseln kann (z. B. Röm.14,14 und 16,2). V.a. begründet die «im Herrn»-Formel die große Sklavenparänese in 1.Kor.7,17–24: Das Sein des Sklaven in der Kirche als dem Herrschaftsbereich des Herrn ist für Paulus Anlaß zu seiner eindringlichen Ermahnung, daß christliche Sklaven nicht ihre weltliche Freilassung erstreben, sondern ihren Gehorsam dort bewähren sollen, wo sie der Ruf getroffen hat. Sind sie «im Herrn», dann sind sie ja bereits eschatologisch von den Unheilsmächten der Sünde und des Fleisches befreit, so daß sie frei sind zum Dienst in ihrem jeweiligen Stand.
Dieselbe «im Herrn»-Formel taucht noch einmal in 1.Kor.7, im großen Kapitel über die spätpaulinische Sozialethik auf. In 1.Kor.7,39f kann die christliche Witwe nach dem Tod ihres Mannes abermals heiraten. Dann ist «sie frei, zu heiraten, wen sie will, nur: im Herrn». Mit dieser letzten Einschränkung und Bedingung verläßt Paulus die Rechtsbestimmung der Mosetora und rekurriert ausdrücklich auf das Eherecht der Kirche. Meist wird diese ekklesiologische Formel «im Herrn» in 1.Kor.7,39 ganz allgemein und abgeschliffen in der Weise interpretiert, daß die Witwe nur einen Christen heiraten soll. Auch wenn diese Bedeutung durchaus in der spätpaulinischen Mahnung mitschwingt, so kann sie doch nicht im Vordergrund stehen. Vielmehr soll die Eheschließung nach Paulus im Herrschaftsbereich des Herrn geschehen, so daß nach 1.Thess.4,3f jegliche Unzucht ausgeschlossen und die Eheschließung wie die gesamte lebenslange Eheführung sich grundsätzlich von der heidnischen unterscheidet, nämlich nicht in leidenschaftlicher Begierde, sondern in Heilung und Ehrerbietung als den eschatologischen Kennzeichen des Ehestandes im Christenleib. Das Sein der christlichen Witwe im Herrschaftsbereich des Herrn ist für sie Grund und Kraft für einen geheiligten Lebenswandel in einer möglichen künftigen Ehe.

Ebenfalls kritische Funktion hat die «im Herrn»-Formel in 1.Kor. 11,11. Obwohl Paulus gegen die Gnostiker an der Verschleierung der Frau im öffentlichen Gottesdienst mit schöpfungstheologischen Argumenten festhält (1.Kor.11,2ff), gesteht er ihr wie dem Mann die Verkündigungs- und Lehrfunktion im Gottesdienst ausdrücklich zu (1.Kor.11,5), weil sie «im Herrn» vor Gott und in der Gemeinde gleichberechtigte Partner sind. «Im Herrn», d.h. im weltumspannenden Christusleib, sind für Paulus alle schöpfungsmäßigen bzw. naturrechtlichen Unterschiede zwischen Mann und Frau aufgehoben, so daß die christliche Frau wie der Mann sämtliche öffentlichen Funktionen in der gottesdienstlich versammelten Gemeinde ausüben kann. Nur: Das Sein der Frau im Herrschaftsbereich des Leibes ihres Herrn begründet nach Paulus ihre Lehr- und Verkündigungsfreiheit gegen die gesamte religiöse Antike. Es ist keine Frage, daß der späte Paulus die sozialethische Stellung der Frau in 1.Kor.11,11 mit der ekklesiologischen Formel «im Herrn» begründet hat.
Nach 1.Kor.15,58 ist das Sein der gerechtfertigten Gottlosen im Machtbereich des Kyrios Grund und Kraft für den unerschütterlichen und im Wort des Herrn wachsenden Lebenswandel und hat – ausdrücklich wird das von Paulus vermerkt – die Verheißung des ewigen Lebens. Während in Phil.4,2 das Sein im Leib des Kyrios die Versöhnung von zwei namentlich erwähnten Frauen Euodia und Syntyche ermöglichen soll, begründet dieselbe ekklesiologische Formel in Phil.4,4 die Mahnung zur Freude wie zur Güte und Milde gegenüber allen Menschen, die an die gesamte Gemeinde gerichtete Paränese.
Alle diese Beispiele zeigen, daß die ekklesiologische Formel «im Herrn» = im Herrschaftsbereich Christi = im Leib des Christus bzw. Herrn die «Ethik» des späten Paulus begründet.
Die Eingliederung in diesen weltweiten Christusleib aber geschieht durch die Taufe, die auch nach dem späten Paulus seine «Ethik» motivieren kann. Aber in welcher Weise und mit welchen Konsequenzen, das wird in Röm.6 ausführlich entfaltet. Dabei besteht nur ein enger sachlicher Zusammenhang zwischen Röm.5,12–21 und Röm.6,1–23, d.h. zwischen der Adam-Christus-Typologie und der auf einer ontologischen Tauflehre basierenden Sakramentsethik des späten Paulus. Der Skopus der traditionellen Adam-Christus-Typologie in Röm.5,12ff ist die dualistische Antithese von zwei Prototypen bzw. kosmischen «Urmenschen», die sich gegenseitig ausschließen: Im kosmischen Menschen Adam herrschen unentrinnbar die Verhängnismächte Sünde, Fleisch, Gesetz und Tod, im weltumspannenden Christusleib dagegen die heilbringenden Mächte Geist, Leben und Gerechtigkeit. Durch die Sendung des präexistenten, am Kreuz gestorbenen und auferweckten zweiten Adam Christus kam es zur Entmachtung und Überwindung dieser Unheilsmächte. Das Heilsgeschehen wird damit als ein tiefgreifender Herrschaftswechsel, eben als Wechsel von universalen Machtverhältnissen verkündigt. Diese in

Röm.5,12ff objektiv beschriebene Entmachtung der Unheilsmächte und die Eröffnung einer neuen heilbringenden Machtsphäre in seinen weltumspannenden Christusleib wird nun in Röm.6 dem Einzelnen im Sakrament der Taufe zugeeignet. Denn die Taufe, verstanden als Herrschaftswechsel und Existenzwandel wird vom späten Paulus verkündigt als Befreiung von der Macht der Sünde und als Versetzung in den Herrschaftsbereich des zweiten Adam, nämlich den Christusleib. Das, was also der zweite Adam durch Sendung und Kreuzestod bereits erreicht hat, nämlich die Entmachtung des ersten Adam und seiner Unheilsmächte, das wird dem Einzelnen durch das Taufsakrament zugeeignet, indem er befreit wird von eben denselben Verhängnismächten.

Aber bevor Paulus die Sakramentsethik bereits in Röm.6 entfaltet, zieht er in Röm.5,20f das Fazit: Weil die Sündenmacht durch den ersten Adam mächtig geworden ist, konnte die Überfülle der Gnadenmacht noch mächtiger werden. Der jüdische Gegner nimmt diese typisch paulinische Summe geschickt auf, um in Röm.6,1 das paulinische Evangelium ad absurdum zu führen und libertinistische Konsequenzen zu ziehen. Wenn schon die paulinische These stimme, daß viel Sünde desto mehr Gnade hervorbringe, wollen wir dann nicht in der Sünde verbleiben, damit die Gnade sich auch weiterhin mehre? Der jüdische Gegner hat aus einer völligen Mißdeutung der paulinischen Christologie und Rechtfertigungslehre die Verführung zur Gesetzlosigkeit und Libertinismus herausgehört. Darauf antwortet der Apostel sofort mit seinem oft wiederholten «unmöglich, auf gar keinen Fall» und im weiteren mit einer im folgenden breit entfalteten Feststellung (Verse 2–11): In, mit und durch die Taufe sind die Christen der Sündenmacht gestorben und damit von ihr befreit worden. Taufe ist ein sakramentales Versetztwerden in den Herrschaftsbereich des zweiten Adam-Christus und d.h. ein Mitsterben, Mitgekreuzigt- wie Mitbegrabenwerden mit Christus. Daraus zieht Paulus nun aber gegen die ihm vorliegende Tauftradition den Schluß: «damit gleich wie Christus durch die Herrlichkeit des Vaters von den Toten auferweckt wurde, so sollen auch wir in der Neuheit des Lebens wandeln» (Röm.6,4). Paulus unterscheidet hier also bewußt zwischen dem bereits auferweckten Christus und den Getauften als dem zwar endgültig von der Sündenmacht Befreiten, aber noch nicht Auferstandenen. Zwar sind die Getauften ein für alle Mal in die sakramentale Vergegenwärtigung des Christusgeschehens einbezogen worden, aber ihre Totenauferweckung ist im Gegensatz zu ihrem Herrn noch nicht geschehen und der eschatologische Vorbehalt bleibt also bestehen. Damit aber werden die Getauften ermahnt, in der «Neuheit des Lebens» zu wandeln. Diese eschatologische Neuheit der «ethischen» Lebensführung aber ist nach Paulus nichts anderes wie die Vorwegnahme unserer zukünftigen Totenauferweckung und die Bekundung ihrer gegenwärtigen Macht. Die Taufe als Befreiung von der Sün-

denmacht stellt also nach Röm.6,4 eindeutig in den neuen Lebenswandel, so daß das Taufsakrament die «Ethik» gerade nicht relativiert, sondern motiviert und intensiviert.
Die sakramentale Übereignung des Menschen an den in der Taufe präsenten Christus bedingt nach Röm.6,3ff eindeutig die spätpaulinische «Ethik», die dann in 6,12–23 in einer ausführlichen Taufparänese entfaltet wird. Das «für Gott leben» von Röm. 6.11 wird nun in 6,12ff als der neue Gehorsam der von der Sündenmacht Befreiten im lebenslangen Dienst thematisch entfaltet. Dem kosmologischen Entsprechungsschema des ersten und zweiten Adam mit den damit gesetzten Herrschaftssphären entspricht nun anthropologisch das jeweilige Sklavenverhältnis (Röm.6,17ff); denn Mensch-sein heißt Sklave-sein (Phil.2,7). Entweder man betätigt sich als Sklave im tödlichen Herrschaftsbereich des ersten Adam oder im lebenbringenden Machtbereich des zweiten Adam. Zentrales Anliegen dieser Taufparänese ist eben nicht das Individuum, sondern die Macht des jeweiligen Herrn. Wie die Willensfreiheit, so ist auch jede Neutralität ausgeschloßen, vielmehr hat der Mensch immer einen Herrn, ob er das weiß oder nicht. Keiner ist unabhängig oder besitzt die Verfügungsgewalt über sich selbst, sondern wird total von seinem jeweiligen Herrn bestimmt. Darum befreit der Christus die total Versklavten durch die Taufe, indem er sie in seinen Christusleib als weltumspannenden Herrschaftsbereich eingliedert und damit neuem Sklavendienst unterwirft. Die vom Zwang der Mächte durch die Taufe Befreiten werden sogleich aufgefordert, Sklavendienst im Herrschaftsbereich des Christus, der Gerechtigkeit und Gnade zu tun.
Stichwort des Abschnittes Röm.6,12–23 sind also die Sklaven, die Sklavendienst tun. Nicht von Dienen allgemein ist die Rede, sondern betont vom Sklaven, der jetzt im Herrschaftsbereich des Christus seinem neuen Herrn dient und ihm allein gehorcht. Diese neue Herrschaft, die objektiv über die Getauften aufgerichtet wird, muß subjektiv im Glauben ergriffen und lebenslang im Dienen festgehalten werden. «Ethik» ist darum nach Röm.6,16ff nichts anderes als Sklavendienst leisten im neuen Herrschaftsbereich des Christus, der Gnade und Gerechtigkeit. Da aber die Sündenmacht, der der Christ kraft der Taufe entrißen wurde, weiterhin in der Welt herrscht, werden die Getauften aufgefordert, ihre Glieder nicht mehr der Sünde als «Waffen der Ungerechtigkeit», sondern als «Waffen der Gerechtigkeit» Gott zur Verfügung zu stellen (Röm.6,12ff). «Ethik» kann der späte Paulus als militia Christi definieren, womit er auf die alttestamentlich-jüdische Antithese von Waffen der Gerechtigkeit und Ungerechtigkeit zurückgegriffen hat. Keineswegs soll damit der traditionell moralgesetzliche bzw. ethische Gegensatz von gesetzlichem und ungesetzlichem oder rechtschaffenem und unrechtem Handeln vom Apostel heruntergespielt werden. Denn der späte Paulus kann diese ursprünglich moralgesetzliche Terminologie durchaus übernehmen. Aber zum

einen wird sie der ethischen Dominante dadurch entrissen, daß sie auf der Basis seiner Gesetzes- und Rechtfertigungs- und im Horizont seiner Charismenlehre nicht mehr Verdienst für das eigene Heil, sondern ausschließlich Dienst für alle Geschöpfe beinhaltet, also der Leistungsperspektive entnommen wird. Die Imperative im Taufkapitel von Röm. 6 verpflichten also gerade nicht zum Halten des Moralgesetzes als Heilsweg, sondern fordern vielmehr dazu auf, in der Herrschaft Christi zu bleiben. Zum andern werden diese traditionell ethischen Begriffe ontologisch-dualistisch verankert, spiegeln also den kosmischen Machtkampf zwischen erstem und zweitem Adam, zwischen Geist und Fleisch in der Lebensführung des Christen wider. Nicht anders ergeht es den übrigen traditionell ethischen Begriffen wie Heiligung (6,19 und 22), Unreinheit wie Gesetzlosigkeit (6,19) und Frucht (6,21 und 22): Die von den Unheilsmächten durch die Taufe Befreiten werden aufgefordert, die Liebe als Summe des Gesetzes zu tun und unrechtes Handeln zu lassen. Aber die «Waffen der Gerechtigkeit», «Heiligung» und «Frucht» sind nicht mehr im Sinne fortschreitender sittlicher Vervollkommnung und Bewährung heilsnotwendig, also Verdienst, sondern befreit von der Sündenmacht und d.h. aller Gesetzes-, Lohn- und Verdienstethik sind die Getauften aufgerufen zum Dienst an allen Geschöpfen. Die Freiheit als Resultat des Taufgeschehens erweist sich ausschließlich im Gehorsam gegenüber der Gerechtigkeit, also im Dienen, niemals aber im Nachweis der vermeintlichen Gesetzesgerechtigkeit, also Verdienen um des eigenen Heils willen. Freiheit hat also weder etwas mit Schrankenlosigkeit noch Libertinismus zu tun, vielmehr stellt sie ausschließlich in den Sklavendienst am Nächsten unter Einschluß des Feindes. Nur wer Christus als neuen Herrn in der Taufe als Gabe empfangen hat, bleibt wahrhaft frei, nur der Gehorsame ist nach Röm. 6 der Freie, weil er seinem Gott und Nächsten zu dienen vermag. Zu diesem neuen Dienst in der Freiheit der Kinder Gottes sind die Christen durch ihren Herrn in der Taufe berufen worden.

Und in diese sakramentale Begründung der spätpaulinischen «Ethik» gehört von Haus aus die Kontrastformel «einst-jetzt» als traditionelle Umschreibung des Gegensatzes von vorchristlicher und christlicher Existenz (Röm.6,19ff; weiter 7,5f; und Gal.4,3ff): Wie die Christen einst vor der Taufe Sklaven der Sünde, der Unreinheit und Gesetzlosigkeit waren, so sind sie durch den in der Taufe vollzogenen Machtwechsel zu Sklaven der Gerechtigkeit, des Lebens und der Heiligung geworden.
In ähnlicher Weise wird in Röm.7,4–6 die spätpaulinische «Ethik» sakramental begründet: Nachdem der Mensch durch die Taufe vom Gesetz als Heilsweg total getrennt wurde, soll sich seine neue Existenz äußern im Fruchtbringen für Gott im Herrschaftsbereich seines Christus. Wie in Röm.6,19ff sollen die Christen nach Röm.7,6 Sklavendienst tun im neuen Herrschaftsbereich des Geistes und nicht mehr im alten des Buchstabens

und Gesetzes. Keineswegs sind damit eigene Leistungen und Anstrengungen ausgeschlossen. Im Gegenteil! Aber dieser lebenslange Dienst beschafft weder das eigene Heil noch vermag es dieses zu steigern oder gar zu ergänzen, so daß wiederum gegen Paulus gleichsam durch die Hintertür die Gesetzesgerechtigkeit vor Gott auf Grund eigener Werke eingebracht wurde. Der nur aufgrund der Taufe ermöglichte Dienst gegenüber allen Geschöpfen kommt ausschließlich diesen und niemals dem eigenen Heil zugute.

Abschließend ist nun nur noch darauf hinzuweisen, daß nicht nur das Sakrament der Taufe, sondern ebenfalls das Herrenmahl «ethische» Relevanz besitzt (1.Kor.11,17ff). Weil zur Zeit des Paulus in Korinth das Sakrament des Abendmahls im Rahmen der sogenannten Agape, also einer wirklichen Mahlzeit gefeiert wurde, kann keiner «sein eigenes Mahl» mehr feiern (1.Kor.11,20ff). Weil das Abendmahl die sakramentale communio mit dem weltweiten Leib des Christus bewirkt, wird das damit verbundene Liebesmahl (= Agape) zur profanen Sättigungsmahlzeit pervertiert, wenn die reichen Gemeindeglieder ihre mitgebrachten Lebensmittel selber verzehren, statt den Armen davon abzugeben. Die sakrale Eucharistiefeier hat, gerade weil sie sakramentalen Anteil am Leib und Blut des gegenwärtigen Herrn gibt (1.Kor.10,16), insofern «ethische» Konsequenzen, weil die Reichen wie die Armen Glieder des Christusleibes der Kirche sind und einer für den andern verantwortlich ist, weil er unter der Liebesforderung steht. Wenn die Armen hungern und die Reichen betrunken sind (1.Kor.11,21), dann werden nicht nur die Bruderpflichten verletzt, sondern auch die Herrenmahlsfeiern zerstört. Wer in der gemeinsamen Sättigungsmahlzeit sich über den Hunger des Bruders hinwegsetzt, der pervertiert auch das mit der gemeinsamen Sättigungsmahlzeit verbundene Sakrament des Abendmahls. Röm.6 wie 1.Kor.11 lassen also keinen Zweifel daran aufkommen, daß für den späten Paulus sowohl das Sakrament der Taufe als auch das des Abendmahls für den Vollzug der «Ethik» von grundlegender Bedeutung sind.

4. Die apokalyptische Begründung

Daß Paulus eine «Ethik» eschatologisch motiviert hat, diese also die Konsequenz seiner Eschatologie ist, wird zu Recht immer wieder hervorgehoben. Aber dieser Hinweis bleibt letztlich mit Blick auf die Spätphase der paulinischen «Ethik» unzureichend. Denn der späte Paulus hat genauso wie die nachösterlichen Jesusgemeinden und seine hellenistische Mutterkirche die «Ethik» nicht bloß allgemein eschatologisch, sondern ausdrücklich und immer wieder durch die apokalyptische Naherwartung seines Herrn begründet und intensiviert. Daß auch und gerade der späte Paulus von der apokalyptischen Erwartung der unmittelbar bevorstehenden Parusie und damit des Weltendes wie des Endgerichtes bestimmt war, bedarf heute keiner langen Ausführung mehr. Ein kurzer Hinweis auf die apokalyptischen Texte mag in diesem Zusammenhang vollauf genügen. Zu nennen sind vor allem das apokalyptische Fragment Röm.8,19–23.26f; die apokalyptischen Lehrsätze in 1.Kor.7,29f und 15,52, die Taufparänese Röm.13,11–14; der Marana tha-Ruf in 1.Kor.16,22 und die apokalyptisch-prophetische Deutung der Heidenmission Röm.11,25. Darüber hinaus hat der späte Paulus seinen Apostolat wie seine Mission apokalyptisch gewertet: Nach Röm.11,1–5 hat er sich als den Elia der Endzeit verstanden, waren seine Missionspläne (Spanien!) apokalyptisch motiviert (Röm.15,22–29) und begriff er sich unmittelbar als Diener der apokalyptischen Bekehrung Israels (Röm.11,25–32; weiter Röm.10,18ff und 11,14ff).

Natürlich ist dieser Topos der apokalyptischen Parusienaherwartung, mit Endgericht und Weltende keineswegs paulinisch, sondern traditionell apokalyptisch. Aber der späte Paulus, der sein Leben lang in dieser apokalyptischen Naherwartung seines Herrn stand und mit seiner geplanten, aber wegen seines Martyriums nicht mehr durchgeführten Spanienmission zum Vorläufer der Parusie wurde, hat die von ihm übernommene Apokalyptik entscheidend durch seine präsentische Eschatologie modifiziert. Jesu Kreuz und Auferstehung bzw. die Sendung des Präexistenten in den gottfeindlichen Kosmos wie seine Menschwerdung werden vom späten Paulus ebenso eindeutig als Anbruch der Aeonenwende verstanden wie die Sühne der zuvor geschehenen Sünden bzw. die Entmachtung der Unheilsmächte Fleisch, Gesetz und Tod christologisch die Gegenwart des Heiles bekunden. Die Präsenz des zukünftigen Heiles ereignet sich soteriologisch in der Rechtfertigung des Gottlosen als der Befreiung der Versklavten von den Verhängnismächten. Mit der Taufe als dem Empfang des Heiligen Geistes hat sich die Eingliederung in den Christusleib als dem heilsbringenden Herrschaftsbereich vollzogen. Aber gerade weil der späte Paulus wie kein anderer im Neuen Testament außer Johannes die Heilsgegenwart und den Beginn des neuen Aeon verkündigte, wird dadurch nicht etwa die Apokalyptik ausgeschaltet, sondern intensiviert. Die Präsenz des Heils ist für den späten Paulus die Basis seiner apokalyptischen Parusienaherwartung. Und gerade diese apokalyptische Zukunftsdimension der Eschatologie hat für die spätpaulinische «Ethik» eine doppelte Relevanz: Zum einen führt sie aufgrund des Wissens um die befristete Zeit zur Intensivierung der «ethischen» Anstrengung. Zum andern wird die bestehende Weltwirklichkeit derart als Vergehendes und Vorläufiges abgewertet, daß nur noch ein Provisorium übrig bleibt. Aber diese Wertung der Welt als apokalyptisch motiviertes Provisorium führt nun keineswegs im Leben der Christen zu Weltverfallenheit oder Weltflucht, sondern vielmehr zur Weltindifferenz, wie 1.Kor.7,29–31 beweisen: «Dieses aber sage ich, Brüder: Die letzte Frist ist von Gott verkürzt worden.

Für die kurze Zeit bis zum Ende der Welt gilt, daß die da Frauen haben, sollen sein, als hätten sie schon keine mehr; und die da weinen, als weinten sie schon nicht mehr; und die sich freuen, als freuten sie sich schon nicht mehr; und die da kaufen, als besäßen sie es schon nicht mehr und die da die Welt gebrauchen, als gebrauchten sie sie schon nicht mehr. Denn das Wesen dieser Welt vergeht». Der späte Paulus ermahnt also die Christen, sich von den bestehenden Bedingungen und Bestimmungen dieser Welt loszulösen. Wer um die Vernichtung dieser Welt weiß, der kann nur noch in apokalyptisch begründeter Distanz an Ehe, Besitz, Trauer, Freude und überhaupt allem Weltbesitz teilnehmen. Das berühmte «schon nicht mehr» beschreibt die christliche Existenz und Lebensführung im Angesicht der nahen Parusie. Die Apokalyptik begründet und bestimmt die spätpaulinische «Ethik». Ohne die beiden apokalyptischen Rahmensätze in Vers 29a und 31b könnte und ist diese Paränese auch stoisch ausgelegt worden. Aber in 1.Kor.7,29–31 geht es nicht um die stoische Ataraxie als der inneren Freiheit des Weisen inmitten aller Abhängigkeiten von der ihn bedrängenden Welt, sondern allein um die geforderte Distanz gegenüber einer der Vernichtung entgegengehenden Welt im Angesicht der ganz nahen Parusie. Dieser apokalyptische Vorbehalt wird nicht nur allgemein unter zeitlich-futurischem Aspekt, sondern ausdrücklich von Paulus im Angesicht des nahen apokalyptischen Endgerichtes gesehen. Schon jetzt zerbricht diese Welt (Vers 31b), deshalb die Anweisung des Paulus, sich in seinem Verhalten und Handeln von dieser schon vergehenden Welt zu distanzieren. Zu dieser schon zerbrechenden Welt aber gehören die Dinge, die Paulus hier nennt: Ehe, Leid, Freude und Besitz. Dieses vom späten Paulus ausdrücklich geforderte, apokalyptische Weltverhältnis unterscheidet sich deutlich von anderen apokalyptischen Weltverhältnissen. Während die jüdische Apokalyptik aus der Naherwartung des Weltendes und kommenden Aeons die Konsequenz des passiven Verhaltens, Ertragens und Gewährenlassens zogen, traten die Qumranessener den Exodus aus allen gesellschaftlichen Bindungen an und gründeten einen Mönchsorden mit Ehe- und Besitzlosigkeit auf der Basis der sklavenfreien Produktionsgemeinschaft am Toten Meer und griffen die Zeloten schließlich zu den Waffen, um die verhaßte Römerherrschaft mit Gewalt zu beenden. Für den späten Paulus dagegen führt die apokalypzische Parusienaherwartung zur völligen Indifferenz gegenüber diesem schon zerbrechenden Aeon und seiner Weltwirklichkeit. Daß auch spätpaulinische «Ethik» Konsequenz der apokalyptischen Naherwartung des Herrn ist, beweist darüber hinaus die Beobachtung, daß Paulus 1.Kor.7,29–31 als Begründung für seinen «Ratschlag» anführt, daß einmal die Frau ehelos bleiben soll (7,25f) und zum anderen jeder seinen Status quo als Eheloser oder Verheirateter beibehalten soll (7,27).

Und ein Letztes: Die apokalyptisch motivierte Haltung des «schon nicht mehr» ist für den späten Paulus nicht etwa verdienstliche Leistung des

Frommen im Kontext des Gesetzes und der Gesetzeswerke als Heilsweg, sondern nur noch Charisma als Berufung zum Dienst am Nächsten, Bruder und Feind. Gerade dieser locus classicus apokalyptischer Motivierung der spätpaulinischen «Ethik» lehrt, daß die geforderte Verhaltensweise der Indifferenz zur Welt nicht mehr gesetzlich als Verdienst, sondern nur noch charismatisch als Dienst gewertet werden darf.

Daß die apokalyptische Naherwartung die spätpaulinische Ermahnung begründet, beweist Röm.13,11ff: «Und dies tut um so mehr, als ihr um die letzte Frist wißt, daß nämlich die Stunde schon für euch gekommen ist, aus dem Schlaf aufzuwachen; denn jetzt ist das Heil uns näher als damals, als wir zum Glauben kamen. Die Nacht ist vorgerückt, der Tag aber nahe herbeigekommen».

Mit diesem Passus werden die beiden Kapitel 12 und 13, also die allgemeine Paränese, abgeschlossen. Alle «ethischen» Ermahnungen in Röm. 12 und 13 sollen die Christen um so mehr tun, weil sie wissen, daß der alte Aeon in Kürze zu Ende geht. Die Apokalyptik intensiviert die spätpaulinische «Ethik» («und dies tut» hat steigernde Bedeutung!), relativiert sie aber niemals. Weil dic Christen in der Endzeit stehen, begründet das schon gekommen sein der apokalyptischen Stunde ihre Lebensführung. Das endzeitliche Heil steht zwar noch aus, aber es ist chronologisch «näher» als zum Zeitpunkt von Bekehrung und Taufe. Gerade weil der Christ auf der Schwelle zwischen der vorgerückten Nacht des alten Aeon und dem anbrechenden Tag des neuen Aeon steht, wird dem Handeln und der Verhaltensweise der Christen im Blick auf das «näher»-Sein der apokalyptischen Parusie geradezu eschatologisches Gewicht beigemessen. Wiederum ist festzustellen: nicht eine allgemeine futurische Eschatologie, sondern die apokalyptische Naherwartung des Jüngsten Tages motiviert und intensiviert die spätpaulinische «Ethik», wie die Folgerungspartikel «nun, also» in 13,12 beweist.

Weil das Zornesgericht Gottes unmittelbar bevorsteht, gilt der Verzicht auf die eigene Rache (Röm.12,19f), und weil sie alle in Kürze vor «Gottes Richterstuhl» gestellt werden, wird den Christen kategorisch das Richten und Verurteilen des Bruders verboten (Röm.14,10f). Das Gericht über den Menschen steht allein Gott zu, deshalb darf es niemals vom Menschen vorweggenommen werden (1.Kor.4,1–5). Das nahe Endgericht schließt jegliches Richten im alten Aeon definitiv aus (1.Kor.5,1).

Wenn die Philipper am «Wort des Lebens» festhalten, dann wird sich der Apostel für den «Tag Christi» nicht umsonst abgemüht haben (Phil.2,16). Weil die Christen im nahen Gericht das ewige Leben ernten werden, sollen sie in der noch verbleibenden, letzten Frist Gutes tun (Gal.6,9f) und reichlich für die Kollekte geben (2.Kor.9,6). Weil die Christen in Kürze über die Engel richten werden, verbietet der Apostel in 1.Kor.6,1-8 das Prozessieren vor heidnischen Gerichten und befiehlt eigentlich den Rechtsverzicht.

Daß die spätpaulinische «Ethik» Konsequenz der apokalyptischen Naherwartung des Gerichtstages Gottes und Christi ist, kann also immer wieder nur bestätigt werden. Viele Forscher behaupten nun aber, daß auch der späte Paulus den traditionell jüdischen Topos vom apokalyptischen Gericht nach den Werken nicht nur als lästiges Traditionsgut übernommen, sondern ausdrücklich als Stimulans für das «ethische» Handeln des Christen in Anspruch genommen habe. Aber diese Behauptung kann an spätpaulinischen Texten keinesfalls verifiziert werden. Denn Paulus spricht in der Spätphase seiner Theologie und «Ethik» weder von den Werken des Christen noch vom Gericht nach den Werken über die Christen. Vielmehr unterscheidet der späte Paulus konsequent zwischen den Werken, die aber niemals den Christen zugeordnet werden und dem Werk von Christen. Das hat theologische Gründe; denn die Werke werden von Paulus negativ als Werke des Gesetzes gewertet (Röm.3,20.28; Gal.2,16; 3,2.5.10 u.ö.), die deshalb den Menschen als verdienstliche Leistung vor Gott keine Rechtfertigung bringen können (Röm.4,2; 9,12.32; 11,6; Phil.3,9). Vielmehr sind sie Werke des gottfeindlichen Fleisches (Gal.5,19) und der Finsternis (Röm.13,13). Weil aber der späte Paulus solche Gesetzeswerke als einzigen Heilsweg grundsätzlich ablehnt, spricht er niemals von Werken der Christen. Vielmehr kennt er nur singularisch das Werk der Glaubenden (z.B. 1.Kor.5,2; 15,58; 16,10; 2.Kor.9,8; Gal.6,4; Röm.14,20) bzw. der Frucht und dem Frucht bringen (Röm.6,22; Gal.5,22; Phil.1,11 u.ö.). Dieses Werk der Glaubenden aber steht nicht mehr im Horizont der jüdischen Gesetzes- und Verdienstethik mit dem Gesetz als einzigem Heilsweg und den Gesetzeswerken als Heilsbedingung, sondern im Kontext der spätpaulinischen Rechtfertigungs- und Charismenlehre. Wie der späte Paulus also keine Werke als verdienstliche Gesetzesleistungen der gerechtfertigten Gottlosen kennt, so auch kein apokalyptisches Endgericht über die Christen nach den Werken. Denn über die Werke als verdienstliche Leistung steht das Gottesurteil längst seit Kreuz und Auferstehung Christi fest: sie führen niemals zur Rechtfertigung. Wir können jetzt die abschließende Konsequenz ziehen: Weil die traditionell jüdische Vorstellung vom Gericht nach den Werken nicht mehr in den Zusammenhang seiner Rechtfertigungs- und Charismenlehre paßte, hat er sie abgelehnt und nicht mehr zur Sprache gebracht.

Vielmehr kennt der späte Paulus allein das nahe Gericht über das Werk des Christen. Und selbst hier gilt: Auch dieser spätpaulinische Topos ist der Rechtfertigung nicht überzuordnen, sondern umgekehrt nur aus deren Horizont zu interpretieren. D.h. konkret: 1. Der späte Paulus kennt christologisch nur das nahe Endgericht über das Werk des Christen, weil Christus durch seine Sendung, Menschwerdung und Passion das Gesetz als Heilsweg endgültig entmachtet hat. Es ist für ihn niemals mehr Bedingung des Heils, weder der Heilsmittler schlechthin noch das alleinige

Kriterium im apokalyptischen Endgericht. 2. spricht der späte Paulus aus soteriologischen Gründen nur noch deshalb vom Gericht über das Werk des Christen, weil das Geschehen der Rechtfertigung eben zeitlich nicht limitiert wird. Rechtfertigung der Gottlosen allein als aus Glauben und nicht aus Werken des Gesetzes geschieht ja nicht nur in der Bekehrung, nicht nur lebenslang im christlichen Leben und in der Todesstunde, sondern gerade auch im Jüngsten Gericht (Gal.2,16 und Röm.3,28). Und 3. schließlich ist die Liebe als Summe des ganzen Gesetzes charismatisch für den späten Paulus kein verdienstliches Werk mehr, das im Gericht heilsentscheidend ist, sondern ausschließlich Dienst am Nächsten um seiner Rechtfertigung willen.

Nur einmal spricht der späte Paulus vom Gericht nach den Werken in Röm.2,6ff, aber diese Ausnahme bestätigt die Regel. Denn Röm.2,6ff ist einmal vom Kontext (1,18–3,20) streng auf die Welt der Juden und Heiden bezogen. Nicht – christliche Welt wird wie in Röm.7 aus christlicher Sicht gesehen und gedeutet. Zum andern steht Röm.2,6–11 diesseits der tiefgreifenden Zäsur, die den Abschnitt innerhalb seines Kontextes 1,18-23 (= die Offenbarung des Zorngerichtes über die Heiden und Juden) von der Verkündigung über die Rechtfertigung allein aus Glauben in Röm.3,21ff scheidet. Röm.2,6ff ist demnach der vorevangelische Standpunkt des Paulus, eingenommen vor der Offenbarung der Glaubensgerechtigkeit, der die Gültigkeit des Gesetzes voraussetzt, keine Glaubensgerechtigkeit kennt und ein Urteil aufgrund der eigenen Leistung erwartet. Insofern hat Röm.2,6ff in der Tat vorbereitende und uneigentliche Bedeutung, während der späte Paulus sonst durchweg bestreitet, daß die Erfüllung des Gesetzes der Heilsweg sei. Röm.2,6ff ist also nicht in einen Topf zu werfen mit den anderen spätpaulinischen Aussagen vom apokalyptischen Endgericht nach dem Werk des Christen aufgrund der ergangenen Offenbarung der Glaubensgerechtigkeit.

Das hat Konsequenzen: Weil der späte Paulus den traditionell jüdischen Topos vom Endgericht nach den Werken der Christen ablehnt, betont er auch die Freiheit des Christen vom Vernichtungsgericht (1.Thess.5,9 und 10; Röm.5,9f; 8,1 und 33; 1.Kor.3,15; 5,5; 11,31f). Das «allein aus Glauben» gilt für immer und grundsätzlich im Rechtfertigungsgeschehen heute, im Tode und dem letzten Gericht. Verfällt der Christ aber dem Unglauben, hört der Christ also auf, ein Christ zu sein, dann verfällt er als Gottloser dem Vernichtungsgericht (1.Kor.8,11; 9,24ff; Röm.14,15; Phil.3,12ff und 18ff).

Trotzdem geht auch der gerechtfertigte Christ dem nahen Gericht entgegen, wo das unterschiedliche Werk der Christen von Gott beurteilt wird (1.Kor.3,5ff; 4,4f; 2.Kor.5,10; 9,6; Röm.14,10ff; Phil.4,17). Die Christen werden im nahen Endgericht von Gott ihr gerechtes Urteil empfangen, wie sie das «allein aus Glauben» durchgehalten und ob sie den Heilsweg Christi nicht aufgegeben haben. Sie werden danach gefragt werden, wie sie Verantwortung getragen, den neuen Gehorsam bewahrt und den Dienst ausgeübt haben. Konkret: Im Gericht Gottes über den Christen geht es nach spätpaulinischem Zeugnis um ein Dreifaches, ob sie das Liebesgebot als Summe des ganzen Gesetzes übertreten, ob sie das Liebesgebot zwar erfüllt, aber es als Verdienst gewertet haben, oder ob sie das Liebesgebot als charismatischen Dienst allein um der Geschöpfe willen getan haben. Dieses strenge Gericht über das unterschiedliche Werk der gerechtfertigten Gottlosen widerspricht in gar keiner Weise der spätpaulinischen Rechtfertigungs- und Charismenlehre, also der Freiheit der Christen vom apokalyptischen Vernichtungsgericht, sondern entspricht ihr in jeder Weise.

Mit dem traditionell jüdischen Gericht nach den Werken hat diese spätpaulinische Gerichtserwartung allerdings nichts mehr gemein. Ist das gesehen und anerkannt, dann überrascht schließlich nicht mehr, daß auch der Lohngedanke (vgl. Gal.6,9f; 1.Kor.4,5; 9,24; Phil.3,14f u.ö.) beim späten Paulus nicht mehr wie der Gerichtsgedanke im Horizont seiner Gesetzes- und Verdienstethik, sondern ausschließlich seiner Rechtfertigungs- und Charismenlehre gesehen werden muß. Der Christ erhält von Gott im nahen Endgericht seinen Lohn nicht für Werke um des eigenen Heiles willen, sondern allein für seinen Dienst um des Nächsten willen.

Auch wenn die apokalyptische Naherwartung des Gerichtes vom späten Paulus weder systematisch entfaltet noch im Sinne der jüdischen Apokalyptik ausgemalt wird und v.a. die traditionelle Lehre vom Gericht nach den Werken der Rechtfertigungs- und Charismenlehre konsequent untergeordnet wird, so bleibt sie doch unaufgebbare Begründung seiner «Ethik», wie diese umgekehrt Konsequenz seiner apokalyptischen Gerichtsbotschaft ist.

5. Indikativ und Imperativ

Alle diese Begründungen der spätpaulinischen «Ethik» im Horizont der Gesetzes-, Rechtfertigungs- und Charismenlehre des späten Paulus kulminieren nun noch einmal abschließend in der sich eingebürgerten Verhältnisbestimmung von Indikativ als der konkreten Heilszusage und Imperativ als der «ethischen» Handlungsanweisung. Dieses Fundamentalproblem ist – wie wir gesehen haben – älter als Paulus, ja älter als das Christentum und hat v.a. die Paulusforschung wie Exegese durch Jahrhunderte intensiv beschäftigt.

Auszugehen ist beim späten Paulus von der Tatsache, daß in zahlreichen Textabschnitten die Indikative nicht nur unmittelbar neben den Imperativen, sondern in einem scheinbar unausgeglichenen, aber spannungsvollen Nebeneinander stehen (vgl. Gal.5,1.13; Röm.6,2f 11ff; 8,1ff.12ff; 15,1ff). V. a. wird dieses spannungsvolle Nebeneinander von Indikativ und Impe-

rativ dann zu einem unausgeglichenen Widerspruch, wenn der späte Paulus dieselbe inhaltliche Aussage sowohl indikativisch als auch imperativisch formulieren kann: «Alle, die ihr in Christus hinein getauft seid, habt Christus angezogen» (Gal.3,27), neben Röm.13,14: «Zieht den Herrn Jesus Christus an und sorgt nicht für das Fleisch, ...». So kann es in Röm.6,2 heißen: «Wir sind für die Sünde gestorben», in Röm.6,11f dagegen: «Haltet euch für tot gegenüber der Sünde, aber als lebend für Gott den Christus Jesus. So herrsche also die Sünde nicht mehr in eurem sterblichen Leibe». Am schärfsten formuliert er in 1.Kor.5,7: «Fegt den alten Sauerteig aus, denn ihr seid ja ohne Sauerteig» oder Gal.5,25: «Wenn wir im Geiste leben, so laßt uns auch im Geiste wandeln».
In früherer Zeit versuchte man diesen Widerspruch einmal psychologisch in der Weise aufzulösen, daß Paulus entweder vom sündlosen oder vom sündhaften Leben seiner Gemeinden ausgegangen sei. Zum andern interpretierte man diesen Widerspruch idealistisch, indem man den Indikativ auf Kosten des Imperativs abschwächte und umkehrte. Aber beide Auslegungsweisen lösen das Neben- und Ineinander von Indikativ und Imperativ gerade auf, statt es im Sinne des späten Paulus als notwendige Antinomie zu begreifen, so daß sich Indikativ und Imperativ zwar formal widersprechen, aber sachlich aufs engste zusammen gehören. Denn diese Antinomie ist für den späten Paulus deshalb unaufgebbar, weil der kommende Aeon in Christus zwar angebrochen, aber der alte und jetzige Aeon noch andauert, die Christen zwar Gerechtfertigte, aber zugleich noch Hoffende und noch nicht endgültig Verherrlichte sind, der Geist zwar als Angeld gegeben, aber der Empfang des Geistleibes zukünftig ist oder zwar gegenwärtig herrscht, aber doch erst in Kürze als Kosmokrator offenbar wird. Der Christ lebt also in beiden Aeonen: Einerseits ist er vom bösen gegenwärtigen Aeon mit seinen Unheilsmächten Sünde, Fleisch, Gesetz und Tod in Christus befreit worden. Aber das gilt nur für den Glaubenden und im Glauben. Andererseits lebt der durch den Glauben Gerechtfertigte noch weiterhin im alten Aeon mit seinen Verhängnismächten, auch wenn er seinem nahen Ende zueilt. Er lebt noch weiterhin «im Fleisch» und die Unheilsmächte Sünde und Gesetz bedrohen ihn, solange er lebt. Weil die Christen also angefochten werden und der Versuchung ausgesetzt sind, bedarf es der lebenslangen und eindringlichen Mahnungen und Imperative. Das Nebeneinander von Indikativ der Heilszusage und Imperativ der «ethischen» Ermahnung ist deshalb angesichts der christlichen Existenz in beiden Aeonen eine notwendige Antinomie bzw. unaufgebbare Paradoxie, weil die gerechtfertigten Gottlosen noch nicht am Ziel, sondern unterwegs sind.
Aber das so diskutierte Sachproblem von Indikativ und Imperativ steht noch in einer ganz anderen Vorstellungs- und Sprachtradition, die in der traditionellen Ethik mit dem folgenschweren Stichworten von Rechtfertigung und Heiligung abgehandelt worden ist. Durch Jahrhunderte hin-

durch wurde und wird noch heute das Verhältnis von Indikativ und Imperativ mit dem von Rechtfertigung und Heiligung identifiziert, und zwar in der Weise, daß der Indikativ der Rechtfertigung den Beginn des Christenlebens mit Bekehrung und Taufe meinte, während der Imperativ der Heiligung diesen lebenslang zu bewahrheiten und bestätigen hatte. Gegen den späten Paulus trennte man die Rechtfertigung von der Heiligung, indem letztere zum selbständigen Thema der «Ethik» des Apostels gemacht wurde, womit zwangsläufig eine Stufenfolge im Christenleben von der anfänglichen Bekehrung bis zur sittlichen Vervollkommnung bzw. sittlichen Selbstverwirklichung und Vollendung abgeleitet wurde. Suggeriert wurde damit eine geistige Entwicklung im Christenleben bzw. ein inneres Wachstum mit dem Ziel der moralischen Sündlosigkeit. Das eigene Heil konnte nur durch das sittliche Handeln wie Verhalten gesichert werden, womit der Imperativ der Heiligung zum zweiten konstitutiven Teil der Erlösung wurde. Mit diesen Zielsetzungen aber wird nicht nur der Indikativ der Rechtfertigung gründlich mißverstanden, sondern v.a. seine Verhältnisbestimmung zum Imperativ der Heiligung unhaltbar. Gegen den späten Paulus wird die Heiligung von dem Geschehen der Rechtfertigung abgetrennt, dieses also auf die Bekehrung eingegrenzt. Damit gewinnt die Heiligung als Entwicklung zur sittlichen Vollkommenheit und Sündlosigkeit ein theologisches Eigengewicht, weil Sündlosigkeit nicht mehr ontologisch als Freiheit von der Sündenmacht, sondern moralisch als Freiheit von einzelnen Tatsünden verstanden wird. Aber die Sünde ist für den späten Paulus kein moralisches Phänomen mehr, auch wenn sie im Christenleben moralische Konsequenzen hat, sondern der Versuch gerade auch des frommen Menschen, Gott seine Leistungen präsentieren, also einen vermeintlichen Anspruch das eigene Heil anmelden zu können. Aufgrund des Imperativs der Heiligung muß man an der Erlösung sittlich mitwirken, womit wiederum das Gesetz zum Heilsweg, die sittlichen Werke zur Heilsbedingung und die Antithese zur Synthese von Glaube und Werken umprogrammiert wird.

Hat man dieses jahrhundertealte Mißverständnis von Indikativ der Rechtfertigung und Imperativ der Heiligung als einen lebenslangen Prozeß der inneren Entwicklung des Christen zur ethischen Vollkommenheit im Auge, dann muß vielmehr im Sinne des späten Paulus mit Nachdruck betont werden, daß der Imperativ mit dem Indikativ zusammenfällt, der letztere also paradoxerweise in den ersteren integriert ist. Weil der Glaubende nicht aufhört, ein Gottloser zu sein, wird einerseits das Geschehen der Rechtfertigung niemals zeitlich begrenzt, sondern beherrscht das ganze Christenleben. Andererseits geht es bei der Heiligung gerade nicht um die sittliche Weiterführung der Heilstatt, sondern um das Bleiben im Herrschaftsbereich des Christus als der Annahme der Gabe Gottes. Der Imperativ der Heiligung ist identisch mit dem im Alltag der Welt und der wechselnden Provokation durch ihre Mächte lebenslang festgehaltenen

Indikativ der Rechtfertigung, so daß die Aufgabe niemals von der Gabe getrennt werden darf. Aber ebensowenig darf die Gabe von dem Geber abgelöst werden, womit wiederum der Imperativ der Heiligung dazu aufriefe, die eschatologische Heilsgabe der Rechtfertigung zu realisieren.
Von entscheidender Bedeutung ist nun weiterhin das anerkannte Forschungsergebnis, daß der Imperativ der sittlichen Mahnung nicht nur den von Gottes Gabe gefüllten Indikativ voraussetzt, sondern der Indikativ des nicht zeitlich begrenzten Geschehens der Rechtfertigung den Imperativ begründet. Zurecht spricht man deshalb in der Spätphase der paulinischen «Ethik» von einem Folge- bzw. Begründungsverhältnis, weil der Imperativ immer aus dem Indikativ abgeleitet wird, immer auf ihn bezogen und Konsequenz des Indikativs bleibt.
Dieses Folge- bzw. Begründungsverhältnis von Indikativ und Imperativ wird vom späten Paulus in dreifacher Weise entfaltet:
1. Es ist bekannt, daß der Gal. und Röm. von einer Zweiteilung bestimmt sind: Der erste Teil (= Gal.1–4 und Röm.1–12) stellt den «dogmatisch-theologischen» Teil dar, während der zweite Teil die «Ethik» bzw. «Paränese» enthält (Gal.5–6; Röm.13–15). D. h. aber: Die «Ethik» folgt auf die «Dogmatik» und dieses Folgeverhältnis schlägt sich bewußt in der Gliederung dieser beiden Hauptbriefe der paulinischen Spätphase nieder. Sachlich-theologisch kann das nur heißen, daß der Indikativ des Heilsgeschehens den Imperativ des christlichen Handelns begründet, der Imperativ dagegen von ihm abgeleitet und auf ihn bezogen bleibt.
2. Aber dieses Begründungs- bzw. Folgeverhältnis läßt sich nicht nur in der Gliederung der beiden genannten Hauptbriefe nachweisen, sondern auch die bekannte Folgerungspartikel «deshalb nun», «also», «folglich» am Beginn der «ethischen» Abschnitte (z.B. Gal.5,1; Röm.12,1) läßt keine andere Erklärung zu. Der Imperativ ermahnt also nicht dazu, sich das eigene Heil zu verdienen oder die göttliche Zusage zu ergänzen, sondern die empfangene Gabe festzuhalten, beim Geber der Gabe zu bleiben.
3. Wenn aber der Christ nach dem späten Paulus nicht gerechtfertigt und befreit wird zur sittlichen Vollkommenheit mit dem Ziel der moralischen Sündlosigkeit, also letztlich zur Mitwirkung an seinem eigenen Heil, sondern einzig und allein zum Dienst am Nächsten, dann erfahren die bereits genannten Verhältnisbestimmungen von Indikativ und Imperativ noch einmal eine entscheidende Nuancierung. Dann ist das Verhältnis von Indikativ und Imperativ weder eine unaufgebbare, wenn auch notwendige Antinomie noch fallen beide Größen ohne weiteres zusammen, sondern aus dem Indikativ der Rechtfertigung des Gottlosen allein aus Glauben und allein aus göttlicher Gnade folgt konsequent der Imperativ, Gott und dem Nächsten zu dienen. Beide, Indikativ wie Imperativ, haben eine eigenständige Bedeutung, die in gar keiner Weise abgeschwächt werden darf. Sie sind in dieser Sicht auch keineswegs widersprüchlich aufeinander

bezogen, sondern fordern sich gegenseitig. Denn jeden Tag neu wird der Gläubige als Gottloser allein aus Gnade gerechtfertigt, weil er niemals aufhört, ein Gottloser und Versklavter zu sein, so lange der alte Aeon andauert. Ohne Voraussetzungen, Bedingungen, Einschränkungen und Verdienste wird der hoffnungslos Versklavte von den Verhängnismächten befreit bzw. der Gottlose allein aus Glauben von Gott gerechtfertigt. Der Indikativ der Heilszusage ist also nicht nur bedingungs- und voraussetzungslos, sondern auch zeitlich unbegrenzt.
Zugleich wird der allein aus Glauben gerechtfertigte Gottlose jeden Tag neu befreit zum Dienst am Bruder, Nächsten und Feind, d. h. an allen Geschöpfen Gottes. Das ist die einzige, aber auch unaufgebbare Bedeutung des Imperativs. Nicht an seinem eigenen Heil soll der Christ mitarbeiten, und schon gar nicht soll er die göttliche Heilszusage ergänzen oder komplettieren (= Synergismus). Sondern allein seinen Nächsten unter Einschluß des Feindes soll er lieben, ihm helfen, fördern und Gutes tun. Mit dem Heil des Christen hat das alles nichts zu tun. Denn die Liebe als Summe des Gesetzes und Erfüllung des Willens Gottes, die nur meinem Nächsten zugute kommt, ist niemals Verdienst um meines Heiles, sondern ausschließlich und immer nur Dienst um des Nächsten willen. Wird das Verhältnis von Indikativ und Imperativ so gesehen und ausgelegt, dann kann man selbst beim späten Paulus von einer konsekutiven Ethik bzw. einer Ethik der Dankbarkeit sprechen, weil alles gesetzliche und synergistische Mißverständnis ausgeschloßen ist.

IV. Die leitenden Maßstäbe des sittlichen Lebenswandels

1. Der neue Gehorsam der Gerechtfertigten und Befreiten

Für den späten Paulus ist Ursprung und Voraussetzung des neuen Lebenswandels des Christen seine tägliche und lebenslange Rechtfertigung als Gottloser allein aus Glaube und nicht aus Gesetzeswerken bzw. seine tägliche und lebenslange Befreiung von den versklavenden Verhängnismächten Sünde, Fleisch, Gesetz und Tod, die als solche ebenfalls nur geglaubt werden kann. Diese Neuwerdung des Menschen wird vom Apostel in seiner Spätphase immer wieder als ein alles umfassendes, weil aus dem Geist wunderbar hervorgegangenes Geschehen verkündet. Wie der Mensch vor und neben Christus als Ganzer fleischlich ist, unter die Sündenmacht verkauft wurde und im Modus der Besessenheit wie Gefangenschaft existierte (vgl. Röm.7,14–25), so wird er durch das Evangelium zur neuen Schöpfung (2.Kor.5,17). Dem in Wort und Sakrament vollzogenen Herrschaftswechsel entspricht die totale Erneuerung und Neuschöpfung des Menschen wie die völlige

Inanspruchnahme durch Christus. Nur diese durch das Wunder des Glaubens ins Leben gerufene neue Kreatur vermag im neuen Gehorsam zu stehen und den neuen Lebenswandel zu führen.
Allein auf diesem Hintergrund wird verständlich, warum der späte Paulus den ganzheitlichen, einheitlichen und konkreten Gehorsam als die «Neuheit des Lebens» (Röm.6,4) immer wieder fordern kann, und zwar im Gegensatz zur jüdischen und juden-christlichen Leistungs- und Verdienstethik. Die bisherige Forschung und Auslegung hat zwar oftmals diese drei typischen Charakteristika des neuen Lebenswandels des Christen, nämlich Ganzheit, Einheit und Konkretheit, herausgestellt, aber meist ungenügend oder gar falsch begründet.
Der völligen Neuschöpfung des Menschen muß nach Paulus der ganze Gehorsam mit seiner Vernunft (Röm. 6,11; 12,2) und seinem Herzen (Röm.6,17), seinem Wollen (2.Kor.8,10f) wie Tun (2.Kor.8,10f; Phil.4,9) entsprechen. Wie Paulus selbst «alles» um des Evangeliums willen tut (1.Kor.9,23) und sich «in allem» als Diener Gottes erweist (2.Kor.6,4), so sollen auch die Christen «alles» in Liebe tun (1.Kor.13,7; 16,14) und zu «allem» gehorsam sein (2.Kor.2,9), damit «alles» der Auferbauung der Endzeitgemeinde dient (1.Kor.14,26).
Aber mit Nachdruck ist nun im gleichen Atemzug zu betonen, daß diese paulinische Ganzheitsforderung nur auf der Basis und im Horizont seiner Gesetzes-, Rechtfertigungs- und Charismenlehre zu verstehen ist. Sie ist nämlich konkret gegen die jüdische und judenchristliche Verdienst- und Leistungsethik gerichtet, für die im Grunde ausschließlich das in peinlich korrekter Übereinstimmung mit dem Buchstaben der Tora vollbrachte Gesetzeswerk entscheidend und heilsnotwendig war. Für Paulus dagegen geht es nicht nur um das Tun des Willens Gottes im Liebesgebot, sondern zugleich um seine Wertung durch den Täter. Der ganze Gehorsam des allein aus Glauben gerechtfertigten Gottlosen ist ja nicht mehr wie in der jüdischen und judenchristlichen Ethik auf die Aufrichtung der eigenen Gerechtigkeit (Phil.3,9; Röm.10,3) ausgerichtet, sondern kommt in seiner Ganzheit ausschließlich dem Bruder, Nächsten und Feind zugute. Während in der jüdischen Leistungsethik alles Gewicht auf dem wirklichen und tatsächlichen Erfüllen von wahllosen, einzelnen und äußeren Gesetzeswerken liegt, da nur so Verdienste um des eigenen Heils willen erworben werden können, kommt bei Paulus alles auf das Wie des neuen und ganzheitlichen Gehorsams an: Nur wenn der Christ «alles» allein um des Dienstes an den Geschöpfen willen, nicht aber um des Verdienstes des eigenen Heiles willen tut, bleibt er im Herrschaftsbereich seines Herrn. Entscheidend ist für Paulus niemals die äußerliche, korrekte, einzelne und verdienstliche Leistung, sondern der ganzheitliche Dienst an allen Menschen.
Deshalb ist es nur konsequent, wenn Paulus den geforderten neuen Gehorsam nicht nur als Einheit versteht, sondern ausdrücklich das christ-

liche Handeln singularisch als Werk (1.Kor.3,13ff; Gal.6,4; Phil.1,6) bzw. als Frucht (Gal.5,22; Röm.6,22; Phil.1,1f; 4,17) bezeichnet, niemals aber pluralisch von den «Werken» und «Früchten» oder gar von den guten Werken des Christen spricht. Der Plural «Werke» wird deshalb von Paulus strikt gemieden, weil mit ihm der Gedanke der verdienstlichen Leistung verbunden war, die selbstverständlich im Kontext des Gesetzes als Heilsweg gesehen wurde. Umgekehrt spricht Paulus konsequent auch nicht von den «Früchten» im Christenleben, weil nach Gal.5,19ff und 1.Kor.12,4ff die Einheitlichkeit der christlichen Lebensführung in der «einen Frucht des Geistes» (Gal.5,22) bzw. «einem und demselben Geist» (1.Kor.12,4 und 10) begründet ist.
Schließlich mahnt und fordert Paulus immer konkret, wofür neben dem 1.Kor. die «paränetischen» Kapitel im Gal. (Kap.5 und 6) wie Röm. (Kap.12–15) die eindrücklichsten Belege sind. Konkretheit der paulinischen «Ethik» heißt aber nicht, daß alle Forderungen und Ermahnungen des Paulus aktuell veranlaßt seien, also nur situationsbezogen verstanden werden können. Vielmehr hat die spätpaulinische «Ethik» sowohl aktuell-situationsbezogene als auch usuelle Bedeutung. Wichtiger als diese Unterscheidung ist auch hier die antijüdische Frontstellung: Der neue, eben konkrete Gehorsam der Christen wird von Paulus nicht als verdienstliches Gesetzeswerk gewertet. Wenn in der jüdischen Ethik die lebenslangen Gebotserfüllungen gezählt und addiert werden müssen, weil sie Gott täglich und v.a. natürlich im Jüngsten Gericht präsentiert werden können, der sie seinerseits als Verdienste für den Empfang des ewigen Heils anrechnet, lehnt Paulus mit dem Heilsweg des Gesetzes auch alle konkreten Gehorsamstaten als Heilsbedingung ab. Damit hat aber auch alles sonst so heilsnotwendige Rechnen, Addieren und Wägen der Taten im Sinne der jüdischen Leistungs- und Verdienstethik ein definitives Ende.
Abschließend ist also festzuhalten: Der neue, eben ganze, eine und konkrete Gehorsam der Gerechtfertigten und Befreiten hat beim späten Paulus überhaupt nichts mehr mit dem Gesetz als Heilsweg und den damit verbundenen verdienstlichen Gesetzesleistungen zu tun, sondern steht einzig und allein im Horizont des charismatischen Dienstes an allen Geschöpfen.

2. Das Verhältnis zur nichtchristlichen Ethik

Die bisherige Forschung ist zu dem weithin im internationalen wie interkonfessionellen Bereich akzeptierten Ergebnis gekommen, daß die spätpaulinische mit der nichtchristlichen Ethik materialethisch übereinstimmt. Beweis dafür sind vor allem die drei Basistexte im Röm., nämlich Röm. 1,19–21.32; 2,14f und 7,14ff, die wir ihrer fundamentalen Bedeutung wegen im Folgenden zu exegisieren haben.

Röm. 1,19–21.32: «Denn was von Gott erkennbar ist, ist unter ihnen (= den Heiden) offenbar; Gott selbst hat es ihnen nämlich offenbart. Denn seit der Weltschöpfung wird er in seiner Unsichtbarkeit an seinen Schöpfungswerken vernüftig-wahrnehmend geschaut: Seine ewige Macht und Gottheit, so daß sie sich nicht entschuldigen können. Denn obwohl sie Gott erkannt haben, haben sie ihn nicht als Gott Ehre oder Dank erwiesen, sondern sind dem Nichtigen verfallen in ihren Gedanken, und verfinstert wurde ihr unverständiges Herz... . Obwohl sie Gottes Rechtssatzung erkannten,....». Thema dieser entscheidenden Sätze ist die natürliche Gotteserkenntnis und das natürliche Sittengesetz, also das Problem einer theologia naturalis. Der sichtbare Schöpfergott hat sich seit der Weltschöpfung ununterbrochen all' seinen Geschöpfen offenbart. Kraft der Vernunft hat der Heide Gott in seinen Schöpfungswerken wahrgenommen. Aber diese vernünftige Wahrnehmung hat nicht mystische, sondern ausgesprochen ethische Funktion, wie nicht nur der gesamte Kontext (Röm. 1,22ff), sondern vor allem 1,32 beweist. Indem die Menschen Gott in seinen Schöpfungswerken erkennen, kennen sie auch seinen Willen, nämlich seine Rechtsforderung. Aber die Menschen haben Ehre und Dank gegenüber dem von ihm erkannten Gott und seinem Gesetz verweigert. Deshalb trifft sie das Zornesgericht als ihre Preisgabe an die Sittenlosigkeit. Wir halten fest: Röm. 1,19–21 und 32 lassen keinen Zweifel darüber aufkommen, daß für Paulus Gotteserkenntnis der Heiden identisch ist mit der Kenntnis seines ewigen Willens bzw. seiner ethischen Forderungen an den Menschen. Jeder Mensch besitzt eine natürliche Kenntnis des sittlich Guten, so daß er im Gericht keine Entschuldigung für die Übertretung der ethischen Forderungen seines Schöpfergottes hat.

Noch einen Schritt weiter geht Paulus in Röm. 2,14f: «Wenn also Heiden, die das Gesetz nicht haben, von Natur aus die Forderungen des Gesetzes tun, so sind diese sich selbst Gesetz, obwohl sie das Gesetz nicht haben. Sie erweisen nämlich das Werk des Gesetzes als in ihre Herzen geschrieben, und Mitzeuge dafür sind ihr Gewissen und die sich gegeneinander anklagenden oder auch verteidigenden Gedanken.»

Daß Paulus hier auf das Naturgesetz der griechisch-römischen Ethik, vermittelt durch die Diasporasynagoge, zurückgreift, wird in der Auslegung kaum noch bestritten. Der natürlichen, vernünftigen Erkenntnis Gottes in Röm. 1,19ff entspricht nun die natürliche, ethische Erkenntnis des Willens Gottes. Vier Askpekte der zugrundeliegenden griechisch-römischen Ethik müßen hervorgehoben werden:

a) Weil in der Natur des Menschen die unveränderbaren, ethischen Verhaltensmaßstäbe angelegt sind, vermögen die Heiden die Forderung des Moralgesetzes zu erfüllen.

b) Obwohl die Heiden die alttestamentliche Tora nicht besitzen, «sind sie sich selbst Gesetz», weil in die menschliche Natur das göttliche Naturgesetz eingepflanzt ist.

c) Das «in ihre Herzen geschriebene Gesetz» entspricht völlig der griechisch-römischen Lehre vom «ungeschriebenen Gesetz», das aber nach paulinischer Argumentation mit dem Mosegesetz identisch ist.
d) Schließlich bezeugt das Gewissen als Repräsentant der göttlichen Willensforderung im inneren Menschen wie der damit gesetzte Widerspruch von Anklage und Verteidigung, daß es selbst mit dem im Herzen der Heiden geschriebenen Gesetz identisch ist.
Das aber bedeutet, daß Inhalt wie Verhaltensmaßstäbe der christlichen und nichtchristlichen Ethik letztlich übereinstimmen und somit identisch sind. Schließlich bezeugt Röm.7,14ff, daß Juden wie Heiden zwar das Gesetz Gottes kennen und anerkennen, ja sogar tun wollen, aber niemals verwirklichen können. Bei der Auswertung dieses zentralen Textes Röm.7,14–25 ist für unsere Thematik zweierlei vorauszusetzen:
1. Beherrschendes Thema dieses Abschnittes ist das berühmte «ich» im semitisierenden Stil der Konfession, das aber weder autobiographisch das Ich des Paulus noch individuell das Ich des Adam bezeichnet, sondern als rhetorische Stilfigur generelle Bedeutung hat, also jeden Menschen vor und außerhalb des Evangeliums unter den Unheilsmächten Fleisch, Sünde, Gesetz und Tod umschreibt.
2. Röm.7,14ff beschreibt nicht den erlösten sondern gerade den unerlösten Menschen, aber im Rückblick des Pneumatikers auf seine eigene Vergangenheit. Allerdings ist diese ausweglose Situation für den versklavten Nichtchristen nicht erfahrbar, vielmehr wird sie erst vom Evangelium aufgedeckt und ist nur dem Befreiten bzw. Gerechtfertigten einsichtig. Während in Röm.7,14–20 der fromme Jude unter dem Gesetz im Blickpunkt steht, betreffen Röm.7,21-25 den frommen Heiden im Gefolge Adams. Dieses «Ich» des gesetzesstrengen Juden stimmt dem «guten» Gesetz zu (V.16) und will daß sittlich Gute (V.18f). Ebenso hat der fromme Heide kraft «Vernunft» und «innerem Menschen» die Fähigkeit, nach griechisch-idealistischer Tradition, das «Gesetz Gottes» zu vernehmen und anzuerkennen (V.22f) und will wie der gesetzesstrenge Jude das sittlich Gute tun (V.21). Der natürliche Mensch vor und außerhalb des Evangeliums stimmt demzufolge nicht nur dem Moralgesetz zu und hat Freude am sittlich Guten als dem Heil und dem Leben, sondern will es auch ständig verwirklichen. Aber diese Kenntnis und Anerkennung des natürlichen Sittengesetzes nützt ihm nichts, weil das «Ich» des Juden wie des Heiden «unter die Sündenmacht verkauft» (V.14) und «fleischlich» ist (Vers 14), im Modus der Besessenheit existiert (V.17 und 20) und in die Gefangenschaft «abgeführt» wurde (V.23). Entscheidend für unsere Fragestellung ist die in Röm.7,14-25 immer wieder gemachte Feststellung, daß auch der Nichtchrist um den Willen Gottes weiß, mittels der Vernunft das göttliche Sittengesetz erkennt und anerkennt und das ethisch Gute tun wie das ethisch Böse vermeiden will.
Dieses Wissen um eine für alle Menschen gültige Ethik zeigt sich auch weiter daran, daß die Christen das allgemein sittlich Gute verfolgen sollen

(Röm.12,2). Nach Röm.13,3f weiß auch die heidnische Weltmacht Rom um dieses göttliche Moralgesetz, indem es die fundamentalen Unterschiede von ethisch Gutem und moralisch Bösem nicht nur anerkennt, sondern kraft seiner staatlichen Vollzugsorgane gegenüber den Staatsbürgern rigoros durchsetzt: Die das ethisch Gute tun, werden von ihr «belohnt», die das Böse tun, werden von ihr als «Gottes Dienerin» mit dem Schwert bestraft.
Nach Röm.14,18 wird im selben Sinne die Zustimmungsfähigkeit zum ethischen Handeln des Christen von seiten der Nichtchristen (= «Vor den Menschen bewährt»!) ohne weiteres vorausgesetzt. Weil Christen wie Nichtchristen denselben ethischen Inhalten wie Verhaltensmaßstäben unterliegen, kann Paulus in 1.Kor.10,32f die Korinther ermahnen, weder den Juden noch den Griechen «einen Anstoß» zu geben. Gerade weil die Nichtchristen aufgrund der Kenntnis und Anerkennung des gemeinsamen Moralgesetzes über das ethische Verhalten der Christen urteilen können und auch tatsächlich urteilen, warnt Paulus mit Nachdruck vor sittlichem Fehlverhalten der Christen.
In Röm.13,13 werden die Christen zu einer «anständigen» Lebensführung aufgefordert, wobei daran zu erinnern ist, daß der Begriff «anständig» der popularphilosophischen Ethik seiner Zeit entnommen ist und die ethisch einwandfreie Lebensweise umschreibt. Wiederum signalisiert schon die Aufnahme dieses traditionellen Begriffes, daß an der material-ethischen Kongruenz zwischen spätpaulinischer und außerbiblischer Ethik nicht zu zweifeln ist. Weil Christen wie Nichtchristen nach Paulus um das gemeinsame göttliche Moralgesetz wissen, es anerkennen wie praktizieren, besteht auch über den verbindlichen Inhalt des sittlich «Anständigen» zwischen Kirche und Umwelt völlige Übereinstimmung.
In den Bereich der stoischen Moralphilosophie gehört weiter die traditionell ethische Wendung «kritisch zu prüfen, worauf es ankommt», nämlich zwischen Gutem und Bösem zu unterscheiden (Röm.2,18; Phil.1,20). Auch die traditionellen Begriffe «was sich ziemt, was Sitte ist», (Röm.1,28) entstammen der griechisch-römischen Ethik.
In Phil.4,11f hat Paulus den Zentralbegriff der kynisch-stoischen Ethik aufgegriffen. Vor allem aber ist hinzuweisen auf die Tugend- und Lasterkataloge (vgl. Gal.5,22f; 2.Kor.6,6; 1.Kor.6,9f; Gal.5,19–21; Röm. 1,19–31; 13,13; Phil.4,8), die allgemein ethische Begriffe enthalten und in der Unterweisung der volkstümlichen Moralphilosophie zu Hause waren und dann später von der Diasporasynagoge übernommen wurden. Gerade diese traditionellen Kataloge zeigen noch einmal aufs eindrücklichste, daß das Wissen um ein natürliches Sittengesetz der Christen wie Nichtchristen vorauszusetzen ist und sowohl über die Inhalte als auch Kriterien der ethischen Lebensführung bei allen Menschen Übereinstimmung herrscht.
Fazit: Begriffe, Inhalte, Normen und Forderungen sittlichen Verhaltens sind bei Nichtchristen und Paulus identisch. Warum? Weil das in die

Herzen geschriebene Gesetz der Heiden identisch ist mit dem mosaischen Moralgesetz, das auch für Christen verbindlich ist. Weder kennt der späte Paulus eine genuin christliche ethische Begrifflichkeit noch bestimmen neue, spezifisch christliche Inhalte seine «Ethik». Weder gibt es für den späten Paulus im Inhalt spezifisch christliche Normen noch ist seine Evangeliumsverkündigung wirklich normenschöpferisch. Wenn aber an der materialethischen Kongruenz zwischen der nichtchristlichen und christlichen Ethik nicht zu zweifeln ist, dann wird die Frage nach dem spezifisch bzw. exklusiv Christlichen der spätpaulinischen «Ethik» um so dringlicher, wie die intensive sogenannte Propriumsdiskussion im internationalen wie interkonfessionellen Bereich gezeigt hat (lat. «proprium» = «Eigenes»). Denn mit Nachdruck ist festzuhalten, daß die spätpaulinische «Ethik» jedenfalls niemals als natürliche Ethik zu verstehen ist. Obwohl es an Versuchen in der Vergangenheit nicht gefehlt hat und auch in der Gegenwart nicht fehlt, die paulinische «Ethik» in die antike oder gegenwärtige Moraltheologie heimzuholen, sind alle diese ernst zu nehmenden Versuche zum Scheitern verurteilt. Wie das spätpaulinische Moralgesetz weder in das heidnische Natur- noch «jüdische Mosegesetz integriert werden kann, so stellt auch das spätpaulinische Heilsethos in keiner Weise die letzte Vollendung des Weltethos, der säkularen Ethik oder der autonomen Moral dar.

Die bisherige Diskussion sah das proprium christianum (= das spezifisch bzw. exklusiv Christliche) der paulinischen «Ethik» in vielerlei Hinsicht. Man ist sich einig darin, daß der Christ nach Paulus nichts anderes als jeder gesetzesstrenge Jude oder fromme Heide und d. h. also jeder ethisch enagierte Mensch tut, aber er tut es eben anders. Und auf diese Andersartigkeit kommt beim späten Paulus alles an! Diese Andersartigkeit, eben das proprium christianum der spätpaulinischen «Ethik», liegt nun aber keineswegs in der Auswahl, Verschärfung und Korrektur vorgegebener nichtchristlicher Inhalte und Forderungen. Das genuin Christliche liegt auch nicht in dem allgemeinen, theologischen, christologischen und eschatologischen Begründungs- und Sinnzusammenhang wie der neuen Motivierung des Sittlichen. Die Überlegenheit der spätpaulinischen «Ethik» ist auch nicht darin zu suchen, daß es die antike Ethik und Normen nicht nur als Aufgabe übernimmt, sondern vor allem als Gabe und Kraft vermittelt, so daß die zuvorkommende Gnade Gottes in Christus zum Vorzeichen vor der Klammer geworden wäre. Natürlich sind die Umbildungen, Korrekturen und Neubildungen sittlicher Verhaltensmaßstäbe im einzelnen durch Paulus keineswegs zu leugnen. Aber das spezifisch Christliche der spätpaulinischen «Ethik» liegt vielmehr im radikal neuen Wertungshorizont. Denn die autonome Ethik ist für den späten Paulus nicht nur Gegenstand der Rezeption, sondern in umfassender Weise auch Gegenstand der theologischen Reflexion. Die nichtchristlichen Verhaltensmaßstäbe werden zwar nicht im Inhalt, aber in ihrer Wertung radikal verändert, d. h. in den

Horizont seiner Gesetzes-, Rechtfertigungs- und Charismenlehre gestellt und damit total umgeprägt. Paulus streicht rigoros die von der nichtchristlichen Ethik mitgebrachten Wertungen. So ist das allen traditionellen nichtchristlichen Normen zugrunde liegende jüdische Mose- wie heidnische Naturgesetz nicht mehr Heilsweg und alleiniger Heilsmittler, wird die Erfüllung dieser traditionell ethischen Forderungen nicht mehr als Heilsbedingung zensiert und wird die Liebe als höchste Tugend bzw. größtes Gesetzeswerk nicht mehr als Verdienst, sondern ausschließlich als Dienst am Nächsten gewertet. Der Glaube hat nach Paulus in der Tat ein neuen «Ethos» geschaffen. Aber diese eschatologische Neuheit wirkt sich darin aus, daß die traditionell menschliche Leistungsperspektive, die Gesetzlichkeit, der Tugendstolz und das Verdienststreben verabschiedet werden, weil sie in der paulinischen «Ethik» ihren angestammten Platz verloren haben.

Diese Neuheit wie Andersartigkeit der christlichen Lebensführung ist nach dem späten Paulus keineswegs allgemein wahrnehmbar und ausweisbar, aber gerade deshalb eschatologische Wirklichkeit. Abschließend ist also festzuhalten: Die ethischen Inhalte und Maßstäbe im nichtchristlichen wie christlichen Lebenswandel sind dieselben, allein an ihrer Wertung bzw. Zensierung als Verdienst oder Dienst durch den Handelnden scheiden sich nach Paulus die Geister.

Mit dieser kritischen Übernahme von ethischen Normen, Formen und Inhalten der jüdischen wie heidnischen Umwelt und d.h. konkret der antiken Ethik, stoßen wir nun aber auf ein weiteres Problem. Wenn in der Spätphase der paulinischen «Ethik» die natürliche Erkenntnis Gottes und des Sittengesetzes aufgrund seiner Schöpfungswerke (Röm.1,19ff) die Identität von alttestamentlich-jüdischem Mosegesetz und heidnischem Naturgesetz (Röm.2,14ff) wie überhaupt die materialethische Kongruenz von nichtchristlicher und christlicher Ethik vorausgesetzt wird, dann meldet sich unabweisbar das immer noch aufs heftigste umstrittene Problem einer natürlichen bzw. Schöpfungsethik, für die Schöpfungsordnungen, Strukturen wie Normen konstitutiv sind. Denn auch für den späten Paulus wird die aus der griechischen Tradition stammende Natur (=physis) wie Naturordnung im Horizont und auf der Basis seiner Schöpfungstheologie verstanden. Wie die Natur für Paulus vom Schöpfer gewirkte Schöpfung ist, so die Naturordnung vom selben Gott gesetzte Schöpfungsordnung. Denn der Schöpferglaube ist auch vom späten Paulus trotz dualistischer Abwertung des Kosmos (1.Kor.1,20; 2,8.12; 2.Kor.4,4 und 7,31 u.a.) nicht preisgegeben worden: Gott bleibt für ihn der Schöpfer (Röm.1,25; 1.Kor.8,6 und 10,26), die Welt seine Schöpfung (Röm.1,20; 8,19ff), die Menschen seine Gesachöpfe (Röm.9,20; 1.Kor.11,9 u.a.) und Christus der alleinige Schöpfungsmittler (1.Kor.8,6). Diese rückhaltlose Anerkennung des Schöpfers und seiner Schöpfung hat nun aber sogleich kritische Konsequenzen, wenn in 1.Kor.10,26: «Die Erde ist des Herrn und ihre

Fülle» und Röm.14,20: «Alles ist rein» dieser Schöpfungsglaube grundsätzlich zur Aufhebung der alttestamentlich-jüdischen Speisegebote und damit des mosaischen Ritualgesetzes führt.

Für das Weltverhältnis des Christen heißt das mit den Worten von 1.Kor.7,31: «Die, die die Welt gebrauchen, als gebrauchten sie sie schon nicht mehr». Distanz und Freiheit gegenüber der Welt sollen also nach Paulus das christliche Weltverhältnis bestimmen; denn trotz aller Gottlosigkeit bleibt die Welt Gottes Schöpfung, so daß sie weder schlechthin verteufelt noch aber auch vergötzt werden kann und soll.

Aber Gott hat diese Welt nicht nur geschaffen, sondern ihr auch Ordnungen gesetzt und Normen gegeben, so daß diese Schöpfungsordnungen – auch wenn sie nicht mehr frei sind von den Unheilsmächten in der Welt, also eine gestörte Weltordnung widerspiegeln – als ethische Norm für alle Christen verbindlich sind.

Wie wir sogleich sehen werden, hat gerade auch Paulus in der Spätphase seiner «Ethik» mit dieser auf den kosmischen Ordnungen beruhenden Schöpfungsnorm argumentiert und sie ausdrücklich als Verhaltenskriterien für den neuen Lebenswandel anerkannt. Das spätpaulinische Rechtfertigungs- und Charismenevangelium hat somit die vom Schöpfer in seine Schöpfung gelegte Ordnungen wie Verhaltensmaßstäbe keineswegs verabschiedet, sondern ausdrücklich legitimiert.

An erster Stelle ist in diesem Zusammenhang Röm.13,1–7 zu nennen, wo Paulus die Unterordnung unter die politischen Gewalten fordert. Weil letztere ausdrücklich von Gott angeordnet sind (13,1), wird jede Rebellion kategorisch ausgeschlossen, da sie einen direkten Angriff auf Gottes Anordnung darstellt (13,2). Schon immer ist in dieser staatsbürgerlichen Paränese die Häufung der Worte vom Stamm «ordnen» aufgefallen (13,1.2.5 u.ö.), die eindeutig das Thema der Schöpfungsordnung und ihre normative Bedeutung für die christliche Existenz herausstellen, wobei auf den Willen des Schöpfungsordners rekurriert wird. Die gesamte Paränese von Röm.13,1–7 wird von Paulus ausdrücklich mit «von Gott geordnet bzw. angeordnet» begründet. Dem entspricht die Mahnung zur Unterordnung der von Gott verordneten politischen Gewalten. Paulus gebraucht hier gerade nicht den Begriff Gehorsam, weil das Verbum «unterordnen» im Gegensatz zu «gehorchen» pointiert den Staat als Schöpfungsordnung den jeweiligen Staatsbürgern überordnet, die sich ihm also unterzuordnen haben. Weil der Schöpfergott die politischen Gewalten als Schöpfungsordnung eingesetzt hat, wird sie für die christliche Existenz zur Norm sittlichen Lebens. Auch wenn der Staat wie alle anderen vom Weltenschöpfer gesetzten Ordnungen zum alten und vergehenden Aeon gehört, bleibt diese schöpfungsgemäße Ordnung und gewissenmäßige Norm (Röm.13,5 und 7) bis zur Ankunft des kommenden Herrn stehen, weil Gott seine Schöpfung nicht im Stich läßt.

Derselbe ordnungstheologische Vorstellungshorizont bestimmt auch den

Grundsatz von 1.Kor.7,20: «Jeder bleibe in dem Stand, in dem ihn die Berufung antraf». Im Kontext von 1.Kor. 7 heißt das aber, daß die ehelosen und Witwen, die Juden und Heiden, die in Mischehe von Christen und Heiden Lebenden, die Sklaven und Freien wie die Jungfrauen bleiben sollen in ihrem jeweiligen Stand, in ihrer sozialen oder geschlechtlichen Position und gesellschaftlichen Lage. An dem konkreten Ort, an dem ihn der Ruf Gottes traf, sei er Sklave oder Freier, Unverheirateter oder Witwer, Jude oder Heide, soll der betreffende Christ «bleiben» – das ist das von Paulus ausgegebene ordnungstheologische Stichwort. Denn jener Stand ist die vom Schöpfer dem Geschöpf verordnete Position, die der Christ auf gar keinen Fall von sich aus verlassen darf. In diesem Stand soll nämlich der Christ den ihm aufgetragenen charismatischen Gehorsam bewähren und sich so auf die nahe Ankunft seines Herrn und des Endes von Welt und Geschichte rüsten. Der Vater Jesu Christi ist auch hier der große Weltenordner, dessen schöpfungsmäßige Anordnungen nicht zu übersehen sind, sondern die vielmehr jeder Christ im Alltag der Welt zu respektieren hat, indem er sich ein- und unterordnet und damit bewährt. Diese schöpfungsmäßige Setzung des jeweiligen Standes durch Gott begründet die apostolische Mahnung, in diesem Stand auch zu bleiben. Nicht der Christ hat sich diesen Stand ausgesucht, sondern dieser beruht einzig und allein auf der göttlichen Einsetzung und Verordnung, so daß jedes eigenmächtige Abrücken davon die göttliche Schöpfungsordnung überschreitet.

Allerdings besteht ein entscheidener Unterschied zur Ordnungsethik der jüdischen wie heidnischen Umwelt: Das Handeln im jeweiligen Stand verdient sich nicht mehr das ewige Leben bzw. die Unsterblichkeit, sondern ist einzig und allein charismatischer Dienst am Nächsten. Mit diesen Einschränkungen kann der späte Paulus den jeweiligen Stand in der göttlichen Schöpfungsordnung zur Norm ethischen Verhaltens machen, hat dieser also einen eindeutig normativen Inhalt.

Nach 1.Kor.7,2ff und Röm.1,26ff gilt nun auch die Ehe und der in ihr vollzogene natürliche Geschlechtsverkehr als eine vom Schöpfer eingesetzte Schöpfungsordnung, so daß von ihrer normierenden Kraft für den christlichen Lebenswandel gesprochen werden muß. Paulus antwortet in 1.Kor.7,2ff auf Anfragen eines Teiles der Gemeinde (7,1a), die von der gnostischen Parole der totalen Geschlechtsakese (7,1b) aufgeschreckt den Apostel um autoritative Auskunft darüber bitten, ob die Ehe und der eheliche Geschlechtsverkehr minderwertig und abgelehnt werden müssen bzw. ob Weiterführung und Vollzug der Ehe überhaupt noch christlich seien. Die apostolische Weisung ist klar und bestimmt: Die Ehe, und zwar die Einehe, wird ausdrücklich konzediert, ja geboten («Jeder habe seine eigene Frau, und jede ihren eigenen Mann»! 7,2), womit die Polygamie verboten wird. Einziger Zweck dieser gottgewollten Eheordnung ist es, die mannigfachen Erscheinungsformen der Unzucht (Plural!) zu vermeiden, wie Prostitution, der freie Geschlechtsverkehr von Eheleuten und überhaupt der nichteheliche Geschlechtsverkehr. Die Einehe ist für den späten Paulus sowohl der einzige wie auch ausschließliche Ort, den Geschlechtsverkehr zu vollziehen. Denn das Primäre und Wesentliche ist für ihn der geschuldete Geschlechtsverkehr (1.Kor.7,3f), bzw. die leibliche Gemeinschaft. Wie tiefgreifend und total diese Geschlechtsgemeinschaft reicht, beweisen die im Gegensatz dazu stehenden Ausführungen des Paulus zum Verkehr des Christen mit der Dirne in 1.Kor.6,12ff, die den eigentlichen Kommentar zur spätpaulinischen Eheauffassung darstellen. In der Ehe und durch den Vollzug des Geschlechtsverkehrs werden «die zwei ein Fleisch» (Zitat aus Gen.2,24 in 1.Kor.6,16) und verlieren beide das Verfügungsrecht über ihren eigenen Leib. Weil sich keiner dem anderen sexuell entziehen darf (1.Kor.7,4), wachsen sie zu einem untrennbaren Ganzen zusammen und werden wirklich ein Fleisch. Diese totale Geschlechtsgemeinschaft, die der späte Paulus nur in der Ehe verwirklicht wissen will, hat ihren letzten erkennbaren Grund im Willen des Schöpfergottes (Gen.2,24), der die Ehe zu einer göttlichen Schöpfungsordnung eingesetzt und verordnet hat, um Mann wie Frau vor geschlechtlicher Unzucht zu bewahren.

Weil die Ehe und der eheliche Verkehr eine vom Schöpfer eingesetzte schöpfungsmäßige Ordnung ist, begründet sie die apostolische Mahnung, alle sexuellen Beziehungen neben und statt der Ehe strikt zu unterlassen. Der Rückgriff auf die Schöpfungsordnung verbietet die Prostitution, den außerehelichen Geschlechtsverkehr der Ehepartner wie den nichtehelichen Verkehr. Es ist keine Frage, daß die Schöpfungsordnung der Ehe nach 1.Kor.7,2ff zur Norm ethischen Verhaltens der Christen wird.

Der jetzt notwendige Hinweis auf Röm.1,26f rundet diesen Argumentationsgang nicht nur ab, sondern bestätigt ihn. Der «natürliche Verkehr» zwischen Mann und Frau entspricht der göttlichen Schöpfungsordnung, während der widernatürliche zwischen Mann und Mann bzw. zwischen Frau und Frau diesen aufhebt und direkte Auswirkung des göttlichen Zornesgerichtes darstellt. Für unseren Zusammenhang ist entscheidend, daß vom Apostel der natürliche Geschlechtsverkehr auf die vom Schöpfer gewirkte Schöpfungsordnung zurückgeführt wird, diese also zum ausdrücklichen Maßstab ethischen Lebenswandels wird.

Sogar Sitte, Anstand und Konvention, die ebenfalls auf der Natur bzw. Schöpfungsordnung beruhen, werden bei Paulus zur Norm ethischen Forderungen (1.Kor.11,3.14; 13,5; 14,40; Röm.13,13; Phil.4,8 u.ö.).

Abschließend muß festgestellt werden, daß der späte Paulus keine traditionelle Schöpfungsethik mehr kennt, da das Handeln der Christen in den Schöpfungsordnungen ausschließlich vom Dienst und niemals mehr vom Verdienstgedanken bestimmt wird. Zwar ist in dieser radikalen Neuinterpretation die Schöpfungstheologie nicht mehr der Gesamthorizont spätpaulinischer «Ethik», – das ist zweifellos die Charismenlehre! –, aber ganz sicher einer ihrer Hauptaspekte. Versuche schließlich, die Schöpfungstheologie auf eine Schöpfungschristologie zu reduzieren, kommen einer unsachgemäßen Engführung gleich, die außerdem ohne wesentliche Anleihen bei dem nichtredigierten Johannesevangelium undurchführbar wäre.

3. Das Gesetz des Mose und das Gesetz des Christus

Paulus hat in der Spätphase das alttestamentliche Gesetz zum Gegenstand seiner «ethischen» Reflexion gemacht. Aber in welcher Weise? Zuerst einmal unterscheidet Paulus zwischen dem Kult- und dem Moralgesetz im Alten Testament und dann zwischen dem Gesetz als Heilsmittler und lebensgestaltender Norm.

Die Zeremonialgebote werden von Paulus sowohl als Heilsfaktor wie Heilsbedingung als auch als Kriterium christlichen Lebenswandels abgelehnt. Seit Christi Tod und Auferstehung hat das gesamte Kultgesetz des Mose seine eschatologische Relevanz für den Christen eingebüßt, so daß sie von nun an für den Christen weder soteriologisch noch ethisch von Bedeutung sind. In Röm.14,14 und 20 werden ausdrücklich die alttestamentlich-jüdischen Speisegebote für null und nichtig erklärt, da «nichts in sich selbst unrein» ist (Röm.14,14). Mit der Ersetzung des Sabbats durch den Sonntag (1.Kor.16,2) fiel ebenfalls ein zentrales Zeremonialgebot weg, das einzige übrigens im Dekalog! Und schließlich beweist 1.Kor.7,19, daß das rituelle Beschneidungsgebot zugunsten der ethischen Gebote preisgegeben wird.

Anders dagegen verhält es sich mit dem Moralgesetz und seinen ethischen Forderungen. Hier setzt sich die oben genannte Unterscheidung voll durch: Zwar sind auch das Moralgesetz als Heilsweg und die Gesetzeswerke als Heilsbedingung erledigt, aber die ethischen Forderungen und Normen als solche behalten auch für den Christen ihre Gültigkeit, wenn auch mit erheblichen Einschränkungen. Denn das alttestamentliche Moralgesetz ist auch als lebensspendende Norm für Paulus keineswegs mehr die alleinige Autorität noch stellt es im neuen Lebenswandel der Christen die unverbrüchliche bzw. unangefochtene Instanz überhaupt dar. Daß das alttestamentliche Moralgesetz für Paulus einerseits in seiner Spätphase nirgendwo mehr die selbstverständlich, autoritative Norm ist, lehren die folgenden Beispiele, so daß nun aber auch andererseits auf gar keinen Fall behauptet werden kann, Paulus verzichte grundsätzlich auf einen Rückgriff auf das alttestamentliche Ethos: Röm.12,16-21; 1.Kor.5,13; 6,16; 13,5; 2.Kor.8,9 u.a. beweisen mit den Zitaten und Anspielungen, daß die spätpaulinische «Paränese» in der Kontinuität mit den alttestamentlichen Lebensnormen steht. Das von Paulus zitierte Schlagwort der judenchristlichen Gnostiker in Korinth: «Es ist gut für den

Menschen, eine Frau nicht zu berühren» (1.Kor.7,1), behauptet das genaue Gegenteil vom Gen.2,14. Die hier von Paulus bejahte, totale Geschlechtsaskese setzt sich in den Mahnungen von 1.Kor.7,8 und 26 konsequent fort, Heirat und Wiederheirat bewußt zu meiden, womit eindeutig ethische Verhaltensmaßstäbe des Alten Testaments korrigiert werden.

Auch das absolute Ehescheidungsverbot in 1.Kor.7,10 hebt sogar ethische Forderungen des Alten Testamentes auf, und in 1.Kor.9,7ff wird das alttestamentliche Zitat aus 5.Mose 25,4 dadurch entscheidend in seiner Beweiskraft relativiert, daß es nur ein Argument unter anderen für das Recht des Apostels auf Unterhalt durch die Gemeinde ist.

Endlich wird die Brechung der Gesetzesautorität in der radikalen Neuinterpretation des Liebesgebotes deutlich. Zwar wird sein Zusammenhang mit dem Alten Testament nirgendwo abgeschwächt (Gal.5,14; Röm.13,8–10), aber zum einen wird dieses das ganze Mosegesetz summierende und erfüllende Gebot in den Horizont der spätpaulinischen Rechtfertigungs- und Charismenlehre völlig neu gewertet: Die Liebe ist nicht mehr die höchste Tugend oder das größte Gesetzeswerk, also Verdienst, sondern das grösste Charisma, also nur noch Berufung zum Dienst am Nächsten.

Zum andern wird das, was Liebe beinhaltet, ausschließlich von der Tat des Christus und d.h. konkret vom Verhalten des präexistenten und inkarnierten Gottessohnes her definiert (vgl. Gal.2,20; 2.Kor.5,14f; 8,9; Röm.15,3; Phil.2,1ff u.ö.). Die Liebe, die Gott fordert, hat ihr Vorbild und Beispiel in der Liebe, der Selbstaufgabe und Selbsterniedrigung des Christus. Nur in dieser christologischen Neufassung wird das alttestamentliche und jüdisch geprägte Liebesgebot von Paulus eschatologisch inkraft gesetzt und schließlich mit dem «Gesetz des Christus» gleichgesetzt (Gal.6,2). Als bewußte Gegensatzbildung zum Gesetz des Mose ist jetzt bei Paulus mit dem «Gesetz des Christus» die auf das Moralgesetz reduzierte Tora gemeint, die mit dem Liebesgebot identisch ist. Und allein dieses «Gesetz des Christus» wird von Paulus als verbindliche Norm christlichen Lebenswandels vorausgesetzt und immer wieder in seiner «Paränese» geltend gemacht. Nur in dieser eschatologischen Neufassung behält das jeweils zitierte ethische Gebot des Alten Testamentes seine unverlierbare Autorität und normierende Kraft.

4. Die Liebe als höchster Verhaltensmaßstab

Zu den leitenden Verhaltensmaßstäben des Christen gehört nun aber vor allem die Liebe. Sie ist nicht nur die höchste und oberste Norm des neuen Lebenswandels, sondern als Liebesforderung zugleich auch das größte und vornehmste aller Gebote.

Die Liebe ist nach Paulus Liebe des Geistes (Röm.15,13), Frucht des Geistes (Gal.5,22) und darin Wirkung des Geistes als Geistesmacht (1.Kor.14,1). Die Liebe ist die personifizierte und heilbringende Macht und die Kraft im Herrschaftsbereich des Geistes, der Gnade und des Lebens und steht im Wesensgegensatz zum verderbenbringenden Herrschaftsbereich des Fleisches, der Sünde und des Todes. Sie ist darum primär Gabe und Geschenk des Geistes, also ein pneumatikon (1.Kor. 14,1) bzw. der Gnade, also ein Charisma (1.Kor.12,31).

Aber der späte Paulus geht auf dem Höhepunkt seiner Theologie der Geisteswirkungen (= pneumatika) bzw. Gnadenwirkungen (= Charismen) über diese soeben genannten zentralen Offenbarungssätze bewußt hinaus, wenn er in 1.Kor.12,31a und 13,13 diese Liebe als das größte und vornehmste Charisma definiert, sie darüber hinaus zum eigentlichen Kriterium aller Charismen und damit schließlich zur höchsten Norm seiner gesamten «Ethik» erhebt.

Das «Hohelied der Liebe» in 1.Kor.13 nimmt in diesen Überlegungen darum die Schlüsselstellung ein. Aber 1.Kor.13 ist weder – wie in der Forschung oftmals vermutet wurde – ein poetischer Exkurs über die höchste Tugend der Liebe noch ein von Paulus nachträglich in seinen Brief versetzter Einschub oder gar eine spätere, weil nachpaulinische und störende Interpolation. Vielmehr stellt 1.Kor.13 im Kontext von 1.Kor.12–14 den eigentlichen Höhepunkt seiner Charismentheologie dar. Denn 1.Kor.13 ist jetzt aufgrund der Rahmung in 1.Kor.12,31a und 14,1 wie überhaupt des Kontextes seiner Theologie des Gesetzes, der Rechtfertigung und Charismen eine Lehrrede über das größte Charisma der Liebe. Alle Gnadengaben, wie z. B. Weisheits- und Erkenntnisrede, Glaube, Heilungsgabe, Kraftwirkungen, Prophetie, Seelsorge, Lehre, Dienstleistungen, Verwaltungen, Unterscheidung der Geister, Zungenrede und Übersetzung der Zungenrede usw. (vgl.1.Kor.12,4–11; 28–31; Röm.12,6–8) sind nach dem späten Paulus zu messen an der Liebe. Sie wird den Charismen eindeutig und zwar im polemischen Sinne übergeordnet. Dabei darf die ausgesprochen antignostische Frontstellung von 1.Kor.13 mit der Kritik an den korinthischen Enthusiasten und ihrer einseitigen Hochschätzung von außerordentlichen und ekstatischen Geisteswirkungen nicht übersehen werden. Sämtliche bisher aufgezählten Charismen (in 1.Kor. 12,4–11.28–31) bzw. «pneumatika» (14,1) werden zwar anerkannt, aber zugleich relativiert: Nach 1.Kor.12,31a gibt es noch «höhere Charismen». Ausdrücklich ermahnt Paulus die Korinther, nach diesen höheren Charismen zu streben (12,31a). Damit lenkt er den Blick auf die höheren Gnadengaben bzw. Geisteswirkungen und unterscheidet ausdrücklich zwischen niederen und höheren Charismen.

Auf der untersten Stufe der Rangordnung der Charismen stehen die natürlichen und übernatürlichen Fähigkeiten (vgl. 1.Kor.13,1–3) wie die Beherrschung von Menschen- und Engelsprachen, die höchsten Fähigkei-

ten zu Prophetie, Mysterienwissen, Gnosis und Wunderglauben wie die alles andere überragende Opfertaten (= Fortgeben des ganzen Besitzes und Feuermartyrium). Ohne die Liebe sind sogar die höchsten und besten Taten ein Nichts, weil sinn- und wertlos. Aber der späte Paulus geht über diesen traditionellen Bekenntnissatz seiner hellenistischen Kirche insofern hinaus, als er die Liebe neu definiert. Im Gegensatz zur Stoa ist die Liebe keine Möglichkeit des natürlichen Menschen bzw. keine angeborene Eigenschaft mehr, die «gehabt» wird! Sie ist auch keine Tugend im Sinne der griechisch-römischen Ethik oder das größte Gesetzeswerk im Gegensatz zum Judentum. Die Liebe als kritische Norm der natürlichen und übernatürlichen Fähigkeiten der Christen wird nicht mehr als gesetzerfüllendes Verdienst, sondern nur noch als charismatischer Dienst vom späten Paulus gewertet.
Dann folgen die niederen Charismen (1.Kor.12,4–11; 28–31; Röm. 12,6–8). So wichtig und anaufgebbar sie für den Dienst des Christen in Gemeinde und Welt sind, im kommenden Aeon werden sie nicht mehr sein, weil sie nur vorläufige Bedeutung und ihr Maß an der ewigen Liebe haben. Bei der Liebe geht es aber nach 1.Kor.13,4–7 nicht nur um Gesinnung, Gefühl oder Stimmung, sondern ausschließlich um Taten und bestimmte Verhaltensweisen der personifizierten Liebe. Dieser «ethische» Aspekt der Liebe ist für Paulus konstitutiv und unaufgebbar. Ihr Walten kann und soll durchaus erkannt und angenommen werden, sie verbleibt auf gar keinen Fall im Bereich der Unanschaulichkeit. Zugrunde liegt ein traditioner Tugendkatalog, der allerdings schon vor Paulus in Verbformen des Handelns umgesetzt worden ist. Wie in Gal.5,22f ist die Liebe aber nicht mehr die höchste aller Tugenden, sondern aller «Früchte des Geistes». Der späte Paulus versteht die Taten der Liebe nicht mehr als Tugendleistungen gegenüber dem Moralgesetz als Heilsweg im Sinne der antiken Ethik, sondern als charismatische «Tugenden», eben als «Frucht des Geistes». Ihre alles umfassende Macht beruht darin, daß sie als größte Geistes- bzw. Gnadenwirkung mit ihren Taten nur dem Nächsten, nicht aber dem eigenen Heil des Handelnden zugute kommt. Auch wenn nach Paulus die Liebe gehört (Phlm.5), erkannt (2.Kor.2,4) und auf ihre Echtheit geprüft werden soll und kann (2.Kor.8,8.24), kann sie für den Außenstehenden nicht ihrer Verborgenheit und Zweideutigkeit ohne weiteres enthoben werden. Denn ob die Liebe vom Täter als Dienst oder Verdienst, als Charisma oder Gesetzeswerk gewertet wird, ist nur dem Handelnden, nicht aber dem Außenstehenden im Herrschaftsbereich des Christus und des Geistes offenbar.
Auch nach 1.Kor.13,4–7 ist die Liebe die Norm aller Früchte des Geistes, und d.h. der Fülle der Charismen inner- und außerhalb der Gemeinde.
Schließlich folgen in 1.Kor.13,8–13 die höheren Charismen Glaube, Hoffnung und Liebe. Sie überdauern nämlich die «Kinderzeit» der Charismen und der höchsten Eigenschaften, Fähigkeiten und Opfertaten, weil sie

auch im Eschaton bleiben. Aber das größte, höchste und unvergleichlichste Charisma ist die Liebe (1.Kor.13,13), sie ist der «allerhöchste Weg» (1. Kor.13,31b) und die Geisteswirkung schlechthin. Die Liebe ist die Norm auch der höheren Charismen Glaube und Hoffnung und damit die höchste Norm christlichen Handelns überhaupt. Deshalb wird die Liebe als die Offenbarung Gottes selber niemals aufhören, sondern ewig bleiben. Diese als größtes Charisma definierte Liebe ist identisch mit lebenslangem Dienen, nicht aber mehr Verdienen.

Ihren Inhalt erhält die Liebe vom Christusgeschehen, in dem ein für allemal Gottes Liebe in der Hingabe seines Sohnes am Kreuz offenbar geworden ist (Gal.2,20; Röm.5,6ff): Selbsterniedrigung und Selbstentäußerung des Inkarnierten, Gehorsam und Selbsthingabe bis zum Kreuz sind ihre unverwechselbaren Kennzeichen.

Weil die Liebe in der Sendung des präexistenten, Mensch gewordenen und am Kreuz sein Leben lassenden Gottessohnes als Freiheit von sich selbst und Hingabe an alle Geschöpfe definiert worden ist, kann sie niemals auf die Selbstverwirklichung, Selbstbehauptung und Heiligung der liebenden Person und schon gar nicht auf den Erwerb des eigenen Heils ausgrichtet sein (Röm.15,5). Liebe ist also für den späten Paulus gerade nicht der Versuch des frommen Menschen, das Mitgeschöpf zum beliebigen, weil austauschbaren Objekt seiner Selbstvervollkommnung, Tugendleistungen oder Heilssicherung zu machen. Selbstaufgabe und Selbsthingabe, allein um des Nächsten willen sind ihre konkreten, weil charismatischen Zeichen. Die Liebe, die nicht das Ihre sucht (1.Kor.13,5) und sich nicht selber gefällt (Röm.15,1ff), ist allein am selbstlosen und opferbereiten Dienst an den Nächsten orientiert. Natürlich kennt auch der späte Paulus die Liebe zu Gott oder Christus (1.Kor.8,3 und 16,22), aber in seinen Briefen bezieht sich die ethische Dimension der Liebe zumeist auf die Geschöpfe; denn die Liebe zum Schöpfer wird konkretisiert in der Liebe zu allen seinen Geschöpfen. Beides gehört untrennbar zusammen. Objekt ist vor allem der christliche Bruder (Röm.13,8; Gal.5,13; Röm.12,10), dann der Nächste überhaupt (Röm.13,8ff; 15,2; 1.Kor. 13,5), der Feind (Röm.12,13.17.20f) wie alle Menschen (Gal.6,10; Phil.4,5). Die an Christi Tat orientierte und durch den Gekeuzigten definierte Liebe ist zwar primär auf die Kirche als den Leib Christi ausgerichtet, kennt aber letzlich keine Grenzen und umschließt Außenstehende und sogar alle Menschen einschließlich der Verfolger und Feinde. Deshalb ist die Liebe nicht nur Gabe, Geschenk und das größte Charisma, an dessen Norm die Fülle der Charismen gemessen werden muß, sondern das Gebot schlechthin. Eben weil diese Liebe gerade auch für die Christen nichts Selbstverständliches ist, wird sie von Paulus immer wieder gefordert (1.Kor.14,1; 16,14; 2.Kor.8,24; Gal.5,13f; Röm.13,8ff). Gerade dieser Gebots- bzw. Verpflichtungscharakter (Röm.13,8) der Liebe darf bei der Darlegung der hauptsächlichen Kriterien der spätpaulinischen

«Ethik» nicht vergessen werden. Weil auch der Christ nur im Glauben den Verhängnismächten Fleisch, Sünde, Gesetz und Tod entrissen ist, der alte und böse Aeon aber andauert, bedarf es für den Christen die lebenslange Ermahnung, Liebe zu üben. Denn das Liebesgebot ist nichts anderes als das «Gesetz des Christus» (Gal.6,2), auf das gerade der Gerechtfertigte verpflichtet wird. Ja, das Liebesgebot ist das höchste Gebot wie Summe, Zentrum und Hauptsache des göttlichen Gesetzes überhaupt. Konsequent wird deshalb die Liebesforderung allen anderen Geboten vor- und übergeordnet, sie allein ist die oberste Norm christlichen Lebenswandels. Gal.5,14 und Röm.13,8–10 beweisen, daß das Liebesgebot an der Spitze aller Gebote steht und auch für den späten Paulus das höchste und vornehmste Gebot bleibt. Der Christ ist lebenslang zur Nächstenliebe verpflichtet, die er niemals abtragen kann (Röm.13,8a); denn die Nächstenliebe ist die Erfüllung des ganzen Gesetzes (Röm. 13,8b) wie seine Zusammenfassung und Summe (Röm.13,9). Sie «tut dem Nächsten nichts Böses an» (Röm.13,10); deshalb sind alle Gebote (Röm.13,9) nicht nur im Liebesgebot enthalten, sondern werden auch an ihm gemessen. Das Liebesgebot ist darum der «allerhöchste Weg» (1.Kor.12,31b) und deshalb soll wirklich «alles in Liebe geschehen» (1.Kor.16,14).

So ist es nur konsequent, wenn das Liebesgebot als Summe, Erfüllung und Zentrum des ganzen Gesetzes eine zentrale Stellung in der konkreten Paränese inne hat. Mit Bedacht eröffnet der Apostel programmatisch in Röm.12,9: «Die Liebe sei ungeheuchelt» den «ethischen» Schlußteil des Röm. Denn das Liebesgebot ist nicht nur beherrschendes Thema, Überschrift und Leitmotiv der unmittelbar folgenden katechetischen Mahnrede Röm.12,9b–21, sondern auch der anschließenden staatsbürgerlichen Paränese Röm.13,1–7 und der abschließenden Taufparänese Röm.13,11–14. Mit anderen Worten: Die Forderung der ungeheuchelten Liebe zum Bruder, Nächsten und Feind ist das Generalthema der gesamten allgemeinen Paränesen Röm.12,9b–13,14, so daß die spätpaulinische «Ethik» zum exemplarischen wie verbindlichen Kommentar des Liebesgebotes wird. Aber niemals darf vergessen werden, daß diese Liebe vom späten Paulus nicht mehr als verdienstliche Gesetzesleistung um des eigenen Heiles willen, sondern nur noch und ausschließlich als Berufung zum Dienst um des Nächsten willen verstanden und gewertet wird.

Aber nicht nur in der allgemeinen, sondern ebenso in der speziellen Paränese ist die Liebe zum Bruder und Nächsten der alles entscheidende Verhaltensmaßstab und die ausschließlich normierende Kraft. Im Blick stehen die Spannungen und Konflikte in den gemischten Gemeinden im Osten (Korinth) wie im Westen (Rom) des römischen Weltreiches , auf die der Apostel in 1.Kor.8–10 wie Röm.14–15 ausführlich zusprechen kommt. Die «Heiden»-Christen als ehemalige Gottesfürchtige enthielten sich bewußt des Götzenopferfleisches (1.Kor.8,1–13; 9,19–22; 10,22–11,1), hielten vielmehr die alttestamentlichen Reinheitsgebote

(Röm. 14,20f), verzichteten aus ritualgesetzlichen Gründen auf den Genuß sowohl von Schweinefleisch wie von Opferspendenwein (Röm. 14,21f) und beachteten die jüdischen Feiertage (1.Kor.5,7f; 16,8; Röm.14,5), vor allem den Sabbat. Diesen Skrupeln der «Schwachen» gegenüber hielten die «Starken» alles für rein (Röm. 14,14 und 20) und lehnten das mosaische Ritualgesetz kompromißlos ab. Dem gegenüber betont Paulus immer wieder die Liebe als die treibende Kraft und richtungsweisende Norm allen christlichen Verhaltens. Auch wenn er mit den «Starken» sowohl Erkenntnis als auch Vollmacht wie Freiheit der Christen grundsätzlich bejaht und auch selber öffentlich praktiziert, so haben sich alle diese Überzeugungen und Kriterien an der höchsten Norm der Liebe auszurichten und sind ausschließlich an ihr zu messen. Allein der der Liebe entsprechender Lebenswandel (Röm.14,15) ist die alles entscheidende Norm, der sämtliche anderen Normen rigoros unterzuordnen sind. Daß Paulus die Liebe als Kriterium von Erkenntnis, Vollmacht und Freiheit eines Christenmenschen ansieht und praktiziert, lehren die folgenden Beispiele und Belege. Zwar haben dic Christen nach Paulus die Freiheit vom alttestamentlichen Kultgesetz (1.Kor.2,21; 6,12; 8,9; 10,23 u.a.), aber um des schwachen Bruders willen wird diese Freiheit durch die Liebe derart eingeschränkt, daß die Starken auf das Essen von Götzenopferfleisch verzichten (1.Kor.8,23; 10,28). Gegenüber einer schrankenlosen Praktizierung der Freiheit vom alttestamentlich-jüdischen Kultgesetz bringt Paulus immer wieder das Liebesgebot zur Sprache: Jeder soll den Vorteil des andern suchen (1.Kor.10,24), dem Nächsten gefallen (1.Kor. 10,33), ihn fördern (1.Kor.8,1; 10,23 und damit zum Aufbau der Gemeinde Christi beitragen (1.Kor.8,1; 10,23).

Nicht anders argumentiert Paulus hinsichtlich der römischen Gemeinde: Wenn die an sich richtige Ablehnung des mosaischen Ritualgesetzes den schwachen Bruder betrübt (Röm.14,14), d.h. verletzt und er darüber im Endgericht verloren geht (Röm.14,15), dann wird das oberste Gebot der Liebe übertreten. Die Liebe zum Nächsten und Bruder muß nach Paulus der höchste Maßstab des Verhaltens sein. Ihr sind alle Freiheit und Erkenntnis zu opfern, damit der Schwache erbaut (Röm.14,19), nicht aber vernichtet wird.

Paulus stellt also in Korinth wie in Rom die alles überragende Norm der Liebe für das Handeln des Christen heraus, die alle anderen noch so richtigen Normen und Kriterien begrenzt und in den Hintergrund stellt. Das Liebesgebot als die Summe und Erfüllung des Gesetzes ist der schlechthin entscheidende Maßstab christlichen Lebens, an dem sogar alle Erkenntnis, Vollmacht und Freiheit der Christen kritisch zu messen ist.

Diese Liebe als das Charisma aller Charismen ist die höchste Norm der spätpaulinischen «Ethik». Alles Handeln des Christen, das nicht von der Liebe als Dienst getragen wie geprägt wird, ist nichts, weil sinn- wie wert- und nutzlos.

Nur die Liebe als Charisma «nützt» (1.Kor.13,3) dem Nächsten, weil sie nichts anderes als ihm dienen will. Allein diese ausdrücklich charismatisch verstandene und d. h. immer nur dienende und niemals verdienende Liebe ist in der Spätphase des Paulus die höchste Norm seiner «Ethik». Deshalb ist abschließend noch einmal mit allem Nachdruck festzuhalten, daß dieses spätpaulinische Verständnis der Liebe nicht nur im Horizont seiner Gesetzes-, Rechtfertigungs- und Charismenlehre zu sehen, sondern vor allem ihre unabdingbare Konsequenz ist.

V. Die materialen Inhalte der spätpaulinischen «Ethik»

1. Die staatlich-politischen Gewalten

Von größtem Einfluß auf die politische Ethik aller Konfessionen ist Röm.13, wie die Kirchengeschichte immer wieder gezeigt hat, ging dieser Text doch auf den Apostel Paulus zurück und wurde durch seine überragende Autorität gedeckt. Erst in jüngster Zeit hat die Forschung nachweisen können, daß in Röm.13,1–7 eine vorpaulinische Tradition der hellenistischen Kirche vorliegt, die von der Terminologie der hellenistisch-römischen Bürokratie und Administration gezeichnet ist. Trotzdem besitzt der übernommene Traditionsstoff für Paulus sein eigenes theologisches Gewicht, ist also auf gar keinen Fall nur widerwillig mitgeschleppt worden. Wegen der Aporie und Fremdheit dieses Textes wurde er in der Exegese immer wieder als unpaulinische Interpolation bzw. nachpaulinischer Einschub angesehen. Aber Röm.13,1–7 ist unbeschadet seiner Traditionsgebundenheit kein vorchristlich-jüdischer Text der Diasporasynagoge, sondern eine judenchristlich-katechetische Tradition der hellenistischen Kirche vor und neben Paulus, wofür die folgenden drei Gründe sprechen: 1. Im Gegensatz zur Weisheit Salomonis 6,1–9 und anderen vorchristlich-jüdischen Belegen verschärft Röm.13 die traditionell hellenistisch-jüdische Vorstellung von der gottgegebenen Herrschaft als solcher, in dem sie diese nicht mehr auf die Herrscher, sondern nur noch einseitig auf die Beherrschten anwendet. D.h.: Aus einer traditionell jüdischen Herrscher- wird eine christliche Beherrschtenparänese.
2. schweigt der Text völlig von einem in der Synagoge anerkannten und praktizierten Widerstandsrecht und 3. wird die Unterordnungsforderung – wiederum ohne Analolgie in den jüdischen Quellen – damit begründet, daß die Aufständischen das Gottesgericht auf sich ziehen werden.
Röm.13,1–7 dürfte also ein vorpaulinischer, aber christlicher Text sein, der nun andererseits auch nicht direkt von der vormarkinischen Tradition Mk.12,13–17 abhängig ist. Von größter Bedeutung für das Verständnis von Röm.13 ist nun aber weiterhin die gesicherte Erkenntnis, daß dieser Passus im Kontext des ethischen Blockes Röm.12,1–13,14, also als Teil

der allgemeinen Gesamtparänese, steht; denn mit Röm.14,1–15,6 beginnt ein neuer paränetischer Abschnitt, die spezielle Paränese, gerichtet an die «Starken» in Rom. D.h. aber: Röm.13,1–7 ist usuelle und gerade nicht aktuelle Paränese. Damit entfallen alle oft gemachten Vermutungen über eine aktuelle Veranlassung des Textes: Weder richtet sich Röm.13,1–7 gegen zelotisch-apokalyptische Strömungen noch gegen einen gnostischen Enthusiasmus und auch die oftmals beschworenen, persönlich-guten Erfahrungen des Apostel mit dem römischen Imperium passen besser in die spätere, politische Apologetik des Lukas als zu dem paränetischen Block Röm.12,1–13,14, in dem Paulus grundsätzlich die Christen zum Gottesdienst im Alltag der Welt aufruft.

Gerade weil nun aber Paulus in den beiden Kapiteln Röm. 12 und 13 auf paränetisches Traditionsgut zurückgreift, das wie alle Paränese im Urchristentum locker, unsystematisch und eklektisch strukturiert ist, muß um so dringlicher bei der Interpretation von Röm.13 nach der genuin paulinischen Redaktion gefragt werden. Freilich steht dieses genuin Paulinische nicht in Röm. 13,1–7 selbst, sondern in den Rahmenbemerkungen und Verklammerungen. Denn der von Paulus übernommene disparate Traditionsstoff besitzt zwar für ihn sein eigenes theologisches und «ethisches» Gewicht, widerspricht aber mit seinem Stil einer allgemeinen staatspolitischen Gesetzestheologie der paulinischen Absicht.

Nun hat es in der Auslegungsgeschichte nicht an Versuchen gefehlt, der politischen Paränese von Röm.13 dadurch den Charakter der Fremdheit zu nehmen, daß man sie konsequent mit einzelnen Abschnitten dieser paränetischen Kapitel verklammert und von daher sich den fehlenden paulinischen Interpretationsschlüssel ausgeliehen hat.

Diese drei Interpretationsversuche sind folgende:

Der ganze «ethische» Teil des Röm. wird eingeleitet durch die Forderung des vernüftigen Gottesdienstes im Alltag der Welt (12,1f). Nimmt man ihn als Überschrift, dann hätte Paulus die Unterordnungsforderung unter die politischen Gewalten eben als einen wesentlichen Teil der Erfüllung des von ihm geforderten Gottesdienstes im Alltag der Welt angesehen.

Eine andere Klammer wird zwischen 13,1–7 und 13,11–14 gesehen. Dann hätte man den schmerzlich vermissten apokalyptischen Vorbehalt doch noch bewahrt, so daß auch die politischen Gewalten zum Provisorium der vergehenden Welt gehören, also nichts absolutes und letztes darstellen und von einer Staatsmetaphysik keine Rede sein kann. Schließlich wird gerade Röm.13,1–7 von paränetischen Abschnitten direkt eingegrenzt, die die Liebesforderung beinhalten (12,9.20f; 13,8–10). Nach dieser Auslegung würde Paulus die Unterordnungsforderung von der Liebe bestimmt sein lassen.

Aber alle diese Interpretationsversuche, die den geschlossenen Text Röm. 13,1–7 aus seiner Isolierung befreien und seine Fremdheit nehmen wollen, übersehen, daß die vorpaulinische, urchristliche Paränese, zu der auch Röm.12 und 13 gehören, nicht durch Logik, sondern Assoziation bestimmt ist. Vor allem aber – und hier liegt das entscheidende Gegenargument – gehören alle soeben genannten Klammern zum vorpaulinischen Traditionsgut, offenbaren also noch keineswegs die eigentliche Stoß- und Zielrichtung der paulinischen Redaktion. Diese steckt vielmehr mittelbar in der scharf vom Vorhergehenden abgehobenen Mahnrede Röm.12,3–5 für die Gemeindeordnung des Christusleibes und unmittelbar in der Charismenliste 12,6–8. Diese Charismenliste enthält ja nicht nur die Anweisung für die herausgehobenen Charismatiker (12,6–8a) sondern mit 12,8b geht sie fast unmerklich in allgemeine ethische Weisungen (= «aus seinem Besitz geben, in der Fürsorge stehen und Almosen geben» über, denen) sich dann wiederum ohne einen sichtbaren Unterbruch in 12,9–21 eine traditionelle paränetisch-katechetische Tradition anschließt. Mit anderen Worten: Die Charismenliste 12,6–8 leitet nicht nur bewußt den großen Schlußabschnitt der usuellen Paränese in Röm.12,9–13,14 ein, sondern die spätpaulinische Charismenlehre und Theologie ist zugleich der gewollte Interpretationsrahmen für alle folgenden paränetischen Abschnitte, also für die unmittelbar folgenden paränetische Tradition Röm.12,8b–21, für die staatsbürgerliche Paränese Röm.13,1–7, für die Einschärfung des Liebesgebotes als Summe und Erfüllung des ganzen Mosegesetzes Röm.13,8–10 und die apokalyptisch motivierte Taufparänese Röm.13,11–14. D.h. aber: Für Paulus ist der gesamte paränetische Block Röm.12,9–13,14 durch die vorangestellte Charismenliste selbst zu einer solchen geworden, wird die traditionelle Gesetzesethik seiner hellenistischen Kirche charismatisch gesehen und radikal neuinterpretiert. Röm.13,1–7 muß also im Kontext der spätpaulinischen Gesetzes- wie Rechtfertigungstheologie im ganzen und der Charismenlehre im besonderen verstanden und ausgelegt werden. Der hermeneutische Auslegungsschlüssel für die vorpaulinische, politische Paränese ist also die spätpaulinische Charismenlehre. Paulus gebietet zwar mit der Synagoge und hellenistischen Kirche die Unterordnung des christlichen Staatsbürgers gegenüber den faktischen, politischen Gewalten, versteht diese aber als konkret-charismatisches Handeln. Dem politischen Stand des Christen eignet zwar keine Heilsmächtigkeit mehr, er ist aber Charisma und somit Berufung und Ermöglichung zum Dienst am Nächsten. Die konkrete aktuelle Unterordnung des christlichen Staatsbürgers unter die jeweiligen, politischen Gewalten ist also charismatisches Handeln und als solches eschatologische Ermöglichung des Dienstes in den Ordnungen dieser Welt. Die von der Tradition geforderte Unterordnung des Christen in seinem politischen Stand dient nun nicht mehr wie im Heiden- und Judentum der eigenen Rechtfertigung, denn der politische Stand des Christen als Staatsbürger ist ja Charisma, also Dienst am Nächsten in den vom Schöpfer gesetzten Schöpfungsordnungen. Nur mit diesem charismatischen Vorbehalt konnte Paulus die von Haus aus staatspolitische Gesetzesparänese übernehmen. Röm.13,1–7 ist in der Tat das wichtigste Zeugnis politischer «Ethik» in den Paulusbriefen.

Im folgenden bleibt uns nur noch die Aufgabe, das paulinische Anliegen von Röm.13 im Kontext seiner Charismentheologie zu skizzieren.
Zum sachgemäßen Verständnis entscheidend ist die gesicherte Erkenntnis, daß der Text zwei Schwerpunkte aufweist: In formaler Hinsicht ist zwischen theologischer Lehre und ethischer Mahnung, sachlich die Frage nach Ursprung und Aufgabe der Staatsmacht von der nach dem Verhältnis des Christen wie Nichtchristen zu ihr zu unterscheiden. Kontrovers ist bis heute dieses Verhältnis bestimmt worden. Jahrhundertelang ist in der Kirchengeschichte die Absicht des Textes in Lehre und Begründung wie Wesen und Ursprung der politischen Gewalten gesehen worden. Im Gegenschlag dazu wurde erst in neuerer Zeit das Hauptgewicht unserer Verse auf die ethische Mahnung bzw. den paränetischen Charakter gelegt. Nun ist die paränetische Abzweckung unumstritten, denn Röm.13,1–7 ist ja anerkanntermaßen Teil der Gesamtparänese von Röm. 12 und 13. Aber dieser ethische Charakter kann keineswegs alternativ gegen die lehrhaften und begründenden Sätze, also die schöpfungstheologische Basis, ausgespielt werden. Röm.13,1–7 ist ja nicht paulinischen, sondern vorpaulinischen Ursprungs. Der Text nimmt bewußt die Sprache der profanen, hellenistisch-römischen Bürokratie und Verwaltung auf, die allerdings lange vor Paulus schöpfungs-theologisch wie ethisch neu interpretiert worden ist. Nur weil der Staat vom Schöpfergott als übergeordnete Macht in seine Schöpfung eingesetzt wurde und darum seine irdische Dienerin ist, kann von den Geschöpfen konkrete Unterordnung verlangt werden. D.h.: Die lehrhaften und begründenden Grundsatzäußerungen über Ursprung und Wesen, Sinn und Aufgabe des Staates behalten durchaus ihr theologisches Eigengewicht und sind nicht dialektisch auflösbar. Sie sind also weder zu unterschätzen noch zu überschätzen: Der Text bietet weder eine christliche Staatslehre noch eine systematische Theologie des Staates. Vielmehr wurzelt die politische Paränese in der dogmatischen Grundlegung der politischen Gewalten, muß also die Forderung der Unterordnung auf die schöpfungstheologische Überordnung des Staates rückbezogen bleiben.
Entscheidend auch und gerade für das paulinische Verständnis von Röm.13,1–7 ist der Glaube an den Schöpfergott, der in seiner Schöpfung Über- und Unterordnungen geschaffen hat, sodaß die Paränese ausdrücklich mit «von Gott geordnet» begründet wird. Sämtliche Aussagen basieren zweifellos in der Anschauung vom Schöpfer, der in seine Schöpfung politisch-staatliche Ordnungen gelegt hat, auch wenn man von einer ausgeführten Theologie der Schöpfungsordnungen nicht sprechen kann. Die «Gewalten» («exousiai») sind dem traditionellen Sprachgebrauch entsprechend die Vielzahl der Amtsträger und Behörden des römischen Weltreiches (Vers 1) – also keine überirdischen Engelmächte! – die allerdings ohne Einschränkung auf den Willen des Schöpfungsordners zurückgeführt werden. Recht oder Grenze des Staates werden deshalb über-

haupt nicht erwähnt. Diese Bekenntnisaussage ist gut alttestamentlich (vgl. nur Jes.41,1–5; 45,1ff; Dan.2,21; Spr.24,21 u.ö.). Weil die kaiserliche Obrigkeit rechtliche Verfügungen erläßt, wird sie selbst in Vers 2 eine «Anordnung» Gottes genannt. Als ursprünglich rechtlich-politischer Begriff kann dieser nicht gegen den Ordnungsgedanken polemisch ausgespielt werden. Das beherrschende Ordnungsthema unserer Verse, das pointiert die politischen Gewalten als vom Schöpfergott geschaffene Schöpfungsordnung wiederspiegelt, darf jedenfalls nicht, aus welchen Gründen auch immer, heruntergespielt oder gar eliminiert werden. Allerdings sind die Göttlichkeit und die Ewigkeit des Staates samt dem daraus folgenden Kaiserkult ebenso ausgeschlossen durch die apokalyptische Naherwartung des Kyrios Jesus Christus.

Die einseitige Warnung vor jeglichem Widerstand gegen diese vom Schöpfer gesetzte Ordnung geht über Sap.Sal.6,1ff hinaus und hängt mit der theologischen Aussagerichtung der vorpaulinischen, hellenistisch-judenchristlichen Tradition zusammen.

Nach Röm.13,4 und 6 sind die Regierenden Gottes «Diener» und «Beamte», die – und darauf kommt in unserem Zusammenhang alles an – ganz bestimmte Aufgaben wahrnehmen und Funktionen innehaben. Sie sollen einmal die bösen Werke mit Strafe belegen und für die guten Werke belohnen (Vers 3 und 4). Gut und böse meinen hier natürlich nicht moralisch-gesetzliche Qualitäten, sondern umschreiben das politische Wohlverhalten. Nach unserem Text vermag der Staat nicht nur das Gute zu erkennen, sondern zu schützen und das Böse zu ahnden. Das juristische Wort vom Schwerttragen meint nicht das Kriegsschwert, sondern das dem Staat delegierte Richtschwert, die Kapitaljurisdiktion über römische Bürger. Wer also den politischen Mächten durch Gesinnung und Tat seine Loyalität aufkündigt, die iustitia civilis verleugnet, begegnet zwangsläufig ihrer Strafgewalt bis hin zur Todesstrafe. Gerade als Gottes Diener trägt der Staat «das Schwert» und bestraft als Gottes stellvertretender «Anwalt», also an seiner Statt, den Übeltäter. Sowohl der «Zorn» (Vers 4 und 5) wie das «Lob» (Vers 3) sind freilich nicht apokalyptisch auf das Gericht Gottes, sondern auf die irdische Bestrafung bzw. Belohnung durch die jeweiligen politischen Gewalten zu beziehen. Auf der anderen Seite empfängt der Staatsbürger, der das «gute Werk» tut, «Lob» von ihr. Auch hier haben wir traditionell hellenistisch-römische Verwaltungssprache vor uns, die nicht moralgesetzlich mißzuverstehen ist. «Lob», d.h. offizielle Belobigung durch kaiserliches Schreiben, wurde für treue politische Gesinnung und ergebenen Diensteifer, also bürgerliches Wohlverhalten, erteilt. D.h. der göttliche Auftrag an die vom Schöpfergott geschaffenen, staatlichen Gewalten war, das Gute, Recht und Gerechtigkeit zu schützen und nach Kräften zu fördern wie das Böse bis hin zur Todesstrafe zu ahnden. Aber damit nicht genug! Weil die politischen Amts- und Machtträger Gottes Repräsentanten und Diener in seiner

Schöpfungsordnung sind, haben sie die Befugnis, an die ihnen untergeordneten Staatsbürger vier Forderungen zu erheben: Paulus unterscheidet mit der staatsrechtlichen Amtssprache seiner Zeit zwischen der direkten Steuer und der indirekten, dem Zoll. Beide hat der Christ, auch wenn die Parusie vor der Tür steht, wie jeder andere römische Bürger zu zahlen. Aber es geht den politischen Gewalten nicht nur um Geld, sondern auch um die innere Haltung ihrer Untertanen. Die zahlreichen Amtsträger des umfangreichen Staatsapparates haben neben Steuer und Zoll auch die fällige Ehrfurcht und Ehrerbietung ihnen gegenüber einzufordern. Solche Ehrenbezeugungen fanden den oftmals ausgesprochenen Beifall der kaiserlichen Obrigkeit. Alles in allem: Unser Text schweigt keineswegs über Ursprung und Wesen, Aufgabe und Funktion der staatlichen Gewalten, vielmehr werden alle diese konstitutiv nicht nur in lehrhafter und begründender Weise entfaltet, sondern es wird sehr dezidiert das besondere Verhältnis des Christen gegenüber den politischen und administrativen Amtsträgern gefordert.

Erst auf diesem Hintergrund wird hinlänglich deutlich, warum die Unterordnung und nicht nur der bloße Gehorsam als die allein rechte Haltung ohne Einschränkung vom Christen wie Nichtchristen gefordert wird und gefordert werden muß (Vers 1 und 5). Weil der Schöpfergott in seiner Schöpfung Über- und Unterordnungen gesetzt hat, ist das Verhältnis des Staatsbürgers zu dem ihm übergeordneten Staat durch Unterordnung bestimmt und entspricht dieses geforderte Verhalten der Schöpfungsordnung Gottes. Allerdings schweigt der Text völlig von einem theologisch motivierten Widerstandsrecht. Daß gerade auch der Apostel von bestandenen Konflikten mit staatlichen Behörden weiß, beweisen 2.Kor.6,5 und 11.32ff, und vor allem sein gewaltsames Ende in der Welthauptstadt Rom. Einem Verbot der Evangeliumsverkündigung, einem Kampf gegen den christlichen Glauben und einer Zerstörung der Gemeinde zum Beispiel hätte Paulus niemals tatenlos zugesehen. Verschärft wird diese uneingeschränkte Unterordnungsmahnung durch den Hinweis auf das Gewissen (Vers 5). Der Christ muß sich den übergeordneten politischen Gewalten «nicht nur um des Zornes Willen», d.h. der richterlichen Macht, sondern vor allem um des Gewissens willen unterordnen. Ausdrücklich wird das Gewissen des Menschen auf die Anerkennung der göttlichen Schöpfungsordnung und auf das göttliche Recht der Obrigkeit bezogen. Diese gewissensmäßige Bindung des Christen an diese vom Schöpfer gewollte Schöpfungsordnung verschärft unüberhörbar die uneingeschränkte Unterordnungsforderung (Vers 1 und 5). Uneingeschränkt deshalb, weil der gegen den Staat Rebellierende sich der Anordnung und Ordnung Gottes widersetzt. Allerdings werden durch diese Begründung der Unterordnungsforderung im Gewissen des Christen den jeweiligen politischen Gewalten Grenzen gesetzt, wenn sie es wagen sollten, ihre Kompetenzen im widergöttlichen Sinne zu überschreiten.

Diese Unterordnungsforderung wird dann durch die vierfache Mahnung an den Staatsbürger konkretisiert: In der Zahlung der Steuern und der Zölle

sowie in der Erstattung von Ehrfurcht und Ehrbezeugung gegenüber den staatlichen Gewalten, nicht aber Gott, erfüllt der Christ seine von Gott geforderte Pflicht (Vers 7); denn das Verhältnis des Christen zum Staat wird ausdrücklich als ein Verpflichtetsein beschrieben. Aber für den späten Paulus ist diese dem Staate dargebrachte Unterordnung charismatischer Dienst und nicht gesetzliches Verdienst und darum Gottesdienst im politischen Alltag der Welt. Daß Röm.13,1–7 schließlich nicht alle unseren heutigen Probleme lösen kann, bedarf keiner weiteren Ausführung. Vielmehr muß das Grundanliegen dieses Textes, nämlich die göttliche Einsetzung der politischen Gewalten wie das verpflichtende Verhältnis des Christen ihnen gegenüber immer neu in den Gegenwartshorizont übersetzt werden.
Eine gewisse Distanz zum Staate, seinem Recht und seinen Gerichten spricht aus 1.Kor.6,1ff. Paulus verbietet ausdrücklich den Christen in Korinth, ihre Rechtsstreitigkeiten vor heidnischen Gerichten auszutragen. Begründet wird dieses apodiktische Verbot in doppelter Weise: Als «Heilige» werden sie im nahen apokalyptischen Endgericht die Welt richten und zum andern empfiehlt er bei einer fälligen Rechtsnahme von Christen nach dem Vorbild der Diasporasynagoge die innergemeindliche Schiedsgerichtbarkeit (1.Kor.6,1–6). Aber die eigentliche Lösung, die Paulus anstrebt, ist nicht diese Rechtsnahme vor christlichen Richtern, sondern der Rechtsverzicht aufgrund des Liebesgebotes (1.Kor.6,7ff). Christliche Rechtsnahme kann für den Apostel nur ein Zugeständnis, christlicher Rechtsverzicht die eigentliche Forderung sein. Dieses vorausgesetzt ist in der Auslegung und in der Verhältnisbestimmung zu Röm.13 immer wieder darauf hingewiesen worden, daß damit nicht von Paulus prinzipiell das staatliche Recht, die rechtliche Ordnung mit ihrer Rechtssprechung an ihren Gerichten verworfen wird. Denn es geht hier allein um das Verbot des Prozessierens von Christen mit Christen vor heidnischen Gerichten, nicht um Rechtsstreitigkeit zwischen Heiden. Obwohl der Christ grundsätzlich auf sein eigenes Recht verzichten soll, hat dieser Rechtsverzicht in eigener Sache prinzipiell nichts mit der amtlich notwendigen staatlichen Rechtssprechung zu tun. Die staatlichen Gerichte mit der legitimen Abwicklung von Zivilprozessen sollen bis zum Endgericht trotz des von Christen geforderten Rechtsverzichts ihre Aufgabe erfüllen.

2. Die Arbeit

Die Einschätzung der Arbeit in der Spätphase der paulinischen «Ethik» ist ohne eine Skizzierung der griechisch-römischen wie alttestamentlich-jüdischen Umwelt und ihrer Werturteile über die Arbeit weder möglich noch verständlich.
Im alten Griechenland und Rom wurde die Arbeit nicht nur hochge-

schätzt, sondern geradezu als der von den Göttern bestimmte Sinn des Daseins angesehen, wie z. B. Homer (Il.6,313f) und Hesiod (Op.307ff) einerseits und die Schriften des älteren Cato andererseits illustrieren. Vor allem mit dem Aufkommen der Sklaverei kam es zur Verachtung der körperlichen Arbeit wie der Erwerbsarbeit, während der freie und vermögende Bürger sich der Politik, dem Sport, der Philosophie und der Geselligkeit widmete. So verurteilt Plato die Arbeit als erniedrigend (Resp.495D/E), Aristoteles übertrug die Arbeit den Sklaven (Pol.1254b25ff), und nach Cicero betreiben «alle Handwerker ... ein schmutziges Geschäft ....» (Off. 1,150f). Die Arbeit als ein notwendiges Übel und das Ideal des Rentiers, der ohne Erwerbsarbeit von dem Erlös seines Besitzes leben kann, – das wäre das Ergebnis einer Umfrage in der damaligen heidnischen Welt.

Ganz anders demgegenüber die Stimmen aus der alttestamentlich-jüdischen Tradition: Nach 1.Mos. 2,15 hat der Schöpfergott die Menschen schon im Paradies und vor dem Sündenfall mit der Arbeit beauftragt, gehört diese also mit menschlicher Geschöpflichkeit zusammen. Nach 2.Mos. 20,9 geht das Gebot zur Arbeit zurück auf den Dekalog: «Sechs Tage sollst du arbeiten und alle deine Werke tun.. ...», ist demnach Teil des göttlichen Moralgesetzes und gehört zur bleibenden Grundordnung für das Leben Israels. Insbesondere schärft die alttestamentliche Spruchliteratur immer wieder die von Gott geheiligte Arbeitspflicht ein (Spr.10,4; 19,15; 21,15 usw.). Zwar gibt es später in hellenistischer Zeit auch gegenteilige Ansichten (Pred.1,14; 2,18ff; Sir. 38,24–34), aber auch für die pharisäischen Schriftgelehrten (vgl. Abot 2,2) muß das Torastudium mit einer handwerklichen Tätigkeit verbunden sein. Sirach (10,27), Pseudophokylides (153ff) und die Qumranessener rühmen ausdrücklich die körperliche und erwerbliche Tätigkeit (1QS 6,2; 10,13 u.a.).

Überblickt man diese exemplarischen Stimmen aus der heidnischen und jüdischen Antike, so kann kein Zweifel darüber bestehen, daß die positive Wertung der Arbeit auch für den späten Paulus zuerst einmal durch die alttestamentlich-jüdische Tradition bestimmt ist. Paulus war selber Handwerker (vgl. Apg.18,3) und aus seinen Briefen geht immer wieder hervor, daß er mit eigenen Händen seinen Lebensunterhalt möglichst selbst bestritten hat (1.Kor.9,4–18; 2.Kor.11,9; 12,13f). Auf das auch ihm zustehende Vorrecht des Apostels, sich von den Gemeinden unterhalten zu lassen, hat er meistens verzichtet, um unabhängig zu sein und die Gemeinden nicht zu belasten. Vor allem aber ist diese positive Einschätzung der Arbeit – und nicht zuletzt der Handarbeit – wie der Verzicht auf Gemeindeunterstützung (Ausnahmen: 2.Kor.11,8f; Phil.4,10ff) durch seine Charismenlehre bedingt. Nicht zufällig taucht der Satz: »... und mühen uns ab mit unserer eigenen Hände Arbeit» (1.Kor. 4,12) im Peristasenkatalog auf. Die körperliche Arbeit wie die Leiden überhaupt (1.Kor.4,6–13) sind für den späten Paulus Charisma, d. h. Berufung zum Dienst am Nächsten und Dasein für den Anderen, nicht aber wie in den Peristasenkatalogen der Apokalyptik und Stoa Verdienst für den Empfang des ewigen Lebens bzw. die Unsterblichkeit. Die Arbeit wird vom späten Paulus als Dienen und nicht als Verdienen gewertet (Vgl. 1.Kor.9,11; 2.Kor.11,7–9; 12,13f) – und schon gar nicht ist sie wie später im Barnabasbrief 19,10 ein Sühnmittel: «Arbeite mit deinen Händen zur Erlösung von Sünden». Die Arbeit im jeweiligen Beruf ist nach 1.Kor.7,20 Charisma und Gottesdienst im Alltag der Welt; denn mit den durch Arbeit erworbenen Gütern vermag der Christ seinem Nächsten zu dienen, nicht aber sein eigenes Heil zu verdienen. Deshalb kann beim späten Paulus von einer Verachtung der Erwerbs- und Handarbeit nirgendwo die Rede sein, ganz abgesehen davon, daß die Arbeit nur um des geldlichen Gewinnes willen hochgeschätzt wird.

3. Die irdischen Güter

Weder fordert der späte Paulus grundsätzlich von den Christen die Armut noch kritisiert er ausdrücklich das Eigentum oder legt die Gemeinde auf einen prinzipiellen Besitzverzicht fest. Eine gewollt gesetzliche Regelung der Eigentumsfrage ist für den Apostel in seiner Spätphase wegen seiner Rechtfertigungslehre ohnehin ausgeschlossen. Schließlich wird diese Frage nach der Stellung des Christen zu Besitz und Besitzlosigkeit nirgendwo systematisch, sondern nur am Rande behandelt, weil sie wegen der soziologischen Zusammensetzung der paulinischen Missionsgemeinden zu dieser Zeit sowieso nicht besonders dringlich gewesen ist.
Trotz all dieser Einschränkungen ist der Ort der spätpaulinischen Stellungnahme zu Besitz und Besitzlosigkeit wiederum sein Charismenevangelium. Besitz und Wohlstand sind Charisma: Freilich nicht der Besitz als solcher, als Selbstzweck, sondern als Mittel für vielfältige Hilfe an Andern. Nur wenn der Christ weiß, daß der Herr jeglichen Besitz dazu gegeben hat, um meinem Nächsten damit zu helfen, ist er zum Charisma geworden. Der Besitz als solcher ist niemals Charisma, er ist es nur, wenn er in der Grundverfassung der Liebe und d.h. als Berufung zum Dienst am Nächsten gebraucht wird. Insofern steckt in der spätpaulinischen Charismenlehre eine radikale Kritik an der Sucht des natürlichen Menschen nach Reichtum und Besitz.
So fordert Paulus in seinen Briefen immer wieder zur Kollekte für die «Armen» der Jerusalemer Gemeinde auf (1.Kor.16,1–4; Gal.2,10; Röm. 15,26; 2.Kor.8,7ff), ja, der materielle «Überfluß» der Korinther soll den «Mangel» der Jerusalemer ausgleichen, damit eine «Gleichheit» im ökonomischen Bereich zwischen den christlichen Gemeinden als dem weltumspannenden Christusleib eintritt (2.Kor.8,13f). Bei den Abendmahlsfeiern in Korinth kritisiert der Apostel ausdrücklich die Wohlhabenden

(1.Kor.11,17ff), daß sie bei der damit verbundenen Sättigungsmahlzeit schlemmen und trunken sind, während die sozial Armen hungern müssen. Dadurch aber wird «die Gemeinde Gottes» als der Leib des einen Christus verachtet und zerstört. Paulus fordert demgegenüber eindringlich von den wohlhabenden Teilnehmern des Abendmahls, daß sie ihr reichlich mitgebrachtes Essen mit denen teilen, «die nichts haben» (1.Kor. 11,22). Ohne diesen materiellen charitativen Ausgleich zwischen Reich und Arm wird die sakramentale Gemeinschaft des Herrenmahls und damit die Gemeinde Gottes zerstört. Daß aller materieller Besitz charismatisch gewertet und somit konkret in soziale Verantwortung gestellt werden muß, zeigen weiter die verstreuten Mahnungen in den ethischen Abschnitten seiner Briefe: So sollen die christlichen Lehrer durch ihre Schüler materiell unterstützt (Gal.6,6), so soll notleidenden Brüdern geholfen und Gastfreundschaft für zureisende Christen gewährt werden (Röm.12,13). Vor Habsucht und Geiz wird immer wieder gewarnt (1.Kor. 5,10f; 6,10; 2.Kor.9,5f; Röm.1,29 usw.).

Auch nach 1.Kor.13,3 hat das Charismenevangelium das letzte Wort: Selbst wenn der gesamte Besitz zu Almosen gemacht, also an die Armen verschenkt wird, aber die Liebe als das größte Charisma fehlt, würde selbst diese größte Opfertat «nichts nützen». Denn selbst der rigorose Besitzverzicht als Gesetzeswerk und damit als Verdienst und nicht als Charisma und damit als Dienst gewertet, verfehlt die Liebe und ist deshalb sinn- und nutzlos. Aller Besitz wird nur dann vom Christen recht und d. h. charismatisch gewertet, wenn er zum Dienst am Nächsten, nicht aber zum Verdienst des eigenen Heils eingesetzt wird.

Nichts anderes verkündetet Phil.4,11–13. Die Gemeinde zu Philippi hatte dem Apostel in seiner Notlage liebevoll ausgeholfen und dafür dankt er ihr mit Freude. Aber seine eigentliche Existenzhaltung ist die charismatisch verstandene Autarkie (= Selbstgenügsamkeit). Er hat gelernt, sich genügen zu lassen (wörtlich: autark zu sein): = «Ich weiß Entbehrungen zu tragen, ich weiß, im Überfluß zu leben. In allem und jedes bin ich eingeweiht: satt sein und hungern, Überfluß und Mangel haben...». Das hier vorkommende Stichwort «Autarkie» gehört aber nicht mehr in die kynisch-stoische Ethik und Tugendlehre mit dem Rühmen menschlicher Leistung und Verdienst. Die spätpaulinische Autarkie geht nicht den Weg kynisch-stoischer Selbstvollendung in Tugendstolz und Tugendruhm, sondern steht im Horizont seiner Charismenlehre. Der Christ soll nicht auf die Barmherzigkeit anderer reflektieren oder auf soziale Hilfsaktionen schielen, sondern sich genügen lassen, eben autark zu sein. Nur so wertet er diese seine Autarkie als Charisma, nämlich als Berufung zum Dienst am Nächsten.

Schließlich kann die Gleichgültigkeit gegenüber Besitz und Reichtum vom späten Paulus nicht nur charismatisch, sondern auch apokalyptisch mit dem Hinweis auf die in Kürze zu Ende gehende Welt begründet werden:

«... und die da kaufen, sollen so tun, als hielten sie es schon nicht mehr krampfhaft fest» (1.Kor.7,30). Weil die Gestalt dieser Welt bereits verfällt, sich auflöst, gehört auch und gerade der materielle Besitz dazu. Damit wird keineswegs der irdische Alltag im alten Aeon mit seinem Kaufen, Verkaufen und Besitzenwollen grundsätzlich abgelehnt und verworfen. Wohl aber soll christliche Existenz im Angesicht der nahen apokalyptischen Parusie des Herrn und des Weltendes wissen, daß der Umgang mit den irdischen Gütern dieses alten Aeon letztlich bedeutungslos geworden ist. Der Christ kann nur noch auf apokalyptisch motivierte Distanz zu Besitz und Reichtum gehen, womit seine vorhin genannte charismatische Wertung natürlich nicht aus- sondern vielmehr eingeschlossen ist.

4. Die institutionelle Sklaverei

Die spätpaulinischen Anweisungen für ein speziell christliches Sozialverhalten gegenüber der Sklaverei sind nur auf dem Hintergrund antiker Sozialgeschichte vollauf verständlich. Die griechische und römische Antike hat – bis auf die Sophisten – in der Sklaverei eine unabänderliche Naturordnung gesehen. Sie war ein legalisisiertes Rechtsverhältnis, so daß der Sklave als res (= Sache) zum beweglichen Vermögen seines Besitzers gehörte, die wie alle anderen Objekte verkauft, ausgeliehen, verpfändet oder testamentarisch einem anderen vererbt werden konnte. Als völlig Rechtloser unterstand der Sklave der totalen Verfügungsgewalt seines Besitzers. Als Marktware und Produktionsmittel stellten sie ein verzinsbares Kapital dar. Auch wenn es Sklaven als Hauslehrer, Schreiber und Musikanten gab, die Masse der Sklaven hatte ein grausames und unmenschliches Schicksal. Die drei großen Sklavenaufstände und Kriege in Italien und Asien unter Eunus, Aristonikus und Spartakus zwischen 140–70 v. Chr. wurden blutig niedergeschlagen.
Trotzdem traten die beiden großen klassischen Ordnungsphilosophen Plato (Gesetze VII 806B), und Aristoteles (Pol.I 2,4) bewußt für die Sklaverei als ewige Naturordnung ein, während in der sophistischen Aufklärung des 5.Jh. v. Chr. zum ersten Mal in der antiken Rechts- und Sozialgeschichte die Sklaverei ausdrücklich als dem Naturrecht widersprechend angeprangert und die politisch soziale Freiheit als ein natürliches Menschenrecht postuliert wurde (vgl. die Polemiken bei Plato Prot.337C und Rep.I 338ff und Aristoteles Rhet.Schol.13,1373b18ff). Allerdings hat die Forderung der Sophisten nach Abschaffung der widernatürlichen Sklaverei in der Antike so gut wie keine Wirkungsgeschichte gezeigt. Typischer für die antike Einschätzung der institutionellen Sklaverei ist allerdings die Verschiebung der Begriffe «Freiheit» und «Sklaverei» von der rechtlich-politischen auf die sittliche Ebene, die mit wechselnden

Motivierungen seit Euripides (Fr.526N; Hel.728ff) in der Dichtung (Sophokles Fr.854N; Philemon, Fr.22 u.a.) und ebenso in der kynischen (Antisthenes Diog.Laert.6,16; Bion, Stob.3,187,5f und Diogenes, Diog.Laert.6,44 u.a.), vor allem aber stoischen Philosophie (Epiktet Diss.I 19,7 usw.) als die eigentliche Großlösung der griechisch-römischen Antike angesichts des Sklavenwesens angesprochen werden muß: Die Hochschätzung der nichtrechtlichen Freiheit bei rechtlich sozialer Unfreiheit. Der rechtliche Stand eines Menschen ist irrelevant, das Freiheitsproblem ist kein rechtliches, sondern ein sittlich inneres Problem, sodaß die Forderung nach Abschaffung der Rechtsordnung der Sklaverei nirgens erhoben worden ist. An dieser Grundeinstellung der Antike wird ebenfalls weder von den Mysterienreligionen noch den kollegialen Kultgemeinschaften in Griechenland und Rom gerüttelt.

Demgegenüber hat das Israel des Alten Testamentes zwar die institutionelle Sklaverei als Rechtsproblem erkannt und das Los der versklavten Israeliten auf legislativem Wege in kühnster Weise humanisiert (2.Mos. 21,2f; 3.Mos. 25,39ff; 5.Mos. 25,40f usw.), aber das stand alles nur für den Volksgenossen, nicht aber den heidnischen Sklaven in Geltung. Die rabbinische Sklavengesetzgebung dagegen fiel, was den kanaanäischen Sklaven betraf, hinter das Alte Testament zurück (vgl. Meg. 23b; Qid. 1,3; Bar.Ber.16b u. a.). Für die Qumranessener vom Toten Meer, nicht aber für die Damaskusschrift (11,12; 12,6.10ff), ist mit großer Wahrscheinlichkeit vorauszusetzen, daß der auf kollektivem Reinheitsstreben und genossenschaftlicher Wirtschaftsform beruhende Klosterorden Sklavenhaltung ausschloß.

Überblickt man diese exemplarischen Urteile der heidnischen und jüdischen Antike zum Sklavenproblem, dann muß mit Nachdruck betont werden, daß der späte Paulus keine einheitliche Beurteilung der institutionellen Sklaverei wie der Sklaven in seiner Umwelt vorfand. Zuerst einmal ist für die spätpaulinische Position der programmatische, allerdings von den Enthusiasten provozierte Grundsatz aus Gal. 3,28/1.Kor.12,13 maßgeblich: «Hier ist nicht Jude noch Grieche, nicht Sklave noch Freier, nicht Mann noch Frau, denn ihr seid alle einer in Christus». Im weltweiten Leib des Christus ist der rechtlich-soziale Unterschied zwischen Sklave und Freiem hinfällig geworden. Vor Gott und in der Gemeinde haben die christlichen Sklaven die gleiche menschliche Würde und sind durch Glaube und Sakramente zu Gliedern des Leibes Christi geworden, so daß jede theologische und ekklesiologische Diskriminierung wie Inferiorität «in Christus» grundsätzlich ausgeschlossen ist.

Aber der späte Paulus weist mit Nachdruck unter Aufbietung seiner ganzen apostolischen Autorität die in 1.Kor.7,20–24 erkennbaren Emanzipationsbestrebungen unter christlichen Sklaven in der korinthischen Gemeinde zurück. Der von ihm prinzipiell akzeptierte Kampfruf der Enthusiasten in Gal.3,28 und 1.Kor.12,13 hat für ihn zwar in der Gemeinde und vor Gott Bedeutung, darf aber nicht im Alltag der Welt proklamiert und praktiziert werden: «Jeder bleibe in seinem Stand, in dem er berufen wurde. Bist du als Sklave berufen, so soll es dich nicht bekümmern. Sondern auch wenn du frei werden kannst, so bleibe um so lieber dabei. Denn der im Herrn berufene Sklave ist ein Freigelassener des Herrn. Ebenso ist der berufene Freie Sklave Christi... Jeder, Brüder, soll vor Gott darin bleiben, worin er berufen wurde». Nach 7,20 sollen die Sklaven und Freien in ihrer jeweiligen sozialen Position und gesellschaftlichen Lage bleiben. An dem Ort, wo ihn der Ruf Gottes traf, an dem soll der betreffende Christ bleiben. Denn jene soziale Lage ist das dem Einzelnen von Gott selbst zugeteilte Los, das der Christ nicht von sich aus verwerfen darf. Mit dieser Berufung durch das Evangelium werden die sozialen Verhältnisse keineswegs aufgehoben. Eine christlich begründete Sozialreform oder gar Revolution gibt es für den späten Paulus gerade nicht. Er erhebt keinen Protest gegen die institutionelle Sklaverei, sondern vertritt rigoros das Status quo-Prinzip: Die Berufung Gottes reißt den Menschen nicht aus seiner sozialrechtlichen Lage, also konkret aus der Lage des Sklaven. In 7,21a tröstet Paulus die Sklaven mit einer ursprünglich stoischen Floskel: «Laß dich's nicht kümmern», nimm also dein Sklavenlos nicht so wichtig, denn die äußere Sklaverei kann dein Inneres nicht tangieren und ist darum letztlich bedeutungslos. In 7,21b lehnt er sogar einen hypothetisch ins Auge gefaßten sozialen Statuswechsel ab. Eine im Bereich des Möglichen liegende Freilassung soll der christliche Sklave überhaupt nicht annehmen und schon gar nicht erstreben: Im griechischen Urtext fehlt zwar die nähere Bestimmung dessen, wovon der Sklave Gebrauch machen soll: «Von der Sklaverei» oder «von der Freiheit», aber der ganze Zusammenhang und vor allem die Tendenz der paulinischen Argumentation lassen keinen Zweifel darüber, daß die alte Streitfrage im ersten Sinne entschieden werden muß. Diese Anordnung also, daß der christliche Sklave von seiner möglichen Freilassung keinen Gebrauch machen soll, ist einmalig in der gesamten Antike und ein Novum in der Sozialgeschichte des Altertums. Angesichts der auch dem Paulus bekanntgewesenen alttestamentlichen Sklavengesetzgebung und der in ihrem Wirkungsbereich liegenden jüdischen Lösungen macht er von ihnen überraschenderweise keinen Gebrauch, gebietet er vielmehr dem christlichen Sklaven, bei seinem heidnischen oder christlichen Besitzer zu bleiben (das Status quo-Prinzip hat hier nicht nur aktuell provozierende Hilfsfunktion!), wird dem christlichen Sklavenhalter weder zur Auflage gemacht oder auch nur nahegelegt, seinen christlichen oder heidnischen Sklaven zu entlassen und wird schließlich die christliche Gemeinde nicht aufgefordert, christliche Sklaven aus dem Besitz heidnischer Sklavenhalter loszukaufen.

Die Gründe, weshalb der späte Paulus unbeirrt an der ordnungstheologisch motivierten Unterordnung des christlichen Sklaven festhält, obwohl

seine christologischen wie eschatologischen Argumente eigentlich dagegen sprachen, sind zweifellos folgende: Neben der apokalyptischen Naherwartung seines Herrn und der antienthusiastischen Frontstellung ist es vor allem seine Charismenlehre. Für Paulus ist jeder Stand ein charismatisches Los, obwohl natürlich nicht die Tatsächlichkeit, wohl aber die Art und Weise, wie der jeweilige Stand vom Christen verstanden und gewertet wird, entscheidend ist. Das Handeln des Christen im jeweiligen Stand dient nicht mehr wie im Judentum und Heidentum der eigenen Rechtfertigung, sondern ist einzig und allein charismatischer Dienst am Nächsten. Auch der christliche Sklave soll nach Paulus seinen Stand als Bedingung und Ermöglichung zum Dienst in den Ordnungen dieser Welt begreifen, dann wird ihm selbst dieser Stand zum Charisma.
Auch der Philemonbrief (vgl. die Verse 8–20) bleibt strikt auf der Linie von 1.Kor.7,20ff. Dem wohlhabenden Christen Philemon war sein heidnischer Sklave Onesimus entlaufen und hatte wahrscheinlich bei seiner Flucht in die Kasse seines Herrn gegriffen. Dieser Flüchtling ist mit Paulus, der um des Evangeliums Willen in der Gefangenschaft war, zufällig oder absichtlich zusammengekommen. Durch Paulus ist nun dieser geflohene Sklave Christ geworden und hat den Apostel in seiner Gefangenschaft als nützlicher Gehilfe treu versorgt. Die Rechtslage nach dem in Kraft stehenden römischen Gesetz war eindeutig: Als Sklavenbesitzer hatte Philemon einen selbstverständlichen Rechtsanspruch auf seinen entlaufenen Sklaven Onesimus. Außerdem war die Flucht eines Sklaven eine strafbare Handlung. Philemon hatte also außerdem noch das Recht der Bestrafung bis hin zu einer von ihm ohne weiteres zu verhängenden Todesstrafe. Aber der ehemalige «Nichtsnutz» Onesimus gehört jetzt als christlicher Sklave zum Leibe Christi. Paulus reagiert auf diesen Fall in vierfacher Weise: Er schickt Onesimus mit eben diesem Begleitbrief an Philemon zurück und anerkennt damit das römische Sklavengesetz. Damit wird die rechtlich-institutionelle Seite des Sklavenproblems zwar anerkannt, aber die Sklaverei nicht kritisiert, sondern als Institution der Gesellschaft und des Rechts einfach vorausgesetzt. Weiterhin bittet er um eine brüderlich christliche Aufnahme des entflohenen, aber nunmehr christlichen Sklaven Onesimus in die Haus- und Ortsgemeinde des Philemon. Indirekt bittet Paulus gleichzeitig darum, von der fälligen Bestrafung abzusehen. Paulus setzt also die institutionelle Sklaverei als Gegebenheit voraus, verurteilt sie aber nicht als einen Mißstand der herrschenden Sündenmacht. Weder fordert er die förmliche Freilassung des Sklaven Onesimus – das würde der Generalregel von 1.Kor.7,20 wie überhaupt seiner Charismentheologie widersprechen – noch wird Philemon selbst durch das Evangelium zu diesem Schritt genötigt. Aber die eigentliche Konsequenz seiner Bitten einschließlich seiner Bereitschaft, für alle finanziellen Schäden aufzukommen, die Onesimus seinem Besitzer zugefügt hat, läuft doch darauf hinaus, Onesimus dem gefangenen Paulus

wieder zurückzuschicken, ihm gewissermaßen Onesimus als Gehilfen auf Zeit zu überlassen. Denn er schreibt ausdrücklich, daß er herzensgerne den Onesimus bei sich behalten wolle, «damit er mir an deiner statt diene in den Fesseln des Evangeliums»!
Aber diese zeitlich befristete Überlassung des christlichen Sklaven Onesimus ist rechtlich gesehen natürlich keine Freilassung. An dem Status des Sklaven Onesimus würde sich nichts ändern; er bleibt Sklave des christlichen Besitzers Philemon; denn es handelt sich selbstredend um eine interne, christliche Regelung innerhalb der vorhandenen und anerkannten sozialen, rechtlichen und institutionellen Strukturen. Zugleich muß in diesem Zusammenhang auf V.16 hingewiesen werden, wo Philemon angehalten wird, den von Paulus zurückgeschickten Onesimus «nicht mehr als einen Sklaven» anzusehen, «sondern als einen, der mehr ist als ein Sklave: nämlich ein geliebter Bruder sowohl im Fleisch als auch im Herrn». Onesimus wird also für seinen christlichen Sklavenhalter Philemon für immer ein «geliebter Bruder» und nicht mehr wie nach dem römischen Sklavengesetz eine Sache (= res) sein, denn nicht mehr nur «im Herrn», d.h. vor Gott und in der Gemeinde, sondern auch «im Fleisch», also in den irdischen Verhältnissen, im Alltag der Welt, hat sich die Situation geändert.
Mit anderen Worten: Paulus fordert in Phlm.16 ausdrücklich ein neues Sozialverhalten. Onesimus soll als Mensch und Christ von Philemon anerkannt werden. Auch wenn er Sklave bleibt bis zu seinem Lebensende, soll Philemon von jetzt an mit ihm menschlich umgehen und sein Sklavenlos so gut es geht lindern. Das persönliche Verhältnis von Sklavenhalter und Sklave innerhalb der bestehenden Institution ist durch die Zugehörigkeit zum gleichen Herrn gewandelt, nicht aber wird von Paulus gegen die institutionelle Sklaverei protestiert. Die Grenzen der paulinischen Position sind nicht zu leugnen: Nirgends wird die Institution der Sklaverei kritisiert oder generell die Sklavenbefreiung gefordert, vielmehr versucht Paulus immer die Christusfreiheit mit der rechtlich-weltlichen Freiheit nur innergemeindlich zu vermitteln, weil Sklaverei nur als personales, nicht aber auch als strukturelles und gesellschaftliches Problem reflektiert wird. Schließlich ist festzuhalten, daß das Urteil des Paulus im Kontext antiker Sozialgeschichte hinsichtlich des Sklavenproblems auch ganz anders hätte ausfallen können.

5. Die Stellung der Frau

Auch hier gilt: Die spätpaulinische Stellungnahme zur Frau kann ohne eine Durchmusterung der exemplarischen Stimmen aus der Umwelt weder recht verstanden noch vor allem sachgemäß gewertet werden. So stellt die Frau im Judentum kultisch, rechtlich, religiös und gesellschaftlich ein minderwertiges Wesen dar. Aufgrund des herrschenden Patriarchats war sie vom eigentlichen Kult ausgeschlossen und hatte im Jerusalemer Tempel nur Zutritt zum Vorhof der Frauen. Im Synagogengottesdienst zählt ihre Anwesenheit nicht und das Ehe- wie Scheidungsrecht besiegelte ihre Inferiorität. Ihre Diskriminierung kam im täglichen Lobpreis des Juden zum Ausdruck, der Gott dafür dankte, daß er ihn nicht zum Heiden, Sklaven und zur Frau gemacht hat. Nach Sir.25,24 wird allein der Frau die Schuld am Sündenfall und damit am allgemeinen Sündenverhängnis gegeben.

Auch die griechisch-römische Gesellschaft ist vom Patriarchalismus beherrscht. War die Frau in älterer Zeit ganz auf das Haus und die Erziehung der Kinder beschränkt, erhielt sie in hellenistischer Zeit eine größere Bewegungsfreiheit in zivilrechtlichen Belangen, so standen ihr auch jetzt niemals politische Rechte zu. Von einer wirklichen gesellschaftlichen Gleichberechtigung kann deshalb auch in der griechisch-römischen Umwelt zu keiner Zeit geredet werden.

So ist es nicht verwunderlich, daß diese deklassierende Beurteilung der Frau selbst im 1.Kor. Eingang gefunden hat: «Wie es in allen Gemeinden der Heiligen üblich ist, sollen die Frauen in den Versammlungen schweigen. Denn es ist ihnen nicht gestattet zu reden, sondern sie sollen sich unterordnen, wie auch das Gesetz sagt. Wenn sie aber etwas lernen wollen, sollen sie zu Hause ihre eigenen Männer fragen. Denn es ist für eine Frau unanständig, in der Versammlung zu reden. Oder ist das Wort Gottes von euch ausgegangen? Oder allein zu euch gekommen?» (1.Kor. 14,33b–36). Obwohl dieser Abschnitt auch bis in die Gegenwart als paulinisch verteidigt wird, ist er in Wirklichkeit eine nachpaulinische Korrektur von 1.Kor.11,2ff, wo ein öffentliches Reden der Frau in dem christlichen Gemeindegottesdienst ganz selbstverständlich vorausgesetzt wird. Abgesehen von diesem Widerspruch zu 1.Kor.11,2ff wird nicht nur der Zusammenhang gestört, sondern der Sprachgebrauch dieser Verse deckt sich sprachlich wie inhaltlich mit 1.Tim.2,11–12, so daß 1.Kor.14,33b ff als nicht von Paulus stammende Interpolation im Sinne der Pastoralbriefe anzusehen ist.

Ganz anders Paulus selbst: Nach der Parole von Gal.3,28/1.Kor.12,13: «Hier ist nicht Mann noch Frau» werden die Gerechtfertigten durch die Taufe in den weltweiten, präexistenten Leib des Christus eingegliedert, womit auch die geschlechtlichen Unterschiede zwischen Mann und Frau ein für allemal «in Christus» überwunden sind. Allein entscheidend ist jetzt die Wesenseinheit der Pneumatiker mit Christus, so daß vor Gott Mann und Frau aufgrund ihres gemeinsamen Glaubens, ihrer Rechtfertigung und Charismen wie der Sakramente von Taufe und Abendmahl gleichberechtigt sind. Alle dem widergöttlichen Kosmos zugehörenden Disqualifizierungen und Diskriminierungen der Frau sind im Christusleib hinsichtlich des Heils bedeutungslos geworden, beide, Mann wie Frau,

haben vor Gott und «in Christus» denselben Rang und die gleiche Würde. Aber: Diese neue Menschheit mit ihrer Einheit in Christus gilt nur eschatologisch-sakramental in der Neuschöpfung hinsichtlich des gemeinsamen Heils, womit keineswegs die schöpfungsmäßigen Unterschiede im gegenwärtigen Aeon zunichte gemacht werden, wie wir gleich sehen werden. Paulus übernimmt in 1.Kor.11,5 sogar die grundsätzliche Praxis der Enthusiasten in Korinth: Die Frau hat im Gottesdienst die Verkündigungs- und Lehrfunktion wie der Mann, so daß in der Tat entscheidende Deklassierungen der Frau von Seiten der heidnischen wie jüdischen Umwelt von Paulus überwunden sind, und ihre Mitarbeit am Evangelium in der Kirche selbstverständlich geworden ist. Dem entspricht konsequent die Empfehlung der Gemeindeschwester Phoebe (Röm.16,1) und die Nennung der kirchlichen Mitarbeiterin Priska in Röm.16,3. In Phil. 4,2ff erwähnt Paulus ausdrücklich Euodia und Syntyche, die mit «für das Evangelium gekämpft» haben.
Einen neuen Ton scheint nun aber der gewichtige Text 1.Kor.11,2–16 anzuschlagen, wo Paulus ausführlich und mit immer neuen Argumenten auf die Rolle der Frau im Gottesdienst eingeht und ganz offenbar Mißstände in Korinth kritisiert, die wiederum mit der Praxis der judenchristlich-gnostischen Gegner zusammenhängt. In diesem Abschnitt antwortet Paulus auf eine ganz konkrete Anfrage der korinthischen Gemeinde. Darf die Frau im Gottesdienst wie der Mann mit unbedecktem Kopf beten oder verkündigen? Dahinter steht die von den Enthusiasten bejahte und geübte Praxis der geistgewirkten Emanzipation der christlichen Frau im Gottesdienst aufgrund der radikalen Nivellierung der schöpfungsmäßigen Unterschiede zwischen Mann und Frau, während der aposteltreue Teil der Gemeinde verunsichert war. Paulus antwortet nun so, daß er zuerst die Gemeinde lobt, daß sie die von ihm überlieferten Traditionen offensichtlich der hellenistischen Kirche bewahrt haben. Mit dem betont vorangestellten «Ich will euch aber wissen lassen, daß ...» von Vers 3a signalisiert er, eine neue Belehrung, die ihnen bisher unbekannt geblieben ist (= Vers 3b–16). Weil speziell die Kopfbedeckung der Frau im Gottesdienst strittig ist, begründet Paulus seine autoritative Anordnung, daß sie unbedingt ihr Haupt bedecken muß, mit einem vierfachen kosmologischen und anthropologischen Beweisgang:
1. In den Versen 3–6 entwickelt Paulus eine ontologische Hierarchie, d.h. eine seinsmäßige Abstufung mit vier aufeinanderfolgenden Stufen: Gott-Christus-Mann-Frau, wobei jede ontologische Stufe der nächsthöheren untergeordnet bleibt. Denn der hier entscheidende Begriff «Haupt» meint nicht wie in Vers 4a.5.7 und 11 Kopf als Glied des menschlichen Körpers, sondern übertragen das «Oberhaupt», das jeweils auf der ontologischen Stufenleiter Macht über das Untergeordnete hat. Weil es Paulus in diesem ersten Argumentationsgang ausschließlich auf das Tragen der Kopfbedeckung der Frau im Gottesdienst als Zeichen ihrer seinsmäßigen

Unterordnung unter den Mann ankommt, hat er die Glieder dieser ontologischen Hierarchie: Gott-Christus-Mann-Frau zum Teil vertauscht. Die Verse 4–6 ziehen die ganz praktischen Konsequenzen für die Regulierung der Kleidung der Frau: Sie hat ihr Haupt auf jeden Fall zu bedecken. Nach Paulus hat die Stellung der Frau in der Gottesdienstordnung exakt derjenigen in der Schöpfungs- bzw. Naturordnung zu entsprechen. Weil sie seinsmäßig dem Manne untergeordnet ist und auf der untersten Stufe der ontologischen Hierarchie steht, bleiben die natürlichen Unterschiede auch in der Gottesdienstordnung bestehen. Konsequent folgt daraus die Anordnung des Paulus, weil es um die sichtbare Demonstration der dem Manne untergeordneten Frau geht. Konkret heißt das: Der Mann braucht im Gottesdienst keine Kopfbedeckung zu tragen, er trägt ja auch kurze Haare, während die Frau eine Kopfbedeckung tragen muß, und sie trägt lange Haare. Die vieldiskutierte Frage, ob Paulus damit in Korinth wie anderswo an der jüdischen oder allgemein griechischen Sitte festhält, ist aufgrund der unter enthusiastischen Vorzeichen stehenden Emanzipationsbewegung eindeutig im letzteren Sinne zu beantworten (vgl. auch Vers 16): Paulus verbietet ausdrücklich die Verletzung der allgemeinen Sitte, weil er in ihr den Niederschlag der hierarchischen Seinsordnung sieht.

2. In den Versen 4–10 setzt Paulus zu einem zweiten Beweisgang an, der nicht mehr von der These einer hierarchischen Seinsordnung bestimmt ist, sondern auf eine hellenistisch-jüdische Auslegungstradition von 1.Mose 1,27 (= Vers 7), 2,22 (= Vers 8) und 2,18ff (= Vers 9), also auf die Schöpfungsordnung zurückgreift. Der Mann darf sein Haupt nicht bedekken, weil nur er Abbild und Abglanz des Schöpfergottes ist (gegen 1.Mose 1,27), während die Frau von dieser Gottebenbildlichkeit ausgeschlossen und nur Abglanz des Mannes ist (11,7). Deshalb ist sie verpflichtet, im Gegensatz zum Manne ihren Kopf bedeckt zu halten. Nach 1.Kor.11,8 und 9 hat die Frau nur ein vermitteltes Verhältnis zu Gott, und zwar aufgrund ihrer Schöpfung. Nur die Frau wurde aus dem Manne geschaffen (so 1.Mose 2,22), und nicht umgekehrt der Mann aus der Frau. Und nur die Frau wurde wegen des Mannes geschaffen und nicht umgekehrt der Mann wegen der Frau (so 1.Mose 2,18ff). Gegen die Enthisiasten in Korinth stellt Paulus mit Nachdruck fest, daß ihre Parole «Hier ist weder Mann noch Frau» die Schöpfungsordnung gerade nicht aufhebt. Vielmehr ist diese die geschlechtlichen Unterschiede zwischen Mann und Frau aufhebende Heilsordnung im Leibe Christi eschatologisch-sakramental zu verstehen: Die Frau hat wie der Mann gleichen Anteil am gemeinsamen Heil. Vers 10 zieht aus der Schöpfungsordnung die Konsequenz: Die Frau muß ihren Kopf bedecken. Wiederum gilt: Das ist für Paulus aufgrund der hellenistisch-jüdischen Auslegung vom 1.Mose 2,22 und 2,18ff nicht nur eine ethische Verpflichtung, sondern unbedingte Anordnung des Schöpfergottes, der der Frau seit ihrer Schöpfung eine grundsätzlich unterge-

ordnete Rolle zugeteilt hat. Aber Vers 10 enthält darüber hinaus noch eine weitere Erklärung. Wenn es heißt «Darum muß die Frau eine Macht auf dem Kopfe haben wegen der Engel», dann bildet die antike Dämonologie den religionsgeschichtlichen Verstehenshintergrund. Weil der Frau die Gottebenbildlichkeit des Mannes fehlt und sie außerdem auf der untersten Stufe der Seins- und Schöpfungsordnung steht, ist sie von Engelmächten sehr bedroht, und es kann die Kopfbedeckung nur eine antidämonische Schutzmacht darstellen (vgl. nur äth.Hen.6–11; 15,3; syr. Schatzhöhle 15,7 u.ö.). Über den Mann dagegen haben die dämonischen Mächte deshalb keine Macht, weil er Gott ebenbildlich ist.
Als Ersatz für ihre schöpfungsmäßige Inferiorität muß die Frau deshalb eine Kopfbedeckung tragen, da sie andernfalls den kosmischen Mächten schutzlos ausgeliefert ist.
3. In den Versen 11 und 12 kommt Paulus zu seiner dritten Beweisführung, die scheinbar alles bisher Gesagte aufhebt: «Allerdings ist im Herrn weder die Frau ohne den Mann noch der Mann ohne die Frau. Denn wie die Frau aus dem Manne ist, so ist auch der Mann durch die Frau; alles aber ist aus Gott». Nun scheinen auf einmal beide Geschlechter völlig gleichberechtigt und gleichwertig zu sein. Aber beim genaueren Überdenken hebt auch hier die Heilsordnung keineswegs die Schöpfungsordnung auf; denn beide Verse stehen unter der Direktion des zentral paulinischen «im Herrn». Diese typisch paulinische Formel ist sachlich gleichbedeutend mit der ekklesiologischen «im Leibe Christi». Gegen die gesamte Antike besteht hier Paulus zwar auf der Lehr- und Verkündigungsfreiheit im Gottesdienst, aber das «im Herrn» verabschiedet keineswegs die Schöpfungsordnung überhaupt. Die Gleichheit der beiden Geschlechter hat ihren Ort eschatologisch «im Herrn», und zwar hinsichtlich des Heils. Auch in den Versen 11 und 12 sprengt die Heilsordnung keineswegs die Schöpfungsordnung, verfolgt Paulus also auf gar keinen Fall die gesellschaftliche Emanzipation wie seine enthusiastischen Gegner. Vielmehr wird die christliche Freiheit der beiden Geschlechter eschatologisch eindeutig auf Gott und «im Herrn» bezogen und gegen jede gesellschaftlich-ideologische Emanzipation ins Feld geführt.
Schließlich bietet Paulus in den Versen 13–16 einen vierten und letzten Beweisgang, und zwar jetzt aus der Naturordnung. In Vers 13 appelliert Paulus an das Urteilsvermögen der Korinther, ob es sich gehört, als Frau unbedeckt zu Gott zu beten. Auch die Christen müssen wissen, was sich gehört (Phil. 4,8f). Vers 14f kommt der naturrechtliche Hinweis auf die Natur der Frau. Für den Mann ist langes Haar eine Schande, für die Frau dagegen eine Ehre. Auch hier begründet die Naturordnung das allgemeine Verhalten. In Vers 16 endlich bietet Paulus die herrschende Sitte auf, die in der natürlichen Ordnung gegründet ist. Jede Verkehrung der Sitte gilt deshalb als Perversion – ein traditionelles Motiv der Popularphilosophie. Faktisch kämpft Paulus in Korinth mit diesen vier genannten

Beweisgängen für die Beibehaltung der alten und nicht für die Einführung einer neuen Sitte. Im Kampf gegen gnostische Enthusiasten ruft er hier wie auch sonst in seinen Briefen die alttestamentlich-jüdische Schöpfungsgeschichte und die Popularphilosophie zu Hilfe. Während Jene Schöpfung wie Natur dualistisch zum gottlosen Kosmos zählen, und mit der Loslösung der Christen von diesem die völlige Emanzipation predigen und praktizieren, ruft Paulus zur christlichen Natürlichkeit und Geschöpflichkeit zurück. Trotz mancher fragwürdiger Beweisführung hat Paulus zurecht in 1.Kor.11,3–16 jede vorschnelle Gleichsetzung von Heilsordnung und Schöpfungs- bzw. Naturordnung abgelehnt, denn die eschatologisch-sakramentale Aufhebung von Mann und Frau «im Herrn» hinsichtlich ihres gemeinsamen Heils führt keineswegs zur gesellschaftlich-ideologischen Emanzipation im alten Aeon, sondern wie immer zur Freiheit im Dienst am Nächsten.

6. Eheverzicht, Ehe, Ehescheidung und Ehebruch

1.Kor.7 als ein in sich völlig geschlossener Lehrabschnitt ist zurecht als das wichtigste Kapitel der ganzen Bibel über Ehefragen und damit verbundene Probleme angesprochen worden. Allerdings stellt auch dieses sexual-«ethische» Kapitel wie die übrigen im 1.Kor. die autoritative Antwort des Paulus auf schriftliche Anfragen der korinthischen Gemeinde dar (vgl. weiter 8,1; 12,1; 16,1.12). Paulus bietet also in 1.Kor.7 weder eine dogmatische Abhandlung über Ehe und Eheverzicht noch eine prinzipiell systematische Sexualethik mit der Behandlung sämtlicher Ehe- und Askeseprobleme, sondern ganz konkret situationsbezogene Weisungen. Das alles ist von den Kommentatoren zurecht angemerkt und immer wiederholt worden. Unsachgemäß wäre es allerdings, die paulinischen Antworten aufgrund ihrer Situationsbedingtheit zu relativieren und abzuwerten. Das Gegenteil ist der Fall! Paulus hat sich in 1.Kor.7 grundsätzlich zu Eheverzicht, Ehe und Ehescheidung geäußert und möchte seine reflektiert abgestuften Weisungen wie Gebote (Vers 6 und 25), Erlaubnis (Vers 6) und Meinung bzw. Rat (Vers 25 und 40) ausdrücklich befolgt wissen. Der genaue Inhalt dessen, «worüber ihr geschrieben habt» (7,1a) und damit auch der Anlaß ihrer schriftlichen Anfrage läßt sich nun sowohl aufgrund von 1.Kor.7 als auch des ganzen 1.Kor. ziemlich genau ermitteln. Der aposteltreue Teil der korinthischen Gemeinde ist durch die radikal asketischen Parolen wie die darauf folgende Praxis der gnostischen Enthusiasten sehr beunruhigt worden: Jeglicher Geschlechtsverkehr wurde abgelehnt (1.Kor.7,1b), bestehende Ehen sollten aufgelöst (Vers 10f und 27) werden, heiraten gilt als Sünde (Vers 28), die Ehepartner sind die Repräsentanten des gottlosen Kosmos, so daß «geistliche Ehen» gefordert werden (Vers 36-38). Dieses umfassende Programm einer

Geschlechts- und Ehefeindlichkeit ist bei den gnostischen Enthusiasten in Korinth offensichtlich dualistisch motiviert. Allerdings ist festzuhalten, daß diese radikal asketische Praxis nicht mit der ganzen Gemeinde, sondern nur mit einer bestimmten Gruppe in Zusammenhang zu bringen ist. D.h. aber: Wie sich Paulus in 1.Kor.6,12ff gegen gnostischen Libertinismus wendet, so in 1.Kor.7,1ff gegen gnostische Asketen.

Paulus eröffnet seine autoritative Belehrung mit einem Zitat aus dem Brief der Korinther an ihn, wie in der Auslegung zurecht mehrfach angenommen wird: «Es ist dem Menschen ratsam, eine Frau nicht zu berühren», d.h. sich jeglichen Geschlechtsverkehrs mit ihr zu enthalten. Diese Maxime geht freilich nicht auf die gesamte Gemeinde zurück, sondern dürfte die Parole der gnostischen Enthusiasten exakt wiedergeben. Paulus hat sie übernommen (wie auch in 1.Kor.6,13; 7,26; 8,1 usw.), aber wie immer kritisch und weiterführend neu interpretiert. Diesen Grundsatz aber hat Paulus nicht nur zitiert, sondern bewußt an den Anfang gestellt, so daß er das ganze siebente Kapitel beherrscht (vgl. nur 7,8.25ff.38.40). Mit diesem Preis der geschlechtlichen Enthaltsamkeit beginnt Paulus also nicht zufällig das Kapitel seiner Sexual-«ethik», so daß 1.Kor.7 mit Blick auf 1.Kor.13 durchaus als das Hohelied der totalen Sexualaskese zu bezeichnen ist.

Auffallend ist, daß dieser beherrschende Grundsatz weder eine spezifisch christliche Ausdrucksweise enthält noch zunächst eschatologisch mit dem Hinweis auf die apokalyptische Naherwartung der Parusie (so 7,25ff), oder christologisch durch die Freiheit für Christus (so 7,32ff) begründet wird. Vielmehr dürfte das Fehlen jeglicher Begründung für diese These damit zusammenhängen, daß aufgrund der vorliegenden Sachproblematik nicht die Sexualaskese, sondern vielmehr umgekehrt der Sexualverkehr und damit die Ehe gerechtfertigt werden müssen. Man hat vielfach vermutet, daß hinter dieser Maxime die dualistisch-gnostisch motivierte Abneigung gegenüber der Frau im allgemeinen und gegen den Sexualverkehr im besonderen stecke, die Frau also aufgrund ihres dämonischen Charakters negativ tabuiert sei und nichts anderes als das Geschäft des Demiurgen besorge mit ihrer Sexualität, der Ehe, dem Kindergebären und der Familie.

In diesen weiteren Kontext sexualasketischer Tendenzen wie Praktiken gehören die Essener (nach Jos.Bell. 2, 120; Ant.18,21) und vor allem der essenische Mönchsorden von Chirbet Qumran (1QSa 1,9ff), nicht dagegen die auf dem Lande lebenden Essener (Damaskusschrift!). Aber auch im Griechentum gab es sexualasketische Strömungen, wie z.B. die Kyniker, die nach Epiktet (III 22,77) die Ehelosigkeit für eine höhere Stufe der Selbstvervollkommnung halten. Schließlich darf nicht übersehen werden, daß 1.Mos. 2,18 (= Septuaginta; auch Tob. 8,6) das genaue Gegenteil von 1.Kor.7,1b behauptet: «Es ist nicht gut, daß der Mensch allein sei» und auch zu der gesamten rabbinischen Eheauffassung im eklatanten Widerspruch steht, worauf wir weiter unten gleich zu sprechen kommen. Aber Paulus motiviert seine Empfehlung des Eheverzichts weder leibfeindlich noch egoistisch oder im Sinne der prinzipiellen Diskriminierung des Sexuellen, sondern charismatisch: «Ich will allerdings, daß alle Menschen wären wie ich; aber jeder hat sein eigenes Charisma (= Gnadengabe) von Gott, der eine so, der andere so». (Vgl. 1.Kor.7,7). Totale Geschlechtsaskese und d.h. für Paulus zugleich Eheverzicht, weil nach dem Apostel Geschlechtsverkehr nur in der Ehe erlaubt ist, ist für ihn ein Charisma, d.h. Berufung zur ungeteilten Hingabe an den Herrn wie zum Dienst am Nächsten. Damit wird die von Paulus übernommene und das gesamte sexual-«ethische» Kapitel beherrschende Maxime in Vers 7 wieder aufgenommen und in seiner Charismenlehre verankert. Die sexuelle Bedürfnislosigkeit als Charisma besitzen nicht alle Christen, weil Gott durch Christus das Charisma zugeteilt hat, wie er will. Deshalb ist die sexuelle Enthaltsamkeit für Paulus weder ein Gebot für alle Glieder des Christusleibes noch gar ein Gesetz im Sinne des Heilsweges im Stande einer besonderen Vollkommenheit im Gegensatz zu den normalen Gemeindechristen. Die geschlechtliche Enthaltsamkeit hat also für den späten Paulus ihren Ort in der Charismen-, nicht aber der Gesetzeslehre. Sie steht darum nicht im Horizont der Erlösungsaskese als besonders verdienstliches Werk um des eigenen Heiles willen oder als eine besondere Tugend, die lebenslang eingeübt werden kann (vgl. z.B. Philo Spec. Leg. II 195); und begründet schon gar nicht einen besonderen pneumatischen Status innerhalb einer vorausgesetzten Gemeindehierarchie. Darum kann die Geschlechtsaskese auch nicht durch Nachahmung, etwa der Imitatio des Apostels, zu der er sonst in seinen Briefen aufruft, gewonnen werden. Vielmehr wird die sexuelle Askese und Ehelosigkeit nur charismatisch verstanden als Berufung zum ausschließlichen Dienst am Herrn und am Nächsten.

Der späte Paulus behauptet also in 1.Kor.7,7, das Charisma der sexuellen Askese zu besitzen, das für ihn aber gerade keine besonders verdienstliche Leistung darstellt, sondern ihm einen noch ungeteilteren, besonderen und größeren Dienst am Mitmenschen ermöglicht. Nur aus diesem Grunde wird vom Apostel in 1.Kor.7 das Hohelied der völligen Sexualaskese und damit der Ehelosigkeit angestimmt.

In 1.Kor.7,8f wird nun der empfohlene Grundsatz der sexuellen Enthaltsamkeit 1,1b auf bestimmte Stände von Gemeindegliedern angewandt, die noch nicht bzw. nicht mehr verheiratet sind: «Ich sage aber den Unverheirateten und den Witwen: Gut ist es für sie, wenn sie so bleiben wie ich». Wiederum kommt Paulus auf den alles beherrschenden Grundsatz von 7,1b zurück, der wie dort nicht näher motiviert zu werden braucht. Die Enkratie (= Enthaltsamkeit), das Verbum taucht jetzt auch in Vers 9 auf, wird eindeutig über die Ehe gestellt: Es ist gut und ratsam, daß die Unverheirateten und die Witwen auf eine Ehe bzw. eine neue Ehe verzichten, wenn sie sich Paulus als Beispiel nehmen. Wer als Unverheirateter und Verwitweter die Freiheit von sexuellen Bedürfnissen hat, soll nicht bzw. nicht mehr eine Einehe eingehen. Der Grund dafür ist auch hier, daß die ehelosen, also in völliger sexueller Bedürfnislosigkeit lebenden Christen, größere Möglichkeiten haben, Christus und ihrem Nächsten zu dienen, als die Verheirateten. Auch in 7,25–28 wird wiederum auf die Hauptthese von 7,1b Bezug genommen, indem die völlige Geschlechtsaskese jetzt für die Jungfrauen und unverheirateten Männer empfohlen und – das ist neu gegenüber 7,1b – ausdrücklich apokalyptisch mit dem Hinweis auf die nahe Katastrophe bei der Parusie begründet. Da der Apostel wie in 7,1a mit der typischen Wendung «über die ... aber ...» ansetzt, wird es sich in 7,25–28 wie in 7,1b um eine direkte sexual-«ethische» Antwort auf die korinthische Anfrage hinsichtlich der Jungfrauen und unverheirateten Männer handeln. Allerdings bemerkt Paulus gleich zu Beginn seiner Antwort, daß ihm hinsichtlich dieser von ihm abgeforderten Entscheidung kein Gebot bzw. Befehl des Kyrios wie in Vers 10 vorliegt. Die korinthische Gemeinde bleibt vielmehr auf seinen Rat bzw. seine Meinung angewiesen (ebenso Vers 40). Daß aber trotzdem keine unverbindliche Ansicht des Apostels vorliegt, wird sogleich durch den Nachsatz unüberhörbar zum Ausdruck gebracht: Er urteilt als einer, «dem vom Herrn Barmherzigkeit widerfahren ist, zuverlässig zu sein» (Vers 25). Hinter seinem Urteil steht also die Autorität des apostolischen Amtes, so daß sein Rat nicht bloß in der Kirche diskutiert, sondern angenommen und befolgt sein will. Sein autoritativer Ratschlag folgt der Maxime von 7,1b: Wegen der unmittelbar bevorstehenden, apokalyptischen Katastrophe (das zugrundeliegende griechische Wort «ananke» ist terminus technicus in der Apokalyptik: Jubiläen 23,11ff; 4.Esra 5,1ff; 6,18ff; 9,1ff u.a.), ist es «gut» sowohl für die Jungfrau als auch die unverheirateten Männer, «so zu sein» (7,26). Die sexuelle Bedürfnislosigkeit und damit die Ehelosigkeit entspricht nach Paulus der Stunde der Weltzeit: Weil in Kürze die kosmisch-apokalyptische Katastrophe über diesen alten Aeon hereinbricht, wird es die Verheirateten doppelt schwer treffen. Die mit der apokalyptischen Parusie des Kyrios verbundenen Schrecken wird die Verheirateten besonders schwer im Gegensatz zu den ehelosen Gemeindegliedern belasten. Deshalb schärft Paulus den sexual-«ethischen» Grundsatz von 7,20 ein: «Jeder bleibe in dem Stand, in dem er von Gott berufen wurde» und wendet ihn im sexual-«ethischen» Sinne auf die Jungfrauen und unverheirateten Männer an (Vers 27): Ist man frei, so soll man sich nicht durch die Ehe binden. Die Ehe ist für Paulus weder ein anzustrebendes Gut noch ein besonderer Wert, der von den ehelosen Christen auf keinen Fall versäumt werden darf. Im Gegenteil! Noch einmal rät Paulus, auf die Ehe zu verzichten, denn «die Verheirateten werden die apokalyptische Drangsal im Fleisch erleben, ich aber möchte euch schonen». Natürlich werden unter den apokalyptischen Nöten bei der Parusie in der letzten bösen Zeit alle Gemeindeglieder, die verheirateten wie die

unverheirateten, zu leiden haben, aber die verheirateten werden in den apokalyptischen «Wehen» der bevorstehenden Endzeit durch ihre ehelichen und familiären Bindungen zusätzlich Schweres durchmachen müssen. Der sexual-«ethische» Grundsatz von 7,1b wird also in 7,25–28 eindeutig apokalyptisch mit dem Hinweis auf die unmittelbar bevorstehenden Schrecken der apokalyptischen Endzeit motiviert: Dann werden die Unverheirateten weniger zu leiden haben als die verheirateten Christen.
Von größter Bedeutung für die Forderung der völligen Sexualalaskese sind nun weiter die Verse 32–35: Hier wird aber die Empfehlung der Ehelosigkeit nicht mehr mit der Nähe der apokalyptischen Katastrophe motiviert, sondern mit der dualistischen Antithese von Kyrios und Kosmos bzw. von Sorge um die Angelegenheiten entweder des Herrn oder der Welt. «Der Unverheiratete sorgt sich um die Angelegenheiten des Herrn, wie er dem Herrn gefallen kann. Der Verheiratete aber sorgt sich um die Angelegenheiten der Welt, wie er der Frau gefallen kann, und ist gespalten. Und die unverheiratete Frau (= Witwe, Geschiedene oder Verlassene) und die Jungfrau sorgt sich um die Angelegenheit des Herrn, daß sie heilig sei an Leib und Geist. Die Verheiratete aber sorgt sich um die Angelegenheiten der Welt, wie sie dem Manne gefallen kann» (Vers 32b–34).
Obwohl Paulus sich mit aller wünschenswerten Klarheit ausgedrückt hat, ist oft in der Geschichte der Auslegung dieser Text in sein Gegenteil verkehrt worden. Nur der unverheiratete Mann ist befreit von der weltlichen Sorge als Zeichen der eschatologischen Existenz und steht in der ungeteilten Hingabe an den Herrn, der Verheiratete dagegen sorgt sich um die Dinge der Welt, wobei der jeweilige Ehegatte – und das ist bezeichnend – den gottlosen Kosmos repräsentiert. Den Ehegatten zu gefallen suchen ist für Paulus gleichbedeutend mit Weltverfallenheit. Die Sorge für die Welt – für die Christen heute gerade selbstverständlich – beeinträchtigt die Totalhingabe an den Christus. Er ist und bleibt «gespalten»! Natürlich sorgt sich der Verheiratete auch um den Herrn, aber aufgrund seines Zwiespaltes sind seine Sorge und Hingabe an den Kyrios geteilt. Die Geschlechtsgemeinschaft und die Ehe sind nach Paulus niemals der eschatologische Ort der ungeteilten Sorge für den Herrn und d.h. des Liebesdienstes gegenüber allen Geschöpfen (vgl. Röm.14,15ff). Deshalb wird von Paulus die Ehelosigkeit und nicht die Ehe favorisiert. Dasselbe gilt für die unverheiratete Frau: Die verwitwete oder geschiedene Frau wie die Jungfrau sorgen sich ausschließlich in ungeteilter Hingabe um die Angelegenheiten des Herrn, sind also nicht gespalten. Nur bei der Jungfrau und der ebenfalls in sexueller Abstinenz lebenden Frau wird die Sorge um die Angelegenheiten des Herrn näher bestimmt als die Heiligung im leiblichen und geistigen Bereich. Nur die in völliger Geschlechtsaskese lebende Frau wie Jungfrau übt den geforderten Weltverzicht und erreicht so mit ihrer leiblichen und geistigen Heiligung eine

höhere Stufe von Christusverhältnis und Heiligkeit. Zweifellos gehören Sexualität wie Ehe auf die Seite des Kosmos und nicht des Herrn, wird die Empfehlung der totalen Sexualaskese dualistisch motiviert und hängen Geschlechtsaskese und Heiligung bzw. Heiligkeit in besonderer Weise zusammen. Paulus möchte mit dieser Empfehlung zur Ehelosigkeit die Korinther nicht zu Fall bringen (= Vers 35) oder ihnen etwas befehlen, sondern zum «anständigen», «beharrlichen» und «ungestörten» (alles Begriffe der Popularphilosophie seiner Zeit) Gehorsam gegenüber dem Herrn anleiten. Und diese von Paulus gewollte, allerdings nicht gesetzlich zu regelnde Totalhingabe an den Herrn ist nur in der völligen Geschlechtsaskese möglich. Entscheidend aber ist für Paulus wiederum, daß solche Askese niemals zu einer verdienstlichen Leistung gemacht wird, sondern immer Charisma, also Berufung zum ungeteilten Dienst am Bruder und Nächsten bleibt. Auch wenn die Ehelosigkeit in 1.Kor.7,32-35 dualistisch motiviert wird, hat sie in ihrer charismatischen Ausrichtung nichts mit der bekannten Ehefeindschaft und Ehemüdigkeit der damaligen Antike zu tun.

Auch die nächste Weisung des Paulus an die Korinther Vers 36–38 dürfte von den gnostischen Enthusiasten provoziert worden sein: Weil die Frau gegenüber dem Mann wie umgekehrt der Mann gegenüber der Frau die gottlose Welt repräsentieren, spricht sich Paulus – sehr wahrscheinlich aufgrund der schriftlichen Anfrage der Korinther – ausdrücklich für die asexuelle Ehe aus: «Wenn aber jemand gegen seine Jungfrau unanständig zu handeln glaubt, wenn er überreif ist und es so sein muß, so soll er tun, was er will. Er sündigt nicht, sie sollen heiraten. Wer aber in seinem Herzen feststeht und keine Not hat, sondern Gewalt über seinen Willen und in seinem Herzen beschlossen hat, seine Jungfrau als solche zu bewahren, der handelt gut. Also: Wer seine Jungfrau heiratet, handelt gut, und wer sie nicht heiratet, handelt besser» (1.Kor.7,36–38). Im Unterschied zu 7,25–28 und 32–35 kommt Paulus auf einen neuen und besonderen Fall zu sprechen, der allerdings bis heute immer wieder zu unterschiedlichen Deutungen geführt hat. Alles hängt an der Frage, wer der «jemand» in Vers 36 ist. Drei Möglichkeiten stehen grundsätzlich zur Wahl:

1. Der «Jemand» ist nach der traditionellen Auslegung der christliche Vater, der vor der Frage steht, ob er seine leibliche Tochter verheiraten soll oder nicht. Aber zu dieser Deutung paßt weder die Gleichung Jungfrau=Tochter noch die Aussage, daß der Vater schändlich (im sexuellen Sinne) gegen seine Tochter verfährt, wenn er sie verheiratet.

2. So hat man neuerdings den «Jemand» nicht auf den Vater, sondern auf den Bräutigam bezogen, der seine Braut schließlich heiraten möchte. Aber im Text steht Jungfrau und nicht Braut!

3. Aus diesen genannten Einwänden und vor allem aufgrund des Kontextes von 1.Kor.7 dürfte die dritte Möglichkeit die wahrscheinlichste sein,

daß hier nicht von einem wirklichen Verlöbnis, sondern von einer geistlichen und asexuellen Ehe die Rede ist (= das sogenannte Syneisaktentum der Alten Kirche). Wahrscheinlich haben die Korinther angefragt, ob die Jungfrau nicht schändlich behandelt wird, wenn der in einer solchen Ehe ohne Geschlechtsgemeinschaft lebende Mann von seiner Libido überwältigt wird und seine geistliche Ehe in eine natürliche umwandeln will. Wie bisher (Vers 2f, 9 und 28) ist Paulus zu einer Konzession bereit: Der Betreffende sündigt nicht, wenn sie heiraten (Vers 36). Aber prinzipiell steht Paulus auf Seiten der geistlichen Ehe, wofür er allerdings zwei Bedingungen nennt: Nur wer erstens imstande ist, «fest» in seinem Herzen zu bleiben, also kein sexuelles Verlangen verspürt und zweitens Gewalt über seinen Geschlechtstrieb behält (= Vers 37a und b), soll diesen Weg der Askese in der Ehe beschreiten. Im übrigen gibt er den Korinthern folgende Grundregel: Wer seine Libido nicht in der Gewalt hat, sondern vielmehr von ihr überwältigt wird, der soll getrost seine geistliche in eine normale Ehe umwandeln, er handelt durchaus gut. Denn Heiraten ist keine Sünde (Vers 37) und immer noch besser als «brennen» (Vers 9). Wer aber das Charisma der völligen Geschlechtsaskese geschenkt bekommen hat, der «tut besser». Auch bei dieser Empfehlung in Vers 38 bleibt Paulus konsequent auf der Linie des ganzen siebenten Kapitels: Die totale Sexualaskese wird deshalb vom Apostel favorisiert, weil der Unverheiratete im Gegensatz zum Verheirateten ganz und gar dem Herrn gehört, um seinem Bruder, Nächsten und Feind dienen zu können. Der ungeteilte und unbeschwerte Dienst kann nur in der ehelosen Existenz verwirklicht werden – diese Empfehlung des Apostels bestimmt das ganze siebente Kapitel, beherrscht alle seine Antworten und wird konsequent zum Schluß auf den Stand der christlichen Witwen in der Gemeinde angewandt.

Zunächst ruft Paulus die mosaische Tora zu Hilfe: Solange der Ehemann lebt, ist die Ehefrau an ihn gebunden (= Vers 39a), erst der Tod des Ehemannes gibt sie frei, so daß sie heiraten kann, wen sie will (Vers 39b). Allerdings gelten diese auch von der christlichen Gemeinde anerkannten Torabestimmungen mit einer gewissen Einschränkung: Die neue Ehe muß «im Herrn» geschlossen werden (= Vers 39c) und d.h. sie soll in seinem Geiste geführt werden. Aber Paulus schließt diese sexual-«ethische» Erörterung wiederum mit seiner durch den Geist inspirierten «Meinung» ab: «Seliger aber ist sie..., wenn sie so bleibt» (Vers 40a). Wie immer bisher in den Versen 1ff.8ff.25ff.32ff.36ff so streicht er noch einmal das Bessere heraus. Dem Sexualverzicht der Witwe gilt allein das «seliger aber ist sie...». Nur die Witwe, die auf das Eingehen einer zweiten Ehe verzichtet, steht in der ungeteilten Hingabe an den Herrn und Nächsten und allein darauf kommt Paulus alles an. Schließlich richtet sich die Schlußbemerkung des Apostels mit größter Wahrscheinlichkeit gegen die korinthischen Pneumatiker: «Auch ich glaube den Geist Gottes zu

haben». Zwar ist es kein Gebot bzw. Befehl, sondern «nur» eine Meinung bzw. Ratschlag, aber damit nicht weniger verbindlich. Denn es ist der Rat eines von Christus berufenen Apostels, der den Geist Gottes besitzt.
Fazit: Paulus preist deshalb im 1.Kor.7 die in völliger Geschlechtsaskese lebenden Christen selig, weil sie den charismatischen Dienst am Nächsten besser ermöglicht als der Stand der Ehe.

In der *Eheauffassung* unterscheidet sich der späte Paulus deutlich sowohl von der jüdischen wie heidnischen Antike. Für das Judentum ist die Ehe nach alttestamentlicher Tradition eine gute Schöpfungsordnung und darum göttliches Gebot zur Erzeugung von Kindern (vgl. Tos.Jeb.8,4; Philo Spec.Leg.III 1–82; Jos.Ap.II,199f). Auch für den Hellenismus ist die Ehe trotz gelegentlicher zynischer (Hipponax, Stob.4,22,35) und kritischer (Antiphon, Stob.4,521,12) Aussagen das Normale (vgl. Aristoteles Eth.Nic.8,14,1162a; Musonios Homonoia 69,8).

Aber Paulus lehnt auch die grundsätzliche Verwerfung der Ehe durch seine judenchristlich-gnostischen Gegner aufgrund ihres metaphysischen Dualismus ab. Heiraten ist für ihn eben keine Sünde (Vers 28 und 36); aber sie wird von ihm auch nicht in positiver Weise theologisch begründet, sondern lediglich konzediert: «Um der Unzucht Willen soll jeder seine eigene Frau haben und jede soll ihren eigenen Mann haben» (7,2). Nach diesem Grundsatz ist die Ehe weder Hurerei (so Marcion bei Clemens Strom. III 49,1) noch religiös-moralische Pflicht (wie für das Judentum), sondern lediglich eine Konzession zu dem Zweck, die Gefahr der Unzucht zu vermeiden. Wer nicht das Charisma der sexuellen Enthaltsamkeit besitzt, muß auf jeden Fall heiraten, um der stets drohenden Unzucht zu entgehen. Die Unzucht wird von Paulus kompromißlos verboten (1.Kor. 6,12ff), weil sie von Gott selber gerichtet wird (1.Kor. 6,9ff). Die Ehe als Geschlechtsgemeinschaft ist dagegen insofern erlaubt, weil sie eine göttliche Ordnung des Schöpfers und von der Tora abgesichert ist (1.Kor.7,39; Röm. 7,1–3 u.a.). Weil Gott selber die Ehe eingesetzt hat, wird sie auch von Paulus nicht gnostisch verteufelt. Aber sie ist nicht jüdisch und auch griechisch die notwendige Institution zur Fortpflanzung des Menschengeschlechts, sondern primär der Ort für die Unenthaltsamen, Geschlechtsgemeinschaft zu haben, ohne der Unzucht anheimzufallen. D.h. aber: Sowohl die Ehe als auch die Ehelosigkeit sind für den späten Paulus nebeneinander zwei legitime Weisen christlicher Lebensführung, allerdings nicht im gleichen «ethischen» Rang, wie die zahlreichen Komparative gerade in 1.Kor.7 beweisen (vgl. nur 7,26.38.40). Besser als die Ehe ist zweifellos die Ehelosigkeit! Nur letztere wird durchweg favorisiert und erstere keineswegs freudig bejaht, sondern lediglich konzediert (= Vers 6!). Für die spätpaulinische Eheauffassung ist nun aber bezeichnend, daß der eheliche Verkehr und die Geschlechtsgemeinschaft zum Wesen der Ehe gehören: «Der Mann soll seine eheliche Pflicht gegenüber der Frau erfüllen, ebenso auch die Frau gegenüber dem Mann» (7,3). Die Eheleute

sind sich des Sexualverkehrs schuldig, was auf alttestamentlich-jüdische Einflüsse hinweist (vgl. 2. Mose 21,10; Mech. Ex. 21,10,85a).
1.Kor.7,4 geht noch einen Schritt weiter, wenn gesagt wird, daß die Geschlechtsgemeinschaft in der Ehe zum Verlust des Verfügungsrechtes über den eigenen Leib führt. Im Hintergrund dürfte 1.Mose 2,24 stehen, wonach die Ehegatten durch die leibliche Gemeinschaft «ein Fleisch» geworden sind, so daß sich keiner dem andern entziehen darf (Vers 5a). Paulus erlaubt nur eine Ausnahme bei der Unterbrechung des Sexualverkehrs: Das Gebet, allerdings nur unter zwei Bedingungen. Die Aufhebung des ehelichen Verkehrs muß einmal in gegenseitiger Übereinstimmung und zum anderen «auf Zeit» geschehen. Test.Naph.8,8 ist dafür eine gute Sachparallele: «Es gibt eine Zeit für das Zusammensein mit der Frau und eine Zeit des Sichenthaltens für das Gebet». Die heilige Handlung des offenbar anhaltenden Gebetes schließt nach jüdischer Tradition den ehelichen Verkehr aus. Aber diese Sexualaskese, für die Paulus durchaus mit dem zeitgenössischen Judentum in der Ehe eintritt, muß zeitlich befristet sein: «damit euch nicht der Satan verführe aufgrund eurer geschlechtlichen Unenthaltsamkeit». Wiederum setzt Paulus gut jüdisch voraus, daß die Unzucht auf das Wirken des Satans zurückgeht. Alle seine Ratschläge über den Eheverkehr der Christen in 7,2–5 werden von Paulus abschließend als «Zugeständnis, nicht als Befehl» (Vers 6) gekennzeichnet. Die Ehe mit ihrem Geschlechtsverkehr wird von Paulus der christlichen Gemeinde nicht gesetzlich verordnet, sondern lediglich konzediert, weil nicht alle Christen das Charisma der totalen Geschlechtsaskese besitzen. Aber sein leidenschaftlicher Wunsch und Wille geht genau in die entgegengesetzte Richtung, daß nämlich alle Christen werden «wie ich, nämlich frei von allen sexuellen und ehelichen Bedürfnissen» (1.Kor.7,7a).
«Wenn sie aber sexuell nicht enthaltsam leben können, sollen sie heiraten. Denn es ist besser zu heiraten, als zu brennen» (1.Kor.7,9). Eindeutig ist die Ehe für die sexuell Unenthaltsamen da. Weder erhebt Paulus einen Vorwurf an die Nichtenthaltsamen noch gar soll die Sexualaskese von Christen als besondere Leistung eingeübt werden. Denn Heiraten ist immer noch besser als «Brennen», also vom Feuer der sexuellen Bedürfnisse verbrannt werden. Ausdrücklich wird die Ehe für all diejenigen Christen empfohlen, die nicht das Charisma der Ehelosigkeit haben, vielmehr von der sexuellen Leidenschaft überwältigt werden. Aber Paulus betont im Laufe seiner Ausführungen immer wieder, und zwar wohl an die Adresse seiner judenchristlich-gnostischen Gegner, daß die Ehe zwar dem Rang nach unter dem Eheverzicht steht, aber keine Sünde ist (Vers 28 und 36).
Gegen die korinthischen Gnostiker dürfte auch das absolute Ehescheidungsverbot in 1.Kor.7,10–12 gerichtet sein. Aufgrund ihrer dualistisch motivierten Leibfeindschaft und der damit im engsten Zusammenhang

stehenden Verwerfung von Sexualität und Ehe überhaupt zitiert Paulus das autoritative Herrenwort von der Unauflöslichkeit der Ehe. «Den Verheirateten aber gebiete nicht ich, sondern der Herr, daß sich eine Frau vom Manne nicht scheiden soll. Wenn sie sich aber doch geschieden hat, soll sie unverheiratet bleiben oder sich mit ihrem Mann versöhnen, und daß ein Mann seine Frau nicht wegschicken soll». Für die korinthischen Gnostiker wurden die Christen durch die sakramentale Versetzung in den Christusleib derart entweltlicht, daß die Ehe nicht mehr weitergeführt werden konnte und sollte.
Gliedschaft am Christusleibe hebt für sie dualistisch die eheliche Gemeinschaft auf. Deshalb die konkrete Anfrage des aposteltreuen Teils der korinthischen Gemeinde. Paulus steht mit diesem absoluten Ehescheidungsverbot in der Tradition Jesu und der Jesusgemeinden (vgl. Mt.5,32/ Lk.16,18 und Mk.10,12).«, die allerdings schon vorpaulinisch von der hellenistischen Kirche neu interpretiert worden ist. Die auf Mt.5,32 zurückgehende «Unzuchtsklausel» kannte Paulus selbstredend noch nicht. Zwar stellt er ausdrücklich fest, daß nicht er in seiner Eigenschaft als Heidenapostel, sondern der Kyrios selbst die Unauflöslichkeit der Ehe von Christen definitiv festgesetzt hat. Dieses absolute Ehescheidungsverbot widerspricht sowohl der jüdischen (vgl. die Belege auf Seite 38ff) als auch nichtjüdischen Umwelt. Senecas Ausspruch, daß die Frau ihre Jahre nicht nach den Konsuln, sondern nach der Zahl ihrer Männer zähle, dürfte dafür typisch sein: «Sie scheiden sich, um zu heiraten, und heiraten, um sich zu scheiden» (de beneficiis 3,16,2). Die christliche Gemeinde bezieht also von Anfang an in dieser ethischen Grundfrage eine völlig andere und neue Position. Wie in Mk.10,12 setzt Paulus nach griechischem und römischen Recht voraus, daß die Frau den Mann entläßt, also eine Rechtsgleichheit von Mann und Frau hinsichtlich des ins Auge gefaßten Ehescheidungsverfahrens besteht. Ist die Frau aber vor ihrem Christsein bereits geschieden – dieser Fall wird von Paulus parenthetisch behandelt – und wird als Geschiedene Glied am Leibe Christi, dann bestehen für sie zwei Möglichkeiten: Entweder bleibt sie weiterhin unverheiratet oder sie versöhnt sich mit ihrem vor der Taufe geschiedenen Mann und nimmt die eheliche Beziehung wieder auf. D. h. aber: Das absolute Ehescheidungsverbot des irdischen und erhöhten Herrn gilt nur innerhalb des Christusleibes, nicht für die vorchristliche Existenz; denn für den christlichen Ehepartner gibt es keine Scheidung mehr. Nur eine vor ihrem Christsein geschiedene Frau hat nach ihrem Eintritt in die Kirche zwei Möglichkeiten der Wahl. Im übrigen gilt uneingeschränkt die kategorische Forderung des Herrn, die von Paulus in einer anderen Grundsatzentscheidung wiederum autoritativ zur Sprache gebracht wird (vgl. 1.Kor. 7,27).
In 1.Kor.7,12–16 antwortet Paulus auf eine weitere Anfrage der Korinther, die etwa gelautet haben mag: Darf ein zum christlichen Glauben

gekommener und getaufter Ehemann weiterhin mit seiner heidnischen Ehefrau geschlechtlich zusammenleben wie umgekehrt darf eine christliche Ehefrau mit ihrem heidnischen Ehemann die Ehe aufrechterhalten? Für diesen neu zu verhandelnden Fall der christlich-heidnischen Mischehe kann Paulus «nur» – wie er gleich anfangs ausdrücklich betont – seine eigene Grundsatzentscheidung entbieten, sich aber nicht auf den göttlichen Befehl des irdischen und erhöhten Kyrios stützen. Dessen absolutes Verbot der Ehescheidung gilt nicht mehr für die christlich-heidnische Ehe in Korinth und überhaupt für die hellenistische Kirche aus Juden- und Heidenchristen im römischen Imperium.
Paulus behandelt reflektiert zwei Fälle. Der erste Fall (= Vers 12b–13): Wenn der jeweils heidnische Ehepartner die Ehe mit dem christlichen Ehepartner aufrechterhalten will, (zu beachten ist das zweimalige mit jemandem sexuell «zusammenwohnen»), dann ist Paulus einverstanden. Der christliche Teil der Mischehe soll seinen heidnischen nicht «wegschikken», d.h. sie sollen auch weiterhin in der ehelichen Gemeinschaft bleiben, wenn der heidnische Ehepartner an der Ehe mit einem Christen festhalten will. Besondere Schwierigkeiten hat den Auslegern der Vers 14 bereitet: «Denn der ungläubige Mann ist durch die Frau geheiligt, und die ungläubige Frau durch den Bruder geheiligt. Denn sonst sind eure Kinder unrein; jetzt aber sind sie heilig». Paulus widersetzt sich hier wiederum der gnostisch-dualistischen Provokation. Die judenchristlich-gnostischen Gegner des Paulus in Korinth sind aufgrund ihres Dualismus Gott–Kosmos für die Auflösung von christlich-heidnischen Mischehen eingetreten. Geschlechtsgemeinschaft eines Pneumatikers mit einem ungläubigen Sarkiker als Repräsentant des gottlosen Kosmos war für sie ausgeschlossen. Ganz anders Paulus: Die Heiligkeit des jeweiligen christlichen Ehepartners findet nicht seine Grenze an der Unheiligkeit des heidnischen. Vielmehr ist Paulus der festen Zuversicht, daß gerade auch der jeweils ungläubige Ehepartner durch den christlichen geheiligt wird. Dieser objektive und massive Begriff der Heiligkeit bzw. Unreinheit als einer infizierenden Macht, der in der alttestamentlich-jüdischen Ritualpraxis wurzelt, die ihrerseits aufs engste mit dem mosaischen Ritualgesetz zusammenhängt, wird in dem Nachsatz von Paulus auch noch auf die Kinder dieser christlich-heidnischen Mischehe ausgedehnt: «Denn sonst sind eure Kinder unrein; jetzt aber sind sie heilig». Wenn schon unsere Kinder durch den christlichen Eheteil mitgeheiligt sind, dann trifft das erst recht auch für den heidnischen Ehepartner zu. Die von den Korinthern bei den heidnischen Ehepartnern vorausgesetzte Unheiligkeit wie Unreinheit trifft nach Paulus gerade nicht zu: Der heidnische Ehepartner wie die dieser Mischehe entsprungenen Kinder werden durch die Gemeinschaft mit dem christlichen Teil geheiligt und gereinigt, die Übertragbarkeit von Heiligkeit und Reinheit ohne Glaube und Taufe im jüdisch-rituellen Sinne also vorausgesetzt. Man geht sicher nicht zu weit mit der Annahme, daß Pau-

lus sogar gewiß ist, daß der heidnische Ehepartner durch den christlichen an der Rettung im nahen Gericht partizipieren wird.
Wenn aber der nichtchristliche Teil sich scheiden lassen will – und damit wendet sich Paulus zum zweiten Fall der korinthischen Anfrage zu –, dann soll ihn der christliche Ehepartner nicht halten (= Vers 15): «In diesem Falle ist der Bruder oder die Schwester nicht gebunden». Wenn der heidnische Ehepartner die Scheidung haben will, dann gilt für den christlichen Ehepartner nicht mehr das absolute Ehescheidungsverbot seines Herrn! Würde der Christ in einer solchen Mischehe anders handeln wollen, dann würde er des göttlichen Friedens verlustig gehen (Vers 15c), zu den ihn aber auch Gott in Christus berufen hat; denn – so schließt Paulus seine Weisung mit Vers 16 ab – der Christ ist keineswegs verantwortlich für das Heil seines heidnischen Ehepartners.
In diese antignostische Frontstellung mit der kategorischen Forderung der Unauflöslichkeit der Ehe gehört schließlich auch die Verwerfung des Ehebruchs (1.Kor.7,2; 6,9; Röm.3,9). Dieser kompromißlose Standpunkt steht im Widerspruch zur Praxis der gesamten Umwelt des Paulus. Für das Judentum ist bekannt, daß nur von der jüdischen Ehefrau, nicht aber vom jüdischen Ehemann unbedingte eheliche Treue verlangt wurde. Für den Juden stand nur der Geschlechtsverkehr mit einer unverheirateten Israelitin, nicht aber mit einer Heidin unter Strafe. Für die griechische und römische Umwelt wirkte sich die Laxheit dahingehend aus, daß der Sexualverkehr mit Hierodoulen, Sklavinnen und vor allem Hetären bei unverheirateten wie verheirateten Heiden nicht anstössig und selbst der geschlechtliche Umgang mit einer verheirateten Frau mit Zustimmung ihres Ehepartners erlaubt war. Diese Großzügigkeit der heidnischen Antike offenbart vor allem der Gang zur Dirne, der überall toleriert wurde, während Paulus die geschlechtliche Unzucht grundsätzlich für den Christen verbietet, wozu Prostitution, Homosexualität, Päderastie und Polygamie selbstverständlich zu rechnen sind (vgl. 1.Kor.5,11; 6,9; Gal.5,19; Röm. 1,26f).

6. Kapitel
Die Synoptiker

I. Markus

1. Die Ablehnung der termingebundenen Parusieerwartung

Mit Markus beginnt ein neuer Abschnitt in der Geschichte der Ethik im Urchristentum. Im Markusevangelium ist nicht nur ein Verschwinden der urchristlichen Parusienaherwartung zu beobachten, sondern Markus lehnt die urchristliche Erwartung, Tag und Stunde des letzten Tages noch zu erleben, kategorisch ab! Es ist schon immer festgestellt worden, daß im Markusevangelium ein Mangel an apokalyptischen Aussagen zu verzeichnen ist und apokalyptische Traditionen überhaupt von Markus nur spärlich aufgenommen und verarbeitet worden sind. Schließlich hat Markus als Redaktor ihm überkommene apokalyptische Begriffe und Traditionen durch seine Kompositionsarbeit entapokalyptisiert und damit historisiert. Das Urchristentum dagegen hatte trotz vorausgesetzter Parusieverzögerung sein Zentrum in der zeitlich terminierten Naherwartung des Menschensohnes Jesus. Auch die Markusvorlagen, d.h. die vormarkinische Gemeinde erwartete das endzeitliche Kommen Jesu und der Gottesherrschaft in allernächster Nähe, wovon allerdings nur zwei traditionelle Prophetensprüche (9,1 und 13,30) im Markusevangelium Zeugnis ablegen. Beides sind Trostworte, die trotz der inzwischen ausgebliebenen Ankunft des Reiches Gottes einen Termin festlegen: Noch zu Lebzeiten dieser Generation wird das Ende eintreten!

Markus selbst lehnt jedoch diese terminbestimmte Naherwartung der Parusie ab, wie die bewußte Plazierung der erwähnten Sprüche in seinem Evangeliumsbuch beweist: Auf 9,1 läßt er die Verklärung Jesu im Beisein von drei auserwählten Jüngern als Zeugen folgen. Nach markinischem Verständnis heißt das: Die Verheißung der Teilhabe an der apokalyptischen Gottesherrschaft hat sich zu Lebzeiten an Petrus, Jakobus und Johannes erfüllt, weil sie den verklärten Gottessohn in ihrer Mitte gesehen haben (9,2–8). Ebenso wird die termingebundene Parusienaherwartung von Markus in 13,30-32 aufgegeben. 13,30 findet sich nicht nur im Anschluß an die eigentliche eschatologische Rede Jesu 13,5–27, in der ja gerade nach Markus sämtliche ursprünglich apokalyptischen Vorzeichen keine Terminberechnung freigeben, sondern darüber hinaus wird der Prophetenspruch durch die unmittelbar von Markus angehängten Worte 13,31 und 32 völlig neu ausgelegt: Wichtiger als alle Terminberechnungen des Endes ist das Festhalten der Worte Jesu (13,31), und das letzte Wort in 13,32 gibt den Ausschlag: «Über jenen Tag oder Stunde weiß niemand etwas, weder die Engel im Himmel noch der Sohn, sondern nur der Vater». Mit andern Worten: Die aktuelle Verzögerungsproblematik gehört in das vorsynoptische Überlieferungsstadium des apokalyptischen Urchristentums (Q-Quelle, vormarkinische Gemeindetradition, Sondergut des Matthäus und des Lukas), während Markus als Heiden-

christ die terminbestimmte, urchristliche Parusienaherwartung aufgegeben hat, wie die folgenden Beispiele eindrücklich zeigen:
a) Gerade die sog. Markusapokalypse in Kap.13 predigt nach markinischer Endredaktion nicht die zeitlich terminierte Parusie, sondern entfaltet das Programm der Heilsgeschichte. Markus blickt in dieser geheimnisvollen Abschiedsrede Jesu vor seinen vier vertrauten Jüngern auf dem Oelberg nicht auf die letzten Epochen der Geschichte voraus, sondern – abgesehen von der eigentlich apokalyptisch-kosmischen Katastrophe in den Versen 24–27 – auf innergeschichtliche Ereignisse zurück, wie z.B. die Zerstörung des Jerusalemer Tempels, den jüdisch-römischen Krieg, das Auftreten von Pseudopropheten und Pseudomessiassen, die planmäßige und notwendige Weltmission mit der Verfolgung der Jünger durch jüdische und heidnische Autoritäten und die große Drangsal der letzten Epoche der Heilsgeschichte. Der Einschnitt in Vers 24 mit seiner Zeitangabe bringt das entscheidende des markinischen Zukunftsentwurfes mit seiner Zweiteilung zum Ausdruck. Sämtliche apokalyptische Ereignisse werden entapokalyptisiert und historisiert, d.h. als heilsgeschichtliche Ereignisse von der nicht mehr termingebundenen Parusie abgesetzt. Sie rückt als einziges apokalyptisches Ereignis an das zeitlich von niemandem mehr zu kontrollierende Ende von Missions- und Kirchengeschichte und steht als solche, weil grundsätzlich von Markus von der Terminfrage gelöst, immer vor der Tür.
b) In ähnlicher Weise hatte Markus die apokalyptische Reich Gottes-Verkündigung seiner Gemeindetradition neu ausgelegt. Nach dem Summarium 1,14f ist von Markus der christologisch motivierte Gegenwartsbezug der Gottesherrschaft betont herausgestellt: In Wort und Werk des irdischen Gottessohnes hat sich die apokalyptische Zeitenwende vollzogen und ist das Reich Gottes – obwohl endzeitlich ausgerichtet – wirklich da. Obwohl die Gottesherrschaft erst in der Parusie des Menschensohnes Jesus mit aller Herrlichkeit offenbar werden wird, ist sie in den Dämonenaustreibungen Jesu (3,24–27) bereits heilvolle Gegenwart.
Allerdings bleibt sie auch in der Botschaft und Wirksamkeit Jesu ein «Geheimnis» (4,11), und ist in dieser Verhüllung der Zweideutigkeit ausgesetzt. Aber an ihrer Gegenwart im Wirken des Gottessohnes ist nicht zu zweifeln (vgl. weiter 8,38 und 11,9f). Schließlich wird der christologische Gegenwartsbezug des apokalyptischen Endgeschehens im Kreuzigungsbericht Mk.15,20b–41 unangetastet gelassen: Der apokalyptische Stundenplan (15,25.33.34a), die apokalyptisch weltweite Gerichtsfinsternis (15,33), der apokalyptische Gerichtsschrei (15,34 und 35) und das Zerreißen des Tempelvorhangs (15,38) signalisieren, daß diese ursprünglich apokalyptischen Parusieereignisse entapokalyptisiert und auf den Gekreuzigten als den verborgenen Menschensohn bezogen, also bereits heilsvolle Gegenwart sind.
c) Wurde in allen bisher besprochenen Belegstellen die termingebundene

Reich Gottes-Erwartung deshalb vernachlässigt und zurückgenommen, weil die Jesusgeschichte als die eschatologische Heilszeit qualifiziert ist, so wird in den folgenden Texten die apokalyptische Zukunftserwartung von Markus der Jüngerparänese ein- und somit untergeordnet. In Kapitel 4 stellt Markus mit den drei Saatgleichnissen (4,1–20.26–29.30–32) den Bezug des ursprünglich apokalyptischen Gottesreiches mit dem Wachstum der Kirche her: Obwohl das Reich Gottes eine endzeitlich-apokalyptische Größe bleibt, wird es in Mk.4 entapokalyptisiert und historisiert, d.h. es beginnt sich bereits jetzt in der weltweiten Völkerkirche zu verwirklichen. Die Wachstumsgleichnisse von Kap.4 sind nach Markus zu Allegorien auf die Großkirche und ihrer Geschichte in der «weiten Völkerwelt geworden und beschreiben zum ersten Mal ein erstes Kapitel der Geschichte des Wortes Gottes in der Welt und damit der Kirchengeschichte.

2. Das erste Evangelienbuch als Geschichte Jesu

Diese Vernachlässigung und vor allem Zurücknahme der urchristlichen Naherwartung des Reiches Gottes hat nun aber bei Markus infolge der Dehnung der Zeit zu einem Historisierungsprozeß und damit zur Schaffung einer völlig neuenartigen literarischen Gattung, nämlich zur Abfassung eines ersten Evangelienbuches als Geschichte Jesu geführt. Der historisch bestimmbare Anstoß und auslösende Faktor für die erste Evangelienschreibung im Urchristentum durch Markus dürfte in seiner Ablehnung der terminbestimmten Parusienaherwartung zu sehen sein. Das Schwinden der akuten Parusienaherwartung hat nicht nur den Blick auf die Zukunft, sondern erst recht auf die Vergangenheit des Heils geweitet. Ohne Zweifel dürfte die Ablehnung der terminbestimmten Parusieerwartung ein Beweis für ein gewandeltes Geschichtsverständnis sein. Zum ersten Mal nämlich erscheint im Markusevangelium die zuvor gesammelte Jesusüberlieferung – Streitgespräche, Gleichnisse, Wunder, Gemeindeunterweisung, die kleine Apokalypse und der Traditionskomplex der Passionsgeschichte – in Gestalt eines Buches als fortlaufende Erzählung über den Nazarener. Unser ältestes Evangelium ist von vornherein als Geschichtserzählung mit einem biographischen Aufriß unter heilsgeschichtlicher Ausrichtung entworfen worden und die von Markus in die Tradition eingebrachten Orts-, Zeit-, Handlungs-, Geschehens- und Wiederholungsanschlüsse wollen zuerst einmal zweifellos die Geschichte Jesu als ein vergangenes Geschehen darstellen. Aber sein Buch ist nicht nur eine geschichtliche Erinnerung an die vergangene Geschichte Jesu, und ebensowenig ist Markus nur ein testamentarischer Geschichtsschreiber, sondern er ist vielmehr vor allem andern Prediger des Evangeliums, wie die programmatische Überschrift «Beginn des Evangeliums von Jesus

Christus» (1,1) von vornherein signalisiert. Markus hat diesen historisierenden Bericht über den durch Palästina, die Dekapolis und Syrien wandernden und in Jerusalem getöteten Jesus «Evangelium» genannt. Damit wird das Heilsgeschehen zur Heilsgeschichte, das Evangelium zur Geschichtsdarstellung und die Botschaft zum Bericht. Für Markus wird «Evangelium» – ein ursprünglich unliterarischer, der Missionssprache der hellenistischen Kirche des Ostens entstammender und die Heilsbotschaft von Jesus Christus, dem Gekreuzigten und Auferweckten, bezeichnender terminus technicus – zum Leitbegriff für die Geschichte Jesu im ganzen gemacht. Die Geschichte Jesu wird jetzt von Markus keineswegs nur zur Veranschaulichung der Christusbotschaft erzählt, sondern ist positiv Heilsbotschaft als existentielle Anrede und heilbringender Zuspruch. Am Begriff «Evangelium» läßt sich ablesen, wie Markus die vergangene Geschichte Jesu verstanden wissen will, nämlich als vergegenwärtigende Verkündigung und Zusage des Heils, das Jesus heute ist. In der Abfolge des Lebens und Wirkens Jesu erscheint für Markus das eschatologische Heil. Markus predigt also, indem er das erste Leben Jesu schreibt. Verkündigen als Berichten, das ist das Programm des Markus. Das Markusevangelium ist Heilsbotschaft als Bericht, weil der Rückblick auf die Vergangenheit der Jesuszeit konstitutiv für die Evangeliumsverkündigung der Zeit der Kirche ist. Weil also sein Geschichtsbericht vom Wirken Jesu im Dienst der Verkündigung für die Gegenwart steht, ist davon auch und gerade die markinische Ethik betroffen. Die ethischen Forderungen, die damals der irdische Jesus an seine Jüngerschaft vor Ostern stellte, sind auch nach Ostern für die ihm nachfolgende Kirche verbindlich. Markus kann also in unserer Perspektive als ein theologischer und ethischer Geschichtserzähler charakterisiert werden, der sein Evangelienbuch als Bericht und Gemeindeunterweisung im Dienst der Ethik abgefaßt hat.

Schließlich ist darauf hinzuweisen, daß sein gesamtes Evangelienbuch von der Theologie des Kreuzes geprägt ist, wie sie in den Todesbeschlüssen des Synhedriums, den Leidensweissagungen des Menschensohnes und der im Kulminationspunkt stehenden Passionsgeschichte des leidenden Gerechten zutage tritt! Das wiederum hat auch Konsequenzen für die markinische Ethik: Leiden und Sterben des irdischen Menschensohnes werden zum Vorbild für die Nachfolge der Jünger vor und der Kirche nach Ostern, so daß alle Forderungen an die Jünger von vornherein im Kontext der alles beherrschenden Forderung der Leidensnachfolge gelesen und verstanden werden müssen. Seit Markus kommt die Jesus nachfolgende Kirche nicht mehr ohne die Dialektik von Historia und Eschaton aus, so daß die Unterweisung Jesu damals transparent ist für die Ethik der Kirche heute.

3. Das erste Dokument der christlichen Ethik für die Kirche in der bleibenden Welt

a) *Die Eigenständigkeit des Ethischen.* Dieses Erlöschen der urchristlichen Parusienaherwartung hat nun aber bei Markus infolge der Dehnung der Zeit nicht nur zu einer Historisierungs, sondern – was für unsere Fragestellung viel entscheidender ist – zu einem Ethisierungsprozeß geführt. Die Parusie des Menschensohnes Jesus rückt bei Markus an das zeitlich von niemandem mehr kontrollierbare Ende der Heidenmission und der Kirchengeschichte und steht als solche, weil sie grundsätzlich von der Terminfrage gelöst ist, immer vor der Tür. Aufgrund dieser Parusieverschiebung und der damit verbundenen Dehnung der Zeit nach Leben und Wirken Jesu bekommen die ethischen Themata, die sich auf die Gestaltung des christlichen Lebens in der bleibenden Welt beziehen, zentrale Bedeutung. Damit beginnt die Ethik zu einem eigenen Teilgebiet der christlichen Verkündigung zu werden, und das Markusevangelium selbst wird zu einem Dokument der christlichen Ethik für die Kirche bis zur nicht mehr terminbestimmten Parusie ihres Herrn. Mit dem Wegfall der apokalyptischen Naherwartung fordert Markus vom Christen jetzt die ethische Einstellung auf Dauer als christliche Bewältigung der Gegenwart wie Gestaltung des Alltags und als Durchhalten in der Verfolgung in der bleibenden Welt. Dadurch wird die ethische Thematik bei Markus zum ersten Mal im Urchristentum zu einer zentralen, eigenständigen und zeitlosen Größe. Christliches Leben ist für Markus konstitutiv Befolgung der Jüngerunterweisung, die Jesus immer wieder autoritativ vorgetragen hat. Auch wenn Markus sicher nicht mit einer zweitausenjährigen Kirchen- und Weltgeschichte gerechnet hat, so bemüht er sich doch aufgrund der Parusieverschiebung geradezu um ein Programm der christlichen Ethik für die Kirche aus allen Völkern innerhalb der bleibenden Welt. Die Zurücknahme der apokalyptischen, termingebundenen Parusienaherwartung ist darum der Verstehens- und Auslegungsschlüssel für die markinische Ethik.

Das zeigt sich vor allem in der Ethisierung von apokalyptischen Traditionen und Begriffen, die ursprünglich, d.h. im Kontext der vormarkinischen Gemeinde, eine apokalyptische Bedeutung hatten, nun aber konsequent von Markus entapokalyptisiert und somit ethisiert werden durch die Verpflichtung zur vita christiana. Die apokalyptische Reich Gottes- und Parusieerwartung stimuliert nach Markus die sittlichen Anstrengungen der Jünger als Repräsentanten der Gemeinde. Das Reich Gottes als präsentische Größe hat der Jünger «wie ein Kind» anzunehmen, womit die ethische Forderung nach Kleinheit vor Gott und dem Nächsten wie Verzicht auf Vorurteile und Herrschsucht gemeint ist (10,14f). Nach Mk. 12,34 ist der jüdische Schriftgelehrte deshalb «nicht fern vom Reiche Gottes», weil er mit Jesus der Gottes- und Nächstenliebe als der Summe des ganzen Gesetzes zustimmt. Wer diese zwei Fundamentalgebote anerkennt und prakti-

ziert, für den wird das zukünftig-apokalyptische Reich Gottes zur heilvollen Gegenwart. Bedingung für den Empfang des ewigen Lebens ist nach Markus also das Tun des göttlichen Gesetzes.
Nach 13,10 wird diese weltweite Evangeliumsverkündigung durch die Kirche zur Bedingung für die Parusie des Menschensohnes Jesus. Damit aber wird die apokalyptische Erwartung der Paränese eindeutig untergeordnet, d.h. das Eintreffen des Endes ist abhängig von der Verpflichtung der Gemeinde zur Völkermission. Überhaupt ist das ganze dreizehnte Kapitel ein klassisches Beispiel für die eschatologische Belehrung der Kirche und ihre geforderte ethische Einstellung auf Dauer mit Wachsamkeit und Treue. Insbesondere in Mk.13,10–13 und 33–37 wird die nicht mehr terminbestimmte Parusieerwartung in den Dienst der Jüngerparänese gestellt und dient also ausschließlich der Motivierung christlichen Verhaltens. An die Stelle der typisch apokalyptischen Berechnung von Zeit und Stunden setzt Markus einmal die Aufforderung an die Jünger, sich in den Verfolgungen zu bewähren (13,10–13). Entapokalyptisiert und somit ethisiert wird auch der ursprünglich eschatologische Begriff Geduld: Als sittliche Tugend, nämlich als die geforderte Einstellung auf Dauer, ist sie die Bedingung für den Empfang des Endheils (13,13). Zum andern ergibt sich aus dem Nichtwissen der Parusie, wachsam, bereit zu sein und «sein Werk» zu tun, da der Herr bei seiner unbestimmten Wiederkunft Rechenschaft fordern wird (13,33–34). Auf der ethischen Bewegung in der Gegenwart liegt also eindeutig der Akzent.
Markus entapokalyptisiert damit die typisch apokalyptische Parusienaherwartung und Vorzeichenberechnung, indem er jede Frage nach dem Zeitpunkt des Reiches Gottes durch den Hinweis auf die Tatsächlichkeit des apokalyptischen Gerichts überbietet. Nicht mehr die Nähe wie im Urchristentum, sondern allein die Tatsächlichkeit des Jüngsten Tages im Rahmen der traditionell apokalyptischen Aeonenlehre (10,30) motiviert jetzt das Handeln des Christen (13,37; weiter 8,38; 12,40; 13,24ff; 14,62); denn er bringt für die Jesus Nachfolgenden den himmlischen Lohn (9,41), das ewige Leben (9,43.45,10,14.17.30), auf die Ungehorsamen dagegen wartet die Gehenna (8,38; 9,43.45.47) bzw. das unauslöschliche Feuer (9,43). Unverkennbar ist das Bemühen des Markus, die apokalyptischen Traditionen der Forderung der Jüngernachfolge unterzuordnen bzw. umgekehrt die Ethik der Apokalyptik überzuordnen. Aber diese Hoffnung auf die endgültige Vollendung des Gottesreiches mit dem Empfang des ewigen Lebens ist für die markinische Ethik unaufgebbar und begründet die Forderung der vita christiana im Alltag der bleibenden Welt.
Dieser Strukturwandel im ethischen Denken des Markus zeigt sich weiter in der Ethisierung von ursprünglich im apokalyptischen Kontext stehenden Begriffen wie Nachfolge, Jünger und Umkehr bzw. Buße. Das Motiv der Nachfolge ist traditionell, d.h. es findet sich häufig in der apokalyptisch bestimmten vormarkinischen Gemeindetradition (vgl. nur 1,18;

2,14f; 8,34; 9,38f; 10,21 und 28; 11,9), wird aber von Markus entapokalyptisiert und ethisch akzentuiert (6,1; 10,32.52; 14,54; 15,41 u.a.): Aus der apokalyptisch motivierten Nachfolgeforderung der Endzeitgemeinde wird nun eine zeitlos-ethische Mahnung zur christlichen Lebensführung angesichts der Dauer der Welt. Weil das Reich Gottes wirklich da ist – gemäß der erfüllten Zeit (Mk.1,15) – und die Parusie von der Terminfrage gelöst ist, wird die Umkehrforderung zu einer zeitlos ethischen Mahnung (vgl. auch 4,12 und 6,12).

Aus der apokalyptischen Jüngerexistenz (2,15f.18.23; 5,31; 6,35; 8,4; 11,1 u.a.) in der Endzeitgemeinde angesichts der Naherwartung wird nun die Jüngerschaft als Repräsentation der Gemeinde angesichts der Dauer der Welt. Die Jünger werden jetzt bei Markus bevorzugt zum Objekt ethischer Belehrung (4,34; 7,17f; 10,10; 13,1), so daß Markus in Wahrheit die Kirche aller Zeiten unterweist. Aus der apokalyptisch motivierten Jüngerexistenz wird nun das christliche Leben der Kirche. Es ist deshalb falsch, mit Blick auf Markus als selbstständigem Redaktor und Theologen von einer apokalyptisch motivierten Konventikel- oder Interimsethik zu sprechen oder auch die ethischen Partien in seinem Evangelienbuch einer apokalyptische Paränese gleichzusetzen, wie es immer wieder in der Exegese geschehen ist. Ohne eine sorgfältige und reflektierte Unterscheidung von vormarkinischer Tradition und markinischer Redaktion ist die Ethik des Markus überhaupt nicht zu erschließen.

Aber die Eigenständigkeit und Zeitlosigkeit des Ethischen resultiert bei Markus nicht nur aus der Ablehnung der termingebundenen Parusienaherwartung des Reiches Gottes, sondern ist ebenso Konsequenz des Wegfalls des mosaischen Kultgesetzes. Dadurch, daß die Tora des Moses von Markus auf das Moralgesetz reduziert ist, wird letztere zu einer selbständigen ethischen Größe. Bei der Lösung dieses folgenschweren Problems hat nun aber Markus bewußt auf den hellenistisch-judenchristlichen Traditionskomplex von Streit- und Lehrgesprächen Jesu mit seinen jüdischen Gegnern zurückgegriffen (vgl. 1,40ff; 2,1ff.13ff.23ff; 3,1ff; 7,1ff.24ff; 10,1ff; 11,15f; 12,28ff u.a.). Der Tenor dieser Gesetzesauslegung, die von der synagogalen Katechese des hellenistischen Judentums beeinflußt ist, war – pauschal gesprochen – die Überordnung des Moralgesetzes über das Ritualgesetz. Der religiöse Partikularismus Israels wird in allen diesen vormarkinischen Traditionen noch nicht durchbrochen, die Heidenmission ist ausgeschlossen, wohl aber wird die Zuwendung zu Zöllnern, Kranken und Sündern in Israel praktiziert.

Dieses Gesetzesverständnis des vormarkinischen Christus hat nun aber für Markus nicht mehr ohne weiteres aktuelle oder gar bleibende Bedeutung. Alle diese Gesetzesentscheidungen des irdischen Jesus sind für Markus grundsätzlich vergangen und gehören zuerst einmal in das Leben und Wirken des irdischen Jesus, also in die heilsgeschichtliche Vergangenheit des alten und nicht in die heilsgeschichtliche Gegenwart des neuen Got-

tesvolkes, in der Markus selbst steht. Das beweisen gerade die folgenden Gerichtsworte Jesu über Israel im Markusevangelium:
1. Jesu verwirft mit der Parabelrede das verstockte Volk (4,10ff),
2. er verflucht den Feigenbaum als Symbol für Israel (11,12ff),
3. er reinigt den Tempel und kündigt das Gebetshaus für alle Heiden an (11,15ff) und
4. weissagt die Zerstörung des Jerusalemer Tempels (13,2).
5. In seinem Kreuzestod vollzieht sich die heilsgeschichtliche Ablösung durch die Heidenkirche (12,9) und
6. das Zerreißen des Tempelvorhangs beim Tode des Gottessohnes stellt das Gerichtsurteil über die jüdische Religion dar (15,38).
Durch das Gericht über Israel und seinen Tempel wie dessen heilsgeschichtliche Ablösung durch die Völkerkirche ist der kultische und rituelle Teil der Mosetora grundsätzlich hinfällig geworden, somit gilt für Markus in der Gegenwart der sich weltweit ausbreitenden Völkerkirche nur noch das Moralgesetz. Das Ritualgesetz des alten Gottesvolkes dagegen ist heilsgeschichtliche Vergangenheit, womit der Weg frei wird für die kultgesetzfreie Heidenmission nach Tod und Auferstehung Jesu. Die dem Markus vorliegenden «Judaismen» bzw. «Nomismen» – d.h. vormarkinische Texte, die grundsätzlich die Anerkennung des Kultgesetzes bei gleichzeitiger Unterordnung unter das Moralgesetz aussprechen – haben also für Markus keine unmittelbar-aktuelle, sondern nur noch heilsgeschichtlich-funktionale Bedeutung: Sie begründen als polemische Stoffe sowohl das heilsgeschichtliche Ende Israels als auch die eigene Gegenwart des Markus. Aber sie sind nicht mehr Verkündigung des bleibenden Willens Gottes für das neue Gottesvolk bis zum Ende. Markus interpretiert also die vormarkinische Gesetzestradition heidenchristlich, indem er das Mosegesetz ethisiert, d.h. alternativ auf das Moralgesetz, den Dekalog und die unbeschränkte Nächstenliebe, reduziert. Allein dieses Moralgesetz = Dekalog (10,19) ist Wort Gottes (7,10.13) bzw. Gebot Gottes (7,8f) und hat eschatologische Relevanz (z.b. 8,38). Allein diejenigen, die diesen «Willen Gottes tun» (3,31ff), sind nach Markus die wahren Verwandten Jesu, und allein dieser Gotteswille ist für das neue Gottesvolk bis ans Ende der Zeiten verbindlich.
b) *Die Aufforderung zur Nachfolge.* Welches Gewicht die Nachfolge für die markinische Ethik besitzt, signalisiert die Tatsache, daß gleich schon am Anfang der Geschichte Jesu unmittelbar nach der programmatischen Ankündigung der entscheidenden Zeitenwende (1,14f), die in Wort und Wirken Jesu Gegenwart geworden ist, die ersten vier Jünger gebieterisch in die bedingungslose Nachfolge gerufen werden (1,16–20). Die schon vor Markus im Anschluß an 1.Kön.19,19ff komponierte Berufungsgeschichte ist ursprünglich eine ideale Szene und hat auch für Markus vorbildhafte Bedeutung: Nachfolge Jesu heißt einmal Aufgabe des alten (Fischer-Berufes und der familiären Bindungen (hier Trennung vom Vater!), zum

anderen Teilhabe am Leben und Schicksal Jesu und schließlich Ausübung eines neuen Berufes, nämlich in Zukunft Menschen statt Fische zu fangen. Die hier in Mk.1,16–20 zum ersten Mal vor Markus programmatisch definierte Nachfolge wird damit zum entscheidenden Kennzeichen markinischer Ethik. Vor allem aber stellt Markus in der großen und zentralen Jüngerbelehrung 8,27–10,52 die Nachfolgeforderung als Kreuzes- und Leidensnachfolge heraus, die nach dem Christusbekenntnis und Versagen des Petrus (8,27–33) den Schlußpunkt setzt. Über den Kreis der damaligen Jünger hinaus werden nun alle, nämlich die Gemeinde aller Zeiten, in die Leidensnachfolge gerufen, so daß jetzt Nachfolge zu einem ekklesiologischen Begriff wird und nicht mehr nur auf die Jesuszeit vor Ostern eingeschränkt werden kann. Gerade dieser Abschnitt 8,27–52 mit seinem gewollten Wechsel von Leidensweissagung (8,31; 9,31; 10,32–34) einerseits und der angefügten Nachfolgebelehrung andererseits sollen der Kirche zeigen, daß Nachfolge als Selbstverleugnung im Leiden und Hinwendung zum Nächsten das Generalthema der markinischen Ethik ist.
Im ersten Abschnitt dieser Jüngerunterweisung (= 8,34–38) werden von Markus die fünf Bedingungen der Nachfolge Jesu in der nachösterlichen Gegenwart ausführlich dargelegt:
1. Wer sich zur Nachfolge entschließt, muß sich selber verleugnen (8,34a)
2. zur Übernahme von Leiden unter Einschluß des Todes bereit sein (8,34b).
Was das konkret heißt, wird von Markus in 13,9–13 entfaltet: Die Jünger werden an die Lokalgerichte ausgeliefert, in den Synagogen geprügelt, vor heidnische Statthalter und Könige gestellt, von den eigenen Verwandten angefeindet und «von allen gehaßt werden um meines Namens willen». Wer in allen diesen Leiden aushält, sogar bis zum gewaltsamen Tod, dem wird die Rettung im endzeitlichen Gericht verheißen. Die Haltung in der Verfolgung und die damit verbundene Leidenszeit der Kirche auf Dauer sind nun wichtiges Thema markinischer Ethik.
3. Den Jesus Nachfolgenden erwartet das Gesetz der apokalyptischen Umkehrung am Jüngsten Tag (Vers 35: Wer sein Leben retten will, wird es im apokalyptischen Gericht verlieren und umgekehrt. Die wahre Lebenssicherung für den Jünger gibt es nur, wenn er sein Leben um meinetwillen und um des Evangeliums willen «preisgibt».)
4. Aller Reichtumg ist gefährlich und vermag nicht vom eigenen Tode loszukaufen (8,36f).
5. Wer als Jünger die Nachfolge aufgibt, der wird vom Menschensohn bei seiner Parusie mit dieser «ehebrecherischen und sündigen Menschheit endgültig verworfen werden» (8,38).
Die Nachfolge Jesu, des irdischen wie des erhöhten, erweist sich nach 9,33–37 im sich erniedrigenden Dienst an den Verachteten und Geringen in der Gemeinde: Der erste in der Jüngerschaft soll «der letzte von allen und der Diener von allen» sein. Nach Markus dürfen die Gemeindeglie-

der aber nicht nur nicht um den ersten Rang streiten, sondern sie sollen nach 9,38–41 auch ihre Privilegien fahren lassen; denn die Verheißung Jesu gilt gerade demjenigen, der dem Dürstenden nur einen Becher Wasser reicht, also gerade einen ganz und gar unscheinbaren Dienst leistet (9,41). Daß für die markinische Ethik Nachfolge in erster Linie Dienst heißt, beweist die verwandte Perikope vom Streit der Jünger um die ersten Plätze in 10,35–45: Für die Gemeinde Jesu gilt ein anderes Gesetz. In der Welt gebrauchen die Herrscher ihre Gewalt gegen die von ihnen beherrschten Völker, in der Kirche dagegen sollen der Größte und Erste durch den Sklavendienst für alle bestimmt sein. Ausdrücklich wird der Dienstgedanke von Markus mit dem Dienst und Sühnetod des Menschensohnes begründet: Weil Jesus den Weg des Leidens und des Todes gegangen ist, soll er auch für seine Gemeinde maßgebend sein.
Von besonderer Bedeutung ist die markinische Redaktion einer ursprünglichen Wundergeschichte, der Heilung des blinden Bartimäus (10,46–52). Durch die abschließende Bemerkung des Markus «und er folgte ihm auf dem Wege nach» (10,52b) hat er aus einer Heilungs- eine Nachfolgegeschichte gemacht. Der blinde Bartimäus wird nicht nur wieder sehend, sondern er folgt seinem wundermächtigen Arzt nach Jerusalem, also nach in Leiden und Tod. Der ehemalige, blinde Bettler Bartimäus aus Jericho wird damit für Markus zum Paradigma wahrer Jüngerschaft: Er hat nicht nur den unerschütterlichen Glauben an Jesus, den Sohn Davids (vgl. Vers 47.48 und 51), sondern für ihn ist Jesusnachfolge zugleich Kreuzesnachfolge. Ohne Glaube, Gebet und Vergeben kann es keine echte Nachfolge geben, wie Markus seiner Gemeinde mit einer wahrscheinlich traditionellen Spruchsammlung in 11,20–25 belehrt: Der nichtzweifelnde Glaube kann Berge versetzen, also wirklich unüberwindlich scheinende Schwierigkeiten beseitigen; dem Gott alles zutrauenden Beter wird die Erfüllung seiner Bitten bedingungslos zugesagt und von den Jüngern als den Söhnen Gottes (beachte das «euer Vater» in Vers 25) die Vergebungsbereitschaft gefordert. Gott vergibt seiner Gemeinde nur, wenn sie ihren Mitmenschen ihre Verfehlungen vergibt.
Ebenso steht der Jünger nach markinischer Ethik unter der bleibenden Forderung der Gottes- und der Nächstenliebe (12,28–34): nur wer Gott mit all seinen Kräften und Fähigkeiten liebt und den Nächsten wie sich selbst, für den ist das Gottesreich in der Nachfolge Jesu Gegenwart geworden. So können die Kinder transparent für die Christen überhaupt werden: Nur wer das in Jesus Christus präsente Reich Gottes «wie ein Kind» annimmt, wird auch in dasselbe hineinkommen (10,13–16). D.h. aber: Der Jesus Nachfolgende wird von Markus aufgefordert, alle Herrsch- und Privilegiensucht abzulegen, wirklich klein und gering zu werden vor Gott und den Menschen. Nur wenn der Christ diese Bedingung erfüllt, wird er Eingang in das Reich Gottes finden und damit das ewige Leben von Gott empfangen. Dasselbe gilt von den bösen Begierden

(9,42–50): Nur derjenige, der ihnen nicht nachgibt, wird in das ewige Leben eingehen. Wer sich dagegen nicht sittlich anstrengt, und in Zucht nimmt, der wird von Gott gerichtet werden. Auch wenn Markus in diesem ersten Evangelienbuch keine systematische Ethik entfaltet, so zeigen doch alle die herangezogenen Beispiele, daß Jüngernachfolge für ihn unbedingt und konkret ist und mit dem ewigen Leben belohnt wird.

c) *Die Gestaltung des Alltags.* Markus aber hat nicht nur an den genannten Beispielen die individualethische Verpflichtung des Christen in seinem Evangelienbuch aufgezeigt, sondern er ist, wenn auch nur in Ansätzen, den sozialethischen Konsequenzen christlicher Lebensführung in der bleibenden Welt nachgegangen. Das Material für diese Entscheide hat Markus selbstverständlich seiner vormarkinischen Gemeindetradition entnommen, so daß die jeweilige markinische Redaktionsarbeit meistens nur sehr schwer bzw. gar nicht mehr zu erschließen ist. Aber damit hat der von Markus übernommene Traditionsstoff keineswegs sein eigenes Gewicht verloren, sondern kann voll für die Ethik des Markus in Anspruch genommen werden. Denn seine Ethik, und hier gerade seine sozialethischen Anweisungen, werden nicht auf Grund einer vorgefaßten Systematik entwickelt, sondern aus traditionell autoritativen Jesusstoffen geformt. So werden im wesentlichen die sozialethischen Weisungen des Markus natürlich mit der Wiedergabe der Worte Jesu gemacht, also konkret, was die Unauflöslichkeit der Ehe, das Verhältnis zu Armut und Reichtum und die Stellung zum Staat betrifft.

In einem typischen Streitgespräch (10,1–9) mit anschließender Sondererläuterung für die Jünger (10,10–12) wird jede Ehescheidung, wie sie das Mosegesetz nach 5.Mose 24,1 konzediert, von Markus mit ausdrücklicher Berufung auf den anfänglichen Willen des Schöpfergottes (1.Mose 1,27 und 2,24) abgelehnt: «Mit Rücksicht auf eure Herzenshärte hat Mose euch dieses Gebot geschrieben. Von Anbeginn der Schöpfung hat er sie geschaffen, Mann und Frau; deshalb wird der Mensch seinen Vater und seine Mutter verlassen, und die zwei werden ein Fleisch sein, so daß sie nicht mehr zwei, sondern ein Fleisch sind. Was nun Gott zusammengefügt hat, soll der Mensch nicht trennen». «Die zwei» ist von der griechischen Übersetzung des AT gegen den hebräischen Urtext eingefügt worden, womit bereits vor Markus die Monogamie als anfänglicher Schöpferwille Gottes proklamiert worden ist. Dieser ursprüngliche Gotteswille im Vollzug der Ehe als untrennbare, leiblich-geschlechtliche Verbindung von Mann und Frau darf deshalb vom Menschen und d.h. in antijudaistischer Polemik von der durch Mose erlaubten Scheidebriefpraxis nicht aufgehoben werden. Die Schöpfungsordnung führt in diesem Fall zur Aufhebung des Mosegebotes als Menschensatzung. Dieses Ein-Fleisch-Sein ist von Markus dann in der Sonderbelehrung der Jünger «im Hause» die Begründung dafür, daß nun jede Scheidung, die Entlassung der Frau durch den Mann und umgekehrt, von vornherein untersagt wird. Gegen Dtn.24,1

und Mt.5,32/Lk.16,18 verläßt Lukas den einseitig patriarchalischen Standpunkt und führt die gleichberechtigte Behandlung der Frau ein. Aber gerade diese Gleichberechtigung der Frau hat nach Markus die Verschärfung des mosaischen Moralgesetzes zur Konsequenz, nämlich des sechsten Gebotes: «Du sollst nicht ehebrechen» (2.Mose 20,13).
Von besonderer Bedeutung ist aber nun weiter die markinische Beurteilung von Armut und Reichtum wie sie in den beiden Perikopen vom reichen Jüngling (Mk.10,17–31) und im Scherflein der Witwe (Mk. 12,41–44) zum Ausdruck kommt. Zuerst aber ist festzuhalten, daß Markus mit seinen Vorlagen die sozialethische Weisung an den reichen Jüngling uneingeschränkt übernimmt (10,17–22) und also für die Gemeinde gelten läßt. Auch für die Kirche gilt das Halten der sozialen Dekaloggebote, allerdings wird mit der zusätzlichen Forderung: «Eins fehlt dir noch: Geh, verkaufe alles, was du besitzt, und gib es den Armen, und du wirst einen Schatz im Himmel haben, und folge mir nach» (17,21) ihre Erfüllung als nicht mehr genügend angesehen. Markus fordert mit seiner Gemeindetradition den totalen Besitzverzicht von Christen, weil dieser – wie ausdrücklich gesagt – die Beachtung des sozialethisch interpretierten Moralgesetzes übertifft und als verdienstliches Werk am Jüngsten Tag von Gott seine Vergeltung erfährt. Schließlich wird vom reichen Jüngling über das Halten des Moralgesetzes und den totalen Besitzverzicht hinaus auch noch die Nachfolge Jesu gefordert, d.h. das tatkräftige Bekenntnis zu Jesu Lehre, Taten und Geschick mit dem Eintreten in die christliche Gemeinde.
Wie gesagt: Diese drei Forderungen hat Markus zwar der Tradition entnommen, sie haben aber für seine Sozialethik uneingeschränkte Bedeutung, denn das ewige Leben (vgl. 10,17) ist abhängig von der Erfüllung dieser drei sozialethischen Gebote. Für Markus hat also die (Sozial-)Ethik eindeutig soteriologische Relevanz. Nachdem der reiche Jüngling traurig weggegangen ist, wendet sich Markus erneut der Jüngerbelehrung zu. Deshalb hat Markus die traditionelle Nachfolgegeschichte (10,17–22) mit zwei Anhängen versehen: 10,23–27 und 10, 28–31, die in Wirklichkeit gezielte sozialethische Gemeindeunterweisungen darstellen. Zwar wird jetzt von Markus die Gefährlichkeit des Reichtums für die Gemeinde herausgestellt: «Wie schwer werden die Reichen in das Reich Gottes hineinkommen» (Vers 23) und dann vor allem die berühmte Sentenz: «Leichter ist es, daß ein Kamel durch ein Nadelöhr hindurch geht, als daß ein Reicher in das Reich Gottes hineinkommt» (Vers 25). Aber neben der Bedrohung durch den Besitz (vgl. auch 4,19) macht Markus in den Versen 24 und 27 überdeutlich, daß die Gemeinde nicht nur vom Reichtum in der Erlangung ihres endzeitlichen Heils bedroht wird, sondern des Menschen Rettung immer und allein bei Gott und seiner Gnade liegt; denn bei ihm ist alles möglich.
Mit dem letzten Anhang 10,28–31 bringt Markus eine weiterführende Gemeindebelehrung: Nachfolge Jesu heißt wirklich alles verwerfen und

aufgeben, nicht nur den persönlichen Besitz, sondern auch die Trennung von den Verwandten, der eigenen Familie und vom Beruf. Aber wer das alles aufgegeben hat «um meines und des Evangeliums willen, der wird reich belohnt werden.» Markus unterscheidet eine diesseitige und eine jenseitige Vergeltung: Schon in dieser Zeit wird der Jünger «hundertfach» durch die Gemeinschaft in der Kirche und im kommenden Aeon mit dem ewigen Leben belohnt werden. Alle von der Gemeinde geleisteten Verzicht und Opfer werden von Gott überreich vergolten werden. Alle Sozialethik hat – ausdrücklich wird das von Markus hervorgehoben – ihre eschatologischen und apokalyptischen Konsequenzen. Die Markinische Ethik ist in der Tat der zweite konstitutive Teil der Erlösung.
Auch die von Markus übernommene Perikope vom Opfer der armen Witwe (Mk.12,41ff) hat beispielhafte Bedeutung für die Kirche, wie aus der Einführung der Jünger in Vers 43a durch Markus hervorgeht. Die arme Witwe ist das deshalb nachzuahmende Vorbild für die Gemeinde, weil sie im Gegensatz zu den Reichen «alles, was sie besaß», in den Opferkasten des Jerusalemer Tempels gelegt hat. Die arme Witwe leistet also den nötigen Besitzverzicht und wird deshalb von Jesus gelobt. Weder vertritt Markus hier den jüdischen Grundsatz, daß das Almosengeben in Entsprechung zum finanziellen Vermögen des Spenders stehen muß, noch gar, daß die Gesinnung des Opfernden vor Gott ausschlaggebend ist. Gerade ihr übergroßes Opfer dokumentiert ihre Liebe zu Gott und soll nachzuahmendes Vorbild für die Gemeinde sein.
Mk.12,13–17, die berühmte Perikope von der Kopfsteuerfrage, ist die einzige Szene im Markusevangelium, in der das Problem der staatlichen Gewalt behandelt wird. Zwar hat Markus auch diese Perikope übernommen, aber er hat sie in keiner Weise korrigiert! Sie besitzt für ihn selbstredend sozialethisches Gewicht und ist zum wesentlichen Bestandteil seiner politischen Ethik geworden. Markus lehnt mit der schlagfertigen Antwort Jesu: «Gebt dem Kaiser, was des Kaisers ist, und Gott, was Gottes ist» alle Staatsapokalyptik ab, als ob das Ausmaß von Korruption mit Sicherheit die Nähe des letzten Endes anzeigt. Vielmehr ist der Christ nach Markus loyaler Staatsbürger, freilich auf Grund des in Jesus Christus angebrochenen Reiches Gottes und angesichts der das römische Imperium durchdringenden Völkerkirche, an deren Ende nicht nur die Herrschaft der Cäsaren vergeht, sondern auch Welt und Geschichte der endgültigen Herrschaft des Menschensohnes Jesus Platz machen müssen. Es handelt sich also weder um eine zeitlos-allgemeine Sentenz noch um eine vorbehaltlose Pflichterfüllung gegenüber den politischen Gewalten aller Zeiten, sondern um die Verpflichtung des Christen angesichts der endgültigen Zukunft Gottes.

II. Matthäus

1. Das Matthäusevangelium als Lehrbuch der christlichen Ethik für die Kirche aller Zeiten

a) Das Matthäusevangelium enthält die bis ans Ende der Welt gültige Forderung Jesu an seine Jünger, den Willen Gottes zu tun. Auf der Paränese bzw. der ethischen Gemeindeunterweisung liegt ohne Zweifel das Schwergewicht, und die ethische Thematik ist das Zentrum wie Ziel dieses unter den neutestamentlichen Evangelien umfangreichsten, meisterhaft klaren, einprägsam gegliederten wie systematisch durchgeführten Lehrbuches. Diese ethische Zielsetzung geht eindeutig aus dem Schlußwort des Buches in Mt.28,18–20 hervor, das nicht nur Summarium wie krönender Abschluß, sondern in der Sicht des Matthäus der Verstehens- und Auslegungsschlüssel des ganzen Buches ist. Uns interessiert hier besonders die auffallende Reihenfolge von «Taufen» und «Lehren». Der Missionsbefehl des Auferstandenen enthält einmal die Taufe mit der ihr vorangehenden Evangeliumsverkündigung wie dem Taufunterricht, während sich der zweite Befehl: «Indem ihr sie alles zu halten lehrt, was ich euch befohlen habe» auf die ethische Unterweisung der Getauften durch den irdischen Jesus bezieht, die vom Auferstandenen eschatologisch in Kraft gesetzt wird. Dieser doppelte Missionsbefehl des Auferstandenen hat nun aber fundamentale Bedeutung für die Bestimmung der Gattung und theologische Funktion des gesamten Matthäuswerkes: Man hat zurecht darauf hingewiesen, daß das Matthäusevangelium von seinem Inhalt her nicht eine Taufverkündigung oder einen Katechismus umfaßt, sondern auf die ethische Gemeindeunterweisung nach der Taufe zielt. Wie schon das Lukasevangelium setzt auch das Matthäusevangelium Kenntnis des Kerygma (= Evangeliumsverkündigung), den Taufunterricht wie die Taufe voraus, während sein Evangelienbuch gerade an die getauften Christen gerichtet ist, als Jünger in der Nachfolge Jesu ein christliches Leben zu führen. Es ist also ein ethisches Lehr- bzw. Handbuch mit ausgesprochen didaktisch-katechetischer Zielsetzung für die Kirche bis zum Jüngsten Tag. Dieser Sachverhalt wird auch noch von einer anderen Beobachtung gestützt: Im Unterschied zu Markus hat deshalb Matthäus sein Werk nicht mehr «Evangelium» genannt. Vielmehr bezeichnet «Evangelium» bei Matthäus die Botschaft des irdischen Jesus bzw. meint Evangelium nach 26,13 das Passionskerygma. Das Evangelium geht also dem schriftlichen Evangelienbuch einerseits voraus und ist andererseits nicht mit diesem Buch identisch. Mt.28,18–20 ist also in der Tat der hermeneutische Auslegungsschlüssel des gesamten Werkes als ethisches Lehrbuch christlichen Verhaltens, dem auch etwa die Streit- und Lehrgespräche, die Frömmigkeitsübungen, die stark gekürzten Wundergeschichten wie nicht zuletzt die apokalyptische Eschatologie untergeordnet und damit dienstbar gemacht

werden. Grundlegend für die Erfassung der matthäischen Ethik ist nun aber eine Klärung des Verständnisses des Gesetzes. Wenn Sinn und Auftrag der Heilsgeschichte in Verbindung mit der deuteronomistischen Tradition vom gewaltsamen Geschick der Propheten (21,33ff; 22,1ff; 23,29ff) in der Verkündigung des Willens Gottes besteht, dem an das alte Gottesvolk gerichteten steten Aufruf zur Umkehr und der langmütigen Ermahnung zum Gehorsam, dann muß auch in der Geschichte Jesu die ethische Forderung sachlich im Zentrum stehen. Das ist tatsächlich der Fall! Schon die allegorische Parabel von den bösen Weingärtnern macht deutlich (21,33ff), daß der am Schluß von allen alttestamentlichen Propheten gesandte Sohn nur die eine Aufgabe hat, endlich die seinem himmlischen Vater zustehende Pacht für den durch Israel in Besitz genommenen Weinberg einzufordern. Hauptsächliche Funktion des irdischen Gottessohnes Jesus ist es also, dem alten Gottesvolk den ewigen Willen Gottes kundzutun, es zur Buße zu bewegen und endlich zur längst fälligen Ablieferung der Früchte zu vermahnen. Und nichts Anderes fordert der mit österlicher Gewalt ausgestattete Erhöhte nach seiner Auferstehung von dem neuen Gottesvolk (28,18ff).
Aber wie schon für Markus so besteht auch für Matthäus eine Antithese zwischen Kult- und Moralgesetz, indem er jenes ausdrücklich und immer wieder als für das neue Gottesvolk irrelevant erklärt. So wird im Streitgespräch über rein und unrein (15,1ff) die alttestamentliche und darüber hinaus antike Kultgesetzgebung wie die damit verbundene Opfer- und Sühnpraxis von Matthäus abgelehnt: «Nichts, was in den Mund hineingeht, macht den Menschen unrein, sondern was aus dem Mund herausgeht, das macht den Menschen unrein» (15,11). In der Perikope vom Ährenraufen der Jünger am Sabbat (12,1ff) fällt mit Berufung auf den kultkritischen Satz des Hosea: «Barmherzigkeit will ich und nicht Opfer» die rituelle Observanz des mosaischen Sabbatgebotes dahin. Ebenso hebt in der gleich folgenden Heilung der verdorrten Hand am Sabbat (12,9ff) der Satz Jesu «Gutes tun und Leben erretten» alle Sabbatgesetzlichkeit auf. Deshalb ruft Jesus nach 9,9ff Zöllner und Sünder nicht nur in seine Nachfolge, sondern hält mit ihnen auch noch Tischgemeinschaft, womit die Reinheitsgebote annulliert werden. Gegen Markus (3,18) betont Matthäus ausdrücklich, daß auch der Zöllner Matthäus zum Apostelkreis Jesu gehörte (10,3). Zugleich mit der Ablehnung des alttestamentlich-jüdischen Ritual- zugunsten des Moralgesetzes wird von Matthäus die pharisäisch-rabbinische Gesetzesinterpretation verworfen (15,3ff). Allein das Liebesgebot und d.h. konkret die Forderung der Nächstenliebe unter Einschluß des Feindes (5,48) ist für Matthäus der Schlüssel, der das sachgemäße Verständnis des Gesetzes vom Sinai freigibt. Jesus identifiziert sich ausdrücklich mit dem Hoseasatz: «Barmherzigkeit will ich und nicht Opfer» (9,13; 12,7). Bewußt führt Matthäus das Liebesgebot in den überlieferten Text ein 622,39), wie es nach 19,19 Summe und Höhepunkt der

überlieferten Dialoggebote ist. Die Antithesenreihe (5,21–42) wird ebenfalls durch das Gebot der Feindesliebe gekrönt (5,43ff) und mit der goldenen Regel: «Alles nun, was ihr wollt, daß es die Menschen euch tun, also sollt ihr auch ihnen tun; denn das ist das Gesetz und die Propheten» (7,12) abgeschlossen. Und nach 23,23 ist das «schwerste am Gesetz» das Rechttun, das Erbarmenüben und das Treuehalten gegenüber dem Nächsten. Gerade durch diese radikale Gesetzesauslegung wird das immer Gültige im alttestamentlichen Gesetz von Matthäus unüberhörbar herausgestellt.
Nichts Anderes betont die programmatische Einleitung der Bergpredigt 5,17ff: Jesus ist nicht gekommen, das Gesetz und die Propheten aufzulösen, sondern zu erfüllen. Kategorisch lehnt Matthäus jede enthusiastische Verwerfung des Gesetzes ab. Aber nach allem bisher Gesagten kann mit «Erfüllen» im Sinne des Matthäus weder die bloße Bestätigung noch eine einfache Wiederholung gemeint sein. Vielmehr liegt der Akzent bei der Erfüllung des Gesetzes darauf, daß der irdische Jesus einmal das Gesetz durch seine Taten und zum andern durch seine vollmächtige Auslegung in seinem eigentlichen und wahren Sinn verwirklicht hat. Die heilsnotwendige Geltung dieses Gesetzes bis hin zum i-Tüpfelchen steht für Matthäus allerdings außer jeder Diskussion. Jesu Gerechtigkeitsforderung ist also nichts Anderes als der von Gesetz und Propheten verkündete, in Jesu Lehre und Wirken vollmächtig ausgelegte und im Liebesgebot zusammengefaßte Wille Gottes. Indem er diesen eigentlichen und unverrückbaren Willen Gottes zum Zuge brachte und für die Kirche aller Zeiten bis zum Jüngsten Tag aufrichtete (28,18ff), war für ihn zugleich die heilsgeschichtliche Kontinuität zwischen dem alten Bund und der eschatologischen Forderung im neuen Bund gewahrt. Hierin liegt für Matthäus primär die heilsgeschichtliche Kontinuität zwischen Israel und der Kirche.
Weil für Matthäus das Liebesgebot als das «schwerste am Gesetz» das Auslegungkriterium des gesamten Gesetzes vom Sinai ist, kann Matthäus nicht nur das Kultgesetz verwerfen, sondern sogar Kritik am Moralgesetz üben. So ersetzt er alttestamentliche Gesetzesforderungen durch neue oder er erklärt Gebote, die für das alte Gottesvolk gelten, für ungültig, wie es in den sechs Antithesen der Bergpredigt geschieht (5,21ff). Bekanntlich liegt nur in der dritten (gegen die Scheidebriefpraxis 5,31f), fünften (gegen die alttestamentlich geforderte Wiedervergeltung 5,38ff), und vierten (gegen das Schwören) Antithese auch wirklich Torakritik vor, während in der ersten, zweiten und sechsten Antithese «nur» eine Radikalisierung der mosaischen Forderungen zu sehen ist. Auch wenn in den Antithesen der Bergpredigt der Kampf gegen die Pharisäer literarisch im Vordergrund steht (5,20!), treffen diese doch den Text des mosaischen Gesetzes selber. Alte Anweisungen werden durch neue ersetzt. D.h. aber: Altes und neues Gesetz stehen sich hier der Sache nach gegenüber. Der irdische Jesus wiederholt und bestätigt also nicht nur einfach das alte Gesetz vom Sinai, sondern bringt selber ein neues, besseres und anderes

Gesetz. Für die werdende heidenchristliche Großkirche war das Gesetz, das der irdische Jesus gebracht, ausgelegt und verwirklicht hat, insofern wirklich neu, als er radikal das gesamte alttestamentlich-jüdische Ritualgesetz verwarf, und allein das Moralgesetz gelten ließ, die pharisäische Gesetzesinterpretation ablehnte und sogar bestimmte Gebote des alttestamentlichen Moralgesetzes für ungültig erklärte.

So gesehen bringt der matthäische Christus als der alleinige Lehrer der Kirche der Sache, wenn auch nicht der Vokabel nach die nova lex (= das neue Gesetz). Dieses «neue Gesetz» Jesu schließt sowohl die positive Beziehung zum alten Gesetz vom Sinai als auch die Antithese zum Moralgesetz ein. Auf dem Hintergrund der matthäischen Epochen-Heilsgeschichte aber heißt das: Dem alten Sinai entspricht der neue Sinai der Bergpredigt (5,1), dem alten das neue Gesetz (= die Antithesen), dem alten der neue Moses (so die Mosetypologie in den Kindheitsgeschichten Jesu: 2,13.20; in der Versuchungsgeschichte 4,2 und der Bergpredigt 5,1) und dem alten das neue Gottesvolk (21,43). Der irdische Jesus ist nach Matthäus der neue Mose, der auf dem neuen Sinai dem neuen Gottesvolk ein neues Gesetz bringt.

In großartiger Einseitigkeit wird schließlich in 28,20 die gesamte Botschaft des irdischen Jesus als Gebot (!) zusammengefaßt und außerdem mit der Zeitform der Vergangenheit ausdrücklich auf die Gesetzeslehre des Irdischen als «zeitlos» gültig rückverwiesen («Lehret sie halten alles, was ich euch geboten habe»). Der zum Kosmokrator inthronisierte Christus autorisiert letztlich die gesamten Forderungen des irdischen Jesus für die Kirche aller Zeiten. Die ethische Tradition des Irdischen ist die einzige und grundlegende Norm alles christlichen Handelns und bedarf als eine ein für allemal ergangene Forderung keiner Ergänzung für die nachösterliche Kirche.

Dem entspricht das matthäische Sündenverständnis: Da die Sünde nach Matthäus in der Übertretung der Gesetzesforderungen aufweisbar ist, wird das Sein des Menschen seinen guten bzw. bösen Werken niemals vorgeordnet. Folgerichtig spricht Matthäus von der «Vergebung der Sünden» als Beseitigung nicht erfüllter Gesetzeswerke (vgl. 3, 6; 9,2.8f; 12,31; 26,28), deren einzige Bedingung die Umkehr ist (3,2; 4,17; 12,41), die in Verbindung mit dem einmaligen Taufakt und dem Sündenbekenntnis die Abkehr von dem sündigen Werk und das Tun der guten und würdigen Früchte bedeutet (3,2.6f). Von einer grundsätzlichen Bestreitung der Gesetzeswerke ist nicht die Rede. Als einziger unter den Synoptikern spricht Matthäus unbefangen von den guten Werken (5,16), die allerdings antipharisäisch nicht den Selbstruhm, sondern der Verherrlichung des himmlischen Vaters dienen. Die Werke wie Almosen (6,2ff), Beten (6,5f) und Fasten (6,16ff) bringen nur dann den himmlischen Lohn, wenn sie nicht aus Rücksicht auf das Urteil der Menschen getan werden. Freilich kennt Matthäus – darauf muß von vornherein mit Nachdruck

hingewiesen werden – nicht nur den Imperativ der Gesetzesforderung bzw. imperativische Stoffe, sondern ausdrücklich den Heilsindikativ, wie die folgenden indikativischen Texte beweisen: Die grenzenlose Vergebungsbereitschaft Gottes (Mt.18,21–35), Jesus stirbt «zur Vergebung der Sünden» (20,28; 26,26ff), seine heilbringende Gegenwart bei den Sündern (1,21; 8,17; 9,1ff; 18,18), Kranken (Kapp. 8 und 9; 10,1ff; 11,5 u.a.), Kleingläubigen (8,23ff; 14,22ff) und seinen Jüngern (8,25; 14,30 einerseits und 1,23; 18,20; 28,20 andererseits). Matthäus kennt also eindeutig Stoffe, die den Indikativ des Heils – der heilbringende, präsente Kyrios bei den Seinen, Sündern, Kranken und Kleingläubigen – beinhalten. Aber da die göttliche Gabe wie die göttliche Forderung ungeschieden ineinander übergehen, liegt im Matthäusevangelium das ganze Schwergewicht auf dem Imperativ bzw. der ethischen Forderung. V.a. problematisiert der Heilsindikativ niemals den Heilsimperativ des Gesetzes, sondern gerade das fortdauernde Heilshandeln Christi in der Gemeinde stellt die Christen wiederum auf den Heilsweg des Gesetzes.
b) Diese Ethik wird von Matthäus christologisch begründet und bestimmt. Wie Jesu ethische Forderung letztlich nichts Anderes ist als die recht verstandene Dekalogethik des Alten Testamentes, so steht seine Lehre und Wirksamkeit überhaupt in heilsgeschichtlicher Kontinuität mit dem Alten Testament. Schon der Stammbaum (1,1ff) und die Kindheitsgeschichten (1,18ff) erweisen Jesus als Sohn Abrahams und Davids; er ist der geborene König der Juden (2,2), und seine Eltern ziehen mit ihm in das «Land Israels» (2,20f). Weiter zeigt die Fülle der genuin messianischen Hoheitstitel «der Christus» (2,4), der «König Israels» (27,42), «Sohn Gottes» (16,16; 26,63; 27,40ff) und «Sohn Davids» (1,1; 21,42 u.ö.), daß für Matthäus der von Gott zuletzt zu Israel gesandte Sohn echter Messias, genuiner Israelit und geborener König Israels sein muß. Dieselbe heilsgeschichtliche Funktion wie die genuin messianologischen Hoheitstitel haben auch die zahlreichen Reflexionszitate im Matthäusevangelium (1,22; 2,5.15; 4,14; 8,17; 12,17 u.ö.). Die gesamte Christusgeschichte ist für Matthäus die Erfüllungszeit der alttestamentlichen Prophetie. Zusammen mit dem zentralen Wort 11,12f weisen alle diese messianischen Weissagungen die Geschichte des Messiaskönig Jesu als eschatologische Erfüllungszeit und Mitte der Heilsgeschichte aus.
Beides also – die messianischen Hoheitstitel wie die erfüllten messianischen Weissagungen des Alten Testamentes – legitimieren Jesus als vollmächtigen Bringer und Lehrer einer neuen Ethik, der für die Kirche aller Zeiten nicht nur die «bessere Gerechtigkeit» (5,20) aufzeigt, sondern vor allem auch verwirklicht und vorgelebt hat.
Wie Lukas in seinem Doppelwerk von der historisch zu verstehenden Anknüpfung an Jesus von Nazareth weiß, so Matthäus von der ethischen. Matthäus kennt den Topos des Vorbildes Jesu. Indem Jesus sich taufen läßt, verwirklicht er die Gerechtigkeit, wie sie von Gesetz und Propheten

gefordert wird (3,15), nicht nur durch die Lehre, sondern auch durch die Tat. Auch die Passion des Gerechten (27,19.24) wird zum Vorbild für die ihm nachfolgende Gemeinde (20,28; 26,42ff). Denn gerade in der Gethsemane-Geschichte erklingt (26,42) die dritte Bitte des Vater-Unser (6,10): Jesu Ergebung in Gottes Willen praktiziert ja gerade jenes Gebot, das er selber seine Jünger lehrte. Jesu Haltung in der Stunde der Todesnot ist das Vorbild eines solchen Betens. Wenn die Kirche des Matthäus das Leidensgeschick ihres Herrn auf sich nimmt, wenn also die Kirche Jesus nachfolgt, dann soll sie ihm in der Haltung nachfolgen, die seinen Gang ans Kreuz auszeichnete. Auch in 20,28, dem bekannten Lösegeld-Wort der Markusvorlage, hat Matthäus das markinische «denn auch» durch das «gleich wie» ersetzt. Damit wird Jesu Dienen zum bleibenden Vorbild für die Gemeinde. So hat das ganze Leben Jesu uneingeschränkt paradigmatische Bedeutung, insofern sich in ihm vorbildhaftes Tun verwirklicht. Die messianische Geschichte des irdischen Jesus als des göttlichen Herrn ist für Matthäus exemplarisches Geschehen, und zwar in der Weise, daß die Haltung, in der der Messias sein von Gott vorherbestimmtes Leiden auf sich nimmt und überwindet, der Kirche aller Zeiten zum alleinigen und bleibenden Vorbild wird.

c) In diesem Zusammenhang gehört auch der Kampf des Matthäus gegen die christlichen Enthusiasten bzw. Gnostiker in den eigenen Reihen. So weist er in 5,17ff die enthusiastische Parole zurück, daß mit dem Kommen Jesu «Gesetz und Propheten» keine Gültigkeit mehr haben. Zurecht hat man in der Auslegung auf die libertinistische Parole in 1.Kor.6,12 verwiesen: «Alles ist mir erlaubt», womit die korinthischen Enthusiasten bestritten, daß das Gesetz seit der Sendung Christi für die Kirche überhaupt noch irgendwelche Bedeutung habe. Noch unmißverständlicher wird die Polemik des Matthäus in 7,12ff: Die «falschen Propheten» bekennen sich zwar zu Jesus und weissagen im Namen Jesu – sind also eindeutig Christen –, treiben Dämonen aus und tun viel Wunder, aber in Wirklichkeit sind sie reißende Wölfe in Schafskleidern, bringen faule Früchte, tun nicht den Willen Gottes, sondern die Gesetzlosigkeit. Als einziger unter den Synoptikern gebraucht Matthäus das Stichwort «Gesetzlosigkeit» (7,23; 13,41; 23,28; 24,12) und kennzeichnet damit die christlichen Enthusiasten als Gesetzesleugner und Libertinisten. Die pneumatischen Demonstrationen wie Prophetie, Exorzismus und Krafttaten werden von Matthäus keineswegs pauschal zurückgewiesen, aber ihr Kriterium ist allein das Tun des Willens Gottes, wie er im Mosegesetz offenbar und von Jesus in seinem ursprünglichen Sinn ausgelegt und verwirklicht worden ist. Sehr gut kommt die innerkirchliche Bedrohung auch in 24,10ff mit dem Auftauchen der falschen Propheten und dem Überhandnehmen der Gesetzlosigkeit zum Ausdruck. Wiederum sind die Pseudopropheten gnostische Irrlehrer, die die Gemeinde zur Gesetzlosigkeit verführen. Die gegenwärtige Auseinandersetzung des Matthäus mit den Enthusiasten in der Kirche zeigt sich weiterhin in 13,41; 28,18ff und im häufigen Gebrauch von «alles» in der Debatte um das Gesetz (3,15; 5,18; 7,12; 28,20), den ständigen Gerichtsdrohungen (7,21ff; 13,36ff; 25,31ff) und der permanenten Mahnung zum Tun des Willens Gottes (3,7ff; 7,13ff; 24ff; 8,11f; 11,20ff; 12,33ff; 16,27; 22,10 u.ö.). D.h. aber: Aktuell ist für Matthäus nicht mehr der Kampf gegen Israel, das ja längst heilsgeschichtlich vom neuen Gottesvolk abgelöst ist (21,33–46), wohl aber der Kampf gegen christliche Pneumatiker, die das Gesetz verwerfen und derart Ungesetzlichkeit praktizieren. Gegenüber allem unkontrollierbarem Enthusiasmus wird von Matthäus die Kirche radikal vom Jüngersein her verstanden, und Jüngersein heißt: Jünger des irdischen Jesus und seiner Lehre bleiben. Der irdische ebenso wie der erhöhte ist bei Matthäus der vollmächtige Lehrer des Moralgesetzes für alle Zeiten, gegenwärtig ist er nur bei denen, die seine Gebote halten (28,18ff), und Nachfolge wird nach Matthäus gegenüber jeglichem Enthusiasmus vor allem im Tun des Liebesgebotes und der «besseren Gerechtigkeit» verwirklicht.

d) Dem vollmächtigen Lehrer des Willens Gottes entspricht der Jünger in der Nachfolge. Die geläufigste Beziechnung für die vom irdischen Jesus (10,1.11; 26,20 u.a.) wie vom Auferstandenen (28,18ff) in die Nachfolge Berufenen ist «Jünger». Jünger wird man auch nach Matthäus allein durch den machtvollen Ruf in Jesu Nachfolge (4,18ff; 9.9; 8,22). Aber auch die nachösterliche Völkerkirche besteht aus Jüngern, die als Getaufte Jesu Gebote halten und auf den endgültigen Richterspruch warten. Für Matthäus ist die Nachfolge der Jünger hinter dem irdischen Jesus im historischen «damals», durch die sie alle irdischen Sicherungen aufgeben mußten und sich an Jesus anschlossen, zu einem bleibenden Bild für den heilsnotwendigen Anschluß des Menschen überhaupt an Christus geworden. Mit alledem hat Matthäus konsequent die Situation der nachösterlichen Gemeinde in die historische Jüngerschaft Jesu eingezeichnet, ohne allerdings den Jüngerkreis der heilsgeschichtlichen Vergangenheit im eschatologischen Selbstverständnis aufgehen zu laßen. D.h. aber: Der Begriff «Jünger» ist im Matthäusevangelium sowohl heilsgeschichtlich (= der Jüngerkreis damals) als auch ekklesiologisch (= transparent für die Kirche aller Zeiten) auszulegen. Jünger sind nach Matthäus diejenigen, die die eschatologische Gesetzeslehre Jesu lernen, verstehen (13,51;16,12;17,13) und damit den Willen Gottes tun (12,50) ; denn Christsein heißt für Matthäus nichts anderes als Jünger sein. Daß diese Nachfolge in Niedrigkeit (18,1ff), Dienen (20,20ff) und Leiden (10,16ff) führt, wird immer wieder betont. Auch die weltumspannende Mission vollzieht sich nach Matthäus allein dadurch, daß die Völker zu Jüngern gemacht werden, und Jünger Jesu – das predigt Matthäus unaufhörlich in seinem ganzen Lehrbuch, was von dem zum Kosmokrator Inthronisierten noch einmal autorisiert wie ratifiziert wird (28,19f) – wird man nur durch die Taufe und die darauf folgende lebenslange Unterweisung in dem, was

der irdische Jesus in seinen Geboten gefordert hat. Aber das Lehren und Halten der Forderung Jesu ist nicht nur Vorbedingung für die Rettung im Endgericht, sondern der wesentliche Inhalt der christlichen Predigt überhaupt, denn der ethische Anspruch dominiert eindeutig im Matthäusevangelium. Die nachösterliche Gemeinde als die sich nun bildende weltumspannende Kirche aus allen Völkern wird für immer an die ethischen Forderungen ihres Herrn gebunden. Jünger Jesu ist man jetzt nur noch als Getaufter und als einer, der die Gebote Jesu hält. Denn der Auferstandene und Inthronisierte ist nur dort, wo diese ethischen Forderungen mit eschatologischem Anspruch nicht nur gehört, sondern wirklich praktiziert werden. In der Predigt der Gebote Jesu als der wahren und unwiderruflichen Lehre kommt der eigentliche und ewige Wille Gottes zu allen Völkern und diese ist geradezu die Bedingung für die Gegenwart des Herrn in seiner Gemeinde. Verkündet und lebt die Kirche die von ihr geforderte, bessere Gerechtigkeit, dann wird sie bis zur «Vollendung des Aeons», d. h. bis zu seiner Wiederkunft, als Menschensohn-Weltrichter nicht ohne göttlichen Beistand sein (28,20). Denn das «ich bin bei euch» verheißt der Kirche nicht nur den wirksamen Beistand in ihrer Völkermission, sondern dieser für immer an seiner Forderung festhaltenden Jüngerschaft die Gegenwart des göttlichen Herrn.
Zugleich sind diese Jünger für Matthäus «Brüder» (5,21f; 18,1; 21.35 u.ö.), «diese Kleinen» (10,42) und für die apokalyptische Zukunft «die Gerechten» (13,43; 25,31ff.37) und «die Erwählten» (24,31). Vor allem aber wird die Bruderschaft in der großen gemeindeethischen Lehre Kap.18 thematisiert. Der Größte im Himmelreich ist derjenige, der sich wie ein Kind erniedrigt (18,1–5). Dazu bedarf es allerdings der «Umkehr» (18,3), ohne die nach Matthäus keiner in die Himmelsherrschaft kommt. Denn wer ein Kind auf Jesu Namen hin aufnimmt, nimmt Jesus selbst auf (18,5). Keinem nämlich dieser «Kleinen», die an Jesus glauben (18,6ff), darf deshalb ein Anstoß bzw. Ärgernis bereitet werden. Wer nur einen dieser «kleinen» Brüder zu Fall bringt, über den wird von Jesus der eschatologische Fluch ausgerichtet. Auch soll niemand in der Gemeinde die Kleinen verachten: «Denn ich sage euch: Ihre Engel im Himmel sehen allezeit das Angesicht meines Vaters» (18,20). Diese eindringliche Mahnung wird von Matthäus durch die Anfügung des traditionellen Gleichnisses vom verirrten Schaf veranschaulicht (18,12ff). Im Unterschied aber zur lukanischen Version des Gleichnisses (Lk.15,3–7) geht es bei Matthäus nicht um die Freude Gottes über einen Sünder, der Buße tut, sondern um die Anweisung für die Kirche, sich um jeden verirrten Bruder zu sorgen. Wie der Hirte alle 99 Schafe auf den Bergen zurückläßt, um unablässig das eine verirrte Schaf zu suchen, so entspricht es Gottes Wille, daß keiner von den verirrten Brüdern umkomme. Aber damit sind die gemeindeethischen Forderungen nach Matthäus noch keineswegs erschöpft, wie die ausführliche Anweisung zur kirchlichen Disziplin und

Gemeindezucht 18,15–18 lehrt. Hier geht es um die eschatologische Binde- und Lösegewalt der Kirche. Im einzelnen geht es um ein dreifaches Verfahren. Jedes einzelne Gemeindeglied hat die Vollmacht Jesu, den sündigenden Bruder zu überführen, ihn zurechtzuweisen und ihm zu vergeben. Die Binde- und Lösegewalt ist nicht das Privileg eines einzelnen Gemeindeleiters, sondern kommt vielmehr jedem Gemeindeglied zu. Bleibt die Zurechtweisung ohne Erfolg, so soll sie in Gegenwart der Gemeinde nach der alttestamentlichen Zeugenregel (5.Mos. 19,15) wiederholt werden. Führt auch diese nachdrückliche Ermahnung nicht zum Ziel, gibt es nur noch eine Instanz, die den Bruder vor der Exkommunikation retten kann: der betreffende Fall kommt vor die Entscheidung der versammelten Ortsgemeinde, die nun zugleich die Autorität der Gesamtkirche vertritt. Wird selbst diese kirchliche Ermahnung von dem Bruder mißachtet, dann «sei er dir wie ein Heide und Zöllner», d.h. der Sünder wird aus der kirchlichen Gemeinde ausgeschlossen und geht des ewigen Heils verlustig. Vers 18 wiederholt in feierlicher Form die Binde- und Lösegewalt der Gemeinde, so daß das kirchliche Urteil auf Erden mit dem göttlichen im Himmel identisch ist. Kirchenzucht hat also eschatologische Relevanz, weil in diesem disziplinarischen Handeln der Kirche der gegenwärtige Kyrios selbst auf den Plan tritt (18,19f).
Diese gemeindeethischen Anweisungen werden durch die eindringliche Forderung an die Gemeinde, unbegrenzt zu vergeben, abgeschlossen (18,21–35). Auf die Frage des Petrus nämlich, wie oft er seinem gegen ihn sündigenden Bruder vergeben soll, erfolgt die Antwort Jesu: «Nicht bis zu siebenmal, sage ich dir, sondern bis zu siebzigmal sieben mal». Matthäus hat diese Forderung durch das von ihm hier wirkungsvoll eingeschobene Gleichnis vom Schalksknecht illustriert (18,23–35). Weil Gott derart großmütig ist, verzeiht und so den Menschen unbegrenztes Erbarmen schenkt, kann er auch von jedem Beschenkten fordern, Gleiches zu tun. Auch er soll unbegrenzt seinem Mitbruder vergeben. Die gesamte Gemeindeethik im 18. Kapitel endet deshalb mit dem unerbittlichen Gericht Gottes über denjenigen, der diese grenzenlose Vergebungsbereitschaft seinem Bruder gegenüber verweigert (18,34f).
e) Matthäus hält genauso wenig wie Markus an einer zeitlich terminierten Naherwartung der Himmelsherrschaft fest. Die apokalyptischen Enderereignisse lassen sich nicht errechnen, weil die Parusie des Menschensohnes plötzlich kommt (24,42ff.50; 25,6.13.19) und außer dem himmlischen Vater niemand ihren Zeitpunkt kennt (24,36). Auch die sich verzögernde Parusie des Gottesreiches gehört in das vormatthäische Überlieferungsstadium (=Q-Quelle; vormarkinische Tradition und Sondergut des Matthäus). Nicht die Nähe, sondern die Tatsächlichkeit des apokalyptischen Endgerichts bestimmt die matthäische Ethik. Der kommende Menschensohn-Weltrichter kennt nur einen Maßstab, nach dem er richtet und dem gerade auch die Kirche unterworfen ist, nämlich, ob sie alles das getan

hat, was der irdische Jesus ihr befohlen und der Auferstandene noch einmal für bleibend gültig erklärt hat (28,18ff). Von da her erklärt sich die ständige Mahnung zum Tun des Willens Gottes (7,21; 12,50; 21,31) und zum Halten der Gebote (19,17; 23,3; 28,20). Auch und gerade das neue Gottesvolk ist für Matthäus weder die Gemeinschaft der Heiligen noch die Sammlung der Auserwählten (22,14) sondern eine Schar der «Berufenen» (22,9f), eine Zurüstungsstätte für die Guten und Bösen, mit einem Wort: eine Heilsanstalt. In der Welt ist sie ein corpus mixtum, da erst und allein das künftige Weltgericht die endgültige Scheidung zwischen Erwählten und Berufenen (24,22ff), zwischen Gerechten und Ungerechten (13,47f) bringt.

Gerade die beiden Gleichnisse vom Unkraut unter dem Weizen (13,36–43) und vom Fischnetz (13,47f) schärfen immer wieder ein, daß das Jüngste Gericht Zentrum der matthäischen Ethik ist, worin sich unterscheidet, ob der Jünger den Willen Gottes wirklich getan oder Gesetzlosigkeit geübt hat. Nur die «Gerechten» werden «leuchten wie die Sonne in ihres Vaters Reich» (13,43), die Ungerechten und Bösen dagegen in den Feuerofen geworfen werden (13,42 und 47). Dieselbe eschatologische Ausrichtung und Motivierung durchzieht die Bergpredigt (5,20; 6,33; 7,13f; 7,15–20.21ff.24–27).

Weil das alte Gottesvolk die von Gott geforderten guten Früchte nicht abgeliefert hat, verfiel es bereits in der Vergangenheit dem Gericht (21,41ff), aber auch und gerade das neue Gottesvolk, dem die Himmelsherrschaft ausdrücklich überantwortet wurde (21,43), steht nun seinerseits unter der bleibenden und durch Jesu Neuauslegung erst recht dringlich gemachten Norm des künftigen Gerichts. Die endgültige Scheidung steht noch aus; ausdrücklich hat Matthäus deshalb an das traditionelle Hochzeitsgleichnis (22,1–10) die Szene vom hochzeitlichen Gewand angefügt (22,11–14): Zwar sind Gute und Böse eingeladen, aber wer kein «hochzeitliches Gewand», also keine guten Werke aufweisen kann, wird schließlich vom König verworfen. Wer von den Jüngern nicht wachsam und bereit ist, (24,42ff; 25,13), nicht mit den anvertrauten Talenten wuchert (25,14ff), und nicht die Liebe an «einem unter diesen geringsten meiner Brüder» übt (25,40ff) wird im Endgericht verworfen werden.

Dem entspricht schließlich der besonders von Matthäus hervorgehobene Lohn- (5,19; 10,41f; 11,1; 18,1ff; 19,17.28; 20,23; 25,14ff) und Strafgedanke (7,21; 13,49f; 22,13; 24,51; 25,30): Lohn wie Strafe sind im apokalyptischen Endgericht die göttliche Antwort auf die Taten der einzelnen Menschen; denn der Menschensohn wird «jedem vergelten nach seinem Tun» (16,27). Um so dringlicher wird damit der Anspruch der ethischen Forderung Jesu, wie umgekehrt der Jünger durch den permanenten Hinweis auf das drohende Endgericht in eine uneingeschränkte Verantwortung gestellt wird. «Was wird uns dafür»? (19,27) fragen deshalb folgerichtig die Jünger.

2. Das Problem der sachgerechten Bergpredigtauslegung

Die Bergpredigt hat wie kaum ein anderer Text des Neuen Testaments die Kirchen aller Konfessionen immer wieder herausgefordert. In ihrer Auslegungsgeschichte ist sie deshalb bis heute so vielfältig und kontrovers, daß sie kaum auf einen einheitlichen Nenner zu bringen ist, auch wenn die Auswirkungen der Bergpredigtforderungen bis in unsere Gegenwart hinein unübersehbar sind. Diese erste große, aber auch gewichtigste Rede Mt.5–7 der Redekompositionen im Matthäusevangelium wird seit dem 16. Jahrhundert als «Bergpredigt» bezeichnet. Aber in Wirklichkeit und zwar nach der Absicht des Matthäus ist sie gar keine Predigt, sondern eine Lehrrede, die Anweisungen an die Jünger enthält, die aufgrund von Glaube und Taufe auf dem schmalen Weg Jesus nachfolgen, der in das ewige Leben führt.
Freilich hat der historische Jesus weder die Bergpredigt gehalten, noch ist sie eine stenographische Wiedergabe durch seine Jünger. Sie ist vielmehr in der vorliegenden Form eine zielbewußte, literarische Komposition des Evangelisten, der wie auch sonst umfangreiches Quellen- und Traditionsmaterial (Markusevangelium, Q-Quelle und Sondergut) benutzt hat. Dabei wird zurecht von der Forschung vorausgesetzt, daß wesentliches Spruchmaterial der Reich Gottes-Botschaft des historischen Jesus in der heutigen Bergpredigt enthalten und verarbeitet ist. Darüber hinaus haben form- wie redaktionsgeschichtliche Forschungen zu dem Ergebnis geführt, daß zwischen der Reich Gottes-Botschaft Jesu und der Abfassung der Bergpredigt durch Matthäus unterschiedliche mündliche und schriftliche Traditionsschichten liegen, also ein viele Jahrzehnte umfassender Traditions- und Redaktionsprozeß zu veranschlagen ist.
Da die Bergpredigt in der heute vorliegenden Gestalt auf die Endredaktion des Matthäus zurückgeht, kann sie sachgemäß nur im Kontext und Horizont des gesamten Matthäusevangeliums und somit der matthäischen Theologie und Ethik interpretiert werden. Sie allein, und nicht etwa z. B. die paulinische oder johanneische Theologie und Ethik sind der alleinige Auslegungsschlüssel zum rechten Verständnis der Bergpredigt wie vor allem auch ihrer Übersetzung in den jeweiligen Gegenwartshorizont.
So wird es mehr als verständlich, daß im Laufe der Kirchen- und Theologiegeschichte nicht nur die verschiedensten, ja gegensätzlichsten Deutungen wie Antworten begegnen, sondern auch das Verständnis der absoluten Bergpredigtforderungen bis heute aufs heftigste umstritten sind: Ob sie überhaupt erfüllbar und praktikabel, an wen sie gerichtet sind und für welche Lebensbereiche sie gelten sollen. Ein knapper Überblick über die wichtigsten Deutungen der Bergpredigt ist deshalb im folgenden unerläßlich:
a) Seit dem Mittelalter versteht die römisch-katholische Kirche die radikalen Bergpredigtforderungen als consilia evangelica = evangelische Rat-

schläge an die vollkommenen Ordenschristen, die Mönche, die sich aus der Welt in das Kloster zurückgezogen haben. Diese Vollkommenheitschristen, die sich damit ein besonderes Verdienst, die opera supererogativa, erwerben, stehen im Gegensatz zu den «Weltchristen», die nur den praecepta und d.h. der Dekalog- bzw. Naturrechtsethik verpflichtet sind, weil sie die kompromißlosen Bergpredigtanweisungen in der Welt mit ihren Zwängen und Strukturen nicht erfüllen können. Diese damit gegebene Zweistufenethik bahnt sich im zweiten Jahrhundert bereits in der Zwölf-Apostellehre (=Didache) an, wenn es hier heißt: «Wenn du das ganze Joch des Herrn tragen kannst, wirst du vollkommen sein. Kannst du das aber nicht, dann halte, was du kannst» (6,2).
Aber mit dieser zweistufigen Ethik und der damit verbundenen Zweigleisigkeit von Ordens- und Weltchristenheit läßt sich das Problem der Bergpredigtforderungen nicht lösen. Die Bergpredigt als Mönchsregel ist nicht nur an die Ordenschristen mit der Befolgung der drei «evangelischen Räte», nämlich der freiwilligen Armut, der ehelosen Keuschheit und des vollkommenen Gehorsams, sondern an alle Christen gerichtet. Nach Matthäus kann man vor allem nicht Jünger sein, wenn nicht sämtliche radikalen Forderungen getan werden, und das gilt auch und gerade für die sogenannten «Weltchristen». Positiv ist zu bemerken, daß die absoluten Bergpredigtforderungen von der römisch-katholischen Auslegung als erfüllbar und praktikabel angesehen werden.
b) Martin Luthers Interpretation der Bergpredigt weist eine zweifache, aktuelle Frontstellung auf: Einmal ist sie gegen die Zweistufenethik der römisch-katholischen Kirche gerichtet, die er vom Text der Bergpredigt her ablehnt. Ihre Forderungen sind an alle Christen gerichtet, und der radikale Ruf in die Nachfolge ist keineswegs nur den Vollkommenheitschristen vorbehalten. Auf der andern Seite wendet er sich gegen die Schwärmer, die die Bergpredigtforderungen direkt als für jedermann bindendes Gesetz auf die Gesellschaft und das politische wie soziale Leben in der Welt anwenden. Damit werden nach Luther nicht nur Evangelium und Gesetz vermischt, sondern ebenso das Reich Gottes mit dem Reich der Welt. Die Schwärmer verkennen sowohl die Tatsache, daß Gott zum Schutze des Nächsten nicht nur weltliche Ordnungen eingesetzt hat, wie sie auch die Macht der Sünde verhängnisvoll unterschätzen. In diesem Zusammenhang hat Luther seine Lehre von den zwei Reichen entwickelt: Man muß unterscheiden zwischen Christperson und Weltperson, zwischen geistlichem und weltlichem Recht und zwischen Reich Gottes und Reich der Welt. Daraus folgt für ihn die entscheidende Konsequenz: In dieser friedlosen, gottlosen und unerlösten Welt hat der Christ, sofern es nur ihn selbst betrifft, mit der Bergpredigt alles Unrecht zu leiden, also die andere Backe hinzuhalten, sich nicht zu rächen und dem Bösen nicht zu widerstehen, sondern auch die Feinde zu lieben. Sofern es aber um das Leben, die Würde, das Recht und die Freiheit des Nächsten geht, und er als Weltper-

son ein weltliches Amt, etwa als Staatsmann, Richter, Soldat, Kaufmann oder Familienvater, ausübt, hat er gerade aufgrund des Liebesgebots sein Land, seine Familie, das Recht und die Freiheit des Nächsten zu schützen, zu bewahren und dem Bösen gerade zu widerstehen. Niemals wird so der Christ als Welt- oder Privatperson vom Liebesgebot dispensiert, so daß gerade diese für Luther fundamentale Unterscheidung der beiden Reiche und der damit vorausgesetzten doppelten Verantwortung des Christen als Privat- und Weltperson zum hermeneutischen Auslegungsschlüssel der absoluten Bergpredigtforderungen geworden ist.
c) Auch für die lutherische Orthodoxie gelten die radikalen Bergpredigtforderungen zwar für alle Christen, aber sie sind grundsätzlich unerfüllbar. Die Bergpredigt wird hier im Horizont der paulinischen Rechtfertigungstheologie als reine Gesetz- und Bußpredigt aufgefaßt, die als bloßer Beicht- und Sündenspiegel unsere unleugbare Sündhaftigkeit feststellen und unsere Erlösungsbedürftigkeit wecken soll. Die Bergpredigt hat hier im Sinne paulinischer Theologie die Funktion des usus elenchticus des Gesetzes, d.h. sie soll die Sünden aufdecken und in die Buße treiben, dem Sünder jede Möglichkeit der Selbstrechtfertigung nehmen und so zur Rechtfertigung allein aus Glauben hinführen. Nur Christus allein hat die von ihm erhobenen Forderungen stellvertretend durch seinen Sühnetod für alle erfüllt. Richtig sieht dieser Auslegungsversuch, daß Jesus in der Bergpredigt vor allem durch seine toraverschärfenden wie torakritischen Antithesen als Umkehr- und Bußprediger erscheint. Aber die These von der Unerfüllbarkeit der Bergpredigtforderungen ist im Sinne des Matthäus unsachgemäß und scheitert schon an 5,13ff.21; 6,1ff und den vier großen Spruchgruppen von der engen und weiten Pforte, vom guten und bösen Baum, von den Menschen im Endgericht und vom Hausbau auf Fels und Sand (7,13–27), mit dem die Bergpredigt bekanntlich schließt. Hier wird vom Christen nichts Anderes gefordert, als daß er den Willen Gottes lebenslang tut; denn ausschließlich dieses Tun der Liebe, eben die guten Werke und die guten Früchte, sind das einzige Kriterium im apokalyptischen Endgericht. Von einer Erfüllung der radikalen Forderungen durch Christus allein an unserer Statt ist in der Bergpredigt just nicht die Rede. Gerade der getaufte Christ soll alle Gebote des irdischen Jesus halten, wie der Auferstandene zu Ostern ausdrücklich bekräftigt (Mt.28,18–20).
d) Für die liberale Theologie des 19. und 20. Jahrhunderts stellte die Ethik der Bergpredigt die Summe und Quintessenz des gesamten Christentums dar. Aber im Gefolge des Idealismus legte man die radikalen Bergpredigtforderungen als Gesinnungsethik aus und lehnte jede buchstäblich-gesetzliche Erfüllung aufs schärfste ab. Was Jesus fordert, zielt nicht auf Werke, sondern auf das Gewissen, das Herz, eben die neue Gesinnung des Christen. Anzuerkennen ist, daß es Matthäus tatsächlich um die völlige Übereinstimmung zwischen der äußeren Tat und der inneren Haltung des Her-

zens geht, d.h. um den ganzen, ungeteilten Gehorsam. Außen und innen, Werk und Herz sind nach Matthäus niemals zu trennen, weil Gott in Christus gerade auch das innerste Wesen seiner Jünger in Beschlag nehmen will. Aber mit dieser rein gesinnungsethischen wie individualistischen Interpretation der Bergpredigt darf doch keinen Augenblick unterschlagen werden, daß die absoluten Anweisungen nicht nur auf die Gesinnung, sondern ebenso auf das ganz konkrete Tun der besseren Gerechtigkeit zielen und dringen. Wo diese vernachlässigt oder gar ausgeblendet wird, kann die Bergpredigt des Matthäus nicht mehr in den Blick kommen.

e) Die Entdeckung des apokalyptischen Horizontes der Reich Gottes-Botschaft Jesu führte bei Johannes Weiß und Albert Schweitzer zum Verständnis der Bergpredigt-Ethik als Interimsethik: Die Bergpredigt ist nicht ethische Anweisung für die Kirche in der bleibenden Welt, sondern einzig und allein das Gesetz des Ausnahmezustandes vor der apokalyptischen Endkatastrophe. Nur für diese ganz kurze Zeit bis zum nahen Weltende stehen diese Bergpredigtforderungen in Geltung. Nach dem Scheitern der zeitlich gebundenen Naherwartung Jesu ist auch ihr absoluter Anspruch nicht aufrechtzuerhalten.

Zurecht wurde von diesem apokalyptischen Auslegungstyp der unaufgebbare Zusammenhang der Bergpredigt mit der Reich-Gottes-Erwartung herausgestellt. Aber einmal ist die Bergpredigt des Matthäus nicht mehr von der zeitlich bestimmten Naherwartung des Reiches Gottes geprägt, und zum andern werden die absoluten Bergpredigtforderungen nicht mit der Nähe, sondern Tatsächlichkeit des Gerichts motiviert (vgl. nur 5,20; 6,33; 7,13f.21ff.24ff) oder werden als der immer schon geltende Wille Gottes verkündet, wie z.B. die Warnungen vor dem Sammeln irdischer Schätze (Mt.6,19ff), vor dem Sorgen (6,25–33) und dem Richten (7,1–5) beweisen.

f) Ähnlich wie die lutherische Orthodoxie hat Eduard Thurneysen die christologische Relevanz der Bergpredigt herauszuarbeiten versucht. Sie ist grundsätzlich unerfüllbar, erfüllt hat sie Christus als der Auferstandene für uns durch seine Heilstat. Die Bergpredigt will also vor allem und zuerst Evangelium und d.h. Wort der Gnade sein. Deshalb muß das christologische Bekenntnis in den Vordergrund dieser Bergpredigtauslegung treten, weil derselbe Christus, der in der Bergpredigt seine absoluten Forderungen erhebt, diese längst stellvertretend für uns erfüllt hat.

Es ist kein Zweifel, daß die Bergpredigt von der matthäischen Christologie bestimmt und getragen ist. Aber gerade der vom Alten Testament geweissagte Davidssohn, der gegenwärtige Kyrios und Wundertäter wie der kommende Menschensohn-Weltrichter deckt in der Bergpredigt mit unvergleichlicher Vollmacht den Gotteswillen in seinem wahren Anspruch und Inhalt auf, den jeder Jünger nach Matthäus durch seine Tat zu erfüllen hat. Nach Matthäus relativiert also die Heilstat Christi in gar keiner Weise seine radikalen Forderungen, sondern schärft sie vielmehr bis zum Ende der Welt und Geschichte ein!

g) Schließlich wird die Bergpredigt seit der Täuferbewegung in der Reformationszeit direkt auf Geschichte, Gesellschaft und Welt bezogen und bis in unsere Gegenwart hinein als politisches, gesellschaftliches wie soziales Handlungskonzept verstanden. So nahm der linke Flügel der Reformation im 16. Jahrhundert die absoluten Bergpredigtforderungen wörtlich, um eine neue Gesellschaft aufzubauen, in der die staatliche und polizeiliche Gewalt, Rechtsprechung und Rechtsordnung beseitigt, Kriegführen und Militärdienst wie Eid verboten und die Feindesliebe gefordert wird. Aufgrund des radikal-wörtlichen Verständnisses der Bergpredigt hat im 19. Jahrhundert der russische Dichter Leo Tolstoi den Pazifismus propagiert und lehnte unter Berufung auf die Bergpredigt Staat, Steuern und Eigentum, weltliche Gerichte und Militärdienst wie den Eid ab. Nur so können auf dieser Erde Harmonie, Friede und schließlich paradiesische Zustände einkehren.
In ähnlicher Weise, wenn auch unter marxistischen Einflüssen, wird im religiösen Sozialismus die Bergpredigt zur praktikablen Soziallehre. Für Leonhard Ragaz wird der Bergprediger zum Revolutionär und Anwalt der sozial Ausgebeuteten, so daß das Reich Gottes als neue Gesellschaft ohne Krieg und soziale Unterschiede verwirklicht werden kann.
Eine Variante des religiösen Sozialismus in Europa ist in den USA die social gospel-Bewegung. Sie versuchte mit Hilfe der sozialethisch interpretierten Bergpredigt die mannigfachen Probleme der Industriegesellschaft einer Lösung zuzuführen.
In diesen Zusammenhang gehören nun schließlich die Friedensbewegungen und pazifistischen Gruppen unserer Tage, für die die Bergpredigt zur politischen und sozialethischen Weltgestaltung direkt anleitet, ihre Grundsätze also direkt z. B. auf die Sicherheits- und Militärpolitik übertragen werden müssen.
Zuzugeben ist von vornherein, daß die kompromißlosen und absoluten Forderungen der Bergpredigt wirklich erfüllt werden sollen. Es geht um nichts Anderes als um das Tun des ganzen, in keiner Weise domestizierten Gotteswillens, und insofern ist die Bergpredigt nicht nur eine Herausforderung für die Kirche, sondern impliziert auch Konsequenzen für Gesellschaft, den Staat und das Leben der Völker untereinander. Sie hat in der Tat nicht nur eine religiöse, sondern auch eine eminent politische Dimension und Auswirkung, und kann keineswegs auf den Bereich privater Innerlichkeit eingeschränkt werden.
Aber in der ganzen Bergpredigt wird nicht nur immer wieder die radikale Forderung der Tat laut, sondern Matthäus mahnt zur Umkehr und ruft auch zum Glauben. Gerade die Bergpredigt setzt die Buße und Vergebung, den Christusglauben und den Empfang der Taufe voraus. Wo das alles fehlt, sind ihre Forderungen absurd und utopisch. Weder kann die Bergpredigt ideologisch vereinnahmt werden noch liefert sie politische Rezepte. Sogar Politiker unterschiedlicher Parteizugehörigkeit lehnen es

mit Vehemenz ab, aus der Bergpredigt direkte Konsequenzen für das politische Handeln abzuleiten, sie also politisch und sozialethisch zu vereinnahmen. Ausdrücklich wird gerade von Politikern betont, daß die Bergpredigt kein Programm zur politischen, gesellschaftlichen und sozialen Regierung von Völkern und Staaten ist, denn eine direkte Übersetzung der Bergpredigt in die Gegenwart findet dort ihr Ende, wo Menschen nicht nur Verantwortung für sich allein, sondern für andere und vor allem für Völker und Staaten übernommen haben und tragen.

h) Dieser knappe Überblick über die Auslegungsgeschichte der Bergpredigt hat immer wieder gezeigt, daß die Frage nach der sachgerechten Bergpredigt-Interpretation und hier vor allem die Frage nach dem sachgemäßen Verständnis der absoluten, kompromißlosen und radikalen Forderungen in Kirche und Theologie nach wie vor aufs heftigste umstritten ist. Sie gehören nach wie vor zu den schwierigsten Problemen christlicher Ethik überhaupt. Bei keinem anderen Text des Neuen Testamentes – so scheint es jedenfalls – ist die Gefahr einer verfehlten Auslegung und vor allem Übertragung in den jeweiligen Gegenwartshorizont so groß wie bei der Bergpredigt des Matthäus. Gerade hier gilt es, die Möglichkeiten, aber auch gerade die Grenzen des Aktualisierungs- bzw. Übersetzungsprozesses immer wieder aufs sorgfältigste zu bedenken.

Über eines läßt Matthäus niemanden im Unklaren: Die bessere Gerechtigkeit, die unbedingte Liebesforderung und das Vollkommensein «wie euer himmlischer Vater» (5,48) können nur in der bedingungslosen Nachfolge Christi verwirklicht werden. Deshalb ist die Bergpredigt des Matthäus primär an die Jüngerschar Jesu, die ihm bedingungslos Nachfolgenden, adressiert, und erst sekundär als Mahnung zu Buße und Glauben an die nichtchristlichen Völker gerichtet. Nur die derart Jesus nachfolgenden Jünger sind das «Salz der Erde» und «das Licht der Welt» (5,16). Diese Jüngergemeinde als «die Stadt auf dem Berge» (5,13ff) und d.h. als das eschatologische Zeichen der Gottesherrschaft, der Gottesgerechtigkeit und des Gottesfriedens, kann und soll nicht in dieser gottlosen, ungerechten, friedlosen und unerlösten Welt verborgen bleiben.

Aber erst der Gekreuzigte und Auferstandene als der kommende Menschensohn-Weltrichter wird die schon jetzt in ihm angebrochene Gottesherrschaft für alle Welt sichtbar und erfahrbar heraufbringen. Nirgendwo behaupten Matthäus und die von ihm repräsentierte Kirche, daß sie im unangefochtenen Besitz der besseren Gerechtigkeit, der göttlichen Vollkommenheit oder der permanenten Praxis der inneren wie äußeren Feindesliebe stehe. Auch wenn Matthäus niemals Zweifel an der Erfüllbarkeit seiner ethischen, praktikablen Weissagungen Raum gibt, weiß er – wie übrigens das gesamte Urchristentum – um das lebenslange Angewiesensein der Gemeinde auf die Vergebung Gottes (6,9–13; 9,2–8; 18,15 und 21) aufgrund des Sühntodes Christi (26,26–28; 20,28). Gerade weil der Jünger nach Matthäus immer wieder die von der Bergpredigt aufgestellten

Normen verletzt, also sündigt, muß er von der Folge seiner Gebotsübertretungen durch die stellvertretende Sühne Christi und die göttliche Vergebung befreit werden. Entscheidend ist dabei für Matthäus, daß Gottes Willensforderung seiner unbegrenzten Vergebungsbereitschaft entspricht, so daß seine Gnade die Erfüllung seines absoluten Anspruches im Gesetz ermöglicht. So ist die Bergpredigt letztlich nichts anderes als der Aufruf an die «Söhne des himmlischen Vaters», im Alltag des endenden alten Aeons ihren himmlischen Vater nachzuahmen und d.h. inmitten einer chaotischen und unerlösten Welt die Zeichen des in Jesus Christus angebrochenen Gottesreiches und seiner Vollkommenheit, Gerechtigkeit, Liebe und seines Friedens aufzurichten.

3. Sozialethische Themata

Das Material der matthäischen Sozialethik bilden wiederum die Gesetzesforderungen und Anweisungen des irdischen Jesus. Das sozialethische Handeln des Christen ist auch hier Vorbedingung für die künftige und endgültige Rettung im Endgericht. Aus diesem Grunde gestaltet Matthäus seine Tradition zu praktikablen und immer gültigen Weisungen des eschatologischen Kyrios mit katechetischer Zielsetzung um, wie z.B. beim Verbot der Ehescheidung (5,32; 19,9) und des Eides (5,33ff) wie in den Antithesen überhaupt (5,21ff). Hier wie in den Frömmigkeitsregeln für Almosen (6,2ff), Gebet (6,5ff) und Fasten (6,10ff) beginnt bereits Kasuistik mit juridischer Argumentation und werden vorliegende Rechtsfälle mit Rechtsgründen abgehandelt und zu einer praktikablen, ethischen Anweisung ausgestaltet.
a) Die Stellung des Matthäus zur Frau entspricht seinen hellenistisch-judenchristlichen Vorlagen: Jesu Heilshandeln schließt selbstverständlich die Frauen ein (z.B. 8,14f; 9,20ff; 26,7ff). Frauen befinden sich in seiner Nachfolge (27,55f) und sind die Zeugen bei seinem Kreuzestod (27,53), dem Begräbnis (27,61) und zu Ostern (28,1ff.5.8f). Matthäus verbietet kategorisch jede Ehescheidung und läßt nur eine Ausnahme zu, nämlich bei vorliegender Unzucht der Ehefrau. Durch diese bewußte Einführung der bekannten Ehebruchsklausel «außer im Fall von Unzucht» (5,32 und 19,9) wird von Matthäus eine Ausnahme von der Regel anerkannt und praktiziert.
Ist die Ehe nach Matthäus im Schöpfungswillen Gottes begründet (19,4ff), so wird die Ehelosigkeit «um der Himmelsherrschaft willen» angestrebt (19,10–12). Nach diesem in den synoptischen Evangelien einmaligen Eunuchenspruch mit ausgesprochen asketischer Einstellung gibt es Eunuchen, also Eheuntaugliche von Mutterleib an, Kastraten und schließlich solche, die sich um des Himmelsreiches willen zur Ehe unfähig machen, also die noch größere Herausforderung als es das absolute Ehe-

scheidungsverbot schon ist, nämlich den freiwilligen Eheverzicht, auf sich nehmen. Eheverzicht ist also nach Matthäus eine durchaus christliche Existenzweise, die vom irdischen Jesus weder diskriminiert oder bloß toleriert, sondern ausdrücklich als Möglichkeit der Jüngernachfolge freigegeben wird. Eheverzicht ist freilich noch kein Gesetz, wie auch die Aussage fehlt, daß ehelose Keuschheit um des Himmelreiches willen im Sinne einer Zweistufenethik einen höheren Stand in der Gemeinde darstellt. Aber die resignierte Feststellung der Jünger: «Wenn die Sache des Menschen mit der Frau so steht, ist es nützlich, nicht zu heiraten», die dann gleich folgende Perikope vom reichen Jüngling mit der Vollkommenheitsforderung (19,21) wie der Gesamttenor der matthäischen Ethik und Sozialethik überhaupt weisen meines Erachtens in Ansätzen eindeutig in die spätere Zweistufenethik. Nirgends jedoch gibt es Hinweise dafür, daß die christliche Frau in der Gemeinde nach Matthäus eine Verkündigungs- und Lehrtätigkeit ausübt bzw. ausüben kann.
b) Überhaupt nicht äußert sich Matthäus zur institutionellen Sklaverei und zum damals sicher schon bestehenden Problem des christlichen Sklaven. Dabei spricht Matthäus am häufigsten unter den Synoptikern vom Sklaven (30-mal gegenüber 5-mal bei Markus und 11-mal bei Lukas), aber fast durchwegs (anders z.B. 8,9) nur im übertragenen, geistlichen Sinne (13,27f; 18,26ff; 21,34ff; 22,3f u.a). Dieses betonte Schweigen bzw. die Spiritualisierung des Begriffs «Sklave» durch Matthäus führt kaum an der Feststellung vorbei, daß Matthäus am Ende des ersten Jahrhunderts in der institutionellen Sklaverei (noch?) kein sozialethisches Problem gesehen hat.
c) Ausführlicher, allerdings ebensowenig systematisch ist die Stellungnahme des Matthäus zum Verhältnis von Kirche und Staat ausgefallen (17,24ff und 22,15ff). Mit dem von ihm ohne kritischen Kommentar versehenen, also ausdrücklich gebilligten Markustext gibt Matthäus die Maxime aus: «Man gebe dem Kaiser, was des Kaisers ist und Gott, was Gottes ist» (22,21). Auch für Matthäus sind die Christen nicht revolutionär, sondern – solange es an dem jeweiligen politischen Machthaber liegt – loyale Staatsbürger. Nichts anderes lehrt 17,24ff: Ursprünglich bejaht Jesus hier die Entrichtung der Tempelsteuer, aber mit der prononcierten Aussage von «den Königen der Erde» und dem aktiv-politischen Problem von «Zoll und Steuern» in 17,25ff wird die Perikope der heilsgeschichtlichen Jesus-Vergangenheit entnommen und konsequent in die ökumenische Situation der Großkirche am Ende des ersten Jahrhunderts gestellt. Die Christen sind demnach grundsätzlich die Freien, die keiner politischen Gewalt in diesem alten Aeon untertan und deshalb auch von Zoll und Steuern befreit sind – eine höchst erstaunliche Aussage der politischen Ethik des Urchristentums, die Matthäus ohne kritische Reserve akzeptiert hat. Lediglich aus missionarischen Beweggründen, um die Inhaber der politischen Gewalt nicht zu brüskieren und sie damit zur

feindlichen Ablehnung der Evangeliumsverkündigung gewissermaßen zu zwingen, sollen die freien Christen Zoll und Steuern entrichten. Wenn sie das tun, dann stimmen sie mit ihrem Herrn und seiner «wunderbaren» Hilfe nahtlos überein. Trotz aller Loyalität wird doch in Mt.17 die eschatologische Reserve der matthäischen Kirche gegenüber jeglicher staatlicher Gewalt und ihrer klassischen Forderung nach Zoll und Steuer unüberhörbar zum Ausdruck gebracht.

d) Auch die Stellung des Matthäus zu Besitz und Besitzlosigkeit ist fast ausschließlich durch sein judenchristliches Traditionsmaterial vorgegeben, was natürlich niemals heißen kann, daß Matthäus diese sozialethischen Stoffe nur widerwillig mitgeschleppt hat. Denn redaktionsgeschichtliche Forschung hat unwiderlegbar nachweisen können, daß Matthäus die ihm überkommene Tradition, wenn sie nicht in sein theologisches oder ethisches Konzept paßt, einfach fortläßt oder rigoros zusammenstreicht oder schließlich souverän neu interpretiert. Wenn das bisher und im folgenden von Seiten des Matthäus nicht praktiziert wird, dann darf die Exegese mit guten Gründen annehmen, daß Matthäus solche traditionell sozialethischen Anweisungen völlig zu den seinen gemacht hat.

So warnt Matthäus vor dem Sammeln irdischer Schätze (6,19ff), vor dem Mammonsdienst (6,24) und dem Sorgen der Heiden (6,25ff). Die Sendungsanweisung Jesu an die Jünger damals wird von Matthäus (gegen den Markustext) ausdrücklich verschärft: «Verschafft euch nicht Geld oder Silber oder Kupfer in eure Gürtel» (10,9). Die Evangeliumsverkündigung an die wirklich Armen (11,5) steht betont am Schluß der Aufzählung vom Blinden, Lahmen, Aussätzigen, Taubenheilungen und Totenauferwekkungen und umschreibt das größte Wunder in der mit Jesus angebrochenen Messiaszeit. Deshalb fordert Jesus von dem reichen jungen Mann den Verkauf seines gesamten Besitzes und die Weggabe als Almosen an die Armen (19,16ff); denn «leichter ist es, daß ein Kamel durch ein Nadelöhr geht, als ein Reicher in das Gottesreich» (19,24).

Besitz, Reichtum wie Mammon sind für Matthäus nur dazu da, als Almosen dem Armen gegeben zu werden (19,21). Die ursprünglich jüdische und judenchristliche Vorstellung von dem verdienstvollen Almosen taucht bei den Synoptikern wiederum zum ersten Mal bei Matthäus auf (6,1ff): Almosengeben wird im Endgericht von Gott belohnt werden.

Vor allem aber zeigt dies Matthäus in der bewußten Umformung des Dialogs zwischen Jesus und dem reichen jungen Mann: «Da sagt zu ihm der Jüngling: Das habe ich alles gehalten. Was fehlt mir noch? Jesus sagte zu ihm: Wenn du vollkommen sein willst, gehe hin, verkaufe deinen Besitz und gib ihn den Armen, und du wirst einen Schatz im Himmel haben, und folge mir nach!» – Matthäus unterscheidet das Halten der allgemein verbindlichen Moral- bzw. Dekaloggebote (19,17f) von einer durch völlige Armut zu leistenden Vollkommenheit. Wiederum ist darauf hinzuweisen, daß unter den Synoptikern nur Matthäus das Wort «vollkommen» gebraucht und an charakteristischen Stellen seines Buches einfügt (so in 5,48 und 19,21). «Vollkommen» meint in 19,21 wie das «mehr» von 5,47 und die «bessere Gerechtigkeit» von 5,20 die quantitative Steigerung im ethischen Verhalten der Jünger und bahnt damit die Abstufung der Ethik in der sich ausbildenden Großkirche an. Zwar bringt Matthäus sonst in seinem kerygmatischen Geschichtswerk diese zweistufige Ethik mit der Unterscheidung zweier Stufen der Christen – den Unvollkommenen und Vollkommenen – nicht zur Sprache, aber das Gefälle in dieser Richtung ist unübersehbar.

III. Lukas

1. Das alttestamentliche Gesetz innerhalb der lukanischen Heilsgeschichte

a) Lukas kennt keine zeitlich bestimmte Naherwartung des Gottesreiches mehr. Er hat sowohl der Kirche untersagt, nach dem Zeitpunkt der Wiederkunft Christi zu fragen (Ag.1,7), wie auch überhaupt die Frage nach dem Termin als solche immer wieder abgewiesen wird (Lk.17,20ff; 19,11ff; 21,7ff). Nach Lk.12,35ff ist es unwichtig, wie lange es noch bis zum Ende dauert. Entsprechend hebt Lukas das Wesen des Reiches Gottes an die Stelle seiner Nähe bzw. seines kosmischen Kommens (Lk.9,27) hervor: Das überzeitliche, himmlische und räumlich-jenseitige Gottesreich manifestiert sich in Wort und Wunder des Christus (Lk.4,18ff), in der leidenden und Friede bringenden Arbeit der Sendboten des irdischen Jesus (Lk.10,8f), vor allem aber in der Kirche und Kirchengeschichte (Lk.13,18ff) und wird schließlich endgültig im zweiten Advent des Christus erscheinen. Je weiter die Parusie für Lukas in die zeitliche Ferne rückt, ihr Zeitpunkt also grundsätzlich offengelassen wird, desto mehr kann sie massiv apokalyptisch beschrieben werden, wie die beiden Apokalypsen in Lk.17,22ff und 25,5ff beweisen. Damit rückt der Zeitpunkt der Wiederkunft Christi an das von niemandem mehr kontrollierbare Ende von Völkermission und Kirchengeschichte.
Aber Lukas negiert nicht nur, sondern er bietet eine positive Lösung an: An die Stelle der urchristlichen Apokalyptik tritt sein heilsgeschichtlicher Entwurf, eine periodisch gegliederte Geschichtskonzeption, die zwischen zwei absoluten Grenzpunkten – der Schöpfung und dem Weltende – folgerichtig und zielstrebig nach Gottes Heilsplan in drei Epochen verläuft: Die Epoche Israels mit Mosegesetz und prophetischer Verheißung (Lk.16,16), die Epoche Jesu mit der Verkündigung der Gottesherrschaft und ihrer Repräsentation durch den Gottessohn (Lk.4,16ff und Ag.10,38), und die Epoche der Kirche mit dem Empfang des Pfingstgeistes und der Durchführung der weltweiten Völkermission. Diese letzte Epoche, auf der nach

Lukas zweifellos das Schwergewicht liegt, und die allein Gegenstand der Apostelgeschichte ist, wird nochmals untergliedert: Der unwiederholbaren Zeit der Urkirche mit den Augen- und Ohrenzeugen von Jesu Wirken und Totenauferstehung, der Einsetzung des Zwölferapostolates, der Treue zum Kultgesetz des Mose und der irdischen Gütergemeinschaft in Jerusalem folgt die Zeit der Weltmission des Paulus, die durch das Apostelkonzil und Dekret von den Uraposteln ausdrücklich legitimiert wird. Das mehrmalige, übernatürliche Eingreifen des heiligen Geistes (z.B. Ag.10,19; 11,12; 13,2; 15,28; 16,6) verwirklicht sichtbar den göttlichen Heilsplan, womit der Weg der Urkirche auf die Vorsehung Gottes zurückgeführt wird.

Darüber hinaus hat Lukas durch sein programmatisches Vorwort in 1,1–4 dieser heilsgeschichtlichen Konzeption seines Doppelwerks eine ganz bestimmte Funktion zugedacht: Sie tritt als ein Zweites zur kirchlichen Verkündigung hinzu, die dadurch historisch begründet wird. Wegen der zunehmenden zeitlichen Entfernung von der die Kirche begründenden Jesus- und Apostelzeit will Lukas durch historische Rückfrage – verbürgt durch die apostolische Tradition und Amtsnachfolge – sowohl historische Gewißheit und damit Heilsgewißheit vermitteln als auch dem christlichen Glauben historische Garantien anbieten.

b) Dieses Schema der periodisch gegliederten Heilsgeschichte, in der die Jesuszeit wie die Anfänge der Kirche als vergangene und abgeschlossene Epochen in den Blick kommen, hat nun aber unmittelbare Konsequenzen für die Wertung des alttestamentlichen Gesetzes in der Ethik des Lukas. Aufschlußreich ist schon die lukanische Gesetzesterminologie. «Gesetz» kann nach Lukas sowohl das Zeremonial- (vgl. 2,22ff.24.39; 6,13; 7,53; 18,13; 21,28; 22,3; usw.) als auch das religiös-sittliche Gesetz (Lk.10,26; 16,17; Ag.15,5; 21,20 und 24, synonym mit «Mose» bzw. «Gesetz des Mose»: Lk. 5,14; 16,19.29.31; 24,17; Ag.6,11; 21,21 u.ö.), bzw. neben «Propheten» und «Psalmen» die heilsgeschichtliche Verheißung bezeichnen und steht so gern neben «Propheten» und «Psalmen» (Lk.16,16; 24,44; Ag.13,15; 24,14; 28,23).

Ferner spricht Lukas pointiert von den «Satzungen» (Ag.6,14; 15,1) und meint damit das alttestamentlich-jüdische Kultgesetz (Lk.1,9; 2,42; Ag.6,14; 15,1; 26,3 u.ö.). Auch wenn Lukas keineswegs eine technische Gesetzesterminologie vertritt, diese vielmehr unscharf und variabel bleibt, so bahnt sich bei ihm doch bereits begrifflich die Unterscheidung von «Gesetz» bzw. «Gesetz des Mose» als Moralgesetz und den «Satzungen» als Zeremonialgesetz an.

Demgegenüber ist das lukanische Gesetzesverständnis zwar komplex, aber in gar keiner Weise unscharf oder gar undifferenziert. Hier muß vielmehr mit Lukas genauestens differenziert werden. Ausgangspunkt ist wiederum der lukanische Historismus, der heilsgeschichtlich zwischen der Anfangszeit und der Gegenwart der Kirche trennt. Entscheidender Beleg ist Lk.16,16, nach dem Johannes der Täufer die Epoche des Gesetzes von derjenigen der Gottesreich- bzw. Evangeliumsverkündigung trennt. Das Gesetz als heilsgeschichtliche Epoche und d.h. als Einheit von Kult- und Moralgesetz ist endgültig vergangen und wird von der Epoche der Evangeliumsbotschaft abgelöst. Das Gesetz als Bestandteil der Schrift dagegen und d.h. als Schriftbeweis wie vor allem als Moralgesetz bzw. ethische Lebensnorm bleibt für die Dauer der Welt (16,17). Dem entspricht der Befund:

Das Kultgesetz des Mose gilt «nur» für die Epoche Israels, die Zeit Jesu (die Eltern der Kinder Johannes des Täufers und Jesu halten die Zeremonialtora: Lk.1,6.8f; 2,22.27.42; der Jesus in den Vorgeschichten steht unter dem Kultgesetz: 2,21.39.41ff; später: Lk.13,10ff; 14,1ff usw.), die Urkirche (Ag.2,46; 3,1; 5,12; 6,11ff; 10,1f u.a.), die zwölf Apostel wie Paulus selbst (Ag.16,3; 18,18 und 21; 21,18–28; 23,6 und 26,5 u.a.), nicht aber für die Gegenwart des Lukas! Denn seit dem Apostelkonzil und -dekret ist die Völkerkirche ausdrücklich vom Halten des Kultgesetzes befreit worden (Ag.15,5.10.19.28f). Die vier Bestimmungen des Dekrets (vgl. 3.Mos. 17–18) in Ag.15,20 und 29 sind ja lediglich traditionelle Regeln und rituelle Minimalforderungen, die das Zusammenleben der Heiden mit den Judenchristen ermöglichen sollen. Diese heilsgeschichtliche Abschaffung des Zeremonialgesetzes wird vom heiligen Geist zusammen mit den zwölf Aposteln als dem Fundament der Kirche ausdrücklich legitimiert (Ag.15,22 und 28). Die Jesuszeit wie die Epoche der Urkirche sind somit nur abgeschlossene, vergangene Epochen im Blick auf die Geltung des Kultgesetzes. Da das Kultgesetz nur für diese Epochen gilt, also historisch einmalige Bedeutung hat, besteht die absolute Trennung von Anfangszeit und Gegenwart des Lukas zurecht, denn die Kirche des Lukas ist seit Ag.15 von dem Zeremonialgesetz endgültig befreit worden.

Eine ganz andere Stellung hat das Gesetz neben Propheten und Psalmen als Schriftbeweis, d.h. als Verheißung, die im Christusgeschehen erfüllt wurde (vgl. Lk.24,44; Ag.28,23 u.a.). In dieser hermeneutischen Funktion ist das Gesetz ein ausgezeichnetes Mittel, die heilsgeschichtliche Kontinuität der Kirche mit Israel sichtbar zu machen.

Vor allem aber gilt dies für das Gesetz als ethische Weisung (Lk.10,26; 16,17; Ag.10,34f), um die Kontinuität der periodisch gegliederten Heilsgeschichte darzustellen. Dieses Moralgesetz als Gebot der unbegrenzten und selbstlosen Nächstenliebe ist und bleibt die ethische Lebensnorm, auf die die Kirche bis zur Wiederkunft ihres Herrn verpflichtet wird. Lk.10,26 und 16,17 – bestätigt von Ag.10,34f – haben also durchaus grundsätzliche Bedeutung und zeigen, daß die ethische Forderung Jesu im alttestamentlichen Moralgesetz gründet und mit diesem in direkter Kontinuität steht. Zugleich aber ist das Moralgesetz bei Lk.10,26 und 16,17 identisch mit der ethischen Weisung Jesu und gipfelt im Liebesgebot, im Tun der Barmherzigkeit und Wohltätigkeit (Lk.10,25.28.37) als der Summe des Gesetzes.

Beide sind ewig: Lk.16,17 mit Blick auf das Moralgesetz und 21,33 mit Blick auf die Worte Jesu und sind die bleibende, überzeitliche Norm für das christliche Verhalten. Das theologische Sachproblem dagegen bleibt im lukanischen Doppelwerk unreflektiert: Das im Liebesgebot summierte Moralgesetz ist der Weg zum ewigen Leben (Lk.10,25 und 26; Ag.10,34f), und Lk.16,17 betont ausdrücklich über die Q-Tradition hinaus nicht nur die faktische, sondern radikaler sogar die logische Unmöglichkeit einer Außerkraftsetzung des Gesetzes als Norm ethischen Handelns: «Leichter aber ist es, daß der Himmel und die Erde vergehen, als daß ein Häkchen des Gesetzes dahinfalle»!

Die lukanische Ethik basiert deshalb sowohl auf dem alttestamentlichen Moralgesetz als auch auf den ethischen Weisungen Jesu, auch wenn beide im Gebot der Nächstenliebe zusammenfallen. Es kann also gar keine Rede davon sein, daß das alttestamentliche Gesetz als Moralgesetz für die lukanische Ethik ohne Belang sei, vielmehr verpflichtet Lukas die Kirche für die Dauer der Welt auf die bleibende, ethische Forderung desselben Gesetzes.

Zusammengefaßt heißt das: Während das Kultgesetz wesentlicher Beleg für die Diskontinuität der Heilsgeschichte ist, weil die Anfangszeit von ihm bestimmt, die Gegenwart des Lukas aber von ihm befreit ist, hat das Moralgesetz dauernd-gültige Bedeutung und ist Ausdruck der Kontinuität der umfassenden Heilsgeschichte. Diese auf dem Moralgesetz wie der alttestamentlichen Weisung Jesu basierenden Gemeindeparänese wird nun zweifach motiviert bzw. ausgerichtet: Einmal auf den himmlischen Lohn und zum andern auf das künftige Endgericht.

Lukas spricht unbefangen von der Lohn- und Verdienstverheißung für das ethische Verhalten der Gerechten. Er hat nicht nur bereitwillig die Tradition seiner Quellen übernommen, (vgl. z.B. Lk.6,22f; 16,25; 18,22), sondern er hat darüber hinaus das Thema der jenseitigen Vergeltung, wo es ihm angebracht erschien, in die von ihm übernommenen Überlieferungen eingetragen. So begründen gute Taten und Almosen einen Verdienstanspruch im Jenseits (Ag.10,31; Lk.12,33 und 16,9) bzw. die Aufnahme in die ewigen Zelte: der unvergängliche Schatz im Himmel ist direkte Folge der Erfüllung der Liebesforderung gegenüber dem Nächsten. Die gegenwärtigen Werke des Christen sind nach Lukas durchaus Mittel der Heilserlangung, haben also soteriologische Bedeutung. Nach Lk.6,35 winkt für diejenigen, die Gutes tun, der große, himmlische Lohn mit dem Empfang der Gottesherrschaft. Nach Lk.6,38; 12,37; 18,29f u.a. übersteigt der göttliche Lohn um ein Vielfaches die Leistung der Christen, weil er ein Gnadenlohn ist und in der Güte und Barmherzigkeit Gottes begründet liegt. Gerade Christen sollen Arme, Krüppel, Lahme und Blinde einladen; also solche, die es nicht in dieser Weltzeit vergelten können. Dafür ist die göttliche Vergeltung in der Auferstehung der Gerechten für ihre Wohltätigkeit (Lk.14,14) verheißen. Andererseits kann Lukas jeglichen

Rechtsanspruch auf den göttlichen Lohn ablehnen: «So auch ihr, wenn ihr alles, was euch aufgetragen war, getan habt, sagt: Wir sind Sklaven: was wir zu tun schuldig waren, haben wir getan» (Lk.17,10). Gerade in dieser Unausgeglichenheit der genannten Lohn- und Verdienstaussagen zeigt sich das typisch Lukanische seiner Vergeltungsethik: Er hat diesen Komplex theologisch unreflektiert gelassen und schon gar nicht Alternativen angeboten. In der lukanischen Paränese wird mit der heidnischen (Hom.Od.II 58 und Plato Symp.312E) und jüdischen Umwelt (Tob. 4,4ff; Sir.4,1ff) die Aussicht auf den jenseitigen Lohn bzw. himmlischen Verdienst zum wichtigsten Motor des christlichen Verhaltens.
Zugleich wird die lukanische Ethik durch den sowohl vertikal-jenseitigen als horizontal-zukünftigen Gerichtsgedanken motiviert. Das unversehens über die Menschheit hereinbrechende Endgericht erfordert stete und wachsame Bereitschaft (12,35ff; 21,36) und warnt vor allem davor, sich ungehemmt weltlichen Geschäften anheimzugeben (17,24f). Vielmehr gilt es, sich angesichts des kommenden Gerichts in «Gerechtigkeit und Askese» zu üben (Ag.24,25), denn der wiederkommende Herr wird die Ungerechten (Lk.13,24 und 27) und die Reichen (Lk.6,24f) verurteilen und nur die Treuen und Gerechten im Gericht bewahren. Aber Gott wird nach Lukas nicht erst am Ende der Tage sein Gericht über die Sünder abhalten, sondern gerade das innergeschichtliche, göttliche Strafgericht begründet die ethische Forderung an die Kirche. So fordert die Beispielerzählung vom reichen Mann und armen Lazarus aufgrund ihres innergeschichtlichen Gerichtsmotivs die radikale Umkehr und Wohltätigkeit (Lk.16,17–31) und diejenige vom reichen Kornbauern (Lk.12,16ff) im Angesichts des schon ergehenden, göttlichen Gerichts die Abkehr von der Habsucht. Auf die Lüge des Ananias und der Saphira erfolgt zugleich das göttliche Gericht (Ag.5,4); der Tod des Judas (Ag.1,25ff) und die Eroberung Jerusalems durch die Römer (Lk.21,20ff) sind nach Lukas warnende Beispiele für das innergeschichtliche Strafgericht Gottes.
Alle diese Beispiele lassen keinen Zweifel daran, daß die lukanische Ethik unüberhörbar durch das endzeitliche wie vor allem auch innergeschichtliche Gericht Gottes bestimmt ist. Nur wer immer wachsam und stets bereit ist, und so der grenzenlosen Forderung der Nächstenliebe nachkommt, kann im künftigen wie innergeschichtlichen Gericht Gottes bestehen.

2. Die Ethisierung des christlichen Lebens

a) Für die Einschätzung der lukanischen Ethik ist sein Verständnis des unbekehrten, vorgläubigen Menschen von ausschlaggebender Bedeutung. Lukas spricht niemals singularisch von der Sünde als Sündenmacht, der alle Menschen unentrinnbar unterworfen sind, sondern pluralisch von den Sünden als dem Produkt menschlichen Ungehorsams gegenüber Gottes

Gesetz, also einem im ethisch-moralischen Sinne verwerflichen, schuldhaften und liederlichen Lebenswandel. Sünden (vgl. Lk.1,77; 3,3; 5,20ff; 7,47ff; 24,47; Ag.2,38; 3,19; 10,43 usw.) sind moralisch-verwerfliche Einzeltaten in quantitativem Sinne (Lk.7,47; einzige Ausnahme ist Ag.7,60, die aber die Regel bestätigt). Dem entsprechen verwandte Begriffe wie «Schlechtigkeiten» (Ag.3,26; Lk.11,39), «Ungerechtigkeiten» (Lk.13,27; 16,8f; Ag.8,23 u. a.) und «Bosheiten» (Ag.8,22). Ebenso sind die Begriffe «sündigen» (vgl. Lk.15,18ff; 17,3) und «Sünde» (Lk.5,30; 6,32ff; 7,37; 18,11 u. ö.) ethisch-moralisch gefüllt und beschreiben ein derartiges Fehlverhalten. Weil der vorgläubige Mensch grundsätzlich seiner Verantwortlichkeit, Möglichkeiten und Fähigkeiten nicht verlustig gegangen ist, vielmehr in jeder Hinsicht ansprechbar und beeinflußbar ist und bleibt, ja sogar mit Gott verwandt ist (Ag.17,27f), gibt es nach Lukas vorgläubige Menschen mit einem tadellosen, ethisch-moralischen Verhalten, also Gerechte (Lk.1,6), die der Busse nicht bedürfen (Lk.5,32 und 15,7), Fromme (Lk.2,25 und 23.50) und solche, die gute Werke, Gerechtigkeit und anerkennenswerte Frömmigkeit aufweisen (Lk.7,4–7; 10,2.4.22. 31.35). Das alles ist von Lukas weder ungewöhnlich noch ironisch gemeint, sondern ist direkte Konsequenz der undualistischen Anthropologie des Lukas, also konkret seines ethisch-moralischen Sündenverständnisses. Der vorgläubige Mensch ist nach Lukas weder von unentrinnbaren Unheilsmächten wie dem Satan, der Sünde oder dem Bösen versklavt noch völlig der Schuld verfallen. Eine dualistische Terminologie sucht man deshalb im lukanischen Doppelwerk vergebens. Vielmehr ist der vorgläubige Mensch durch Gottesnähe wie Gottesverwandtschaft ausgezeichnet; Sünde meint demgemäß ein ethisches Fehlverhalten und Gerechtigkeit ein moralisches Wohlverhalten, sodaß gerade auch der unbekehrte Mensch in seiner individuellen Entscheidungsfreiheit und Verantwortung unangetastet bleibt.

b) Lukas kennt demzufolge keinen Bruch zwischen der menschlichen Existenz vor dem Glauben einerseits und unter dem Glauben andererseits. Konsequent beschreibt Lukas nicht nur vorgläubige, sondern gerade auch die gläubige Existenz in ethischen Kategorien.

Die Bekehrung am Anfang des Christenlebens ist ein ethischer Vorgang bzw. moralischer Akt. Sie meint für den Sünder nicht nur den Wandel von der unmoralischen zur moralischen Gesinnung, sondern schließt vor allem auch die Änderung des Lebenswandels und der Werke ein (Lk.3,8ff; 12,32; 13,1–5; 15,7.10; 17,3f; Ag.3,19ff; 8,22; 26,20 u. ö.). Diese Umkehr vom bisherigen Lebenswandel – allerdings nur in dem Falle, wo sie notwendig war – ist keine göttliche Gabe oder ein Geschenk, sondern die entscheidende Tat des Sünders, also eine menschliche Entscheidung, zu der freilich die christliche Botschaft aufruft. Zur Bekehrung des Sünders gehört konstitutiv die Hinwendung zum erhöht-gegenwärtigen Herrn und damit zum Evangelium. Somit ist auch die Glaubensannahme als menschliche Entscheidung ein ethisch-moralischer Akt.

Beides ist Ausgangspunkt, nicht etwa Folge der Sündenvergebung, die allerdings göttliche Gabe ist (vgl. Lk.1,77; 3,3; 4,18;2 8,47; Ag.2,38; 5,31; 10,43; 13,38; 26,18 u.a.). Sie befreit den Sünder von der Folge seiner moralgesetzwidrigen Taten. Als die göttliche Aufhebung der Übertretungen ethischer Normen wird sie von Lukas ebenfalls ethisch-moralisch verstanden. Diese göttliche Vergebung der Sünden geschieht einmal und grundlegend in der Taufe und wird wiederholt im Abendmahl (Lk.22,19f). Nach dem Vater-Unser (Lk.11,1ff) ist der Christ lebenslang auf die göttliche Vergebung angewiesen, hat Christus stellvertretend die Sünden der Seinen gesühnt, was dem einzelnen im Abendmahlsgeschehen immer wieder sakramental zugeeignet wird. Die so verstandene Sündenvergebung als ethischer Vorgang wird nun aber von Lukas konsequent mit der Rechtfertigungs- bzw. mit dem traditionellen Rechtfertigungsgeschehen gleichgesetzt: «... und von alledem, wovon ihr durch das Gesetz des Mose nicht gerechtfertigt werden konntet, wird durch diesen (= Jesus) jeder Glaubende gerechtfertigt» (Ag.13,38f). Die notgedrungen ungenügende und unvollständig bleibende Rechtfertigung durch Gesetzeswerke wird von der Rechtfertigung durch den Glauben (= Sündenvergebung) ergänzt. Die Antithese zu den Werken allerdings fehlt, vielmehr gleicht die göttliche Gnade die notwendig unvollkommen bleibende ethische Leistung der Glaubenden aus. Lukas spricht deshalb unbefangen nicht nur im Plural von den «Früchten» (Lk.3,8ff) und «Werken» (Ag.26,20), sondern sogar von den «guten Werken» (Ag.9,36). Von einer grundsätzlichen Bestreitung der moralgesetzlichen Werke weiß Lukas nichts. Vielmehr legen Stellen wie Lk.10, 25.28.37; 13,24; 19,13; Ag.10,34 u.ö. nahe, daß dem ethischen Handeln eine soteriologische Bedeutung, also eine entscheidende Funktion bei der Erlangung des Heils im Endgericht zukommt. Unterstrichen wird dieser paränetische Sachverhalt nicht nur durch die für Lukas stereotype Frage: «Was sollen wir tun?» (vgl. Lk.3,10.12.14; 10,25; 18,18; Ag.2,37; 16,30), sondern ebenso durch die Fülle der sog. Beispielerzählungen vom barmherzigen Samariter (Lk.10,29ff), vom reichen Kornbauern (Lk.12,16ff), vom reichen Mann und armen Lazarus (Lk.16,19ff), vom Pharisäer und Zöllner (Lk.18,19ff), die sich innerhalb der synoptischen Evangelien nur im lukanischen Doppelwerk finden. Gerade diese Geschichten enthalten keine Bildhälfte, sondern sind nicht anderes als Beispiele für einen ethischen Lebenswandel. Dieser steht unter der Demut (Lk.18,9ff), der Liebe (Lk.10,29ff), der Geduld (Lk.8,25; 9,32; 21,19 u.a.), des Gebetes (Lk.18,1ff) und des «guten Gewissens» (Ag.23,1).

In diesem Zusammenhang gehört auch die Ethik der Nachahmung, auch wenn sie Lukas nicht breit entfaltet hat. Auf Gott als Vorbild für das sittliche Verhalten der Jünger weist Lk.6,36 hin. Nur wer Gottes barmherziges Handeln in der Schöpfung durch das radikale Gebot der Feindesliebe nachahmt, wird ein Sohn Gottes werden. Ebenso dient auch der

irdische Jesus als Vorbild für die Seinen, da er seine Größe allein im Dienen hatte (Lk.22,24ff). Schließlich soll der Jünger Jesu Beispiel in der Leidensnachfolge nachahmen, indem er «täglich» (von Lukas hinzugefügt!) sein Kreuz auf sich nehmen muß (Lk.9,23; 14,27).
Eine Alternative Glaube-Werke dagegen ist im lukanischen Doppelwerk unbekannt, da für Lukas der Gegensatz vom Vertrauen auf die göttliche Gnade in der stellvertretenden Sühne Christi oder der Sündenvergebung und vom Vertrauen auf die eigenen Werke nicht in den Blick kommt. Vielmehr ist Lukas zumindest offen für den Lohn- und Vergeltungsgedanken, der für geleistete Werke einen Verdienstanspruch im Jenseits geltend macht. In diesem Sinne kann Lukas die geforderten Almosen sowohl als Wohltätigkeit (z.B. Lk.12,21.33; 16,9; Ag.3,2f.10; 9,36ff; 10,2.4.31; 24,17) als auch als verdienstliches Sühnmittel verstehen: Almosen bewirken die wahre Reinheit vor Gott (Lk.11,41 gegen Q). Mit den Almosen kann man also zwar hier auf Erden dem Armen helfen, aber zugleich erwirkt der Täter «einen unverlierbaren, himmlischen Schatz» (Lk.12,33), nämlich das ewige Leben. Diese «unschuldige Werkgerechtigkeit» (K. Barth) führt zu einem naiven «Synergismus», d.h. daß der moralische und religiöse Mensch zusammen mit der hinzukommenden Gnade Gottes an seinem Heil arbeitet.
Beispielhaft wird das von Lukas an der ersten und offiziellen Heidenbekehrung des römischen Offiziers Cornelius durch Petrus angezeigt (Ag.10,1–11,18): Cornelius ist «fromm, gottesfürchtig, viele Almosen dem jüdischen Volk spendend und beständig zu Gott betend» (10,2). Das wird vom Engel Gottes (10,4.31) und der Gesandtschaft des Cornelius (10,22) noch einmal bestätigt. Petrus stellt ausdrücklich fest, daß man «keinen Menschen gemein oder unrein nennen darf» (10,28). Gott bevorzugt ungerechterweise niemanden, sondern in jedem Volk gibt es Gott wohlgefällige Menschen. Entscheidend für Gott ist allein, ob ein Mensch ihn fürchtet und die Gerechtigkeit übt (10,35). Der fromme Mensch mit seinen guten Werken wird von Gott gerechtfertigt, auch wenn selbstverständlich tägliche Schuld vergeben werden muß (vgl. das Vater-Unser Lk.11,1ff).
Nach Ag.15,8–11 ist allein entscheidend für jeden rechtschaffenen Menschen das Evangelium der göttlichen Gnade, die das unvermeidbar bleibende Defizit menschlichen Handelns zum Ausgleich bringt. Dasselbe gilt übrigens für die einzigartige Aussage des Lukas über die Gottesnähe und Gottesverwandtschaft aller Menschen in Ag.17,22ff (auch 14,15ff): Die christliche Predigt knüpft nicht nur an die guten Werke und damit an die Sittlichkeit der Heiden an, sondern ebenso und zugleich an die religiöse Ahnung des wahren Gottes und führt aufklärend, korrigierend und überhöhend von der natürlichen Theologie zur Offenbarung. Gottes Wesen und seine Eigenschaften können mit Hilfe von Gottesbeweisen aufgrund des Kosmos und seiner Fürsorge einerseits und der Verwandtschaft aller

Menschen mit Gott andererseits erschlossen werden. Die teilweise Verehrung des Heiden wird nicht angeklagt, sondern entschuldigt. Es bedarf nach dem bisher Gesagten keiner weiteren Ausführungen, daß diese «paulinische» Predigt über die Gottesnähe und Gottesverwandtschaft aller Menschen unmittelbare Konsequenzen für die lukanische Ethik hat. Denn das alles heißt doch für die lukanische Verhältnisbestimmung von Indikativ und Imperativ, von Gabe und Aufgabe, von Gnade und Werken: Lukas begründet die Ethik nicht mehr in dem Taufgeschehen und leitet den Imperativ nicht mehr aus dem Indikativ ab. Auch wird die ethische Forderung nicht mehr auf die Gabe des heiligen Geistes bezogen. Vielmehr ist die menschliche Entscheidung und d.h. die Bekehrung wie die Glaubensannahme als ein ethisch-moralischer Akt Grund und nicht Folge der Sündenvergebung. Vor allem ist in diesem Zusammenhang daran zu erinnern, daß für Lukas nicht das Sein des Menschen seine Werke qualifiziert, sondern umgekehrt das Sein des Menschen ausschließlich die Folge seiner Taten ist. Zwar präjudizieren Sündenvergebung und christliches Handeln das Endheil. Aber dieses Verhältnis von Heilsindikativ und Heilsimperativ wird von Lukas nicht im Sinne von Ausgangspunkt und Folge, sondern als ein unreflektiertes Neben- und Ineinander bestimmt. Damit aber kann dem synergistischen Verständnis dieser Verhältnisbestimmung nicht mehr genügend Einhalt geboten werden, so daß Lukas im Endeffekt hinsichtlich des Verhältnisses von Glaube und ethischem Handeln einer synergistischen Auslegung Vorschub leistet. Deshalb hat die Ethik für Lukas keineswegs nur regulative Bedeutung, sondern neben der Sündenvergebung (= Rechtfertigung) wird die Ethik zum zweiten konstitutiven Teil der Erlösung.
Trotz aller Unschärfen, mancher gedanklichen Unausgeglichenheiten und auch begrifflicher Variabilität kann kein Zweifel darüber bestehen, daß wir es bei Lukas – wirkungsgeschichtlich beurteilt – mit einem profilierten Ethiker im Neuen Testament zu tun haben.

3. Die sozialethischen Weisungen

a) Lukas spricht mit größter Hochachtung nicht von den Frauen allgemein, sondern nur von den christlichen, glaubenden Frauen. So ist Maria, die Mutter des Messias, das Vorbild aller glaubenden Frauen, die sich vertrauensvoll und demütig in Gottes Willen ergeben (Lk.1,38–45; vgl. auch 11,27). Um ihrer demütigen Gottesfurcht willen wird sie zum Beispiel für alle von Gott gesegneten Frauen (Lk.1,46b–50). Der gesetzestreue Lebenswandel der vorbildlichen Prophetin Hanna wird ausdrücklich und lobenswert erwähnt (Lk.2,36ff). Jesu Heilshandeln bezieht deshalb selbstverständlich die Frau mit ein, etwa in seinem Mitleid mit der einsamen Witwe von Nain (Lk.7,11ff), der einzigen Tochter des Synagogenvorstehers (8,40ff) und der 18 Jahre vom Satan gequälten «Tochter Abrahams» (13,10ff). Selbst die Berührung unreiner Frauen vermeidet Jesus nicht (Lk.8,43ff). Neben den zwölf Aposteln gehören gerade auch Frauen, wie Magdalena, Johanna und Susanna, die Jesus geheilt hatte, sowie viele andere zu seiner Anhängerschaft. Aus ihrem Vermögen bestritten sie den Lebensunterhalt aller (Lk.8,1–3). Sie sind nach Lukas ein Vorbild für alle Frauen, die mit ihrem Vermögen für den Unterhalt der Gemeinde aufkommen. Unüblich im jüdischen Sinne ist die Rolle der beiden Schwestern Maria und Martha, wenn die eine den Worten Jesu aufmerksam zuhörte, während die andere dem Gast das Essen bereitete (Lk.10,38–42).

Nirgends findet sich ein geringschätziges Wort über die Frau, sondern im Gegenteil eher ein anerkennendes (Lk.21,1ff; 23,27ff). Gerade «vornehme Frauen» aus den «angesehenen Familien» kommen zum Glauben (Ag.17,4 und 12). Frauen sind die Zeugen beim Kreuzestod (Lk.23,49), beim Begräbnis (23,53ff) und auch zu Ostern (24,1ff.22.24). Nach der Auferstehung Jesu von den Toten beten die zwölf Apostel «eifrig und einmütig zusammen mit den Frauen» und der Familie Jesu (Ag.1,13f), wie überhaupt die Apostelgeschichte des öfteren von «Männern und Frauen» in der Gemeinde spricht (5,14; 8,3.12; 9,2 u. a). Der heilige Geist wird von Gott auf Frauen wie Männer «ausgegossen» (Ag.2,17ff), und der Evangelist Philippus hatte «vier unverheiratete Töchter, die die Prophetengabe besaßen» (Ag.21,9).

Im Gegensatz zu seiner jüdischen wie heidnischen Umwelt ist Jesus für die theologische Gleichberechtigung der Frau vor Gott eingetreten; sie besitzt denselben Geist und dieselbe Verantwortung wie Würde vor Gott. Wie Paulus (vgl.1.Kor.11,5) weiß auch Lukas von der Verkündigungs- und Lehrfähigkeit der Frau (Ag.18,26): «Priscilla und Aquila» legten sogar Apollus, einem gebildeten Judenchristen aus Alexandrien, in Ephesus «den Weg Gottes genau dar». Dies alles hat für Lukas selbstredend «nur» Konsequenzen für die Stellung der christlichen Frau vor Gott und in der Gemeinde. Im Alltag der Welt dürfte die traditionelle Unterordnung der Frau unter den Mann freilich ihre Geltung kaum eingebüßt haben, auch wenn Lukas sich zu diesem Problem überhaupt nicht äußert. Auch wenn Lukas nur mit größter Hochachtung von der glaubenden und demütigen Frau im Dienst an der Gemeinde spricht, so hat das alles nichts mit Emanzipation oder einem gesellschaftlichen Reformprogramm zu tun.

Man kann verstehen, daß angesichts dieser vielen Belege in der Exegese von Lukas als dem Evangelisten der Frauen gesprochen wird. Aber im Gegensatz zu dieser vorbehaltlosen Einschätzung der Frau als Jüngerin Jesu steht die Forderung an den Jünger, sogar seine eigene Ehefrau zu verlassen (Lk.14,26 und 18,29). Vor allem ist in diesem Zusammenhang von größter Bedeutung, daß Lukas die «Ehefrauen» gegen seine Vorlagen eingebracht hat, so daß gerade vom Jünger der völlige Bruch mit der Ehefrau wie Familie gefordert wird. Jüngerschaft und bestehende Ehen mit Geschlechtsgemeinschaft und Familie schließen sich nach Lukas aus, so daß bereits bestehende Ehen und Familienbande um der Nachfolge Jesu willen aufgelöst werden müssen. Nach Lk.9,61 und 14,20 können eheliche Bindungen die Nachfolge Jesu behindern und nach Lk.17,27 findet beim Gericht des Menschensohnes die Trennung der sorglosen Ehepartner statt. Wahrscheinlich ist auch Lk.16,18 stärker auf das Verbot der Zweitehe und nicht in erster Linie auf das Verbot der Scheidung ausgerichtet.

Im übrigen empfiehlt Lukas allen Christen, Männern wie Frauen, den Eheverzicht (Lk.20,27–40): «Die Söhne dieses Aeon heiraten und werden verheiratet. Die aber an jenem Aeon und an der Auferstehung von den Toten teilhaben, heiraten nicht und werden nicht verheiratet» (Lk.20,34f). Gegen die Markusvorlage (Mk.12,25) und die apokalyptische Tradition wird die Ehelosigkeit von Lukas nicht mehr nur auf den kommenden, apokalyptischen Aeon bezogen, sondern eindeutig für die jetzige Weltzeit ausgesagt. Die Ehe mit Geschlechtsgemeinschaft und Kinderzeugung (Lk.20,28ff) ist ein Merkmal dieses und nicht des kommenden Aeons. Aber Lukas geht über dieses gut traditionell apokalyptische Glaubensbekenntnis grundsätzlich hinaus, wenn er allen Jesus Nachfolgenden die Ehelosigkeit empfiehlt, also allen christlichen Männern wie Frauen den Verzicht auf Ehe, Geschlechtsgemeinschaft und Kinderzeugung nahelegt. Gestützt wird diese Auslegung meines Erachtens auch durch Ag.24,25, wo sexuelle Enthaltsamkeit neben einem ethischen Lebenswandel und der Erwartung des künftigen Gerichts die Quintessenz der christlichen Verkündigung überhaupt darstellt. Die Forderung der sexuellen Askese steht für Lukas zweifellos im Zentrum der christlichen Predigt und rundet die lukanische Sexualethik insofern ab, als bestehende Ehen von Jüngern aufgelöst und Ehelosigkeit allen Christen nahegelegt werden kann. Da Lukas aber in Ag.5,1–11 und 18,26 von verheirateten Christen berichtet, dürfen diese deutlich asketischen Tendenzen nicht verabsolutiert werden. Sie sind selbstverständlich dem paränetischen Gesamtskopos des lukanischen Doppelwerkes ein- und unterzuordnen, in dem Sinne, daß die Ehe auf keinen Fall die Nachfolge Jesu behindern darf. Insofern unterscheidet Lukas durchaus zwischen der christlichen Frau als Jüngerin Jesu und der Wertung der Ehefrau überhaupt. Der heilsgeschichtliche Vorbehalt aber verhindert bei Lukas die Forderung eines prinzipiellen Eheverzichts und die zeitlose Imitation desselben in der Gegenwart.

b) Eine Stellungnahme zur institutionellen Sklaverei oder eine Verhältnisbestimmung vom christlichen Sklavenhalter zum christlichen bzw. heidnischen Sklaven findet sich nirgends im lukanischen Doppelwerk. «Sklave» wird von Lukas ausschließlich übertragen gebraucht und ist Abbild für die kompromißlose Jesusnachfolge wie für den Dienst des Jüngers in der apostolisch erfaßten Kirche (Lk.12,37f.43ff; 14,21 u.ö.). Man wird deshalb annehmen dürfen, daß Lukas wie die Haus- bzw. Ständetafeln der nachapostolischen Zeit die Sklaverei weder grundsätzlich angeprangert noch im Namen Jesu verboten, sondern die Unterordnung des Sklaven unter seinen Sklavenhalter toleriert hat.

c) Von größter inhaltlicher Bedeutung für die politische Ethik des Lukas ist seine, das ganze Doppelwerk durchziehende, politische Apologetik des Christentums gegenüber dem römischen Staat mit seinen Vollzugsorganen. Immer wieder will Lukas nachweisen, daß das Christentum weder staatsgefährdend noch politisch unzuverlässig ist. Vielmehr sind die Christen loyale Staatsbürger und verhalten sich ohne Ausnahme korrekt gegenüber den Verwaltungs- und Justizbeamten Roms. Zwar bringt Lukas keine Haustafel mit der stereotypen Forderung nach Unterordnung christlicher Staatsbürger unter die politischen Gewalten, aber in der Sache besteht kein Unterschied. Konsequent erwähnt Lukas nirgendwo den Konflikt der Kirche mit dem Kaiserkult, ist er grundsätzlich weit entfernt vom apokalyptischen Haß der Johannesoffenbarung, die in Rom die große Dirne und das Tier aus dem Abgrund sieht, und übt er sich in größter Zurückhaltung gegenüber jeder aufkommenden Martyriumsfrömmigkeit. Nur Stephanus ist Gegenstand einer Martyriumserzählung (Ag.6,8–8,3), während der Mord am Zwölferapostel Jakobus nur ganze sieben Verse umfaßt (Ag.12,2) und das gewaltsame Ende des Apostels Paulus in Rom überhaupt nicht erwähnt wird, stattdessen das ganze Doppelwerk mit dem politisch-apologetischen «ungehindert» (Ag.28,31) endet.

Schon mit der sogenannten Standespredigt des Täufers (Lk.3,10–14) legt Lukas ein Stück Sozial- und politische Ethik vor. Vom Volk wird konkrete, selbstlose Nächstenliebe verlangt, nämlich Kleider und Speise dem Bedürftigen abzugeben. Dann werden die Zöllner und Soldaten erwähnt, sich ihrem Staatsauftrag entsprechend zu verhalten, sich weder unrechtmäßig zu bereichern noch gar gewalttätig zu handeln. Zöllner und Militär gehören nicht nur zu den loyalen, staatstragenden Kräften, sondern sind nach Lukas prinzipiell mit dem christlichen Glauben vereinbar. Lukas verbietet also nicht den Christen weltliche Berufe, verlangt allerdings von jedem Taufwilligen konkrete Beweise sozialethischer Handlungsweise.

Vor allem bekommt das traditionelle Streitgespräch über die Steuern (Lk.20,20–26) programmatische Bedeutung im Rahmen seiner politischen Ethik: Für Jesus schließt der Gehorsam gegen Gott den Gehorsam gegenüber dem Staat gerade nicht aus, sondern ausdrücklich ein. Jesus und seine Jünger sind keine politischen Aufrührer, sondern staatstreue Bürger, die dem Kaiser die Steuern entrichten. Jede andere Einschätzung ist nichts anderes als Verleumdung und falsche Anklage. Die programmatische Weisung des Lukas heißt dementsprechend: «Gebt dem Kaiser, was

dem Kaiser gebührt und Gott, was Gott gebührt» (Lk.20,25). Für Lukas existiert demnach kein wirklicher Konflikt zwischen Kaiser und Gott, zwischen Imperium und Kirche als der Religion der Totenauferstehung. Das Heilsprogramm Jesu ist genauso unpolitisch (Lk.4,18ff) wie seine Wirksamkeit und seine christologischen Hoheitstitel es sind (vgl. besonders Lk.13,31ff; 19,38; 20,41ff; 22,67ff). Die Passion Jesu wird von Lukas über seine Vorlagen hinaus zum Modell politischer Ethik umstilisiert: Dreimal stellt der römische Statthalter Pontius Pilatus die politische Unschuld Jesu fest (Lk.23,4.14.20.22.), so daß die Anklage der jüdischen Oberen, Jesus habe die Steuerverweigerung gepredigt und praktiziert (23,2 und 20,20) eine eindeutige Diskriminierung Jesu und des Christentums überhaupt darstellen. Das hat eindeutig aktuelle Bedeutung für die Gegenwart des Lukas: Die Jünger sind nicht die Parteigänger eines politischen Revolutionärs, sondern die Kirche ist genauso politisch loyal, ungefährlich und unverdächtig wie ihr Herr.
Schon im ersten Band seines Doppelwerkes nimmt Lukas bewußt das politisch-apologetische Gespräch mit Rom auf, um Dauerregelungen, wenn möglich, zu erreichen. Nicht anders steht es mit seinem zweiten Band, der Apostelgeschichte, wo Paulus immer wieder als das große Beispiel einer politischen Ethik von Lukas dargestellt wird. Der große Völkermissionar Paulus war nicht nur römischer Bürger von Geburt an (Ag.22,28), sondern der große politische Apologet des Christentums gegenüber Rom. Das griechische Wort für «Verteidigung» (apologia) taucht mehrmals betont in Ag.24,10; 25,8; 26,1f.24 auf und ist das eigentliche Stichwort des letzten Teils der Apostelgeschichte. Lukas wußte, daß die christlichen Gemeinden bereits von Verfolgungen betroffen waren und sogar Paulus den Märtyrertod in Rom erlitten hatte. Diese tödlichen Erfahrungen ließen ihn zum ernsten und aufrichtigen Appell kommen, Rom möge das Christentum tolerieren, weil die christliche Heilsbotschaft niemals das römische Staatsrecht tangiere. Allein sechs Kapitel hat Lukas dem Prozeß des Paulus gewidmet (Ag.21–26) und während des turbulenten und mit bewegten Szenen geschilderten Prozeßverlaufes hält Paulus allein fünf hochbedeutsame apologetische Reden (Ag.22–26) mit dem Ziel, Rom die politische Ungefährlichkeit, ja Loyalität des Christentums zu demonstrieren. Die prominenten römischen Behörden werden von Lukas immer wieder anerkennend erwähnt, wie der römische Bürger und Offizier Cornelius (Ag.10,1ff;vgl. schon Lk.7,1ff) und der römische Statthalter Sergius Paulus (Ag.13,7ff). Die römischen Beamten sind objektiv, unparteiisch und wohlwollend den Christen gegenüber (18,12ff; 19,35). Schon gleich zu Beginn des Prozesses rettet der Tribun Claudius Lysius Paulus vor seinen aufgebrachten Landsleuten, die ihn töten wollen (21,31ff). Nach der zweiten Apologie steht Paulus vor dem hohen Rat in Jerusalem und wiederum rettet Rom in Gestalt einer von der Burg Antonia herbeigerufenen Wachkompanie Paulus das Leben (Ag.22,30–23,11).

Als sich dann auch noch vierzig Zeloten zum Mord an Paulus verschwören (23,13ff) kommt wiederum Rom in Gestalt des Tribunen zu Hilfe, der Paulus mit einem großen bewaffneten Aufgebot zum Prokurator Felix nach Cäsarea sendet. In dem Begleitbrief stellt der Tribun ausdrücklich die Unschuld des Paulus fest (23,29): Paulus ist politisch unbelastet und nur wegen innerjüdischer Gesetzesstreitigkeiten angeklagt. In der nächsten Prozeßverhandlung vor dem Statthalter Felix (24,1–33) gibt dieser der Klage der Juden nicht statt, vertagt vielmehr den Prozeß und ordnet sogar Hafterleichterungen für Paulus an (24,22ff). Bei der Wiederaufnahme des Prozesses durch den nachfolgenden Statthalter Festus appelliert er als römischer Bürger an den Kaiser in Rom und verteidigt sich ausdrücklich mit den Worten: «Ich habe weder gegen das Gesetz der Juden noch gegen den Tempel noch gegen den Kaiser mir irgend etwas zu schulden kommen lassen» (25,8). Nach eingehender Beratung mit seinen strafgesetzlichen Sachverständigen genehmigt Festus auch die Appellation des Paulus. Und in 25,18f tritt Festus noch einmal als Entlastungszeuge gegenüber dem König Agrippa auf: Paulus hat keine Verbrechen begangen. Vielmehr handelt es sich bei den Anklagen nur um Streitpunkte der jüdischen Religion (ebenso 25,25). Schließlich bezeugt sogar der jüdische König Agrippa die politische Unschuld des Paulus (26,31f).

Das gute Einvernehmen der Kirche mit dem römischen Staat zeigt weiterhin die Szene 13,1–12: Schon gleich zu Beginn der paulinischen Mission wird der römische Prokonsul Sergius Paulus Christ. Auch der Statthalter Gallio stellt ausdrücklich fest, daß das Christentum eine innerjüdische Angelegenheit ist und keine politisch zu ahnenden Verbrechen enthält (18,14f). Als gleich darauf die judenfeindliche Menge den Synagogenvorsteher verprügelt, kümmert sich der Statthalter «nicht im geringsten» darum (18,14–17). Ausgerechnet die Asiarchen von Ephesus, die gewählten Förderer des Kaiserkultes (!) sind mit Paulus befreundet (19,31). Für Lukas ist Rom also nicht der Feind der Kirche, sondern ein dem Christentum gewogener Rechsstaat, der sich gegenüber Paulus im Prozeß nicht nur korrekt verhalten, sondern auch immer wieder durch seine klugen und gerechten Beamten wohlwollend festgestellt hat, daß das Christentum in der Person des Paulus weder todeswürdige Verbrechen begangen hat noch staatsfeindlich oder gar staatsgefährdend ist, sondern vielmehr sich immer loyal verhalten hat. Auch die Anklagen der Juden gegenüber Jesus wie Paulus sind völlig unbegründet, also böswillige Verleumdungen, und werden von Rom durchweg als rein innerjüdische Streitereien zurückgewiesen. Wenn es sich aber so verhält, und nichts weniger ist der Sinn der umfangreichen und vielfältigen politischen Apologetik des Lukas, dann muß und kann Rom in der Gegenwart die christliche Verkündigung nicht nur nicht hindern, sondern sollte auch als Rechtsstaat die christlich-neue genauso wie die jüdisch-alte Religion, mit der sie in der Gotteslehre, in Verheißung und Erfüllung wie in der Auferstehungshoffnung übereinstimmt, tolerieren und Verständnis für die Weltmission der Kirche haben.

Freilich gibt es für Lukas trotz aller politischen Apologetik mit dem Ziel, Christentum und Staat dauerhaft auszusöhnen, auch Grenzen dieser Loyalität: Gegenüber den politischen Gewalten wird das Bekenntnis kompromißlos gefordert (Lk.12,11; 21,12ff) und werden diese unter Umständen von Lukas kritisiert (Lk.3,19; 13,32f). Der Grundsatz jeglicher politischen Ethik wird dann Ag.5,39 formuliert, daß man Gott mehr gehorchen müsse als den Menschen, so daß die Kirche in einer langen Leidenszeit durch viele Drangsale zu gehen hat (Ag.14,22; auch Lk.14,26). Aber auch mit diesen kritischen Aussagen soll keineswegs der martyriumsnahe Konflikt mit dem Kaiser beschworen, vielmehr gerade der versöhnende Ausgleich intensiviert werden.

d) Von allergrößtem Gewicht für die Darstellung der lukanischen Ethik ist die Wertung des Besitzes, von Reichtum und irdischen Gütern. Mit Nachdruck muß festgestellt werden, daß sie im Mittelpunkt der sozialethischen Weisungen wie Forderungen steht. Dabei ist Lukas keineswegs einseitig vorgegangen, vielmehr ist seine bewußt vorgetragene Stellungnahme zu Besitz und Besitzlosigkeit von zwei ursprünglich gegensätzlichen Tendenzen bestimmt:

Zum einen hat Lukas den Besitz bejaht als karitatives Wohltätigkeitsmittel für die Armen und Besitzlosen innerhalb und außerhalb der Gemeinde. Auf der anderen Seite hat er Reichtum und Besitz verneint, weil er in ihnen eine Gefahr für das Heil des Menschen sah. Aber diese beiden sich ursprünglich ausschließenden Einstellungen zum Besitz hat Lukas keineswegs unverbunden nebeneinander stehengelassen, sondern einander in der Weise zugeordnet, daß er den zweiten Aspekt (= Besitzverachtung) dem ersten (= Besitzbejahung) untergeordnet hat.

1. Auf der einen Seite kennt Lukas weder eine grundsätzliche Diskriminierung des Besitzes noch fordert er vom Christen den generellen Besitzverzicht. Vielmehr hat der Reichtum seinen Ort ausschließlich in der Wohltätigkeitsethik des Lukas, d.h. der Besitz wird nur dann für den Christen nicht zur Heilsgefährdung, wenn er konsequent und freiwillig als Almosen für die Besitzlosen eingesetzt wird. Die karitative Verwendung des Besitzes bringt für den Spender Reichtum «in Gott» (Lk.12,21), nämlich als Lohn das ewige Leben, und ist für Lukas die eigentliche Lösung bei der entscheidenden Frage nach Besitz und Reichtum, denn der «ungerechte Mammon» (Lk.16,11) ist allein zum Almosengeben da. Diese dominierende Almosenforderung wird innerhalb der periodisch gegliederten Heilsgeschichte sowohl von Johannes dem Täufer als auch von Jesus und den Aposteln erhoben und ist für die Kirche bis zur Wiederkunft ihres Herrn verbindlich.

So fordert die auf Lukas zurückgehende Standespredigt des Täufers

(Lk.3,10–14) von allen Besitzenden das karitative Teilen von Kleidung und Speise, von den Zöllnern den Verzicht auf die typische Mehreintreibung und von den Soldaten schließlich, sich nicht räuberisch zu bereichern, sondern sich mit dem ihnen Gegebenen zu begnügen. Die Standespredigt des Täufers ist für Lukas also eine zeitlose, sozialethische Mahnung an die Stände der Wohlhabenden, Zöllner wie Soldaten, sich nicht persönlich zu bereichern, sondern freiwillig zu geben und ansonsten sich genügen zu lassen.

Nicht zu übersehen ist, daß Lukas die Forderung der Feindesliebe und des Gewaltverzichts (Lk.6,27–38) im Sinne seiner dominierenden Almosenethik auslegt. Indem Lukas mit Vehemenz die von der Antike geübte Moral der Gegenseitigkeit und Rückerstattung ablehnt, fordert er von der Gemeinde barmherziges Verhalten, vorbehaltloses Gutes tun und Geld leihen ohne diesseitige Vergeltung. Diese Wohltätigkeits- und Almosenethik im Gegensatz zur jüdischen wie heidnischen Gegenseitigkeitsethik kennt weder politische, rassische oder soziale Grenzen und soll ausdrücklich Gemeindeglieder wie Außenstehende, ja sogar Feinde einschließen. Nach Lk.8,1ff geben die Jesus nachfolgenden Frauen ein Beispiel für die Kirche, das Vermögen als Almosen für den innergemeindlichen Dienst zu geben. Ebenso wird von Lukas das traditionelle Gebot der Nächstenliebe (Lk.10,25–28) im Sinne der Armenpflege ausgelegt (Lk.10,29–36): Den Nächsten lieben heißt für Lukas, ihm nach der Art des Samaritaners Barmherzigkeit zu erweisen (Lk.10,37), also beständig wohltätiges Verhalten an den Tag zu legen. Die neue, sozialethische Maxime formuliert Lukas programmatisch in Lk.12,33: «Verkauft euren Besitz und gebt Almosen»! Wie hier, so wird auch in Lk.16,9ff der Besitz nicht an sich disqualifiziert und schließen sich Gottesdienst und Mammonsdienst insofern nicht grundsätzlich aus, wenn das Geld vom Christen als Almosen für die Bedürftigen verwandt wird. Sozialethisches Beispiel für reiche Christen ist Zachäus der Zöllner nach Lk.19,1–10, der die Hälfte seines Besitzes an Arme verteilt (Vers 8a) und das von ihm Geraubte nach römischem Recht vierfach zurückerstattet. Nichts anderes verfolgt Lukas in seinen Summarien der Apostelgeschichte (2,42–47; 4,32–37): Die urchristliche Liebesgemeinschaft wird von Lukas zielbewußt als Gütergemeinschaft formuliert. Natürlich trennt der lukanische Historismus die Zeit der Jerusalemer Urgemeinde von derjenigen der lukanischen Gegenwart; sie war für Lukas in der Tat als Anfangszeit eine heilsgeschichtlich vergangene Epoche eigener Art. Aber das heißt noch lange nicht, daß damit jegliche paränetische Absicht bzw. Zielsetzung der Summarien in der Apostelgeschichte entfällt. Vielmehr dient der Rückblick auf die Zeit der Urgemeinde keineswegs nur der Erbauung im Sinne eines Darstellungsmittels für die Einheit der Gemeinde, sondern der praktischen Orientierung. Für Lukas ist die Gütergemeinschaft der Urgemeinde in Jerusalem trotz der nicht zu leugnenden idealisierenden Sprache durchaus ein paränetisches

Vorbild und somit verbindliche sozialethische Mahnung wie Forderung an die Kirche aller Zeiten, Privatbesitz als Almosen für die Bedürftigen zu verwenden. Schließlich werden alle bisher genannten Motive der lukanischen Wohltätigkeits- bzw. Almosenethik in der testamentarischen Abschiedsrede des Paulus in Milet in besonders eindrücklicher, ja geradezu programmatischer Weise zusammengefaßt (Ag.20,33–35):
«Gold oder Silber oder Kleidung habe ich von niemandem begehrt. Ihr wißt selbst, daß diese Hände für meine Bedürfnisse und die meiner Begleiter gesorgt haben. Ich habe euch damit vorgelebt, daß man arbeiten muß, um sich der Schwachen annehmen zu können in Erinnerung an die Worte des Herrn Jesus, denn er hat selbst gesagt: Geben ist seliger als nehmen». Auf vier Punkte kommt es Lukas primär an:
1. Paulus hat von seinen Mitchristen niemals Geld oder Kleidung angenommen, womit er seine materielle Unabhängigkeit und Uneigennützigkeit geradezu testamentarisch bezeugt.
2. Seinen eigenen Lebensunterhalt hat er sich immer durch eigener Hände Arbeit verdient und gesichert.
3. Darüber hinaus hat seine Arbeit nur einen Zweck, mit seinem Verdienst sich der Schwachen anzunehmen, also Wohltätigkeit zu üben.
4. Schließlich wird diese Almosenethik – repräsentiert durch das apostolische Vorbild – im Wort des irdischen Jesus autoritativ verankert: Es ist sein Wille für die Kirche, daß sie dem Bedürftigen, Schwachen und Nichtshabenden hilft. Damit wird zugleich der ethische Skopos der gesamten Verkündigung des irdischen Jesus von Lukas in einem wahrscheinlich griechischen Sprichwort zusammengefaßt (Ag.20,35) und der Kirche als verpflichtendes Vermächtnis übergeben. Kein Zufall, sondern Absicht ist es, wenn Lukas hier die Botschaft Jesu mit diesem einen Satz letztgültig summiert: Wohltätiges Verhalten als soziales Helfen ist die bleibende Willenskundgebung des irdischen und gegenwärtig erhöhten Herrn an seine Gemeinde, denn nach diesem ethischen Maßstab wird er bei seiner Wiederkunft alle Menschen richten.
2. Zum andern aber hat Lukas ausdrücklich vor dem Besitz als Gefahr gewarnt und vor allem die Habsucht, Geldgier und den Egoismus der Menschen gegeißelt, wie die beiden Beispielgeschichten vom reichen Kornbauern (Lk.12,16–21) und vom reichen Mann und dem armen Lazarus (Lk.16,19–21) besonders eindrücklich lehren. Die erste Beispielgeschichte diskriminiert nicht den Reichtum des Bauern als solchen, noch geht es Lukas um Sozialismus. Vielmehr zieht jede ungläubige Absicherung durch Anhäufung von irdischem Besitz zum eigenen Nutzen statt ihn mit dem Bedürftigen zu teilen, den Verlust des ewigen Lebens nach sich. Ebenso wird in der zweiten Beispielgeschichte der reiche Mann dem Gericht Gottes deshalb überantwortet, weil er nur seinem Reichtum lebt, ohne ihn mit dem armen Lazarus zu teilen. Deshalb warnt Lukas beständig vor der Habsucht, einem asozialen Besitzstreben und der Geldgier

(Lk.12,15–20 und 21; 16,14; 18,28 u.a). Jede egoistische Besitzausnützung wird von Lukas aufs schärfste zurückgewiesen, gefordert wird dagegen die Wohltätigkeit gegenüber dem bedürftigen Mitmenschen. Insofern kann Lukas mit der Tradition sagen, daß eher ein Kamel durch ein Nadelöhr geht als ein Reicher in das Gottesreich (Lk.18,24ff). Wer nur «für sich» irdische Schätze anhäuft, also nur an sich, sein eigenes Wohlergehen und sein persönliches Wohlleben denkt, ist vom ewigen Heil ausgeschlossen. Aus diesem Grunde hat Lukas judenchristliche Traditionen übernommen und nicht ausgeschieden, welche die Armut an sich als einen Gnadenstand und so als Bedingung des endgültigen Heils ansehen, so v.a. in den Makarismen über die Armen und den Weherufen über die Reichen (Lk.6,20–26), dem Magnifikat (Lk.1,46–55) und der Beispielgeschichte vom reichen Mann und armen Lazarus (16,19ff, vgl. aber auch noch Lk.7,11–18; 18,1–6). Hier werden die Reichen, Mächtigen und Satten definitiv verdammt und den Armen wird das Gottesreich zugesprochen. Aber diese vorlukanischen, ursprünglich judenchristlichen Traditionen propagieren das klassische Armutsideal und erwarten vom jüngsten Tag die apokalyptische Umkehrung des sozialen Status von Arm und Reich. Aufgrund dieser vorlukanischen Texte mit ihrem schroffen Armenpathos hat man in der Auslegungsgeschichte Lukas im Sinne des Ebionitismus und Pauperismus (d.h. daß allein den Armen das Heil zukomme) vereinnahmen wollen, ja ihn sogar als den Sozialisten unter den Synoptikern bezeichnet. Aber diese Texte sind nach dem redaktionellen Interesse des Lukas nicht mehr ohne weiteres ethische Norm für die kirchliche Gegenwart und schon gar nicht fordert Lukas für seine Gemeinde die Armut an sich, indem er Arme wegen ihrer Armut seligpreist und Reiche wegen ihres Reichtums richtet. Auf der Ebene der lukanischen Redaktion bedingt, anders als auf derjenigen der vorlukanischen Tradition, nicht die diesseitige Armut das jenseitige Heil, sondern gerade der Besitz als karitatives Mittel bzw. verdienstliches Almosen wird von Gott am Jüngsten Tag belohnt. Mit andern Worten: Lukas hat bewußt die ebionitischen Armutsforderungen der Tradition gegen ihre ursprüngliche Aussageabsicht in den Kontext seiner Almosen- und Wohltätigkeitsethik hineingenommen und so radikal neu interpretiert. Gerade sie soll vermögende Christen in der kirchlichen Gegenwart motivieren, ihren Überfluß karitativ für Bedürftige und Nichtshabende und nicht eigennützig zu verwenden.

Schließlich darf auch die Forderung des totalen Besitzverzichtes der Jünger Jesu in der Vergangenheit nicht im Sinne einer ungeschichtlichen Nachahmung auf die Kirche in der Gegenwart übertragen werden. Zwar wird der absolute Besitzverzicht der Jünger nach den Berufungs- (Lk.5,1–11 und 27ff), Nachfolge- (Lk.18,18ff; 9,57ff; 14,16ff) und Aussendungsgeschichten (Lk.9,1–6; 10,1–12) gegen die entsprechenden Vorlagen von Lukas eingetragen, aber er ist heilsgeschichtlich auf die Nachfolge der ersten Jünger zu Lebzeiten Jesu begrenzt, gehört also im Sinne des lukanischen Historismus der Vergangenheit an, die von der Kirche keineswegs als zeitloses und asketisches Ideal imitiert werden soll. Die vollständige Besitzlosigkeit ist für Lukas keine verbindliche Forderung mehr für den Christen. Trotzdem hat diese absolute Besitzlosigkeit der ersten Jünger für die kirchliche Gegenwart des Lukas eine durchaus aktuelle Zielsetzung. Sie ist Anlaß für die Christenheit, eine neue Einstellung zum Besitz zu gewinnen, die sich in grundsätzlicher Distanz zu Reichtum und Besitzstreben äußern und praktisch zur Wohltätigkeit führen soll. Weil der Ruf Jesu in die Nachfolge den Jünger damals in die völlige Besitzlosigkeit führte, soll die Gemeinde heute jedes eigennützige Besitzstreben aufgeben und das irdische Hab und Gut in den Dienst am Mitmenschen stellen.

Überlegt man alle diese sozialethischen Weisungen des Lukas, so ist zweierlei abschließend festzuhalten: 1. Auch wenn Lukas neben dem individualethischen der sozialethische Aspekt genauso wichtig ist, ein sozialethisches Programm hat er in seinem Doppelwerk nicht entworfen. 2. Die lukanische Ethik wird niemals mit dem Rückverweis auf die Autorität der zwölf Apostel als apostolische Paränese vorgetragen, sondern ausschließlich in der Botschaft des irdischen Jesus verankert. Nur diese seine ethische Belehrung im damaligen Jüngerkreis ist verbindlich für die Kirche bis zu seiner Wiederkunft.

7. Kapitel
Die johanneischen Schriften

I. Das Johannesevangelium

1. Die Voraussetzungen der johanneischen Ethik

a) Von vornherein muß gleich eines mit Nachdruck festgestellt werden: Gegenstand für die Erhebung der johanneischen Ethik ist «dieses Buch» (Joh.20,30) in seiner heute vorliegenden kanonischen Endgestalt, und d.h. der überlieferte Text des vierten Evangeliums mit seiner traditionellen Kapitelfolge, beginnend mit dem «Prolog» (Joh.1,1–18), und endend mit dem «Epilog» (Joh.21) als einem literarisch-zusammenhängenden Werk.

Gegenstand für die Erhebung der johanneischen Ethik ist also gerade nicht eine rekonstruierte, hpyothetische Schrift, denn das gegenwärtige Johannesevangelium ist weder ein bloßes Zufallsprodukt noch ein nachträglich zusammengestelltes Kompendium, in dem verstreutes Traditionsmaterial der johanneischen Gemeinde lediglich gesammelt und gesichtet, also reorganisiert worden ist.

Daß im gegenwärtigen Johannesevangelium verschiedene Traditionen, schriftliche Quellen, ja wahrscheinlich sogar eine nicht erhaltene, also zu rekonstruierende Grundschrift verarbeitet worden sind, soll damit in keiner Weise in Abrede gestellt werden – ganz zu schweigen von der allseits anerkannten Tatsache, daß diese unterschiedlichen Stufen und Schichten nur durch sorgfältig-methodische Analyse zu gewinnen sind. Der heutige Text des Johannesevangelium ist also eindeutig das Ergebnis einer gezielten, tiefgreifenden und umfangreichen Redaktion, und der sog. «kirchliche Redaktor» war in gar keiner Weise ein stupider Interpolator, sondern ein bewußt vorgehender und in der orthodoxen Großkirche stehender Theologe und Ethiker, der für die Endgestalt des Johannesevangelium verantwortlich ist, wie wir es heute lesen.

Das so redigierte und an die Synoptiker angeglichene Johannesevangelium wollte diese – wie man immer wieder beargwöhnt hat – zwar nicht ersetzen oder verdrängen, wohl aber interpretieren und ergänzen. Weitgehende Übereinstimmung herrscht in der Johannesforschung darüber, daß das Johannesevangelium in seiner kanonischen Endgestalt eine ausgesprochen antignostische wie antidoketistische Schrift ist, um den Glauben an Jesus den Christus als Gottessohn zu wecken und dadurch Leben zu vermitteln (20,30f!). Gegen diese häretische Bestreitung der Einheit des irdischen Jesus und des gekreuzigt-erhöhten Christus in einer Person ist das Johannesevangelium also geschrieben. Neben der polemischen Abgrenzung gegenüber der Täufergemeinde (1,6–8.19–34; 3,22–36) und «den Juden» (Joh.8,31ff; 9,41) geht es im Johannesevangelium vor allem um die Abwehr der innergemeindlichen Häresie und Bedrohung durch die christlichen Gnostiker. Der überlieferte Text des kanonischen Johannesevangelium spiegelt in der Tat die bewegte Geschichte des johanneischen Christentums überhaupt wider: Der «kirchliche Redaktor» steht samt dem rechtgläubigen Teil seiner Kirche in den aktuellen Auseinandersetzungen und schroffen Kämpfen mit der gnostischen Irrlehre am Anfang des 2. Jh. Das heißt aber: Die johanneische Verkündigung, Theologie und Ethik haben einen wechselvollen Prozeß durchgemacht, der von ältesten und eigenständigen Anfängen bis in die Großkirche am Beginn des 2. Jh. reicht, also von der vorjohanneischen Gemeindetradition über die allfällig zu rekonstruierende Grundschrift bis zur Johannesschule, zu der die Redaktion des Johannesevangeliums wie die drei Johannesbriefe gehören.

Wegen der großen Verwandtschaft aufgrund von Sprache, Stil und Vorstellungswelt gehören die Johannesbriefe zum Corpus Johanneum. Umstritten ist bis heute das Verhältnis der Johannesbriefe zum Johannesevangelium. Zu vergleichen sind allerdings die Johannesbriefe nicht mit einem hypothetischen Rekonstrukt (etwa der Grundschrift!) im Johannesevangelium, sondern mit dem überlieferten Text des kanonischen Johannesevangelium. Dieses allein ist der sachgemässe Kommentar zu den Johannesbriefen wie umgekehrt. Trotz dieser grundsätzlich theologischen wie ethischen Einheit von Johannesevangelium und -briefen sollte differenziert werden; die Unterschiede auch in der Ethik können nicht übersehen werden. Gewiß steht der Verfasser des gegenwärtigen Johannesevangelium dem Verfasser des 1. wie des 2. und 3. Johannesbriefes nahe, außerdem befinden sich alle diese Johannesschriften im gleichen antihäretischen Abwehrkampf. Dennoch sollten die besonderen Eigenheiten in der Ethik jeweils gesondert herausgearbeitet und auch zur Darstellung gebracht werden. Nur so kann die gesamte Geschichte der Ethik innerhalb der johanneischen Gemeinde in den Blick kommen.

b) Das gegenwärtige Johannesevangelium lehnt den kosmologisch-metaphysischen Wesensgegensatz von weltlosem Gott und gottloser Welt strikt ab, zerbricht ihn und wandelt ihn in einen rein innerweltlichen Dualismus zweier feindlicher Bereiche von ungläubiger, gesetzwidriger Welt und Gemeinde um (Joh.17,47f). Johannes integriert gegen die Gnosis Gott nicht mehr in die dualistische Konzeption, sondern wandelt die gnostischen, streng getrennten beiden Machtsphären Gott-Kosmos in einen rein innerweltlichen Gegensatz innerhalb der unteren Sphäre um, so daß Gott seine Macht über beide Bereiche behält. Er verheißt auch den endgültigen Sieg der Gemeinde über den gottlosen Kosmos. Schließlich wird die Welt nicht mehr wie oft in der Gnosis auf die widergöttliche Finsternis zurückgeführt, sondern als Gottesschöpfung proklamiert (Joh.1,1ff).

c) Immer wieder ist in der Johannesforschung und -exegese die Gesandtenchristologie als das typisch johanneische und unverwechselbare Thema der gesamten Theologie des Johannesevangelium angesehen worden: Jesus ist der präexistente Logos, der vom Vater geliebte Sohn, den Gott in die Welt des Aufruhrs zum Heil der Seinen gesandt hat. Nach dieser

Verkündigung ist Jesus der vom Vater in den gottfeindlichen Kosmos gesandte Sohn, der als Menschensohn auf Erden in völliger Wesenseinheit mit seinem Vater und in göttlicher Vollmacht die endgültige Scheidung in Totenauferstehung und Gericht unter den Menschen vollzieht: Während die einen ihn überhaupt nicht erkennen bzw. immerfort mißverstehen und als Ungläubige schon jetzt gerichtet sind, empfangen seine Freunde, die «aus der Wahrheit sind», seine Stimme hören und der Welt absagen, schon jetzt von ihm das ewige Leben, das Licht der Welt und die Wahrheit. Nachdem er dieses ihm von seinem Vater aufgetragene Werk gehorsam vollendet und von den Jüngern Abschied genommen hat, wird er am Kreuz erhöht und verherrlicht, bahnt er den «von oben» Geborenen den Weg zu den vielen himmlischen Wohnungen, die der Vater für sie bereitet hat, und wird sie schließlich zu sich holen, «damit wo ich bin, auch ihr seid» (Joh.14,2f).

Aber diese Gesandten- bzw. Herrlichkeitschristologie wird nun gerade in der Auseinandersetzung mit christlich-gnostischen Irrlehrern antidoketistisch akzentuiert. Der präexistente Logos wird Fleisch, d. h. er geht völlig in die untere Sphäre ein und gibt antignostisch seine himmlische Integrität auf (1,14). Nicht die Gesandten-, sondern die Inkarnationschristologie mit ihrem vere homo («wahrhaftig Mensch») ist das beherrschende Thema der johanneischen Christologie und Basis wie Voraussetzung der johanneischen Ethik. Weil also für Johannes gerade die Fleischwerdung des ewigen Logos heilsentscheidend ist, hat auch der einzelne Gläubige ohne den Genuß von Fleisch und Blut Jesu im Abendmahl (6,48–58) keinen Anteil am ewigen Heil. Deshalb betont Johannes antidoketistisch den wirklichen Tod des inkarnierten Gottessohnes in Joh.19,34f und 37: Neben der Anspielung auf Taufe (Wasser) und Abendmahl (Blut) geht es hier vor allem um den Erweis des körperlichen Todes Jesu. Das eigentliche Zentrum der johanneischen Kreuzestheologie ist die sich in seinem wirklichen Tod vollendende Liebe Jesu zu den Seinen: Der Inkarnierte stirbt im Sinne eines Opfers für die Sünden «des Kosmos» (1,29 und 17,19), einer Liebestat für seine Schafe (10,11–18; auch 6,51b und 15,13) und als Vorbild im Dienen, das die Gemeinde durch die brüderliche Liebe nachzuvollziehen hat (13,15). Gerade diese traditionelle, urchristliche Sühne- und Opferchristologie als Interpretament des Kreuzestodes Jesu stellt eine hochreflektiert antidoketistische Polemik dar. Diese wird schließlich noch einmal unterstrichen durch das Faktum der leiblichen Auferstehung des Inkarnierten.

Nach 20,2–10 kommt der Lieblingsjünger allein auf Grund des leeren, aber wohlgeordneten Zustandes des Grabes zum Glauben an die leibliche Auferstehung Jesu von den Toten (Vers 9b). Indem der Auferstandene dann später von sich aus den Jüngern seine Hände mit den Wundmalen und die durchbohrte Seite zeigt, konnte sich die Gemeinde von der Identität des Auferstandenen mit dem Gekreuzigten sinnenfällig überzeugen.

Auch die folgende Thomasgeschichte (20,24–29) betont antidoketistisch die Leiblichkeit des Auferstandenen (Betasten des Körpers Jesu durch einen seiner Jünger) und damit die Identität des Inkarnierten und Gekreuzigten mit dem Auferstandenen. Für die Christologie des kanonischen Johannesevangelium aber heißt das: Der über die Erde schreitende Sohn Gottes ist wirklich Fleisch geworden, tatsächlich am Kreuz gestorben und am Ostermorgen leibhaftig von den Toten auferweckt. Die Christologie des heute vorliegenden Evangelienbuches, nicht dagegen die der «Grundschrift», ist antignostisch wie antidoketistisch zugleich.

d) Dieser fleischgewordene Gottessohn vermittelt den Menschen im Kosmos allein die ewige Leben spendende Offenbarung. Nimmt der Mensch die Offenbarung im Glauben an, ist er vom Tode zum Leben hinübergeschritten (5,24; 11,25) und hat bereits das ewige Leben (3,15f.36; 5,24; 6,40.47). Wer aber im Unglauben die Offenbarung ablehnt, ist bereits gerichtet (3,18; 12,48) und bleibt im Machtbereich der Sünde (8,21ff; 12,48 u.a). D.h. aber: Dem Glauben mit seiner Entscheidung für die Offenbarung Jesu wird zwar die Erlösung präsentisch zugesprochen, aber der Glaubc ist auf gar keinen Fall eine fromme Leistung des Menschen, sondern dieser erkennt nachträglich in dieser seiner Glaubensentscheidung die Tat Gottes, der ihn erwählt hat (6,37ff.44; 5,21). Aber diese göttliche Erwählung, eben die Prädestination, hebt die menschliche Verantwortlichkeit nicht auf, sondern intensiviert sie, wie Joh.8,21–24 und 9,31–41 unüberhör zeigen.

Aber auch wenn Johannes die Präsenz des Heils in der Glaubensentscheidung für die Offenbarung Jesu immer wieder mit Nachdruck herausstellt, so läßt er andererseits keinen Zweifel daran, daß dieses Heil offenbar noch verlierbar ist und die endgültige Erlösung im vollen Umfang erst am Jüngsten Tage erreicht wird. Damit ist allerdings nicht nur gemeint, daß der endgültige Vollzug der Erlösung insofern noch aussteht, als der Glaubende «das Ziehen zu mir» in die himmlische Herrlichkeit Jesu (12,32) und die Aufnahme in die «vielen Wohnungen» (14,2f) noch vor sich hat. Vielmehr gehen alle Menschen dem Jüngsten Gericht des Menschensohnes und der Totenauferstehung entgegen. Nur diejenigen, «die Gutes getan haben» werden der «Auferstehung des Lebens» teilhaftig, während auf die Übeltäter «die Auferstehung des Gerichts» wartet (5,27–29). Die Erlösung im Vollsinn des Wortes steht also trotz aller Gegenwart des Heils noch aus. Die Ethik erst führt zur Erlösung, nicht aber der Glaube allein. Die Präsenz des Heils ermöglicht den ethischen Wandel der Glaubenden, so daß für Johannes die Ethik zum zweiten konstitutiven Teil der Erlösung wird. Erst Glaube und gute Taten bewirken im Endgericht die endgültige Errettung. Der Glaube erwirkt zwar Heil, aber ohne ethische Bewährung wird dieses verloren.

e) Neben die Christologie tritt im gegenwärtigen Johannesevangelium die Ekklesiologie beherrschend in den Vordergrund. Von einer Christozentrik kann jedenfalls im kanonischen Johannesevangelium nicht mehr gesprochen werden, da allein die Gemeinde der Ort des Heils ist. Auch wenn sich der Ruf des Offenbarers immer an einzelne wendet (1,35ff; 3,1ff; 4,7ff u. a.), konstituiert keineswegs ihre Entscheidung für das Wort des Menschgewordenen nach Johannes die Kirche, ganz zu schweigen von einem Heilsindividualismus. 3,1–12 bringen einen Lehrvortrag des Inkarnierten über die Heilsnotwendigkeit des Taufsakraments; denn ohne die Geburt aus Wasser und Geist vermag niemand in das Gottesreich einzugehen (3,5). In 6,48–58 wird die Paradoxie der Fleischwerdung Christi mit Hilfe einer Eucharistie-Lehre verteidigt, die die wirkliche Gegenwart von Fleisch und Blut des Menschensohnes und die Realität des Essens und Trinkens zum Empfang des ewigen Lebens betont. Die Sakramente der Taufe und des Abendmahls, die allein von der Gemeinde gespendet werden, haben für die Glaubenden heilsnotwendige Bedeutung. Nach Joh.20,21 tritt die Gemeinde in ihrer Gesamtheit die Nachfolge des johanneischen Christus an, nach 20,22 ist sie Träger des heiligen Geistes und nach 20,23 schließlich hat sie die Vollmacht der Vergebung und Behaltung der Sünden.

Ihr wesentliches Merkmal ist die «Einheit» (17,11.21.22.23), die sich konkret in der Bewahrung der Lehre Jesu seitens der Kirche vollzieht, und d. h. im Halten seiner Gebote als der Praxis der Bruderliebe. Petrus ist ihr Oberhaupt (21,11.15–17). Sie allein ist der Ort, wo die Lehre Christi im rechten Glauben an Jesus als dem Fleischgewordenen bewahrt (17, 14.17–19) und seine Gebote gehalten werden (3,21; 5,29; 14,15 u. ö.). Im Gegensatz zu dem sie verfolgenden Kosmos (15,18–16,4a) erfüllt sie den Willen Gottes gehorsam. Nur in ihrer Mitte wirkt der Geist-Paraklet, indem er nicht nur immer wieder Zeugnis von Jesus ablegt, (15,26), sondern die Lehre Jesu weiterführt (16,12–15). Außerhalb dieser Kirche gibt es kein Heil, womit noch einmal die zentrale Stellung der Ekklesiologie von Johannes herausgestellt wird. Für diese Gemeinde tritt der Menschgewordene in seinem hohenpriesterlichen Gebet vor Gott für die Seinen im gottlosen Kosmos ein (Joh.17).

f) Das Johannesevangelium in seiner jetzigen Gestalt vertritt zweifellos eine doppelte Eschatologie. Anders sieht es freilich aus, wenn man mit einem Teil der Johannesforschung von einem hypothetischen Konstrukt ausgeht und sämtliche futurisch-apokalyptischen Aussagen der kirchlichen Redaktion zuweist. Mit Blick auf das gegenwärtig vorliegende Johannesevangelium ist es allerdings unsachgemäß, von einer vor allem präsentischen Eschatologie zu sprechen, die anthropologisch und individuell zugleich orientiert sei. Auch wird die jüdisch-urchristliche Apokalyptik keineswegs rundweg abgelehnt bzw. radikal vergegenwärtigt oder vergeschichtlicht. Vielmehr ist typisch für den Endredaktor, daß er die ihm überkommene präsentische Eschatologie (vor allem 3,17ff; 5,24f; 11,24ff; 14,1f) mit der apokalyptisch-futurischen in der Weise ausgleicht, daß die apokalyptisch vorgestellte Zukunft mit Totenauferstehung und Endgericht wiederum konstitutiv für den Glaubenden wird. Auch wenn die Gegenwart durchaus mit der Glaubensentscheidung für die Offenbarung des «Ich bin ...» als Heil qualifiziert ist, liegt zweifellos alles Gewicht auf der futurisch-apokalyptischen Totenauferstehung zum Endgericht. Die radikal vergegenwärtigte Eschatologie (so typisch in 5,21–26) wird deshalb von der großkirchlichen Redaktion ergänzt und vollendet durch das kosmische Drama beim Jüngsten Tag mit Totenauferstehung und Gericht (so 5,27–29).

Das Heilsgeschehen in der Gegenwart – das keineswegs verabschiedet oder auch nur minimalisiert wird – vollendet sich in der Parusie des Menschensohnes mit der leiblichen Totenauferstehung und dem Gericht nach den Werken. Gegen die rein präsentisch und individuell orientierte Eschatologie in seinen Vorlagen hat der Endredaktor antignostisch die apokalyptische Endzeiteschatologie ins Feld geführt und damit einen neuen Zukunftsentwurf geschaffen. So folgt auf die Offenbarungsrede von der todüberwindenden Macht des Wortes des himmlischen Gesandten in 5,21–26 sogleich die massiv korrigierende Dublette 5,27–29: Der Menschensohn ist hier apokalyptisch verstanden, die Stunde meint die Stunde der allgemeinen Totenauferstehung am Jüngsten Tage, «die in den Gräbern liegen» werden aus dem leiblichen Tode auferweckt und die endgültige Scheidung vollzieht sich aufgrund der guten und bösen Werke des Menschen.

Ebenso tritt neben die große Offenbarungsrede vom himmlischen Gesandten als dem wahren Lebensbrot (6,26ff) das durch die Eucharistie vermittelte Leben, das allerdings nach den fremdartigen, massiven Zwischenbemerkungen (6,39.40.44.54) erst am Jüngsten Tage bei der Totenauferstehung im umfassenden Sinne zum Vorschein kommen wird. Erst der Sakramentsgenuß verbürgt die Auferstehung am Jüngsten Tage mit dem Empfang des ewigen Lebens. Auch wenn der vierte Evangelist keineswegs die ihm überkommenen Aussagen streicht (z.B. 3,17ff und 5,24f), wonach sich das Gericht bereits proleptisch in der gegenwärtigen Glaubensverweigerung vollzieht (12,47f), stellt er daneben sogleich das zukünftige Endgericht. Wer Jesu Worte und d.h. seine Gebote nicht befolgt, den wird «das Wort richten am Jüngsten Tage, das ich geredet habe» (12,48).

Nach 16,12–15 wird die Gemeinde als das alleinige Wirkungsfeld des Geistparakleten zum Ort seiner weiteren, göttlichen Offenbarung. Dazu werden in 16,13 ausdrücklich die kommenden, apokalyptischen Endereignisse gerechnet, die der Geistparaklet der Gemeinde verkündet. Für den Endredaktor gehören demnach die apokalyptischen Endereignisse zum autoritativen Inhalt der Verkündigung des Parakleten.

Von besonderer Bedeutung für die apokalyptische Eschatologie des Endredaktors ist 21,20–22: Auf die Frage des Petrus, welches Schicksal der Auferstandene dem Lieblingsjünger zugeteilt hat (Vers 21) stellt Jesu Antwort eindeutig klar, daß der Lieblingsjünger nicht den Märtyrertod wie Petrus teilen wird, sondern bis zum «Kommen» des auferstandenen Herrn am Leben bleiben wird (Vers 22). Dieses «Kommen» des Auferstandenen kann im Kontext des heute vorliegenden Johannesevangelium nur im Sinne der jüdisch-urchristlichen Apokalyptik verstanden werden. Während Petrus von Jesus das Martyrium vorhergesagt ist, wird dem Lieblingsjünger ausdrücklich verheißen, daß er bis zur Parusie des Auferstandenen nicht sterben wird. Von ganz besonderem Interesse ist nun aber die Tatsache, daß hier nicht nur von der apokalyptischen Parusie des Menschensohnes-Jesus die Rede ist, sondern Joh.21,22 sich ausdrücklich zur zeitlich bestimmten Naherwartung der Wiederkunft Jesu bekennt. Die Parusie steht so unmittelbar vor der Tür, daß sie noch zu Lebzeiten des Lieblingsjüngers eintreten wird. So nahe sind für das Johannesevangelium der Jüngste Tag, das Heil und das Endgericht, daß ein Glied seiner Kirche, nämlich der Lieblingsjünger, noch am Leben sein wird. Schon jetzt muß mit Nachdruck darauf hingewiesen werden, daß das Johannesevangelium, die Johannesbriefe und die Apokalypse Johannes nicht nur aufgrund von Stil und Gedankenwelt verwandt sind, sondern die gleiche Parusienaherwartung teilen. Diese läßt das Johannesevangelium und Apokalypse Johannes näher zusammenrücken, als dies bisher allgemein angenommen wird.

Schließlich klingt das hohepriesterliche Gebet aus in die Bitte um die apokalyptisch-künftige Vollendung der Glaubenden bei der Parusie (17,24–26). Die Verse bringen den Abschluß des Gebetes Jesu als einem eschatologischen Vermächtnis der johanneischen Kirche. Ging es bisher im hohepriesterlichen Gebet des Inkarnierten um die Bewahrung der Gemeinde im gottfeindlichen Kosmos, so erfolgt jetzt die Bitte um die Wiedervereinigung Jesu mit den Seinen in der Zukunft und Jenseitigkeit der Parusie: «Vater, ich will, daß da, wo ich bin, auch die bei mir sind, die du mir gegeben hast, damit sie meine Herrlichkeit schauen, die du mir gegeben hast, weil du mich liebtest vor der Grundlegung der Welt» (17,24). So lange die Gemeinde im Kosmos weilt, ist sie seinem Haß ausgeliefert (17,11.14f), aber die Stunde naht, da sie bei der apokalyptischen Wiederkunft mit ihrem Herrn vereinigt ist und Jesu himmlische Herrlichkeit unter Ausschluß des gottlosen Kosmos schauen kann. Diese Schau der Herrlichkeit von 17,24 ist eine grundlegend andere als die von 1,14. Stand hier der Inkarnierte im Mittelpunkt, so jetzt der wiederkommende Menschensohn bei seiner Parusie. Die Nähe dieser Sätze zur Eschatologie des 1. Joh. (z.B.3,2) ist wiederum nicht zu übersehen.

Zusammengefaßt heißt das: Indem die individuell-präsentische Eschatologie der vorjohanneischen Traditionen durch eine futurisch-apokalyptische, also universalgeschichtliche, ergänzt wird, enthält das heute vorliegende Johannesevangelium im Sinne der kirchlichen Endredaktion eine ganz neue Zweistufen-Eschatologie, wie sie für das gesamte Corpus johanneum trotz je eigener Akzentuierung mehr oder weniger charakteristisch ist. Mit der Vergeschichtlichung der Endzeiteschatologie in der Christusverkündigung der Gemeinde wird die Gegenwart selber eschatologisch qualifiziert, indem die Epoche der Kirche als Endgeschehen und erste Stufe durch die nahe apokalyptische Parusie des Menschensohnweltrichters als die zweite Stufe abgeschlossen wird.

2. Das alttestamentliche Gesetz und die johanneische Ethik

a) Bei der Lösung der umstrittenen Gesetzesproblematik hängt wiederum alles von dem Ansatz ab, mit dem bei der Deutung eingesetzt wird. Ausgangspunkt ist primär nicht die Begriffsgeschichte oder gar ein systematisches Darstellungskonzept. Vielmehr wird alles von der Frage bedingt, ob man seinen Standort konsequent im Bereich des vorliegenden, kanonischen Johannesevangeliums einnimmt oder in dem einer vorjohanneischen Quellengrundlage. Nur wenn das bewußt geschieht, können die bekannten Fehlinterpretationen vermieden und die Probleme johanneischer Gesetzestheologie gelöst werden.

Das gesamte mosaische Ritualgesetz ist für den Endredaktor kein aktuelles Problem mehr, sondern dient einzig und allein dazu, die Vollmacht und einzigartige Stellung des präexistenten, aber fleischgewordenen Gottessohnes herauszustellen. Für Jesus ist das mosaische Sabbatgebot keine Autorität mehr, wenn er um der Heilung von Kranken willen den Sabbat demonstrativ bricht (5,9.16–18; 7,22ff; 9,14–18). Dasselbe gilt für das Beschneidungsgebot: Nur den Juden, nicht aber der christlichen Gemeinde hat «Mose die Beschneidung gegeben» (7,22). Und mit der Austreibung der Verkäufer, der Opfertiere und der Geldwechsler aus dem Jerusalemer Tempel hat Jesus nach der Meinung des Johannes nicht etwa nur eine Entstellung des Jerusalemer Kultes beseitigt, sondern er hebt damit das alttestamentlich-jüdische Kultgesetz auf. Er verwirklicht mit dieser Tat vorwegnehmend, was dann in 4,21 beschrieben wird: Die «wahre Anbetung Gottes im Geist und in der Wahrheit». Jerusalem und Garizim als vermeintliche Anbetungsstätten sind überholt, weil mit der wirklichen Offenbarung, die allein der Mensch gewordene Logos gebracht hat, das mosaische Zeremonialgesetz ein für allemal seine Bedeutung verloren hat. Für die johanneische Gemeinde ist das alttestamentliche Kultgesetz weder ein aktuelles noch theologisches Problem mehr. Darum spricht der johanneische Christus im Gespräch mit den Juden von «Opfer und Gesetz» (8,17; 10,34), bzw. vom Gesetz als «Gesetz der Juden» (15,25; 19,7) und Nikodemus schließlich von «unserem Gesetz» (7,51). Gemeint ist bei allen diesen Stellen die mosaische Tora unter Einschluß des Kultgesetzes, von dem sich der johanneische Christus nachdrücklich und immer wieder distanziert. Dasselbe gilt für die Feste und Gebräuche, die permanent von Johannes als solche «der Juden» gekennzeichnet werden (2,12f; 5,1; 6,4; 7,2; 11,55; 19,21.42).

Das mosaische Kultgesetz hat für Johannes seine traditionell heilsmittlerische Funktion definitiv verloren: die johanneische Kirche ist seit der Inkarnation des präexistenten Gottessohnes nicht mehr daran gebunden.

b) Wie steht es nun mit dem mosaischen Moralgesetz und seiner Bedeutung für die johanneische Ethik? Die Antwort hinsichtlich des vorliegenden Textes des kanonischen Johannesevangelium ist eindeutig: Das Moralgesetz hat für den Endredaktor seine theologische Bedeutung behalten und ist deshalb eschatologisches Kriterium im jüngsten Gericht. Unzutreffend wäre deshalb der Schluß, daß die ethische Forderung im heutigen Johannesevangelium mit dem alttestamentlichen Moralgesetz, konzentriert im Dekalog, in keinem direkten Zusammenhang mehr stehe. Das Gegenteil ist vielmehr der Fall: Das alttestamentliche Moralgesetz spielt als Anleitung zum ethischen Handeln des Christen durchaus eine entscheidende Rolle und hat deshalb ohne Zweifel eine direkte Bedeutung für die johanneische Ethik, wie die folgenden Beispiele beweisen: Von programmatischer Bedeutung für die Lösung aller Probleme der johanneischen Gesetzestheologie und damit verbunden der Ethik ist Joh.1,17: «Denn das Gesetz wurde durch Mose gegeben, die Gnade und die Wahrheit sind durch Jesus Christus geworden». Für die sachgemäße Interpretation dieses Verses ist die literarkritische Erkenntnis entscheidend, daß er in einem Passus (1,14–18) steht, der den traditionellen Logos-Hymnus (1,1–13) ausgesprochen antidoketistisch im Licht der aktuellen christologischen Kontroversen neu interpretiert hat (vgl. Joh.6,48–58; 19,34f; 20,2–10.29–31). Der Logos, der «im Anfang» und in Ewigkeit «ein Gott» ist (1,1 und 18), wurde Fleisch, und diese seine antignostische Fleischwerdung als ein «Zelten unter uns» in unüberhörbarer Aufnahme der Sinaitheophanie vor Mose (Ex.33,7ff) wird von denen bezeugt, die diese Herrlichkeit geschaut haben (vgl. Joh.21,24; 1.Joh. 1,1). Bereits Vers 14 und nicht erst Vers 17 bringen die Parallele Mose-Jesus Christus.

Die alles entscheidende Frage lautet nun: Ist der Parallelismus in Vers 17 als ein synthetischer oder ein antithetischer aufzufassen. Da bezeichnenderweise ein «aber» in Vers 17b fehlt, das Passiv «wurde gegeben» das göttliche Heilshandeln umschreibt und dem kanonischen Johannesevangelium die paulinische Antithese von Glaube und Werken unbekannt ist, dürfte Vers 17 auch vom Befund des gesamten Johannesevangelium her nur im Sinne des synthetischen bzw. klimaktischen Parallelismus auszulegen sein: Gesetz und Gnade stellen für den Endredaktor niemals eine Antithese, sondern vielmehr eine heilsgeschichtliche Synthese im Sinne der theologischen Steigerung und Vollendung dar. Das mosaische Moralgesetz ist eine durch Mose vermittelte, göttliche Gabe und Offenbarung, also gerade eine ausgesprochen positive Größe. «Die Gnade und die Wahrheit» sind göttliche Gabe des Inkarnierten, aber nicht in paulinischer Antithese zu Mose und seinem Gesetz, sondern in johanneischer Synthese. «Die Gnade» ist die heilsgeschichtliche Steigerung des mosaischen Moralgesetzes, nicht aber dessen Aufhebung. Mit dieser Deutung von Joh.1,17 sind alle wesentlichen Probleme der johanneischen Gesetzesanschauung entschieden. Schon im Prolog seines Buches hat der Endredaktor deutlich gemacht, daß das mosaische Moralgesetz weder seinem Inhalt nach noch als Heilsweg durch die Christusoffenbarung verabschiedet worden ist. Es bleibt die göttliche Gabe, die nur noch durch die Gnadenoffenbarung Jesu Christi steigernd vollendet wird. Dann aber erhält gerade das mosaische Moralgesetz von vornherein für die johanneische Kirche eschatologische Relevanz und bleibt für den Christen ethische Norm. Trotz der Gnade ist die göttliche Gabe des mosaischen Moralgesetzes Anleitung zum ethischen Handeln des Christen, besteht also eine direkte heilsgeschichtliche Kontinuität zwischen dem alttestamentlichen Gesetz und der johanneischen Ethik. Der Vers 17 klingt dennoch in gar keiner Weise antinomistisch im Sinne des Paulus, sondern ist gerade im Sinne der Endredaktion gegen den Antinomismus der christlichen Gnostiker gerichtet. Wie Vers 14 antidoketistisch gegen die Leugnung der Fleischwerdung des präexistenten Gottessohnes gerichtet ist, so Vers 17 gegen den Antinomismus eben derselben gnostischen Irrlehrer. Der Prolog 1,1–18 in seiner vorliegenden Form ist also der Verstehens- und Auslegungsschlüssel für das Ganze des kanonischen Johannesevangelium und lehrt, daß die im Glauben empfangene Erlösung in der Zukunft des Christenlebens bewährt werden muß, nämlich im ethischen Wandel. Die Ethik wird demnach schon aufgrund von Joh.1,17 zum zweiten konstitutiven Teil der Erlösung, so daß erst am Jüngsten Tag beim Kommen des Menschensohnes endgültig über die guten und bösen Werke, also über Heil und Unheil, entschieden wird (Joh.5,27–29).

Auch in 3,19–21 ist das alttestamentliche Moralgesetz als göttliche Gabe das Kriterium für den moralischen Lebenswandel der Christen. Hier werden die guten und bösen Werke als ethische Auswirkungen des Glaubens und Unglaubens gewertet. Dabei wird der traditionelle Dualismus Licht-Finsternis in 3,19a und b in 3,19c–21 ethisch interpretiert, d.h. moralisiert. Der «das Licht» und d.h. den inkarnierten Gottessohn Hassende und «die Finsternis» Liebende ist der Ungläubige, der böse Werke und damit das Böse tut. D.h. er hält sich nicht an das alttestamentliche Moralgesetz und wird von Gott «bestraft» (3,20). Derjenige dagegen, der das Licht liebt, der Glaubende, tut die Wahrheit, d.h. tut Gutes, befolgt das alttestamentliche Moralgesetz und tut gute Werke (3,21). Er tut «Werke, die in Gott getan sind», denn Gott ist ja nach 1,17 der Spender der göttlichen Gabe des Mosegesetzes. «In Gott getane Werke» sind also ethische Werke, die auch von Gott belohnt werden. Die traditionell jüdisch-urchristliche Lohn-Strafe-Anschauung steht eindeutig im Hintergrund. Es geht also nicht mehr nur um Glauben und Unglauben (so 3,18), sondern eindeutig um den moralgesetzlich normierten Lebenswandel der Christen. Mit dem Kommen des Lichtes in den Kosmos, d.h. der Inkarnation des präexistenten Logos, ereignet sich nun aber bereits fortwährend das Gericht über die Menschen: Die Gesetzestäter werden belohnt, die Gesetzesübertreter aber bestraft. Aber erst beim Jüngsten Gericht tritt das offen zutage, nämlich als Gericht über die Werke der Menschen. 3,18–21 lehren also, daß nicht mehr allein die Glaubensentscheidung das Heil vermittelt, sondern daneben gleichwertig das ethische Handeln der Christen tritt; denn das im Glauben empfangene Heil muß lebenslang im ethischen Verhalten bewährt werden. Neben der Glaubensentscheidung wird also die Ethik zum zweiten konstitutiven Teil der Erlösung, so daß das alttestamentliche Moralgesetz Basis wie Kriterium der johanneischen Ethik bleibt.

Gerade die Offenbarungsrede in Joh.5,24–29 zeigt die typisch johanneische Einheit von Glaube als gegenwärtigem Empfang des ewigen Lebens (= 5,24f) und der Ethik als Bedingung für die futurische «Auferstehung des Lebens» bei der Menschensohnparusie (5,27–29). Nach 5,27 hat der johanneische Christus die Vollmacht erhalten, das Endgericht am Jüngsten Tage auszuüben, «denn er ist der Menschensohn»; und 5,28f schildern das Jüngste Gericht mit der allgemeinen Totenauferstehung in traditionell apokalyptischer Weise. Die «Stunde» meint jetzt in Ergänzung zu 5,25 die Stunde der apokalyptischen Totenauferstehung und «die in den Gräbern liegen» werden aus dem leiblichen Tode auferweckt. Die endgültige Scheidung vollzieht sich dann nicht in der Aufnahme oder Ablehnung des Offenbarerwortes Jesu, d.h. nach Glauben oder Unglauben (so 5,24f), sondern aufgrund der guten und bösen Werke. Wie in der jüdischen Apokalyptik ist das Moralgesetz das Kriterium im Jüngsten Gericht, so daß wiederum eine direkte Kontinuität zwischen dem alttestamentlichen Moralgesetz und der johanneischen Ethik zu beobachten ist. Ewiges Leben und ewiger Tod sind die unmittelbare Folge von guten und bösen Werken. Der Glaube allein genügt nicht mehr, er muß sich, wenn er die endgültige Erlösung am Jüngsten Tag erlangen will, konkretisieren im ethischen Wandel der Christen.

c) Diesem Tatbestand entsprechen nun im überlieferten Text des Johannesevangeliums die zahlreichen, heilsgeschichtlichen Bezüge. Mit dem Grundsatz von Joh.4,22 bekennt sich die johanneische Kirche zum heilsgeschichtlichen Vorrang Israels: «...denn das Heil kommt von den Juden». Dieses ist der Messias bzw. Logos, der nach Joh.1,11 in «das Seine» bzw. zu Israel als dem vom himmlischen Vater erwählten «Eigentum» gekommen ist. Dem entsprechen vor allem die zahlreichen Festreisen Jesu nach Jerusalem als heilsgeschichtlicher Metropole seines «Eigentums», zum Passa- (2,13.23; 5,1; 6,4; 11,35), Laubhütten- (7,2.14.37) und

Tempelweihfest (10,22). Dem dienen auch sein Aufenthalt und seine Lehre im Tempel (7,14.28; 5,14; 8.20.59; 10,23; 18,20) wie sein Auftreten in der Synagoge (6,59; 18,20). Als Jude (4,9) ist er der Messias (1,17.41; 17,3), der «König Israels (1,49) und König der Juden» (18,33ff; 19,3.14f.19ff).

Mose ist für den in sein «Eigentum» gesandten Logos nicht nur Gesetzgeber (1,17; 7,19.22f), sondern Schriftautorität, der neben Abraham (8,56) den Propheten (1,45) zum Zeugen für den inkarnierten Gottessohn wird (1,45; 5,45ff). Der traditionelle Weissagungsbeweis (vgl. 6,31; 7,38) beherrscht vor allem die Passion Jesu, wobei einzelne Szenen in ihr (13,18; 19,24.28.36) ausdrücklich als Erfüllung der Schrift verkündigt werden.

Aber ausgerechnet «die Seinen» haben den Logos in ihrer Mitte unbegreiflicherweise zurückgewiesen, obwohl er nur zu Israel als dem vom Vater erwählten Gottesvolk gesandt war. Gerade sie hegen Mordabsichten gegen ihn (8,44; 11,45–52), fassen Todesbeschlüsse und wollen den Offenbarer immer wieder steinigen (5,16 und 18; 7,1.19.25.30; 8,59; 9,22; 10,33; 19,7 u. a.). Ja, sie schließen sogar die Judenchristen in der johanneischen Kirche aus der Synagoge aus (9,22.34; 12,42; 16,2), so daß diese «Furcht vor den Juden» haben (vgl. 7,13; 9,22; 11,7ff; 19,38; 20,19 u. a.).

Erst jetzt und auf diesem Hintergrund wird der vieldiskutierte sogenannte «Antijudaismus» im gegenwärtigen, kanonischen Johannesevangelium verständlich. Er darf allerdings weder überbewertet noch apologetisch eingeebnet werden. Weil Israel die Liebe Gottes in seinem Sohne verschmäht und ihn sogar gegen den Widerstand der Römer ans Kreuz gebracht hat, spricht der Endredaktor pointiert von der Blindheit der Juden (9,41) und bezichtigt die Juden der Teufelskindschaft: «Euer Vater, von dem ihr abstammt, ist der Teufel» (8,44), nämlich der «Herrscher dieses Kosmos» (12,31; 14,30; 16,11).

d) Von größter Bedeutung sowohl für die johanneische Ethik als auch für ihr Verhältnis zum mosaischen Gesetz ist nun aber das «neue Gebot» der Bruderliebe (13,34f und 15,12.17). Nicht ohne Grund steht dieses Liebesgebot am Beginn der johanneischen Abschiedsreden (13,13–17), die von der Endredaktion bewußt zwischen dem Ende der öffentlichen Wirksamkeit Jesu und dem Beginn der Passion plaziert werden. Thema dieser typisch johanneischen Abschiedsreden ist die Rückkehr des fleischgewordenen Gesandten in die himmlische Präexistenz-Herrlichkeit. Der Erlöser nimmt Abschied von den Seinen, die er traurig in der sie hassenden und verfolgenden Welt zurückläßt. Aber auch in der Zeit der Verlassenheit hört das Verhältnis zu Jesus nicht auf: Er sendet nicht nur den Geist-Parakleten, der in Ewigkeit bei ihnen sein wird, sie alles lehren und an alles erinnern wird, was der irdische Jesus gesagt hat, und der den Kosmos strafen wird (14,15–17.25f; 15,26; 16,4bff), sondern diese Sendung des Geistparakleten ist seine eigene Wiederkunft innerhalb der Gemeinde

(14,1–3.18–23.27f; 16,16.22–23). Zugleich wird die Zukunft unter das neue Gebot der gegenseitigen Liebe gestellt, das von nun an die Gemeinschaft der Glaubenden regeln soll. Im unmittelbaren Anschluß an das Abschiedswort des Inkarnierten von seiner Heimkehr zum himmlischen Vater (13,33) hinterläßt er seinen Jüngern wie eine testamentarische Verfügung das neue Gebot der Bruderliebe. Der gottlose Kosmos steht abseits; denn das neue Gebot der gegenseitigen Liebe wird von Johannes mit voller Absicht in die geheime Unterweisung der Jünger hineingenommen, nämlich in die letzte Nacht (13,30!), in der der scheidende Erlöser seine elf Jünger über die eschatologische Zukunft belehrt. In der Einsamkeit der Verlassenheit sollen die Seinen das innige Verhältnis zu ihm bewahren, in dem sie wie der fleischgewordene Offenbarer die Seinen geliebt hat, die Brüder lieben (13,34). Die Bruderliebe hat also in der Liebe des Offenbarers zu den Seinen ihren Grund. Nur als Geliebte vermögen sie sich gegenseitig zu lieben. Die gesamte Sendung Jesu von der Fleischwerdung des Präexistenten über seine Offenbarungsreden und Wundertaten bis zu seiner Lebenshingabe am Kreuz ist nichts anderes als Ausdruck seiner Liebe «bis zum Ende» (13,1) und hat für die Seinen Beispielcharakter: In derselben Weise sollen auch die Jünger einander Liebe erweisen. Schließlich wird die Bruderliebe mit einem typisch johanneischen Definitionssatz als das bleibende Kennzeichen echter Jüngerschaft gewertet (13,35). Thema der Abschiedsreden ist also nicht nur der Fortgang und das Verhältnis Jesus zu den Seinen, sondern ebenso das Verhältnis der Gemeindeglieder untereinander.

Dieses Gebot der gegenseitigen Liebe wird nun aber ausdrücklich in 13,34 ein «neues Gebot» genannt und über diese «Neuheit» ist in der Auslegungsgeschichte viel gerätselt worden, ohne daß bis heute ein wirklich befriedigendes Ergebnis erzielt worden wäre. Ausgangspunkt für das sachgemäße Verständnis ist wiederum das heute vorliegende kanonische Johannesevangelium, nicht aber eine hypothetisch erschlossene Vorlage. Wird diese Voraussetzung konsequent berücksichtigt, dann liegt in 13,34 zweifellos wie schon in 1,17 ein heilsgeschichtlicher Bezug vor: Das Gebot der gegenseitigen Liebe heißt deshalb neu, weil es mit Blick auf das alttestamentliche, eben das alte Gebot der Nächstenliebe von 3.Mose 19,18 formuliert wurde. Auch hier in Joh.13,34 wie in 1,17 liegt wiederum keine Antithese, sondern Synthese vor. Weder wird dadurch das alte Gebot der Nächstenliebe eingeschränkt noch gar annulliert. Es ist auch in gar keiner Weise veraltet. Vielmehr soll mit dieser betonten Charakterisierung «neu» des johanneischen Liebesgebotes eine direkte heilsgeschichtliche Kontinuität zwischen dem alttestamentlichen und d.h. alten Moralgesetz und der johanneischen Ethik und d.h. dem neuen Gebot der Bruderliebe hergestellt werden. Das «alte» Gebot der Nächstenliebe wird im kanonischen Johannesevangelium vom «neuen» Gebot der Bruderliebe komplettiert und ergänzt, nicht aber abgelöst. Wenn schon das alttestamentli-

che Moralgesetz nach 1,17 eine göttliche Gabe, nach 3,19ff Kriterium des gegenwärtigen und nach 5,27ff Kriterium des zukünftigen Gerichts ist, dann kann auch nicht mehr behauptet werden, daß das Gebot der Nächstenliebe im Johannesevangelium keine Rolle mehr spielt. Im Gegenteil: Da das alttestamentliche Moralgesetz für die johanneische Theologie und Ethik relevant ist, ist es auch das Gebot der Nächstenliebe als Summe, Erfüllung und Konzentration desselben, auch wenn es nicht ausdrücklich thematisiert wird. In dieser Gegenüberstellung von altem und neuem Gebot wiederholt sich diejenige von 1,17: Mose-Jesus Christus und Gesetz-Gnade. Immer geht es um eine heilsgeschichtliche Komponente und Rückbeziehung, und zwar im Sinne der heilsgeschichtlichen Vervollständigung und Steigerung des alten durch das neue Gebot. Die johanneische Ethik beruht demnach auf zwei Säulen bzw. wird zweifach begründet, einmal durch das alttestamentliche Moralgesetz, summiert im «alten» Gebot der Nächstenliebe und zum anderen durch das Vermächtnis des scheidenden Erlösers mit seinem «neuen» Gebot der Bruderliebe.
Es ist also durchaus sachgemäß, wenn in der Auslegung des Liebesgebotes «neu» als eschatologisches Qualitätsprädikat aufgefaßt worden ist, wie die Formel vom «neuen Bund». Das neue Liebesgebot ist darum neu zu nennen als Zeichen der angebrochenen eschatologischen Heilszeit im Inkarnierten. In diesen heilsgeschichtlichen wie eschatologischen Bezug sind alle anderen Relationen hinsichtlich der Neuheit des Liebesgebotes ein- und unterzuordnen. Neu ist dann der christologische Bezug, wenn Jesus in 15,12 dieses neue, «mein Gebot» nennt, es durch seinen Dienst (12,12ff) bis zu seinem Opfertod (15,13) bestätigt und diese seine vorgelebte Liebe mit dem vergleichend-begründenden «gleich wie» (13,34 und 15,12) zum Maß wie Grund seiner Liebesforderung erhebt.
Ob mit dem heilsgeschichtlichen Bezug von «neu» zugleich ein temporaler Aspekt mitzuhören ist, bleibt zwar hinsichtlich des Johannesevangeliums unsicher, nicht aber für 1.Joh.2,7f und 2.Joh.5!
Schließlich ist religionsgeschichtlich-vergleichend das johanneische Liebesgebot neu zu nennen nicht nur im Blick auf das Alte Testament und Judentum, sondern auch hinsichtlich der heidnisch-religiösen Antike. Natürlich ist nicht zu leugnen, daß im Griechentum, Hellenismus und Rom Freundschaft (philia), Philanthropie und Humanität (humanitas!) geübt wurden, aber die Liebe war hier immer gesetzlich mißverstanden worden als die höchste Tugend, wodurch der Nächste zum Objekt eigener Tugend, Stolzes und Ruhmes degradiert und der Täter von den Göttern im Jenseits mit dem Kranz der Unsterblichkeit belohnt wird. Liebe ist in der heidnisch-religiösen Antike immer als Verdienst, niemals aber von sich selbst absehende Liebe und damit als Dienst gesehen und gewertet worden. Die Neuheit des johanneischen Liebesgebotes besteht also durchaus in der historischen Einmaligkeit wie in der Wertung der Liebe.
Liebe ist also im heute vorliegenden, kanonischen Johannesevangelium

immer ein ethischer und kein dualistischer Begriff mehr. Als Da-Sein für den anderen und Nächsten ist sie nicht nur etwas ganz Konkretes und Leibliches, sondern ist vor allem auch sichtbares Kriterium zwischen Jünger und Nichtjünger: «Daran werden alle Leute erkennen, daß ihr meine Jünger seid, wenn ihr untereinander Liebe habt» (13,35). Liebe ist gerade für die Endredaktion nicht nur Liebesgesinnung und Liebesaffekt, sondern eine konkrete Handlungsweise. Denn wer nicht dient im Sinne der Fußwaschung als einem sichtbaren Liebeserweis (Joh.13,13–17), also nicht die Brüder liebt (13,34; 15,12 und 17), der gehört nicht zur Jüngerschaft Jesu und ist kein Christ. Wenn aber – wie wir gesehen haben – das «alte» Gebot der Nächstenliebe weder eingeschränkt noch gar verabschiedet, vielmehr in gesteigerter Weise vervollständigt wird, dann kann man nicht mehr von einer johanneischen Konventikelethik und einer quasi gnostisch-esoterischen Abkapselung vom Kosmos sprechen. Allerdings wäre eine Auslegung verfehlt, die im Gebot der Bruderliebe auch noch den Nächsten überhaupt wiederfinden möchte. Das neue Gebot der gegenseitigen Liebe schließt keineswegs das alte Gebot der Nächstenliebe ein, und schon gar nicht ist das Liebesgebot für Johannes Summe und Konzentrat des alttestamentlichen Gesetzes. Vielmehr stellen altes und neues Liebesgebot eine Synthese im Sinne der heilsgeschichtlichen Steigerung und Vollendung dar. Deshalb ist es verfehlt, mit Blick auf das Gebot der Bruderliebe von Verengung, Reduktion oder Einseitigkeit zu sprechen, weil man hier den Bezug zum Nächsten vermißt und als Objekt der Liebe nur noch der Bruder erscheint. Die Bruderliebe schließt in der Tat die Nächstenliebe nicht ein, die letztere darf und soll auch gar nicht eingetragen werden, weil das Gebot der Nächstenliebe auf Grund von 1,17; 3,19ff und 5,27ff für die johanneische Kirche sowieso eschatologisch in Kraft bleibt.

Wenn also Johannes neben der Nächsten- mit allem Nachdruck von seiner Kirche die Bruderliebe fordert, so muß das dann allerdings seine Gründe haben. Der konkrete Anlaß für das neue Gebot der Bruderliebe unter Beibehaltung des alten Gebotes der Nächstenliebe kann indirekt ganz sicher erst mit der besonderen Situation der Abschiedsreden zusammenhängen: Das neue Gebot der Bruderliebe ist ja das testamentarische Vermächtnis des zum Kreuz gehenden Gottessohnes. Wie er seine Jünger bis zum Ende geliebt hat, so sollen auch sie Liebe und Einigkeit untereinander üben.

Der direkte Anlaß für die Einfügung des neuen Gebotes der gegenseitigen Liebe gerade an dieser Stelle des Evangelienbuches dürfte allerdings ein ganz anderer sein. Zwar sind Joh.13,34f und 15,12 und 17 die einzigen Stellen, an der vom neuen Gebot der gegenseitigen Liebe die Rede ist; auch wenn 15,12 von «meinem Gebot» und 15,17 allgemein «deshalb gebiete ich euch» sprechen. Aber in 1.Joh.2,7f und 2.Joh.5 wird die Bruderliebe ausdrücklich thematisiert und auch 1.Joh.3,11 und 23 sprechen

von der gegenseitigen Liebe bzw. Bruderliebe. Da das vorliegende, auf die kirchliche Redaktion zurückgehende Johannesevangelium in direktem theologiegeschichtlichem Zusammenhang mit den drei Johannesbriefen steht, hier wie dort aber die antinomistische wie antignostische Polemik vorherrscht, kann die Einfügung des Liebesgebotes wie die Abschiedsreden als Vermächtnis des inkarnierten Erlösers nur aktuelle Bedeutung haben. Mit dieser grundlegenden Mahnung zur gegenseitigen Liebe wird gegen die christlich-gnostischen Irrlehrer in den eigenen Reihen polemisiert. Die Bruderliebe wird im Johannesevangelium wie in den Johannesbriefen zum Kriterium gegenüber den Häretikern, denen das Christsein aufgrund mangelnder Bruderliebe hiermit abgesprochen wird.
Die Einfügung des Liebesgebotes in 13,34f und ihre Wiederholung in 15,12 und 17 durch die kirchliche Redaktion ist also aus akutem Anlaß geschehen und beweist wiederum, daß das kanonische Johannesevangelium nur als Spiegel der bewegten Geschichte der johanneischen Kirche recht verstanden und gelesen werden kann.
Gerade weil die johanneische Kirche in einer ihre Existenz bedrohenden Auseinandersetzung mit den christlich-gnostischen Irrlehrern steht, wird die Nächstenliebe gezielt durch die Bruderliebe nicht etwa ersetzt, sondern ergänzt. Diese akute Krisensituation in den eigenen Reihen hat also zur Ergänzung des alten Gebotes der Nächstenliebe durch das neue Gebot der Bruderliebe geführt. Sowohl das alttestamentliche Moralgesetz des Mose mit seinem Gebot der Nächstenliebe als auch das neutestamentliche Vermächtnis Jesu mit seinem neuen Gebot der Bruderliebe werden von Johannes als Kriterium und Waffe gegen den Antinomismus aufgeboten.
Vorbereitet wird das neue Gebot der Bruderliebe allerdings durch die Fußwaschung Jesu, die die eigentliche Abschiedshandlung des Gesandten an den elf Schülern darstellt (Joh.13,1–17). Von besonderem Gewicht für die ethische Relevanz dieser Fußwaschungsszene sind die beiden Deutungen in 13,6–11 und 13,12–17. Während die erste Deutung die Fußwaschung als den heilsentscheidenden Dienst Jesu darstellt, den er den Jüngern erwiesen hat, verkündigt die zweite Deutung das Tun Jesu als Vorbild und Beispiel des Dienens für die Jünger. Im vorliegenden Johannesevangelium schließen sich aber beide Deutungen – die soteriologische und die ethische – gerade nicht aus, ja konkurrieren nicht einmal miteinander, sondern stellen eine bewußte Einheit dar. Für den Endredaktor ist die Fußwaschung das Zeichen für die bis zuletzt und zum äußersten erwiesene Liebe des Fleischgewordenen zu den Seinen (13,1), das nach 13,7 ausdrücklich auf die Kreuzigung und die leibliche Auferstehung von den Toten verweist, wo sich seine Sendung als das Heil für die Seinen vollendet.
Gerade der menschgewordene Gottessohn, dem das All zu Füßen liegt, legt das Sklavengewand (= das Leinentuch) an und verrichtet den Dienst, der in der Antike allgemein als erniedrigender und schmutziger Sklaven-

dienst galt und in Israel sogar nur den heidnischen Sklaven zugemutet wurde. Die Ablehnung der Fußwaschung, repräsentiert durch Petrus (13,8f), würde gleichbedeutend sein mit der Ablehnung des Dienstes Jesu überhaupt. Denn sein gesamtes Erdenwirken zwischen Menschwerdung und Kreuzigung wie Totenauferstehung ist ja nichts anderes als ein gehorsamer Liebesdienst des Scheidenden an den Seinen. Nur wer von den Jüngern sich diesen Sklavendienst gefallen läßt, der eindrucksvoll durch den Liebeserweis der Fußwaschung verdeutlicht wird, hat Anteil am Heilshandeln Jesu (13,8), und wird in dessen himmlische Herrlichkeitswelt einkehren. Aber diese erste, christologisch-soteriologische Deutung als Zeichen für das Heilshandeln Jesu an den Seinen wird nun wie immer im vorliegenden Johannesevangelium ergänzt und vervollständigt durch die zweite, die ethische Deutung, mit der die Jünger ausdrücklich zum gegenseitigen Dienst verpflichtet und d. h. zur Bruderliebe ermahnt werden. Das Heilshandeln Jesu in Inkarnation und Kreuzigung als seine letzte Hingabe für die Seinen, symbolisiert in der Fußwaschung, ist die aller menschlichen Leistung vorausgehende Gabe des johanneischen Christus, die allerdings nun den gegenseitigen Liebesdienst der Jünger nicht nur motiviert, sondern zugleich ermöglicht. Die Ethik wird damit für das johanneische Christentum zum zweiten konstitutiven Teil der Erlösung. Bestätigt wird diese Auslegung vor allem auch durch die längst gesicherte Erkenntnis, daß diese zweite Deutung der Fußwaschung (13,12–17) geschickt durch die sogenannte kirchliche Redaktion hinzugefügt worden ist. Denn durch die ein- und überleitende Frage: «Versteht ihr, was ich euch getan habe?» (13,12b) wird die Gemeinde bewußt angesprochen und ermahnt, die Bedeutung der Fußwaschungsszene noch einmal, aber jetzt im Sinne der folgenden Verse 13–17 zu bedenken. Für den Endredaktor ist die Fußwaschung nicht nur heilsnotwendige Gabe des Erlösers, sondern vorbildliches Beispiel demütigen Dienstes an den Brüdern, das der Kirche aller Zeiten zur ethischen Nachahmung anempfohlen wird.
Obgleich Jesus «der Lehrer» und «der Herr» ist, hat gerade er ihnen diesen niedrigen Sklavendienst erwiesen. «Lehrer» und «Herr» sind freilich nicht im Sinn der semitischen Höflichkeitsanrede zu verstehen, sondern bezeichnen hier wie im urchristlichen Sprachgebrauch den göttlichen Lehrer und Herrn. Weil sogar der menschgewordene Gottessohn als der allein wahre Herr und Lehrer den Seinen diesen entehrenden und demütigenden Dienst getan hat, sind alle Gemeindeglieder verpflichtet zu einem solchen Dienst aneinander. Symptomatisch ist, daß das griechische Wort für «verpflichtet-sein» in dieser ethischen Bedeutung außer in Joh. 13,14 nur noch im 1. und 3. Joh. auftaucht (1. Joh. 2,6; 3,16; 4,10; 3. Joh. 8), und was wiederum auf sehr enge Verwandtschaft von vorliegendem Johannesevangelium und Johannesbriefen hinweist. Weil der Herr selbst sich zu einem solchen Sklavendienst um der Seinen willen erniedrigt hat, wird nun in Vers 15 von der Redaktion die Konsequenz gezogen: «Denn ich

habe euch ein Beispiel gegeben: Wie ich euch getan habe, so sollt auch ihr tun». Ausdrücklich wird vom Redaktor die Fußwaschung als Beispiel gegenseitigen Dienens in der Gemeinde herausgestellt. Sie ist Grund und Maßstab der gebotenen Bruderliebe und soll von allen Jüngern nachgeahmt werden. Vers 16 erinnert an Worte der synoptischen Evangelien (vgl. Mt.10,24; Lk.6,40): Weil der Sklave nicht größer ist als sein Herr, noch der Apostel größer als sein Absender, müssen die Christen einander dienen und nicht so tun, als ob sie selber Herr und Meister wären. Aber diese Bruderliebe im konkreten Vollzug des gegenseitigen Dienens ist nicht nur ein äußeres Erkennungszeichen der christlichen Gemeinde für die heidnische Umwelt, sondern – wie die konditionale Heilszusage unmißverständlich zeigt – heilsnotwendige Voraussetzung für den Empfang des ewigen Lebens: «Wenn ihr solches wißt, selig seid ihr, wenn ihr es tut»! Der Seligpreisung geht eindeutig die Bedingung voraus, diesen gegenseitigen Dienst auch zu leisten. Die Ethik und nicht nur die gläubige Annahme des Wortes des Offenbarers allein wird damit im vorliegenden Johannesevangelium zur heilsnotwendigen Voraussetzung des Endheils. Das im Glauben empfangene Heil – so die erste Deutung – muß für den Redaktor in der Zukunft im ethischen Wandel der Bruderliebe durch gegenseitigen Dienst bis zum leiblichen Tod bewährt werden – so die zweite Deutung –, denn das Gericht über die Werke steht noch aus (Joh.5,27–29). Nicht zu vergessen ist schließlich die pointierte Antithese von Wissen und Tun, von Erkennen und Handeln, die wiederum bezeichnenderweise vom 1.Joh. wiederholt wird (vgl. 1.Joh.2,3ff.29; 3,4ff) und antignostisch motiviert sein dürfte.

Auf jeden Fall ist die Fußwaschungsszene im gegenwärtigen Johannesevangelium ein eindrückliches Beispiel für die johanneische Ethik als Nachahmung (imitatio) bzw. Vorbildhaftigkeit (exemplum) der Ethik: Das neue Gebot der gegenseitigen Liebe ist Aufforderung an die johanneische Kirche, einander nach dem Vorbild ihres Meisters zu dienen. Die Kirche ist also antignostisch der Ort des praktischen Vollzugs und der Bewährung von Glaube, Gebet und Liebe, nicht aber der einseitigen Bevorzugung der Erkenntnis.

Von größter Bedeutung für die Ethik der johanneischen Endredaktion ist nun aber weiter die Einschärfung des Haltens der Gebote Jesu (14,15.21; 15,21). Geradezu unvermittelt spricht Jesus von der Liebe der Jünger zum weggehenden Offenbarer, die sich allerdings darin zeigen wird, daß er dessen Gebote hält. Was ist auf der Ebene der johanneischen Endredaktion mit dem «Gebote-Halten» gemeint? Meistens wird darauf hingewiesen, daß das Halten der Gebote von Vers 15 in Vers 23f mit dem Halten des Worts wieder aufgenommen wird und nichts anderes meine als die Glaubensforderungen des Gesandten. Aber damit dürfte exakt das Verständnis der vorredaktionellen Tradition, nicht aber das der johanneischen Endredaktion wiedergegeben worden sein. Gerade diese Ineinssetzung von Gebots- und Glaubensforderung wird ja von der Redaktion bewußt korrigiert. «Meine Gebote halten» meint sachlich gerade nicht dasselbe wie «mein Wort halten», sondern ist pointiert ethisch-pragmatisch zu verstehen. Die Gebote Jesu umgreifen im Sinne der johanneischen Endredaktion sowohl die alten Gebote des mosaischen Moralgesetzes (1,17; 3,19ff und 5,27–29) als auch das neue Gebot der Bruderliebe (13,34f; 15,12.17). Schließlich wäre es auch unsachgemäß, diesen der jüdisch-urchristlichen Paränese entstammenden terminus technicus – die Gebote halten im Sinne von treu bewahren und beachten – auf das Gebot der Bruderliebe einschränken zu wollen. Gegen letztere Auslegung spricht schon der dezidierte und in 14,21 wie 15,10 wiederholte Plural «Gebote». Dieser Plural «Gebote» meint also im Kontext der johanneischen Endredaktion nicht jüdisch die Vielheit von Gebotsbestimmungen, sondern «nur» die zehn Gebote des mosaischen Moralgesetzes und das Gebot der gegenseitigen Liebe. Die Liebe zu Jesu äußert sich also im Halten seiner ethischen Weisungen. D.h. aber: Wie das «Gebote-Halten» nicht mit der Glaubensforderung identifiziert werden darf, also wirklich ethische Bedeutung behält, so umschreibt Lieben hier nicht die Wesensgemeinschaft des Jüngers mit den Himmlischen, sondern ist eindeutig ein ethischer Begriff mit der Bedeutung Liebesgesinnung bzw. Liebesaffekt. Die Liebe zu Jesus äußert sich dementsprechend konkret in Nächsten- und Bruderliebe. Diesem Gebotehalten, nicht einer eingelesenen Glaubensentscheidung, gilt die große Verheißung: der himmlische Vater wird dieser, den ethischen Geboten gehorsamen Gemeinde den Geist-Parakleten geben (14,16). Die unerläßliche Voraussetzung bzw. Bedingung für den Empfang des Geistes ist also nach Joh.14,15f, daß die Jünger an den ethischen Weisungen Jesu festhalten. Mit anderen Worten: Erst die Ethik führt für die johanneische Endredaktion zum Empfang des Geistparakleten und damit zur Erlösung, nicht mehr die Glaubensentscheidung allein. Glaube und ethisches Handeln führen für das vorliegende Johannesevangelium zum ewigen Leben.

Das gleiche Thema wird nun zwar in Vers 21 aufgenommen, aber in umgekehrter Reihenfolge variiert: Äußerte sich in Vers 15 die Liebe im Halten der ethischen Gebote des Inkarnierten, so heißt es jetzt umgekehrt: «Wer meine Gebote hat und sie befolgt, der ist es, der mich liebt» (Vers 21). Wie das «Haben der Gebote» eine traditionell jüdisch-pharisäische Redeweise ist, so ist auch das «Halten der Gebote» in der ethischen Paränese zu Hause. Jesus lieben und seine Gebote halten hat für die johanneische Endredaktion ein und dieselbe Bedeutung, denn die Liebe ist für sie Summe und Erfüllung des mosaischen Moralgesetzes. Auch hier darf das Halten seiner Gebote nicht so verstanden werden, daß sich im Glauben des Jüngers seine Liebe zum Offenbarer erfüllt. Denn in Vers 15 und 21 geht es für die johanneische Endredaktion um konkreten Gehorsam gegenüber den ethischen Weisungen Jesu. Dieses Haben wie Halten der Gebote Jesu ist nun aber zugleich unerläßliche Bedingung dafür, daß sich Jesus der Gemeinde offenbart (Vers 21b). Der ursprünglich an den Ostererfahrungen haftende Begriff des «sich Offenbarens» (so ähnlich Ag.10,40) ist von der Endredaktion souverän in eine neue theologische Aussagedimension gestellt worden. «Sich offenbaren» meint nun das eschatologische Kommen des wiederkehrenden Jesus als Kommen des Geistparakleten und bringt damit die geistliche Erfahrung des jeweils gegenwärtigen Christseins zur Sprache.

Neben dieser Mahnung zum Gebotehalten in Vers 15 und 21 steht im vorliegenden Johannesevangelium die Forderung zum Halten seines Wortes (Vers 23f), womit typisch johanneisch die Glaubensforderung umschrieben ist (z.B. 8,51f). Nach Vers 23f heißt Jesus lieben sein Wort bewahren, also seinem Offenbareranspruch glauben. Diesem Glauben wird wiederum als letzte Verheißung das Kommen des Vaters und seines Sohnes verheißen, die bei den Jüngern eine Wohnung aufschlagen wie seinerzeit Jahwe in einem Zelt bei seinem Volk wohnte (2.Mose 25,8; 29,45; Ez.37,26f u.ö.). Dieses Kommen hat hier also keinc andere Bedeutung als in den Versen 18 und 21; der Glaube ist nichts anderes als die Einwohnung von Vater und Sohn.

Für die johanneische Endredaktion und d.h. das vorliegende, kanonische Johannesevangelium dagegen besteht kein Gegensatz zwischen der Forderung, sein Wort zu halten (Vers 23f) einerseits und der Forderung, seine Gebote zu bewahren andererseits (Vers 15 und 21). Die Glaubensentscheidung des Jüngers schließt die lebenslange, ethische Bewährung ein, so daß in der Tat die Ethik zum zweiten konstitutiven Teil der Erlösung wird. Glaube und ethisches Handeln zusammen erst führen zur Auferstehung des Lebens (5,27), nicht aber nur der Glaube allein.

Dasselbe ethische Thema wird schließlich noch einmal in 15,9f variiert, auch wenn die Grundforderung dieselbe ist: Die Liebe des Vaters zum Sohne wie die Liebe des Sohnes zu den Seinen ist der Grund für die Aufforderung an die Jünger, nun ihrerseits in seiner Liebe zu bleiben. Dieses Bleiben geschieht wiederum konkret im Halten der Gebote Jesu. Das Bewahren seiner Gebote ist die Bedingung für das Bleiben in der Liebe Jesu und dafür, daß die Freude als das Sein im Heil vollkommen ist. (Vers 11).

Es trifft also durchaus die Absicht der johanneischen Endredaktion, wenn in der Auslegungsgeschichte der gerade behandelten Stelle Joh.14,15 und 21; 15,10 mit Nachdruck darauf hingewiesen wird, daß diese betont wiederholte Forderung des Gebotehaltens antignostisch fundiert wie ausgerichtet ist. Die Wesensgemeinschaft der Jünger mit den Himmlischen führt nicht zur Abkehr von der Nächsten- und Bruderliebe, also der Ethik überhaupt. Vielmehr ist der ethische Lebenswandel der Seinen, ausgerichtet am alten Gebot der Nächstenliebe wie dem neuen Gebot der Bruderliebe, notwendige Bedingung für den Empfang des Endheils. Nur

wenn der Jünger sich in seinem sittlichen Handeln lebenslang bewährt, bleibt er in der Liebe Jesu als seinem tragenden Grund.
Das wird noch einmal abschließend aufs eindrücklichste bestätigt durch die große allegorische Bildrede von Jesus als dem wahrhaftigen Weinstock und seinen Jüngern als den Reben (15,1–17). Für die johanneische Endredaktion vollzieht sich die Erlösung in zwei Stufen bzw. Etappen: Einmal wird in Joh.15 die Heilspräsenz Christi bzw. der Heilsindikativ als Gabe des Mensch gewordenen Gottessohnes ohne Abstriche festgehalten. Jesus allein ist der wahrhaftige Weinstock, und sein himmlischer Vater der Weingärtner, der allein das Wachstum fruchtbringender Reben kontrolliert (Vers 1). In Vers 5 wird diese Heilsgegenwart Christi im exklusiven «Ich bin ...» wiederholt, zugleich aber den Jüngern ihr Sein als Reben an diesem heilbringenden Weinstock zugesprochen. «Von sich aus» kann die Rebe keine Frucht bringen (Vers 4), nur in der Verbundenheit mit Christus als dem Leben spendenden Weinstock ist so etwas möglich. Nur weil Jesus die Seinen geliebt hat, vermögen auch sie in seiner Liebe zu bleiben (Vers 9); und diese Liebe wurde am Kreuzestode offenbar. Hier ist Jesus zur Sühne für die Sünden seiner Freunde gestorben (Vers 9) und hat ihnen das Heil gebracht. Dieser Heilsindikativ wird in Joh.15,16 in dem Satz zusammengefaßt: «Nicht ihr habt mich erwählt, sondern ich habe euch erwählt». Alles, was die Gemeinde ist und tut, verdankt sie ihrer göttlichen Erwählung in Christus.
Seine Heilsgegenwart wie seine Heilsgaben werden nirgends – weder in der vorliegenden Bildrede vom Weinstock noch überhaupt im vorliegenden, kanonischen Johannesevangelium – minimalisiert oder gar in Abrede gestellt. Die göttliche Erwählung des einzelnen, die sich in der Annahme des Offenbarerwortes Christi durch den Glauben ereignet, schließt sofort die Erlösung in sich. Mit Joh.15 gesprochen: Der Glaubende ist eine Rebe am Leben spendenden Weinstock Christi geworden. Aber das ist trotzdem nur der erste konstitutive Teil der Erlösung. Diese im Glauben empfangene Erlösung muß in der Zukunft lebenslang bewährt werden. Deshalb ist die Bildrede 15,1–17 paränetisch an die Jünger gerichtet. Die Gemeinde steht offenbar in der akuten Gefahr, durch ihr Verhalten aus diesem Heilszuspruch ihres Meisters herauszufallen. Deshalb dominieren in dieser paränetischen Weinstockrede die beiden Forderungen: In Jesus als dem Weinstock zu bleiben («bleiben» begegnet hier allein zwölfmal!) und als Rebe Frucht zu bringen (der Ausdruck wird siebenmal verwendet!). Daß hier nicht mehr die sonst übliche Dialektik von Heilsindikativ und -imperativ vorliegt, daß also dem Heilszuspruch als Gabe Christi die unerläßliche notwendige Forderung an die Gemeinde nach einem entsprechenden Lebenswandel zur Seite tritt, beweist schon allein die Tatsache der ungemein häufigen Bedingungssätze und Imperative in dieser Weinstockrede. In Vers 4 heißt es: «Wie die Rebe von sich aus keine Frucht bringen kann, wenn sie nicht am Weinstock bleibt, so auch ihr nicht, wenn

ihr nicht in mir bleibt». In Vers 5 steht ein konditionaler Partizipialsatz: «Wer in mir bleibt und ich in ihm, der bringt reiche Frucht». Ähnlich Vers 6: «Wenn jemand nicht in mir bleibt, der wird hinausgeworfen ...». Vers 7: «Wenn ihr in mir bleibt und meine Worte in euch bleiben, so bittet, was ihr wollt, und es wird euch zuteil werden». In Vers 8 heißt es: «Dadurch wird mein Vater verherrlicht, damit ihr viel Frucht bringt und so meine Jünger werdet». Vers 9: «Bleibt in meiner Liebe.» Vers 10: «Wenn ihr meine Gebote haltet, werdet ihr in meiner Liebe bleiben». Nach Vers 11f ist die Freude der Gemeinde dann vollendet, wenn sie die Gebote Jesu hält. In Vers 14 heißt es: «Ihr seid meine Freunde, wenn ihr tut, was ich euch gebiete». Und schließlich Vers 16: ... «Und ich habe euch dazu bestimmt, damit ihr hingeht und Frucht bringt und eure Frucht bleibt ...». Alle diese zehn Belegstellen lehren, daß von dem Heilsindikativ: «Ich bin der Weinstock, ihr seid die Reben» (Vers 1 und 5) nicht nur der Imperativ an die Gemeinde abgeleitet wird, nun auch in Jesus dem Weinstock zu bleiben und Frucht zu bringen, sondern der Imperativ gleichgewichtig neben dem Indikativ steht, so daß faktisch der Indikativ in den Imperativ integriert wird und nicht umgekehrt. Der Indikativ wird nicht mehr dem Imperativ vorgeordnet, sondern ihm gleichgeordnet. Der Heilsindikativ wird ergänzt durch die Ethik.

Keineswegs werden die Heilspräsenz Christi oder die göttliche Erwählung verabschiedet. Aber neben der Erwählung wird nun der ethische Wandel der Gemeinde zur notwendigen, weil zusätzlichen Bedingung für das Bleiben im Heil. Weil die Endredaktion in Sorge ist, daß einzelne Reben nicht am Weinstock bleiben und keine Frucht mehr bringen, wird ihnen in Vers 6 das Feuer des apokalpytischen Endgerichts angedroht. Keineswegs kann behauptet werden – wie manchmal in der johanneischen Auslegungsgeschichte geschehen –, daß im vorliegenden Johannesevangelium die Paränese bzw. Ethik an die Stelle der Soteriologie oder Christologie getreten sei. Zwischen der Heilsgegenwart Christi, dem Heilsindikativ als Gabe, und der Ethik des Bleibens und Fruchtbringens, dem Heilsimperativ als Forderung, besteht niemals eine Antithese, sondern eine Synthese: Die göttliche Erwählung des Jüngers als Gabe muß von den Erwählten durch ihren ethischen Lebenswandel in dem sie hassenden Kosmos bewährt werden. Göttliche Erwählung und sittlicher Wandel sind nach der johanneischen Endredaktion die notwendigen Bedingungen für das Heil, beide konstituieren gemeinsam den endzeitlichen Heilsempfang, so daß die Ethik zum zweiten konstitutiven Teil der Erlösung wird.

Schließlich signalisiert das Insistieren auf dem Bleiben, dem Fruchtbringen und Gebotehalten, daß das Johannesevangelium von der Sorge gezeichnet ist, göttliche Erwählung und Verpflichtung zur Nächsten- wie Bruderliebe würden voneinander getrennt. Der konkrete Anlaß dürfte wiederum in der gnostischen Leugnung des alten Gebotes der Nächstenliebe und des neuen Gebotes der Bruderliebe liegen. Wie in den Johannesbriefen kämpft auch die johanneische Endredaktion gegen die gnostische Ablehnung des alttestamentlichen Moralgesetzes und der Ethik der Bruderliebe.

3. Das Zurücktreten der sozialethischen Thematik

a) Für die Darlegung der sozialethischen Problematik im vorliegenden Johannesevangelium ist sein Verständnis der Welt von entscheidender Bedeutung. Der im Johannesevangelium sehr häufig vorkommende Begriff «Welt» (Kosmos) wird in unterschiedlicher Weise gebraucht und vereinigt in sich zwei gegensätzliche Bedeutungsebenen: Einmal ist die Welt göttliche Schöpfung und zum andern wird sie als Finsternis verstanden.
Ad 1. Die erste Bedeutung, nach der die Welt gemäß alttestamentlich-jüdischer Tradition als göttliche Schöpfung verkündigt wird, findet sich pointiert in 1,3 und 10, aber in diesem positiven Sinne auch in 6,14; 13,1 und 17,5, während in 1,29; 3,17; 7,4; 12,19; 17,6 und 18 die Welt mit Menschenwelt gleichgesetzt wird.
Ad 2. Abwertend wird in 8,23; 9,39; 12,31; 16,12 und 18,36 von «dieser Welt» gesprochen, die im Wesenszusammenhang mit Finsternis (1,5; 8,12; 12,35; 3,20), Lüge (8,44 und 55; 3,20f), Sünde (8,34; 16,8) und Haß (15,18ff) steht. Sie wird vom Satan beherrscht (12,37), ist identisch mit dem Fleisch (3,6) und steht im Schatten von Gericht (5,24f) und Tod (5,24; 6,39; 10,9f). Sie ist kein Ort der Offenbarung, sondern derjenigen, die Böses und d.h. nicht den Willen Gottes tun (3,21).
Beide so unterschiedlichen Bedeutungen im Begriff «Welt» schließen sich nun aber für die Endredaktion keineswegs aus, da gerade die Welt als Finsternis, Lüge, Fleisch, Haß und Sünde gegen die Gnosis dennoch göttliche Schöpfung bleibt. Möglich und vereinbar ist beides geworden durch die Fleischwerdung des präexistenten Logos Jesus Christus. Während der eine Teil des Kosmos den im Fleisch erschienenen Offenbarer im Glauben annimmt, lehnt der andere Teil der Menschenwelt dieses Licht ab (1,5.10.11) und wird damit zur Finsternis.
Die Gemeinde dagegen ist aus Gott (1,13) bzw. aus dem Geist geboren (3,6) und stammt «von oben» (3,3), wandelt im Licht (8,12), tut die Wahrheit (3,20 und 8,34) und hat das ewige Leben (5,24). Sie ist darum die Schar der Gotteskinder und Söhne des Lichts (12,36), die Reben am Leben spendenden Weinstock (15,1ff), die Schafe unter der Obhut des Hirten (10,1ff), die Seinen (13,1), Schüler (4,1; 6,66; 7,3 u.ö.) und Freunde (15,13ff;17,17 und 19) und die vom Logos-Christus Erwählten (6,70). Der an der Brust Jesu liegende Lieblingsjünger (13,23–26; 18,15f; 20,2ff und 21,21ff) wird damit zu Recht zum Symbol für die innige Verbindung zwischen Jesus und seiner Kirche.

Dem entspricht nun folgerichtig der schroffe, aber innerweltliche Gegensatz von Gemeinde und Welt. Auf die himmlische Einheit zwischen Vater und Sohn, abgebildet in der Einheit der Jünger untereinander, die in der Liebe und im Dienst füreinander besteht, kann die Welt nur mit Haß und Verfolgung antworten (15,18–16,4). Die Welt hat Jesus zuerst gehaßt. Weil der Ursprung der Jünger genauso wenig wie der des Erlösers in der Welt liegt, darum trifft sie der Haß. Die Welt liebt das ihr Wesensgemäße und Verwandte. Die Erwählung der Gemeinde durch Jesus aber hat sie in Distanz zur Welt gestellt, und darum haßt sie die Welt. Den Sklaven erwartet kein anderes Schicksal als seinen Herrn. Die Welt der Finsternis und Lüge wird die Jünger genauso verfolgen, wie sie es schon mit dem Mensch gewordenen Logos getan hat (15,20f).

Auch das hohepriesterliche Gebet des scheidenden Erlösers, der seine Jünger nun in der feindlichen und haßerfüllten Welt zurücklassen muß, betont mehrfach, daß die Jünger deshalb von der Welt gehaßt werden, «weil sie nicht aus der Welt sind» (17,14). Aber der inkarnierte Logos als Schöpfungsmittler bittet seinen himmlischen Vater nicht darum, daß er «sie aus der Welt» nimmt, sondern daß er sie vor dem Bösen bewahrt (17,15). Die Jünger sind zwar «in der Welt» (17,12), aber «nicht aus der Welt» (17,14 und 16).

In all' diesen Versen wird das Weltverhältnis der johanneischen Kirche in prägnanter Weise ausformuliert: Die Kirche lebt in der Welt, aber alle Weltverfallenheit ist ihr verwehrt, denn ihr Ursprung liegt nicht in der Welt, sondern bei Gott in der oberen Sphäre. Deshalb wird die Weltdistanz zum bleibenden Kriterium der Ethik der johanneischen Endredaktion. Von der Fürbitte des Christus wird darum in 17,9 die Welt ausdrücklich ausgeschlossen. Auf der andern Seite führt diese Weltdistanz der johanneischen Kirche keineswegs zur Weltflucht bzw. zum Rückzug aus allen gesellschaftlichen Bindungen. Die Gemeinde wird von Gott nicht aus der Welt herausgenommen (17,15). Ihr Ort ist gerade nicht der Konventikel in völliger Isolierung von der Welt. Auf gar keinen Fall soll die johanneische Kirche aus der feindlichen und haßerfüllten Welt in ein Ghetto der Innerlichkeit zurückziehen und so sich völlig von der Welt abschließen, um sie so rein passiv ertragen und gewähren zu lassen. Denn das Ziel der göttlichen Heilsgeschichte wie Heilsveranstaltung ist nicht die Rettung der Kirche (vgl. Eph.5,23), sondern gerade nach dem vorliegenden Johannesevangelium die Rettung der Welt. Denn Gottes Liebe zur Welt offenbarte sich in der Sendung und Fleischwerdung seines eigenen Sohnes (3,16), und der menschgewordene Gottessohn wird ausdrücklich von den Menschen als «Retter der Welt» akklamiert (4,42). Er selbst sagt von sich: «Denn ich bin nicht gekommen, damit ich die Welt richte, sondern damit ich die Welt rette» (12,47). Auch wenn die schroffe Antithese von Kirche und Welt nicht abgeschwächt werden darf, so zielt doch die Liebe Gottes zur Welt auf ihre Rettung, nicht aber auf ihre Vernichtung. Darum ist die eigentliche Aufgabe der Kirche an der Welt die Mission: Ausdrücklich werden die Jünger vom scheidenden Hohepriester Jesus nicht aus der Welt herausgenommen, sondern vielmehr umgekehrt in die Welt hinein geschickt. Gerade der Gottgesandte und Fleischgewordene sendet seinerseits die Seinen in die Welt hinein: «Wie du mich in die Welt gesandt hast, so habe auch ich sie in die Welt gesandt» (17,18). Ähnlich heißt es in 20,21: «Wie mich der Vater gesandt hat, so sende ich auch euch» (vgl. auch 17,20: «die durch ihr Wort an mich glauben»). Schließlich wird in 20,22 den Jüngern vom Auferstandenen durch Anhauchen der heilige Geist vermittelt und mit dem Besitz des heiligen Geistes ist die Vollmacht der Vergebung (bzw. Nicht-vergebung) der Sünden verbunden. Zweifellos ist mit «Sünden» hier gut alttestamentlich der Ungehorsam gegen den Willen Gottes, niedergelegt im alttestamentlichen Moralgesetz, gemeint. In der Wortverkündigung der Jünger, der Gesandten ihres Herrn, vollzieht sich im Vergeben und Nicht-vergeben der Sünden Heil und Gericht dieser Welt, weil sich darin die Werke des Gesandten Jesu weiter ereignen (14,12).

Daß die Welt als Finsternis dennoch Gottes Schöpfung bleibt, beweisen vor allem die beiden Bitten in 17,21: «... damit sie alle eins sind wie du, Vater, in mir und ich in dir, daß auch sie in uns eins sind, damit die Welt glaube, daß du mich gesandt hast» und 17,23: «... damit sie zur vollendeten Einheit kommen, damit die Welt erkennt, daß du mich gesandt und sie geliebt hast...». Ziel der Mission der Kirche in der Welt ist also eindeutig die Heimholung der Welt als Schöpfung zu ihrem Schöpfer- und Erlösergott, worin sie zur glaubenden Erkenntnis Jesu Christi als des Gottgesandten und Menschgewordenen kommt. Unüberhörbar wird damit das Ja der johanneischen Kirche zur Welt zum Ausdruck gebracht. Die Endredaktion kennt weder eine Trennung und Isolierung noch gar eine Absage an die Welt. Sie schließt sich nicht ghettohaft von der Welt ab, sondern missioniert sie vielmehr mit dem Ziel ihrer Rettung. Dieser positive Weltbezug der johanneischen Kirche wird schließlich untermauert durch die Anerkennung und Praktizierung des mosaischen Moralgesetzes (1,17; 3,20ff; 5,27ff; 20,23). Die damit gesetzte und gültige Nächstenliebe ist Kriterium des Weltgerichts und begründet die Missionsaufgabe, bis das Heilswerk Christi, nämlich die Heimholung der Welt als Schöpfung zu ihrem Schöpfer vollendet ist.

b) Um so mehr überrascht angesichts dieses Ja der johanneischen Gemeinde zur Welt die Tatsache, daß die Sozialbezüge kaum thematisiert werden. So fehlen im vorliegenden Johannesevangelium nicht nur gänzlich die sonst aus dem Neuen Testament bekannten Tugend- und Lasterkataloge, sondern auch die Haus- oder Pflichttafeln, die nach einem festen Schema die verschiedenen Stände mit ihren Pflichten von Männern und Frauen, Kindern, Sklaven und Sklavenhaltern im Hause, in der Gesellschaft und gegenüber der politischen Gewalt festlegen. Von den weltlichen Sozialordnungen ist also nicht die Rede, wie überhaupt eine bürgerlich-christliche Ethik gänzlich fehlt. Von dem reichhaltigen, ethischen Material mit den eingehenden und vielfältigen Mahnungen für die verschiedenen Gruppen in der Gemeinde oder die unterschiedliche Gemeindesituation ist im vorliegenden Johannesevangelium so gut wie nichts mehr übrig geblieben.

Daß man aber nicht ohne weiteres von einer völligen Ausblendung der Sozialbezüge sprechen kann, zeigen wenigstens einige wenige Belege, in denen gängige urchristlich-sozialethische Themata, wenn auch nur indirekt und ohne thematische Behandlung, zur Sprache gebracht werden.

So wird die samaritanische Frau, nachdem sie zur christlichen Gemeinde gehört (4,19 und 29), zur Verkünderin des Evangeliums (4,39ff). Steht sie aber im Dienst der öffentlichen Evangeliumspredigt, dann wird damit geradezu unbefangen die theologische Gleichberechtigung der Geschlechter vor Gott und in der Gemeinde demonstriert. Exklusive Bedeutung hat auch die Erscheinung des Auferstandenen vor Maria Magdalena (20,14–18), die als einzige Frau im Johannesevangelium den Auftrag bekommt, die Osterbotschaft an die Jünger auszurichten (20,17). Zwar wird dieses einzige Frauenzeugnis für die Auferstehung Jesu dann durch die Erscheinung des Auferstandenen vor allen Jüngern (20,19–23) und speziell vor Thomas (20,24–29) gehörig relativiert, aber es wird doch auch nun andererseits von dem vorliegenden, kanonischen Johannesevangelium nicht verbannt.

Das zweite Beispiel johanneischer Sozialethik findet sich in der Passionsgeschichte, im Prozeß Jesu vor dem römischen Statthalter Pilatus (18,33ff). Auf der Ebene der johanneischen Endredaktion findet ein Gespräch über das Verhältnis von Staat und Kirche statt. Jesu Reich ist «nicht von dieser Welt» (18,36) und sein Königtum ist nicht irdisch-politisch mißzuverstehen (18,37). Vor allem 19,11 gehört in die politische Ethik des vorliegenden Johannesevangelium: Die staatliche Macht, die Jesus in der Gestalt des römischen Prokurators Pilatus entgegentritt wird von ihm nicht nur anerkannt, sondern ausdrücklich in Analogie zu Röm.13,1–7 im Gotteswillen begründet: «Du hättest keine Macht über mich, wenn es dir nicht von oben (= Gott) gegeben wäre» (19,11). Auch wenn aus diesem Sachverhalt im Unterschied zu Röm.13,1ff keine direkten ethischen Konsequenzen gezogen werden, so wird doch auf der Ebene der Endredaktion vorausgesetzt, daß die staatliche Funktion wie Autorität in der Person des Pilatus vom Willen Gottes abhängt und von Gott «gegeben» ist.

Auch wenn die ethisch-praktischen wie christlich-bürgerlichen Themata im vorliegenden Johannesevangelium zurücktreten, so kann andererseits ebensowenig behauptet werden, daß die Weltbezüge ungebrochen gnostisch minimalisiert oder gar ausgeschaltet werden.

Der oft gehörte und noch öfter bereitwillig wiederholte Satz, daß die johanneische Ethik eigentlich nur aus diesen beiden Teilen bestehe, nämlich der Welt der Finsternis, Lüge und des Todes abzusagen und allein die Bruderliebe zu üben, – dieser Satz mag für die hypothetische Grundschrift zutreffen, niemals aber für das von der kirchlichen Redaktion redigierte und so auf uns gekommene, heute vorliegende Johannesevangelium. Dieses ist vielmehr von gnostischer Entweltlichung wie von heidnischer Verweltlichung gleich weit entfernt. Denn trotz allem Zurücktreten der Sozialbezüge und ihrer in der Tat mangelnden Thematisierung geht es der Endgestalt des Johannesevangeliums um die Sendung der Kirche in die Welt mit dem Ziel, diese Welt als Gottes Schöpfung für ihren Herrn zurückzugewinnen. Nicht die Rettung der Kirche ist das erklärte Ziel der johanneischen Verkündigung in Wort und Werk, sondern die Rettung der Welt. Daß letztere zum Glauben an den fleischgewordenen Logos und zur Erkenntnis Jesu als des Christus kommt, bestimmt trotz aller kritischen Distanz zur selben Welt die johanneische Ethik.

II. Die Johannesbriefe

1. Die Johannesbriefe als sachliche Einheit

Auch die drei Johannesbriefe gehören aufgrund der großen Verwandtschaft in Sprache, Stil und Vorstellungswelt zum Corpus johanneum. Theologie und Ethik der Johannesbriefe lassen sich am leichtesten darstellen, wenn sie im Zusammenhang mit dem redigierten, also heute vorliegenden Johannesevangelium gesehen und gewertet werden. So nimmt der 1. Johannesbrief in seinem Vorwort (1,1–4) ausdrücklich auf den Prolog (Joh.1,1–18) und in 5,13 auf den ersten Schluß Joh.20,31f bezug. Da andererseits die drei Johannesbriefe in einem engen Zusammenhang zueinander stehen, werden sie im folgenden notwendigerweise als relativ sachliche Einheit behandelt.
Im einzelnen stoßen wir auf folgenden Tatbestand: Wenn die gegenwärtig-kanonische Gestalt des Johannesevangeliums als Niederschlag eines komplexen, innerjohanneischen Traditions- und Redaktionsprozesses zu begreifen ist, dann kann man den 1. Johannes nicht von einer hypothetischen Grundschrift her deuten, sondern Kommentar zum 1. Johannes ist das redigierte, heute vorliegende Johannesevangelium und umgekehrt. Die viel verhandelte Frage, ob für das redigierte Johannesevangelium wie für den später geschriebenen 1. Johannes ein und derselbe Verfasser postuliert werden kann, ist – obwohl historisch kaum lösbar – wenig wahrscheinlich, v. a. aber sachlich unbedeutend. Entscheidend ist vielmehr, daß sich hier wie dort die johanneische Kirche der Rechtgläubigkeit anzumelden und zu konstituieren beginnt und ein und dieselbe kirchen- wie dogmengeschichtliche Situation anzunehmen ist.

Der 1.Johannes ist seiner formalen Gattung nach zwar kein wirklicher Brief (trotz 1,4; 2,1.7f; 13f.21.26; 5,13 u.ö.), wohl aber ein Traktat mit lehrhafter Abzweckung bzw. eine Enzyklika pastoralen Inhalts, die für die ganze Christenheit Geltung hat. Die im 1.Johannes sich findenden Stilunterschiede zwischen kurzen apodiktischen Thesen dogmatischen Inhalts einerseits und breiten ethisch-paränetischen Abschnitten andererseits geben keinen begründeten Anlaß zu Quellentheorien. Deshalb ist von der literarischen Einheitlichkeit des 1.Johannes auszugehen.
Anders als der 1.Johannes sind der 2. und 3.Johannes der Form nach wirkliche Briefe, sprechen die gleiche Sprache und haben beide den «Presbyter» als Verfasser. Der jeweilige Adressat ist allerdings verschieden: Der 2.Johannes ist als Gemeindebrief an «die erwählte Herrin» gerichtet – die Anrede der politischen Gemeinde als «Herrin» wird also auf die kirchliche übertragen –, während der 3.Johannes als ein wirklicher Privatbrief dem Mitarbeiter Gaius die Aufnahme wandernder Heidenmissionare empfiehlt.
Fazit: Die drei Johannesbriefe gehören – zusammen mit dem redigierten Johannesevangelium – ein und derselben Schule des johanneischen Christentums an. Dieser johanneische Schriftenkreis – ein Evangelienbuch, ein Lehrtraktat und zwei Briefe – repräsentiert die Geschichte, Theologie und Ethik einer eigenständigen Kirche, die in der dogmengeschichtlichen Phase der Konstituierung johanneischer Rechtgläubigkeit im Abwehrkampf gegen die christliche Häresie am Beginn des zweiten Jahrhunderts steht.

2. Der Hintergrund und Horizont der Ethik

Beherrschendes Thema der Johannesbriefe ist ihr Kampf gegen die gnostisch-christlichen Irrlehrer. Diese Häretiker sind aber weder Juden noch Heiden, sondern abtrünnige Gemeindeglieder (I 2,19), in großer Zahl (I 2,18; 4,1), die von der johanneischen Rechtgläubigkeit als Verführer (I 2,16; II 7), Falschpropheten (I 4,1), Lügner (I 2,22) und sogar Antichristen (I 2,18.22; 4,3; II,7) abqualifiziert werden. Sie sind gnostische Enthusiasten, die mit der Ablehnung der Fleischwerdung und des Sühnetodes Christi eine doketistische Christologie vertreten. Diese die Kirche bedrohende Lage zwingt dazu, zwischen rechtem und falschem Glauben zu unterscheiden, Wahrheit und Irrtum in der Kirche definitiv festzustellen. Mit einem Wort: Die konfessionelle Problematik von Häresie und Orthodoxie beginnt sich unaufhaltsam anzubahnen.
Ihren zielstrebigen Kampf gegen die christlich-gnostischen Häretiker führen die Johannesbriefe mit dem bewußten Rückgriff auf die kirchlich-aktive Bekenntnistradition, die damit zur kritischen Lehrnorm wird. So entfaltet das Vorwort I 1,1–3 programmatisch für die Briefempfänger die heilbringende Botschaft, die – und darauf kommt jetzt alles an – von den

historischen Augen- wie Ohrenzeugen als Basis der kirchlichen Tradition und Orthodoxie sichergestellt wird: «... was wir gehört haben, was wir mit unsern Augen gesehen haben, was wir geschaut und unsere Hände betastet haben...». Diese «wir» sind nicht mit dem «wir» der Glaubenden überhaupt gleichzusetzen, sondern sind die berufenen und qualifizierten Garanten der kirchlichen Tradition, die die unmittelbar-geschichtliche Wirklichkeit des inkarnierten Gottessohnes erfahren haben. Kirchliche Tradition mit ersten Ansätzen für den späteren Ausbau von Dogma und Dogmatik erscheint deshalb konsequent im formulierten Glaubensbekenntnis, wobei zwischen «Glauben» und «Bekennen» kein Bedeutungsunterschied besteht: Jesus ist der Christus (I 2,22; 5,1), er ist ins Fleisch gekommen (I 4,2f) und ist der Sohn Gottes (I 4,15; 5,5; auch II 7–11). Wasser und Blut, d.h. Taufe und Kreuzestod umschreiben die wahre Menschlichkeit des Gottessohnes (I 5,6). Nur der fleischgewordene Christus hat seiner Kirche die Sühne (I 1,7.9; 2,2; 4,10) und Vergebung der Sünden (I 1,9) gebracht. Diese dogmatisch fixierten Bekenntnisse mit ihrem Sitz im Leben in der Taufe werden zur Glaubensnorm (regula fidei), und sie sind eine hervorragende Waffe im Ketzerkampf. Weil die Irrlehrer typisch gnostisch die Menschwerdung des Geist-Christus leugnen, wird von den Johannesbriefen die Wirklichkeit der Fleischwerdung Christi bekannt, und mit diesem Festhalten am dogmatisch fixierten Bekenntnis wird das ewige Leben verheißen (I 2,2ff; 5,5ff.13ff).
Auch in der Ausarbeitung der Eschatologie gehen das redigierte Johannesevangelium und die Johannesbriefe grundsätzlich dieselben Wege. Auch der 1.Johannes sieht ein Schwergewicht der eschatologischen Aussagen auf der gegenwärtigen Heilsgabe: «Wir wissen, daß wir vom Tode zum Leben hinübergeschritten sind» (I 3,14) und «Der Sieg, der die Welt überwunden hat, ist unser Glaube» (I 5,4). Aber diese präsentische Eschatologie hat in den Johannesbriefen genauso wenig Ausschließlichkeitscharakter wie im gegenwärtigen Johannesevangelium. Vielmehr wird dieser individualgeschichtliche wie präsentische Zukunftsentwurf durch Aufnahme apokalyptisch-judenchristlicher Wendungen ergänzt und dogmatisch an die Tradition urchristlicher Parusie und Gerichtserwartung angeglichen: Urchristliche Apokalyptik wird also bewußt wiederholt. So spricht I 2,28b von der apokalyptischen Wiederkunft Christi, 3,2b von seiner endzeitlichen Offenbarung und 4,17 vom Jüngsten Tag, auch wenn an allen drei Stellen – wie auch sonst in den Johannesbriefen – weder von allgemeiner Totenauferstehung noch von einem neuen Himmel und einer neuen Erde ausdrücklich die Rede ist. Diese bewußte Übernahme der urchristlichen Apokalyptik in I 3,3 zusammenfassend «Hoffnung» genannt, geht aber weder – wie manchmal in der Auslegungsgeschichte vermutet wurde – auf eine spätere Redaktion zurück noch ist sie als Verlegenheitslösung im antignostischen Ketzerkampf anzusprechen, sondern sie ist bewußte Korrektur der ausschließlich präsentischen Eschatologie

der christlichen Irrlehrer. Dazu paßt nahtlos, wenn die Johannesbriefe – wie übrigens die Endredaktion des Johannesevangeliums (Joh.21,22f!) – mit dem Bekenntnis zur futurisch-apokalyptischen Eschatologie sogar in der unmittelbaren Naherwartung des Gerichts stehen: «Kinder, es ist letzte Stunde; ...» (I 2,18).

Zwar heißen die Christen nach I 3,1f nicht nur Gottes Kinder, sondern sie sind es auch. Die Präsenz des Heils wird also auch in den Johannesbriefen aufs stärkste unterstrichen. Zugleich aber betont I 3,2f, daß erst in der Parusie des Christus das «gleich sein» mit ihm eintreffen wird, die endgültige Gemeinschaft mit ihm also erst Gegenstand der zukünftigen und umfassenden Erlösungshoffnung ist (I 3,3). Aber auch wenn die Gotteskindschaft der Glaubenden endgültig erst in der apokalyptisch-zukünftigen Parusie des Christus gewonnen wird (I 2,28ff), soll diese futurische Enderwartung nichtsdestoweniger Konsequenzen für die Lebensführung der aus Gott Gezeugten haben. Deshalb motiviert nach I 3,2 und 4,12.17 die futurische Enderwartung die Ethik. Diese Hoffnung auf den Empfang des ewigen Heils bei der Parusie begründet die Ethik, d. h. der Glaubende «tut die Gerechtigkeit» (I 2,28f), «reinigt sich selbst» (I 3,3) und läßt die Liebe Gottes bei sich «zur Vollendung» gelangen (I 4,17).

Schließlich darf bei dieser Charakterisierung der Eschatologie der Johannesbriefe ein besonderes Kennzeichen nicht unerwähnt bleiben. Mit der Bezeichnung der Irrlehrer als Antichristen wird die futurische Eschatologie vergeschichtlicht (I 2,18.22;4,3; II 7). Aufgrund dieser Gleichsetzung des ursprünglich apokalyptischen Antichrist mit den Irrlehrern in der Kirchengeschichte wird aber nicht nur die traditionelle Eschatologie historisiert, sondern werden die Gegner selbst zu eschatologischen Gestalten, wird also die letzte Geschichtsepoche ihrerseits vor der Parusie eschatologisch und d. h. als letzte Zeit qualifiziert. Das Auftreten dieser vielen Antichristen stempelt diese Geschichtsepoche zum Endgeschehen, das in der nahen Zukunft von der Parusie und dem Gericht des Gottessohnes abgelöst wird. Man kann also in den Johannesbriefen von einer Zweistufen-Eschatologie sprechen, auf deren erster Stufe die sich konstituierende johanneische Kirche im innergeschichtlichen Kampf gegen die Irrlehrer des Eschaton repräsentiert, die dann von der zweiten und letzten Stufe, der apokalyptischen Parusie des Christus, abgelöst wird.

Auch der kosmologische Dualismus wird wie im gegenwärtigen Johannesevangelium auch in den Johannesbriefen verkirchlicht, d. h. korrigiert und kritisch neu interpretiert. Drei grundlegende Tendenzen wirken bei dieser bewußt und polemisch vorgetragenen Verkirchlichung des kosmologischen Dualismus zusammen: 1. Der kosmologische Dualismus von Licht und Finsternis wird in I 2,8 historisiert: «Die Finsternis ist im Vergehen und das wahrhaftige Licht scheint schon». D. h. aber: Licht und Finsternis bezeichnen nicht mehr metaphysisch den Wesensgegensatz von Gott und Welt als zwei sich ausschließende Gegenmächte, sondern werden jetzt temporal verstanden als Zeitepochen sich ablösender, weltgeschichtlicher Perioden. Mit Christus nämlich und der durch ihn in Gang gesetzten kirchlichen Verkündigung und Tradition ist das Licht als neue Zeitepoche für den Menschen grundsätzlich erfahrbar geworden, leuchtet das Licht in der Kirche, in ihrer Lehre und Praxis, während die Finsternis, ebenfalls als weltgeschichtliche Epoche verstanden, ausläuft. Die johanneische Kirche aber ist sich in diesem Prozeß des Sieges über die Finsternis gewiß (I 4,4).

2. Neben der Historisierung des ursprünglich kosmologischen Dualismus von Wahrheit und Lüge und seiner Übertragung auf die Kirchengeschichte steht seine Dogmatisierung: Nach I 2,21 ist «die Wahrheit» gleichbedeutend mit der orthodoxen Verkündigung und Lehre der Gemeinde und «die Lüge» mit der gnostischen Irrlehre. Ebenso ist nach II 1f.4ff.9 die «Wahrheit» identisch mit der «Lehre des Christus» bzw. dem wahren Christentum. III 3,8b.12 entsprechen diesem Sachverhalt. Nach II 1 meint «die Wahrheit erkennen» wie im 1.Tim.2,4; 4,3 und 2.Tim.2,7 einfach Christ werden. D.h. aber: Die ursprünglich im kosmologischen Dualismus beheimatete Antithese von Wahrheit-Lüge wird polemisch dogmatisiert: «Die Wahrheit» besitzt nur die rechtgläubige Kirche, während «die Lüge» zur abwertenden Bezeichnung für die Häresie wird.

3. Schließlich wird er kosmologische Dualismus Licht-Finsternis ethisch interpretiert als Lebenswandel der Christen nach den Geboten Gottes (I 1,5–7). Nach I 2,9–11 ist das Kriterium für das Sein im Licht oder in der Finsternis und d.h. im Bereich des Heils oder Unheils allein die Bruderliebe. Wer – wie die Irrlehrer – die Brüder haßt, der gehört zur Finsternis, da nur die Bruderliebe die Zugehörigkeit zum Licht als dem Heil festlegt. Damit wird die Heilsnotwendigkeit der Ethik, eben die Lebensführung in der Liebe, unüberhörbar betont. In I 3,14 wird Joh.5,25 polemisch neu aufgenommen und der zugrunde liegende, kosmologische Dualismus von Leben und Tod ethisch interpretiert. Fast wörtlich zitiert der 1.Johannes den Schlußsatz von Joh.5,24, aber nicht mehr die gläubige Annahme des gegenwärtigen Offenbarerwortes bewirkt das Hinübergeschrittensein vom Tod in das ewige Leben, sondern die Bruderliebe. Die Teilhabe am Heil wird ausdrücklich von der Liebe, und d.h. der Ethik abhängig gemacht. Sie allein legt den heilsentscheidenden Schritt vom Tod zum Leben fest. Auch nach I 2,15–17 schließen sich die Liebe des himmlischen Vaters und die Liebe zur Welt aus. Aber auch dieser ursprünglich kosmologische Dualismus von Gott und Welt als Unheilsmacht wird in 2,16f sogleich ethisch interpretiert, wenn die Welt mit ihrer Lasterhaftigkeit (= «die Begierde des Fleisches und die Begierde der Augen und das Prahlen mit dem Besitz») und der Wille Gottes, der in seinen Geboten offenbar wird, herausgestellt wird. Der ursprünglich kosmologische Dualismus wird also eindeutig auf seine antithetischen Komponenten Tugenden und Laster ausgelegt, so daß nach I 2,17 («und die Liebe vergeht und ihre Begierde;

wer aber den Willen Gottes tut, bleibt für immer») allein der rechte Lebenswandel und d.h. die Ethik endzeitliches Heil oder Unheil bestimmt.

Nach II 4ff und III 4 ist demnach das «in der Wahrheit wandeln» gleichbedeutend mit «in seinen Geboten wandeln». Ebenso wird im 1.Johannes die ursprünglich kosmologische Antithese «aus Gott» (2,29; 3,9; 4,7; 5,1.4.18) oder «aus dem Teufel» (3,8.10) bzw. «aus dem widergöttlichen Kosmos geboren» (4,4f) ethisiert. Diese Ethisierung ist aber wie die bereits herausgestellten Auslegungstendenzen der Historisierung wie Dogmatisierung bewußt polemische Korrektur. Während im ursprünglichen kosmologischen Dualismus das «aus Gott» oder «aus dem Teufel Geboren-Sein» die Annahme oder Verweigerung der jetzt geschehenen Offenbarung beinhaltet, wird dieser Gegensatz im 1.Johannes moralisiert: Der aus Gott Geborene tut die Gerechtigkeit (2,29), tut keine Sünde (3,9; 5,18), kann nicht sündigen (3,9) und übt Liebe (4,7). Er glaubt, daß Jesus der Christus ist (5,1) und hat den Kosmos schon besiegt (5,4). Andererseits üben die nicht aus Gott Stammenden bzw. die Kinder des Teufels keine Gerechtigkeit und Bruderliebe (3,10).

Diese göttliche bzw. widergöttliche Herkunft des Menschen kann aber nun nicht als Determination bezeichnet werden, da sie in ihrer Gegensätzlichkeit als Heil oder Unheil von der Ethik abhängig gemacht werden. Das ursprünglich dualistische Verständnis der Geburt aus Gott oder aus dem Teufel wird also immer wieder auf die Ethik bezogen und damit ihre Heilsbedeutung zweifellos polemisch gegenüber den gnostischen Häretikern herausgestellt.

3. Die Hauptmerkmale der Ethik

a) In diesem Zusammenhange ist zuerst einmal die Frage nach der Bedeutung des alttestamentlichen Gesetzes innerhalb der Johannesbriefe zu beantworten. Vorab deshalb eine negative Feststellung: Eine Auseinandersetzung über das mosaische Kultgesetz findet in den Johannesbriefen im Unterschied zum Johannesevangelium nicht mehr statt. Weil es für die johanneische Kirche keinerlei Bedeutung mehr besitzt, wird seine vollzogene Ablehnung diskussionslos vorausgesetzt.

Anders dagegen das alttestamentliche Moralgesetz. Zwar kommt der Begriff «Gesetz» in den Johannesbriefen nicht vor, aber die Sache ist gegenwärtig. Das beweist nicht nur der Zusammenhang mit dem vorliegenden Johannesevangelium, also auch die Kenntnis der zentralen, moralgesetzlichen Belegstellen Joh.1,17; 3,19ff und 5,27ff zum Beispiel, sondern auch die zweimalige Verwendung des moralgesetzlichen Begriffes «Gesetzlosigkeit» in I 3,4: «Jeder, der die Sünde tut, tut auch die Gesetzlosigkeit, und die Sünde ist die Gesetzlosigkeit». Der Verfasser

definiert präzis, was er unter Gesetzlosigkeit versteht. Für ihn ist die Gesetzlosigkeit identisch mit der Sünde, so daß die Johannesbriefe wie die alttestamentlich-jüdische und urchristliche Tradition «Sünde» und «Gesetzlosigkeit» bedeutungsgleich verwendet. Die Sünde ist nämlich für das Alte Testament, Judentum und Urchristentum identisch mit der Gesetzlosigkeit, weil jede Sünde ein Verstoß gegen die Tora als Moralgesetz Gottes ist. Die Gesetzlosigkeit hat also für die Johannesbriefe ihre ursprünglich moralgesetzliche Bedeutung nicht eingebüßt sondern behalten, so daß umgekehrt auch das Moralgesetz selbstredend seine Heilsbedeutung behalten hat.
Deshalb sprechen I 2,17 und 5,14 vom Willen Gottes, der im Moralgesetz seinen schriftlichen Niederschlag gefunden hat. Der 1.Johannes nimmt damit eine für das Urchristentum typische Formulierung auf. Vor allem, wenn er in I 2,17 darüber hinaus vom Tun des Willens Gottes spricht. Diesem Täter des Willens Gottes und d.h. des Moralgesetzes/Dekalog gilt wie im Alten Testament Judentum und Urchristentum die Verheißung: «Er bleibt für immer» (I 2,17). Im Gegensatz zum gesetzlosen Kosmos wird ihm das ewige Leben verheißen. Der Empfang des ewigen Lebens wird also – typisch für das redigierte Johannesevangelium wie die Johannesbriefe – von in dieser Weltzeit erfüllten Bedingungen abhängig gemacht. Ebenso ist nach I 3,7 das Gerechtigkeit Tun Bedingung des Heils: «Wer die Gerechtigkeit tut, ist gerecht». Gerechtigkeit als eine moralgesetzliche Kategorie meint das vor dem Gesetz gerecht Sein des Menschen, die Untadeligkeit bzw. Rechtschaffenheit. Für die alttestamentlich-jüdische wie urchristliche Tradition konstituieren die gerechten Taten des Menschen, die den Moralgesetzesforderungen entsprechen, seine Gerechtigkeit vor dem Gesetz, das der Offenbarerwille Gottes ist. Deshalb heißt es in I 5,17: «Jede Ungerechtigkeit ist Sünde» (vgl. auch I 2,9). Die Rechtfertigungsterminologie allerdings fehlt völlig in den Johannesbriefen. Deshalb liegt alles Gewicht auf dem Halten der Gebote (I 2,3.4; 3,22.24; 5,2.3) bzw. des Gebotes Gottes (I 2,7: dreimal; 8,3,23: zweimal). Allerdings ist der Wechsel der Numeri nicht beliebig. Die Forderung, die Gebote Gottes zu halten, zielt auf den Dekalog und d.h. das mosaische Moralgesetz. Davon zu unterscheiden ist die Forderung das Gebot Gottes zu halten, das ausschließlich mit der Bruderliebe identifiziert wird. Es ist also keineswegs so, daß der Plural «Gebote Gottes» immer und von vornherein mit dem Singular «Gebot Gottes» zusammenfällt. Vielmehr wird in den Johannesbriefen wie im Johannesevangelium neben die Forderung der Nächstenliebe (= alttestamentliches Moralgesetz) diejenige der Bruderliebe gestellt. Aber weder hier wie dort werden die Gebote einfach auf das eine Gebot der Bruderliebe eingeschränkt oder reduziert. Aber weil «Gottes Gebote ...nicht schwer sind» (I 5,3f), sind sie auch grundsätzlich wie im Urchristentum erfüllbar. Weil der «Wandel nach seinem Geboten» (II 6) das Heil bedingt, wird immer

wieder das verpflichtende «Muß» der ethischen Lebensführung eingeschärft (I 2,6; 3,16; 4,10f). Die Heilsbedeutung der Ethik steht demnach für die Johannesbriefe außer Frage.
Unterstrichen wird dieser Sachverhalt, daß der Empfang des Heils von der Ethik abhängig gemacht wird, durch das Verständnis der Sünde. Schon der Plural «Sünden» (I 1,9; 2,2.12; 3,5; 4,10) zeigt an, daß Sünde zur Gesetzesübertretung und damit zur vermeidbaren, weil vom rechten Lebenswandel abgrenzbaren Einzelsünde geworden ist. Natürlich kennen die Johannesbriefe auch den Singulargebrauch Sünde, wie v.a. I 3,4 beweist. Aber auch und gerade hier wird Sünde nicht als Macht verstanden, die alle Menschen versklavt, sondern als individuelles, ethisch-moralisches Fehlverhalten. Die Einzelsünde ist identisch mit der Gesetzlosigkeit und hat ausschließlich moralgesetzlich Bedeutung, meint also keineswegs den Unglauben oder die Verweigerung des Bekenntnisses. Sie umschreibt konkret die Übertretung des Moralgesetzes, das Nichthalten der Gebote Gottes bzw. die mangelnde Beachtung seines Willens. Nichts anderes wird mit dem Verb «sündigen» zum Ausdruck gebracht (I 2,1; 3,6.9; 5,18).
Weil also die Sünde moralgesetzlich in der Verletzung der göttlichen Gebote besteht, sie gerade nicht mit Hilfe von Machtkategorien beschrieben wird, muß der Sünder von der Folge seiner Taten befreit werden. Das geschieht einmal durch die Aufnahme des traditionell urchristlichen Sühnegedankens: Christus ist die Sühne für unsere Sünden (I 2,2 und 4,10) bzw. hat unsere Gesetzesübertretungen am Kreuz gesühnt (I 1,7 und 9). Zum anderen muß aufgelaufene Sündenschuld bekannt (I 1,8–10) und vergeben werden (I 2,12). Deshalb spricht I 1,9 auch ausdrücklich vor der «Vergebung der Sünden» im Sinne einer Beichtpraxis. Aber nicht nur vergangene Sünden (I 2,12 und 4,10) werden vergeben, sondern gerade auch die jetzt geschehenen Sünden werden gesühnt (I 2,2), gereinigt und vergeben (I 1,7 und 9). Die Frage der Sünden nach der Taufe (I 2,1ff), die Wiederholung der Sünden und damit ihre praktische Regulierung werden zum Problem. In diesem Zusammenhang ist deshalb immer wieder zurecht auf die bekannte Spannung, ja Paradoxie innerhalb folgender Texte des 1.Johannes hingewiesen worden: Während es in I 3,6–9 heißt, daß «jeder, der in ihm bleibt, nicht sündigt», stellt andererseits I 1,8 und 10 fest, daß derjenige, der behauptet, keine Sünde zu haben, bzw. nicht zu sündigen, ein Lügner ist und sich selbst betrügt (vgl. auch I 5,16 einerseits und 5,18 andererseits). Wie ist dieser Widerstreit zwischen der Sündlosigkeit und der Sünde innerhalb der christlichen Existenz zu verstehen? Man hat in der Auslegungsgeschichte diese klar formulierte Paradoxie mit dem Widereinander von vorjohanneischer Quellentradition und dem Redaktor in Zusammenhang gebracht oder noch unwahrscheinlicher gemeint, daß der Verfasser dieses Gegeneinander einfach nachlässig in seinen Ausführungen stehen gelassen habe. Aber dagegen spricht schon I 2,1, wo Sünd-

losigkeit wie Sündhaftigkeit des Christen in ein und demselben Vers nebeneinander stehen: «Das schreibe ich euch, damit ihr nicht sündigt. Wenn aber einer sündigt, so haben wir einen Fürsprecher beim Vater, Jesus Christus, den Gerechten, und der ist die Versöhnung für unsere Sünden». Gegen die gnostisch-häretische These von der Sündlosigkeit des Christen (I 1,8–10; 3,6.8; 5,18) betont der Verfasser immer wieder, daß die Christen nur durch Christi blutige Sühnetat am Kreuz sündlos geworden sind, die Sündlosigkeit sich also immer nur im jeweiligen Akt des Sündenbekenntnisses und der Sündenvergebung realisiert. Sie ist also weder ein unverlierbarer Besitz noch ein uneingreifbarer Zustand. Daß hier gar ein Schriftbeleg zu Luthers simul iustus – simul peccator vorliegt, daß der Christ also ein Gerechter und Sünder zugleich sei, dürfte allerdings eingelesen sein, weil der jeweilige theologische wie auch ethische Aussagenhorizont bei Luther einerseits und den Johannesbriefen andererseits doch zu verschieden ist. Das beweist gerade in diesem Zusammenhang der Text I 5,16 und 17, wo innerhalb der Sünden im Christenleben differenziert wird. Hier wird einmal von verschiedenwertigen Sünden gesprochen, nämlich von einer «Sünde nicht zum Tode» und von einer «Sünde zum Tode». Zum anderen darf nur für diejenigen bei Gott eine Fürbitte eingelegt werden, die keine Sünde zum Tode begehen, für diejenigen dagegen, die eine Sünde begangen haben, die zum Tode führt, wird ausdrücklich von der Fürbitte abgeraten.

Weil diese Unterscheidung von vergebbaren und unvergebbaren Sünden theologisch fragwürdig ist, hat man diese Rangordnung der Sünden einem späteren Redaktor zusprechen wollen. Aber eine solche Vermutung verkennt die Tatsache, daß eine solche schwerwiegende Differenzierung die geradlinige Konsequenz des Sündenverständnisses der Johannesbriefe überhaupt darstellt. Da die Sünde als ethisch-moralisches Fehlverhalten in der aufweisbaren Übertretung des alttestamentlichen Moralgesetzes besteht, gibt es demnach auch leichte und schwere Gebotsverletzungen bzw. verschiedenwertige Sünden und wird das Sündenverständnis folgerichtig sowohl quantifizierbar als auch meßbar. Der 1.Johannesbrief fordert also in der Gemeindepraxis nichts weniger als eine kasuistische Festlegung der Schwere bzw. Leichtigkeit und dann der Vergebbarkeit oder Nichtvergebbarkeit der betreffenden Einzelsünde!

Man hat viel darüber gerätselt, was der 1.Johannes unter einer «Sünde zum Tode» verstanden hat. Ist damit die Lästerung des Heiligen Geistes gemeint, die unvergebbar ist (so Mk.3,29) oder der Abfall vom christlichen Glauben (Hebr.6,4ff; Herm.Sim.6,2f) oder die Irrlehre (I 5,21)? Wahrscheinlicher ist aber im Rückgriff auf das Alte Testament (3.Mose 4,2ff; 5,1ff) die Deutung, daß mit dieser Differenzierung innerhalb des Sündenbegriffs die versehentlichen und d. h. vergebbaren Sünden von den mutwilligen, vorsätzlichen und d. h. nicht vergebbaren Sünden unterschieden werden. Dann aber würde I 5,16f bedeuten: Wer vorsätzlich sündigt

und d.h. mutwillig das göttliche Gesetz übertritt, wird definitiv von der Fürbitte ausgeschlossen, die eben nur auf die vergebbaren Sünden eingeschränkt wird. Da die Sünde für die Johannesbriefe als ethisches Fehlverhalten aufweisbar in der Übertretung des alttestamentlichen Moralgesetzes besteht, kann es folgerichtig auch keine grundsätzliche Bestreitung der guten Werke und d.h. der Erfüllung des alttestamentlichen Moralgesetzes geben. Im Gegenteil: Ganz unbefangen wird von «vollem Lohn» für das eigene Werk (II 8) gesprochen. Wie nur das wirkliche Tun der Gerechtigkeit gerecht macht (I 3,7), so wird in I 3,18 die tatkräftige Liebe mit dem Werk und der Wahrheit gefordert. Vor «bösen Werken» warnt II 11 und das «aus Gott-Sein» wird in III 11 vom «Gutes Tun» abhängig gemacht. Es gibt deshalb böse und gerechte Werke, exemplifiziert an den Brüdern Kain und Abel (I 3,12). Es ist die einzige Stelle, an der im 1.Johannes auf das Alte Testament als bekannte Autorität zurückgegriffen wird. Für unseren Zusammenhang aber von besonderem Gewicht ist die Beobachtung, daß das alttestamentliche Moralgesetz vom 1.Johannes als autoritatives Kriterium für böse und gerechte Werke angesehen wird. Und weil die Werke des Kain im Unterschied zu denen seines Bruders böse waren, kam es zur «Hinschlachtung» seines Bruders. Auch in diesem kleinen Midrasch von I 3,12 wird also die direkte Kontinuität zwischen dem alttestamentlichen Gesetz und der johanneischen Ethik sichtbar.
Nach I 3,21f beruht die Gewißheit der Gebetserhörung vor Gott darauf, «weil wir seine Gebote halten und das vor ihm Wohlgefällige tun». Das gute Gewissen gegenüber dem uns anklagenden Herzen (I 3,19ff) gründet sich auf die guten und wohltätigen Werke. Ohne Einschränkung legt auch hier die Ethik die Erhörungsgewißheit fest. Nicht die Gesetzeswerke werden grundsätzlich bestritten, vielmehr wird immer wieder vor deren Nichterfüllung gewarnt. Die Sorge vor einem gesetzlichen Mißverständnis dieser Formulierung ist jedenfalls den Johannesbriefen fremd. Deshalb sucht man auch einen Gegensatz von Glaube und Werken in ihnen vergeblich. Der Begriff «Glauben» kommt zwar im Unterschied zu «Glaube» (nur einmal in I 5,4) recht häufig vor. (I 3,23; 4,1.16; 5,1.5.10 [3×].13[2×]), aber ist ja – worauf schon hingewiesen wurde – identisch mit Bekennen. Da der Christ am in Christus erschienenen Heil, überliefert im Glaubensbekenntnis, festhalten muß, wird der Glaube selbst ethisch akzentuiert, indem er jetzt durchweg als bewahrende Treue gegenüber dem Taufbekenntnis als regula fidei erscheint.
Es verwundert deshalb in keiner Weise, daß in I 3,23 als Inhalt des Gebotes Gottes der Glaube an den Namen seines Sohnes Jesu Christi und die Bruderliebe genannt werden. Nun muß freilich in diesem Zusammenhang mit Nachdruck betont werden, daß die Johannesbriefe den Indikativ der Heilsgabe nicht nur kennen, sondern immer wieder im Vollzug der Verkündigung zur Sprache bringen (I 1,5; 3,11 u.a.). Gott hat seinen einzigen Sohn als «Retter der Welt» (I 4,9.10.14) gesandt, womit er seine Liebe zu

uns bewiesen hat. Durch seine Offenbarung im Fleisch «hat er die Sünden fortgeschafft» (I 3,5) und «die Werke des Teufels» zerstört (I 3,8). Sein Blut hat alle unsere Sünden gesühnt (I 1,7 und 9; 2,2). Sein Gesandtsein in die Welt ist die «Sühnung» (I 4,10). Als stellvertretendes Sühnopfer hat der Gesandte «für uns sein Leben gegeben» (I 3,16). Aber nicht nur unsere Sünden in der Vergangenheit sind aufgrund der Sühne Christi vergeben (I 2,12), sondern gerade auch für die jetzt geschehenen Sünden ist er der Paraklet, d.h. Beistand und Fürsprecher (I 2,1) und die Sühnung (I 2,2), dessen Blut «uns von jeder Sünde reinigt» (I 1,7). Wer seine Sünden bekennt, dem vergibt Gott und reinigt ihn «von jeder Ungerechtigkeit» (I 1,9).

Die Glaubenden sind aufgrund des Heilshandelns Gottes in Christus Gottes Kinder (I 3,1) und haben die Gabe des Heiligen Geistes empfangen (I 3,24 und 4,13). Sie besitzen das «Salböl vom Heiligen» (I 2,20), das sie von Gott empfangen haben (I 2,27), so daß der Same Gottes in ihnen bleibt (I 3,9). Sie haben Gott erkannt (I 2,13.14) und den Bösen besiegt (I 2,13 und 14).

Aber gerade dieser präsentische Besitz des himmlischen Heils, das uns im Verkündigungsgeschehen zugesprochen wird, (I 1,5; 3,11) mahnt zum rechten ethischen Lebenswandel. Die Dringlichkeit des Heilsimperativs beweist unüberhörbar, daß Heilsbesitz und ungesetzliche Lebensführung für die Johannesbriefe unvereinbar sind. Mit andern Worten: Der Indikativ der Heilsgabe Christi muß durch den Imperativ der Heilsforderung Christi ergänzt und vervollständigt werden, soll nicht das empfangene Heil verlorengehen. In geradezu apodiktisch-enthusiastischem Stil wird die Heilsbedeutung, ja Heilsnotwendigkeit der Ethik herausgestellt und immer wieder betont. In den sogenannten Unvereinbarkeits-Forderungen wird das empfangene Heil von der Ethik abhängig gemacht, wird von ihr allein Heil oder Unheil festgelegt. Dazu einige Beispiele:

Gemeinschaft mit Gott, der Licht ist, schließt jeden Wandel in der Finsternis aus (I 1,5–7); die Behauptung der eigenen Sündlosigkeit ist nur dann keine Selbsttäuschung, wenn wir nicht täglich unsere Sünden bekennen (I 1,8–10); Gottes Erkenntnis und seine Gebote nicht halten, macht ihn zum Lügner (I 2,4f); im Licht sein, heißt immer seine Brüder lieben (I 2,9–11). Die Liebe zum himmlischen Vater steht im Wesensgesetz zur Weltliebe (I 2,15–17), die aus Gott Geborenen tun die Gerechtigkeit (I 2,29) und keine Sünde (I 3,9), wie umgekehrt die Teufelskindschaft untrennbar mit Sünde und Gesetzlosigkeit zusammenhängt (I 3,4ff). Das Hinübergeschrittensein vom Tode zum Leben hat die Bruderliebe und nicht den Bruderhaß zur Konsequenz (I 3,12ff; 4,19ff). Die in diesen Beispielen zum Ausdruck kommende Unvereinbarkeit von Heilsbesitz und gesetzlosem Wandel beweist, daß für die Johannesbriefe der Christ um seines zukünftigen, endgültigen Heiles willen zum rechten Wandel verpflichtet ist (I 2,6; 3,16; 4,11). Gerade weil der Heilsbesitz zum Gebotebewahren führt, tritt der Imperativ gleichgewichtig neben den Indikativ und wird die Ethik der Bewährung zum zweiten konstitutiven Teil der Erlösung.

Nirgendwo wird das deutlicher als in den immer wiederkehrenden Bedingungssätzen, nach denen der rechte Lebenswandel nicht nur der Erkenntnisgrund, sondern v. a. auch der Realgrund für den endgültigen Empfang des ewigen Lebens darstellt. Diese Bedingungssätze variieren denselben Sachverhalt mit Hilfe verschiedener Schemata: Wenn bzw. Jeder bzw. Wenn plus Konjunktiv: I 1,8.10; 2,5.15b; 3,17; 4,12 und 25, Wer plus Partizip: I 2,10.11a; 3,7b.8a.14b.24a; 4,8a.16b; II 9b; III 11b.11c oder Jeder der plus Partizip: I 3,6b.10b.15; 4,7b; 5,1a; II 9,9. In diesem ganzen Themenkomplex bezeichnet der Vordersatz jeweils die Bedingung, die vom Glaubenden erfüllt werden muß, während der Nachsatz die Verheißung bringt.

So ist z.B. die Gemeinschaft mit Gott abhängig vom Lichtwandel (I 1,7), die Vergebung vom Sündenbekenntnis (I 1,9), das Vollendetsein der göttlichen Liebe im Christen vom Bewahren seiner Gebote bzw. seines Wortes (I 2,5), das Bleiben im Licht von der Bruderliebe (I 2,10), das Gerechtsein vom Gerechtigkeittun (I 3,7b), das Bleiben in Gott vom Halten seiner Gebote (I 3,24) bzw. von der Bruderliebe (I 4,12) und das aus Gott Sein vom Tun des Guten (III 11).

Alle diese Bedingungssätze gehen aus von der untrennbaren Zusammengehörigkeit von Sein und Tun, von Indikativ und Imperativ, von Heilsbesitz und Ethik. Es gibt kein wahres Christentum ohne den rechten Lebenswandel. Weil die Ethik Heilsbedeutung für die Johannesbriefe hat, ist es verfehlt, von einer schicksalshaften Determination zu sprechen. Andererseits fehlt jede Sorge um ein gesetzliches Mißverständnis all dieser «Wenn»-Formulierungen. Dem entspricht sachlich die Vorbildethik. Wie im heute vorliegenden, redigierten Johannesevangelium wird auch im 1.Johannes Christus zum von der Gemeinde nachzuahmenden Vorbild und Beispiel. Besonders einprägsam geschieht das in I 2,6: «Wer sagt, daß er in ihm bleibe, der ist verpflichtet, so zu wandeln, wie auch jener sein Leben geführt hat». Gerade nicht nur das Heilsgeschehen, sondern sein irdischer Lebenswandel wird pointiert zum Vorbild christlicher Lebensführung. Das «Wie» fordert von jedem Christen die Entsprechung zum beispielhaften Lebenswandel des irdischen Jesu. Nach I 3,3 soll sich jeder selbst reinigen, «wie jener rein ist». Besonders eindrücklich ist auch die Feststellung, daß derjenige, der die Gerechtigkeit tut, gerecht ist, «wie jener gerecht ist». Auch hier begründet das vorbildliche «Wie» des gerechten Jesus den Entsprechungsgedanken.

Nach I 2,16 ist die Lebenshingabe Jesu Beispiel dafür, daß auch wir «für die Brüder das Leben geben müssen». Wieder wird das konkrete Verhalten des irdischen Jesus zum Vorbild christlichen Lebenswandels. Jesus Christus in seiner geschichtlichen Lebensführung konform zu werden,

seinem Beispiel konkreten Verhaltens während seiner Erdenzeit nachzuahmen, – das ist das Ziel der Vorbildethik in den Johannesbriefen.
b) Besondere Aufmerksamkeit verdient die Stellungnahme der Johannesbriefe zur Welt. Wie schon das redigierte Johannesevangelium, so lassen auch die Johannesbriefe keinen expliziten kirchlichen Begriff erkennen. Hier wie dort erhebt aber der 1.Johannesbrief die Forderung der Bruderliebe und verbietet ausdrücklich die Liebe zur Welt (I 2,15f). Aus dieser an sich richtigen Beobachtung hat man aber vorschnell den Schluß gezogen, daß auch die Gemeinschaft, die hinter den Johannesbriefen steht, ein Konventikel mit sektenhafter Ausprägung stehe. Aber weder trifft diese Konsequenz für das gegenwärtige Johannesevangelium zu noch kann sie für die Johannesbriefe aufrechterhalten werden, wie die folgenden Texte nahelegen. Antignostische Polemik liegt vor, wenn in I 2,2 Christus verkündigt wird als die «Sühnung für unsere Sünden, nicht aber für uns allein, sondern für die ganze Welt». Im Gegensatz zu den Irrlehrern versteht der Verfasser die Kirche nicht als eine elitäre oder eine exklusive Gemeinschaft, sondern hebt ausdrücklich die universale Bedeutung des Heilswerkes Christi in seiner weltweiten Dimension hervor. Nicht nur die Gemeinde, sondern die ganze Welt steht unter der Gnade Christi. Eine ghettohafte Abschliessung in einen exklusiven Konventikel wird so von vornherein ausgeschlossen.
Nichts anderes ist in I 4,9 zu lesen: «Darin ist die Liebe Gottes unter uns offenbar geworden, daß Gott seinen einzigen Sohn in die Welt gesandt hat, damit wir durch ihn leben». Auch dieser Verkündigungssatz unterstreicht die universale, weltweite Ausrichtung der Sendung Christi. Die Welt ist nicht nur gnostisch Schauplatz, sondern im urchristlichen Sinne Gegenstand des Heilsgeschehens. Deshalb wird der vom Vater gesandte Sohn in I 4,14 auch «Retter der Welt» genannt. Wieder wird die universale Reichweite der Liebe Gottes in der Fleischwerdung Christi betont (vgl. Joh.4,42), die gerade nicht auf die Kirche eingeschränkt bleibt. Seine Rettungstat erstreckt sich geltungs- und wirkungsmäßig auf die ganze Welt, auch wenn sie nur von denen verwirklicht wird, die diese göttliche Liebe im Glauben annehmen. Wie ihr Herr und Meister werden die Christen nicht aus der Welt herausgenommen. Der Presbyter des 2. und 3.Johannes steht bekanntlich nicht nur in der Ketzerbekämpfung, sondern III 7 läßt ausdrücklich Heidenmission erkennen. Auch der Verfasser des 1.Johannes hat seine Enzyklika nicht nur an einen sektiererischen Konventikel gerichtet, sondern war der Überzeugung, daß sie für die ganze Christenheit von Bedeutung ist.
Dieser positiven Stellungnahme zur Welt steht nun andererseits die Warnung vor Weltliebe als Weltverfallenheit gegenüber, wenn es in I 2,15–17 heißt: «Liebt nicht die Welt und nicht das was in der Welt ist! Wenn jemand die Welt liebt, in dem ist nicht die Liebe des Vaters. Denn alles, was in der Welt ist, die Begierde des Fleisches und die Begierde der

Augen und das Prahlen mit dem Reichtum, ist nicht aus dem Vater, sondern ist aus der Welt. Die Welt aber vergeht und ihre Begierde; wer jedoch den Willen Gottes tut, bleibt in Ewigkeit». Die Christen sind gefährdet durch die «Welt», die hier eine eindeutig negative Größe ist. Aber Gott und Welt stehen nicht in einem metaphysischen, sondern ethischen Gegensatz zueinander, denn die Liebe zu Gott schließt die Liebe zur Welt aus. Auch hier ist «Liebe» kein dualistischer Wesens-, sondern ethischer Begriff, und die Welt bleibt durchaus Schöpfung durch Gott (I 2,15). Begründet wird diese Warnung vor der Liebe zur Welt damit, daß sie der Ort von bösen Begierden, die «nicht aus dem Vater», sondern widergöttlichen Ursprungs sind. Mit der «Begierde des Fleisches» werden neben Trunksucht und Völlerei vor allem die sexuellen Laster gemeint sein. Die «Begierde der Augen» kann sowohl auf das sexuelle Gebiet als auch auf die folgenden Verse bezogen werden, zielt dann also auf das Problem mit dem Reichtum. Wie in urchristlicher Paränese (z.B. Mt.5,27ff; Mk.9,47; 10,23; Lk.6,24; 12,16 u.a.). In I 2,16 wird vor der Lasterhaftigkeit der Welt gewarnt: Liebe zur Welt heißt für den 1.Johannes nicht den Willen Gottes tun, also seine moralgesetzlichen Gebote verachten. Für diese ethische Mahnung, die Welt nicht zu lieben, wird in I 2,17a auf die Vergänglichkeit der Welt und ihrer Begierde verwiesen. Nimmt man 2,17b hinzu, dann heißt das: Diejenigen, die den Willen Gottes nicht tun, seine Gebote nicht halten und damit der Welt und ihrer Begierde verfallen, werden im immerwährenden Tod bleiben. Denjenigen aber, die den göttlichen Willen tun und d.h. sein Moralgesetz halten, wird das ewige Leben verheißen. Weil die Welt zum Ort der lasterhaften Begierden geworden ist, hat der Christ das göttliche Moralgesetz zu tun, wenn er bei der Parusie immerwährendes Leben empfangen will. Auch nach I 2,15–17 wird vom Tun des Willens Gottes, und d.h. der Ethik, Heil oder Unheil abhängig gemacht. Aber diese Welt ist nicht nur in ihrer Lasterhaftigkeit und d.h. Gesetzlosigkeit eine negative Größe, sondern I 5,19 wie das redigierte Johannesevangelium reden davon, daß «die ganze Welt im Machtbereich des Bösen liegt», also vom Satan unterworfen und ihm verfallen ist. Aber die Christusgläubigen haben sowohl den Bösen (I 2,13b.14b) als auch den Kosmos (I 5,4f) besiegt. Die Johannesbriefe fordern demnach nicht nur die Weltdistanz, sondern wissen vor allem auch von der Weltüberlegenheit des Christen, weil sie als den Willen Gottes Erfüllende für immer bleiben. Wenn also in I 2,15ff mit Nachdruck die Absage an die Welt als der Welt der Begierden gefordert wird, dann meint dies in gar keiner Weise die Absage an die Welt als Gottes Schöpfung, als Gegenstand der Sendung des Gottessohnes wie der Sühne für die Sünden und schließlich als Raum der Heidenmission.

Wie schon das gegenwärtige, kanonische Johannesevangelium, so lassen auch die Johannesbriefe auf gar keinen Fall einen Rückzug der Kirche auf einen sektiererischen Konventikel zu. Auch wenn immer wieder die kriti-

sche Weltdistanz gefordert wird und der Sieg über die Welt im Kontext der Ethik gefeiert wird, so darf daraus niemals eine ghettohafte Ausgrenzung von eben dieser Welt gefolgert werden.
c) Die Forderung, die Brüder bzw. einander zu lieben, wird in den Johannesbriefen immer wieder erhoben und steht geradezu beherrschend im Vordergrund: I 2,9–11; 3,11–18.23; 4,7.11f.20f; 5,1f; II 5. Dabei ist zuerst einmal gezielte Polemik gegen die gnostischen Irrlehrer am Werk, die aufgrund von Überheblichkeit und Hochmut es gerade an Bruderliebe fehlen lassen (I 2,9–11; 4,20f). Dieses unbrüderliche Verhalten wird v.a. in I 3,17 vom Verfasser angeprangert: «Wer seinen Lebensunterhalt hat und sieht seinen Bruder Not leiden und verschließt sein Erbarmen vor ihm – wie bleibt in ihm die Liebe Gottes?». Die Liebe ist für den Verfasser also keineswegs bloß Gefühl oder Affekt, sondern die Liebe sind Taten der Liebe als das Da-Sein für den Nächsten. Die Forderung der Bruderliebe hat also für die Johannesbriefe eine ganz konkret-materielle Seite: Um der Liebe Gottes willen ist der Christ verpflichtet, seinem in leiblicher Not befindlichen Mitbruder auszuhelfen bis hin zur Hingabe des eigenen Lebens (I 3,16). Andererseits wird der Bruderhaß mit dem Mord identifiziert (I 3,15). Der Verfasser will also die johanneische Kirche für ein tatkräftiges Christentum in Abgrenzung zu den gnostischen Häretikern gewinnen.
Dieses Gebot der Bruderliebe wird in I 2,7f ausdrücklich sowohl alt als auch neu genannt: «Geliebte, kein neues Gebot schreibe ich euch, sondern das alte Gebot, das ihr von Anfang an habt. Das alte Gebot ist das Wort, das ihr gehört habt. Andererseits schreibe ich euch ein neues Gebot, das ist wahr bei euch». Alt ist das Gebot der Bruderliebe insofern, als es «von Anfang an» der Gemeinde bekannt war. Alt ist hier durchaus auch im temporalen Sinne zu verstehen. Seit der Christusgeschichte (vgl. Joh.13,34f) und bei der Bekehrung des Einzelnen kennen die Gläubigen dieses Gebot, blicken also auf eine vergangene Geschichte zurück. Neu ist dieses Gebot insofern, als es vom johanneischen Christus gegeben, also eschatologische Qualität und Dimension besitzt.
Aber «neu» beinhaltet nicht nur eine qualitative, sondern wie im vorliegenden Johannesevangelium auch eine heilsgeschichtliche Relation, nämlich mit Blick auf das alte Gebot der Nächstenliebe des Alten Testamentes. Denn die Betonung der Gebote Gottes (I 2,3f; 3,22f), seines Willens (I 2,17; 5,14) und der Gerechtigkeit (I 3,7) und der Gesetzlosigkeit (I 3,4), beweist meines Erachtens, daß in den Johannesbriefen ebenso wie im redigierten Johannesevangelium vom mosaischen Moralgesetz, summiert im Gebot der Nächstenliebe, die Rede ist. Das neue Gebot der Bruderliebe tritt neben das alte Gebot der Nächstenliebe, ersetzt letzteres aber in gar keiner Weise. Weder im gegenwärtigen Johannesevangelium noch in den Johannesbriefen wird also das alte Gebot der Nächstenliebe auf das neue Gebot der Bruderliebe eingeschränkt oder gar

mit ihm identifiziert. Zwischen beiden besteht auch keine Antithese, sondern eine heilsgeschichtliche Synthese, so daß das alttestamentliche Moralgesetz für die Ethik der Johannesbriefe keineswegs an Bedeutung verloren hat, sondern vielmehr eine direkte Kontinuität zwischen der Ethik auch der Johannesbriefe und dem alttestamentlichen Moralgesetz besteht.

Eine gewisse Verschiebung dagegen ist in II 5 zu beobachten. Hier ist nun der temporale Aspekt allein beherrschend geworden, wenn es heißt: «Nicht als ob ich dir ein neues Gebot schreibe, sondern was wir von Anfang an hatten, daß wir einander lieben sollen». Gerade das historisch-traditionelle Alter des Liebesgebotes wie seine schon erfolgte Bewährung in der Kirchengeschichte motivieren seine verpflichtende Autorität. Auf jeden Fall bleibt das alte Gebot der Nächstenliebe auch für die Ethik der Johannesbriefe in Kraft und wird keineswegs einseitig auf das neue Gebot der Bruderliebe reduziert. Die immer wieder vorgetragene These von einer Verengung bzw. Einschränkung der universalen Nächstenliebe und die damit vermeintlich alleinige Geltung der nach innen gerichteten Bruderliebe kann nach allem bisher Gesagten sowenig für das Johannesevangelium wie für die Johannesbriefe aufrechterhalten werden. Die Ethik der Johannesbriefe ist mitnichten eine partikularistische bzw. sekten- oder ghettohafte Konventikelethik, die nur noch das Programm kenne, sich radikal von der Welt abzuschließen und ausschließlich die Brüder zu lieben.

Obwohl das Christentum der Johannesbriefe mit der gnosisfeindlichen Majorität gerade nicht spekulativ, sondern ausgesprochen ethisch-praktisch orientiert ist, kann das völlige Fehlen von innergemeindlichen Weisungen z.B. für verschiedene Gruppen, für die Ordnung des Gottesdienstes oder die verschiedensten Situationen nicht übersehen werden. Vor allem fehlt nicht nur die vielfältige, paränetische Tradition, sondern auch jede Spur einer christlich-bürgerlichen Sozialethik, wie sie z.B. von den bekannten Haustafeln mit ihren weltlichen Sozialordnungen und Ständen belegt wird.

So kann und muß man abschließend feststellen: Weder findet in den Johannesbriefen eine Thematisierung der Sozialbezüge statt noch werden aber auch andererseits asketische Gebote an die Gemeinde herangetragen. Vielmehr behält das alte Gebot der Nächstenliebe neben dem altneuen Gebot der Bruderliebe seine eschatologische Relevanz, womit jeder weltlosen wie entweltlichenden Konventikelethik in der johanneischen Kirche der Boden entzogen ist.

III. Die Johannesapokalypse

1. Kein Buch mit sieben Siegeln

a)Eine besondere Schwierigkeit dieses letzten Buches der Bibel besteht

zweifellos darin, daß ihre paränetischen Aussagen zumeist in einer apokalyptisch-visionären Bildersprache eingebettet und verschlüsselt sind. Um sie für eine Ethik erheben und auswerten zu können, sind deshalb abklärende Bemerkungen zu Auslegungsgeschichte, Abfassungsverhältnissen, Inhalt und Eigenart gerade dieses Buches unumgänglich.
Zwar finden sich in den Synoptikern (vgl. Mk.13parr) und bei Paulus (1.Thess.4,15ff; 1.Kor.15,20ff u.a.) apokalyptische Texte, aber die Johannesapokalypse ist die einzige christliche Apokalypse, die in den Kanon aufgenommen wurde. Wegen ihrer fremdartigen Bildersprache, ungewöhnlichen Visionen und phantastischen Zahlensymbolik ist die Johannesapokalypse in der Kirchengeschichte zu allen Zeiten aufs heftigste umstritten gewesen. Schon im 2. Jh. haben die sogenannten Aloger dieses Buch auf den Gnostiker Kerinth zurückgeführt. Luther hat in der Vorrede zu seiner Septemberbibel von 1522 die Johannesapokalypse als nicht apostolisch abgelehnt, Zwingli in der Berner Disputation sie als ein nichtbiblisches Buch zurückgewiesen und Calvin schließlich hat darauf verzichtet, sie in seine fortlaufende Bibelerklärung aufzunehmen.
Weil die Johannesapokalypse gegen ihre eigene Absicht in der Geschichte der Konfessionen weithin zum «Buch mit sieben Siegeln» geworden ist, hat man sie nicht ungern den Schwärmern und Sektierern als ihr Lieblingsbuch überlassen. Andererseits dürfen die theologischen und ethischen Probleme, die gerade mit diesem apokalyptischen Buch verbunden sind, nicht heruntergespielt werden. So sind in neuerer Zeit immer wieder Bedenken gegen die allzu eindeutig und einheitlich verlaufende, spekulative wie mythologisch befrachtete Geschichtstheologie Bedenken angemeldet worden. Die wissenschaftliche Exegese ist sich heute jedenfalls einig in der Zurückweisung einer kirchengeschichtlichen bzw. weltgeschichtlichen Deutung, wie sie seit Joachim von Fiore geübt wird und aufgrund von Bildern und Visionen über den Ablauf der Endereignisse spekuliert und die Nähe des Weltendes berechnen zu können meint.
Übereinstimmung herrscht in der internationalen wie interkonfessionellen Auslegung vor allem auch darüber, daß die Johannesapokalypse ein Buch ist, das zu einer bestimmten Zeit abgefaßt wurde, ihre Botschaft also nicht einfach wiederholt, sondern in jeder Zeit neu übersetzt werden muß. Dazu aber bedarf es bestimmter und auch schon bewährter Methoden. So muß zuerst einmal der ursprüngliche Sinn und die Eigenart des Bilder- und Vorstellungsmaterials und sein Stellenwert im Rahmen der Johannesapokalypse herausgearbeitet werden (= die traditions- bzw. religionsgeschichtliche Methode). Zugleich hat der Verfasser bestimmte Personen und Bezeichnungen auf seine eigene Gegenwart bezogen, etwa das Tier von Kapitel 13 mit einem römischen Kaiser seiner Zeit identifiziert und Babylon, das auf den drei Hügeln liegt, mit Rom (17,9). Es ist demnach keine Frage, daß bestimmte Texte bzw. Textabschnitte ohne die zeitgeschichtliche Methode unverständlich bleiben. Schließlich ist zu beachten,

daß die Johannesapokalypse von der apokalyptisch und d.h. zeitlich bestimmten Naherwartung des Reiches Gottes mit Weltende, dem unmittelbar bevorstehenden Gericht und der Ankunft Christi beherrscht ist. Die Fülle der Visionen, Bilder, Kämpfe wie der schroffen Buß- und Mahnpredigt ist ausgerichtet auf diesen kommenden, aber nahen Tag Gottes und seines Messias. Diese apokalyptische Erwartung für das nahe Weltende und die Erlösung der Seinen herauszuarbeiten ist darum das erklärte Ziel der endgeschichtlichen Methode. Nur durch das bewußte Zusammenspiel dieser genannten Auslegungsmethoden war und ist es möglich, die Absicht des Verfassers und den Sinn der ungewöhnlich visionären und spekulativ-bildhaften Inhalte dieser im neutestamentlichen Kanon einzig dastehenden Apokalypse zu erkennen und wirklich auszulegen. Nur so kann jede vorschnelle «Anwendung» der Johannesapokalypse auf die jeweilige Gegenwart vermieden werden, die gerade dieses Buch im Laufe der Kirchengeschichte so in Verruf gebracht hat. Denn die Johannesapokalypse ist ihrer ureigensten Intention nach ein Buch der enthüllten sieben Siegel, die in der Thronsaalvision von Christus selbst geöffnet werden, so daß sie dann auf seinen Befehl hin von Johannes der gesamten Christenheit wieder gegeben werden können (5,1ff).

b) Die immer noch diskutierte Frage, ob die Johannesapokalypse überhaupt zum Corpus iohanneum bzw. johanneischen Traditionskreis gehört, ist beim heutigen Forschungsstand zu bejahen. Voraussetzung ist allerdings, daß die Johannesapokalypse nicht – wie zumeist üblich – mit den Partien einer hypothetischen Grundschrift, sondern mit dem redigierten, also heute vorliegenden, kanonischen Johannes-Evangelium sowie mit den drei Johannesbriefen kritisch verglichen wird. Damit dürfte auch der Wahrheitskern der altkirchlichen Theorie vom einheitlich apostolischen Ursprung aller johanneischen Schriften betroffen sein. Andererseits schließt die Unvereinbarkeit eines und desselben Verfasser von Johannes-Evangelium, Johannesbriefen und Johannesapokalypse keineswegs eine sachlich-theologische Zugehörigkeit der Apokalypse zur gemeinsamen johanneischen Schultradition aus. Wird dieser Vorschlag methodisch konsequent berücksichtigt, dann steht der Zuordnung der Johannesapokalypse zur johanneischen Schule nichts entgegen. So gibt es zuerst einmal sprachlich überraschende Berührungen zwischen beiden Schriften. Das Christusprädikat «das Wort» findet sich im ganzen Neuen Testament nur in Joh.1 und Apk.19,13 und nur in Joh.1,29.30 und Apk.5,6 wird Christus als das «Lamm» tituliert (im griechischen Urtext allerdings jeweils ein verschiedenes Wort).

Im Johannes-Evangelium wie in der Johannesapokalypse stirbt Christus zu der Zeit, als die Passalämmer geschlachtet werden (Apk.5,6), und typisch johanneische Bildworte wie «Lebenswasser», «Weinstock», «Hirte» und «Brot» sind beiden Schriften gemeinsam. In der ethischen Terminologie wird beide Male vom «Halten der Gebote» und von Werken gesprochen. Das pluralische Sündenverständnis ist vorherrschend und auch die Wortgruppe «bezeugen/Zeugnis» ist in diesem Zusammenhang zu nennen.

Der Hauptunterschied allerdings wird zumeist fälschlich in der Eschatologie gesehen, wonach die Johannesapokalypse ausschließlich von der futurisch-apokalyptischen, das Johannes-Evangelium dagegen nur von der präsentischen Eschatologie bestimmt sei. Aber auch wenn das gegenwärtige Johannes-Evangelium den Christus präsens unüberhörbar betont, so daß in der Begegnung mit seinem Offenbarerwort die Entscheidung über Leben und Tod fällt, so weiß dasselbe Evangelienbuch nicht nur um die futurisch-apokalyptische Endvollendung (5,27ff; 6,39f.44.54; 12,47f; 16,13) mit Totenauferstehung und Gericht, sondern bezieht ausdrücklich die apokalyptische, zeitlich bestimmte Parusienaherwartung in ihre Hoffnung mit ein (Joh.21,22). Umgekehrt besteht kein Zweifel, daß die Johannesapokalypse die futurisch-apokalyptische Inthronisation des Weltrichters Christi und die damit eintretende Endvollendung in den Mittelpunkt gerückt hat. Aber darüber kann doch keinen Augenblick vergessen werden, daß die Präsenz des Heils in Kreuz und Erhöhung Christi (z.B. 5,1–11) längst angebrochen ist. Alle bloß futurisch-apokalyptische Hoffnung wird von der Johannesapokalypse demnach ausdrücklich korrigiert. Das sehnsüchtig erwartete Endheil hat seinen Grund im schon geschehenen Christusereignis, und der kommende Christus-Weltrichter ist kein anderer als der gekommene. Denselben Stellenwert haben die Sakramente der Taufe und des Abendmahls in beiden Schriften.

Natürlich gibt es neben diesen Gemeinsamkeiten auch Unterschiede in Sprache, Verkündigungs- und Denkstruktur. Aber sie sind keineswegs so gravierend, daß sie zu dem Schluß führen müssen, Johannes-Evangelium und -briefe einerseits wie Johannesapokalypse andererseits hätten überhaupt nichts miteinander zu tun und können nicht gut einer gemeinsamen Schultradition angehören. Das Gegenteil ist vielmehr der Fall: Die Johannesapokalypse fügt sich sehr gut in die theologiegeschichtliche Phase des johanneischen Christentums Kleinasiens ein und komplettiert auch formal dessen Literatur: Neben dem Johannes-Evangelium und den Johannesbriefen hat diese Kirche auch noch eine eigenständige, christliche Apokalypse hervorgebracht. Das ist einmalig im Vergleich mit dem Christentum des deuteropaulinischen und auch des synoptischen Typus.

Über die Abfassungsverhältnisse läßt uns die Johannesapokalypse im großen und ganzen nicht im Unklaren. Nach dem Selbstzeugnis des Buches bezeichnet sie Johannes als einen Propheten (1,9ff; 22,7.10.18f), der von Christus berufen ist. Für sein Buch als «Worte der Prophetie» (1,3; 22,7.10.18f) beansprucht er höchste Autorität und absolute Integrität (22,18f). Mehrmals nennt er seinen Namen Johannes (1,1.4.9; 22,8). Von der Insel Patmos aus schreibt er an sieben Gemeinden, die die Gesamtheit der Kirche repräsentieren. Anlaß für diese Sendschreiben ist einmal die

laue und gleichgültige Situation der betreffenden Gemeinden, die entweder gelobt oder getadelt werden. Zum andern wird die kleinasiatische Kirche durch den römischen Staat bedroht: Es gibt nach 6,9–11 nicht nur spontane Konflikte, sondern eine organisierte Verfolgung der Kirche durch die römischen Behörden (2,10; 3,10; 6,9; 20,4). Ein maßgeblicher Grund ist die Verweigerung des Kaiserkultes durch die Christen (13,4ff; 14,9; 16,2; 19,20). Der leidenschaftliche Protest des Johannes gegen Rom und seinen Kaiserkult dürfte – dafür scheinen alle Indizien zu sprechen – am besten in das Ende der Regierungszeit Domitians passen (81–96 n.Chr.), die auch von altkirchlichen Nachrichten bestätigt wird. Damit ist der Zweck dieser Apokalypse bestimmt: Johannes will die Christen mit seiner Apokalypse trösten und stärken, aber auch zur Buße rufen und ermahnen, geduldig auszuharren und allen Bedrohungen standzuhalten; denn das Endgericht nach den Werken steht auch für sie noch bevor (2,23; 18,6; 22,12 u.a.). Weil Johannes durch prophetische Schau und Vision den Anspruch erhebt, Gottes geheimnisvolle Ratschlüsse zu kennen, vermag er autoritativ der gesamten Christenheit den Sinn der gegenwärtigen Geschichte im Anbruch der nahen Parusie Christi zu verkünden.
c) Aufgrund der brieflichen Formelemente am Anfang (das Präskript: 1,4–6) und am Schluß (das Postskript: 22,21) und der Sendschreiben «an die sieben Gemeinden in der Asia» mit ihrem brieflichen Charakter in den Kapiteln 2 und 3 ist die Johannesapokalypse formgeschichtlich als ökumenischer Brief an die gesamte Kirche einzustufen. Dieser briefliche Charakter der Johannesapokalypse ist also keine sekundär nachträgliche Erweiterung, sondern gehörte von Anfang an zur Absicht des Verfassers. Dazu kommt, daß die gottesdienstlichen Formeln am Schluß der Apokalypse (so 22,15.17.20) wie die Bemerkung in 1,3 es wahrscheinlich machen, daß die als Brief stilisierte und abgeschickte Johannesapokalypse in den Gottesdiensten der Gemeinden vorgelesen werden sollte. Diese Praxis war im Urchristentum üblich.
Das Gliederungsprinzip bzw. das Thema der Apokalypse wird ausdrücklich in 1,19 angegeben: Der erste Teil: «Schreibe, was du gesehen hast, ...», beschreibt die Berufungsvision (= 1,9–20), der zweite Teil – «was ist» – umfaßt die sieben Sendschreiben an die kleinasiatischen Gemeinden in der Gegenwart (= Kpp. 2 und 3), und der dritte Teil – «was danach geschehen wird» – enthält die visionäre Offenbarung des apokalyptisch-künftigen Dramas (Kpp.4–22). Er ist der längste Teil des ganzen Buches. Diese eigentliche Apokalypse (Kpp.4–22) beginnt mit der Thronsaalvision, in der in den Himmel entrückte Johannes Gott auf dem Thron und das versiegelte «Buch» sieht, das allein das Lamm zu öffnen vermag (4,1–5,14). Darauf folgen die sieben Siegelvisionen (6,1–8,1), die sieben Posaunenvisionen (8,2–9,21; 11,15–19) und sieben Schalenvisionen (Kpp.15f), die dieselben apokalyptisch gedeuteten Endereignisse einmal summarisch, dann fragmentarisch und schließlich endgültig und vollstän-

dig voraussagen. Die Kapitel 12–14 (= Kampf der bösen Mächte) und Kapitel 17–19 (= der Fall Babylons) dürften nachträglich vom Verfasser eingearbeitet worden sein. Selbstverständlich hat Johannes bei der Abfassung seiner brieflich eingekleideten Apokalypse Quellen- bzw. Traditionsmaterial verarbeitet, worauf schon die zahlreichen Dubletten, Spannungen, Widersprüche und Wiederholungen weisen. Die bisherige Auslegung nimmt deshalb mehrheitlich an, daß Johannes als Judenchrist, der ein semitisierendes Griechisch schreibt, unterschiedliche Traditionen aufgenommen und verarbeitet hat, die etwa in 7,1–8; 11,1–13; 12.13f; 17f und 21f zu orten sind. Schließlich sind die zahllosen Aufnahmen und Anspielungen auf das Alte Testament wie die zahlreichen Parallelen zu jüdischen Apokalypsen nicht zu übersehen. Aber trotz aller Spannungen und Unausgeglichenheiten stellt sich die Johannesapokalypse – im Unterschied zu vielen Apokalypsen des Judentums – als ein Buch von durchdachter, planvoller Komposition und unübersehbarer Geschlossenheit dar, das in eigentümlich archaischer Sprache geschrieben ist.

Zweifellos ist die Johannesapokalypse in Form, Stoff und Inhalt mit den jüdischen Apokalypsen aufs engste verwandt, was schon durch das erste Wort «Apokalypse» = Offenbarung signalisiert wird. Vor allem beweiskräftig aber sind die phantastische, symbolreiche Bildersprache (vgl. nur 12,7ff; 6,8; 9,7), die geheimnisvollen und häufigen Zahlenspekulationen (4,8; 6,1; 8,2; 17,1; 21,12f), sowie die Visionen und himmlischen Erscheinungen als Mittel der Offenbarung. Alles das sowie die kosmisch-dualistische Dimension seiner apokalyptischen Enderwartung haben nur ein Thema: Die letzte Phase der Menschheitsgeschichte vor dem Weltende, dem folgenden Weltgericht nach den Werken und die Erwartung eines neuen Himmels und einer neuen Erde. Daß die Johannesapokalpyse aufs engste mit der apokalyptischen Literatur des Judentums zusammengehört, beweisen nun aber weiterhin die typisch apokalyptischen Anschauungen:

1. Das gesamte Buch wird von der zeitlich determinierten, apokalyptischen Naherwartung beherrscht (1,1.3; 3,11; 16,15; 22,7.10.17.20 u. a.): Nur noch die ganz kurze Zeit von der Gegenwart bis zum Weltgericht, nicht aber die Vergangenheit, steht im alleinigen Blickpunkt des Johannes. Aber auch wenn das Ende nahe bevorsteht, wird von Johannes auf alle Berechnung des Weltendes offenbar verzichtet. Da andererseits die Verzögerung der Parusie z.B. in 3,3 deutlich vorausgesetzt wird, ist zugleich nach der Funktion einer solchen reintensivierten, apokalyptischen Naherwartung am Ende des 1. Jh. zu fragen. Diese Intensivierung und Aktivierung der apokalyptischen Naherwartung des Weltendes hat keine andere theologische Funktion als die, zaudernden, erlahmenden und in den Werken nachlassenden Christen Gehorsam gegenüber den Geboten Gottes und beharrliche Standhaftigkeit einzuschärfen. Wie in den jüdischen Apokalypsen, so stimuliert auch bei Johannes die Nähe des

Endes die Paränese und d. h. die Bewährung im Lebenswandel der Christen.

2. Als zweites typisch apokalyptisches Merkmal ist in der Johannesapokalypse die Determination des Endes zu werten, was in der apokalyptischen Vokabel «es muß» bzw. «es muß geschehen» zum Ausdruck kommt (vgl. 1,1; 4,1; 10,11; 11,5; 13,10; 17,10; 20,3; 22,6).

Diesem apokalyptischen Determinismus entsprechend verläuft die letzte Phase der Weltereignisse von der Gegenwart des Johannes bis zum Weltgericht nach dem im «Buch mit den sieben Siegeln» unabänderlich festgesetzten und unaufhaltsam abrollenden Geschichtsplan Gottes. Gott, der das All geschaffen hat, ist auch der Herrscher des Alls (1,8; 4,8; 11,17; 15,13; 16,7; 19,6; 21,22 u. a.) und Herr der Geschichte (7,2;13,5ff;16,8). Für Johannes und die von ihm angesprochene, bedrängte und verfolgte Gemeinde haben diese Bekenntnisaussagen tröstlichen und in gar keiner Weise spekulativen Charakter: Gott hat sein Regiment nie aufgegeben.

3. Der Chilliasmus, d. h. die Erwartung eines tausendjährigen Reiches auf dieser Erde zwischen Parusie und Weltende (Kap.20), diese Erwartung eines messianischen Zwischen- bzw. Friedensreiches findet sich bereits in jüdischen Apokalypsen (z. B. 4.Esra 7,28ff; syr.Bar.29,3ff; aeth.Hen. 91,12ff; 93) und ist als Ausgleich zwischen der national-irdischen und transzendenten Hoffnung zu warten. Dieses messianische Zwischenreich ist eigentlich ein apokalyptisches Provisorium, weil Gericht und Heil sich erst im neuen Aeon ereignen werden. Ebenso singulär ist im ganzen Neuen Testament auch die mit dem messianischen Zwischenreich verbundene Erwartung einer zweifachen Auferstehung der Toten. Während die eine vor dem messianischen Zwischenreich stattfindet, kommt es zu der zweiten erst beim Anbruch der neuen Welt (20,4ff.12ff). Die Johannesapokalypse gehört also zweifellos nach Form und Inhalt zur apokalyptischen Literatur des Judentums, auch wenn sie als einziges Werk dieser Gattung im neutestamentlichen Kanon singulär geblieben ist.

Dieser unleugbaren Verwandtschaft mit den jüdischen Apokalypsen stehen nun aber gleichzeitig die tiefgreifenden Unterschiede und Besonderheiten der Johannesapokalypse gegenüber, die mit der bewußt christlichen Neuinterpretation des überkommenen Stoffes zusammenhängen. Diese Umprägung jüdischer Apokalyptik läßt sich immer wieder in der Johannesapokalypse beobachten; denn sie ist ein eindeutig christliches Buch. Ich möchte im folgenden nur die wichtigsten Unterschiede nennen: Johannes hat seine Apokalypse nicht pseudonym abgefaßt, sondern nennt seinen Namen und gründet sich auf seine Autorität als Prophet (1,9–20 u. a.). Er hat sein Buch weder für spätere Generationen versiegelt noch die Geheimhaltungspflicht eingeschärft (22,10). Statt der periodisierten, verschlüsselten Geschichtsüberblicke warnt, tröstet und ermahnt er vielmehr die sieben kleinasiatischen Gemeinden als Symbol für die Gesamtkirche (Kapp.2f). Nicht mehr der Traum, sondern die visionäre Ekstase ist Mittel seiner Offenbarung. Entscheidend aber ist, daß er die Apokalypse als Offenbarung des erhöht-gegenwärtigen Christus veröffentlicht. Er hat eine christliche, wenn auch fragmentarisch gebliebene Heilsgeschichte und Apokalypse geschrieben, in deren Mittelpunkt das Heilswerk Christi steht. Die Entscheidung Gottes über seine Schöpfung ist in Christus also bereits gefallen, und die große Wende in der Weltgeschichte mit Christus längst eingetreten. Die große Vision von der Inthronisation Christi als des geschlachteten Lammes in Kapitel 5 ist Beweis dafür, daß er die Siegel geöffnet hat und in Kürze den Sieg über alle seine Widersacher endgültig vollstrecken wird. Ausgangspunkt ist also das Heilsgeschehen Christi: Vor den Toren der Stadt Jerusalem wurde er gekreuzigt, (11,8) und er ist das geschlachtete Lamm, der häufigste Titel in der Apokalypse (28-mal!). Christus ist der «treue Zeuge» (1,5), weil er sein irdisches Werk mit dem Tode bezahlt hat (3,14). Durch seinen blutigen Kreuzestod hat er die Seinen erlöst (1,5; 5,9). Von einem jüdischen Partikularismus ist nirgends etwas zu spüren. Im Gegenteil: Nach 5,9 hat Christus durch sein Blut Menschen aus allen Nationen, Stämmen und Zungen erkauft und nach 7,9ff kommt eine unzählbare Schar aus allen Völkern, Stämmen, Nationen und Sprachen zum Thron des Lammes. Ausgangspunkt von Theologie und Ethik des Johannes ist also sein ausgeprägter, christlicher Universalismus. Zugleich ist Christus der «Erstgeborene von den Toten» (1,5), womit seine Auferstehung und damit eingetretene Erhöhung und Herrscherstellung umschrieben wird. Weil das geschlachtete Lamm nicht im Tode geblieben ist, sondern auferweckt und zu Gottes Thron erhöht wurde, werden dem erhöht-gegenwärtigen Christus von Johannes die höchsten Gottesprädikate zuerkannt: Wie Gott wird er als derjenige bezeichnet, der da ist, der da war und der da kommt, als das A und das O (1,7f). Er ist der Erste und der Letzte, der Anfang und das Ende (1,17; 2,8; 22,13) und darum der König der Könige und Herr der Herren (1,5; 17,14; 19,16). Er ist der Schöpfungsmittler (3,14) und der alleinige Sohn Gottes (2,18), des himmlischen Vaters (1,6). Wie Gott ist er allwissend (2,2.9.13.18f) und der ewig Lebende (1,18), so daß ihm zusammen mit Gott die göttliche Anbetung gebührt (1,6; 5,8ff u.a.). Als Gottes Throngenosse lenkt und vollstreckt Christus die Endereignisse und führt durch seine Wiederkunft zur Parusie die neue Welt zu Gericht und Erlösung herauf (19,11ff) und ist mit seinem Vater der Grund ewigen Lebens (21,22f; 22,1ff).

Im Gegensatz zur jüdischen Apokalyptik wird die rein futurisch-apokalyptische Erwartung von Johannes insofern korrigiert, als er auf den gegenwärtigen Christus bezogen wird, der schon jetzt der Gemeinde als Erlöser und der Welt als Herrscher begegnet. Seit Kreuz und Auferstehung Christi ist das Eschaton bereits Gegenwart geworden, so daß die Hoffnung des Johannes im Heilswerk Christi gründet. Vor allem aber hat für Johannes mit Christi Tod und Auferstehung das Endzeitgeschehen in kosmischen

Dimensionen schon begonnen, wie die mahnenden, tröstenden und strafenden Sendschreiben in den Kapp.2 und 3, aber auch die gezielten zeitgeschichtlichen Deutungen in den Kapiteln 12–14 und 17–19 beweisen. Weil Christus schon jetzt der «Herrscher der Könige der Erde» ist (1,5; 17,14 und 19,16) und der Sieger (5,5; 3,21; 17,14), ist für den Propheten Johannes die himmlische Welt schon in der Gegenwart existent. Christus regiert von seinem Thron aus und der Satan bzw. Babel sind schon gestürzt (17,14). Diesen Weg feiern die hymnischen Stücke in der Apokalypse (vgl. nur 4,11; 5,9–13; 7,9–17; 11,15–18; 12,10–12; 15,3f; 16,5–7; 19,1–1), die in der Auslegungsgeschichte zurecht das himmlische Evangelium genannt worden ist. Immer wieder wird der Ablauf der apokalyptischen Endereignisse durch diese Hymnen unterbrochen, die die himmlischen Wesen und die vollendeten Gerechten vor Gottes und Christi Thron im Himmel anstimmen. Sie stammen keineswegs en bloc aus der Liturgie der johanneischen Kirchen, sondern sind im großen und ganzen das Werk des Johannes. Sie haben die von Johannes bestimmte Funktion, das schon vollendete Heil, begründet in Tod und Auferstehung Christi, zu proklamieren und zu besingen. Zwar wird dieser Jubel im Himmel unter seinen Bewohnern laut, aber die Gemeinde auf Erden nimmt antizipierend bereits jetzt daran teil. Durch alle apokalyptischen Wehen hindurch partizipiert die Kirche auf Erden in der Gegenwart – wenn auch unter dem Kreuz verborgen – an der bereits gefallenen Entscheidung und am Sieg über den Satan und seine Unheilsmächte.

Ähnlich wie der 1. Johannes vergeschichtlicht die Johannesapokalypse die Eschatologie, nur daß hier der Antichrist und sein Gefolge nicht mit den gnostischen Irrlehrern, sondern zeitgeschichtlich mit dem römischen Weltreich und seiner ungeheuren Machtfülle gleichgesetzt werden. Der römische Cäsar Domitian als Nero redivivus ist das Tier aus dem Abgrund (11,7;17,8ff) bzw. aus dem Meer (12,18–13,10.18), das die Christen verfolgt (16,13ff). Umgekehrt wird die Zeit vor dem unmittelbaren Ende beide Male eschatologisch qualifiziert: Die Gegenwart ist keineswegs nur die Periode der Vorbereitung und bloßen Erwartung, sondern wird ausdrücklich und immer wieder als angebrochenes Endgeschehen verstanden und somit eschatologisch gedeutet (vgl. die Kapp. 13 und 17). Dieses höchst aktuelle, aber auch zeitbedingte und darum nur im Hintergrund seiner Zeit sachgemäß zu verstehende Trostbuch für die leidende und angefochtene Kirche enthält also ähnlich wie das redigierte Johannesevangelium und der 1. Johannes eine Zweistufeneschatologie. Die Jetztzeit der johanneischen Gemeinden in Kleinasien ist eschatologische Leidens- und Verfolgungszeit, in der die dämonischen Unheilsmächte der geweissagten Endzeit bereits am Werk sind, aber die sieghafte Erhöhung Christi und der schon im Himmel eingetretene Sturz des Satan sind Unterpfand für den göttlichen Sieg beim nahen Ende von Welt und Geschichte (12,7ff) und Aufruf zur heilsgewissen Hoffnung (19,1). Bei aller Historisierung der Eschatologie wie der akuten apokalyptischen Naherwartung darf deshalb die Ausschaltung der Zeit in der Apokalypse nicht übersehen werden: Die jetzt leidende Kirche ist bereits das in der nahen Parusie versiegelte Gottesvolk und die durch alle apokalyptischen Schrecknisse siegreich hindurchgegangene Schar der Heiligen und Erlösten. Mit anderen Worten: Die kommende Welt ist bereits jetzt im Himmel und auf Erden in der Kirche präsent.

Aber nicht nur in der Christologie und Eschatologie, sondern auch und gerade in der Ekklesiologie, d.h. im johanneischen Verständnis von Kirche, zeigt sich die Christlichkeit dieser Apokalypse. Die johanneische Kirche wartet nicht nur einseitig und ausschließlich auf ihre kommende und endgültige Erlösung bei der nahen Wiederkunft Christi, sondern blickt dankbar zurück auf die im Sühntod Christi geschehene Erlösung. Das Blut Christi hat sie von ihren Sünden erlöst (1,5; 7,14; 22,14). Das geschlachtete Lamm hat die Gemeinde aus allen Stämmen, Sprachen, Völkern und Nationen mit seinem Blut für Gott «erkauft» (5,9). «Als Erstlingsgabe für Gott und das Lamm sind die Christen» aus den Menschen losgekauft worden (14,4). Durch die Kraft des blutigen Sühntodes Christi haben sie den Ankläger ihrer Brüder besiegt (12,4). Ihre Namen sind bereits eingeschrieben in das Buch des Lebens (3,5; 13,8; 17,8; 20,12; 21,27), Christus hat sie zur Königsherrschaft und zu Priestern gemacht (1,6), und sie sind versiegelt als das neue Gottesvolk mit dem Namen Gottes und des Lammes (7,1ff; 14,1ff).

Alle diese Heilsgaben, gegründet im Heilswerk Christi, werden den Christen zugesprochen durch den Glauben und die Sakramente der Taufe und des Abendmahles, auf die in 9,20f; 21,8; 22,15 einerseits und 22,15.17.20 andererseits angespielt wird. Die oftmals wiederholte These, daß die Johannesapokalypse im Grunde nur ein leicht christianisiertes Judentum repräsentiere, ist angesichts des soeben herangezogenen Stellenmaterials nicht mehr aufrechtzuerhalten. An der Christlichkeit dieser einzigen Apokalypse im Neuen Testament kann nach allem bisher Ausgeführten kein Zweifel mehr bestehen.

2. Die Bedeutung des Mosegesetzes für die Ethik

a) Die Vokabel «Gesetz» kommt zwar in der Apokalypse nicht vor, aber nichtsdestoweniger die Sache. Die Geltung und Autorität des alttestamentlichen Gesetzes, und zwar als Ritual- wie Moralgesetz, steht für Johannes nicht zur Diskussion. So postuliert der Apokalyptiker die Möglichkeit des mosaischen Kultgesetzes für Heiden- wie Judenchristen. Ausgangspunkt ist 2,24f: «Nicht werfe ich eine andere Last auf euch außer: Was ihr habt, das haltet fest...», eine Stelle, die in erstaunlich wörtlicher Weise mit Apg.15,28f übereinstimmt: «Denn der heilige Geist und wir haben beschlossen, euch weiter keine Last aufzuerlegen, außer diesen notwendigen Stücken...». Beidemale werden von den Heidenchristen keine besonderen Ritualgesetzesbestimmungen gefordert und beidemale werden die in Geltung stehenden Ritualgebote als Ausnahme und «Last» bezeichnet. Die «Last» ist natürlich beidemale die Last des Ritualgesetzes, die Gebote des Moralgesetzes stehen überhaupt nicht zur Diskussion und müssen von Heiden- wie Judenchristen anerkannt werden. Schließlich wird beidemale betont, daß die in Geltung stehenden Ritualgebote allerdings eingehalten werden müssen. Außer den absolut heilsnotwendigen Geboten von Apg.15,28 werden also keine weiteren für die Heidenchristen erhoben: Diese haben sich von Götzenopferfleisch, Blut, Ersticktem und Unzucht strikt fernzuhalten. Die Einhaltung dieser Ritualgebote durch die Heidenchristen war deshalb notwendig, damit beim allgemeinen Zusammenleben mit den Judenchristen die letzteren sich nicht rituell verunreinigten. Dieser ritualgesetzliche Verstehenshintergrund kommt in den Warnungen Apk.2,14 und 20 voll zum Tragen: Johannes warnt die Gemeinden in Pergamon und Thyatira davor, Götzenopferfleisch zu essen und Unzucht zu treiben, was von den christlichen Gnostikern offenbar praktiziert wurde. Johannes setzt also voraus, daß die Heidenchristen in der johanneischen Kirche dieses Mindestmaß an ritualgesetzlichen Forderungen halten, und warnt sie ausdrücklich davor, das für sie geltende, mosaische Ritualgesetz zu übertreten. Denn das Essen von Götzenopferfleisch, d.h. von den Göttern geweihtes Fleisch, verunreinigt rituell und ist eine Übertretung des alttestamentlichen Kultgesetzes. Wenn aber schon der heidenchristliche Teil der johanneischen Kirche am Ritualgesetz des Mose festhält, dann gilt das umso mehr für die Judenchristen. Da also Johannes von seinen Gemeinden ein dem alttestamentlichen Ritualgesetz entsprechendes, reines Verhalten fordert, ist vorauszusetzen, daß in der Apokalypse auch dem Ritualgesetz des Mose zentrale Bedeutung zukommt. Seine Gültigkeit und Autorität für Heiden- wie Judenchristen wird jedenfalls von Johannes nicht in Zweifel gezogen. Ob die Gemeinde insgesamt von aus Palästina ausgewanderten Judenchristen gegründet sind, sei dahingestellt. Auf jeden Fall dürften die 7 Gemeinden aus Heiden- und Judenchristen bestehen und Johannes selbst ein Judenchrist sein. Für die Herkunft der Apokalypse aus dem Judenchristentum können folgende Argumente angeführt werden:

1. Die benutzte apokalyptische Tradition und Vorstellungswelt und die unzähligen alttestamentlichen Anspielungen, Begriffe und Bilder. Große Teile der Apokalypse sind in der Tat nichts anderes als begleitende Ausdeutung alttestamentlicher Texte. Die Johannes eigene Sprache ist ein auffallend semitisierendes Griechisch.

2. Auffallend sind weiter die zahlreichen jüdischen Messiastitel: Christus wird nach 1.Mose 49,9 als der Löwe aus dem Stamme Juda und nach Jes.11,20 als der Wurzelsproß aus David bezeichnet (Apk.5,5). Diese

beiden Würdebezeichnungen verkündigen Christus als den in der Endzeit erwarteten Heilskönig, der nach alttestamentlicher Verheißung nur von dem Geschlecht der Davididen abstammen kann (auch 22,16). Als der «strahlende Morgenstern» (vgl. 4.Mose 24,17) führt er die apokalyptische Endzeit herauf (22,16; auch 2,28). Er ist der himmlische Menschensohn auf der Wolke (Dan.7,13), der zum Endgericht erscheint (14,14; auch 1,7.12–16). Nach der messianischen Weissagung (Ps.2,8f) wird Christus die Heidenvölker «mit eisernem Stabe weiden und zerschlagen wie Tongeschirr» (2,26; 12,5; 14,14). Als der messianische Herrscher besitzt er die Schlüssel des Todes und des Lebens (1,18), so daß er die Macht über den Tod und den Hades hat. Weil der Tod durch Christus entmachtet ist, teilt er allein ewiges Leben oder ewigen Tod zu.

3. Vor allem aber wird ohne jede Einschränkung das vorchristliche Israel mit der Kirche identifiziert, das gegenwärtige Judentum dagegen, das Christus gekreuzigt und die Gemeinden verfolgt hat, wird radikal ausgeschlossen. Weil die Kirche mit Israel identisch ist, gibt es auch keine Unterschiede zwischen der Gemeinde vor und nach Christus. Die Würdenamen des vorchristlichen Israel «Königreich und Priester» (vgl. 2.Mose19,6) prägt ebenfalls die Kirche (1,6), sie ist das Zwölfstämmevolk Israel (7,4) und singt in typologischer Entsprechung zur Errettung Israels beim Durchzug durch das Schilfmeer das Lied des Mose, des Knechtes Gottes (15,2ff). Allen Juden, die nicht an Christus glauben, wird die Volksbezeichnung «Juden» abgesprochen. Sie nennen sich zwar Juden, sind es aber nicht (2,9; 3,9). Die Kirche, nicht aber die Synagoge, sind die Juden. Das irdische Jerusalem ist die «Synagoge des Satans» (3,9), und heißt in 11,8 ausdrücklich «Sodom und Ägypten»; nur im himmlischen Jerusalem findet die Kirche ihre Vollendung. Das neue Jerusalem, das präexistent ist und in der Endzeit vom Himmel herabkommt (3,12; 21,2 und 10) ist allein die heilige Stadt (11,2; 21,2 und 10; 22,19). Dieses endzeitliche Jerusalem ist deshalb auch das endgültige Ziel der Gemeinde (21,12). Aber nicht zu übersehen ist, daß sich schon jetzt im Himmel das Urbild des irdischen Tempels von Jerusalem befindet mit dem äußeren Vorhof, dem Brandopfer- und Rauchopferaltar im Vorraum des Allerheiligsten sowie der Bundeslade (6,9; 8,3; 7,15; 11,4.19; 14,15).

Wenn aber alle diese Würdebezeichnungen, Ehrennamen und Privilegien des vorchristlichen Israel für das gläubige Israel in Beschlag genommen werden, die Gemeinde vor und nach Christus ein und dieselbe ist, dann ist es nur konsequent, wenn die Kirche, die ohne eine heilsgeschichtliche Weiterentwicklung mit Israel identisch ist, auch das Ritualgesetz des Mose hält. Dieses ist nach 2,14.20 und 24 rituelle Norm eines reinen Verhaltens.

Aber der Apokalyptiker fordert nicht nur ein reines Verhalten der Gemeinde aufgrund des Ritualgesetzes, sondern auch ein solches gemäß dem mosaischen Moralgesetz. Auch das alttestamentliche Moralgesetz bleibt nach Johannes ethische Norm der Gemeinde. D.h. aber: Das Mosegesetz mit seinen rituellen wie ethischen Geboten hat in der Johannesapokalypse zentrale Bedeutung, von einer Relativierung oder gar Außerkraftsetzung seiner Gültigkeit wie Autorität kann überhaupt keine Rede sein.

b) Dementsprechend wird in 12,17 und 14,12 kompromißlos das Halten der Gebote Gottes gefordert. Das Halten bzw. Bewahren der Gebote Gottes ist eine typisch alttestamentlich-jüdische Redeweise und umfaßt hier wie dort die ritual- und moralgesetzlichen Forderungen des Mosegesetzes. Zwei entscheidende Merkmale sind es, die nach Johannes die Kirche auszeichnen: Die Christen halten zum einen die Gebote Gottes, d.h. sie führen inmitten einer von Rebellion gegen Gott und seinen Willen versklavten Welt einen reinen Lebenswandel gemäß den sittlichen und rituellen Geboten. Zum andern haben sie «das Zeugnis Jesu» empfangen (12,17), d.h. als die Gläubigen und Heiligen bewahren sie «die Treue zu Jesus» (14,12). Für Johannes gehören demnach Ethik und Glaubenstreue aufs engste zusammen und sind die unaufgebbaren Kennzeichen einer von den dämonischen Mächten bedrängten Kirche. So ist es alles andere als zufällig, wenn von Johannes immer wieder die dem Gesetz Gottes entsprechenden Werke gefordert werden (2,2.5.19.23.26; 3,1f.8.15; 14,13; 18,6; 20,12f; 22,12). Zu diesen Werken gehören z.B. nach 2,19 die Liebe, der Glaube, der Dienst und die Geduld, und zwar in dieser Reihenfolge. Als Folge der geschehenen Erlösung sind sie zugleich Bedingung für die kommende Vergeltung im Endgericht, haben also wie bei Matthäus heilsnotwendige Bedeutung (vgl. nur 2,23). Weil sie alleiniges Kriterium im Weltgericht sind, müssen diese Werke nach dem Maßstabe des Gesetzes vollkommen sein «vor Gott» (3,2), was den Lohn bzw. Strafgedanken natürlich nicht aus- sondern einschließt (11,18): «Siehe, ich komme bald, und mein Lohn mit mir, um einem jeden zu vergelten, wie es seinem Werk entspricht» (22,12). Die Ungläubigen wird das Gericht wegen ihrer Werke treffen (16,11), nach 9,20f werden Mord, Unzucht und Diebstahl, aber auch Götzendienst, Zauberei und Magie als Übertretungen des Mosegesetzes angeprangert. Nach 18,5f trifft die Heiden wegen ihrer «ungerechten Werke» das göttliche Zornesgericht.

Aber auch die Gemeinden werden aufgrund ihrer Werke gelobt (2,2.13.19) oder getadelt (2,19.22; 3,1f.15). Die Gemeinde in Ephesus wird kritisiert, daß sie «die erste Liebe verlassen» hat (2,4). Darauf folgt die Mahnung in 2,5, umzukehren und «die ersten Werke» zu tun. Gefordert wird von Johannes beidemale dasselbe: Die Gemeinde in Ephesus soll wie in der ersten Zeit nach Bekehrung und Taufe zum bedingungslosen Gehorsam gegenüber dem Liebesgebot zurückkehren, das auch für Johannes Summe und Erfüllung des ganzen Mosegesetzes ist. Denjenigen, die «im Herrn sterben», werden «ihre Werke» ins ewige Leben nachfolgen (14,13) und dann für sie Zeugnis ablegen. Ja, die «gerechten

Werke» der Heiligen werden sogar als etwas Selbständiges, von ihnen Ablösbares, unter dem Bilde der glänzenden, reinen Leinwand angesehen (19,8). Alle Toten stehen im Endgericht vor dem Throne Gottes, um nach ihren Werken ihr Urteil zu empfangen (20,12f): Ganz im Sinne der jüdischen Apokalyptik werden von den Engeln zwei verschiedene Bücher aufgeschlagen. Während im einen Buch die ungerechten Taten der Menschen aufgeschrieben sind, enthält das andere Buch die Notizen über die gerechten Werke der Menschen (vgl. Dan.7,10; 4.Esra 6,20; syr.Bar. 24,1). «Und nach ihren Werken werden sie alle gerichtet» (20,13), eine Aussage, die weder abgeschwächt noch gar im paulinischen Sinne umgedeutet werden darf. Denn einen Gegensatz von Glaube und Werken des Gesetzes kennt die Johannesapokalypse nicht. Der Glaube kommt zwar einige Male vor, (2,20.13; 17,14), aber zumeist versteht Johannes unter Glaube ganz alttestamentlich-jüdisch die zuverlässige Glaubenstreue (2,10.13.19; 13,10; 14,12; 17,14), die zum Synonym für Geduld und Ausharren geworden ist (2,13; 6,19ff; 7,9ff), wie überhaupt die Mahnung zur ausdauernden Geduld und Standhaftigkeit (13,7; 14,12) bis in den Tod (2,10.13; 6,9ff; 7,9–17; 14,13) das ganze Buch durchzieht. Damit aber wird der Glaube, auswechselbar mit Geduld, als menschliche Anstrengung zu einer der hervorragenden Tugenden (vgl. besonders 13,10; 14,12). In 2,19 wird der Glaube sogar unter die Werke subsumiert und die Liebe außerdem vorangestellt. Ja, nach 2,2.5.19; 3,1.8 und 15 ist das absolut gebrauchte «Werke tun» sachlich gleichbedeutend mit «glauben». Die Verfolgungsleiden der Gemeinde sind nicht nur rettende Züchtigung, mit deren Hilfe Gott die Christen zu Eifer und Busse führt (3,19), sondern – und das ist die tröstliche Botschaft des Johannes – für die Märtyrer winkt als Lohn der himmlische «Kranz des Lebens» (2,10; 7,13ff; 14,3; 22,14 u.a.) und die Bewahrung im apokalyptischen Schrecken (3,10; 7,1ff; 14,1ff). Typisch für Johannes erscheint der Glaube als Haltung neben den anderen Tugenden wie Liebe, Fürsorge und Ausdauer (2,19); alle diese Tugenden werden zu den «Werken» gerechnet, nach denen das zukünftige Gericht ergeht (9,20f; 16,11; 18,6).

Auch Gerechtigkeit wie alle von diesem Wort abgeleiteten Begriffe werden ausschließlich ethisch verstanden: Sie meinen die Rechtschaffenheit vor Gott und seinem Willen und bringen die gerechten Werke der Heiligen im moral- wie ritualgesetzlichen Sinne zum Ausdruck. 22,11 bringt diesen Sachverhalt besonders prägnant zum Ausdruck: «Wer Unrecht tut, der tue weiter Unrecht, und wer unrein ist, der mache sich ganz unrein, und wer gerecht ist, der handle weiter gerecht, und wer heilig ist, der heilige sich weiter». Maßstab für das Unrecht- bzw. Unreinsein und Unrechttun auf der einen Seite und das Gerecht- bzw. Heiligsein wie das Gerechthandeln auf der andern Seite ist allein der Wille Gottes, niedergelegt im Gesetz des Mose. «Würdig» sind allein die Christen, «die ihre Gewänder nicht befleckt haben» (3,4f), und d.h. im Endgericht mit Wer-

ken des Gesetzes aufwarten können. Allein ihr würdiger Lebenswandel ist die Bedingung dafür, daß ihr Name aus dem Buch des Lebens von Christus nicht ausgelöscht, vielmehr im Gegenteil vor seinem himmlischen Vater und seinen Engeln genannt werden (3,5). Für Johannes ist der Mensch gerecht, wenn er rechtschaffen handelt (15,3; 16,5 und 7; 19,2; 22,11). In das himmlische Jerusalem, die kommende Gottesstadt, werden nur diejenigen hineinkommen, die die Gebote Gottes bewahrt und d.h. nach 21,27, keine Greuel, Lügen und Unreines getan haben. Nur die Täter des Gesetzes bekommen Zugang zum himmlischen Jerusalem, alle Gesetzesübertreter dagegen bleiben ausgeschlossen und verfallen dem ewigen Tode (14,5).
Dieser nicht zu übersehenden Bedeutung des Mosegesetzes für die Ethik der Johannesapokalypse entspricht nun konsequent das Sündenverständnis. Weil Johannes unter einer Sünde eine konkrete Verfehlung des Menschen und d.h. der Heiden wie der Christen versteht, und zwar in der Regel ein ethisch-moralisches wie rituelles Fehlverhalten, deshalb spricht er durchwegs nur im Plural von «den Sünden» (1,5; 18,4f). Unter Sünde versteht Johannes immer ein konkret-unreines Verhalten, und zwar nicht nur eine konkrete Übertretung des Moralgesetzes im Sinne von Mord, Hurerei (2,14 und 20), Lüge, Feigheit und Treulosigkeit (9,20f; 21,8), von Diebstahl (9,21), Unreinheit und Lüge (21,27) bzw. Unzucht, Mord und Lüge (22,15), sondern ebenso des Ritualgesetzes im Sinne von Götzenopferessen (2,14 und 20), Götzendienerei, Zauberei, befleckt mit Greueln (9,20f; 21,8; 27; 22,15) und Unreines (21,27). Weil Sünde für Johannes immer Unreinheit sowohl als moral- wie auch ritualgesetzliches Fehlverhalten des Menschen bedeutet, kann er statt «Sünde» auch von Unrechttun (22,11 hier zweimal), von «Greueln» (21,8 und 27) sprechen oder in 18,5 Sünden mit ungerechten Werken gleichsetzen. Sündigen ist nach 3,4 identisch mit «sein Gewand beflecken». Wer es nach 3,4 an Werken gemäß dem göttlichen Gesetz fehlen läßt, und d.h. konkret das mosaische Ritualgesetz wie Moralgesetz übertritt, der befleckt sein Gewand und wird aus dem Buch des Lebens ausgelöscht werden (3,5).
Deshalb hat Johannes an drei Stellen seines Buches traditionelle Lasterkataloge aufgenommen und in seine Apokalypse eingearbeitet: 9,20f; 21,8 und 22,15. Aber unter Laster versteht Johannes mit der urchristlichen Tradition nicht nur die Verfehlungen des Dekalogs, sondern ebenso die Übertretungen des Ritualgesetzes mit dem Festhalten am heidnischen Götzenkult.
Deshalb wird von Johannes immer wieder die Buße und d.h. die Abkehr von den gesetzwidrigen Werken und die Hinwendung zu Gott und seinem offenbarten Willen gefordert. In der Zwischenzeit bis zur nahen Erlösung wird einzig die Buße als Kardinaltugend empfohlen. So sollen nach Johannes die Posaunen (8,2ff) die gegen Gott in Rebellion befindlichen Heiden zur Buße bewegen (9,20f), aber sie bewirken wie einst beim Pharao in

Ägypten (2.Mose 11,20) das Gegenteil bei den bußunwilligen Heiden. Sie bekehrten sich nicht von ihrem moral- wie ritualgesetzwidrigen Lebenswandel und verweigerten Gott, ihrem Schöpfer, die schuldige Ehre und Anerkennung (9,20f). Nach 14,7 haben die heidnischen Erdbewohner nach der Botschaft des Engels die letzte Möglichkeit zur Buße: «Fürchtet Gott und gebt ihm die Ehre, denn gekommen ist die Stunde seines Gerichts! Und betet den an, der den Himmel und die Erde, das Wasser und die Wasserquellen gemacht hat». Gerade die Androhung des letzten Gerichtes durch den Engel soll die Heiden zum Gehorsam gegenüber Gottes Willen und so zur Abkehr von ihren gesetzlosen Werken führen. Aber auch aufgrund dieser apokalyptischen Strafgerichte kehrten die Menschen nicht um, um Gott ihrem Schöpfer mit ihrem rituellen und moralischen Lebenswandel die Ehre zu geben: «Und die Menschen wurden verbrannt in der großen Glut. Aber sie lästerten trotzdem den Namen Gottes, der die Macht hat über die Plagen, und sie taten nicht Buße, um ihm die Ehre zu geben» (16,9). Aber wie in 16,11 («Und sie kehrten nicht um von ihren Werken») wird wiederum die Unbußfertigkeit der Heiden geradezu refrainartig herausgestellt. Weil die Heiden von ihren bösen Werken nicht umkehren, das Gericht also nicht mehr abzuwenden ist, wird die Kirche Jesu Christi von Johannes umißverständlich aufgefordert, den Exodus aus der Stadt Babylon mit ihren Sünden zu vollziehen: «Zieht aus, mein Volk, damit ihr nicht Gemeinschaft habt an ihren Sünden und damit ihr nicht von ihren Plagen getroffen werdet. Denn ihre Sünden haben sich bis zum Himmel angehäuft, und Gott hat ihrer ungerechten Werke gedacht» (18,4f). In allen bisher genannten Stellen, in denen die Bußforderung an die Heiden laut wird, ist Buße verstanden als ein moralischer Akt, nämlich als Änderung des Lebenswandels, der die Abkehr von den moral- wie ritualgesetzwidrigen Werken und die Hinkehr zu Gott, dem Schöpfer, einschließt.

Aber für die Johannesapokalypse ist «Buße» auch insofern ein Zentralbegriff, da das Wort als Kehrtwendung des ganzen Menschen zum Willen des Schöpfergottes sich gerade auch an Christen richtet. Weil die Gemeinden «die erste Liebe» verlassen haben (2,4), «lau» (3,15) oder schon «tot» (3,1) sind, durchzieht alle Sendschreiben der Johannesapokalypse der Ruf zur zweiten Buße (2,5.16.21; 3,3.19). Diese Möglichkeit zur zweiten Buße scheidet die Johannesapokalypse von der grundsätzlich anderen Praxis des Hebräerbriefes (vgl. 6,4ff) und verbindet sie mit dem 1.Johannes. Aber immer geht es Johannes um eine Buße, die sich in Werken konkretisiert, und zwar Werke, die dem Ritual- wie Moralgesetz Gottes entsprechen: «Gedenke, wovon du gefallen bist, und kehre um und tue die ersten Werke» (2,5). Ganz im alttestamentlich-jüdischen Sinne kann die Buße inhaltlich mit der Aufforderung zusammenfallen, Gott zu fürchten, ihm die Ehre zu geben und ihn anzubeten (14,7; auch 15,4). Gott, den Schöpfer der Welt und Herrn der Geschichte, zu fürchten, ist darum das charakteristische Merkmal des Lebenswandels der «Knechte Gottes», der «Kleinen und Großen» (13,16; 19,5.18; 20,12), die im Endgericht dafür nach ihren Werken belohnt werden (11,18).

c) Ein letztes Problem betrifft in diesem Zusammenhang das bekannte Verhältnis von Indikativ und Imperativ. Wie in den anderen johanneischen Schriften überhaupt so wird auch von der Johannesapokalypse der Indikativ der Heilsgabe im Sühntod Christi unüberhörbar herausgestellt: Das Blut Christi hat alle Sünden der Gemeinde gesühnt (1,5; 5,9; 7,14; 12,11; 19,13). Christus hat sie erlöst (1,5) und losgekauft von den Sünden (5,9; 14,4; 12,11). Die Christen haben ihre Kleider in seinem Blut gewaschen (7,14), womit auf die Taufe angespielt wird. Durch sie sind sie zum priesterlichen und heiligen Geschlecht geworden (1,6; 5,10). Sie sind die von Gott Berufenen und Erwählten (17,14), denen das in Christus geschehene Heil durch Wort und Sakrament zugeeignet wurde, wofür das «weiße Gewand» symbolisches Unterpfand ist (3,4f.18; 4,4; 7,9.13; 19,14; 22,14). Aber gerade dieses ihnen geschenkte Heil verpflichtet zur Bewährung im Alltag der Welt. Wer in seinem sittlichen Lebenswandel den Geboten Gottes nicht entspricht, der befleckt sein weißes Gewand (2,4), steht in der «Schande» seiner Nacktheit vor Christus (3,18) und wird in der Stunde des Endgerichts nackt und bloß vor seinem Richter stehen (16,15).

Alle empfangenen Heilsgaben (vgl. nur 3,3) sind für Johannes keine Garantie für die kommende Rettung im Endgericht. Nicht erst ganz grobe Verletzungen des Gesetzes Gottes verspielen die Erwählung, sondern schon die Lauheit führt zu der schrecklichen Drohung, daß Christus die ungehorsamen und halbherzigen Glieder der Gemeinde aus seinem Munde ausspeien wird (3,15). Berufung, Erwählung und Erlösung durch das Blut Christi – das alles sind die vorausgehenden Heilsgaben, die von Johannes niemals verleugnet, sondern immer wieder verkündigt werden. Aber ob die an die Heilsgaben geknüpften Verheißungen für den einzelnen Christen auch wirklich im kommenden Endgericht eintreffen und verwirklicht werden, das hängt von den Werken bzw. dem Halten der Gebote Gottes und d.h. von der Bewährung der einzelnen Christen und Gemeinden selbst ab. Der Imperativ wird von Johannes nicht in dem Indikativ integriert, sondern behält seine volle Bedeutung, so daß wie in allen übrigen johanneischen Schriften die Ethik zum zweiten konstitutiven Teil der Erlösung wird.

Der baldige Triumph der Gemeinde ist vom sittlichen Kampf des Einzelnen abhängig, wie v.a. die beliebten Überwindersprüche einerseits, aber auch die sieben Seligpreisungen andererseits zeigen. Wie im gegenwärtigen Johannes-Evangelium und den Johannesbriefen werden in ihnen immer wieder Bedingungen laut, die erfüllt werden müssen, soll das empfangene Heil nicht verspielt werden. Diese noch ausstehende Verheißung nach dem Maßstab der Werke wird immer wieder in den Überwinder-

sprüchen am Ende der einzelnen Sendschreiben genannt. Dort wird das ritual- wie moralgesetzliche Kampfgeschehen, das der Christ am Ende der Tage zu bestehen hat, unmißverständlich zum Ausdruck gebracht: «Wer überwindet, dem will ich vom Baum des Lebens zu essen geben, der im Paradies Gottes ist» (2,7). «Wer überwindet, der wird nicht vom zweiten Tod getroffen werden» (2,11). «Wer überwindet, dem werde ich von dem verborgenen Manna geben, und dem werde ich einen weißen Stein geben, und auf dem Stein steht ein neuer Name geschrieben, den keiner kennt außer dem, der ihn eingefügt hat» (2,17). «Wer überwindet, und wer bis zum Ende meine Werke bewahrt, dem will ich Macht über die Heiden geben, und er wird sie weiden mit eisernem Stabe» (2,26f). «Wer überwindet, wird mit weißen Gewändern bekleidet werden, und ich werde seinen Namen nicht aus dem Buch des Lebens tilgen, ...» (3,5). «Wer überwindet, dem werde ich zu einer Säule im Tempel meines Gottes machen ...» (3,12). «Wer überwindet, dem werde ich geben, mit mir auf meinem Thron zu sitzen, wie auch ich überwunden habe und mich gesetzt habe mit meinem Vater auf seinen Thron» (3,21).
Ähnliche Verheißungen werden auch in den folgenden Seligpreisungen an bestimmte Bedingungen geknüpft:
«Selig, wer diese prophetischen Worte verliest, und die, welche das darin Geschriebene hören und bewahren» (1,3; 22,7). «Selig, der wacht und seine Kleider festhält, daß er nicht nackt gehen muß und man seine Blöße sieht» (16,15). «Selig sind die Toten, die im Herrn sterben von jetzt ab. Ja, so spricht der Geist, sie sollen ausruhen von ihren Mühen, denn ihre Werke folgen ihnen nach» (14,13). «Selig, die ihre Gewänder gewaschen haben, damit sie Anrecht bekommen am Holz des Lebens und durch die Tore der Stadt eingehen dürfen» (22,14). «Selig ist, der geladen ist zum Hochzeitsmahl des Lammes» (19,9).
Die Gemeinde ist in der Zwischenzeit bis zum nahen Ende die nach dem Maßstab des Ritual- und Moralgesetzes kämpfende Kirche, so daß erst im Endgericht Gottes ihre Werke über Leben oder Tod entscheiden werden. Sie sind das alleinige Kriterium der künftigen Vergeltung (2,23; 20,12f; 22,12).

3. Ansätze zu einer rigoristischen Ethik

a) Die Johannesapokalpyse ist die einzige Schrift im Neuen Testament, in der der Konflikt zwischen Kirche und römischem Imperium und dem von ihm gelenkten wie geförderten Kaiserkult offen ausgetragen wird. Ein Mißverständnis ist aber von vornherein auszuschließen: Der Widerstand der Christen richtet sich auch nach Johannes nicht gegen die staatlich-politische Macht als solche, sondern nur gegen den pervertierten, widergöttlichen und totalitären Staat. Auslösendes Element ist einzig und allein

die religiöse Verehrung des Kaisers bzw. die Verweigerung des spätrömischen Kaiser- und Staatskultes seitens der Christen. Einmalig im gesamten Neuen Testament ist der apokalyptische Haß gegen das Imperium Romanum. Rom ist für Johannes Babylon, die große Hure (17,1ff), die trunken ist vom Blut der Heiligen (6,10;18,24); das römische Weltreich ist eine satanische Stiftung und Repräsentantin des Antichrist und das widergöttliche Tier aus dem Abgrund, das die Knechte Gottes blutig verfolgt (1,9; 6,9ff; 11,1ff; 13,1ff).
Man kann allerdings diese im Neuen Testament einzigartige Beurteilung des römischen Staates als eine Macht des Teufels und seiner Dämonen nur dann recht verstehen und sachgemäß werten, wenn der konkret zeitgeschichtliche Hintergrund dieser politischen Ethik nicht außer acht gelassen wird. Der eigentliche status confessionis für die Kirche war die von Rom geforderte religiöse Anerkennung des Kaiserkultes, konkret die kultische Anbetung des jeweiligen römischen Kaisers als Gott. Dieser Kaiserkult mit seiner göttlichen Verehrung des Imperators war unter dem Einfluß der orientalischen Religionen nach Rom gekommen. Während Augustus und Tiberius dem Kaiserkult durchaus positiv gegenüberstanden, weil er die so verschiedenen unterworfenen Völker und unterschiedlichen Religionen kultisch-ideologisch zu einen vermochte, tolerierten sie dieses erstrangige politische Machtmittel nur im Osten ihres Reiches bei den Orientalen. Erst mit Caligula und vollends unter Domitian wurde der Kaiserkult zur offiziellen Staatsreligion im ganzen Imperium erhoben, wovon archäologisch die überaus zahlreichen Altäre, Kultbilder, Tempel und Inschriften Zeugnis ablegen. Und gerade die römische Provinz Asia, in der ja die von Johannes angesprochenen, sieben christlichen Gemeinden zu lokalisieren sind, stand in der vordersten Linie der imperialen Förderung des Kaiserkultes. Von dieser das ganze römische Imperium umspannenden Propaganda für die Verehrung der göttlichen Roma und des römischen Kaisers Domitian als dominus ac deus, war zur Zeit der Johannesapokalypse nur das Judentum ausgenommen. Zwar hatte es nicht an Versuchen seitens der römischen Kaiser gefehlt, sogar die Juden zur göttlichen Verehrung der betreffenden Imperatoren zu zwingen. Aber der religiös motivierte Widerstand der Synagogen im römischen Weltreich war so groß, daß Rom auf weitere Provokationen und Pressionen gegenüber Jerusalem verzichtete und statt der sonst von allen unterworfenen Völkern verlangten, kultisch-göttlichen Verehrung ihrer Kaiser, sich mit der Fürbitte im Synagogengottesdienst zufriedengab. Die Fürbitte Israels für Rom und seine Herrscher – das war die Kompromißformel, auf die sich Jerusalem und Rom nach langen Kämpfen stillschweigend geeinigt hatten. So lange nur die urchristlichen Gemeinden überwiegend aus Juden- und Heidenchristen als ehemaligen Gottesfürchtigen bestanden, also in den Augen Roms als eine jüdische Spielart galt, nahm das Urchristentum allerdings ohne offizielle Regelung an der römischen Toleranz

gegenüber Jerusalem teil. Als aber im Laufe der Zeit v.a. nach 70 n.Chr. immer mehr, und zwar wirkliche Heiden in die Kirche Aufnahme fanden und sich die Synagogen andererseits öffentlich von den Christen distanzierten, war für jedermann sichtbar, daß das Christentum nicht mehr zur jüdischen Religion gehörte. Damit konnte die junge Kirche auch nicht mehr die Privilegien Jerusalems aufgrund des Entgegenkommens Roms stillschweigend in Anspruch nehmen, um mit Hilfe des Fürbittegebets für die römischen Herrscher den Kaiserkult zu umgehen.
Für Rom war das Christentum jetzt eine eigenständige Religion neben der jüdischen geworden, der gegenüber aber keineswegs mehr wie im Falle Jerusalems Toleranz geübt wurde, da sie nicht mehr den Schutz der religio licita erhielt. Mit dem endgültigen Bruch zwischen Synagoge und Kirche am Ende des 1.Jh. einerseits und der christlichen Verweigerung der göttlichen Verehrung der römischen Kaiser andererseits wurde die Kirche zur Konkurrentin Roms, das seinerseits mit allen Machtmitteln zurückschlug.
Die Johannesapokalypse ist also das erste Buch im Neuen Testament, das von diesem heraufziehenden Konflikt zwischen Kirche und Staat berichtet. Jetzt beginnen die blutigen Christenverfolgungen, und Stellen wie 2,13; 3,10; 6,9ff; 12,11; 13,12ff; 17,6; 18,24; 19,2 u.a. belegen, daß die christlichen Gemeinden in Kleinasien Märtyrer zu beklagen haben. Die Johannesapokalypse lehnt kompromißlos den Kaiserkult als blasphemische Karikatur der göttlichen Anbetung des Lammes ab und verlangt von den Christen Glaubenstreue, Geduld und Standhaftigkeit in den immer größer werdenden Schrecken und Bedrängnissen, die sich anzukündigen scheinen. Der Sieg aber über Babylon (= Rom), den Drachen und seine beiden von ihm geschaffenen Tiere ist bereits durch den erfochten, der am Kreuz die Seinen durch sein Blut erlöst hat.
Vor dem Hintergrund dieser aufs äußerste angespannten und für die christlichen Gemeinden tödlichen Lage, da Rom beginnt, mit allen ihm zur Verfügung stehenden Mitteln den Kaiserkult als offizielle Reichsideologie für sein riesiges Weltreich durchzusetzen, ist das berühmte und immer wieder diskutierte 13.Kapitel der Johannesapokalypse auszulegen. Dieses Kapitel der politischen Ethik darf aber – das sei schon jetzt vorwegnehmend gesagt – nicht auf die damalige Situation des römischen Weltreiches eingeschränkt werden. Johannes will vielmehr in echter Prophetie jeden Staat als satanisch abstempeln, der seinen göttlichen Auftrag verläßt und dann als totalitär-politische Gewalt nur noch grenzenlose wie absolute Anerkennung zuläßt bzw. Unterwerfung anerkennt. Diesem entarteten Staat hat der Christ äußersten Widerstand entgegenzusetzen.
In einer Doppelvision von den beiden Tieren aus dem Meer (13,1–10) und von der Erde (13,11–18) schildert Johannes das römische Weltreich als ein dämonisches Ungeheuer. Das erste Tier (13,1–10) sieht Johannes aus dem Meer aufsteigen, das unter selbständiger Verarbeitung der Vier-Weltreiche-Vision aus Dan.7,2–27 zehn Hörner und sieben Häupter besitzt. Sein

Aussehen gleicht einem Panther, seine Füße ähneln denen eines Bären und sein Maul dem eines Löwen. Was in Dan.7 noch auf die vier letzten Weltreiche gedeutet wurde, wird von Johannes in kühner und zusammenfassender Weise zu einem Mischwesen aus Panther, Bär und Löwe und zeitgeschichtlich auf das eine gegenwärtige Weltreich, nämlich das Imperium Romanum als die teuflische Macht schlechthin, bezogen. In der kleinen Inthronisationsszene von Vers 2b wird nun geschildert, daß der Drache und d.h. der Satan, diesem aus dem Meer aufgestiegenen Ungeheuer «seine Macht, seinen Thron und seine große Gewalt» gegeben hat. Rom und sein Weltreich werden damit von Johannes nicht nur als Inkarnation des teuflischen Drachen gedeutet, sondern wie die ausdrücklichen Anspielungen auf Christus und sein Reich beweisen, als satanische Karikatur der Gottesherrschaft und der Heilsereignisse überhaupt gesehen. Damit wird die Inthronisation des Tieres durch den Drachen zur Parodie auf die Inthronisation des Lammes nach 5,5ff: Weil das Lamm durch seinen Kreuzestod den Sieg schon errungen hat, empfängt es aus der Hand Gottes, «der auf dem Thron sitzt», das Buch mit den sieben Siegeln, um es zu öffnen. Inmitten der himmlischen Versammlung besteigt das Lamm den göttlichen Thron und wird mit der endzeitlichen Herrschaftswürde ausgestattet. Eine zweite, karikierende Kennzeichnung des inthronisierten Tieres betrifft seine tödliche Verwundung, die aber nach 13,3 wieder geheilt wird. Wie das Lamm «geschlachtet» (5,6.12) und «wieder lebendig geworden» (2,8), nämlich von Gott selbst auferweckt worden ist, so ist offenbar auch die tödliche Wunde eines der Häupter des Tieres vom teuflischen Drachen selbst geheilt worden. Worauf Johannes hier konkret anspielt, kann außer Vermutungen nicht mehr sicher geklärt werden. Der karikierenden Inthronisation des ersten Tieres durch den Drachen folgt seine Vorstellung vor den Erdbewohnern und schließlich seine Proskynese, d.h. die göttliche Anbetung des Tieres in 13,3b–4: «Und die ganze Erde sah dem Tier staunend nach und sie beteten den Drachen an, weil der dem Tier Gewalt gegeben hatte, und sie beteten (auch) das Tier an ...». Wiederum wird von Johannes die Proskynese des Drachens und des von ihm geschaffenen Tieres in bewußt karikierender Anspielung auf 5,8–14 geschildert. Wie das Lamm und Gott selbst im Himmel von allen Geschöpfen, den tausenden von Engeln und den vierundzwanzig Ältesten gepriesen wird, so vollziehen alle Menschen auf der Erde die göttliche Anbetung des Tieres, weil es als totgeglaubtes wiederum wunderbar ins Leben zurückgekehrt ist. Zugleich wird aber ausdrücklich der Drache (= Satan) in diese widergöttliche Anbetung mit einbezogen, weil er dem Tier die gewaltige Macht verliehen hat. Daß es sich wirklich um den Vollzug kultisch-religiöser Anbetung handelt, beweist der kleine Hymnus, der bewußt alttestamentliches Gut aufnimmt und dem Tier von allen Erdbewohnern dargebracht wird: «Wer ist dem Tier gleich und wer vermag mit ihm zu streiten?».

Gottes Unvergleichlichkeit, die in Ps.89,7; 11,5 u.ö. mit der relativischen Frage besungen wird: «Wer ist unter den Göttern Jahwe gleich» wird hier parodierend von den verstockten Menschen auf das Tier übertragen. Seine Heilsmacht wie Allmacht sind unbegrenzt und werden von allen Erdbewohnern rückhaltlos anerkannt. Das vom Drachen inthronisierte und von den Erdbewohnern göttlich verehrte Tier führt nun sogleich gotteslästerliche Reden (Vers 5f): Es schmäht mit seinem Maul Gott, seinen Namen, seine himmlische Wohnung, und seine ihm unterstehenden Engelmächte.

Vor allem aber kommt es zur Verfolgung der Christen durch diese satanische Kreatur, und die Kirche hat nach diesem prophetischen Wort des Johannes keine Chance, der blutigen Auseinandersetzung mit dem römischen Weltreich zu entgehen. Im Gegenteil: Unmißverständlich wird der Kirche klargemacht, daß dieser Krieg des widergöttlichen Rom gegen die Heiligen mit einem vernichtenden Sieg des Drachens und seines Tieres endet, denn Rom hat es verstanden, alle Stämme, Völker, Sprachen und Nationen trotz ihrer unterschiedlichen Herkunft zu einer weltumspannenden, aber widergöttlichen und für die Kirche tödlichen Einheit zusammenzuführen. Einzige Ausnahme bilden nach 13,8 die Christen: Sie verweigern die Proskynese Roms als eine Ausgeburt der satanischen Macht, weil sie kraft Erwählung «im Lebensbuch des geschlachteten Lammes seit Grundlegung der Welt» geschrieben stehen.

Aber dem mörderischen Treiben Roms werden von Gott Grenzen gesetzt: Einmal betont Johannes vielfach mit Hilfe der Wendung «ihm wurde gegeben» (Vers 5[2×]; Vers 7 [2×]), daß seine Macht trotz aller Furchtbarkeit letztlich von Gott abhängig ist und ihm auch zeitlich Grenzen für seinen Krieg gegen die Heiligen gesetzt werden: Zweiundvierzig Monate = dreieinhalb Jahre sind zwar eine lange Zeit für die Verfolgung der Kirche, aber die Christen wissen, daß ihre Bedrängnis in Gottes Händen aufgehoben bleibt.

Johannes schließt diese erste Vision mit einer Martyriumsparänese ab (13,9f): Der traditionelle, aus dem Urchristentum bekannte Weckruf: «Wer Ohren hat zu hören, der höre» leitet direkt über zur ethischen Weisung an die kleinasiatischen Gemeinden angesichts dieser für sie bedrohlichen Situation: «Wenn einer in Gefangenschaft gehen muß, so geht er in Gefangenschaft. Wenn einer mit dem Schwert getötet werden soll, dann wird er durch das Schwert getötet. Hier ist Geduld und Glaube der Heiligen» (13,10). Angesichts ihrer politischen Ohnmacht werden die Christen von Johannes zum inneren, passiven Widerstand aufgerufen. Der Terror der staatlichen Gewalt darf nicht mit einem Gegenterror der Kirche beantwortet werden. Hier wie auch sonst in der Johannesapokalypse fehlt jeder Aufruf zum Aufstand gegen die staatlich-politische Gewalt oder gar zum heiligen Krieg. Jeder physisch-aktive Widerstand wird von Johannes abgelehnt, wie er auch von jeder Drohung oder gar

Verfluchung der Römerherrschaft völlig absieht. Weil die Christen durch Christi Blut erlöst sind, Gottes Heilsplan niemals ins Wanken gerät und der Fall Roms unmittelbar bevorsteht, wird von den Christen einzig Geduld und Glaube als eschatologische Tugenden gefordert.

Die Vision vom zweiten Tier (13,11–18) wird von Johannes ohne Unterbruch unmittelbar an 13,10 angeschlossen. Das hier verwendete Bild- und Begriffsmaterial hat offenbar keine religionsgeschichtlichen Vorbilder, z. B. in der Apokalyptik, sondern alle bisher angestellten vergleichenden Forschungsergebnisse führten zu dem wahrscheinlichen Schluß, daß Johannes selber dieses Bild vom zweiten dämonischen Tier geschaffen hat. Auch dieses zweite Tier, das im Gegensatz zum ersten von der Erde, und nicht aus dem Meer aufgestiegen ist, wurde vom teuflischen Drachen geschaffen, um die Heiligen Gottes zu bekämpfen. Dieses zweite Tier sieht zwar aus wie ein Lamm, aber es redet «wie ein Drache» (13,11). Die Ähnlichkeit mit Christus als dem Lamm ist also nach Johannes nur eine satanische Nachäffung und Karikatur. Seine dämonische Gewalt, ihm vom ersten Tier übereignet, übt es nur zu dem einen Zweck aus, die Erde und ihre Bewohner zur göttlichen Anbetung des ersten Tieres zu bewegen, dessen Todeswunde auf so wunderbare Weise geheilt ist (13,12). Ohne Bild heißt das für Johannes: Die priesterlichen Funktionäre haben nur einen teuflischen Auftrag, nämlich den Kaiserkult in allen Provinzen des römischen Weltreiches zu propagieren. Vor allem aber vollbringt das zweite Tier in diesem Zusammenhang «große Zeichen, so daß es auch Feuer vom Himmel vor den Augen der Menschen auf die Erde herabfallen läßt» (13,13). Gerade durch diese gewaltigen Schauwunder verführt das zweite Tier die Erdbewohner dazu, dem ersten Tier ein Kultbild zu errichten und es anzubeten (13,14). Das zweite Tier und d. h. die priesterlichen Funktionäre des Drachens sorgen dafür, daß alle unterworfenen Völker des römischen Weltreiches den jeweiligen Kaiser als Inbegriff der imperialen Macht göttlich verehren. Ein solches sprechendes Kultbild droht jedem mit der Todesstrafe, der «das Standbild des Tieres» nicht anbetet (13,15). Außerdem erhalten alle Anbeter des offiziellen Kaiserkultes «ein Zeichen» auf der rechten Hand und der Stirn. Erst dieses öffentliche Kennzeichen berechtigt die Menschen zur aktiven Teilnahme am antiken Wirtschaftsleben (13,16f). Wer den Kaiserkult verweigert, wird also von den Funktionären des zweiten Tieres wirtschaftlich boykottiert. Mit 13,18 wendet sich Johannes wie schon am Ende der ersten Vision (13,10) direkt mit einer ethischen Weisung an die Leser: «Hier braucht man Weisheit. Wer Verstand hat, berechnet die Zahl des Tieres; sie ist nämlich die Zahl eines Menschen, und seine Zahl ist 666». Über diese geheimnisvolle Zahl 666 ist im Laufe der Kirchengeschichte viel gerätselt worden. Wahrscheinlich wird aufgrund des hebräischen wie griechischen Alphabetes mit dieser Zahl der Kaiser Nero bzw. der Nero redivivus gemeint sein.

Apokalypse 13 ist neben Röm.13 die wichtigste Belegstelle für politische Ethik im neuen Testament. Beide Abschnitte charakterisieren allerdings die faktisch bestehende, politische Gewalt von gegensätzlichen Standpunkten aus. Paulus rekurriert in Röm.13,1–7 auf den Willen des Schöpfergottes, der in seiner Schöpfung die politischen Gewalten und damit Unterordnungen und Überordnungen gesetzt hat. Aufgrund der göttlichen Einsetzung der Staatsgewalt ist sie Gottes Dienerin, die das «gute Werk» des Staatsbürgers belohnen, das «böse Werk» aber bestrafen wird. Deshalb hat sich der Christ den bestehenden Staatsämtern unterzuordnen, sich vor Widerstand und Aufruhr zu hüten, vielmehr Steuer, Zoll, Ehrfurcht und Ehrerbietung zu entrichten. Der Staat ist in dieser vor allem apokalyptischen Sicht ein von Gott erwähltes Werkzeug mit dem Ziel, seine gefallene und im Aufruhr gegen ihren Schöpfer befindliche Schöpfung vor dem Chaos zu bewahren.

Anders Johannes in Kapitel 13: Weil der faktisch bestehende Staat, nämlich das römische Imperium, sich im jeweiligen Cäsar selbst vergöttlicht und dem Kaiserkult entsprechend göttliche Anbetung von seinen Untergebenen fordert, wird dieser totalitäre Staat zum Abbild des Drachens und seiner beiden Tiere. Angesichts der politischen Ohnmacht und Machtlosigkeit der Gemeinden bleibt ihnen nur der innere, passive Widerstand in der Gewißheit, daß Gott niemals seine Allmacht aufgegeben, vielmehr ihre Namen im Himmel aufgeschrieben hat. Der Widerstand der Christen richtet sich also niemals gegen die staatlich-politische Gewalt als solche, sondern immer nur gegen den pervertierten, seinen göttlichen Auftrag verleugnenden und darum widergöttlichen Staat. Röm.13 kann demnach niemals gegen Apk.13 polemisch ausgespielt werden. Sie bilden überhaupt nicht einen grundsätzlichen Gegensatz, sondern ergänzen einander vielmehr.

b) Mit dem ganzen Urchristentum verwirft Johannes rigoros die sexuelle Unzucht, die Hurerei. Die Gemeinden in Pergamon (2,14) und Thyatira (2,20) werden deshalb von Christus getadelt (= «ich habe aber gegen dich, ...»!) und zur Buße gerufen. Vor allem taucht das Verbot der sexuellen Unzucht regelmäßig in den von Johannes übernommenen, traditionellen Lasterkatalogen auf (9,20; 21,8; 22,15). Durch das Laster der Hurerei als eine Übertretung des Moralgesetzes (= 6.Gebot) schließt sich der Mensch vom Heil aus. Ausdrücklich wird den Menschen von Johannes der Ausschluß vom endzeitlichen Heil angedroht: «Ihr Los wird beschieden sein in dem Pfuhl, der mit Feuer und Schwefel brennt, das ist der zweite Tod» (21,8) und in 22,15: «Draußen bleiben ...die Huren ...»!

Daß Johannes einen ethischen Rigorismus praktiziert, zeigt sich darin, daß er kompromißlos den heidnischen Kult und vor allem die damit verbundenen heidnischen Laster, eben die geschlechtliche Unzucht, ablehnt. Neben diesem wörtlich verstandenen Verbot der Hurerei findet sich in der

Johannesapokalypse auch das bildlich-übertragene Verständnis: Rom als die Hure Babylon ist der Unzucht des Götzendienstes verfallen (14,8; 17,2.4; 18,3.9; 19,2). Unzucht umschreibt hier wie im Alten Testament metaphorisch den Abfall von dem einen Gott und die Verehrung fremder Götter. Unzucht ist in allen diesen Stellen mit Götzendienst identisch.

Aber das ist nur die eine Seite der rigorosen Sexualethik in der Johannesapokalypse. Nach 14,4f wird von Johannes die Geschlechtsaskese favorisiert, auch wenn diese Verse in der Auslegung umstritten sind: «Diese sind es, die sich mit Frauen nicht befleckt haben; denn sie sind jungfräulich. Diese sind es, die dem Lamm nachfolgen, wohin es auch immer geht. Diese wurden losgekauft von den Menschen als Opfer für Gott und das Lamm, und in ihrem Mund wurde keine Lüge gefunden, sie sind ohne Makel.»

Diese beiden Verse – und das ist von vornherein wichtig für ihr Verständnis – gehören nicht mehr zur vorangegangenen Vision vom Lamm und den 144000 Auserwählten auf dem Berg Zion, sondern sind ein paränetischer Zusatz des Johannes. Das dreimalige, betonte «dieses ist es ...» läßt erkennen, daß Johannes sich jetzt direkt zu Wort meldet, seine Leser also unmittelbar anredet und daß diese seine Weisung eine sexualethische Tendenz hat.

Dabei darf nicht außer acht gelassen werden, daß 14,4 die 144000 näher charakterisieren, die «von der Erde losgekauft sind» (14,3). Die 144000 sind für Johannes das neue Gottesvolk, die vollendete Gemeinde, die auf ihrer Stirn den Namen des Lammes und Gottes tragen, demnach als sein Eigentumsvolk gekennzeichnet werden (14,1). Sie allein nehmen am himmlischen Gottesdienst teil und stimmen das «neue Lied» mit den vier himmlischen Wesen und den Ältesten vor Gottes Thron an (14,2f), das allen Erdbewohnern, weil sie es nicht hören konnten, verborgen bleibt (14,3). Von diesen 144000 als der vollendeten Gemeinde des Lammes im Himmel macht Johannes vier rühmende Aussagen, die er den irdischen Gemeinden als sexualethisches, mahnendes Vorbild vor Augen führt:

Als erstes Kennzeichen erwähnt Johannes die Ehelosigkeit und Jungfräulichkeit, d.h. die sexuelle Askese. Der Satz: «Die sich nicht mit Frauen befleckt haben; denn sie sind jungfräulich» ist wörtlich als Preisgabe der Ehe und der familiären Beziehungen und nicht bildlich-übertragen als Götzendienst zu verstehen. Es geht hier wirklich um christliche Askese im Sinn völliger Geschlechtsabstinenz (vgl. nur 1.Kor.7,2.8.26ff; Lk.14,26; 18,29; 20,34f; Mt.19,10ff u.a.). Ähnlich wie Paulus, Lukas und Matthäus so scheint auch die Johannesapokalypse den Verzicht auf die Ehe und – weil die geschlechtliche Unzucht für Christen rigoros verboten ist – damit die völlige Geschlechtsaskese für ein allen Christen empfohlenes Vorbild zu sein.

Als zweites Kennzeichen der vollendeten Kirche nennt Johannes die radikale, weil bedingungslose Nachfolge. Sie ist dem Lamme nachgefolgt,

wohin es auch ging, womit in johanneischer Aufnahme von Mk.8,34; Mt.10,38 oder Joh.21,19 auf den Leidens- und Kreuzesweg Christi, die imitatio agni, angespielt wird. Von den Christen wird nicht nur die Aufgabe der sich in der Ehe vollziehenden Geschlechtsgemeinschaft und damit der Familie verlangt, sondern die totale Hingabe an das Lamm bis zum befürchteten Martyrium. Damit aber wird das neue Heilsvolk auf dem Zionsberge, in dem die alttestamentlichen Verheißungen für Israel erfüllt sind, als Märtyrerkirche charakterisiert.
Drittens werden diese christlichen Asketen und Märtyrer von Johannes pointiert als «Opfergabe für Gott und das Lamm» bezeichnet. Eigenartig ist in der Tat die theologisch nicht im Neuen Testament geläufige Wendung «für Gott und das Lamm». Denn während sonst im Urchristentum Christus als das geschlachtete Lamm die zu Erlösenden für Gott erkauft, empfangen hier das Lamm zusammen mit Gott die zu Erlösenden als Erstlingsgabe. «Erstlingsgabe» ist terminus technicus des Ritualgesetzes und seiner von ihm für Israel geforderten, ritualgesetzlichen Praxis. Die «Erstlinge» jeder Ernte waren für Gott bestimmt und mußten von Israel Gott als Opfer dargebracht werden (Ez.45,1; 48,9). Als eine solche Erstlingsgabe aber sind die Asketen und Märtyrer für Gott und das Lamm eine besonders auserwählte Schar. Nimmt man die mit dem Begriff «Erstlingsgabe» gesetzte Bedeutung Opfer, Opfergabe, ganz ernst, so heißt das im Sinne des Johannes: Die 144000 christlichen Asketen und Märtyrer werden von ihm als eine Opfer- und Weihgabe für das Lamm und Gott definiert.
Als viertes und letztes Kennzeichen der auserwählten 144000 werden die Wahrhaftigkeit und die Makellosigkeit genannt. Sie lügen nicht, sondern üben sich im totalen Gehorsam als der bedingungslosen Nachfolge des Lammes. Das Bild vom Opfer wird mit dem letzten Prädikat «makellos» wieder bewußt von Johannes aufgenommen und weitergeführt. Das zugrundeliegende griechische Wort ist levitischer Opferterminus (2.Mose 12,5; 3.Mose 23,12f), der im Deutschen nicht im moralisch bloßen Sinne mit tadellos wiedergegeben werden sollte, sondern speziell fehlerfrei meint. Tiere, die Jahwe nach dem Ritualgesetz geopfert werden, mußten ohne Fehler sein. Die 144000 sind also die Opfertiere, die nach alttestamentlichem Gesetz fehlerlos sind, und von Gott und dem Lamm als eine würdige Opfer- und Weihgabe angenommen werden. 14,4f mit seiner radikalen Forderung der Geschlechtsaskese und bedingungslosen imitatio agni paßt übrigens ausgezeichnet in die im übrigen rigoristische Ethik des Johannes. Keineswegs ist diese sexualethische Weisung ein Fremdkörper in der Johannesapokalypse, so daß man sie entweder als bloße vorjohanneische Tradition abzuwerten oder aber als bildlich-übertragene Redeweise umzudeuten hätte.
c) Die Gemeinde von Smyrna ist zwar materiell arm, um so größer aber ist ihr geistlicher Reichtum (2,9). Wie im Urchristentum (vgl. nur Lk.12,31;

2.Kor.6,13; 1.Tim.6,18; Jak.2,5) erhält diese Gemeinde vom erhöht gegenwärtigen Christus hohes Lob, während sich die Gemeinde von Laodicea im Gegensatz dazu für reich hält, ohne es wirklich zu sein, und deshalb getadelt wird (3,17).

Neben dieser Hochschätzung der wirklichen Armut der christlichen Gemeinde wird in der Gerichtsvision von der großen Hure Babylon, die mit der Welthauptstadt Rom identisch ist, ihr Reichtum und ihre schier unermeßliche, ökonomische Macht von Johannes verdammt. Nachdem er von einem der sieben Engel im Geist in die Wüste entrückt worden ist (17,1ff), sieht er die Hure Rom auf einem scharlachroten Tier reiten, das mit seinen sieben Köpfen, zehn Hörnern und Lästernamen deutlich an das erste Tier von Kapitel 13,1 erinnert. Die scharlachrote Farbe symbolisiert den Luxus, die Pracht und den Reichtum der Weltmacht Rom. Und die Frau, die auf diesem Tier sitzt, ist ebenfalls in Purpur und Scharlach gekleidet, überreich geschmückt mit Gold, Edelsteinen und Perlen und hält in der Hand einen goldenen Becher (17,3f). Aber aller Reichtum und Prunk, konzentriert in der Welthauptstadt Rom und beruhend auf der Ausbeutung der von den römischen Legionen unterjochten Völker, verfällt dem Gericht (18,1ff). Weil Rom aufgrund seiner Schuld von Gott gerichtet ist, beklagen die Kaufleute, die «von der machtvollen Fülle ihres Luxus» reich geworden sind (18,3) zusammen mit den Königen, Steuerleuten, Küstenschiffern, Matrosen und Seeleuten diesen verlorengegangenen Handelsplatz mit seinen gewaltigen, wirtschaftlichen Absatzchancen. Niemand kauft mehr ihre Fracht (Vers 11), die in den Versen 12–14 detailliert aufgezählt wird. Weil die große Hure Rom im ungehemmten Lebensgenuß, Luxus, Reichtum, Prachtentfaltung schwelgt, wird sie mitsamt dieser wirtschaftlichen Machtfülle, die nur die Kehrseite ihrer sozialen Ungerechtigkeit, Gottlosigkeit wie Unreinheit ist, von Gott gerichtet werden (18,8 u.a.). Auch wenn diese unüberhörbare Sozialkritik unmittelbar an die Adresse des teuflischen Imperiums gerichtet ist, darf und kann sie im Sinne des Johannes sicher nicht nur auf die Hure Rom eingeschränkt werden. Die Johannesapokalypse steht offenbar in der bekannten, rigoristisch-ethischen Tradition des Urchristentums, nach der die materielle Armut und wirtschaftliche Ohnmacht hochgeschätzt, aller Reichtum und Luxus aber als Attribut der satanisch-verführerischen Unheilsmächte mit dem göttlichen Gericht beantwortet wird.

8. Kapitel
Die Deuteropaulinen

Paulus hat wahrscheinlich im Jahre 60 unter Nero in Rom den Märtyrertod erlitten. Aber die von ihm gegründeten Gemeinden im Westen des römischen Weltreiches wuchsen weiter, die von ihm geschriebenen Briefe wurden aufbewahrt und im Gottesdienst verlesen, und sein theologisches und ethisches Erbe wurde von seinen Schülern und Anhängern weiter zu bewahren gesucht. Beweis dafür sind die unter seinem Namen verfaßten bzw. ihm zugeschriebenen oder unter seinem Einfluß stehenden, in Wirklichkeit aber deuteropaulinischen Schriften: Der Kolosserbrief, der Epheserbrief, der zweite Thessalonischerbrief, die Pastoralbriefe, der erste Petrusbrief und der Brief an die Hebräer. Das theologische Problem der Pseudonymität neutestamentlicher Schriften ist zwar noch nicht restlos geklärt, aber soviel ist sicher, daß die Produktion pseudonymer Schriften in der hellenistisch-römischen Antike wie im Judentum beliebt war, wobei in Rechnung zu stellen ist, daß man damals noch keineswegs von unseren modernen moralischen oder gar juristischen Skrupeln hinsichtlich Verfasserschaft und Autorenrecht geplagt wurde. Vielmehr ging es den anonymen Verfassern dieser pseudonymen Briefe theologisch darum, unter Berufung auf die Autorität der Offenbarung und Lehre des Apostels Paulus in den nachpaulinischen Gemeinden der drohenden gnostischen Irrlehre und ihren Vertretern entgegenzutreten, sein Evangelium in veränderter Glaubenssituation festzuhalten und zugleich neu auszulegen.
Der oft angewandte und negativ wertende Begriff der Fälschung trifft also noch keineswegs den eigentlichen Sachverhalt, auch wenn mit dieser Feststellung nicht sämtliche gelungenen Fälschungen in der altkatholischen Kirche gedeckt werden sollen. Vielmehr möchten die anonymen Theologen, die hinter den deuteropaulinischen Briefen stehen, für ihre Botschaft ausdrücklich die paulinische Autorität in Anspruch nehmen und fragen: Wie hätte der Apostel argumentiert, wenn er zur Zeit der Abfassung der pseudonymen Briefliteratur gelebt hätte? Sind damit die Bedingungen einigermaßen deutlich geworden, die zur Abfassung der pseudonymen Paulusliteratur im Neuen Testament geführt haben, dann meldet sich sogleich die sachkritische Frage, ob die im folgenden zu behandelnden Deuteropaulinen das paulinische Erbe, wenn auch in gewandelter Form, bei aller Neuübersetzung bewahren konnten.

I. Der Kolosserbrief

1. Die Modifizierung und Weiterentwicklung des paulinischen Erbes

a) Der Kol. ist an die überwiegend heidenchristliche Gemeinde in Kolossä gerichtet, einer phrygischen Stadt in Kleinasien, die von dem Paulusschüler Apaphras (1,7;4,12f) gegründet wurde. Der Apostel Paulus wird als Absender ausdrücklich genannt (1,1f). Der Brief lehnt sich eng an das Formular der echten Paulusbriefe an, und die persönlichen Nachrichten wie die Grußliste (4,7–18) am Schluß des Schreibens sollen den Eindruck eines echten Paulusbriefes erwecken. Folgende Gründe sprechen jedoch dafür, daß der Kol. nicht nur nachpaulinischen Ursprungs ist, sondern mit seinen tiefgreifenden Veränderungen und Differenzen zugleich das erste und älteste Zeugnis innerhalb der paulinischen Schultradition bzw. der nachpaulinischen Literatur darstellt:

1. Im Vergleich mit den echten Paulusbriefen weist der Kol. schon hinsichtlich der Sprache und des Wortschatzes Unterschiede und eine abweichende Terminologie auf: 34 Worte finden sich im gesamten Neuen Testament nur im Kol. (= hapax legomena); 28 weitere Vokabeln kommen überhaupt nicht in den Paulusbriefen vor und mehrere Wörter schließlich tauchen bezeichnenderweise nur noch im Eph. auf. Andererseits fehlen im Kol. nun aber bekannte und so beherrschende, paulinische Begriffe wie Gerechtigkeit, Sünde (im Singular), Gerechtsprechen, Rechtfertigung, Freiheit, Gesetz, Glauben, Heil, Offenbarung u.a., treten in den Hintergrund oder werden neu interpretiert.

2. Auch der Stil ist weithin unpaulinisch: Auffallend ist die Zusammenstellung von Synonyma: z.B.: «Beten und Bitten» (1,9), «fest gegründet und unerschütterlich» (1,23), die Häufung von Genetivverbindungen (z.B.: «Im Wort der Wahrheit des Evangeliums» 1,5), «Der Reichtum der Herrlichkeit dieses Geheimnisses» (1,27), «aller Reichtum der Fülle der Einsicht» (2,2) und v.a. der meditative, schwerfällige und wortüberladene Stil, der sich in liturgisch-hymnisch geprägten und überladenen Satzketten äußert, die immer wieder von Zwischen- und Nebensätzen, von abhängigen Konstruktionen unterbrochen oder erweitert werden (vgl. nur 1,3–23 oder 2,8–15). Schließlich ist die enge terminologische, stilistische und inhaltlich-theologische Verwandtschaft mit dem jüngeren Eph. nicht zu übersehen.

Auch wenn manche seiner Eigenheiten in Sprache, Stil, Theologie und Ethik mit der antignostischen Polemik zusammenhängen, kann dieser tiefgreifende Verwandlungsprozeß von Paulus zum Kol. nicht mit der heute noch mancherorts beliebten Hypothese hinreichend erklärt werden, der Kol. sei ein Brief des alternden Paulus, der seine eigene Theologie selber fortentwickelt und am Ende seines Lebens geradezu in neuer Weise zusammengefaßt habe. Dabei kann man zwar keineswegs behaupten, daß die zentralen Themen der paulinischen Theologie und Botschaft überhaupt aufgegeben oder gar vergessen sind; man knüpft vielmehr bewußt an sie an (z.B. Versöhnung, der Leib Christi als die Gemeinde, Taufe, Christusereignis und neues Leben, die Hoffnung auf die Ankunft Christi), aber die intensive theologische Argumentation hat gegenüber Paulus entscheidend nachgelassen, die Verschiebungen im Inhaltlich-Gedanklichen sind nicht zu übersehen und die Akzente werden zumeist anders gesetzt. Vielmehr berief sich ein uns unbekannter, paulinisch geschulter Theologe auf die überragende Autorität des Apostels Paulus, um die drohende Gnostisierung nachpaulinischer Gemeinden in Kleinasien zu bekämpfen. Der Kol. stellt unbestreitbar das beginnende Stadium einer weitreichenden Neuinterpretation der paulinischen Botschaft und Ethik dar, auch wenn der Verfasser mit deren Grundanliegen durchaus vertraut ist. Der Kol. ist demnach eine antignostische Kampfschrift, die sich gegen eine synkretistisch-christliche Häresie richtet, die jegliche Ethik aufgrund ihres antikosmischen Dualismus ablehnt und stattdessen die totale Entweltlichung sowie Askese der Lebensweise und des Weltverhaltens fordert.

b) Das Auffälligste an der Christologie des Kol. ist ihre kosmische Ausweitung. Christus ist nach dem traditionellen Christushymnus 1,15–20 der Weltschöpfer, Schöpfungsmittler und Versöhner des Alls. Aber nicht Christi Sieg über die versklavenden Mächte von Sünde, Gesetz und Tod, sondern die durch ihn bewirkte Befreiung von der Ananke und den kosmischen Mächten wird verkündigt (2,10). Am Kreuz hat er die Mächte und Gewalten entwaffnet, sie öffentlich zur Schau gestellt und über sie triumphiert (2,15). Ohne den apokalyptischen Vorbehalt (so 1.Kor. 15,24ff) wird hier (2,10 und 15) von dem schon eingetretenen Sieg Christi gesprochen, über Paulus hinaus wird verkündigt, daß in Christus «die ganze Fülle der Gottheit leibhaftig» (2,9) wohnt und er «das Haupt jeder Macht und Gewalt» (2,10) sei. Nicht der in Kürze zu Parusie, Totenauferstehung und Weltgericht wiederkehrende Christus steht im Mittelpunkt der Christologie, sondern seine gegenwärtige Machtdemonstration in der Kirche als einem weltumspannenden Leib.

c) Als «Haupt jeder Macht und Gewalt» (2,10) ist nun aber Christus zugleich das Haupt des Leibes, der Kirche (1,18;2,19). Mit dieser im Vergleich mit Paulus nicht unerheblichen Verschiebung innerhalb der Ekklesiologie hängt es zusammen, daß der Kol. vom Christusleib vornehmlich doxologisch redet, während Paulus das Motiv vom Leibe Christi ausschließlich paränetisch verwendet. Der im Himmel Erhöhte, das Haupt, wird geradezu räumlich mit seinem auf Erden befindlichen, weltumspannenden Leib verbunden, so daß seine Glieder schon jetzt an dem kosmischen Triumph partizipieren (1,18;2,20 u.a.), während nach Paulus der Christusleib nur durch den Geist geschaffen, zusammengehalten und gerichtet, also konstituiert wird. In diesem Kontext steht auch die ausdrücklich hervorgehobene Stellung des Paulus als «Diener des Evangeliums» und «Diener der Kirche» (1,23f) und seines für die Kirche fundamentalen apostolischen Amtes der Evangeliumsverkündigung. Vor allem die Vorstellung, daß das unvollständig gebliebene Heilswerk Christi durch die Leiden des Apostels komplettiert werden muß (1,24), weist in die nachapostolische Zeit. Neben der häufigen Berufung auf die rechte Tradition und Lehre (1,23–2,5; 3,16 u.a.) repräsentiert der Kol. v.a. in der

Taufauffassung ein fortgeschrittenes, über Paulus hinausgehendes Verständnis: Der Täufling ist im Unterschied zu Röm.6,4f mit Christus bereits auferstanden (Kol.2,12; 3,1). Weil seine Himmelfahrt und damit die Befreiung von den kosmischen Mächten bereits sakramental erfolgt ist, nimmt die Gemeinde als Leib des Christus an seinem Triumph schon in der Gegenwart teil.

d) Gegenüber einer solchen Betonung der kosmischen Ekklesiologie kann die Eschatologie nur in den Hintergrund treten. Die paulinische Apokalyptik mit ihrer intensiven Parusienaherwartung wird im Kol. abgelöst durch die hellenistische Jenseitserwartung, die das Heil nicht zukünftig, sondern jenseitig-räumlich denkt. Weder ist im Kol. von der zeitlich bestimmten Parusienaherwartung des Christus zu Lebzeiten der Gemeinde noch von künftiger Totenauferstehung oder vom apokalyptischen Endgericht die Rede. Zwar wird die «Hoffnung» des öfteren erwähnt (1,5–23.27), aber sie ist mit dem zeitlos-jenseitigen Hoffnungsgut identisch, das schon jetzt in der himmlischen Herrlichkeitswelt für die Christen bereitliegt. Im grundlegenden Unterschied zu Paulus, der die Hoffnung auf den Glauben gründet, wird im Kol. der Glaube in dieser Hoffnung als Hoffnungsgut (1,5) begründet. Darum ist der Blick des Getauften nicht mehr primär in die Zukunft gerichtet, nämlich auf die Erwartung des baldigen Kommens des Herrn, sondern auf ein räumliches, zeitloses Jenseits. Typisch ist die formelhafte, paränetische Aufforderung: «Trachtet nach dem, was droben, nicht nach dem, was auf Erden ist» (3,2). Beherrschend für den Kol. ist der Gegensatz irdisch/himmlisch bzw. verborgen/öffentlich (3,1–4). Die Parusie Christi wird zu seiner «Erscheinung» und andererseits wird die endgültige Vollendung des Christen als «Erscheinung in Herrlichkeit» umschrieben (3,4). Lediglich als Nachklang urchristlicher Parusieerwartung sind die Vergeltungs- und Lohnaussagen in 3,6.24f zu werten, wie auch die traditionell futurischen Zeitformen nur in 3,1ff und 24f auftauchen. Die alte apokalyptische Formel «Reich Gottes» findet sich nur einmal in 4,12 und meint nichts anderes als das zeitlos-jenseitige Heil. Zusammengefaßt heißt das: Die zeitlich gerichtete Zukunftshoffnung des Urchristentums und des Paulus wird durch eine vornehmlich räumlich bestimmte, sphärische, zeitlose Jenseitserwartung von Unten und Oben, Diesseits und Jenseits, Irdisch und Himmlisch abgelöst, womit an die Stelle der eschatologischen die transzendente Existenz getreten ist. Allein die zeitlose Welt des Jenseits ist wahr, wirklich und ewig, die untere, irdische, dämonische Welt dagegen minderwertig, vergänglich und unwirklich.

e) Schließlich zeigt sich die andere Orientierung im Vergleich mit Paulus daran, daß in diesem Brief so gut wie nichts über den heiligen Geist ausgesagt wird, die Pneumatologie also in geradezu auffälliger Weise zurücktritt. Die wenigen Belege (1,8 und 9; 2,5 und 3,16) haben keine spezifisch theologische oder ethische Bedeutung. Während in 2,5 die Aussage: «Im Geist bei euch sein» geradezu harmlos anthropologische Bedeutung hat, ist das Adjektiv «geistlich» in 1,9 und 3,16 (ebenso wohl auch 1,8) mit «religiös» identisch und steht im Gegensatz zu «weltlich». Vor allem fehlt im Kol. jeder Hinweis darauf, daß der heilige Geist den ethischen Wandel des Christen motiviert und bestimmt. Nirgendwo ist mehr vom Wandel im bzw. nach dem Geist die Rede. Mit diesem Abrücken des Kol. von der Pneumatologie fällt die weitere Beobachtung zusammen, daß Begriff und Sache der paulinischen Charismenlehre im Kol. völlig fehlen.

Fazit dieser knappen, aber für die Erfassung der Ethik im Kol. unentbehrlichen Skizze: Zwar ist nicht zu leugnen, daß die Theologie des Kol. in der paulinischen Schultradition steht, aber der tiefgreifende Wandel von Paulus zum Kol. hat seine Spuren hinterlassen. Trotz aller Berührungspunkte mit den Paulinen hat diese in der Sache abweichende Terminologie auch ihre Konsequenzen für die Ethik des Kol., der wir uns nun im folgenden zuwenden.

2. Die moralgesetzlichen Gebote des Alten Testamentes als das entscheidende Kriterium der Ethik

Während bei Paulus «Gesetz» über hundertmal vorkommt, fehlt der Begriff gänzlich im Kol.. Daraus allerdings den Schluß ziehen zu wollen, daß das alttestamentliche Gesetz mit seinen Geboten für die Ethik irrelevant sei, wäre mehr als voreilig, auch wenn die stillschweigende Verabschiedung des alttestamentlichen Ritualgesetzes vorausgesetzt ist (vgl. nur 2,11). Anders steht es dagegen mit den Geboten des mosaischen Moralgesetzes, wie die sogenannten Tugend- und Lasterkataloge in 3,5.8.12 beweisen. Ursprünglich auf die hellenistisch-populare Moralphilosophie zurückgehend, wurden sie vom hellenistischen Judentum übernommen und auf die Gesetzesfrömmigkeit übertragen. Jetzt werden die Tugenden als Erfüllung der Gebote des Moralgesetzes, die Laster dagegen als seine Übertretung verstanden. Gerade die beiden fünfgliedrigen Lasterkataloge in 3,5 und 8 umschreiben nach hellenistischem Verständnis das 5.,6.,7. und 8.Gebot (vgl. 2.Mos.20,13ff; 5.Mos.5,17ff), lassen also deutlich die Abhängigkeit vom Dekalog erkennen. Damit im Zusammenhang stehen die Mahnungen, die irdischen Glieder zu töten (3,5), die Laster abzulegen (3,8) bzw. den alten Menschen mit seinen Taten auszuziehen (3,9) und d.h. die Übertretungen der moralgesetzlichen Gebote zu meiden und den neuen Menschen mit seinen Tugenden anzuziehen, also den Willen Gottes, dem Lebenswandel gehorsam zu sein.

Die hier genannten Laster (Unzucht, Unreinheit, Leidenschaft, böse Gier, Habsucht, Zorn, Grimm, Bosheit, Lästerung und Schmährede: Vers 5 und 8) wie Tugenden (herzliches Erbarmen, Güte, Demut, Sanftmut, Langmut und Liebe: Vers 12 und 14) sind ethische Begriffe, die die überlieferten Gebote des Moralgesetzes Gottes neu auslegen. Diese Laster- wie Tugendkataloge stehen also in der alten hellenistischen und hellenistisch-jüdischen Tradition des Moralkatechismus und sind die Bedingungen für den Empfang bzw. Verlust des Heils. Zugrunde liegen traditionell stoische wie jüdische Wertvorstellungen und Maßstäbe, denen der Fromme nachzukommen hat. Auf jeden Fall sind sie für den Kol. das entscheidende und wichtigste Kriterium seiner Ethik. Auch in 2,14 werden die alttestamentlichen Gebote Gottes wie im hellenistischen Judentum «Dogmata» (=Satzungen), also Vorschriften des Mosegesetzes genannt. In Kol.2,14 sind diese «Vorschriften» allerdings unter Wegfall des Ritualgesetzes mit den Geboten des alttestamentlichen Moralgesetzes identisch. Nur wenn dieser entscheidende Sachverhalt übersehen wird, kann fälschlicherweise von einer völligen Fehlanzeige des alttestamentlichen Moralgesetzes und seiner Gebote im Kol. gesprochen werden. Der Christ wird ausdrücklich in 3,5–17 zum Tun der moralgesetzlichen Gebote verpflichtet, worin sich eindeutig der Wille Gottes offenbart (1,9 und 4,12).

Nach 3,14 übertrifft die Liebe als Kardinaltugend alle anderen Tugenden und ist wie in Gal.5,14;1.Kor.13 und Röm.13,8.10 Summe, Erfüllung wie Vollendung des Moralgesetzes und seiner übrigen Gebote. Deshalb heißt es in 3,14 gleich am Anfang: «Über diesem allen aber (=die in Vers 12f genannten und geforderten Tugenden) ist die Liebe ...». Die Liebe als die höchste Tugend bzw. das größte Gesetzeswerk überragt nicht nur alle anderen Tugenden bzw. Werke, sondern sie bringt sie erst zur Vollendung. Darum wird sie zugleich in 3,14 als das «Band der Vollkommenheit» gerühmt. Als «Band» verbindet die Liebe alle übrigen Tugenden und bringt sie zur Vollkommenheit. Weil die Liebe die Krönung aller anderen Tugenden und d.h. konkret Summe und Erfüllung des alttestamentlichen Moralgesetzes ist, erscheint sie gleich zu Beginn des ethischen Teils des Kol. als das entscheidende und wichtigste Kriterium der Lebensführung des neuen Menschen. Die typisch paulinische Gesetzesproblematik mit ihrer konsequenten Ablehnung des Gesetzes als Heilsweg kann unter diesem Vorzeichen verständlicherweise keine Rolle mehr spielen.

Wird das alles im Kontext des Kol. bedacht, dann überrascht auch nicht mehr die positive Wertung der Werke des Christen. Daß expressis verbis der Plural «gute Werke» im Kol. fehlt, ist allerdings Zufall, denn der Sache nach werden sie gefordert. Ohne über das Verhältnis von Glaube und Werk zu reflektieren, wird wie überhaupt in den Deuteropaulinen gefordert, daß die Gemeinde «jedes gute Werk» (1,10) hervorbringen muß. Gute Werke sind darum der Inhalt jeder Paränese im Kol. So spricht Kol.1,21 vom Kontrastbegriff «böse Werke» und mahnt, den alten Menschen mit seinen Taten (= Laster und gesetzwidrige Werke) auszuziehen (3,9). Vor allem aber ist das Tun bzw. sind die guten und bösen Werke der Menschen und Christen alleiniges Kriterium im Endgericht (3,17 und 23):

Derjenige, der gerecht handelt und d.h. die Gebote des alttestamentlichen Moralgesetzes als des autoritativen Willens Gottes erfüllt, wird als Vergeltung «das Erbe» des ewigen Lebens empfangen (3,24); derjenige aber, der ungerecht handelt, die göttlichen Gebote übertritt, der wird für seinen moralgesetzlichen Ungehorsam den Lohn und d.h. das Gericht empfangen (3,25).

Deshalb ist im Kol. auch die genuin paulinische Antithese von Werken und Glauben unbekannt. Zwar ist das Heil dem Menschen durch das Evangelium als dem «Wort der Wahrheit» (1,5) und die Taufe (2,12f;3,1ff u.a.) zugeeignet worden, aber glauben und Glaube spielen im Kol. im Unterschied zu Paulus keine zentrale Rolle mehr. Symptomatisch ist in diesem Zusammenhang, daß das Verb «glauben» im Kol. überhaupt fehlt und auch im Sinne persönlicher Aneignung des Heilsgeschehens nicht vorkommt! Das Substantiv «Glaube» beschränkt sich einmal auf die Bedeutung «Christentum» (1,4 und 23) und zum anderen wird damit die gläubige Haltung aufgrund der (Tauf-)Unterweisung umschrieben (2,7). Näherbestimmungen dieses Glaubens mit «in Christus Jesus» (1,4) oder «an Christus» (2,5) bleiben selten.

Im bezeichnenden Unterschied zu Paulus kennt der Kol. nur den pluralischen Sündenbegriff (1,14). Was er konkret darunter versteht, macht 2,13 deutlich: Die Sünden sind identisch mit den Übertretungen des Moralgesetzes. Ihr Wesen wird dementsprechend in den beiden Lasterkatalogen beschrieben (2,5 und 8) und meint durchweg ein ethisch-moralisches Fehlverhalten: Hurerei, Unreinheit, Leidenschaft, böse Gier, Habsucht, Götzendienst (=3,5) und Zorn, Grimm, Bosheit, Lästerung, Schmährede, Lüge (=3,8). Von der knechtenden Gewalt der Sünde als Sündenmacht, die alle Menschen ohne Ausnahme in ihren Bann schlägt und hoffnungslos versklavt, spricht jedenfalls der Kol. nicht bzw. nicht mehr.

Schließlich ist darauf hinzuweisen, daß die Rechtfertigungsbotschaft und -terminologie im Kol. verschwunden ist. Dem völligen Fehlen der Begriffe «Gerechtigkeit» und «rechtfertigen» auf der einen Seite entspricht nun andererseits die rein ethische bzw. moralgesetzliche Bedeutung von «gerecht» im Sinne von rechtschaffen Sein. Statt der paulinischen Rechtfertigungsterminologie spricht der Kol. urchristlich von der Vergebung der Sünden (1,14;2,13 und 3,13), die ihrerseits die Mahnung an die Christen motiviert, einander zu vergeben (3,13). Dagegen fehlt im Kol. völlig die Rede von der Befreiung des Menschen von der Unheilsmacht der Sünde; vielmehr wird in 1,14 die Vergebung der Sünden mit der bereits geschehenen «Erlösung» gleichgesetzt. Weil die Sünde aufweisbar in der Übertretung bestimmter Gebote des Moralgesetzes besteht und eine prinzipielle Zurückweisung der Gesetzeswerke nicht stattfindet, wird einseitig neben der Vergebung der Sünden die stellvertretende Sühne Christi «durch das Blut seines Kreuzes» (1,20) verkündet. Am Kreuz geschah nicht mehr die Entmachtung der Sünde, sondern die Sühne für unsere Sünden.

3. Die Ethik als das Anziehen des neuen Menschen

a)Auch die Ethik des Kol. steht durchaus in der paulinischen Schultradition. Aber sie weist einen anderen Orientierungsrahmen als die des Paulus auf, so daß bemerkenswerte Abweichungen nicht zu übersehen sind. Mit voller Absicht wird in 1,9ff der Akzent auf den Willen Gottes an den Anfang des Briefes gesetzt: Der Inhalt der unablässigen und inständigen Bitte für die Gemeinde zielt alttestamentlich-jüdisch auf die Erkenntnis des göttlichen Willens, nicht aber griechisch auf metaphysische Weltbetrachtung oder gnostisch auf höhere Welten. Dieser göttliche Wille besteht in den Forderungen seines Moralgesetzes und d. h. in den konkreten Geboten des Dekalogs. Wie im Judentum folgt aus der Erkenntnis des Willens Gottes die Verpflichtung, die Forderungen des Moralgesetzes auch zu tun: «... würdig des Herrn zu wandeln in allem Wohlgefallen». Der ethische Lebenswandel (vgl. auch 3,7 und 4,5) und nichts anderes ist der alleinige Zweck der Erkenntnis des göttlichen Willens. Auch der Begriff «wandeln» kann nicht griechisch sondern nur alttestamentlich-jüdisch verstanden werden und meint konkret das Befolgen der moralgesetzlichen Gebote Gottes (vgl. nur 4.Kön.20,3; Ps.11,8; Spr.8,20 LXX; 1QS 5,10; 1QH 7,14 u. a.). Dieser Lebenswandel der Kolosser ist wohlgefällig vor Gott. Wie im Judentum anerkennt Gott nicht nur diesen treuen Gehorsam, sondern auf ihm ruht sein Wohlgefallen. Mit der eindeutig christlichen Wendung «würdig des Herrn» wird der Lebenswandel der Christen unter die Norm des Kyrios gestellt, dessen Weisungen sie im Taufunterricht ja kennengelernt haben. Solcher Gott wohlgefälliger Lebenswandel mit seinem Reifen und Wachsen wird wie in jüdischer und urchristlicher Paränese in guten Werken sichtbar, die dem Täter das Heil erschließen. Freilich kann kein Mensch diesen Gott wohlgefälligen Wandel lebenslang von sich aus durchhalten, sondern allein die «Kraft» Gottes (1,11) befähigt ihn zu diesen guten Werken. Allein die göttliche Gnade ermöglicht einen solchen Gehorsam, der im Gott wohlgefälligen und würdigen Lebenswandel in Erscheinung tritt.
Nach 1,21–23 hat Christus die Kolosser durch seinen Tod versöhnt, damit sie «heilig, makellos und untadelig» vor ihm leben sollen. Alle diese drei ursprünglich kultischen und rechtlichen Begriffe bekommen in diesem Zusammengang ethische Bedeutung und beschreiben die geforderte Bewährung in einem unbescholtenen Lebenswandel vor seinem Angesicht. Ähnlich argumentieren 1,28 und 4,12, wenn hier als Ziel der kirchlichen Ermahnung und Belehrung die Vollkommenheit genannt wird. Vollkommenheit meint in Anknüpfung an die alttestamentlich-jüdische Tradi-

tion ein ethisches Verhalten, das sich als ungeteilter Gehorsam gegenüber Gottes Willen, also moralgesetzlich versteht. Als solche ethische Vollkommenen will der Verfasser des Kol. die Gemeinde der Welt präsentieren. Zusammengefaßt aber heißt das: Der würdige, vollkommene und Gott wohlgefällige Lebenswandel der Christen wird zum sichtbaren Ausdruck der Ethik des Kol. und gründet in nichts anderem als in dem Gehorsam gegenüber den moralgesetzlichen Geboten Gottes. Das alttestamentliche Moralgesetz erweist sich wiederum als das entscheidende Kriterium der Paränese dieses nachpaulinischen Briefes.

b) Daß der Kol. auch in seiner Ethik vom Taufgeschehen her argumentiert, beweist der grundlegend-paränetische zweite Teil 3,1–4,6 mit dem typischen paränetischen «nun». Weil die Christen in der Taufe mit Christus gestorben (3,3) und auferstanden sind (3,1), sollen sie sich in Zukunft «nach oben» (3,1 und 2) und «nicht nach dem, was auf Erden ist» ausrichten und d.h. im Horizont des Kol., vom Willen Gottes bestimmen lassen. Aus dem durch die Kirche bewirkten Heil folgt konsequent die ethische Weisung und Mahnung, den göttlichen Willen als das Himmlische schlechthin zu suchen, der dem leiblichen Leben der Gemeinde Sinn, Richtung und Ziel gibt. Im folgenden werden dann die Imperative von 3,1f durch die doppelte Aufforderung entfaltet, den alten Menschen mit seinen Lastern auszuziehen (3,5–11) und den neuen Menschen mit seinen Tugenden anzuziehen (3,12–14). Das heißt aber: Der Abschnitt 3,5–14 konkretisiert, was es heißt, sich nur noch von der oberen, himmlischen und nicht mehr von der unteren, irdischen Welt bestimmen zu lassen. Die abstrakten Imperative von 3,1ff werden jetzt inhaltlich gefüllt, so daß der Kol. nun zu einer materialen Ethik fortschreitet. So fordert der erste Imperativ zum Töten der «Glieder auf Erden» auf, die dann sogleich mit fünf Lastern identifiziert werden. Obwohl der Getaufte in seinem eigentlichen Selbst schon «oben» in der himmlischen Welt lebt, wird er aufgrund seiner Glieder, in denen nach jüdischer Vorstellung die Laster wirken, in der unteren Erdenwelt zurückgehalten. Mit den «Gliedern auf Erden» sind demnach nicht die leiblichen Glieder gemeint, sondern die Laster als die konkreten Übertretungen des alttestamentlichen Moralgesetzes. Hinter dem fünfgliedrigen Lasterkatalog von 3,5 steht die hellenistisch-jüdische Apologetik, die vornehmlich neben den geschlechtlichen Sünden Hurerei, Unreinheit, Zügellosigkeit und schlechter Begierde die Habsucht als Götzendienst anprangert. Sexuelle Ausschweifung und Besitzgier, das sind die beiden Laster der Heiden in den Augen der Synagoge. Diejenigen, die ihre irdischen Glieder nicht töten und d.h. diese Laster nicht meiden, werden im Endgericht von Gott verurteilt werden (3,6). Die auf das Alte Testament zurückgehende Androhung vom Zorn Gottes umschreibt exakt den Tatbestand: Die Übertretungen des göttlichen Moralgesetzes werden im letzten Gericht von Gott geahndet und als Gesetzesübertreter verdammt werden. Das heißt aber: Die Ethik beruht

nach dem Kol. einerseits auf dem schon verwirklichten Heil der Taufe (3,1ff) wie sie andererseits durch die Erwartung des noch ausstehenden Endgerichtes motiviert wird. Auch im Kol. wird darum die Ethik zum zweiten konstitutiven Teil der Erlösung, da vom ethischen Lebenswandel das verdiente Urteil Gottes im Endgericht abhängig gemacht wird.
Das eschatologische «jetzt» von 3,8 bezieht sich zwar auf die sakramentale Wende, die mit der Taufe bereits erfolgt ist. Aber aus diesem Indikativ der Heilsgegenwart folgt wiederum die neue, ethische Forderung, die Laster abzulegen. Auch dieser Imperativ «legt ab», der auf das Ablegen eines Gewandes bzw. Kleides anspielt, steht in traditionellem Zusammenhang der Taufermahnung (vgl. nur Röm.13,12; Eph.4,22; 1.Petr.2,1; Hebr.12,1). Was abzulegen und d.h. zu verwerfen ist, wird dann wiederum in einem traditionell fünfgliederigen Lasterkatalog beschrieben. Die Sünden, die gemieden werden sollen, betreffen den Zorn, die Wut, die Bosheit, Lästerung und Schmährede. Aber das voranstehende «das alles» in 3,8 läßt unüberhörbar erkennen, daß der zitierte Lasterkatalog keineswegs Vollständigkeit beansprucht, sondern lediglich exemplarische Bedeutung besitzt. Beispielhaft werden vom Kol. im Unterschied zu 3,5 die Sünden genannt, die das menschliche Verhalten in der Gemeinschaft, also v.a. der Kirche bestimmen. 3,9a faßt alle diese Sünden im Verbot des Nicht-Lügens zusammen, womit zweifellos das achte Gebot des Dekalogs umschrieben ist: Du sollst nichts Falsches gegen einen anderen sagen. Dann aber wird noch einmal deutlich, daß die aus dem hellenistischen Judentum stammenden Lasterkataloge in der alttestamentlichen Dekalogtradition wurzeln und dessen hellenistisch-jüdische Aktualisierung darstellen. In Wirklichkeit warnt der Kol. die Getauften ausdrücklich vor den genannten Lastern als den Übertretungen des göttlichen Moralgesetzes, die das endgültige Zornesgericht Gottes heraufbeschwören. Dann folgt in 3,9b die entscheidende Mahnung, «den alten Menschen mit seinen Taten» auszuziehen. Dieses Bild vom Ausziehen des alten Menschen ist zwar dem Alten Testament unbekannt, findet sich aber wiederum im hellenistischen Judentum (Philo!), wo vom Ausziehen von menschlichen Eigenschaften die Rede ist. So auch hier: Der alte Mensch mit seinen Lastern (= Gebotsübertretungen) muß von den Getauften lebenslang ausgezogen werden. Dann aber haben die Imperative «Tötet nun ...», «legt ab» bzw. «zieht aus» immer die gleiche ethische Bedeutung: Der Getaufte soll auf jeden Fall von nun an das göttliche Moralgesetz mit seinen Geboten nicht mehr übertreten, vielmehr – so die logische Konsequenz von 3,10 – den neuen Menschen und d.h. die «Tugenden» (3,12ff) anziehen. Gerade der Imperativ von 3,10 läßt überdeutlich das Verhältnis von der in der Taufe vollzogenen Neuschöpfung, dem neuen Menschen und der daraus folgenden ethischen Verpflichtung des Getauften erkennen. Der in der Taufe nach dem Ebenbild Christi (unter Aufnahme von 1.Mos. 1,26f) durch Gott neu geschaffene Mensch wird nun aufgerufen, den neuen Menschen

anzuziehen und somit erneuert zu werden zur Erkenntnis des Willens Gottes und seines Moralgesetzes, das es zu tun gilt. Er hat sich lebenslang im ethischen Lebensvollzug zu bewähren. Natürlich vermag der Getaufte das nicht aus eigener Kraft, sondern nur durch die ihn erneuernde Gnade Gottes. Aber diese Erneuerung zur Erkenntnis des göttlichen Willens ist völlig ethisiert: Der neue Mensch wird nach 3,10f verwirklicht im Tun der sittlichen Gebote, eben der Tugenden (3,12f). Diese ursprünglich jüdische Verbindung von neuer Kreatur bzw. Ebenbildlichkeit und Ethik wird vom Kol. ins christliche Glaubensbekenntnis übernommen, nicht aber gelokkert oder gar angetastet. Daß diese in der Taufe begonnene Erneuerung nicht beim einzelnen Menschen haltmacht, sondern die ganze Menschheit miteinbezieht, lehrt 3,11 (in Anlehnung an Gal.3,27f und 1.Kor.12,13). Der Christusleib, an dem der Glaubende durch die Taufe Anteil bekommt, ist die neue Menschheit, die keine völkischen, rassischen, religiösen und sozialen Unterschiede mehr kennt. Aber das alles wird in 3,12 zugleich in einen ethischen Horizont gestellt. Nicht mehr ist wie in Gal.3,27 und Röm.13,14 vom Anziehen des Christus die Rede, sondern der Imperativ, den neuen Menschen anzuziehen in 3,10 ist identisch mit der Ermahnung von 3,12, die Tugenden anzuziehen. Die ethischen Kategorien beherrschen das Feld: Sowohl der alte wie der neue Mensch werden allein durch seine Werke konstituiert. Den beiden Lasterkatalogen wird nun ein fünfgliederiger Tugendkatalog gegenübergestellt (3,13), der dann durch die höchste Tugend, die Liebe, zusammengefaßt wird (3,14). Alle diese fünf Tugenden, Erbarmen, Güte, Demut, Sanftmut und Langmut, die natürlich nur beispielhafte Bedeutung haben, sind freilich nichts anderes als die tathafte Erfüllung der moralgesetzlichen Gebote Gottes, die alle summiert und vollendet werden durch die Liebe. Auch die Vergebungsbereitschaft wird ausdrücklich als Gebot formuliert und mit dem Vorbild Christi begründet (2,13). Der neue Mensch, geboren in der Taufe, verwirklicht sich allein im ständigen Tun des Willens Gottes und seiner Gebote. Wie der alte Mensch konstituiert wird durch die Laster, die getötet, bzw. abgelegt werden müssen, so auch wird der neue Mensch ethisch auf die Tugenden hin ausgelegt, die angezogen werden müssen. Dazu gehört schließlich die ethische Weisung, mit der die Paränese im Kol. überhaupt abgeschlossen wird, im Gebet zu Gott nicht nachzulassen, ihm vielmehr beharrlich zu danken und in der Fürbitte der Diener am Evangelium zu gedenken (4,2f). Noch einmal wird in 4,5 zum ethischen Lebenswandel nach der Einsicht in den göttlichen Willen aufgerufen und so der heidnischen Umwelt (= «die Außenstehenden»!) keinen Grund zum Tadel zu geben. Zu diesem geforderten Lebenswandel gehören schließlich das «Auskaufen» aller Möglichkeiten und Gelegenheiten zum Wohle des Nächsten und die passende Antwort für jedermann (4,6).

c) Wie in den Paulusbriefen, so wird auch im Kol. der Imperativ der ethischen Mahnung eindeutig im Indikativ der Heilszueignung begründet.

Diese Verhältnisbestimmung zeigt sich schon im Aufbau des Kol.: Auf den dogmatischen Teil (= Kap. 1 und 2) folgt mit dem bekannten paränetischen «nun» (4,1) der ethische Teil (= Kap. 3 und 4). Darüber hinaus finden sich folgende Aussagen, in denen immer wieder die Ethik auf die indikativischen Heilszusagen rückbezogen und von hier aus begründet wird: Die Christen sind aus der Macht der Finsternis gerettet und in das Reich Christi versetzt worden (1,13); sie haben die Erlösung (1,14) und sind versöhnt (1,20 und 22); sie sind die von Gott Erwählten (3,12), in der Taufe gestorben und mit Christus auferweckt (3,1ff); Gott hat den neuen Menschen in der Taufe bereits neu geschaffen (3,10) usw. Weil das Heil den Getauften durch Wort und Sakrament schon zugeeignet ist, wird nun mit großer Dringlichkeit zum Tun der guten Werke und d.h. zum Vollzug des ethischen Lebenswandels aufgerufen: Würdig zu wandeln und in allem guten Werk Frucht bringen (1,10); sucht das, was droben ist (3,1); trachtet nach dem, was droben ist, nicht nach dem, was auf Erden ist (3,2); tötet nun die Glieder, die auf Erden sind (3,5); jetzt aber legt ab ... (3,8); belügt einander nicht (3,9); zieht den alten Menschen aus ... und zieht den neuen an (3,9f) usw. Während also in den indikativischen Heilszusagen auf die durch die Taufe bewirkte Wende vom alten zum neuen Menschen zurückgeblickt wird, fordern die davon nicht zu trennenden Ermahnungen zum ethischen Lebensvollzug auf.

4. Die sozialethische Bedeutung der Haustafel

Die Haustafel in Kol.3,18–4,1 ist die älteste im gesamten Neuen Testament und geht unmittelbar auf das hellenistische Judentum (vgl. nur Pseudo-Phokylides; Philo von Alexandrien und Josephus), mittelbar auf die Morallehre der zeitgenössischen Popularphilosophie zurück (vgl. Polybius, Epiktet, Seneca u.a.). Nicht nur der Stil dieser Haustafel, sondern auch ihre Zusammenhangslosigkeit mit dem Kontext von 3,17 einerseits und 4,2 andererseits läßt deutlich ihren Traditionscharakter erkennen: In sich abgeschlossen und abgerundet findet sich dasselbe Schema mit Abwandlungen noch in Eph.5,22–6,9; 1.Tim.2,8–15; 6,1–2; Tit.2,1–10; 1.Petr.2,13–3,7 und außerhalb des Neuen Testamentes bei den apostolischen Vätern. Als usuelle und keineswegs aktuelle Ermahnung stellt die christliche Haustafel ein typisches Schema antiker Sozialethik dar. Mit der Übernahme dieser Tafel zeigt sich der bürgerliche und antirevolutionäre Charakter der urchristlichen Ethik. Die bestehenden gesellschaftlichen Verhältnisse und sozialen Regeln der Umwelt für die jeweiligen Stände und d.h. die bekannte Sozialordnung wird bestätigt. Die gnostische Entweltlichung hat keine Chance. Vielmehr wird mit der gehorsamen Einfügung in die vorgegebene Weltordnung dokumentiert, daß die Welt Gottes Schöpfung ist und bleibt. «Ihr Frauen, ordnet euch euren Männern unter, wie es sich im Herrn gebührt. Ihr Männer, liebt eure Frauen und seid nicht bitter gegen sie.

Ihr Kinder, gehorcht den Eltern in allem; denn das ist wohlgefällig im Herrn. Ihr Väter, reizt eure Kinder nicht, damit sie nicht scheu werden. Ihr Sklaven, gehorcht in allem den irdischen Herren, nicht in Augendienerei, um Menschen zu gefallen, sondern mit Einfalt des Herzens in der Furcht des Herrn. Was ihr auch tut, das tut von Herzen als für den Herrn und nicht für Menschen; wißt ihr doch, daß ihr vom Herrn als Vergeltung das Erbe empfangen werden. Dem Herrn Christus dient. Denn wer Unrecht tut, wird Lohn für sein Unrecht empfangen, und es gibt kein Ansehen der Person.
Ihr Herren, gewährt den Sklaven, was recht und billig ist; wißt ihr doch, daß auch ihr einen Herrn im Himmel habt.»
Die Haustafel mit ihrem festen, wahrscheinlich in der mündlichen Tradition beheimateten Schema von Anrede, Imperativ und Begründung weist eine refrainartige Gliederung auf: Paarweise werden die sozialen Stände in der Hausgemeinschaft ermahnt. Frauen und Männer, Kinder und Väter, Sklaven und Sklavenbesitzer. Allerdings wird jeweils die untergeordnete soziale Gruppe zuerst genannt und dann erst der übergeordnete Stand zur Verantwortung aufgerufen. Ganz selbstverständlich wird in 3,8 in Übereinstimmung mit der allgemein geltenden Eheauffassung die Unterordnung der Frau unter den Mann gefordert. Weder hat die Frau eine Entscheidungsfreiheit noch wird eine gesellschaftliche Gleichberechtigung der Geschlechter angestrebt, auch wenn sie im Unterschied zur heidnischen wie jüdischen Umwelt überhaupt als selbstständige Person angeredet wird. Aber das entscheidende Stichwort heißt «unterordnen» und setzt eine Welt mit Über- und Unterordnungen voraus. Die Pflicht zur Unterordnung der Frau unter den übergeordneten Mann greift bewußt die ursprünglich hellenistisch-jüdische Anschauung vom Schöpfergott auf, der in der von ihm geschaffenen Weltordnung die Unterordnung gesetzt hat. Die ursprünglich stoische Redeweise «wie es sich gebührt» leitet zwar die vorgegebene soziale Ordnung aus der Natur her, aber bei der Übernahme durch die Diasporasynagoge wurde aus der Natur die Schöpfungsordnung. Der Hinweis «im Herrn» beweist schließlich, daß die in der damaligen Antike geltende Sitte gerade auch für Christen unumstößlich ist. Schon hier wird deutlich, daß die eschatologische Heilsordnung – im Leibe Christi und d. h. der Kirche sind die Geschlechter gleichberechtigt (1. Kor. 12,13; Gal. 3,27f) – nicht ohne weiteres mit der Welt- bzw. Sozialordnung gleichgesetzt werden können. Von einer christlichen Emanzipation der Frau oder auch nur Gleichberechtigung mit ihrem Mann ist sicher nicht ohne einen antienthusiastischen Seitenhieb gegen die christlichen Irrlehrer in Kolossä gerade nicht die Rede. Demgegenüber werden in 3,19 die Männer ermahnt, ihre Ehefrauen zu lieben. Man hat oft versucht, diesen Imperativ der isolierten Haustafel von 3,14, also dem Kontext her, zu interpretieren. Aber sowohl das Fehlen einer direkten christlichen Begründung als auch die Parallelen aus der griechischen und jüdischen Umwelt machen es wahrscheinlich, daß die hier

vom Ehemann geforderte Liebe keine spezifisch christliche, sondern nur eine konventionelle Bedeutung hat.
Dem entspricht die uneingeschränkte Forderung an die Kinder in 3,20, den Eltern «in allen Stücken» zu gehorchen. Auch diese Forderung unbedingter Unterordnung entspricht der allgemein anerkannten Sitte in der hellenistischen wie jüdischen Antike, die das Kind zumeist negativ einschätzen, so daß nur strenge und straffe Erziehung zum Ziele führten. Die Begründung «so ist es wohlgefällig» ist als eine stoische Tugend ausgewiesen (Epiktet Diss.1,12,8; 2,23,29 u.a.) und zeigt mit der angehängten Floskel «im Herrn«, daß nun der Gehorsam des Kindes nicht nur bei Heiden und Juden, sondern auch bei Christen allgemein anerkannt wird. Daß überhaupt Kinder in der Haustafel als direkte Adressaten einer ethischen Forderung genannt werden, und d.h. doch offensichtlich als menschliche Personen ernst genommen werden, sollte allerdings als Unterschied zur Umwelt des Urchristentums nicht übersehen werden.
Sowohl formal als auch inhaltlich schließt sich die Mahnung an die Väter in 3,21, die mit der väterlichen Gewalt auch für die Kindererziehung verantwortlich waren, an die hellenistisch-jüdische Haustafeltradition an. Eine direkte christliche Begründung fehlt wie in 3,19, und auch der Inhalt dieser Forderung, ihre Kinder nicht zu reizen, kann nur – wie Beispiele bei Plutarch (Lib.educ.12 p.8F), Menander (Stob.anthol.IV 26,3ff) und Pseudo-Phokylides (207ff) lehren – nur im konventionellen und nicht in einem spezifisch christlichen Sinne gemeint sein.
Zuletzt, aber dafür am ausführlichsten, wird das Verhältnis Sklave–Sklavenbesitzer in 3,22–4,1 angesprochen. Das hat seine guten Gründe, denn nach 3,11 hat in der Kirche der sonst praktizierte soziale Unterschied zwischen Sklave und Freiem keine Bedeutung mehr, ist also für den Glauben irrelevant. Ganz anders die Haustafel: Hier wird wiederum von den Sklaven der unbedingte Gehorsam gegenüber ihren Besitzern verlangt, der frei sein soll von Augendienerei und Schmeichelsucht. In Wirklichkeit sollen sie vielmehr den Herrn fürchten. Mit dieser alttestamentlichen Wendung (2.Mos. 1,17.21; 4.Mos. 19, 14.32 u.ö.) wird unmißverständlich klargemacht, daß die Sklavenbesitzer nur «die Herren nach dem Fleisch» sind, denen der himmlische Kyrios Christos gegenübersteht (3,22). Alle Sklavenpflichten, die getreu erfüllt werden müssen, gelten letztlich Christus und nicht ihren irdischen Besitzern (3,23). Er ist ihr eigentlicher Herr. Damit wird die geltende Sozial- und Rechtsordnung nicht angetastet. Weder proklamiert die Gemeinde den Sklavenaufstand noch will sie die soziale Revolution. Sie verlangt auch von christlichen Sklavenbesitzern nicht einmal, daß er seine Sklaven freiläßt oder von der jeweiligen Gemeinde, daß sie – wie jüdische Vorbilder lehren – christliche Sklaven loskauft. Zwar sind die sozialen Unterschiede im Leibe Christi eschatologisch aufgehoben, Sklaven wie Freie sind des Glaubens und der Sakramente teilhaftig geworden. Aber diese Heilsordnung führt keines-

wegs zum Umsturz der Sozial- bzw. Weltordnung. Die Freiheit christlicher Sklaven in der Kirche wird gerade nicht von der Haustafel in soziale Emanzipation umgesetzt. Vielmehr werden die Sklaven uneingeschränkt zur Erfüllung ihrer Sklavenarbeit verpflichtet. 3,24 verschärft diese Sklavenermahnung ausdrücklich mit der Verheißung, daß der Kyrios des kommenden Endgerichtes ihm als Erbteil das ewige Leben vergelten wird, und zwar – so die Logik dieser Mahnung – als Lohn für ihre Sklavenarbeit auf Erden. 3,23 spricht ausdrücklich von den Werken der christlichen Sklaven. Nur der Sklave, der seine Werke im Gehorsam gegenüber seinem himmlischen und nicht irdischen Herrn vollbringt, wird von Christus im Endgericht sein himmlisches Erbteil, nämlich das ewige Heil, empfangen. Dieser konsequent vorgebrachte Lohn- und Vergeltungsgedanke ist zwar unaufgebbarer Bestandteil der gesamten Ethik des Neuen Testaments, aber die Haustafel spitzt ihn zu: Im Gehorsam der christlichen Sklaven, der sich in ihren Werken niederschlägt, geht es um nichts anderes als um ihr ewiges Heil oder Unheil. Ihre Werke sind das Kriterium des göttlichen Endgerichts wie das himmlische Erbe die Gegengabe für ihre geleistete Arbeit auf Erden. 3,25 unterstreicht diesen Sachverhalt, aber jetzt nach der negativen Seite hin. Wer von den Sklaven die große Verheißung von 3,24 ablehnt, dem wird nun mit einem Satz heiligen Rechts angedroht: «Wer Unrecht tut, der wird dafür den verdienten Lohn von Gott im Endgericht empfangen». Auch diese Mahnung ist noch an die Sklaven adressiert, denn erst mit 4,1 werden die Sklavenbesitzer angesprochen. Wenn die Sklaven die ihnen aufgetragenen Werke nicht tun und gegenüber ihren rechtmäßigen Sklavenbesitzern ungehorsam sind, dann wird Gott in genauer Entsprechung dazu seine gerechte Vergeltung durchsetzen. Weil Gott keine Parteilichkeit kennt, vergilt er sowohl Sklaven als auch Sklavenbesitzern nach ihren Werken, denn er anerkennt in seinem Gerichtshandeln keine sozialen Unterschiede. Schließlich werden in 4,1 noch kurz die Sklavenbesitzer ermahnt. Zwar werden sie in der Haustafel nicht aufgefordert, ihre Sklaven freizulassen, aber ihnen wird geboten, den Sklaven zu gewähren, «was recht und billig ist». Beide Begriffe gehören von Haus aus in die popularphilosophische Morallehre und sollen den Sklaven vor rechtlosen Übergriffen schützen; denn auch die Sklavenbesitzer haben einen Herrn im Himmel, vor dem sie sich im Gericht zu verantworten haben. Überblickt man diese sozialpolitischen Anweisungen der ältesten Haustafel im Neuen Testament, so muß ein Dreifaches festgehalten werden:

1. Die Haustafel bietet kein Programm sozialethischer Reformen bzw. christlicher Weltordnung. Vielmehr wird die hellenistisch-jüdische Morallehre mit ihrer selbstverständlichen Anerkennung des Schicklichen (3,18), Wohlgefälligen (3,20) und des Grundsatzes von Recht und Billigkeit (4,1) zur Norm christlicher Lebensführung. Die bestehende gesellschaftliche wie soziale Ordnung wird anerkannt und die eschatologische Heilsordnung nicht revolutionär oder reformerisch in die Weltordnung eingetra-

gen. Man hat deshalb in der Auslegung zurecht von einem bürgerlichen Charakter der Haustafelethik gesprochen. Sie ist eben gerade nicht eine apokalyptisch motivierte Interimsethik, sondern setzt bewußt mit der vom Schöpfergott gesetzten Ordnung den Alltag der Welt voraus. Die soziale wie gesellschaftliche Bewährung der Christen erfolgt deshalb im jeweiligen Stand.

2. Die im hellenistisch-jüdischen Raum geprägten Haustafeln setzen also durchwegs die damals bestehenden Gesellschafts- und Sozialordnungen voraus und bieten gerade keine zeitlos gültigen Normen. Die Verchristlichung dieses traditionell hellenistisch-jüdischen Schemas ist – wie wir gesehen haben – nicht zu leugnen und v. a. in der Sklavenparänese auffallend, darf aber freilich nicht überbewertet werden.

3. Daraus folgt: Auch wenn die sozialethischen Anweisungen der Haustafel nicht ohne weiteres in die Gegenwart übertragen werden können, so erheben sie doch um so dringlicher den Anspruch daß der Christ gerade in seinem jeweiligen Stand nicht aus dem Herrschaftsbereich seines Herrn entlassen ist. Vielmehr hat der Christ den von ihm geforderten Gehorsam gegenüber seinem Herrn gerade in der jeweiligen Gesellschafts- und Sozialordnung zu bewähren.

II. Der Epheserbrief

1. Die sachlich-theologischen Besonderheiten

a) Der Eph. will zwar von Paulus verfaßt sein (vgl. nur 1,1; 3,1; 4,1; 6,9–22), ist aber in Wirklichkeit eine nachpaulinische pseudonyme Schrift. Auch Aufbau und Gliederung fußen auf dem Kol.: Während die Kapitel 1–3 die dogmatische Lehre von der einen Kirche aus Juden und Heiden breit ausformulieren, entfalten die Kapitel 4–6 die ethische Mahnung zur Lebensführung des neuen Menschen. Dieser fingierte Brief ist vielmehr ein theologisch streng durchdachter und systematisch gegliederter Traktat, der erst nachträglich in Briefform gekleidet ist (1,1 und 6,21ff). Die Gefangenschaft des Paulus wird zwar in 4,1 und 6,20 erwähnt, aber der Verfasser geht weder auf konkrete Gemeindeprobleme ein noch finden sich die sonst üblichen Grußlisten des Paulus. Dieser pseudonyme theologische Traktat vielleicht enzyklischen Charakters wurde wahrscheinlich von einem Judenchristen am Ende des 1. Jh. abgefaßt. Gerichtet ist er mittelbar an das nachpaulinische Heidenchristentum Kleinasiens, unmittelbar aber an die ganze Christenheit. Einheitliches und beherrschendes Thema ist die Kirche als der Leib und die Braut Christi, also die una sancta catholica samt dem ihr entsprechenden ethischen Wandel ihrer Glieder. Wie schon der Kol., so weist auch der Eph. im Vokabelmaterial erhebliche Unterschiede zu Paulus auf und wirkt im Stil durch nicht enden wollende Genetivverbindungen, Nebensätze und Partizipialwendungen überladen. Das enge Verwandtschaftsverhältnis des Eph. zum Kol. in Stil, Wortwahl, Theologie und Ethik ist schon immer aufgefallen und läßt den weithin anerkannten Schluß zu, daß der Eph. vom Kol. direkt literarisch abhängig ist. Aber der Eph. wiederholt nicht nur sachlich den Kol., sondern baut zielstrebig seine theologischen und ethischen Ansätze aus. Aber zuerst einmal gilt alles über den Kol. Ausgeführte auch für den aufs engste mit ihm verwandten Eph.

b) Der Mensch außerhalb des Leibes Christi, d.h. der Kirche, ist dem Teufel und seinen kosmischen Verhängnismächten hoffnungslos ausgeliefert. Die vorchristliche Existenz ist tot in Übertretungen und Sünden (2,1), versklavt vom Satan (2,2) und ohne Hoffnung und Gott (2,13). Sie waren einst in der Finsternis (5,8) taten Werke der Finsternis (5,11) und waren Kinder des Zorns (2,3) und des Ungehorsams (2,2). Der unerlöste Mensch lebt nach der Norm des Weltgeistes (2,1f) und d.h. er führt einen lasterhaften Lebenswandel (2,1–3). Die Welt ist zwar nicht gnostisch das Werk des Teufels, sondern ist und bleibt die Tat des Schöpfergottes (1,4; 3,9). Aber in der Gegenwart steht die Welt noch unter der Herrschaft widergöttlicher Mächte (2,2; 3,10; 6,12.16) und des Teufels (6,11.16), auch wenn seit Christi Tod und Erhöhung ihre Unterwerfung begonnen hat (1,10.23; 4,20) und sich im kommenden Aeon vollenden wird (1,21; 3,21).

c) Wie die Anthropologie, so tritt auch die futurische Eschatologie in den Hintergrund. Weder kennt der Eph. die zeitlich bestimmte Naherwartung des Jüngsten Tages noch ist von einer apokalyptischen Erwartung der Totenauferstehung die Rede, da die Getauften die bereits geschehene Auferweckung und Himmelfahrt nach 2,5f; 3,10; 3,12 u.a. hinter sich haben. Wie im Kol. wird die auf die Zukunft gerichtete, zeitliche Eschatologie in eine räumlich orientierte Jenseitserwartung umgesetzt (vgl. nur 3,21), worin nicht mehr das Jetzt und Bald, sondern weitgehend das Unten und Oben, das Irdische und Himmlische maßgebend sind. Zwar nimmt auch der Eph. noch traditionell apokalyptische Begriffe in seinen Traktat auf, wenn er von diesem und dem kommenden Aeon (1,21), vom Tag der Erlösung (1,14 und 4,30) und der künftigen Vergeltung (6,8) spricht. Aber das alles bleiben Reminiszenzen; im übrigen fehlt der zeitliche Aspekt konsequent wie etwa bei dem Begriff Hoffnung (vgl. u.a. 1,18; 2,12; 4,4), der jetzt die schon bereitliegende, jenseitige Heilswirklichkeit umschreibt. Ähnlich sind die Begriffe Erlösung (1,7), Erbe (1,14.18; 5,5) und Reich Christi und Gottes (5,5) zu verstehen, wo der räumliche Aspekt eindeutig dominiert. Der heilige Geist ist zwar Angeld unseres Erbes, und die Erlösung als «Vollbesitz» (1,14) steht noch aus, aber diese verwirklicht sich nicht in der apokalyptischen Zukunft, sondern im zeitlosen Jenseits. Gottes Geheimnis wird in 3,4 als Raum gedacht, dem die ausgesprochen räumliche Christologie korrespondiert; das jensei-

tige Heil wird nach 3,18 als Raum mit vier Dimensionen vorgestellt. Diese Raummetaphysik hat die Zeit fast aufgehoben, so daß für den Eph. nicht mehr der apokalyptisch-eschatologische, sondern nur noch der metaphysisch-jenseitige Vorbehalt gilt: Das Heil liegt für uns in der Höhe schon bereit, auch wenn seine endgültige Inbesitznahme noch aus steht (1,14).
d) Sowohl die Eschatologie als auch die Anthropologie treten zugunsten der universalen, auf dem unerschütterlichen apostolischen Fundament erbauten Kirche in den Hintergrund, die in die himmlischen Räume und ihrer endgültigen Vollendung entgegenwächst (3,19; 4,13). Der Begriff «Kirche» ist im Eph. nicht mehr Bezeichnung für die Einzelgemeinde, sondern ausschließlich Prädikat der universalen Kirche! Das unpolemisch ausgeführte, weil dogmatische Thema von der «einen, heiligen, katholischen, apostolischen» Kirche wird zum eigentlichen Zentrum des theologischen Traktates. Schon der Eingangshymnus (1,3ff) verkündigt die Kirche als das eschatologische Ereignis, und der ganze Eph. zeigt darüber hinaus, daß die Kirche nicht nur Objekt der Offenbarung, sondern selbst Offenbarung ist. Wie schon im Kol., so wird auch im Eph. von Christus als dem Haupt und dem Leib als der Kirche nicht mehr im paränetischen Zusammenhang, sondern ausschließlich doxologisch geredet (1,22ff; 4,15f.25; 5,23.30). Christus als Haupt bildet mit seinem Leib eine organische Einheit, und wie der Leib zum Haupte hinwächst (4,15), so wird nun umgekehrt der ganze Leib vom Haupt versorgt, zusammengefügt und zusammengehalten (4,16). Als der Leib Christi ist die Kirche zugleich nach 1,22f seine «Fülle»: Die göttliche «Fülle» des Christus, der das All sein kosmisches Herrschaftsgebiet nennen darf, ist mit der Kirche als seinem Leib identisch!
Schließlich wird diese organische Einheit zwischen Christus und der Kirche durch die himmlische Syzygie (= Paargenossenschaft) repräsentiert: Nach 5,23ff bildet das Haupt Christus mit seinem Leib, der Kirche, wie Mann und Frau (5,28) eine untrennbare Einheit, so daß die Kirche als Braut (vgl. 5,25–27) und Ehefrau (vgl. 5,22–24.28–32) Christi zugleich zum Mittler aller Gläubigen wird. Diese himmlische Syzygie aber wurde erst möglich durch die Erlösung der unreinen Braut durch den Retter Christus: Er hat sie geliebt und sich für sie dahingegeben (5,25), sie geheiligt und gereinigt (5,26f), genährt und gepflegt (5,29). Die Kirche als sein Leib ist durch Christus zur gereinigten, geheiligten und mit ihrem Bräutigam vereinigten Braut geworden (5,25–27). Eph. 5,31f führt schließlich den Schriftbeweis aus 1. Mose 2,24 für das große «Mysterium» der untrennbaren, fleischlichen Einheit von Christus als Haupt, Bräutigam und Ehemann und Kirche als Leib, Braut und Ehefrau: So wie der Mann nach 1. Mos. 2,24 Vater und Mutter verläßt und seiner Frau anhängt, so daß sie ein Fleisch werden, so wird Christus seinen Leib, die Kirche, die zugleich seine Braut und Ehefrau ist, lieben, so daß sie eine fleischliche, organische und untrennbare Einheit bilden.

Mit dieser Vorstellung von der göttlichen Kirche wird nicht nur die Ekklesiologie mit der Christologie aufs engste verbunden, so daß der Eph. zum ersten Mal die Christologie von der Ekklesiologie her auslegt, sondern die Christologie wird damit zur Funktion der Ekklesiologie. Als Christi Leib, Braut und Ehefrau wird die Kirche zum heilsvermittelnden Faktor des Erlösungsgeschehens, da sich in ihr offensichtlich das Geschehen der Inkarnation fortsetzt. Weil die Auferweckung der Christen schon in der Taufe geschehen und die Kirche bereits in der himmlischen Welt inthronisiert ist (2,5f), kann die göttliche Herrlichkeit des Christushauptes auf seinen Leib, die schon himmlische Kirche, übertragen werden. Christologie und Ekklesiologie gehen fast unmerklich ineinander über, so daß die Kirche zum Christus prolongatus wird. Dabei werden die überlieferten Daten der urchristlichen Christologie vom Eph. weder demonstrativ aufgegeben noch vernachläßigt, vielmehr bewußt in die Ekklesiologie integriert. So wird die Präexistenz Christi ebenso betont (1,4 und 4,9) wie sein Kreuzestod (2,14 und 16) als Sühnopfer (5,2) hervorgehoben wird. Ein formuliertes Glaubensbekenntnis über die Auferweckung Christi von den Toten wird in 1,20 wiederholt, während in 4,9f vom Ab- und Aufstieg des Erlösers die Rede ist.
Paulus, in dessen Namen eine solche Ekklesiologie autoritativ entworfen ist, wird damit zum Vorkämpfer der einen, heiligen und apostolischen Großkirche, die stetig und sakramental aus der Taufe herauswächst, in einem langwierigen, aber unaufhörlichen Prozeß die Welt für ihren Herrn zurückerobert und doch schon längst im Himmel thront.
Da der Apostel- und Amtsbegriff gegenüber dem Kol. erheblich weiter entwickelt ist, muß man im Eph. von einer verfaßten Kirche mit bestimmten Amtsträgern sprechen, «erbaut auf dem Fundament der Apostel und Propheten» (2,20f). Deutlich machen sich bereits hierarchische Tendenzen bemerkbar. Im Unterschied zur Gemeinde sind speziell die Apostel und Propheten die alleinigen Offenbarungsempfänger, Träger und Mittler für die Welt (3,4f). Im Unterschied zum allgemeinen Priestertum aller Gläubigen, wie es Paulus in 1. Kor. 12,4ff und Röm. 12.6ff u. a. vertritt, wird im Eph. das Charisma (= Die Geistbegabung) bereits bestimmten Ämtern zugeordnet, muß also vom Amtscharisma gesprochen werden. Die Ämtertafel in 4,11ff setzt eine veränderte charismatische Struktur der Kirche voraus, wenn nur noch die Apostel, Propheten, Evangelisten, Hirten und Lehrer als Amtsträger und Charismatiker für den «Aufbau» des Christusleibes verantwortlich sind (4,12f).

2. Die ethischen Gebote des Alten Testamentes als das ausschlaggebende Kriterium der Ethik

Während im Kol. das Wort «Gesetz» überhaupt fehlt, ist im Eph. nur einmal, und zwar in dem theologisch hochbedeutsamen Text 2,14f vom Gesetz die Rede: «Denn er selbst ist unser Friede, der beides zu einem gemacht und die Scheidewand des Zaunes aufgelöst hat, die Feindschaft, indem er in seinem Fleisch das Gesetz der Gebote mit seinen Verordnungen vernichtete, damit er die zwei zu einem neuen Menschen schaffe, so Frieden stiftend, ...».

Für unsere ethische Fragestellung ist der Verkündigungssatz entscheidend, daß Christi Heilswerk das Ende des Gesetzes bedeutet. Aber was ist damit gemeint? Auf jeden Fall ist dieser Satz nicht gnostisch zu verstehen, als ob Christus durch seinen Kreuzestod das Gesetz überhaupt vernichtet hat. Aber auch eine zweite Deutungsmöglichkeit scheidet von vornherein aus, die hier paulinisch das Ende des Gesetzes als Heilsfaktor ausgesprochen sieht. Aber die typisch paulinische Gesetzesproblematik und d.h. die Frage nach dem Gesetz als Heilsweg spielt im ganzen Eph. keine Rolle mehr und ist unbekannt. Vielmehr kann für 2,14f und den Eph. im ganzen nur die dritte Auslegung anerkannt werden, wonach das abgeschaffte «Gesetz der Gebote mit seinen Satzungen» das alttestamentliche Kultgesetz meint, während das alttestamentliche Moralgesetz seine Bedeutung behält. Dafür sprechen folgende Gründe:

1. Schon in 2.11f ist der eigentliche Unterschied zwischen Heiden und Juden in der Beschneidung zu sehen. Weil «die Heiden im Fleisch« nach ihrer natürlichen Herkunft Unbeschnittene, die Juden aber Beschnittene sind, werden sie von den Privilegien Israels grundsätzlich ausgeschlossen (2,2).

2. Erst Christi blutiger Sühntod auf Golgatha hat den Frieden und damit die Beseitigung der Gegensätze zwischen Juden und Heiden gebracht, indem dadurch die Scheidewand des Zaunes niedergerissen wurde (2,14), was nach 2,15 mit den «Vorschriften des Gesetzes» gleichgesetzt wird. Daß mit der «Scheidewand des Zaunes» nicht das gesamte Gesetz, also Moral- und Kultgesetz, sondern nur das Kultgesetz gemeint sein kann, geht einmal aus dem apokryphen jüdischen Aristeasbrief § 139 und 142 hervor: Hier wird erwähnt, daß Mose Israel mit «undurchdringlichen Wällen und eisernen Mauern» umgab, damit die Israeliten mit keinem anderen Volk Gemeinschaft hätten, wobei die Reinheits- und Speisegebote die entscheidende, göttliche Trennungswand vor den kultisch unreinen Heidenvölkern darstellte. Gerade diese Zeremonialgebote verunmöglichten einen Verkehr zwischen Juden und Heiden und waren so eine bleibende Trennungswand und stete Feindschaft. Das Gesetz der Gebote, die in kultischen Satzungen bestehen, sind dann aber allein diejenigen trennenden Verordnungen, die in der Beschneidung (2,11!?) und in den Speise- und Reinheitsgeboten bestehen. Bis an den Kreuzestod hat nun Christus die beiden, durch das alttestamentliche Zeremonialgesetz verfeindeten Menschheitsgruppen vereint und in der Kirche befriedet. Daß 2,14 also nur für das Kult-, nicht aber für das Moralgesetz gilt, das beweist

nun zum andern der ganze Eph., der allein noch das Moralgesetz thematisiert. Dieses behält gerade für die Kirche aus Beschnittenen und Unbeschnittenen eschatologische Relevanz, wie die Existenz der Tugend- (4,2.23f; 33; 5,9f) und Lasterkataloge (2,1–3; 4,17–19.25–29.31; 5,3–7 u. a.) zeigen. Die hier aufgezählten Laster wie Tugenden umschreiben die überlieferten Gebote wie Verbote des göttlichen Moralgesetzes, die die Christen um ihres eigenen Heiles Willen zu erfüllen bzw. zu meiden haben. Es kann überhaupt keine Frage sein, daß diese geforderten Tugenden als Erfüllung und die verbotenen Laster als Übertretungen des alttestamentlichen Moralgesetzes das entscheidende Kriterium der Ethik des Eph. darstellen.

Außerdem wird in 6,2f bewußt auf das vierte Gebot des Dekalogs zurückgegriffen und zeigen die zahlreichen Aufnahmen von alttestamentlichen Schriftworten in 4,25.26.28; 5,18.31f; 6,14–17, daß das alttestamentliche Moralgesetz für den Eph. unbestrittene Autorität innerhalb seiner Paränese hat. Deshalb ermahnt der Eph. wie Paulus und der Kol., den Willen Gottes zu prüfen: «Seid nicht ohne Verstand, sondern versteht, was der Wille des Herrn ist» (5, 17) und in 5,10 heißt es: «Prüft, was wohlgefällig ist vor dem Herrn». Der Wille Gottes aber ist nur noch mit dem mosaischen Moralgesetz unter Abweisung des Kultgesetzes identisch, und Gott hat nur Gefallen an den Menschen, die seinen im Moralgesetz niedergelegten Willen befolgen.

Wenn die Liebe in 3,17; 4,15f und 5,2 das entscheidende Kriterium der neuen Lebensführung ist, so daß die Aufforderung zum Wandel in Liebe (5,2) alles das zusammenfaßt, was der Christ zu tun hat, dann wird auch im Eph. die Liebe implizit zur Summe und Erfüllung des Gesetzes als Moralgesetz.

Die Ethik des Eph. steht in historischer Kontinuität zu dem Gesetz Israels, weil sich die Kirche selbst im heilsgeschichtlichen Zusammenhang mit dem Gottesvolk des Alten Testaments begründet sieht (2,11–13). Zwar fehlt der ausgeführte Weissagungsbeweis, aber die wörtliche Aufnahme alttestamentlicher Sprache beweist, daß die prophetischen Vorhersagen des Alten Testamentes (vgl. nur 1,20.22; 2,17; 4,8.24.28.30; 5,2; 6,2f) sowohl im vergangenen Christusereignis als auch in der gegenwärtigen Kirche erfüllt sind. Indem 2,11–13 die Privilegien Israels aufzählt, bestätigt Eph. den heilsgeschichtlichen Aspekt der Kirche. Schließlich wird mit der Aufnahme der Ein-Gott-Formel in 4,6 als dem monotheistischen Grundbekenntnis des alten Gottesvolkes (5. Mose 6,4) die Einheit der Kontinuität Gottes im Alten und Neuen Testament demonstrativ herausgestellt.

Dieser kurze Überblick über die Gesetzesanschauung hat gezeigt, daß wie in den späteren Schriften des Neuen Testamentes die alttestamentliche Tora auf das Moralgesetz reduziert wird und dieses allein Kriterium und Norm christlicher Lebensführung darstellt.

Daß dieses Gesetz nicht problematisiert, sondern vielmehr als Heilsweg anerkannt wird, beweist die Soteriologie des Eph.: «Denn durch die Gnade seid ihr gerettet, durch Glauben; und dies nicht aus euch, Gottes ist die Gabe. Nicht aus Werken, damit sich keiner rühme. Sein Gebilde sind wir, geschaffen in Christus Jesus zu guten Werken, die Gott zuvor bereitet hat, damit wir in ihnen wandeln sollen» (2,8–10). Es ist die einzige Stelle im Eph., wo das Geschehen der Rechtfertigung angesprochen wird, ohne daß auffallenderweise die Stichworte Gesetz und Rechtfertigen ausdrücklich erwähnt werden. Die enge Verwandtschaft von Eph.2,8–10 mit Tit.3,3–7 läßt vermuten, daß hier wie dort traditionelle Taufterminologie vorliegt, die Rechtfertigung des Sünders durch die Gnade sich also in der Taufe ereignet hat. Allerdings werden die paulinischen Stichworte Rechtfertigung und Gottesgerechtigkeit im Eph. durch die allgemein urchristlichen Vokabeln der Rettung und Gnade ersetzt (vgl. dazu Ag.15,11). Wo nun andererseits im Eph. die Wörter Gerechtigkeit bzw. gerecht auftauchen, da haben sie durchweg die ethische Bedeutung von Rechtschaffenheit (so 4,24; 5,9 und 6,14) bzw. von rechtschaffen (6,1). Hier in 2,8 und 9 wird das Geschehen der Rechtfertigung (=Rettung) zeitlich limitiert und auf das Taufgeschehen eingegrenzt. In der Taufe wurde der Mensch zwar allein aus Gnade und durch Glauben, nicht aber aus Werken gerechtfertigt, so daß der Werk- und Verdienstgedanke ausgeschieden ist. Das in der Taufe zugesprochene Heil ist zwar reines Geschenk, verpflichtet aber zugleich zu lebenslangem Gehorsam der Lebensführung in guten Werken. Aber diese Taufrechtfertigung muß in der Zukunft vom Geretteten bewährt werden in «guten Werken» (2,10). Der Plural «gute Werke» ist ohne Parallele in den Paulusbriefen, denn die guten Werke sind in diesen allererst das Produkt des Gehorsams gegenüber dem göttlichen Moralgesetz. Erst recht fehlt beim echten Paulus die Vorstellung, daß die Christen in der Taufe von Gott neu geschaffen wurden allein mit der Bestimmung, die von Gott bereiteten guten Werke zu tun. Der Eph. hält mit dem Urchristentum daran fest, daß die Taufe die eschatologische Neuschöpfung durch Gott bewirkt. Aber auffällig ist die Verselbständigung der Gesetzeswerke, die Gott zuvor bereitet hat. Das heißt aber: Für die seinem Willen gehorsamen Christen hat Gott die guten Werke zuvor bereitet, womit der Gnadencharakter der Werke hervorgehoben wird, zu vergleichen sind v. a. im Judentum Abot 2,4; 1QH 4,30–32 und besonders Esr. 8,52. Zweck der eschatologischen Neuschöpfung und der von Gott zuvor bereiteten, guten Werke aber ist, «daß wir in ihnen wandeln». Nach dem Eph. gehören Glaube und Werke zusammen, denn beides, die Taufe bzw. die Rechtfertigung einerseits und die die Taufgnade bewahrenden guten Werke andererseits sind der Heilsweg zu Gott. Nach 6,5–9 sind die guten bzw. bösen Werke des Christen Kriterium im Endgericht. Derjenige, der «Gutes schafft» (6,8), d.h. «den Willen Gottes von Herzen tut und dem Herrn mit Freuden dient» (6,6f), der wird als

Vergeltung vom Herrn Lohn empfangen (6,8); derjenige, aber, der Unrecht tut, wird von seinem himmlischen Herrn gerichtet werden, da «bei ihm kein Ansehen der Person gilt» (6,9).
Deshalb ist auch dem Eph. wie schon vorhin dem Kol. die typisch paulinische Antithese von Glaube und Werken in zeitlich unbegrenztem, also grundsätzlichem Sinne, unbekannt. Eine prinzipielle Bestreitung der Gesetzeswerke kann konsequenterweise nicht stattfinden. Das kann deshalb nicht mehr überraschen, weil der Glaube im Eph. überhaupt nur eine untergeordnete Rolle spielt. Das Verbum «glauben» kommt nur einmal in 1,13 vor und hat hier schon die allgemeine Bedeutung von «Christen», während der Glaube in 1,15 und 3,12 schon den konventionellen Sinn von Christentum annimmt und in 4,5 (auch 4,13?) das Bekenntnis bedeutet. Die Moralisierung im Verständnis der Erlösung zeigt sich v.a. im Sündenverständnis. Im Gegensatz zu Paulus, aber wie im Kol. fehlt der Singular Sünde völlig im Eph., und der Plural Sünden wird in 2,1 mit den Übertretungen parallelisiert. Die Sünden sind nach 1,7 und 2,5 Übertretungen des Moralgesetzes, so daß ihr Wesen in den Lastern exemplarisch beschrieben werden kann: Begierden des Fleisches und der Sinne (2,4), Ausschweifung, Unreinheit und Habgier (4,19), Lüge und Zorn (4,25ff) wie Dieberei, Grimm, Zorn und Lästerung (4,28ff). Von der Sünde als einer alle Menschen versklavenden, unentrinnbaren Verhängnismacht kann deshalb im Eph. keine Rede mehr sein. Wie im Kol., so fehlt deshalb auch im Eph. gänzlich die Befreiung von der Sündenmacht. Weil der Eph. unter einer Sünde die konkrete Übertretung des Moralgesetzes, also ein ethisch-moralisches Fehlverhalten versteht, wird vom Eph. entweder immer wieder die Erfüllung von Gesetzeswerken in den Tugendkatalogen (4,2.23f.32; 5,9f) oder aber deren Nichterfüllung in den Lasterkatalogen konstatiert (2,1–3; 4,17–19.25–29.31; 5,3–7). Darum wird ausschließlich neben der Vergebung der Übertretungen (1,7; auch 4,32) die stellvertretende Sühne Christi (5,2) «durch sein Blut» (1,7; 2,13) verkündigt. Der Kreuzestod Christi bewirkt nicht mehr die Entmachtung der Sünde, sondern nur noch die Sühne für die Sünden.

3. Die Kirchlichkeit der Ethik

a) Die Paränese im Eph. ist ungewöhnlich breit ausgeführt (= Kap. 4–6) und übertrifft schon im Umfang den ersten lehrhaften Teil. Auch wenn der ethische Imperativ deshalb noch mehr in den Vordergrund tritt, wird er doch gleich zu Beginn des ethischen Teils in 4,1 mit dem bekannten «folglich also»-Paränetikum (wie in 1.Thess.4,1; Röm.12,1; Kol.3,1) als Folgerung der bisherigen Ausführung über das Heilshandeln Gottes in Christus verstanden. Auch im Eph. motiviert der Heilsindikativ den Imperativ der ethischen Mahnung. Im Unterschied zu Paulus, aber in

Übereinstimmung zum Kol., basiert die Ethik aber nicht auf dem Rechtfertigungsgeschehen, sondern auf der Taufe und d.h. der sakramental geschehenen Eingliederung in den Leib Christi. Die Gegenwart des Heils wird immer wieder hervorgehoben: Die Christen sind erwählt (1,4) und vorherbestimmt (1,5 und 11), Christi Blut bewirkt die Vergebung der Sünden (1,7) und die Versöhnung mit Gott (2,16), sie sind bereits auferweckt und in den Himmel versetzt (2,4–6), Licht im Herrn (5,8) und neue Kreatur (2,10). Aber alle diese Aussagen der präsentischen Eschatologie bzw. indikativischen Heilszusagen sind in diesem Kosmos (2,2 und 12) der Finsternis (6,12), der unter der Herrschaft des Teufels steht (4,27; 6,11.16), zu bewähren. Gerade die Teilnahme der Kirche an der Erhöhung und dem Triumph Christi führt zum ethischen Aufruf eines würdigen Lebenswandels (4,1).

Gleich zu Beginn des ethischen Teils beruft sich der Eph. auf die überragende Autorität des Apostels Paulus, wenn er diesen pseudepigraphisch als «Gefangenen im Herrn» (4,1) einführt. Für seine nun folgende Ethik (4,1–6,20) beansprucht der Eph. auch in der neuen Situation der Kirche die apostolische Autorität des Paulus. Die einleitende Ermahnung, «würdig des Rufes zu wandeln», mit dem die Christen von Gott durch das Evangelium berufen wurden (1,13), ist Zusammenfassung und Überschrift der gesamten paränetischen Kapitel des Eph. und zugleich seine Ethik. «Würdig» meint nichts anderes als das Ziel des gesamten und lebenslangen Handelns und hat sein Kriterium in dem alttestamentlichen Moralgesetz wie in den Tugendkatalogen. Deshalb wird dieser allgemeine Imperativ, einen der Berufung würdigen Lebenswandel zu führen, in 4,2 sogleich durch die Tugenden der Demut, Milde und Geduld konkretisiert. Ursprünglich sittliche Tugenden im Verhalten zu dem Mitmenschen, werden sie jetzt zu Weisungen an die Kirche, indem die Liebe ausdrücklich als Basis dieses kleinen Tugendkataloges in Anspruch genommen wird. Daß der Eph. den zweiten Teil seines Traktates mit einer Gemeindeethik beginnt, beweist die programmatische Forderung der Einheit in 4,3, die dann durch drei Formeln erläutert wird, die alle die Verpflichtung der Kirche nach voller Einheit motivieren. Auch die ekklesiale Trias: Leib-Geist-Hoffnung (4,4) geht auf die Taufe zurück und verpflichtet die Glieder der Kirche, ihr Verhalten ganz auf die Einheit auszurichten. Weil es nur einen Leib, einen Geist und eine Hoffnung gibt, muß die der Kirche geschenkte Einheit auch von ihnen in ihrem Lebenswandel bewährt werden.

Auch die beiden nächsten Einheitsformeln «ein Herr, ein Glaube, eine Taufe» und «ein Gott und Vater» (4,5 und 6) haben ihren Sitz im Leben in der Taufe bzw. Taufkatechese und begründen einprägsam die ekklesiale Einheitsparänese. Alle Glieder des Christusleibes werden ermahnt, die Einheit der Kirche zu suchen und in ihrem Verhalten zu bewähren.

b) Ein besonderes ethisches Anliegen des Eph.-Autors sind die eindringlichen Warnungen vor der heidnischen Lebensführung mit ihren offenbaren Lastern. Mit großer und geradezu beschwörender Eindringlichkeit warnt der Verfasser die Kirche davor, noch länger wie die Heiden zu wandeln (4,17). Ihr Lebenswandel war von der «Nichtigkeit des Sinnes», der «Verfinsterung des Verstandes» und der «Entfremdung vom Leben Gottes» beherrscht (4,17f). Grund für diese völlig gottentfremdete und desorientierte Lebensführung, welche die Gesinnung, das Denken und das emotionale Leben betreffen, ohne allerdings zwischen diesen psychologischen Begriffen wie Funktionen genau zu differenzieren, sind die «Unwissenheit» und die Verstockung ihres Herzens» (4,18). Wie schon in der Missionspropaganda und Apologetik des hellenistischen Judentums, die auch Paulus geläufig waren (vgl. nur Röm. 1,18ff), gelten Unkenntnis Gottes wie Verstockung als zu verantwortende Schuld des Heiden.

Wo aber Gott nicht erkannt und d.h. sein Wille im Moralgesetz nicht getan wird, verfällt der Mensch dem Laster. Auf diesen ursächlichen Zusammenhang hin hat das hellenistische Judentum (Sap.Sal.13; Philo decal. 8; Jos.ant.X.142 u.ö.) immer wieder hingewiesen. Eph.4,19 benennt darum die ungezügelte Unzucht und die unersättliche Habgier als die beiden Hauptlaster der Heiden. Sie sind in Wirklichkeit das Übertreten des göttlichen Gesetzes in Sünden und besiegeln das Totsein der Heiden, weil sie gegen ihren Schöpfer schuldig geworden sind (2,1). Einst sind auch die Epheser «nach der Norm des Aeons dieser Welt» gewandelt, dessen Herrscher der Teufel ist (2,2). Ihr einstiger Ungehorsam gegen Gottes Gebote ließ sie zu «Söhnen des Ungehorsams» werden (2,2), so daß wiederum in 2,3 die sexuellen Sünden an erster Stelle genannt werden: Die Begierden des Fleisches und der Sinne. Aus den Söhnen des Ungehorsams gegenüber Gottes Gesetz werden «Kinder des Zorns», weil die Laster als verantwortliche Übertretungen und Sünden von Gott im kommenden Endzornesgericht geahndet werden. Im scharfen Gegensatz zu dem gesetzwidrigen Lebenswandel der Heiden stehen die Christen, die zuerst einmal an nichts anderes als an ihren Taufunterricht erinnert werden (4,20f), Was sie in der Taufkatechese über Christus «gelernt» haben, hat sich in der christlichen Lebensführung zu bewähren. Dann erfolgt in 4,22–24 die doppelte Ermahnung, den alten Menschen mit seiner früheren lasterhaften Lebensführung abzulegen und den neuen Menschen anzuziehen. Wie in Röm.13,12 und v.a. Kol.3,8ff steht diese Bildsprache im festen Zusammenhang mit der Taufe und der sie begleitenden Taufunterweisung. Wie ein Gewand muß von den Getauften fortan der alte Mensch mit seiner früheren Lebensführung ausgezogen werden. Aber die wohl ursprünglich mythologische Vorstellungsweise ist im Eph. vollständig ethisiert: Das Ablegen des alten Menschen vollzieht sich im Ablegen der früheren Lebensführung und d.h. der Laster. Der Getaufte hat konkret die Übertretung der moralgesetzlichen Gebote zu meiden und den neuen Menschen anzuziehen, der gegensätzlich dazu durch das Anziehen der Tugenden konstituiert wird. Dabei zielt 4,24 bei

dem durch die Taufe begründeten neuen Lebenswandel auf die «Heiligkeit» vor Gott und die «Rechtschaffenheit» allen Menschen gegenüber. Auch hier haben wir wiederum die für Eph. typische Dialektik: Obwohl der neue Mensch von Gott in der Taufe bereits eschatologisch neu geschaffen ist, muß er ihn täglich neu anziehen und wird die neue Kreatur parallel dazu aufgefordert, sich im Geist der Gesinnung zu erneuern.
Wiederum stoßen wir auf denselben Sachverhalt wie im Kol.: Der Imperativ der ethischen Mahnung basiert zwar auf dem Indikativ der schon geschehenen Heilsübereignung in der Taufe, aber bis zum Tag der Erlösung (4,20) und künftigen Vergeltung (6,8f) im kommenden Aeon (1,21) lebt der Christ in einer ihn gefährdenden Welt und hat darum das empfangene Heil zu bewahren und sich zu bewähren. Das heißt aber: Auch die Ethik des Eph. wie schon vor ihm der Kol. beruht einerseits auf dem schon geschehenen Akt der Schöpfung des neuen Menschen in der Taufe, wie andererseits die Aufforderung zum Anziehen des neuen Menschen und d.h. zum Tun des göttlichen Willens durch die Erwartung des noch ausstehenden Vergeltungsgerichtes Gottes motiviert wird. Auch im Eph. wird die Ethik deshalb zum zweiten konstitutiven Teil der Erlösung, da von der neuen Sinnesart und dem neuen Sinneslebenswandel mit seinen Tugenden das endgültige Heil abhängig ist.
Auch im folgenden Abschnitt mit seinen ganz konkreten Mahnungen geht es dem Verfasser um das eine Thema: Der Taufe gemäß zu leben (4,25–32). Absichtlich wird diese assoziationslos verknüpfte Paränese mit dem Stichwort «legt ab»! auf das Vorherige bezogen und entfaltet, was es konkret heißt, den alten Menschen mit seiner früheren Lebensführung abzulegen (4,22), nämlich die alttestamentlichen Gebote zu erfüllen (4,25.26.28.30), die Laster als Gesetzesübertretungen zu meiden (4,31) und sich der Tugenden zu befleißigen (4,32).
Im einzelnen übernimmt die Taufparänese in 4,25–32 traditionelle Inhalte und Motive der hellenistisch-jüdischen Ethik, die allerdings nun neu begründet werden durch den Hinweis auf den Christusleib (4,25). Die Forderungen haben jetzt ihren Ort in der Kirche und regeln das sittliche Verhalten der Glieder des Christusleibes untereinander. Schon die erste Forderung stammt aus dem Alten Testament (4,25). Während die Mahnung, die Lüge abzulegen, das alttestamentlich achte Gebot («Du sollst nicht falsches Zeugnis reden wider deinen Nächsten»: 2.Mos. 20,16) aufnimmt, stimmt der positive Imperativ fast wörtlich mit Sach.8,16 LXX überein. Weil die Christen untereinander Glieder des einen Leibes Christi sind, sollen sie die Lügen meiden und die Wahrheit reden. Auch die folgende Warnung vor dem Zorn nimmt ein alttestamentliches Schriftwort, Ps.4,5 nach der griechischen Übersetzung, auf: «Zürnet und sündigt nicht; die Sonne gehe nicht unter über eurem Zorn» (4,26); denn so würde man nur dem Teufel (4,27) und seinen Unheilsmächten Raum geben.

Auch das nächste Verbot, nicht mehr zu stehlen (4,28), ist eine modifizierende Wiederholung des alttestamentlichen siebten Gebotes (2. Mos. 20,15). Demgegenüber wird positiv zur eigenen Arbeit «mit seinen eigenen Händen» aufgefordert, womit wiederum auf das alttestamentliche Moralgesetz, nämlich das dritte Gebot angespielt wird: «Sechs Tage sollst du arbeiten und all dein Werk tun» (vgl. 2. Mos. 20,9). Die Hochschätzung der Arbeit ist also im Alten Testament und Judentum (Spr.28,19; Sir.7,15 u. a.) theologisch begründet und hat für den Eph. sein direktes Vorbild im Apostel Paulus (1.Thess.4,11). Zweck der Handarbeit aber ist die Wohltätigkeit, um den Bedürftigen aushelfen zu können.
4,29 warnt vor der unnützen, eigentlich faulen Rede und weist dem Stil als auch dem Inhalt nach auf jüdische Tradition zurück. Der positive Nachsatz fordert demgegenüber die Gemeinde zu guten und gnadenvollen Worten auf, die der Auferbauung des Christusleibes dienen. V. a. aber sollen die Glieder nicht den heiligen Geist Gottes «betrüben» (4,30), womit wiederum auf ein alttestamentliches Schriftwort aus Ps.63,10 angespielt wird. Diese eigentümliche Redeweise wird inhaltlich bestimmt durch die bisherigen alttestamentlichen Gebote bzw. Verbote und den gleich folgenden Lasterkatalog in 4,31. Die Anwesenheit des heiligen Geistes verpflichtet zu einem christlichen Lebenswandel. Während die Nichterfüllung des göttlichen Moralgesetzes den göttlichen Geist «kränkt», d. h. vertreibt und zum Verschwinden bringt, führt umgekehrt der Gehorsam gegenüber den moralgesetzlichen Geboten Gottes zu seiner Anwesenheit. Wir haben wiederum einen Topos jüdischer bzw. judenchristlicher Ethik vor uns, den der Autor des Eph. auf den Christusleib bezogen hat: Der heilige Geist ist nur dort, wo das Moralgesetz getan bzw. Tugenden geübt werden, während eine gesetzwidrige und d. h. lasterhafte Lebensführung denselben Geist zum Verschwinden bringt. Die ethische Komponente im Geistbegriff kann aufgrund des judenchristlichen Erbes im Eph. nicht übersehen werden. Der Nachsatz in 4,30b bekommt damit einen drohenden Unterton: Dieser in der Taufe geschenkte Geist ist zugleich Unterpfand (1,13f) wie Versiegelung auf den Jüngsten Tag hin, so daß seine Kränkung aufgrund einer schlechten Lebensführung zum Verlust des Heils im kommenden Endgericht führt. Alles das, was den heiligen Geist «betrübt» und d. h. zum Verschwinden bringt, wird vom Verfasser in der Form eines Lasterkataloges zusammengefaßt: Bitterkeit, Grimm, Zorn, Geschrei, Lästerung und Bosheit (4,31). Schließlich wird der paränetische Abschnitt mit einem Tugendkatalog zum Abschluß gebracht (4,32). Diese Kataloge waren als ethische Anweisungen in der Antike weit verbreitet. Ursprünglich auf die Stoiker zurückgehend, hat das hellenistische Judentum sie dem Urchristentum vermittelt. Jetzt legen die Tugenden und die Laster die überlieferten Gebote bzw. Verbote des alttestamentlichen Moralgesetzes neu aus und sind wie schon für den Kol., so auch für den Eph. das entscheidende Kriterium

seiner Ethik. Gerade der Getaufte wird aufgefordert, die Laster als die Übertretungen des göttlichen Gesetzes zu meiden, die Tugenden dagegen als seine Erfüllung zu üben. Mit der eindringlichen Mahnung, einander zu vergeben, «wie auch Gott in Christus euch vergeben hat» (4,32), wird abschließend auf Gottes erwiesene Güte und Barmherzigkeit hingewiesen. Sein Heilshandel in Christus ist für die Glieder des Christusleibes nicht nur Ermöglichung, sondern auch Vorbild für die eigene Vergebung. Gottes barmherzige Vergebung in Christus als Vorbild – dieser zentrale Gedanke leitet bereits zum nächsten paränetischen Abschnitt über, Gottes Nachahmer zu werden.

c) Eph.5,1ff ist der einzige Beleg im ganzen Neuen Testament, wo direkt von der «Nachahmung Gottes» (griechisch mimesis, lat. imitatio) die Rede ist. Obwohl die Vorstellungstradition von der Nachahmung in der heidnischen Antike (Philosophie, Dichtung, bildende Kunst u.a.) häufig zu finden ist, dürfte Eph.5,1ff v.a. mit der jüdischen Vorbild- bzw. Beispielethik in Zusammenhang stehen (vgl. nur Test.Benj.3,1; 4,1; 4.Makk. 9,23; Ps.Phokyl.77; Ep.Arist.188.280f usw.) und von dort in die urchristliche Paränese eingeflossen sein. Freilich ist diese von den Christen geforderte Nachahmung Gottes nicht im Sinne eines metaphysischen Ideals zu verstehen, sondern so, daß alles christliche Verhalten sich an Gottes Heilshandeln in Christus als einem einprägsamen und einprägenden Vorbild zu orientieren hat. Weil die Christen seit der Taufe «geliebte Kinder» sind, sollen sie Gottes Handeln nachahmen und «in Liebe» wandeln (5,2a). Grund wie verpflichtende Norm des christlichen Lebenswandels ist die Liebe Gottes, die sich in der Auslieferung Jesu an den Tod «für uns» ein für allemal erwiesen hat. Durch diese im Sühntod Jesu offenbar gewordene Liebe Gottes sind die Christen «zu geliebten Kindern» gemacht worden und wird Gott zum Paradigma christlicher Lebensführung. Konkret heißt das: Die Kinder des Lichts haben sich vor den heidnischen, unchristlichen Lastern der Unzucht (Hurerei und Ehebruch) und Schamlosigkeit wie der Habgier zu hüten. Davon soll in der Kirche «nicht einmal die Rede sein» (5,3). Dann folgt noch einmal eine eindringliche Mahnung, nicht unanständige, dumme und schlüpfrige Reden zu führen, vielmehr Gott allezeit Dank zu sagen (5,4). Daß in beiden abgekürzten Lasterkatalogen traditionell-volkstümliche Ethik zum Vorschein kommt, beweisen die Begründungen: «Was sich ziemt» und «das schickt sich nicht» (5,3f). Beide Motive stammen aus der stoischen Ethik und sind vom Urchristentum aus der hellenistischen Diasporasynagoge übernommen worden mit der Bedeutung, daß die vom Verfasser verurteilten Laster nicht der allgemein anerkannten Sitte auf der Basis des alttestamentlichen Moralgesetzes entsprechen. 5,5 zählt noch einmal Laster auf, wobei der Zusatz «das heißt Götzendiener» wohl am besten auf alle genannten gesetzwidrigen Werke zu beziehen ist. Für den Autor des Eph. sind nach jüdischem Vorbild sowohl die sexuellen Verfehlungen wie die

Besitzgier Götzen, und verunmöglichen den wahren Gottesdienst. Alle Übeltäter mit den genannten Lastern werden ausdrücklich vom Erbteil im Reiche Gottes und Christi ausgeschlossen (5,5). Daß alle diejenigen, die das göttliche Moralgesetz übertreten, keinen Anteil am Reich Gottes haben, ist bekannte Tradition der Taufparänese (vgl. nur 1.Kor.6,9f; Gal.5,19ff). Treffend werden sie deshalb in 5,6 als «Söhne des Ungehorsams» bezeichnet, und sind sowohl in der Gegenwart als auch in der Zukunft dem «Zorn Gottes verfallen. Ausdrücklich wird die Kirche gewarnt, nichts mit ihnen zu tun zu haben (5,7).

Der für den Eph. oftmals herausgestellte kosmische Dualismus Licht-Finsternis, der den ganzen folgenden Abschnitt 5,8–14 beherrscht und aufs engste mit dem der Qumran-essenischen Texte verwandt ist, hat auch hier primär ethische Funktion. «Finsternis» und «Licht» sind nicht nur traditionelle Machtbereiche, sondern als jeweils von der Finsternis oder dem Licht Beherrschte sind die Menschen selbst Licht oder Finsternis. Wer aber das Heil in der Taufe erfahren hat, also im Macht- und Herrschaftsbereich des Lichtes sich befindet, der wird nun aufgefordert, als «Kind des Lichts» sein Leben zu führen (5,9). Obwohl Licht und Finsternis zwei gegensätzliche Machtsphären repräsentieren, in denen die Kinder des Lichts oder der Finsternis existieren, entscheiden die Tugenden oder die Laster über die Zugehörigkeit. Heil oder Unheil sind letztlich abhängig vom jeweiligen Lebenswandel und d.h. konkret vom Gehorsam bzw. Ungehorsam gegenüber den sittlichen Geboten; «denn die Frucht des Lichtes besteht in lauter Güte, Gerechtigkeit und Wahrheit», die «fruchtlosen Werke der Finsternis dagegen sind die hier immer wieder aufgezählten Laster (5,9ff).

Von den Kindern des Lichts wird in diesem Zusammenhang ausdrücklich verlangt, den Willen des Herrn zu prüfen (5,17), was vor ihm wohlgefällig ist (5,10). All das zielt auf die Bewährung des Christen in einer gefährlichen Welt, von deren lasterhafter und ungehorsamer Lebensführung sich die Kirche strikt zu trennen hat. Sämtliche Mahnungen werden in 5,15 in den Imperativ zusammengefaßt, genau bzw. sorgfältig darauf zu achten, wie man sein Leben führe – auf keinen Fall wie die von Finsternis und Lastern beherrschte Umwelt, die nicht weise, sondern unbeständig ist, weil sie den Willen des Herrn nicht kennt. Auch wenn der Eph. die Teilhabe immer wieder herausstellt und verkündigt, muß dieses geschenkte Heil von den Christen in ihrem Lebenswandel ethisch bewahrt und bewährt werden. Das «Wie» ihrer Lebensführung bedingt die endgültige Inbesitznahme ihres Erbes in der Zukunft.

d) Die Haustafel in 5,22–6,9 basiert auf der literarischen Vorlage von Kol.3,18ff; Hier wie dort werden paarweise die sozialen Stände im Hause ermahnt, Ehefrauen und Ehemänner (5,21–33), Kinder und Väter (6,1–4) und Sklaven und Sklavenbesitzer (6,5–9) und wird jeweils der sozial untergeordnete Stand zuerst ermahnt. Mit der Übernahme dieser Haustafel

zeigt sich wie im Kol. der bürgerliche und antirevolutionäre Charakter der Sozialethik des Eph. Die bestehenden gesellschaftlichen Verhältnisse und sozialen Regeln der Umwelt werden im Sinne der antiken Gesellschaftsordnungen bestätigt, alle gnostischen Entweltlichungs- und Emanzipationsbestrebungen dagegen schon im Ansatz zurückgewiesen: Die Welt mit ihren Unter- wie Überordnungen ist und bleibt Gottes Schöpfung. Zugleich aber wird dieses traditionelle Haustafelschema mit der bestehenden Sozialordnung vom Verfasser, v. a. mit Blick auf die christliche Ehe, ekklesiologisch neu begründet und vertieft, so daß der Eph. eine neue Belehrung über die christliche Ehe vorträgt. Wie Kol.3,18 wird ganz selbstverständlich in 5,22 die Unterordnung der Frau unter den Mann gefordert. Auch wenn sie nicht rechtlos ist und sogar als selbständige Person ermahnt wird, so besitzt sie weder eine Entscheidungsfreiheit noch läuft die ganze Argumentation auf eine gesellschaftliche Gleichberechtigung der Geschlechter hinaus. Ausdrücklich ist «der Mann das Haupt der Frau» (5,22: vgl. schon Paulus im 1.Kor.11,3ff).
Aber mit 5,23 beginnt die neue ekklesiologische Begründung der Ehe: Das Verhältnis von Christus als Haupt und Kirche als seinem Leib soll den christlichen Eheleuten Ur- und Vorbild sein. So wie die Kirche als Leib sich Christus als ihrem Haupt unterordnet, so soll sich auch die Frau dem Mann «in allem» unterordnen (5,24).
Im folgenden werden die Männer angewiesen, ihre Ehefrauen zu lieben und wie ihr eigenes Fleisch zu nähren und zu pflegen (5,25.8f). Motiviert wird diese Aufforderung durch den Hinweis auf das Vorbild Christi. Aber im Unterschied zu 5,22–24 wird nicht paränetisch auf das Haupt-Leib-Schema, sondern auf die himmliche Syzygie und d. h. auf Christus als Bräutigam und Ehemann wie die Kirche als Braut und Ehefrau zurückgegriffen. So wie Christus seine Braut, die Kirche, geliebt und sich für sie hingegeben hat (5,25–27), so sind auch die Ehemänner verpflichtet, ihre Ehefrauen zu lieben wie ihren eigenen Leib (5,28f). Das Schriftzitat aus 1.Mos. 2,24 motiviert einerseits die Mahnung an die Männer, ihre Frauen so zu lieben («wie sich selbst», 5,33), andererseits aber auch die hier eigenständig vorgetragene Lehre über Christus und die Kirche. Zusammengefaßt heißt das: Die Forderung an die Frauen, sich den Männern unterzuordnen und die hier korrespondierende an die Männer, ihre Ehefrauen zu lieben, ist durch den Rekurs auf die Ekklesiologie als einer selbständigen Lehre motiviert, ohne daß damit die allgemein antike Gesellschafts- und Sozialordnung durchgreifend angetastet würde.
Die dann folgenden beiden Ständeermahnungen an die Kinder und Väter (6,1–4) wie an die Sklaven und Sklavenbesitzer (6,5–9) sind kürzer als die umfangreiche Eheparänese und halten sich weithin an die direkte Vorlage im Kol. Im Unterschied zu Kol.3,20 begründet der Epheserautor seine Gehorsamsforderung an die Kinder mit der Wendung «denn das ist gerecht», also einem ethischen Begriff. Ursprünglich in der stoischen

Tugendlehre beheimatet (Epiktet diss. I,22,1) umschreibt er im hellenistischen Judentum die Erfüllung des mosaischen Moralgesetzes, was sogleich mit der Zitierung des vierten Gebotes unterstrichen wird. Ausdrücklich wird vom Verfasser hervorgehoben, daß es das erste Gebot im Dekalog überhaupt ist, das mit einer göttlichen Verheißung versehen würde.

Auch die Sklavenparänese weicht nur unerheblich von ihrem Kolosservorbild ab (5,5ff): Die Sklaven sollen ihren rechtmäßigen Besitzern «in Furcht und Zittern» gehorsam sein, weil sie letztlich nicht ihm, sondern Christus selbst dienen. Ihre guten Werke werden nicht unbelohnt bleiben, vielmehr werden sie vom Herrn am Jüngsten Tag vergolten werden (5,8). Schließlich werden die Sklavenbesitzer an ihre eigene Verantwortung gegenüber ihren Sklaven erinnert (5,9), denn beide haben den gleichen Herrn im Himmel, vor dem es im eschatologischen Vergeltungsgericht kein Ansehen der Person gibt. Wie schon im Kol., so wird auch vom Epheserautor die geltende Sozial- wie Rechtsordnung der Sklaverei weder kritisiert noch gar aufgehoben. Zwar sind die sozialen Unterschiede in der Kirche eschatologisch verabschiedet, aber diese neue Heilsordnung führt nicht zum Umsturz der geltenden Sozialordnung. Nicht sie selber, wohl aber der Dienst und das selbstverständliche Verbleiben in ihr wird neu und d.h. christlich gedeutet und begründet.

e) Nach der Haustafel bringt der Eph. eine letzte aber die für ihn wichtigste Paränese (6,10–20), was die Übergangswendung «schließlich» gleich zu Beginn signalisiert. Dieser ethische Abschnitt schließt den ganzen zweiten Teil des Eph. ab und ruft die Christen zum Anziehen der Waffenrüstung Gottes auf, um im Kampf gegen die kosmischen Unheilsmächte, «nicht gegen Fleisch und Blut», bestehen zu können. Zwar partizipieren die Christen am Triumph Christi über die Verhängnismächte (2,2), aber der weltweite Kampf ist damit noch keineswegs vorbei. Die «Mächte», «Gewalt», «Weltherrscher dieser Finsternis», «die Geisterwesen der Bosheit in den Himmeln» (6,12) bleiben gerade auch für den Christen gefährliche Mächte. Nur hat sich seit Glaube und Taufe für die Kirche die Situation völlig verändert. Während sie «einst» von ihnen beherrscht wurden, so daß sie ihnen wehrlos ausgeliefert waren, können und sollen sie ihnen «jetzt» Widerstand leisten. Sie müssen nur vorher wie der Soldat vor der Schlacht die Waffenrüstung Gottes anlegen (6,11 und 13).

Das verwendete Bildmaterial von der Waffenrüstung der Frommen findet sich auch sonst mit Variationen im Neuen Testament (so in Röm.13,12; 2.Kor.6,7; 10,4; 1.Thess.5,8; nicht im johanneischen Schrifttum, aber außer im Eph. noch in 1.Petr.4,1) und dürfte direkt in der alttestamentlich-jüdischen Tradition beheimatet sein (vgl. z.B. Jes.59,17; Ps.7,13f; Sap.Sal.5,17–20), während die griechische Popularphilosophie mit ihrem Thema des Kampfes des Weisen als Kriegsdienst lediglich als Gedankenanalogie in Betracht kommt. Vor allem die «Kriegsrolle« von Qumran

bietet viele Vergleichsmotive, nur daß dort eine wirkliche Schlacht in der apokalyptischen Endzeit geschlagen wird, während für Eph. 6,10ff der Kampf auf dieser Welt gegen die finsteren, überirdischen Unheilsmächte mit göttlichen Waffen ausgetragen werden muß. Schließlich zeigen die bereits genannten Parallelen im Neuen Testament, daß diese dualistisch-ethische Tradition mit der Aufforderung zum Anziehen der geistlichen Waffenrüstung in der Taufparänese ihren Sitz im Leben hat: Der lebenslange Dienst der Getauften als den «Kindern des Lichts» gegen «diese Finsternis» ist für den Eph. immer Kriegsdienst, militia Christi.
Schließlich ist darauf hinzuweisen, daß diese Waffenrüstung Gottes Zug um Zug allegorisch gedeutet wird, denn der Kampf gegen die kosmischen Teufelsmächte kann nur mit besonderen Waffen, die allein Gott gibt, geführt und bestanden werden. In Eph.6,14–17 wird nun der Christ als Schwerbewaffneter Gottes mit seiner ganzen Rüstung bis ins Detail beschrieben. Um standhalten zu können, muß der Christ Gurt und Brustpanzer anlegen, die sogleich allegorisch mit Treue und Rechtschaffenheit in Anlehnung an Jes.59,17; 11,5 und Sap.Sal.5,17ff gleichgesetzt werden. Schon gleich zu Beginn wird deutlich, daß der Verfasser die alte und mythologische Tradition von der Waffenrüstung Gottes ethisch gedeutet hat. Um den bösen Mächten auf dem Kampfplatz der Welt standhalten zu können, bedarf es der ethischen Lebensführung. Zwar sind Treue und Rechtschaffenheit Schutzwaffen Gottes, die aber vom Christen als Kämpfer ergriffen und nun in seinem ethischen Lebenskampf eingesetzt werden müssen.
Als dritte Waffe werden die Schuhe genannt (6,15), die unter Aufnahme von Jes.52,7 sinnbildlich mit dem «Evangelium des Friedens» gleichgesetzt werden. In dieser bösen Welt der Finsternis und der Feindschaft hat der Christ als wirksame Waffe nur den Frieden, den allein die Verkündigung des Evangeliums bewirkt.
Als vierte Waffe trägt der Christ den Schild des Glaubens, mit dem er «alle feurigen Geschosse des Bösen» abwehren kann. Die Sachparallelen in Jes.50,11; 1QH 2,26; 3,27 u. a. lehren, daß allein der Glaube in diesem gefährlichen Kampf die Angriffe des Diabolos bestehen kann. Er ist – im Bilde gesprochen – der Langschild des schwerbewaffneten Christen, der alle Brandpfeile der bösen Weltmächte löschen kann.
Die beiden letzten Waffen, die der Epheserautor hier allerdings nur exemplarisch nennt, sind der Helm und das Schwert des christlichen Kämpfers. Die Kinder des Lichts wappnen sich mit dem Helm des Heils, wörtlich der Rettung, wohl wissend, daß ihnen der endgültige Sieg gewiß ist, wenn sie in ihrem sittlichen Kampf nicht nachlassen. Als letzte Streitwaffe ist vom Kämpfenden das Schwert des Geistes zu ergreifen, das ausdrücklich mit dem Wort Gottes identifiziert wird. Im Hintergrund stehen alttestamentliche Stellen wie Ps.49,2 und Hos.6,5, aber auch die rabbinische Vorstellung von der Tora als einem wirksamen Schwert. Mit dem

Gotteswort als Schwert (vgl. auch Hebr.4,12; Apk.1,16; 2,12; 19,15.21f) ist die geistliche Waffenrüstung des Christen perfekt. Gott hat den Kindern des Lichts im Kampf gegen die Mächte der Finsternis für diesen lebenslangen Kriegsdienst die Waffenrüstung geschenkt: Treue, Rechtschaffenheit, Friede, Glaube, Heil und heiligen Geist. Nur ergeht an sie die Aufforderung, diese Waffen auch wirklich anzuziehen und sich mit ihnen in dieser gefährlichen Welt zu bewähren.
Auf jeden Fall macht diese letzte Paränese im Eph. noch einmal unmißverständlich klar, daß die Christen seit der Taufe zwar am Triumph ihres Herrn partizipieren, aber diese Teilhabe nicht zur Weltflucht, sondern in die lebenslange Bewährung in den sozialen Ordnungen dieser Welt führt.

III. Die Pastoralbriefe

1. Reduktion und Fortbildung des paulinischen Erbes

a) Der Sammelname «Pastoralbriefe» betrifft sowohl die einheitliche Adresse als auch Zweck und Inhalt dieser unter den überlieferten Paulusbriefen einzigartigen «Hirtenbriefen». Dem Namen nach und in der brieflichen Einkleidung an die beiden Apostelschüler und Missionsgehilfen Timotheus und Titus geben sie sich als Gelegenheitsbriefe, enthalten aber in Wirklichkeit verpflichtende Weisungen für Amtsträger – eben für Hirten, «Pastoren» – zur Amtsführung, Leitung und Ordnung der Kirche.
In Wirklichkeit sind alle drei Briefe weder Privat- noch Gemeinde-, sondern hirtenamtliche Dienstschreiben über Kirchenregierung, Kirchenorganisation und Kirchenzucht. Mit dem Rückgriff auf die amtliche Ordnung, die apostolische Lehrtradition und die kirchliche Disziplin sowie mit der ständigen Forderung nach einer christlichen Bürgerlichkeit aufgrund der Schöpfungsordnungen wird der kompromißlose Kampf gegen christlich-gnostische Irrlehrer allgemein reglementiert.
In literarischer Hinsicht bestehen allerdings zwischen den Pastoralbriefen beträchtliche Unterschiede: Während der 1.Timotheusbrief und der Titusbrief in Briefform gekleidete Gemeindeordnungen sind, handelt es sich beim 2.Timotheusbrief um ein Testament des Paulus. Nach der fingierten Selbstaussage der Pastoralbriefe und dem traditionellen Verständnis handelt es sich also um Schreiben des alternden bzw. kurz vor dem Martyrium stehenden Apostels. Aber die Pastoralbriefe sind pseudonyme Briefe, die ausdrücklich die Autorität des Apostels für ihre Theologie und Ethik in Anspruch nehmen. Der uns unbekannte Verfasser der Pastoralbriefe, vielleicht ein hellenistischer Judenchrist, ahmt Paulus bewußt nach und möchte in dessen Namen zu den kleinasiatischen Gemeinden reden. Selber noch in der paulinischen Schultradition stehend, lassen die Pastoralbriefe den Apostel Paulus am Anfang des 2.Jahrhunderts zu Amtsträ-

gern der Christenheit sprechen. Daß dieser anonyme Theologe gleich drei «Paulus»-Briefe an die beiden apostolischen Delegaten in verschiedenen Kirchengebieten (Ephesus und Kreta) schrieb, läßt mit aller Deutlichkeit kennen, daß er für die Kirchen allgemeingültige Anordnungen getroffen hat, ja sein Testament dem Timotheus hinterläßt.

Der historische Paulus genügte offenbar nicht mehr: Der unbekannte kirchliche Verfasser schuf einen neuen Paulus, als den Apostel der Rechtgläubigkeit, der Kirchenverfassung und apostolischen Lehrtradition, den unermüdlichen Vorkämpfer für Ordnung und Sitte im Kampf gegen die gnostischen Ketzer. Auf nachpaulinische Entstehung der Pastoralbriefe lassen weiterhin die nicht zu übersehenden Unterschiede in Sprache und Stil gegenüber den echten Paulusbriefen schließen. Da ist zuerst eine große Anzahl von Wörtern und Wortverbindungen zu nennen, die den Paulusbriefen fremd sind, z. B. Frömmigkeit, gutes Gewissen, gesunde Lehre, Besonnenheit, Epiphanie, Heiland. Andererseits fehlen typisch paulinische Wörter überhaupt in den Pastoralbriefen, wie z. B. Gottesgerechtigkeit, Werke des Gesetzes, Fleisch, Leib Christi, Freiheit, Kreuz und Offenbarung. Und werden schließlich paulinische Schlüsselworte gebraucht, so haben sie zumeist ihre ursprüngliche Bedeutung eingebüßt.

b) In den Anordnungen der Pastoralbriefe stehen die zahlreichen und geregelten Ämter unbestritten im Vordergrund. Man kennt den apostolischen Delegaten, der über ganze Kirchenprovinzen zu wachen hat, Bischöfe, wahrscheinlich schon den monarchischen Bischof, Presbyter und ein Presbyterium, Diakone und durch Gelübde verpflichtete Witwen (1.Tim.3,1ff; 5,9ff; Tit.1,5ff u. a). Die besoldeten Amtsträger werden durch Handauflegung ordiniert (1.Tim.4,14; 5,22; Tit.1,5), d. h. ihnen wird nach judenchristlichem Vorbild der Amtsgeist verliehen zur treuen Verwaltung der apostolischen Lehrtradition (1.Tim.6,20). Für alle diese Ämter werden entsprechende Qualitäten wir Amtstugenden, ja schon eine höhere Moral gefordert. So darf sich zum Beispiel kein Neugetaufter um das Bischofsamt bewerben, auch muß man Ordnung im eigenen Haus halten können. Bischof wie Diakon müssen Mann einer Frau (1.Tim.3,2.12) und die sechzigjährige Witwe darf nur eines Mannes Frau gewesen sein (1.Tim.5,9). Stabilisierende Funktion für diese Institution haben die Tugendkataloge für Bischöfe (1.Tim.3,1–7) und Diakone (1.Tim.3,8–13).

Aus dieser kirchlich verläßlichen Amtsstruktur folgt, daß Geistträger nicht mehr alle getauften Christen, sondern nur noch die ordinierten Amtsträger sind, die nunmehr allein den Geist zu vermitteln beginnen. Die Pastoralbriefe kennen aufgrund ihres Traditionalismus und Pragmatismus nur noch das Amtscharisma, das sich im standhaften und beherrschten Festhalten an der apostolischen Lehrtradition auswirkt (1.Tim.4,14; 2.Tim.1,6). Timotheus und Titus sind bereits Inhaber der Lehrgewalt, der Jurisdiktion, der Kirchenzucht und der Disziplin (1.Tim.3,2; 5,1ff; Tit.1,9.13; 2,1 u. a.).

Der Ansturm der Gnosis war offenbar so übermächtig, daß nur eine stabile und hierarchische Amtskirche Abhilfe schaffen konnte. Dieselbe hervorragende Bedeutung wie das Amt hat auch die apostolische Tradition, und d. h. die orthodoxe Lehre und kirchliche Lehrüberlieferung im Kampf gegen die gnostischen Ketzer (1.Tim.1,10; 4,1.13; 5,17; 2.Tim.2,2; 3,10; Tit.1,9.14; 3,8 u. a.). Die Pastoralbriefe sprechen im Unterschied zu Paulus darüberhinaus nicht von Paradosis (= Überlieferung), sondern betont von Paratheke (= das anvertraute, hinterlegte Gut, 1.Tim.6,20; 2.Tim. 1,12.14), das in der Jetztzeit treu aufbewahrt verantwortlich verwaltet und unverletzt beim Erscheinen des Retters Christus als dem rechtmäßigen Eigentümer zurückgegeben werden muß. Diese apostolisch-kirchliche Lehrtradition geht auf den Apostel Paulus zurück (2.Tim.2,8), der die rechte Lehre für alle Welt als erster empfangen (1.Tim.1,11f; 2.Tim. 1,1.11; Tit.1,1ff) und sie an seine Schüler Timotheus und Titus überliefert hat (1.Tim.1,8; 3,14f u. a.), auf daß sie nach dem Tode des Paulus bis zum Ende von Welt und Geschichte rein bewahrt und weiterüberliefert wird.

2. Gnade und Werke

a) Auch für die Pastoralbriefe stellen die moralgesetzlichen Gebote des Alten Testaments das entscheidende Kriterium der Ethik dar. Vom Gesetz ist zwar nur 1.Tim.1,8 und 9 die Rede, und zwar in deutlicher Frontstellung gegen die gnostischen Irrlehrer, aber gerade dieser vielbeachtete Text läßt keinen Zweifel an seiner Heilsbedeutung erkennen: «Wir aber wissen, daß das Gesetz gut ist, wenn es einer nur gesetzentsprechend anwendet und weiß, daß ein Gesetz nicht für einen Gerechten da ist, sondern nur für die Gesetzesbrecher ...» (1.Tim.1,8f). Die Pastoralbriefe bekennen sich zwar zur genuin paulinischen These von der Güte des Gesetzes (z. B. Röm.7,12.14), stellen sie allerdings zugleich unter die Bedingung des gesetzmäßigen Gebrauches. Dieser aber besteht im Horizont der Pastoralbriefe in einem gesetzentsprechenden Handeln, d. h. in der moralisch positiven Anwendung. Der Rechtschaffene kommt ohne das Gesetz aus, dieses ist vielmehr für die Gesetzesbrecher da. Der sogleich folgende Lasterkatalog (1.Tim.1,9f), der mit seinen vierzehn Lastern inhaltlich mit dem Dekalog übereinstimmt, beweist die Zielsetzung des so verstandenen Moralgesetzes. Daß damit der Christ nach den Pastoralbriefen nicht vom Moralgesetz (Tit.1,14f) dispensiert ist, beweist z. B. Tit.2,14: Christi Heilswerk und d. h. sein Sühntod hat nur den einen ethischen Zweck, «daß er uns von aller Ungesetzlichkeit erlöse und sich selber ein ihm gehöriges Volk reinige, das nach guten Werken strebt».
Die zahlreichen Tugend- und Lasterkataloge (1.Tim.1,9f; 4,12; 6,11; 2.Tim.2,22; 3,2ff; Tit.3,3), die auf hellenistisch-jüdische Paränese zurückgehen, unterstreichen diesen Sachverhalt. Wie die Tugenden nichts ande-

res sind als die Erfüllung der Gebote des Moralgesetzes, so die Laster dessen Übertretung. Schon die Übernahme dieser urchristlichen Kataloge läßt keinen Zweifel daran aufkommen, daß für die Pastoralbriefe die Gebote des alttestamentlichen Moralgesetzes zu den entscheidenden und wichtigsten Kriterien der Ethik zählen.

Darüber hinaus wird das Alte Testament als Hinweis und Beispiel für die ethische Lebensführung der Christen fruchtbar gemacht. 1.Tim.5,17f fordert für den rechtschaffenen und tüchtigen Presbyter eine doppelte Belohnung. Einmal wird diese Mahnung mit 5.Mos. 25,4 (= «einem dreschenden Ochsen sollst du nicht das Maul verbinden») und zum andern mit einem Jesuswort aus Lk.10,7par. (= «der Arbeiter ist seines Lohnes wert») begründet. Indem das Herrenwort der alttestamentlichen Gesetzestradition gleichgestellt ist, wird es wie letztere für den Christen zur verpflichtenden Autorität für seine ethische Lebensführung.

Nach 2.Tim.2,19 weist die Kirche mit ihrem Grundstein eine Inschrift auf, die ebenfalls mit Hilfe von zwei Schriftzitaten zum gerechten und d.h. moralgesetzgemäßen Lebenswandel auffordern: «Der Herr kennt die Seinen» (4.Mose 16,5) und «Er lasse ab von der Ungerechtigkeit, wer den Namen des Herrn ausspricht» (Jes.26,13 bzw. 52.11).

Schließlich werden in 2.Tim.3,15f «die heiligen Schriften» des griechischen Alten Testamentes im ganzen als christliches Moralbuch und d.h. grundsätzlich ethisch gewertet. Sie sind auch und gerade weil sie von Gottes Geist inspiriert sind (2.Tim.3,16), als Handbuch christlicher Ethik in der Lage, zum Heil als dem ewigen Leben zu führen. Nachdrücklich muß in diesem Zusammenhang darauf hingewiesen werden, daß das Alte Testament von den Pastoralbriefen nicht als Dokument prophetisch-messianischer Verheißung, sondern ausschließlich als Buch christlicher Moral- und Tugendlehre gelesen und ausgewertet wird. Aber damit nicht genug! Nicht nur das Alte Testament als «die heiligen Schriften», sondern auch «jede von Gottes Geist inspirierte Schrift» (3,16), und d.h. die auf die Apostel zurückgeführte Literatur ist nützlich «für eine Erziehung in der Rechtschaffenheit», eben für «jedes gute Werk» (3,17). Damit empfehlen sich die Pastoralbriefe neben dem Alten Testament bereits als Schriften, die den Gläubigen zur praktisch-ethischen Lebensführung anhalten. Vergegenwärtigt man sich schon jetzt diesen Tatbestand, so ist es völlig verfehlt zu behaupten, daß das alttestamentliche Gesetz wie das Alte Testament insgesamt mit seinem betonten Werten als Handbuch christlicher Moral für die Ethik des Pastoralbriefes irrelevant oder auch nur von untergeordneter Bedeutung sei.

b) In diesem, von der Ethik beherrschten Horizont wird die traditionelle Rechtfertigungslehre von den Pastoralbriefen eingeordnet. Dabei ist schon auffallend, daß es überhaupt nur zwei Belegstellen gibt, an denen in den Pastoralbriefen die paulinische Rechtfertigungslehre, allerdings mit erheblichen inhaltlichen Verschiebungen aufgenommen wird: Tit.3,3–7 und 2.Tim.9–11. Im übrigen bedeutet das Substantiv Gerechtigkeit die Rechtschaffenheit als moralische Qualität des Menschen. Zu ihr erzieht jede von Gottes Geist eingegebene Schrift (2.Tim.3,16), nach ihr allein als einer Tugend unter anderen muß man trachten (1.Tim.6,11; 2.Tim.2,22) und ihr wird am Jüngsten Tag der Kranz zuteil (2.Tim.4,8). Dem entspricht der ethische Sinn von gerecht = rechtschaffen (1.Tim.1,9; Tit.1,8) als moralisches Prädikat des Christen. Für das Verständnis der beiden genannten Belege der Rechtfertigungen in Tit.3,3–7 und 2.Tim.1,9–11 ist von entscheidender Bedeutung, daß sie in den Kontext der Taufe gehören und beide Male das Heilsgeschehen mit der göttlichen Rettung gleichsetzen (Tit.3,5 und 2.Tim.1,9). Rechtfertigung ist das in der Vergangenheit liegende Rettungsgeschehen Gottes und wird in Tit.3,5 «durch das Wasser der Wiedergeburt und der Erneuerung des heiligen Geistes», in 2.Tim.1,9 durch Vorherbestimmung und heiligen Ruf Gottes umschrieben.

Ausdrücklich wird damit sichergestellt, daß die in der Vergangenheit liegende Rechtfertigung durch die Taufe ohne Werke geschehen ist. Diese Taufrechtfertigung ist zwar ohne unsere Vorleistung so, daß jede Werkgerechtigkeit ausgeschlossen ist, aber schon der Satz in Tit.2,5 läßt aufhorchen: «... nicht um der gerechten Werke willen, die wir geleistet haben ...». Hier wird sogar von «gerechten Werken» in der heidnischen Vergangenheit der Gemeinde gesprochen, die allerdings als Maßstab für die geschehene Taufrechtfertigung zurückgewiesen werden. Aber damit werden keineswegs die Werke als Heilsfaktor grundsätzlich negiert. Die Rettung in der Taufe = Rechtfertigung erfolgt zwar ausschließlich aufgrund der Gnade Gottes, aber nach der Taufe muß der gerechtfertigte Christ gute Werke leisten, die das Kriterium des Endgerichtes sind. So fordern die Pastoralbriefe unbekümmert und unentwegt «gute Werke» (1.Tim.2,10; 5,10.25; 6,6 und 18; Tit.2,7.14) bzw. das «gute Werk» (1.Tim.3,1; 2.Tim.2,21; 3,17; Tit.1,16; 3,1.8.14). Die göttliche Gnade verhilft zum sittlichen Lebenswandel, der wiederum Vorbedingung für den Empfang des ewigen Lebens am Jüngsten Tag ist. Weil die guten Werke des Christen Heilsbedeutung haben, sind sie auch der selbstverständliche Inhalt der Paränesen in den Pastoralbriefen. Nach 1.Tim.6,18f haben gute Werke Verdienstcharakter: «Ermahne sie, Gutes zu tun, an guten Werken reich zu werden ... Dadurch legen sie sich einen Grundstock für die Zukunft an, so daß sie das Leben empfangen können». In dieser traditionellen Vorstellung eines Schatzes von guten Werken wie eines himmlischen Guthabens bahnt sich in den Pastoralbriefen bereits eine Verdienstethik an. Vor allem lehren das die drei traditionellen Bilder vom Soldaten, Ringkämpfer und Landmann: «Niemand, der (als rechter Soldat) Kriegsdienst leistet, gibt sich mit Geschäften des Unterhalts ab, damit er seinem Befehlshaber gefalle. Und wenn einer als Athlet in der Arena kämpft, wird er nicht bekränzt, außer wenn er nach den Regeln gekämpft hat. Ein Bauer, der gearbeitet hat, soll auch zuerst von den

Früchten essen» (2.Tim.2,3–6). Obwohl die Pastoralbriefe 1.Kor.9,7 gekannt haben, wird hier der Akzent völlig anders gesetzt. Alle drei Bilder, die sowohl in der hellenistischen Diatribe wie auch im Alten Testament geläufig (5.Mos. 20.6; Spr.27,18) sind, lehren, daß gute Werke einen himmlischen Lohn verdienen. Der gute Soldat müht sich ab, um das Wohlgefallen seines Befehlshabers zu bekommen; der Wettkämpfer erhält den Lorbeerkranz, wenn er die Spielregeln eingehalten hat und der Bauer soll zuerst von den Früchten seiner Arbeit essen. Menschliche Leistung und frommes Werk gefallen Gott und werden mit dem Kranz des ewigen Lebens belohnt. Ganz selbstverständlich wird deshalb in 1.Tim. 4,15 der allen sichtbare «Fortschritt» auf dem Weg der Tugenden gefordert, verbunden mit der ausdrücklichen Ermahnung: «Denn wenn du so handelst, wird du dich selber und auch deine Hörer zum Heile führen». Böse Werke werden dagegen von Gott am Jüngsten Tag mit dem Gericht vergolten (2.Tim.4,14).

Alle diese Beispiele zeigen uns unmißverständlich, daß Werke als der sichtbare Ausdruck der Leistungsfrömmigkeit die Bedingung für das zu gewinnende Endheil darstellen. Fromme Leistung ist für die Pastoralbriefe das Kriterium der Gerechtigkeit Gottes und seines Endgerichtes (vgl. v.a. 1.Tim.6,6 und 8!). Die Ansätze zu einer Lohn- und Verdienstethik sind in den Pastoralbriefen keineswegs herunterzuspielen, sondern konstitutiver Bestandteil ihrer Ethik überhaupt. Auf jeden Fall stellen für die Pastoralbriefe Glauben und gute Werke keinen Gegensatz dar. Zwar wird die Werkgerechtigkeit im Blick auf die Berufung zum Glauben und die folgende Taufrechtfertigung abgelehnt, aber für die Zukunft gilt umso mehr die Verpflichtung zu guten Werken. Da für die Pastoralbriefe; um Unterschied zu Paulus das Geschehen der Rechtfertigung zeitlich limitiert wird, also auf die zurückliegende Rettung in der Taufe eingeschränkt wird, werden Rechtfertigung und Heilung zeitlich voneinander getrennt, fallen also nicht mehr wie bei Paulus zeitlich und sachlich zusammen: Die Gnade Gottes «erzieht uns, damit wir, dem gottlosen Leben und den weltlichen Begierden entsagen und besonnen, gerecht und gottgefällig in der jetzigen Zeit leben, dabei festhalten an der erhabenen Hoffnung und warten auf die Erscheinung der Herrlichkeit des großen Gottes und unseres Heilandes Christus Jesus, der sich für uns dahingegeben hat, damit er uns von aller Gesetzlosigkeit befreie und sich selber ein ihm gehörendes Volk reinige, das nach guten Werken strebt» (Tit.2,11–14). Die göttliche Gnade erzieht zur ethischen Vollkommenheit, die mit traditionell stoischen Begriffen der hellenistischen Ethik umschrieben wird: Besonnenheit, Rechtschaffenheit und Frömmigkeit. Sie «reinigt» das neue Gottesvolk von aller Ungesetzlichkeit, so daß es nach guten Werken eifern kann. Es ist keine Frage, daß nach Tit. 2,11ff die Kirche als göttliche Erziehungsanstalt verstanden wird, die aufgrund der sittlichen Bewährung dem einzelnen zum ewigen Leben verhilft.

Zwar wird auch in den Pastoralbriefen der Imperativ der ethischen Bewährung im Indikativ der geschehenen Taufrechtfertigung begründet, aber da die Werke das Kriterium der künftigen Vergeltung Gottes im Endgericht sind (2.Tim.4,14; 1.Tim.5,25), bekommen sie wie in den Deuteropaulinen überhaupt ein Eigengewicht und wird die Ethik zum zweiten konstitutiven Teil der Erlösung. Deshalb ist den Pastoralbriefen die genuin paulinische Antithese von Glaube und Werken unbekannt. Das hängt nicht zuletzt auch damit zusammen, daß die Worte glauben und Glaube im Unterschied zu Paulus inhaltlichen Verschiebungen unterworfen werden. So wird glauben in den Pastoralbriefen bedeutungsgleich mit vertrauen gebraucht (1.Tim.1,16; 2.Tim.1,12 u. a.) und Glaube ist gleichbedeutend mit «Christentum» bzw. christlicher Religion (1.Tim.1,5; 3,9; 2.Tim.4,7; Tit.1,1 u. a.). Der Glaube wird zur Rechtgläubigkeit und schließlich selbst zu einer ethischen Tugend unter anderen: So erscheint der Glaube in formelhaft angewandten Tugendreihen und wird mit Liebe (1.Tim.1,14; 2.Tim.1,13), Geduld (Tit.2,2), mit Liebe und Keuschheit (1.Tim.4,12), mit Gerechtigkeit, Liebe und Frieden (2.Tim.2,22) gleichgesetzt, und schließlich erscheint der Glaube in 1.Tim.6,11 in einem ganzen Tugendkatalog neben Gerechtigkeit, Frömmigkeit, Liebe, Geduld und Sanftmut.

c) Wie sämtliche Deuteropaulinen, so kennen auch die Pastoralbriefe nur noch den pluralischen Sündenbegriff (1.Tim.5,22.24; 2.Tim.3,6): Sünden sind ethische Verfehlungen des Menschen und das heißt konkret Übertretungen des alttestamentlichen Moralgesetzes. Ihr Wesen kann deshalb in den Lasterkatalogen exemplarisch beschrieben werden (1.Tim.1,9f; 2.Tim.3,2ff; Tit.3,3). Sünder sind deshalb Menschen, die die moralgesetzlichen Normen verletzt haben (1.Tim.1,9.15; 5,20; Tit.3,11). Von der Sünde als Sündenmacht, die alle Menschen – amoralische und gerade auch moralische – hoffnungslos versklavt, ist in den Pastoralbriefen niemals die Rede. Und an die Stelle der Sündenvergebung ist in den Pastoralbriefen der Sache nach die Rettung bzw. Rechtfertigung in der Taufe getreten (Tit.3,3ff; 2.Tim.1,9ff) und die stellvertretende Sühne Christi in seinem Kreuzestod für unsere Sünden (Tit.2,14). Weil die Pastoralbriefe eine grundsätzliche Bestreitung der Gesetzeswerke nicht mehr kennen, tritt die Rettung bzw. Rechtfertigung als Sündenvergebung einseitig in den Vordergrund. Die göttliche Gnade wirkt nun nicht mehr die Entmachtung der Sünde, sondern die Vergebung unserer Sünden aufgrund des Sühntodes Christi.

Auch wenn die Pastoralbriefe die zeitlich bestimmte Naherwartung Christi zugunsten eines sich Einrichtens in der Welt auf Dauer aufgegeben haben, so wird die Zukunftshoffnung überhaupt und d. h. die Erwartung des Jüngsten Tages mit dem Endgericht nach den Werken keineswegs verworfen. In 1.Tim.4,8 wird der Frömmigkeit das gegenwärtige und kommende Leben verheißen. Die Kirche wartete auf die zweite Epiphanie Christi (Tit.2,13; 1.Tim.6,14f), der «Lebende und Tote richten wird» (2.Tim.4,1). Die Zukunftshoffnung ist nicht erloschen (Tit.3,7; 2.Tim.1,1), weil sie – wie wir bereits gesehen haben – der entscheidende Motor für die Lebensführung der Christen und damit der Ethik ist.

3. Das bürgerliche Christentum

a) Symptomatisch, ja geradezu typisch für die rational-ethisierende Formung des Christentums ist die häufige, ganz unpaulinische und sich im übrigen Neuen Testament nicht findende Rede von der «gesunden Lehre» (1.Tim.1,10; 2.Tim.4,3; Tit.1,9), den «gesunden Worten» (1.Tim.6,3; 2.Tim.1,13), «im Glauben gesunden» (Tit.1,13; 2,2) oder «die gesunde Predigt» (Tit.2,8). Die «gesunde Lehre» und die in ihrem Zusammenhang stehende, formelhaft geprägte Redeweise ist nicht erst von den Pastoralbriefen ad hoc geschaffen worden, sondern findet sich schon bei Homer und Herodot und geht v.a. auf philosophischen Sprachgebrauch zurück (z.B. Platon, Epiktet, Plutarch, Philo). In der damaligen Prophangräzität wird damit die vernünftige Rede bzw. die richtige Meinung bezeichnet. In den Pastoralbriefen wird darum die «gesunde Lehre» den «kranken», weil unvernünftigen Irrlehren der Gnostiker polemisch gegenübergestellt (1.Tim.1,3; 6,4 u.a.).
Die «gesunde Lehre» taucht darum in den Pastoralbriefen weder am Rande auf noch gar ist sie etwas Nebensächliches, sondern ist als rechte Predigt bzw. allein wahre Lehre die zentrale Größe. Die «gesunden Worte unseres Herrn Jesus Christus» (1.Tim.6,3) sind deshalb identisch mit der orthodoxen Lehre der Kirche (1.Tim.1,9) und entsprechen dem, was Paulus seinerseits mit Evangelium bezeichnen würde. Natürlich werden gesund und richtig in den Pastoralbriefen nicht im Sinne der griechischen Denktradition verstanden, wohl aber im Sinne der rechten und wahren Lehre wie Verkündigung, die damit zugleich zur Norm moralischer Lebensführung der Kirche wird. Indem aber das paulinische Evangelium in den Pastoralbriefen zur «gesunden Lehre» wird, die die christliche Lebensführung miteinschließt, wird auch die kirchliche Morallehre zur verdienstlichen Frömmigkeit in guten Werken.
b) Nirgendwo wird das deutlicher als an dem in der philosophischen Ethik entstandenen terminus technicus der Eusebeia, die das Gott wohlgefällige Verhalten, und damit zugleich die Frömmigkeit im allgemeinen Sinne bezeichnet (vgl. v.a. 1.Tim.3,16). Dieses aus der griechischen Religiosität wie Ethik stammende Wort meint ursprünglich das ehrfürchtige und tugendhafte Verhalten in den natürlichen Ordnungen von Staat, Ehe, Familie, Gesellschaft und damit zugleich die Frömmigkeit gegenüber den Göttern, die ja diese Ordnungen garantieren und schützen. Dieser für die Pastoralbriefe charakteristische und überaus häufige Zentralbegriff, der

zwar bei Paulus völlig fehlt, sich aber ebenfalls in den späteren Schriften des Neuen Testamentes (Apostelgeschichte und 2.Petrusbrief), findet, ist geradezu an die Stelle von Glaube bei Paulus getreten. Besonders aufschlußreich ist 1.Tim.2,1f: «Zuallererst ermahne ich dich nun, Bitten, Gebete, Fürbitte und Danksagungen für alle Menschen dazubringen, für Könige und alle Obrigkeiten, damit wir ein stilles und ruhiges Leben führen können in aller Frömmigkeit und Ehrbarkeit». Zweck des Betens ist einmal das Gott wohlgefällige Verhalten (= Eusebeia) und zum an--deren die äußere wie innere Anständigkeit gegenüber den Menschen (= Semnotes) als Ideal christlicher Lebensführung.

Nach 1.Tim.5,4 erweist sich das Gott wohlgefällige Verhalten in der tatkräftigen Unterstützung der Witwen durch ihre noch lebende Familie. Die Frömmigkeit der Kinder führt zur Versorgung der Witwen, womit sie ihr den schuldigen Dank abstatten und außerdem noch Gottes Wohlgefallen finden.

Timotheus wird als «Gottesmann» aufgefordert, die Tugenden der Gerechtigkeit, Frömmigkeit, des Glaubens, der Liebe, Geduld und Sanftmut zu üben (1.Tim.6,11f). Nur wer in diesen Tugenden der persönlichen Frömmigkeit fortschreitet, wird bei der «Erscheinung unseres Herrn Jesus Christus» deswegen ewiges Leben erhalten. Die göttliche Gnade erzieht zu einem besonnenen, rechtschaffenen und Gott wohlgefälligen Leben, (Tit.2,12), womit wiederum drei Haupttugenden der stoisch-hellenistischen Ethik christianisiert werden (vgl. auch 1.Tim.6,3.5f).

Neben dem Gott wohlgefälligen Verhalten taucht in der Ständetafel die Tugend der inneren und äußeren Anständigkeit bzw. Ehrbarkeit immer wieder auf. So soll der Bischof seine eigenen Kinder «mit allem Anstand» erziehen (1.Tim.3,4), müssen die Diakone ehrbare und nicht verleumderische Männer sein (1.Tim.3,8.11), was nach Tit.2,2 ebenso für die alten Männer gilt.

Dabei darf nun aber nicht die polemische Tendenz übersehen werden, da sich die Forderung der Frömmigkeit und Anständigkeit gegen die gnostischen Irrlehrer richtet: «Übe dich auch weiterhin in der Frömmigkeit. Die leibliche Askese bringt wenig Nutzen. Die Frömmigkeit aber ist zu allem nützlich; denn sie schließt die Verheißung des jetzigen und kommenden Lebens in sich» (1.Tim.4,6f). Die christliche Frömmigkeit, verstanden als die Gott wohlgefällige Anerkennung seiner Ordnungen, entspricht den stoischen Idealforderungen der Zeit und hat die Verheißung des jetzigen und kommenden, nämlich ewigen Lebens. Gerade weil die gnostischen Häretiker die göttlichen Schöpfungsordnungen und die in ihnen zu bewährende Lebensführung demonstrativ ablehnen, wird sie von den Pastoralbriefen immer wieder eingeprägt. Diese religiös wie ethisch zu verstehende Frömmigkeit als Wechselbegriff zur «gesunden Lehre» ist die von der Irrlehre sich abhebende Grundhaltung der christlichen Gemeinde. Natürlich entspricht eine solche Forderung den stoischen Idealbildern der hellenistischen Ethik und somit reproduzieren die Pastoralbriefe Elemente natürlicher, rationaler Ethik. Zwischen dem Ideal der bürgerlichen Moral und der christlichen Ethik können kaum noch wesentliche Unterschiede ausgemacht werden. Trotzdem kann nicht behauptet werden, daß der christliche Glaube ohne Einschränkung mit der antiken Frömmigkeit gleichgesetzt ist und die eschatologische Distanz zur Welt einfach preisgegeben wird. Es gibt wenigstens zwei Hinweise dafür: im 2. Timotheusbrief wird die Leidens- und Todesbereitschaft nicht nur mehrmals erwähnt, sondern dem Schüler und Mitarbeiter Timotheus immer wieder eingeschärft. Aber dieses apostolische Vorbild der Nachfolge Christi wird keineswegs auf die Amtsträger eingeschränkt, sondern auf alle Christen im Hause Gottes ausgeweitet (2.Tim.3,12). Ebenso wird in 2.Tim.3,12 die Leidenserfahrung des Apostels auf das Leben aller Christen angewandt: «Ebenso werden alle verfolgt werden, die in Christus Jesus ein frommes Leben führen wollen». Aber das sind eher Ausnahmen, die die Regel im Rahmen eines bürgerlichen Lebens mit seinen allseits anerkannten Tugenden bestätigen.

c) In diesen Zusammenhang gehört natürlich auch die häufige Rede vom «guten Gewissen» (1.Tim.1,5.19; 3,9; 2.Tim.1,3; Tit.1,15 u.ö.), das bei Paulus ebenfalls nicht vorkommt, sich aber in anderen neutestamentlichen Schriften ebenfalls findet, die stärker von der griechisch-hellenistischen Literatur beeinflußt sind, so Ag.23,1; 23,16; 1.Petr.3,16.21; Hebr.13,18 und in den apostolischen Vätern.

Der Ausdruck «gutes Gewissen» ist ursprünglich beheimatet in der philosophischen Ethik der Griechen und v.a. der Römer und dürfte über die Diasporasynagoge in das Neue Testament Eingang gefunden haben. Zwar findet sich in den Pastoralbriefen nicht der gegensätzliche Ausdruck «böses Gewissen», dafür aber in Hebr. 10,2.22 und wiederum in den apostolischen Vätern. Auch der Ausdruck «gutes Gewissen» gehört wie die bisher behandelten – die gesunde Lehre, Frömmigkeit und Anständigkeit – in ein gewandeltes Existenz- und Glaubensverständnis, das nicht mehr von der Parusienaherwartung bestimmt ist, sondern sich in der Welt eingelebt hat. Gerade das gute Gewissen als das «beste Ruhekissen» ist konstitutiver Bestandteil einer christlich-bürgerlichen Ethik, die mit einem stillen und ruhigen Christenleben in Frömmigkeit und Ehrbarkeit die grundsätzliche Distanz zur Welt mehr und mehr verschwinden läßt.

So erfolgt die Ablehnung der gnostischen Irrlehre in 1.Tim.1,5 mit dem Rückgriff auf das gute Gewissen neben dem reinen Herz und dem ungeheuchelten Glauben. Weil das gute Gewissen tugendhaft und damit frei von gesetzwidrigen Gedanken und bösen Lüsten ist, soll Timotheus dieses nicht wie die Abgefallenen «über Bord» werfen (1.Tim.1,19). Das geforderte gute Gewissen umschreibt deshalb in den Pastoralbriefen die moralgesetzlich einwandfreie Lebensführung und ist deshalb mit dem «reinen Gewissen» identisch. So kann Paulus von sich sagen, daß er von seinen

Vorfahren her Gott immer «mit reinem Gewissen gedient habe» (2.Tim. 1,3) und werden die Diakone ermahnt, das Glaubensgeheimnis mit «einem reinen Gewissen» zu bewahren (1.Tim.3,9). Die von der Rechtgläubigkeit und der gesunden Lehre abgefallenen Ketzer dagegen haben ein «gebrandmarktes» (1.Tim.4,2) und «beflecktes» Gewissen (1.Tim.1,15). Das gute bzw. reine Gewissen bezeichnet darum in den Pastoralbriefen die Bindung des Christen an das Moralgesetz und damit die sittliche Tugendhaftigkeit der Christen im Kontext einer bürgerlichen Ordnungsethik.

d) Die weitgehende Übereinstimmung in den Inhalten und Kriterien der Ethik der Pastoralbriefe mit den Idealen der hellenistischen Moral- und Tugendlehre ihrer Zeit zeigt sich weiter deutlich im Begriff der Liebe. Eine gewisse Ausnahme stellt 1.Tim.1,5 dar, wenn hier in Aufnahme des paulinischen Erbes (besonders Gal.5,6) die Liebe als «Ziel» der Weisung bzw. der ethischen Mahnung bezeichnet wird. Die Liebe als Summe und beabsichtigter Zweck der Paränese wird ausdrücklich eingeschärft angesichts der endlosen Fabeln, Stammbäume und spitzfindigen Streitereien auf Seiten der gnostischen Irrlehrer. Erscheint sie außerdem neben den Tugenden reines Herz, gutes Gewissen und ungeheuchelter Glaube, dann ist nicht nur eine Gesinnung, sondern ein tätiges Walten gemeint. Aber im Unterschied zu Paulus ist sie kein Charisma bzw. das größte Charisma, sondern die höchste Tugend, in der alle anderen Tugenden ihre Zusammenfassung und Erfüllung finden. Zudem ist diese alle anderen Tugenden überragende Bedeutung der Liebe auf 1.Tim.1,5 beschränkt, wie die übrigen Belegstellen beweisen. Hier steht die Liebe in Tugendkatalogen als eine Tugend mit anderen zusammen, wie Glaube und Keuschheit (1.Tim. 4,12), Kraft und Besonnenheit (2.Tim.1,7), Gerechtigkeit, Glaube und Friede (2.Tim.2,22) und Glaube, Langmut und Geduld (2.Tim.3,10). In Tit.2,2 endlich steht die Liebe in einer «gesunden Belehrung» an alte Männer in der Gemeinde neben Nüchternheit, Besonnenheit, Glauben und Geduld. Das heißt aber: Für die Pastoralbriefe hat die Liebe im Unterschied zu Paulus ihre beherrschende Stellung verloren; sie ist weder den anderen Tugenden vor- noch übergeordnet, sondern ausdrücklich gleichgeordnet.

e) Mit der «gesunden Lehre» und ihren Wechselbegriffen Frömmigkeit wie Sittsamkeit hängt auch ursächlich zusammen, daß das Wort Besonnenheit bzw. Mäßigung samt seinen Derivaten wie schon für die hellenistische Ethik, so auch für die Forderung eines christlichen Tugendlebens nach den Pastoralbriefen von entscheidender Bedeutung ist. So werden die jungen Männer ermahnt, «in allem» Maß zu halten (1.Tim.2,6). Die Amtsträger in der Kirche haben nach 2.Tim.1,7 von Gott «nicht einen Geist der Verzagtheit», sondern «der Kraft, der Liebe und der Besonnenheit» bekommen. Gerade die Besonnenheit gehört neben der Autorität und der tätigen Liebe zu den besonderen Eigenschaften und Fähigkeiten der apostolischen Amtsträger. Vor allem die göttliche Gnade erzieht einerseits die Gemeinde zur Absage an das gottlose Leben und die weltlichen Begierden, andererseits aber zu besonnener Lebensweise (Tit.2,22). Das Verhalten der Frau im Gottesdienst soll nicht durch äußeren Schmuck und kostbare Kleidung, sondern durch Maßhalten bestimmt sein (1.Tim.2,9). Aufschlußreich ist 1.Tim.2,15: Die gefallene Eva, auf die christliche Frau bezogen, kann durch die Mutterschaft im Endgericht des Heils teilhaftig werden, wenn sie neben Glaubenstreue, tätiger Liebe und Heiligung die Besonnenheit bewahrt. Von der besonnenen Mäßigung der christlichen Frau wird vom Verfasser der Lohn des ewigen Lebens abhängig gemacht. Unter den zahlreichen Tugenden, die vom Bischof gefordert werden (1.Tim.3,2ff), wird auch die Besonnenheit gefordert. Dasselbe gilt für die Presbyter (Tit.1,8), für die alten Männer (Tit.2,2) und betagten Frauen (Tit.2,8).

Die Forderung des besonnenen Maßhaltens, also der goldene Mittelweg zwischen der von den Gnostikern praktizierten weltflüchtigen Askese und der heidnischen Verweltlichung, ist v.a. charakteristisch für die Wertung des Weingenusses durch die Pastoralbriefe. Vor übermäßigem Weingenuß wird ausdrücklich gewarnt: Die Bischöfe sollen «ja nicht trunksüchtig» (1.Tim.3,2; Tit.1,7), die Diakone «nicht dem Trunke ergeben» sein (1.Tim.3,8) und die betagten Frauen müssen dem Weingenuß entsagen (Tit.2,3). Andererseits meint nun aber 1.Tim.5,23: «Trinke kein Wasser mehr, sondern nimm ein wenig Wein, um des Magens und deiner häufigen Krankheiten willen». Also: Besonnenheit in allem bis zum Weintrinken. Wird übermäßiger Weingenuß verboten, so mäßiger ausdrücklich erlaubt und geraten.

f) Zur christlichen Bürgerlichkeit gehört schließlich auch der Schöpfungsglaube des Alten Testaments, der wie die hellenistische Moral polemisch gegen die gnostischen Irrlehrer ins Feld geführt wurde. Mit ihrer dualistischen Weltverneinung lehnten sie wie die Schöpfung, so auch die Ehe und bestimmte Speisen ab: «... die das Heiraten verbieten und die Enthaltung von Speisen fordern, die Gott dazu geschaffen hat, damit die Gläubigen und die zur Erkenntnis der Wahrheit Gelangten sie mit Dankbarkeit genießen. Denn alles, was Gott geschaffen hat, ist gut, und nichts ist verwerflich, das mit Dankbarkeit empfangen wird. Es ist ja durch Gottes Wort und durch Gebet geheiligt.» (1.Tim.4,3–5). Der Verfasser lehnt ausdrücklich die Einhaltung von gnostisch motivierten Speisevorschriften ab, weil alle Speisen für die Getauften von Gott dazu geschaffen wurden, damit sie nach erfolgter Danksagung für sie zum Genuß bereit sind. Alles von Gott Geschaffene ist gut und nichts ist verwerflich, so daß der Schöpfer mit dem Erlösergott antignostisch eins ist. D.h. aber: Gegen die gnostische Gefahr mit ihrer dualistischen Askese fordert der Verfasser eine Lebensführung, die dem Schöpfungsglauben gemäß ist.

Auch in Tit.1,15f wird der Schöpfungsglaube zum antidualistischen Maßstab christlich-bürgerlicher Tugendethik: «Dem Reinen ist alles rein! Dem Befleckten und Ungläubigen aber ist nichts rein, sondern Verstand und Gewissen sind befleckt. Sie behaupten, Gott zu kennen, aber in ihren Werken verleugnen sie ihn. Abscheulich sind sie, ohne jeden Gehorsam und zu keinem guten Werk brauchbar». Die Unterscheidung von reinen und unreinen Speisen ist nach der Meinung des Verfassers Ausdruck der Unkenntnis des Schöpfergottes. Das gilt um so mehr, wenn in diesen Grundsatzänderungen nicht einmal zwischen kult- und moralgesetzlicher Reinheit differenziert wird. Entscheidend ist vielmehr das Tun guter Werke. Wer dieser kirchlichen Werkfrömmigkeit nicht nachkommt, ist der wahrhaft Unreine. In diesen Zusammenhang gehören prinzipiell auch die Tugend- und Lasterkataloge, die Haustafel mit ihrer traditionellen Familienethik wie schließlich die Bischofs- und Diakonenspiegel. Das besonnene, gerechte und fromme Leben der Christen (Tit.2,12) erweist sich darum in guten Werken (1.Tim.2,10). Alle die hier geforderten Tugenden wie zu meidenden Laster sind symptomatisch für die weitgehende Übereinstimmung der Ethik der Pastoralbriefe mit den Beamtenspiegeln und Pflichtenkatalogen der stoisch-hellenistischen Moral.

4. Die Gemeindeethik

Deshalb durchzieht die Forderung der moral-bürgerlichen Tugenden wie Fähigkeiten, gerichtet an die verschiedenen Stände in der Kirche, wie ein roter Faden die Pastoralbriefe und beherrscht ihre gesamte Ethik, und zwar sowohl die Gemeinde- wie Sozialethik.
a) Besondere Anweisungen gelten den Männern und Frauen. Nach 1.Tim.2,8 werden die Männer ermahnt, «allerorts am Gebet» im Gottesdienst teilzunehmen. Wie in der Synagoge ist auch in der Kirche der Pastoralbriefe das Gemeindegebet alleinige Sache der Männer, von der die Frauen ausgeschlossen sind. Allerdings müssen die betenden Männer zwei Bedingungen erfüllen: Ihre zum Gebet erhobenen Hände müssen rein und ohne Streitsucht sein, d. h. die Lebensführung der Beter hat den moralgesetzlichen Anforderungen zu genügen. In Tit.2,2 und 6 werden sowohl die Alten wie die jungen Männer angewiesen, einen moralischen Lebenswandel zu führen, wobei die stoische Tugend der Besonnenheit im Sinne der sittlichen Reinheit besonders hervorgehoben wird. Im Unterschied zu den Anweisungen für die Männer fallen diejenigen für die christlichen Frauen besonders ausführlich aus (1.Tim.2,9–15 und Tit.2,3–5). Wie die heiligen Frauen des Alten Testamentes sollen sich die christlichen Frauen nicht mit wertvollem Schmuck und kostbarer Kleidung im äußerlichen Sinne schmücken; vielmehr besteht ihr wahrer Schmuck in guten Werken (1.Tim.2,9f). Wirkungsgeschichtlich von größter, wenn auch höchst problematischer Bedeutung sind dann die folgenden Anweisun-

gen: «Die Frau soll schweigend und in aller Unterordnung lernen; zu lehren aber erlaube ich der Frau nicht, noch gar dem Manne dreinzureden. Denn Adam wurde zuerst erschaffen, und dann erst Eva. Auch wurde nicht Adam verführt, sondern die Frau ließ sich verführen und ist in Sünde geraten. Sie wird aber durch Kindergebären gerettet werden, wenn sie an Glaube, Liebe und Heiligung festhalten in Ehrbarkeit» (1.Tim.2,11–15). Nicht mehr umstritten sollte sein, daß das uneingeschränkte Schweigegebot wie Lehrverbot im Kontext eindeutig auf das Verhalten der Frau im Gottesdienst bezogen ist. Ursprünglich dagegen hatte diese Frauenregel, die aus synagogaler Paränese stammt, allgemeine Bedeutung und bezog sich selbstverständlich auf das Verhalten der christlichen Frau im bürgerlichen Leben. Aufgrund der alttestamentlich-jüdischen Schöpfungsordnung hat die Frau im Gottesdienst grundsätzlich zu schweigen, und gerade die Lehr- und Verkündigungsfreiheit, die Paulus nach 1.Kor.11,5 der Frau ohne weiteres zugesteht, wird ihr hier aufgrund der inferioren Stellung in der Schöpfungsordnung bestritten. 1.Kor. 14,34–36 erweist sich also mit größter Wahrscheinlichkeit als eine nachpaulinische Interpolation im Sinne der Pastoralbriefe. Im Unterschied zu Paulus hat hier die Schöpfungs- bzw. Naturordnung und damit die bürgerliche Konvention über die Heilsordnung eindeutig gesiegt. Weil nach Paulus im Leib Christi Mann wie Frau Geistträger und damit Charismatiker sind, haben sie auch die volle Gleichberechtigung vor Gott und in der Gemeinde. Hier dagegen wird das Amt der Verkündigung und Lehre ausschließlich dem Manne vorbehalten, weil ihr aufgrund ihrer untergeordneten Stellung in der Schöpfung das öffentliche Reden überhaupt untersagt ist. Das heißt: Die allgemein bürgerliche Frauenregel wird von den Pastoralbriefen auf das Verhalten der Frau im Gottesdienst übertragen und in 1.Tim.2,13–15 ganz im Sinne jüdischer Paränese begründet. Die christliche Frau hat sich deshalb unterzuordnen, weil sie erstens zeitlich nach dem Manne geschaffen wurde. Zweitens wurde nicht Adam, sondern allein Eva von der Schlange verführt (so auch Sir.25,24), wobei im Hintergrund die jüdische Tradition von einer geschlechtlichen Verführung Evas durch die Schlange steht. Von einer Sündenschuld Adams ist ausdrücklich keine Rede. Drittens schließlich muß nach Vers 15 die Rettung der Frau durch das Kindergebären erfolgen als direkte Entsprechung ihrer geschlechtlichen Unzucht mit der Schlange. Keine Frage ist, daß die Pastoralbriefe wiederum mit einer solchen höchst problematischen Argumentation die christlich-gnostischen Häretiker in den eigenen Reihen im Auge hatte, die die Ehe verbieten (1.Tim.4,3) und radikal die sexuale Askese fordern. Aber indem die Pastoralbriefe die jüdische Ordnungsethik zu Hilfe rufen, bewahren sie nicht nur die natürlich bürgerliche Ethik, sondern lassen – jedenfalls an diesem Punkt – die Heilsordnung in der Schöpfungs- bzw. Naturordnung aufgehen.

Dem entspricht grundsätzlich die Regel für die älteren und jüngeren

Frauen in 1.Tit.2,3–5: Die alten Frauen sollen in ihrem Benehmen «priesterlich» sein und sich der Verleumdung wie des Weintrinkens enthalten. Dieser ihr vorbildlicher und christlich-würdiger Lebenswandel zeigt sich weiter darin, daß sie Gutes lehren. Konkret: Sie sollen die jungen Ehefrauen in der Gemeinde anhalten, ihre tugendhaft-bürgerlichen Pflichten zu erfüllen. Inhaltlich gleicht dieser Tugendkatalog demjenigen der jungen Witwen von 1.Tim.5,14. Im Gegensatz zu gnostischen Tendenzen wird einseitig die natürliche Gatten- und Kinderliebe (= philia statt agape im Griechischen!) von der Frau gefordert, vor allem ihre Rolle in der Familie betont und das alles zusammenfassend mit der schon bekannten Unterordnungsanweisung gekrönt: «Damit Gottes Wort nicht gelästert wird (wegen ihrer Lebensführung)». Die Rücksicht auf die heidnische Umwelt bestimmt die Morallehre der Pastoralbriefe und gehört ebenfalls konstitutiv zu ihrem bürgerlich-moralischen Tugendleben. Wie in bezug auf die christlichen Männer und Frauen, so zeigen die Pastoralbriefe überhaupt besondere Aufmerksamkeit für die Familie und bezeugen so das Entstehen einer christlichen Familientradition und -ethik. Der rechte Glaube wird seit Generationen als wertvolles Erbe religiöser Familientradition gehütet (2.Tim.1,3 und 5) und ist als fromme Tugend konstitutiv für ein bürgerliches Christentum (vgl. auch 2.Tim.3,14f). Weil Sitte, Anstand und Ordnung in den Pastoralbriefen hochgeschätzt sind, wird immer wieder geradezu als gesetzgeberische Maßnahme die Erziehung der Kinder wie Enkel zu gläubigen und tugendhaften Christen eingeschärft (1.Tim. 3,4.12; 5,10; Tit.1,6). Schließlich müssen die Kinder und überhaupt Nachkommen für die alten Familienglieder aufkommen (1.Tim. 5,4.8.16) und die Fürsorge wie Verantwortung keinesfalls der Gemeinde überlassen.

b) Die Bischofsspiegel in 1.Tim.3,1–7 und Tit.1,7–9 beschreiben die sittlich-moralischen Vorbedingungen (vgl. das typische «wenn einer ...» in 3,1 und 5 und in 1.Tim.5,4.8.16; 6,3; Tit.1,6) und Qualitäten des Bischofs. Sie sind weder ad hoc zusammengestellt noch weisen sie spezifisch christliche Motive auf. Vielmehr liegen dem Bischofsspiegel die bekannten, auf die hellenistische Moralphilosophie zurückgehenden Pflichtenkataloge, Ständetafel bzw. Beamtenspiegel zugrunde, die für Ärzte, Staatsbeamte, Militär und Richter bestimmte Verhaltensnormen aufstellten. Für die für das Gemeinwohl Verantwortlichen gab es deshalb in schematischer Weise allgemeingültige Fähigkeits- und Tugendlisten, in denen die moralische Qualifikation des betreffenden Amtes oder Berufsstandes beschrieben wird. In diese öffentliche Tradition der hellenistischen Durchschnittsethik gehören auch die Bischofsspiegel der Pastoralbriefe. Gefordert werden vom Bischof die Einehe, Unbescholtenheit, Nüchternheit, Besonnenheit, Ehrenwertigkeit, Gastfreundschaft, Hilfsbereitschaft, Friedfertigkeit und häusliche Tugenden. Dagegen werden dem Bischof Gewalttätigkeit, Trunksucht, Eigenmächtigkeit, Jähzorn, Hab- und Geldgier verboten. Wenn man bedenkt, daß manche dieser

Tugenden auch in den Diakonenspiegeln vorkommen und die Pflichtenkataloge ganz allgemein moralischen Charakter tragen, dann kommt man zu dem Schluß, daß die hier geforderten Tugenden bzw. verbotenen Laster nicht nur für den Bischof, sondern für jedes Gemeindeglied, ja sogar für jeden Bürger in einem bestimmten Amt oder Beruf Geltung haben. Christliches steckt lediglich in 1.Tim.3,6f, wenn Neugetaufte vom Bischofsamt zurückgewiesen werden, der Bischof selbst aber von Seiten «der Außenstehenden» einen guten Ruf haben muß. Von spezifisch bischöflichen Fähigkeiten spricht auch Tit.1,7 und 9: Als Verwalter des Hauses Gottes, also der Kirche, muß er einmal an der apostolischen Lehrtradition treu festhalten und zum anderen die Gemeinde mit Hilfe der gesunden Lehre ermahnen, damit er die gnostischen Ketzer überzeugend abwehren kann.

c) Auch die Presbyter sind in den Pastoralbriefen Amtsträger in der Gemeinde, worauf die apostolische Handauflegung einerseits und ihr besonderer Dienstauftrag als Vorsteher, Prediger und Lehrer (1.Tim. 5,17ff) andererseits hinweisen. Nicht jeder ältere Mann in der Kirche kann ohne weiteres Presbyter werden. Für das Amt des Presbyters werden in Tit.1,6 ausdrücklich Bedingungen genannt: Unbescholtenheit, Einehe und gläubig-gehorsame Kinder. Wer seinen Dienst in besonders guter Weise versieht, soll doppelt bezahlt werden. Der Presbyter aber, der sich etwas zuschulden hat kommen lassen, soll vor der versammelten Gemeinde bestraft werden, «damit auch die übrigen eingeschüchtert werden» (1.Tim.5,17 und 20). Nicht übersehen werden darf bei diesem Strafakt die dreifache Beschwörungsformel und der Hinweis auf seine Unvoreingenommenheit gegenüber dem schuldigen Presbyter (1.Tim.5,21). Im übrigen enthalten die Bedingungen für das Ausüben des Presbyteramtes nichts spezifisch Christliches. Der Presbyterspiegel ist so allgemein bürgerlich formuliert, daß die Anforderungen nicht nur für jeden Christen, sondern auch für jeden Bürger verpflichtend sind.

d) Auch der Diakonenspiegel (1.Tim.3,8–13) entspricht dem hellenistisch-moralischen Ideal der traditionellen Pflichtenkataloge für weltliche Beamte: Von einem lasterhaften Lebenswandel der Doppelzüngigkeit, von Trunk- wie Gewinnsucht darf beim Diakon keine Rede sein (3,9), vielmehr hat er eine in jeder Hinsicht vorbildliche Einehe zu führen und sich als Hausherr wie Familienvater (3,12) in tadelloser Weise zu bewähren. Dasselbe gilt für ihre Ehefrauen: In einer kleinen Tugend- und Fähigkeitsliste – «ehrbar, nicht verleumderisch, nüchtern und zuverlässig in Allem sein» – werden allgemeingültige Regeln aufgestellt, deren sich die Diakonenfrau zu befleißigen hat (3,11). Ohne eine allgemeine Bewährungsprobe (3,10), in der sie sich – gemessen an der öffentlichen Moral – als untadelig erwiesen haben, können sie das Diakonenamt zusammen mit ihren Ehefrauen nicht übernehmen. Speziell christliche Amtsbedingungen tauchen dagegen in 3,9 und 13 auf: Sie müssen den christlichen Glauben in einem guten Gewissen bewahren. Solche Diakone als gewissenhafte Christen werden doppelt belohnt werden: Einmal erhalten sie verdiente Anerkennung von Seiten der Gemeinde und zum andern wird ihnen im kommenden Himmelreich ein besonderer Rang verheißen. Auch der Diakonenspiegel betont zum Schluß das Gesetz der menschlichen und göttlichen Vergeltung: Gute Werke bleiben nicht unbelohnt, vielmehr haben sie sowohl in der gegenwärtigen als auch in der kommenden Welt ihre Verdienste.

e) Vor allem der apostolische Delegat Timotheus, in Wirklichkeit ein jugendlicher Gemeindeleiter, wird in einem Pflichten- und Tugendkatalog (1.Tim.4,11–5,2) zu einem vorbildlichen Lebenswandel in Wort und Werk aufgefordert. Die Anlehnung an die popularphilosophische Beamtenethik seiner Zeit ist nicht mehr zu übersehen. Gerade der jugendliche Gemeindeleiter darf von niemandem verachtet werden. Vielmehr hat er den Gemeindechristen durch Liebe, Glaube und Keuschheit ein besonderes Vorbild zu geben (3,12). Diesem Tugendideal hat der Gemeindeleiter zu entsprechen, da er in der Ordination durch die Handauflegung der Presbyter die Amtsgnade vermittelt bekommen hat (3,14). Gerade der Gemeindeleiter bedarf einer größeren Frömmigkeit und Heiligung als der normale Durchschnittschrist. Der sakramentalen Ordination muß eine besondere, eben herausragende Standesethik entsprechen. Sein «Fortschritt» in sittlicher Vollkommenheit muß allen Gemeindechristen sichtbar werden (3,15). Es kann nicht übersehen werden, daß spätestens hier von den Gemeindeleitern eine höhere Stufe der sittlichen Vollkommenheit erreicht werden muß im Unterschied zu den nicht ordinierten normalen Kirchenchristen. Dieser unablässige und angestrengte Fortschritt im ethischen Lebenswandel zur allen sichtbaren Vorbildlichkeit wird wiederum im Endgericht belohnt werden. Sie belohnt nicht nur den in jeder Hinsicht vorbildlichen Gemeindeleiter mit dem ewigen Leben, sondern führt ebenso die ihm anvertraute Gemeinde, die diesem ethischen Vorbild folgt, zum Heil (3,16). Die Verdienstlichkeit der guten Werke steht für die Pastoralbriefe selbstverständlich fest. Schließlich werden die Gemeindeleiter zu einem tugendhaften Umgang mit einzelnen Gruppen in der Gemeinde aufgefordert (5,1f): Weil die Kirche nach den Pastoralbriefen eine Familie Gottes und der Gemeindeleiter ihr Hausverwalter ist, soll er die älteren Männer wie Väter, älteren Frauen wie Mütter, jüngere Männer wie jüngere Frauen in lauterer Keuschheit ermahnen, auf keinen Fall aber schroff und lieblos behandeln. Auch mit dieser letzten Warnung an die Gemeindeleiter wird das Schema öffentlicher Berufs- und Standesethik nicht verlassen, sondern bewußt für die christlichen Gemeindebeamten in Anspruch genommen.

f) Die ausführlichste Witwenregel in 1.Tim.5,3–16 setzt nicht nur die Einrichtung eines besonderen und organisierten Witwenstandes voraus, sondern bezeichnet die Gemeindewitwe als ein besonderes Amt in der

Kirche. Eine solche besondere Fähigkeits- und Tugendliste für das Witwenamt ist nicht nur den außerchristlichen Pflichtenkatalogen wie Beamtenspiegeln unbekannt, sondern vor allem im ganzen Neuen Testament einmalig. Gerade dieser ausführliche Witwenspiegel mit seinen geradezu gesetzgeberischen Maßnahmen (vgl. nur das «deshalb verlange bzw. will ich» von 5,14!) für genau festgelegte Ordnung und Moral ist ein weiterer und nicht unwesentlicher Beleg für die christlich-bürgerliche Ethik der Pastoralbriefe. Weil die zeitlich bestimmte Naherwartung der Parusie geschwunden und die Dauer der Welt vorausgesetzt ist, kommt es wiederum wie schon bei der Anweisung an die Bischöfe, Gemeindeleiter und Presbyter und Diakone zur Übernahme der popularphilosophischen Beamten- und Pflichtenkataloge und gleichzeitigen Übertragung auf spezielle Stände bzw. Ämter in der Gemeinde. Ist das gesehen, kann der Abschnitt 5,3–8 mit seinen Kriterien der Witwenversorgung auch nicht mehr von den folgenden Versen 5,9–16 getrennt werden, wo das Witwenamt thematisch wird. Vielmehr handelt es sich um eine einheitliche Paränese, die die geregelte Unterstützung der Gemeindewitwen betrifft.

So geht es dem Verfasser zunächst darum, festzulegen, wer von den Witwen wirklich unterstützungswürdig ist. Von den «wirklichen Witwen» (Vers 3) wird zuerst einmal die Witwe mit familiären Angehörigen ausgeschieden (Vers 4): Hat sie Kinder oder Enkel. so sind diese verpflichtet, ihren bejahrten Familiengliedern «den geschuldeten Dank abzustatten, denn das ist wohlgefällig vor Gott». Gerade die familiäre Fürsorge für die Witwen gehört zu den verdienstlichen Werken, die Gottes Wohlgefallen finden, also im Endgericht für die Erlangung des ewigen Lebens von heilsentscheidender Bedeutung sind. 5,8 wiederholt noch einmal die eindringliche Kritik: Wer nicht als Familienglied für die Witwen sorgt, hat den Glauben verleugnet und ist «schlimmer als ein Ungläubiger». Der sittliche Lebenswandel ist Kriterium des rechten Glaubens wie umgekehrt seine Ablehnung den Unglauben besiegelt und das göttliche Endgericht ganz sicher nicht bestehen läßt. Zu den wirklichen Witwen gehört nach der konzedierten Anweisung des Verfassers nicht die reiche Witwe, «die ein ausschweifendes Leben führt». Sie ist, obwohl sie noch physisch lebt, längst gestorben (5,6). Ihr Lebenswandel findet nicht Gottes Wohlgefallen, kann also nur in einem Strafgericht enden. Ausgeschlossen vom Amt der Gemeindewitwen sind außerdem die jüngeren, also noch im heiratsfähigen Alter stehenden Witwen (5,11–13): Weil ihre Sinnlichkeit sie von Christus weggeführt hat, und sie sich außerdem dem Müßiggang, der Klatschsucht und unnützer Geschäftigkeit ergeben, sollen sie ausdrücklich bei der Bewerbung zum Witwenstand zurückgewiesen werden. Von ihnen wird verlangt, daß sie heiraten, eine Familie gründen, und einen ordentlichen Haushalt führen, damit die Gemeinde nicht von den Außenstehenden verunglimpft wird, also in Verruf gerät.

Der reichen Witwe, die ein Leben in Überfluß, Ausschweifung, Schwatz-

sucht und Müßiggang führt, wird nun aber die wirkliche, nämlich die Gemeindewitwe, gegenübergestellt. Sie muß zuerst und vor allem, so lautet die einschärfende Anweisung, einen moralisch-untadeligen Lebenswandel führen (5,7). Das ethisch einwandfreie Verhalten ist wie für alle anderen Gemeindebeamten so auch für das Amt der Gemeindewitwe die unerläßliche Voraussetzung. Dazu kommt in 5,9 dann ein ausführlicher Fähigkeits- und Tugendkatalog: Ihr Alter muß «mindestens sechzig Jahre» sein und sie darf nur einmal verheiratet gewesen sein. Vor allem aber muß sie sich durch gute Werke ausgewiesen haben. So soll sie sich in ihrer christlichen Liebestätigkeit um die Erziehung der Waisen gekümmert und Gastfreundschaft geübt haben. Besondere Aufmerksamkeit verdient die Forderung, daß sie den Heiligen, d. h. den Christen die Füsse als Zeichen christlicher Demut und Bruderliebe gewaschen hat. Auch die tatkräftige Hilfe an Notleidende und Bedrängte wird ausdrücklich gefordert. Schließlich wird dieser Fähigkeits- und Tugendkatalog für die Gemeindewitwe abgeschlossen durch den nochmaligen Hinweis auf das gute Werk (5,10). Aufgrund von 5,13 ist zu Recht vermutet worden, daß zu den Pflichten der Gemeindewitwen auch seelsorgerliche Hausbesuche in den christlichen Familien gehören. Gute und d. h. moralgesetzliche Werke sind die ethische Voraussetzung für die diakonische Wohltätigkeitsarbeit der Gemeindewitwen in der Kirche. Weil die wirkliche Witwe nur der Gemeinde dienen will, verzichtet sie auf alle Äußerlichkeiten, hofft sie vielmehr ganz auf Gott und seine gerechte Vergeltung im Endgericht und verharrt «Tag und Nacht im Gebet und Flehen» (5,5). Die Gemeindewitwe gleicht in ihrer entsagungsvollen, opferbereiten und unabläßigen Gebetshaltung den heiligen Frauen des Alten Testamentes und nicht zuletzt der Prophetin und Witwe Hanna, die ebenfalls «dem Herrn Tag und Nacht mit Fasten und Gebet» diente (Lk.2,36f).
Die Witwenregel schließt mit der schon ähnlichen in Vers 4 und 8 erwähnten Forderung, daß die Gemeinde «nicht belastet werden darf, damit sie für die wirklichen, d. h. eigentlichen Witwen sorgen kann» (5,16). Nur wer die sozialen und moralischen Bedingungen erfüllt und der Gemeinde dient, also in jeder Hinsicht einen frommen Lebenswandel in frommen Werken führt, kann in das Amt der Gemeindewitwe aufgenommen und von der Gemeinde versorgt werden. Nur wenn diese Bedingungen erfüllt sind, kann und darf die Gemeinde die Verantwortung und Fürsorge für den Witwenstand übernehmen.

5. Die Sozialethik

Die popularphilosophische Sozialethik wird von den Pastoralbriefen gegen die Gnostiker mit ihrer traditionellen Verachtung aller natürlichen Ordnungen dieser Welt zu Hilfe gerufen, um den Christen das ehrfurchtsvolle Verhalten gegenüber den Ordnungen dieser Welt einzuschärfen. Der antignostische Kampf wird auf Erden vor allem mit dem Rückgriff auf die hellenistisch-stoische Ordnungsethik ausgefochten, indem das traditionelle Haustafelschema mit seinen Strukturen und Elementen antiker Gesellschaftsordnungen (Staat, institutionelle Sklaverei, Familie u.a.) in die Gemeindeordnung eingearbeitet wird.

a) So steht an erster Stelle die Forderung, Bitten, Gebete, Fürbitten und Dankgebete für die Kaiser und alle Obrigkeiten zu verrichten (1.Tim. 2,1f). Obwohl die verschiedenen Begriffe für «Gebet» nicht alle dasselbe meinen, sollten sie auch andererseits nicht zu scharf voneinander geschieden werden. Deutlich ist vielmehr: Die Gemeinde soll zuallererst zur Fürbitte für den Kaiser und alle Staatsbeamten aufgerufen werden. Die Kirche der Pastoralbriefe übernimmt damit die bekannte Gepflogenheit des Judentums, z.B. im Jerusalemer Tempel für die heidnische Obrigkeit Opfer und Gebet darzubringen (Ep.Arist.45,1; 1.Makk.7,33 u.a.). Sowohl die palästinensische (Abot 3,2) als auch die hellenistische Synagoge (häufig bei Philo und Josephus) traten in ihren Gebeten für die heidnische Obrigkeit ein. Die Fürbitte für die heidnische Obrigkeit war der von den Römern gebilligte Ersatz für die Ablehnung des Kaiserkultes seitens des Judentums. Damit bekundeten die Juden öffentlich ihre Loyalität gegenüber Rom. Ziel der Fürbitte ist dann in 3,2b: «... damit wir ein ruhiges und stilles Leben führen können in aller Frömmigkeit und Ehrbarkeit». Bezweckt wird also nicht eine Bekehrung der heidnischen Obrigkeit zum christlichen Glauben, sondern wie in der synagogalen Fürbittentradition geht es um die Aufrechterhaltung der staatlich-öffentlichen Ordnung und damit um das Wohlergehen der christlichen Gemeinde. Das angestrebte Ideal ist ein frommes und anständiges Leben, das allein Gott wohlgefällig ist. In einer Welt auf Dauer ohne die Erwartung der Parusie in nächster Nähe wird die eschatologische Existenz zur christlichen Bürgerlichkeit, ohne daß damit allerdings die grundsätzliche Distanz zur Welt einfach zugunsten einer Weltfrömmigkeit aufgegeben würde.

Auch Tit.3,1f ruft die Unterordnungsforderung der Christen gegenüber den politischen Gewalten in Erinnerung. In deutlicher Anlehnung an Röm.13,1ff sollen die Christen sich den jeweils herrschenden Obrigkeiten unterordnen, ihnen gehorsam und zu jedem guten Werk bereit sein. Die folgenden Tugenden (3,2) des friedfertigen, entgegenkommenden und milden Verhaltens sind als traditionelle Lebens- wie Moralregeln so allgemein, daß sie nicht nur für alle Gemeindebeamten und Gemeindeglieder verpflichtend sind, sondern ebenso von allen Bürgern befolgt werden sollten.

b) Auch den beiden Sklavenregeln in 1.Tim. 6,1f und Tit. 2,9f geht es in erster Linie um die Einhaltung der anerkannten Gesellschaftsordnung. Die kurze Anweisung an die christlichen Sklaven in 6,1f verpflichtet sie, die von Gott gesetzte Ordnung, die sich hier in der gültigen Gesellschafts-

ordnung spiegelt, strikt einzuhalten. Dabei werden im einzelnen zwei Fälle behandelt: Christliche Sklaven, die einem heidnischen Herrn gehören, sollen ihm gegenüber jede Ehre erweisen, damit die Kirche und ihre Botschaft nicht in Verruf gerät. Der zweite Fall behandelt christliche Sklaven, die einen christlichen Besitzer haben (6,2). Sie werden in besonderer Weise ermahnt, weil sie ja in der Kirche und ihren Gottesdiensten zusammen mit ihnen als Brüder verkehren. Sie sollen ihnen noch eifriger dienen und auf gar keinen Fall die gültigen Sklavengesetze mit ihren sozialen Schranken verachten. Wahrscheinlich wird mit dieser allgemeingültigen Sklavenregel gegen gnostische Häretiker polemisiert, die – wie schon in den paulinischen Gemeinden – offen zur Sklavenemanzipation aufriefen und damit den Umsturz der von Gott gesetzten Gesellschaftsordnung einleiteten. Diesen provokativen Entwicklungen tritt dieser für Sklaven geschaffene Tugendkatalog wirksam entgegen. Schließlich ist im Vergleich mit den Sklavenspiegeln von Kol. 4,1; Eph. 6,9; Did. 4,10 und Barn. 19,7 auffallend, daß eine entsprechende Weisung für die christlichen Sklavenbesitzer in den Pastoralbriefen fehlt. Vielmehr wird ihnen uneingeschränkt als «Gläubige und Geliebte» bescheinigt, daß sie sich der Wohltätigkeit als einer besonders geschätzten, christlichen Tugend befleißigen. Der gläubige Sklave beweist seine Christlichkeit nach den Pastoralbriefen gerade dadurch, daß er seine Pflichten gegenüber seinen jeweiligen Herren niemals vernachlässigt, sondern diese besonders ernst nimmt; denn jeder Versuch einer Sklavenemanzipation würde den guten Ruf der Kirche aufs Spiel setzen.
Vor allem die zweite Sklavenregel (Tit. 2,9f) wendet den für die Ethik der Pastoralbriefe allgemeingültigen Begriff der Unterordnung auf die christlichen Sklaven an. Weil die natürlichen Ordnungen im Kosmos auf den Willen des Schöpfergottes zurückgehen, wozu gerade auch die institutionelle Sklaverei gehört, müssen sich die christlichen Sklaven ihren Herren «in allem» unterordnen. Die Aufhebung der sozialen Unterschiede zwischen Sklaven und Sklavenbesitzern vor Gott und in der Gemeinde durch Glaube und Taufe führt keineswegs zur Sklavenemanzipation in der Gesellschaft. Auch für die Pastoralbriefe führt die Heilsordnung im Gegensatz zu den gnostischen Härtikern nicht zum Umsturz der geltenden Sozialordnung und d.h. der natürlichen Ordnung in der Schöpfung. Wiederum fehlt auch in dieser zweiten Sklavenregel eine ausdrückliche Weisung an die Sklavenbesitzer. Die von christlichen Sklaven geforderten Tugenden der Unterordnung, gefällig zu sein, nicht aufzubegehren und nicht zu unterschlagen, vielmehr verläßlich und treu allen Verpflichtungen nachzukommen, sind hier wie auch in allen anderen Katalogen bzw. Regeln ursprünglich rein profan-gesellschaftliche Tugenden, die sich auch immer wieder in der hellenistisch-popularphilosophischen Ordnungsethik finden. Erst zuletzt kommt der christliche Horizont in das Blickfeld. Die gewissen- und tugendhafte Erfüllung der dem Stande der christlichen

Sklaven entsprechenden Verpflichtungen soll der «Lehre Gottes, unseres Erlösers, in allen Stücken zur Zierde gereichen» (Tit. 2,10).

c) Während die gnostischen Irrlehrer «Frömmigkeit für ein gutes Geschäft halten» (1.Tim. 6,5) warnt 1.Tim. 6,6–10 ausdrücklich vor der Geldgier und preist die Tugend der Genügsamkeit, wobei der hellenistisch-jüdische Hintergrund dieses traditionellen Spruchmaterials nicht zu übersehen ist. So wird die christliche Frömmigkeit, die allerdings mit der stoisch-kynischen Kardinaltugend der Genügsamkeit verbunden sein muß, als ein «großes bzw. einträgliches Geschäft» (6,6) deshalb vom Autor gepriesen, weil sie als besonders gutes wie verdienstliches Werk im Endgericht das ewige Heil erwirkt. Auch die Warnung in 6,7 ist traditionell und findet sich oft in der griechischen wie hellenistisch-jüdischen Spruchweisheit. Weil der Mensch nichts in die Welt gebracht hat, vermögen wir auch nichts aus ihr herauszutragen. Deshalb sollen die Christen die Geldgier meiden und keine Reichtümer zusammenraffen. Zugleich ist diese traditionelle Sentenz im Sinne der Pastoralbriefe schöpfungstheologisch zu interpretieren: Weil der Schöpfergott seinen Geschöpfen bei der Geburt nichts an Reichtum mitgegeben hat und sie auch im je eigenen Tode nichts aus der Welt mitnehmen können, kann der Christ an diesem Geschehen den Willen Gottes erkennen. Geldgier wie das Sammeln von Reichtümern entspricht nicht dem Willen des Schöpfergottes, ist vielmehr als direkte Verletzung der von Gott gesetzten Schöpfungsordnung anzusehen.

«Darum, wenn wir Nahrung und Kleidung haben, so wollen wir uns daran genügen lassen» (6,8). Auch dieser ursprünglich stoische Satz von Genügsamkeit in Verbindung mit Nahrung und Kleidung ist im Kontext der Pastoralbriefe als eindringlicher Hinweis auf den Willen des Schöpfergottes zu verstehen, alle Habgier zu unterlassen, weil sie ohnehin in Versuchung, Verstrickung, schädliche Begierde und schließlich ins endgültige Verderben stürzt (6,9). Die Geldgier ist die Wurzel alles Bösen und führt schließlich zum Abfall vom Glauben (6,10). Deshalb wird Timotheus als Repräsentant und Vorbild aller Gemeindeleiter vor diesen Lastern der Gewinnsucht und Geldgier ausdrücklich gewarnt (1.Tim. 6,11; vgl. aber auch 1.Tim.3,3; Tit.1,7).

Der 1.Tim. endet mit einer beschwörenden Mahnung an die Reichen (6,17–19), gute Werke zu tun. Die Reichen in der Gemeinde werden auch hier weder grundsätzlich mit einem «wehe euch» bedacht, noch wird eine Armenfrömmigkeit gefordert. Vielmehr geht aus dieser abschließenden Mahnung deutlich hervor, daß Reichtum wie Besitz in der Kirche einfach vorausgesetzt werden. Nicht der Reichtum wird an sich verteufelt, wohl aber wird von den Reichen persönliche und barmherzige Wohltätigkeit gefordert. Auch hier geht es um Almosengeben, nicht aber um ein soziales Programm für die antike Gesellschaft. Die reichen Christen in diesem Aeon werden aufgefordert, nicht hochmütig zu sein, indem sie ihre Hoffnung auf ihren unsicheren Reichtum setzen, statt auf den Schöpfergott, der alle seine Geschöpfe mit allen Lebensgütern reichlich versorgt. Der Reichtum der Christen in der Gemeinde wird damit schöpfungstheologisch als eine gute Gabe des Schöpfergottes betrachtet, der allerdings will, daß er nicht selbstsüchtig zum eigenen Vergnügen oder zur Lebenssicherung überhaupt mißbraucht wird. Geld und Gut haben nach den Pastoralbriefen nur einen Sinn, damit sie den Armen und Notleidenden in der Gemeinde zu gute kommen. Die Christen sollen mit ihrem Reichtum Gutes wirken, reich an guten Werken werden, freigebig und mitteilsam zu sein. Werden Geld und Gut von den reichen Christen so verwandt, dann wird ihnen vom Schöpfergott eine große Verheißung zuteil. Aufgrund ihrer geleisteten, guten Werke sammeln sie im Himmel einen Schatz an, so daß sie dafür im Endgericht von Gott «das wirkliche Leben» als Vergeltung empfangen werden. Wie im Judentum und der heidnischen Antike, so zielt auch in den Pastoralbriefen die massive Lohnverheissung auf eine verdienstliche Almosenethik, ohne daß damit allerdings ein Rechtsanspruch verknüpft wird.

IV. Der 2. Thessalonicherbrief

1. Ein polemischer Traktat in brieflicher Form

Auch der 2.Thessalonicherbrief will – das zeigen Briefeingang (1,1f) wie Briefschluß (3,17f) – vom Apostel Paulus abgefaßt sein. Paulinische Verfasserschaft ist aber aus folgenden Gründen nicht möglich: Hauptgrund für den nachpaulinischen Ursprung ist der unüberbrückbare Gegensatz zwischen dem 1. und 2.Thessalonicherbrief hinsichtlich des Zeitpunkts der eschatologischen Erwartung. Während Paulus in allen seinen Briefen an der zeitlich bestimmten Naherwartung seines Herrn festhält (vgl. nur 1.Thess.4,13ff; 1.Kor.15,20ff.51f; Röm.11,25ff), hält der 2.Thessalonicherbrief dieselbe für «unvernünftig» (2,2), und für eine Täuschung (2,3). Ohne Umschweife erklärt der Verfasser genau das Gegenteil: Paulus habe gar keine apokalyptische Nah-, sondern vielmehr eine Fernerwartung vertreten, da die Parusie nicht so bald komme (2,1–12), wie manche Enthusiasten in der Gemeinde jetzt fälschlich meinen. Damit bringen sie ihn vielmehr in Mißkredit und vernachlässigen sogar die Berufs- und Arbeitspflicht. Mit Hilfe apokalyptischer Stoffe schildert der Abschnitt 2,1–12 den Ablauf des endzeitlichen Dramas vor der Parusie. Der Tag des Herrn ist gerade noch nicht da, das ist die große Täuschung! Vorher muß vielmehr der große Abfall vom Glauben kommen und die Offenbarung des «Menschen der Gesetzlosigkeit» (2,3), das Auftreten des Frevlers, den der Herr Jesus vernichten wird (2,8). Weil also noch Allerlei vor dem Ende von Welt und Geschichte geschehen muß, kann der Herr nicht so bald kommen. Dieser kleine apokalyptische «Fahrplan» dient also dem

autoritativen Nachweis, daß Paulus eigentlich eine Fernerwartung vertreten habe, die zeitlich terminierte Naherwartung der Ankunft Christi also eine schwärmerische Täuschung ist.
Gegen paulinische Verfasserschaft spricht auch die literarische Abhängigkeit vom 1.Thessalonicherbrief. Der 2.Thessalonicherbrief ist auf weite Strecken kritischer Kommentar, erweiterte Paraphrase und Auszug des 1.Thessalonicherbriefes, allerdings mit nicht zu übersehenden unverkennbaren Abweichungen gegenüber der paulinischen Theologie und Ethik. So weist der 2.Thessalonicherbrief neben zahlreichen Anklängen an den 1.Thessalonicherbrief eine große Anzahl von unpaulinischen Wendungen und Wörtern auf. Vor allem die eigentlichen Themata der paulinischen Botschaft, wie z.B. die Rechtfertigungs-, Charismen- und Sündenlehre, dazu die Kreuzestheologie, fehlen völlig (vgl. aber S. 333ff); stattdessen ist in der Argumentation und Begrifflichkeit eine deutliche Akzentverschiebung zur Moralisierung des Heils zu konstatieren. Wie in zahlreichen späteren Schriften des Neuen Testamentes tritt auch im 2.Thessalonicherbrief die apostolische Tradition und Autorität des Paulus in den Vordergrund (2,16; 3,4.6.9f.13ff). Besonders auffällig ist sodann die mehrmalige Warnung vor angeblichen Briefen des Paulus (2,2.15) wie der eigenhändig hervorgehobene Schlußgruß von 3,17, der ausdrücklich als untrügliches Kennzeichen der Echtheit des Briefes gelten soll.
Fazit: Der 2.Thessalonicherbrief ist das wohl älteste pseudonyme Dokument der nachpaulinischen Ära.

2. Das gerechte Endgericht als Vergeltung

Zuerst einmal ist mit Nachdruck hervorzuheben, daß der Verfasser ausdrücklich Gott dafür dankt, daß dieser die Leser «von Anfang an erwählt» (2,13) und durch das Evangelium berufen hat (2,14). Ebenso beweist die zweimalige Betonung der Gnade (1,12 und 2,16), daß auch der 2.Thessalonicherbrief den Indikativ der Heilsgabe durchaus kennt. Die Rettung des Menschen erfolgt rein aufgrund der vorausgehenden Gnade Gottes, seiner Erwählung und Berufung. Aber nach der Taufe muß der von Gott Erwählte und durch das Evangelium berufene Christ demselben Evangelium gehorsam sein (1,8) und einen würdigen Lebenswandel führen (1,11). Denn diese Würdigkeit erweist sich in der Gegenwart im Tun des Guten sowie im Vollbringen der Werke des Glaubens (1,11). Für den 2.Thessalonicherbrief muß der Glaube zum guten Werk werden (2,17), der im Endgericht einen herrlichen Lohn erbringen wird. Glaube und Werke sind für den Verfasser keine Gegensätze, vielmehr sind letztere Kriterien des göttlichen Vergeltungsgerichts. Die Jetztzeit ist – das ist der Skopos dieses Traktates – die Zeit der Bewährung. Deshalb warnt der Verfasser vor der Ungesetzlichkeit (2,3.7) und Ungerechtigkeit (2,10.12).

Wer wie der widergöttliche Frevler und «Gesetzesfeind» (2,8) das alttestamentliche Moralgesetz übertritt und verachtet (2,1–12), ist ein «Sohn des Verderbens» (2,3) und zum Verderben bestimmt. Damit wird wiederum unmißverständlich betont, daß die Gegenwart die ethische Vorbereitungs- und Bewährungszeit für das Heil im Endgericht bei der Parusie Christi ist. Nur wer dem Evangelium, das mit dem Gesetz identisch ist, gehorsam ist und kein Wohlgefallen an der Gesetzlosigkeit und Ungerechtigkeit hat (2,12), sondern sein Leben «in Heiligung durch den Geist» (2,14) führt, wird bei der Ankunft Christi die Herrlichkeit «erwerben» (2,14). Das ist nach der Absicht des Verfassers ganz wörtlich zu verstehen: Nur wer das Moralgesetz erfüllt und d. h. sich lebenslang im moralischen Lebenswandel erweist, dessen Anstrengung wird später belohnt werden, denn durch solches Tun «erwerben» sich die Gehorsamen «die Herrlichkeit unseres Herrn Jesus Christus» (2,14). So werden in 1,3f Glaube, Liebe, Geduld und Treue nebeneinander genannt als zu rühmende Tugenden des christlichen Lebenswandels. Sie sind nicht mehr wie Paulus charismatische Verhaltensweisen, sondern ethische Tugenden, die von Gott als gehorsame Leistungen bei der Parusie belohnt bzw. vergolten werden.

Deshalb steht im Mittelpunkt der Ethik des 2.Thessalonicherbriefes das «gerechte Gericht Gottes» (1,5), das die Gott nicht Kennenden und Ungehorsamen mit dem ewigen Verderben bestrafen, diejenigen aber, die die Bedrängnisse und Leiden ertragen haben, mit dem ewigen Heil belohnen wird (2,5f). Die Gerechtigkeit Gottes wird im 2. Thessalonicherbrief wiederum im Unterschied zu Paulus nicht mehr als schenkende, sondern ausschließlich als vergeltende interpretiert. Deshalb wird Gott – so der zentrale Abschnitt 2,5–10 – im Endgericht bei der Parusie Christi nur das ius talionis – das Gesetz der Vergeltung – anwenden: In das zukünftige Reich Gottes wird nur derjenige eingehen, wer die Gesetzlosigkeit gemieden, gerecht gehandelt und in den Bedrängnissen ausgeharrt hat. Solchem Tun aus eigener Kraft, unterstützt durch den Geist und die Gnade Gottes, wird ein herrlicher Lohn verheißen, nämlich die Rückgabe der «Ruhe» (2,6). Mit dieser Anerkennung des Verdienst- und Vergeltungsgedankens ist der Verfasser in der Tat in die Apokalyptik zurückgefallen, wenn verdienstliche Werke zum ausschlaggebenden Kriterium des gerechten Gerichtes Gottes und des Eingehens in das Reich Gottes werden (2,5). Darum faßt der Verfasser am Schluß seines Traktates seine Ermahnung noch einmal zusammen in den Aufruf, nicht müde zu werden, Gutes zu tun (3,13). Mit den Ungehorsamen aber in der Gemeinde sollen sie keinen Umgang pflegen, damit sie «beschämt» werden und d. h. Busse tun und so wieder zum geforderten, würdigen Lebenswandel zurückfinden. Ausdrücklich wird hinzugefügt (3,15), daß die gehorsamen Gemeindeglieder sie nicht für Feinde halten sollen, sie bleiben auch in Zukunft Brüder, die von ihnen aber ermahnt und zurückgewiesen werden müssen (3,15).

3. Die Arbeitspflicht der Christen

Ein Hauptmerkmal des Briefes ist es, den Arbeitsscheuen zu «befehlen» (3,6 und 12), unbedingt ihrer Arbeitspflicht nachzukommen (3,6–12). Auf keinen Fall dürfen sie der Gemeinde zur Last fallen, sondern müssen «ihr eigenes Brot essen»!
Umstritten ist allerdings, ob diese «unordentliche» und d.h. arbeitsscheue Lebensweise durch die apokalyptische Parusienaherwartung veranlaßt ist, oder auf die bekannte Verachtung der körperlichen Arbeit in der Antike zurückgeht. Aufgrund der in 2,1–12 vom Verfasser mit Vehemenz zurückgewiesenen apokalyptischen Schwärmerei dürfte es aber sehr wahrscheinlich sein, daß angespannte Parusienaherwartung in Thessalonich bei einigen Gemeindegliedern dazu geführt hat, ihre geordnete Berufsarbeit aufzugeben und nur noch dem ganz nahen Tag des Herrn zu leben. Indem nun der Verfasser die Parusienaherwartung als unvernünftige Täuschung entlarvt hat, befiehlt er den faulenzenden Christen «im Namen des Herrn Jesus Christus», für ihren eigenen Lebensunterhalt zu sorgen. Um dieser seiner geradezu disziplinarischen Anordnung apostolischen Nachdruck zu verleihen, verweist der Verfasser auf das Beispiel und Vorbild des Paulus (3,9), das sie nachzuahmen haben (3,7).
Die Verse 7–10 entfalten also ausdrücklich die Nachahme-Ethik des Apostels, die für die Gemeinde verpflichtende Bedeutung hat. Paulus ist während seines Aufenthaltes in Thessalonich niemandem zur Last gefallen, sondern ist «Tag und Nacht» für seinen eigenen Lebensunterhalt aufgekommen (7,7f). Urchristlichem Brauch entsprechend hätte der Apostel freilich das Recht auf Versorgung durch die Gemeinde gehabt. Aber auf dieses sein Vorrecht hat Paulus bewußt verzichtet, damit er zum einen die Gemeinde nicht belastet und ihr zum anderen ein nachzuahmendes Vorbild hinterläßt. Schließlich hat Paulus der Gemeinde schon damals eingeschärft: «Wenn einer nicht arbeiten will, so soll er auch nicht essen» (3,10), – ein Grundsatz, der wirkungsgeschichtlich für die Bewertung der Arbeit in der Kirchengeschichte, aber auch für die Sozialethik der Gegenwart überhaupt größte Bedeutung erlangt hat.

V. Der 1. Petrusbrief

1. Ein deuteropaulinisches Rundschreiben

Der Verfasser charakterisiert in 5,12 selbst seinen Brief als Trost- und Mahnschreiben mit praktischen Anweisungen für den Lebenswandel der leidenden Christen und der verfolgten Kirche. Zugrunde liegt also eine Predigt, die erst nachträglich in Briefform gekleidet wurde (1,1f und 5,12–14). Noch weiter geht die wahrscheinliche Annahme, daß in 1,3–4,11

ursprünglich eine traditionelle Taufansprache an Neugetaufte vorliegt, an die später ein Mahnschreiben 4,12–5,11 angefügt worden ist. Dafür spricht, daß die Doxologie und das Amen den Abschluß bilden und auch das Leiden der Gemeinde in beiden Teilen unterschiedlich gewertet wird. Gerichtet ist der 1. Petrusbrief angesichts der weltweit ausgebrochenen Christenverfolgung (4,12) an die heidenchristliche, dem Verfasser allerdings unbekannte Gemeinde von Pontus, Galatien, Kappadozien, Asien, Bithynien (1,1f). Umstritten ist bis heute, ob damit römische Provinzen oder Landschaften gemeint sind. Deutlich ist allerdings die Absicht: Der Verfasser will sich betont an die Gebiete des westlichen und nördlichen Kleinasiens wenden, die zuerst von Paulus missioniert wurden. Die paulinischen Gemeinden in Kleinasien sind deshalb der Leserkreis des 1. Petrusbriefes.
Der Absender ist nach seiner eigenen Angabe 5,13 in Rom zu suchen, da das dort erwähnte Babylon als geheimnisvoller Deckname für das dämonische, römische Imperium vor allem in der Apokalyptik üblich war. Aber dieser römische Christ – wahrscheinlich ein Amtsträger – wendet sich nicht unter der Autorität des Paulus an die paulinische Gemeinde wie die übrigen Deuteropaulinen, sondern nach 1,1f ausdrücklich unter dem Namen des Apostelfürsten Petrus. Daß der 1. Petrusbrief nicht vom Apostel Petrus abgefaßt ist, wird heute fast allgemein anerkannt. Wichtig aber ist, herauszufinden, was denn die Stimme Roms, die im 1.Petrusbrief erklingt, veranlaßt hat, in die Pseudonymität zu fliehen. Der Verfasser wollte die gefährdeten paulinischen Gemeinden in Kleinasien unter die rechtgläubige Autorität und kirchliche legitime Lehrtradition stellen wie sie für den Verfasser offenbar mit dem Namen des Apostelfürsten Petrus verbunden war. Nicht Paulus, sondern Petrus war für den Autor der maßgebliche Repräsentant der Orthodoxie. Dieser anonyme römische Christ beschwor ausdrücklich die große kirchenpolitische Autorität des Petrus, obwohl er immer wieder Anleihen bei der paulinischen Theologie und Ethik macht und diese also bewußt voraussetzt. Aber aufgrund der Verwandtschaft mit den Anschauungen der übrigen deuteropaulinischen Schriften kann auch dieses Trost- und Mahnschreiben mit gutem Recht zu den Deuteropaulinen gezählt werden. Für «Paulinismus» sprechen auch die beiden kurzen Notizen in 5,12 und 14: Silvanus war der Missionsgehilfe des Paulus (Apg.15,22.14) und Markus ebenfalls Mitarbeiter des Paulus (Apg.12,12; 15,37).

2. Die Moralisierung des Heils

Daß der 1.Petrusbrief die Paulusbriefe voraussetzt, also von paulinischer Theologie und Ethik beeinflußt ist, beweisen folgende, typisch paulinische Wendungen und Theologumena: so wird die Heilsbedeutung des

Todes Jesu mit Hilfe des Sühnopfer- und Stellvertretungsgedankens verkündigt (1,18ff; 2,21ff; 3,18ff) und die ekklesiologische Formel «in Christus» wiederholt (3,16; 5,16.14). In 4,10 wird auf die paulinische Charismenlehre angespielt, wenn die empfangene Gnadengabe zum Dienst an der Gemeinde gebraucht werden soll. Daß die Christen die Freien sind und zur Freiheit berufen wurden (2,16), erinnert ebenso an Paulus wie die Aufforderung, sich der Gemeinschaft mit dem Christusleiden zu freuen (4,13; 5,1). Mag die Betonung der Gnade (1,10; 3,7; 5,12 u. a.) auch mit der gemeinsamen vorliegenden Tradition zusammenhängen, die Dialektik von Indikativ und Imperativ (1,13; 2,1; 4,7f usw.) weist wiederum in den Ausstrahlungsbereich der paulinischen Ethik.
Aber trotz dieser unleugbaren Gemeinsamkeit mit der paulinischen Tradition sind nun die Akzentverschiebungen im deuteropaulinischen Sinne nicht zu übersehen. So ist von dem eigentlichen Zentrum paulinischer Theologie und Ethik, nämlich dem Gerechtfertigtwerden des Gottlosen allein aus Glauben, keine Rede mehr. Gerechtigkeit wird wie überall in den Deuteropaulinen moralgesetzlich als Rechtschaffenheit verstanden (2,24; 3,14), und Gerechte sind dementsprechend solche Menschen, die einen einwandfreien ethischen Lebenswandel führen (3,12.18; 4,18). Vor allem fehlt das Verbum «gerechtfertigt werden». Während Paulus sehr häufig vom Gesetz spricht, kommt der Begriff im 1. Petrusbrief gar nicht mehr vor. Daraus kann allerdings nicht der voreilige Schluß gezogen werden, daß das alttestamentliche Gesetz mit seinen Geboten für die Ethik des 1. Petrusbriefes bedeutungslos geworden ist. Das Gegenteil ist vielmehr der Fall! Allerdings wird mit der übrigen hellenistischen Christenheit die Verabschiedung des mosaischen Kult- bzw. Ritualgesetzes diskussionslos vorausgesetzt. Alle Christen sind nach 2,5 «Priester», die im «Haus Gottes» (4,17), dem «geistlichen Haus» (2,5) auch Gott «wohlgefällige», eben «geistliche Opfer» darbringen. Mit dieser vorausgesetzten Aufhebung des alttestamentlichen Ritualgesetzes, der Kult- und Opfergebote, wird dieses zugleich spiritualisiert: Alle getauften Christen sollen nach Gottes Willen als «heilige Priester» (2,5) das Opfer des moralischen Lebenswandels darbringen, das von nun an Gott allein wohlgefällig ist. Das heißt aber: Zwar ist für den 1. Petrusbrief wie für alle Deuteropaulinen das mosaische Kultgesetz durch Christus zu seinem definitiven Ende gekommen, nicht aber das mosaische Moralgesetz. Dieses wird weder problematisiert noch gar als Heilsweg grundsätzlich relativiert, wie schon die sogenannten Tugend- (3,8) und Lasterkataloge (1,14; 2,1; 4,2.10) lehren. Ursprünglich auf die hellenistisch-populäre Moralphilosophie zurückgehend, wurden sie schon vom hellenistischen Judentum auf das alttestamentliche Moralgesetz bezogen: Tugenden sind hier Erfüllung, Laster dagegen Übertretung der Gebote des Dekalogs. Die in 1,14; 2,1; 4,2.15 genannten Laster (Begierden, Unwissenheit, Bosheit, Trug, Heuchelei, Neid, Verleumdung, Mord, Diebstahl, Verbrechen u. a.), wie

Tugenden (eines Sinnes sein, mitfühlen, Bruderliebe, barmherzig, demütig: 3,8) sind ethische Begriffe, die die überlieferten Gebote des mosaischen Moralgesetzes neu auslegen. Diese Tugend- und Lasterkataloge setzen nicht nur die hellenistische wie jüdische Tradition des Moralkatechismus voraus, sondern formulieren verbindlich die Bedingungen für den Empfang bzw. Verlust des Heils.

1,15f formuliert diesen ethischen Grundsatz mit dem bewußten Rückgriff auf 3.Mos. 19,2: «... sondern wie derjenige heilig ist, der euch berufen hat, so sollt auch ihr heilig werden in eurem ganzen Lebenswandel! Denn es steht geschrieben: Ihr sollt heilig sein; denn ich bin heilig». Der alttestamentliche Grundsatz aus 3. Mos. 19,2 begründet hier die Paränese, die Aufforderung zu einem heiligen Lebenswandel. Da aber für den 1. Petrusbrief im Unterschied zum Alten Testament das mosaische Kultgesetz keinerlei Bedeutung mehr hat, wird das alttestamentliche Zitat stillschweigend umgedeutet und ist von der ritualgesetzlicher, levitischer Reinheit keine Rede mehr. Nicht mehr die Forderung der kultgesetzlichen, sondern nur noch der moralgesetzlichen Heiligkeit und Reinheit der ganzen Lebensführung steht zur Diskussion. In dieser Weise ist heilig (2,5.9; 3,5) bzw. heiligen (3,15) zum paränetischen Stichwort der ganzen Ethik des 1. Petrusbriefes geworden. Gültigkeit für die Christen und d. h. die christliche Ethik hat nur noch das alttestamentliche Moralgesetz, nur seine Gebote sind für den Lebenswandel normativ, während die kultgesetzlichen Einzelgebote durch Christi Kommen abgetan sind. 1.Petr.1,15f legt also Wert auf die heilsgeschichtliche Kontinuität zwischen mosaischem Moralgesetz und christlicher Ethik: von den Christen wird eindringlich in ihrem ganzen Verhalten die moralische Heiligkeit und Reinheit gefordert, wovon der Empfang des Heils abhängig ist (1,17).

Auch die Gemeindeparänese 3,8f wird in 3,10–12 – dem längsten alttestamentlichen Zitat im 1.Petrusbrief – durch die alttestamentliche Ethik motiviert. Zugrunde liegt Psalm 34,13–17, der allerdings in mehrfacher Weise neu interpretiert wird. Gewarnt wird vor dem Tun des Bösen, wie umgekehrt zum Tun des Guten aufgefordert wird. Während dem Gerechten und d. h. denen, die das alttestamentliche Moralgesetz erfüllen, folgerichtig Gottes heilvolle Gegenwart verheißen wird, wird den Ungerechten und d. h. denen, die seinem Willen ungehorsam sind, das Gericht angekündigt. Während die «guten Tage» für den Psalmisten eine innerweltliche Hoffnung darstellen, sich also im Erdenleben der Frommen erfüllen, versteht der 1. Petrusbrief die Verheißung wie Drohung eschatologisch: Nur wer einen moralgesetzlichen Lebenswandel führt, erhält im jüngsten Gericht das ewige Leben, während die Gesetzesbrecher im ewigen Tode enden werden. Die Erfüllung des Moralgesetzes ist für den alttestamentlichen wie neutestamentlichen Gerechten – wenn auch bei unterschiedlicher Eschatologie – die Voraussetzung für den Empfang des ewigen Lebens. Gutes und nicht Böses tun und d. h. die guten Werke, sind nach

3,10–12 das entscheidende Kriterium im Endgericht. In diesem Punkt besteht also völlige Übereinstimmung zwischen alttestamentlicher und neutestamentlicher Ethik, wie sie vom 1. Petrusbrief repräsentiert wird. Nach 3,5–7 sind die «heiligen Frauen» des alten Bundes ethisches Vorbild für die Frauen in der Kirche. In diesem paränetischen Kontext werden die christlichen Frauen als Kinder Saras bezeichnet, allerdings nur unter der einen Voraussetzung, daß sie Gutes tun. Wiederum besteht zwischen alttestamentlicher und neutestamentlicher Ethik nahtlose Übereinstimmung: Nicht der Glaube, sondern die guten Werke sind das bleibende Kriterium der «Kinder Saras» und d.h. der Frauen im alten und neuen Bund. Nach 1,14 sind die Christen grundsätzlich «Kinder des Gehorsams», deren Heiligung im Gehorsam erfolgt (1,22). Vor allem ist 1,2 für den Hintergrund der Ethik des 1.Petrusbriefes von größter Bedeutung: Die Erwählung Gottes erfolgte allein zu Gehorsam und Besprengung mit dem Blut Jesu Christi. Zurecht wird bei der Auslegung der Blutsprengung an die Toraübergabe und Bundesschließung auf dem Sinai gedacht (2.Mos.24,33f): So wie damals das alte Bundesvolk Israel mit dem Blut der geopferten Tiere, dem «Blut des Bundes», besprengt wurde, so das neue Bundesvolk aus Golgatha mit dem Blut Christi. Beide Male entscheidend ist aber der Gedanke der Verpflichtung zum Gehorsam gegenüber den von Mose übermittelten Geboten Gottes. Die Erwählung des neuen Bundesvolkes durch Gott zielt auch im 1.Petr.1,2 auf den Gehorsam gegenüber den ethischen, allerdings nicht mehr kultischen Geboten Gottes wie im alten Israel.

Dementsprechend ist der Wille Gottes, niedergelegt im mosaischen Moralgesetz, auf das Tun des Guten gerichtet (2,15; 3,17). Er ist alleinige Norm für den göttlichen Lebenswandel der Christen für «die übrige Zeit im Fleisch» (4,2) und dem «Willen der Heiden» strikt entgegengesetzt, der sich in Lastern auslebt (4,3). Überhaupt lehrt 4,2f, daß für den 1. Petrusbrief der Wille Gottes mit dem alttestamentlichen Moralgesetz und den darin geforderten Tugenden identisch ist, während der «Wille der Heiden» auf die Übertretung des göttlichen Moralgesetzes zielt und im Gericht über ihre Laster seine verdiente Vergeltung findet (4,3–5).

Schließlich wird in 5,5 noch einmal die ganze Gemeinde zur Demut ermahnt. Wiederum wird diese Forderung der Gemeindeethik durch ein alttestamentliches Schriftwort aus Sprüche 3,34 motiviert, das im Neuen Testament außerdem in Jak.4,6 und außerhalb des Neuen Testamentes bei den apostolischen Vätern vorkommt. Die Aussage aus der alttestamentlichen Spruch- und Weisheitstradition, daß Gott den Hochmütigen widersteht, den Niedrigen aber Gnade gibt, ist auch für neutestamentliche Ethik Norm und Autorität. In diesem Zusammenhang ist mit Nachdruck darauf hinzuweisen, daß der bisher aufgezeigten Kontinuität des mosaischen Moralgesetzes zur christlichen Ethik diejenige der Kirche zum Bundesvolk des Alten Testamentes direkt entspricht. Wenn der Verfasser in

2,9 die Kirche als «auserwähltes Geschlecht, königliche Priesterschaft, heiliges Volk, Eigentumsvolk» anspricht, so überträgt er damit ohne Vorbehalt ganz selbstverständlich die traditionellen Ehrenprädikate des alten Bundesvolkes auf das neue. Die Kirche steht in heilsgeschichtlicher Kontinuität zum alten Bundesvolk, das jetzt allein als die legitime Nachfolgerin des alttestamentlichen Gottesvolkes ist.
Schon diese wenigen Belege zeigen unmißverständlich, daß für den 1. Petrusbrief das mosaische Moralgesetz, die alttestamentliche Spruch- und Weisheitstradition wie überhaupt das Alte Testament als Sammlung moralischer Vorbilder Grund und Norm christlicher Lebenspraxis ist.
Demzufolge hat auch der Glaube einen anderen Stellenwert. Er ist nicht mehr das eschatologische Gottesverhältnis in Christus, da sein christologischer Bezug im 1. Petrusbrief nicht mehr zu finden ist (vielleicht in 2,6). In der Gegenwart als Zwischenzeit ist der Glaube vielmehr zu einer Haltung, v. a. zur Standhaftigkeit geworden, mit der allein die «übrige Zeit» (4,2) bestanden werden kann (1,5 und 7). Von einem solchen Glauben als einer der echten und bewährten Tugend wird die künftige Rettung abhängig gemacht. Der treue Glaube (1,5.7f.21) als eine zu bewährende Tugend ist das einzige Mittel, nicht abzufallen und so das künftige Heil zu verpassen (5,8ff). Damit wird der Glaube zur vertrauenden Hoffnung zwischen Taufe und kommendem Gericht (1,9.21; 3,5.15) und damit zu einer überragenden Tugend im christlichen Leben zwischen den Zeiten.
Aufgrund eines solchen Glaubensverständnisses ist es nicht mehr überraschend, wenn im 1. Petrusbrief wie überhaupt in den Deuteropaulinen der Gegensatz Glaube/Werke gänzlich unbekannt ist, von einer grundsätzlichen Bestreitung der Gesetzeswerke ganz zu schweigen. Vielmehr erhebt der Verfasser ganz unbefangen die Forderung nach den guten Werken (2,12), eben dem «Tun des Guten» (2,14f.20; 3,6.13.17; 4,19) und greift auf einen fünfgliedrigen Tugendkatalog zurück (3,8); denn das Werk eines jeden ist der alleinige Maßstab im göttlichen Gericht (1,17) und jeder hat über seine gesetzeswidrigen Werke (=Laster, 4,5f) Rechenschaft abzulegen. Statt einer grundsätzlichen Ablehnung der Heilsbedeutung der guten Werke wird vielmehr deren aufweisbare Nichterfüllung immer wieder festgestellt. Auch wenn der 1. Petrusbrief verhältnismäßig oft von der Gnade spricht (1,10.13; 2,19; 3,7; 5,10.12), so ist doch deren ursprüngliche paulinische Bedeutung zugunsten der durchgängigen Moralisierung des Heils verlorengegangen.
In diesen Zusammenhang gehört auch die Beobachtung, daß der 1. Petrusbrief niemals singularisch von der Sünde im Sinne einer unentrinnbaren Unheilsmacht spricht, die alle Menschen versklavt, sondern immer nur im Plural von den Sünden als Übertretung des alttestamentlichen Moralgesetzes (2,24; 3,10; 4,1.8). Was er konkret unter einer Sünde versteht, macht er dementsprechend in den Lasterkatalogen deutlich: Begierden, Bosheit, Lüge, Heuchelei, Neid, Verleumdung, Mord,

Diebstahl, Verbrechen u.a. sind als ethisch-moralisches Fehlverhalten des Menschen aufweisbare Verletzungen bestimmter ethischer Normen des Dekalogs. Deshalb beherrscht auch die Verkündigung vom stellvertretenden Sühntod Christi für unsere Sünden einseitig das Feld, während von der Entmachtung der Sünde keine Rede mehr ist. Die Erlösung der Christen von ihrer «nichtigen, von den Vätern überkommenen Lebensweise» (1,18) geschah nicht durch vergängliches Silber oder Gold, sondern «durch das kostbare Blut Christi als eines fehl- und makellosen Lammes» (1,19). Der Tod Christi, hier als Sühnopfer interpretiert, hat alle Sünden der Christen gesühnt. Dieselbe Vorstellung wird in 1,2 durch die «Besprengung mit dem Blut Christi» ausgedrückt, die auf das sühnende Bundesblut bei der Bundesschließung am Sinai durch Mose (2.Mos.24,8) rückverweist. Unter Aufnahme von Jes. 53,12 wird in 3,21 und 24 dem Kreuzestod Jesu die Sünden sühnende Bedeutung zugewiesen. Nach 3,18 hat «ein Gerechter für Ungerechte» gelitten, damit er durch ebendieselbe Sühne für ihre Sünden sie «zu Gott hinführe», d.h. im Endgericht vom Verdammungsurteil befreie. Weil die Sünden konkret in der Übertretung bestimmter Gebote des alttestamentlichen Moralgesetzes bestehen, wird einseitig die stellvertretende Sühne Christi durch sein Blut verkündet. Die Botschaft von der Befreiung des Menschen von der Sünde als Sündenmacht fehlt dagegen im 1. Petrusbrief. Am Kreuz geschah nicht die Entmachtung der Sünde, sondern das stellvertretende Sühneopfer für unsere Sünden.

Aus dem ursprünglich kosmisch-endzeitlichen Streit zwischen Fleisch und Geist bei Paulus ist nun unter hellenistisch-dualistischem Einfluß der Kampf der «fleischlichen Begierden» gegen die Seele geworden (2,11). Das Fleisch als die Macht der Sünde bewirkt nicht mehr wie bei Paulus das frevelhafte Streben nach der eigenen Gerechtigkeit (Phil.3,4ff), sondern wird hier im Sinne des hellenistischen Dualismus mit der Sinnlichkeit und Triebhaftigkeit gleichgesetzt. Diese «fleischlichen Begierden» streiten jetzt nicht mehr gegen den eschatologischen Geist, sondern gegen die Seele, die das höhere, bessere und geistige Selbst im Menschen repräsentiert. Während Paulus Fleisch und Geist als kosmisch-endzeitliche Mächte versteht und die verhängnisvolle Besessenheit des ganzen Menschen verkündigt (Röm.7,14ff), wird hier im Kontext einer typisch hellenistischen Zweiteilung die Überzeugung vertreten, die Seele als das eigentliche Ich im Menschen könne sich vom Fleisch abgrenzen, trotz aller Niederlagen Gott zu dienen im Kampf zwischen Sinnlichkeit und Seele, und so den ethischen Weg der Tugend unter Mithilfe der göttlichen Gnade beschreiten. Deshalb nimmt es abschließend nicht wunder, wenn die Liebe als Kardinaltugend alle anderen Tugenden im Christenleben nicht nur übertrifft, sondern auch vollendet: «Vor allem anderen aber habt inständige Liebe zueinander» (4,8). Wie bei Paulus (vgl. Gal.5,14; 1.Kor.13 und Röm.13,8ff) signalisiert das «vor allem anderen» in 4,8 daß die Liebe

Summe, Erfüllung und Vollendung des alttestamentlichen Moralgesetzes ist. Weil man sie «haben» kann, ist sie die Eigenschaft schlechthin und als höchste Tugend das wichtigste Kriterium der christlichen Lebensführung. Allerdings gilt diese Überordnung des Liebesgebotes nach 4,8 nur in der Einschränkung der Bruderliebe, wie überhaupt im 1. Petrusbrief diese und nicht die Nächsten- und Feindesliebe die Paränese beherrscht (so neben 4,8 1,22; 2,17; 3,8). Das mag damit zusammenhängen, daß der dualistischen Motivierung der Weltfremdheit und Heimatlosigkeit aller Christen (vgl. nur 1,1.17; 2,11) positiv die wiederholte Forderung der Bruderliebe entspricht. Trotzdem darf die Forderung der Bruderliebe nicht einseitig im Sinne des sich abkapselnden Konventikels mißverstanden werden. 3,9 jedenfalls mit seiner ausdrücklichen Forderung der Nächsten- und Feindesliebe überschreitet unmißverständlich den Bereich der innergemeindlichen Bruderliebe: «Vergeltet nicht Böses mit Bösem oder Schmähung mit Schmähung, sondern im Gegenteil, vergeltet Böses mit Gutem und segnet die Lästerer und Fluchenden» (vgl. 1.Thess.5,15 und Röm.12,17). Wie Jesus (Mt.5,44) und Paulus ruft der Verfasser die Gemeinde zur Feindesliebe auf und durchbricht damit bewußt den Binnenraum der Kirche. So sehr auch die Bruderschaft im Mittelpunkt des Liebesgebotes steht und hierin ganz sicher im Sinne des Verfassers die eigentliche Aufgabe des Christen zu sehen ist, so darf andererseits der Nächste, Feind und Verfolger außerhalb der Kirche auf keinen Fall aus dem universalen Heilshandeln Gottes in Christus ausgeschlossen werden. Jede Rache und Vergeltung wird ausgeschlossen, vielmehr soll selbst hier die Nächsten- und Feindesliebe in Gestalt von Gutes tun und segnen die Reaktion des Christen bestimmen.

Eine solche Liebe hat nun nach 4,8 sogar sühnende Kraft: Sie «deckt eine Menge Sünden zu». Daß hier eine im Urchristentum beliebte Sentenz vorliegt, zeigt einmal ihre Anlehnung an Spr. 10,12 und zum anderen ihre Zitierung in Jak.5,20; 1.Clem.49,5 und 2.Clem.16,4). Umstritten ist in der Auslegung, ob damit die eigenen Sünden oder die der Brüder gemeint sind. Die erstgenannte Möglichkeit ist im Kontext der Rechtfertigungslehre des 1. Petrusbriefes wahrscheinlicher, wonach die Liebe und d. h. die Liebeswerke vergangene Sünden zudecken können. Da die Werke im 1. Petrusbrief das ausschlaggebende Kriterium im Endgericht Gottes sind, vermögen sie geschehene Gesetzesübertretungen zu kompensieren, indem Gott selber durch sie dazu bewegt wird, sie zu vergeben.

3. Die Begründung der Paränese

a) Natürlich heißt das alles nicht, daß der 1. Petrusbrief nicht mehr vom Indikativ der Heilszusage und nur noch vom Imperativ des Heilsanspruches zu reden weiß. Das Gegenteil ist vielmehr der Fall: Die Christen sind

von Gott «in seine ewige Herrlichkeit» berufen worden (5,10). Auf dieses grundlegende Berufen Gottes verweisen auch 1,15; 2,19.21 und 3,9. Dem Berufen Gottes entspricht sein souveränes Erwählen: 1,1f; 2,9. Dieses Heilshandeln Gottes begründet im 1. Petrusbrief immer die Paränese, nämlich die Ermahnung, daß sich die so von Gott gnädig Berufenen und erwählten Christen im Alltag der Welt bewähren müssen. Demselben Zweck dienen nun auch die ausführlichen christologischen Bekenntnistraditionen, die das grundlegende Heilswerk Christi, nämlich seinen Sühntod als Verpflichtung zu einem neuen, sittlichen Lebenswandel verkündigen (1,17–19; 2,21ff und 3,17ff). Weil Gott in Christus alles zur Sühnung ihrer Sünden getan hat, sie also erlöst hat, sind sie unbedingt verpflichtet, von nun an dem Willen Gottes im Moralgesetz gehorsam zu sein. Der 1. Petrusbrief kennt also durchaus indikativische Stoffe und die paulinische Dialektik von Heilszuspruch und Heilsanspruch, ob nun die Imperative den Indikativen folgen (so 1,13; 2,1; 4,7b) oder den letzteren vorangehen (1,23; 2,21ff; 3,18ff). Aber die Verschiebungen gegenüber Paulus sind nicht zu übersehen: Auch wenn Heilszuspruch und -anspruch noch nicht beziehungslos nebeneinander stehen, sondern durchaus miteinander verklammert sind, die geforderten Werke der Christen also im Heilshandeln Gottes begründet werden, so wird der Indikativ meistens nur noch formelhaft zur Sprache gebracht und ist v. a. seine theologische Tiefe wie Radikalität im paulinischen Sinne verschwunden. Damit aber verändern sich zwangsläufig auch Bedeutung und Funktion des Imperativs und die Ethik gerät in einen neuen Horizont. Die Werke der Christen sind nicht mehr Konsequenz der geschehenen Rechtfertigung, und der Wandel nicht mehr gelebte Eschatologie im Zeichen der Auferstehungsmacht des Gekreuzigten, sondern der Imperativ gewinnt zunehmend ein praktisch-ethisches Eigengewicht, weil von der sittlichen Lebensführung die künftige Rettung abhängt. Wie in den Deuteropaulinen überhaupt wird auch im 1. Petrusbrief die Ethik zum zweiten konstitutiven Teil der Erlösung.
b) Aber nicht nur Gottes vergangenes Heilshandeln im Sühnetod Christi, sondern gerade auch sein zukünftiges Handeln im Endgericht ist Basis und Antriebskraft christlicher Lebensführung. Deshalb ist die Hoffnung als Erwartung der eschatologischen Herrlichkeit ein wesentliches Motiv der Ethik im 1. Petrusbrief. Alle christliche Lebensführung im Alltag steht unter dem Vorzeichen der urchristlichen Apokalyptik, d. h. der eschatologisch-zeitlichen und futurischen Horizontalen. Der Verfasser hat keineswegs die horizontal-zeitliche Eschatologie ausgeschaltet (vgl. nur 1,3.13; 3,9; 4,13; 5,4), sondern vielmehr sogar die apokalyptische Naherwartung der Heilsvollendung bewahrt (1,5f; 4,7). Allerdings ist sogleich hinzuzufügen, daß von der nahen Gottesherrschaft, von apokalyptischen Endereignissen oder von einem kosmischen Drama beim jüngsten Tag wie von einem neuen Himmel und einer neuen Erde keine Rede mehr ist. Auch wenn der Verfasser eindeutig mit der apokalyptischen Eschatologie des

Urchristentums vertraut ist, bleibt doch zu fragen, welchen Stellenwert und welche Funktion sie für die Ethik hat. Es sind nur wenige Stellen, in denen die Paränese durch den Hinweis auf das (nahe) bevorstehende Ende begründet wird. So werden sich die Gesetzesübertreter in 4,5 vor Gottes Thron im Endgericht verantworten müssen, wenn sie Rechenschaft für ihre Sünden ablegen. Gott steht schon bereit, «Lebende und Tote zu richten». Um diese eschatologisch motivierte Mahnung zu unterstreichen, greift der Verfasser hier in 4,6 und 3,19f auf die im Neuen Testament singuläre Aussage von der Hadesfahrt und -predigt Christi zurück. Weil Gott in Bälde alle Lebenden und Toten aufgrund ihrer Werke richten wird, hat Christus bei seinem Abstieg in den Hades nicht nur die leiblichen Toten als die ungehorsamen Zeitgenossen des Noah (3,19f), sondern auch alle Toten bis zu seiner irdischen Ankunft (4,6) zur Umkehr durch das Evangelium gerufen.

Vor allem 4,7 beweist, daß die apokalyptische Naherwartung die Paränese motiviert, also im Dienst der Ethik steht: «Das Ende aller Dinge ist nahegekommen. Deshalb seid besonnen und nüchtern zum Gebet». Weil der jüngste Tag unmittelbar bevorsteht, muß der Christ zu Besonnenheit, nüchternem Handeln und zum Gebet ermahnt werden (ähnlich auch 1,13). Nach 4,17 hat das jüngste Gericht bereits am «Hause Gottes» begonnen. Wenn aber schon die Kirche unter dem Endgericht Gottes steht, «was wird dann das Ende derjenigen sein, die dem Evangelium Gottes nicht gehorchen?» Auch wenn deren Verdammung gerade nicht nach apokalyptischer Manier ausgemalt wird, wissen doch die Leser, daß es für die Ungehorsamen und d.h. die Übertreter des Moralgesetzes Gottes im Jüngsten Gericht kein Entrinnen gibt. Wiederum steht die apokalyptische Naherwartung im Dienst der Paränese und wird zum Stimulans für die geforderte Bewährung im Alltag der Welt. Schließlich motiviert in 5,6 der Hinweis auf die «letzte Zeit» die Mahnung der Umkehr, sich nämlich unter Gottes «starker Hand» zu demütigen. Denn nur wer sich selbst erniedrigt, kann von Gott in der letzten Zeit des beginnenden End- und Weltgerichtes erhöhrt und mit ewigem Leben beschenkt werden.

Zusammengefaßt aber heißt das: Die auffällige, weil am Ende des 1. Jahrhunderts nicht mehr selbstverständliche Beibehaltung der apokalyptischen Naherwartung steht auch im 1. Petrusbrief sachlich im Dienste der Paränese. Sie wird damit zum Stimulans für das beharrliche und leidvolle Durchhalten der Kirche auf ihrer Wanderschaft zur himmlisch-jenseitigen Welt und im lebenslang anhaltenden Kampf gegen die fleischlichen Begierden des eigenen Leibes.

c) Vor allem aber ist das Sakrament der Taufe ein entscheidendes Motiv für die Verpflichtung der Christen zu einem neuen Lebenswandel. Da sehr wahrscheinlich in 1,3–4,11 ursprünglich eine traditionelle Taufparänese vorliegt, bekommt diese sakramentale Begründung der Ethik im 1. Petrusbrief ein noch größeres Gewicht. Die Deutung der Taufe als

Wiedergeburt (1,3.23; 2,2) ist zwar von den hellenistischen Mysterienreligionen beeinflußt worden, aber sie bewirkt gerade nicht eine Vergottung im Sinne einer physischen Verwandlung, sondern ermöglicht vielmehr die neue, eben sittliche Lebensführung der Wiedergeborenen. Die Taufe als barmherziges Handeln Gottes stellt den Wiedergeborenen deshalb in eine «lebendige Hoffnung» auf den Gewinn des ewigen Heils, weil sie in der «Auferstehung Jesu Christi von den Toten» gegründet ist. Die Heiligung des unreinen Menschen ist zwar in der Taufe perfektisch gesehen (1,22), aber sie ist fortan von den Getauften in der Bruderliebe zu realisieren (1,22b). 1,23 interpretiert die Taufe als Wiedergeburt im Sinne einer eschatologischen Neuschöpfung durch das Leben erschaffende und unvergängliche Wort Gottes. Dieses in der Taufe verkündigte Evangelium hat die Menschen zu Kindern Gottes wiedergeboren, die darum ihre Brüder lieben sollen. In 2,2f werden die Getauften als «neugeborene Kinder» angesprochen, die allein von der «geistlichen unverfälschten Milch» leben. Diese geisterfüllte Milchnahrung aber ist das verkündigte Wort des Evangeliums, «damit ihr dadurch zum Heil heranwächst» (2,2b). Wiederum wird vom Verfasser betont, daß die Taufe als Wiedergeburt auf das Wachstum der sittlichen Bewährung zielt. Am deutlichsten kommt der ethisch-verpflichtende Charakter der Taufe in 3,21 zum Ausdruck: Die Rettung Noahs und der acht Seelen, die durchs Wasser gerettet wurden, wird nun zum Typus für die eschatologische Rettung der Christen durch die Taufe. Aber diese sakramentale Wirkung der Taufe besteht nicht im «Ablegen von Schmutz und allem Fleisch», sondern in der «Bitte um ein gutes Gewissen». Diese Charakterisierung der Taufe als verpflichtende Bitte um einen sichtbar veränderten, neuen Lebenswandel kraft der Auferweckung Jesu Christi ist zwar der Wortwahl, aber nicht der Sache nach einzigartig im ganzen Neuen Testament. Daß die Taufe soteriologische Bedeutung hat, ist auch für den 1. Petrusbrief zweifelsfrei. Sie rettet den Wiedergeborenen, aber doch nur dann, wenn er sich in Zukunft um ein «gutes Gewissen» bemüht und d.h. konkret sich zu einem neuen, dem Willen Gottes gemäßen Lebenswandel verpflichtet. Gottes vergangenes Heilshandeln in der Taufe ist also für den 1. Petrusbrief Ermöglichung und Verpflichtung für ein neues Handeln der Wiedergeborenen.

Schließlich ist darauf hinzuweisen, daß – gut urchristlich – die Taufe den heiligen Geist verleiht (1,2), der die Heiligung und d.h. den heiligen Wandel ermöglicht. In der Taufe ist zwar die Heiligung erfolgt, aber für die Zukunft werden nun die bereits Geheiligten ermahnt, den neuen Wandel anstelle des ungehorsamen und lasterhaften zu führen. Dieser durch die Taufe vermittelte Geist schenkt nach 4,10f auch die Charismen (= Gnaden- bzw. Geistesgaben). Wie bei Paulus sind die Charismen (noch) nicht an das Amt gebunden, sondern werden von Gott jenem Wiedergeborenen verliehen. Niemals sind sie ein pneumatischer Freibrief zur individualistischen Selbstverwirklichung oder ein amtliches Privileg, sondern Ermöglichung des Dienstes in der Gemeinde. An zwei Beispielen wird vom Verfasser Wesen und Wirksamkeit der Charismen verdeutlicht: an der Evangeliumsverkündigung einerseits und der dienenden Tat andererseits. Beides aber soll aus der Kraft geschehen, die Gott selber verleiht. Mit 4,11 und dem betenden «Amen» schließt die Taufparänese 1,3–4,11: Die Taufe verpflichtet also zu einem neuen Lebenswandel. Ohne diese Bewährung der Wiedergeborenen im Alltag der Welt ist der Empfang des ewigen Lebens ausgeschlossen.

d) Die Aussage von der Fremdlingschaft und der Pilgerschaft der Kirche in der Welt hat für die Paränese des 1. Petrusbriefes grundlegende Bedeutung. Die Christen sind nach 1,1 «auserwählte Fremdlinge in der Diaspora» und sollen nach 1,17 während der Zeit ihrer «Beisassenschaft in der Fremde» in Furcht wandeln. Gerade als «Beisassen und Fremdlinge» sollen sie sich aller fleischlichen Begierden enthalten (2,11). Während ihrer Wanderschaft auf Erden sind alle Glaubenden deshalb Fremdlinge und Beisassen, weil sie durch die Taufe wiedergeboren sind, einen neuen Lebenswandel führen, und also wirklich heimatlos sind, da ihre wahre Heimat im Himmel liegt, wo das «unverderbliche, unbefleckte und unvergängliche Erbe» (1,3ff) für sie bereitliegt. Daß diese zentrale Vorstellung von der Fremdlingschaft der Christen mit der Aufnahme des hellenistischen Dualismus zusammenhängt, beweist 2,11: Als «Beisassen und Fremdlinge» sollen sie sich «der fleischlichen Begierden enthalten, die gegen die Seele streiten». Ganz unbefangen greift der Verfasser hier auf den klassisch-griechischen Gegensatz von Leib mit seinen fleischlichen Begierden und der Seele als dem eigentlich Ich des Menschen zurück. Die Seele ist nach dieser Anschauung weder im eigenen Leib noch in der sichtbaren Erdenwelt zu Hause, sondern ihre Bestimmung liegt vielmehr im nie aufhörenden Kampf gegen beide, weil ihre wahre Heimat im Himmel liegt. Daraus resultieren die Himmelssehnsucht der Seele, wie ihre Heimatlosigkeit auf Erden und im Körper. «Das Ziel» des Glaubens ist deshalb folgerichtig nach 1,9 die «Rettung der Seele». Dieses dualistisch motivierte Verständnis von Seele belegen auch noch Stellen wie 2,25 (= Jesus als der Hirte und Hüter der Seelen) und 4,19 (= die leidenden Christen sollen «ihre Seelen dem treuen Schöpfer im Tun des Guten anvertrauen»).

Aber eine solche Fremdlingschaft der Christen führt nun keineswegs zur Weltverneinung und Weltflucht, vielmehr ist sie – wie gerade die Überschrift in 2,11 über die Ständetafel 2,13–3,7 zeigt – das Vorzeichen, unter dem das Leben der Christen in der Welt mit ihren bestehenden Ordnungen steht. Die Unterordnungsforderung gegenüber den betreffenden Ständen wird nach der grundlegenden Einleitung 2,11f gerade durch die Fremdlingschaft der Kirche in der Welt motiviert. Gegenüber dem stoisch-sozialethischen Konformismus, der den Haus- bzw. Ständetafeln ursprünglich zugrundeliegt, wird in 2,11f ausdrücklich der hellenistisch-dualistische Vorbehalt geltend gemacht. Gerade als «auserwählte Fremdlinge in der Diaspora» (1,1) ziehen sich die Christen nicht teilnahmslos und desinteressiert aus der Welt und ihren bestehenden Ordnungen in Familie, Gesellschaft und Staat zurück. Vielmehr werden sie als Fremdlinge und Beisassen aufgerufen, sich gehorsam in die irdischen Ordnungen einzufügen, sich unterzuordnen und so in der Welt zu bewähren. Aber das Wissen darum, daß sie Fremdlinge und Beisassen auf dieser Erde sind, setzt völlig neue, alles umwertende und distanzschaffende Maßstäbe für das christliche Handeln. Aufgrund dieser Vorbehalte tritt der 1. Petrusbrief eben nicht für radikale Weltverneinung und Konventikelentik ein, sondern für «eine gute Lebensführung» wie «gute Werke» (2,12), die sich auch und gerade in der Unterordnung gegenüber den bestehenden Ordnungen dieser Welt zeigen (2,13–3,7).

4. Christ und Welt

a) Die missionarisch-apologetische Wirkung der moralischen Qualität christlicher Lebensführung ist für den 1. Petrusbrief ein besonders vorrangiges Thema in seiner Ethik: «Eure Lebensführung sei eine gute unter den Heiden, damit sie, wenn sie euch als Verbrecher verleumden, eure guten Werke sehen und Gott am Tag des Gerichtes preisen» (2,12). Der aufgrund des alttestamentlichen Moralgesetzes geführte Lebenswandel wird hier sittlich gut genannt. Von ihm erwartet der Verfasser eine demonstrativ widerlegende Wirkung auf die Schmähungen und Verleumdungen der heidnischen Umgebung. Für den 1. Petrusbrief gibt es in diesem Fall nur ein Mittel, wenn die Christen von den Heiden als Kriminelle diffamiert werden: der Aufweis ihrer guten Werke. Vorausgesetzt wird bei einer solchen Argumentation, daß im Hinblick auf die materialen Inhalte der christlichen Ethik zwischen Heiden und Christen Übereinstimmung darüber besteht, was eine gute Lebensführung und was gute Werke sind. Diese sind es auch, die auf die heidnischen Verleumder zugleich eine werbende, missionarische Wirkung ausüben: Ihre Belehrung, die aufgrund der ethischen Lebensführung und sittlich guten Werke der Christen erfolgt, führt am jüngsten Tag (= «Tag der Heimsuchung») zum Gotteslob. Daß es bei der Mission mehr auf die sittlich gute Lebensführung als auf die christliche Predigt ankommt, beweist wiederum 3,1f: «Genauso ihr Frauen, ordnet euch euren Männern unter, damit sie, auch wenn einige dem Wort nicht gehorchen, sie durch die Lebensführung ihrer Frauen auch ohne Wort gewonnen werden, wenn sie eure von Furcht bestimmte, heiligmäßige Lebensführung sehen». Erstaunlich und bemerkenswert zugleich ist, daß in bestehenden Mischehen der sittlich einwandfreie Lebenswandel der christlichen Ehefrau vor dem missionarischen Wortzeugnis rangiert, wenn es darum geht, nichtchristliche Ehe-

männer für den Glauben zu gewinnen. Dabei darf nicht übersehen werden, daß das heiligmäßige Leben der christlichen Ehefrau in ihrer Unterordnung unter den Ehemann besteht, also die Rollenerwartung der heidnischen Umgebung mit ihrer patriarchalisch bestimmten Eheauffassung übernommen wird.
Auch die Mahnung in 3,16 bestätigt denselben missionarisch-apologetischen Sachverhalt: Wenn Christen zur Rechenschaft bzw. Apologie von ihrer heidnischen Umgebung aufgefordert werden, dann soll das ausschließlich mit «Sanftmut und Furcht» geschehen, um die ungerechten Verleumdungen zu widerlegen. Das «gute Gewissen» der Christen resultiert aus ihrer «guten Lebensführung» und gerade sie hat eine besonders werbende Wirkung unter den Heiden.
Daß für den 1. Petrusbrief die missionarisch-apologetische Zielsetzung der christlichen Ethik in einer heidnischen Umgebung ein ganz besonderes Anliegen ist, zeigt schließlich 4,3f: Der Verfasser erinnert die Leser an ihre eigene, allerdings der Vergangenheit angehörende Lebensweise, die er mit einem traditionellen Lasterkatalog illustriert. Die hier beispielhaft genannten Laster wie Hemmungslosigkeit, Begierden, Trunksucht, Essereien und Trinkgelage haben die Getauften abgelegt. Das gilt neben den offenbaren Übertretungen des mosaischen Moralgesetzes vor allem auch für den «frevelhaften Götzendienst», der immer mit heidnischen Festen und Kulten aller Art verbunden war. Als von Gott durch die Taufe Wiedergeborene distanzieren sich die Christen von der Verehrung heidnischer Götter und den unsittlichen Gewohnheiten und Gesetzen des Heidentums. Das alles wird vom Verfasser «Strom der Liederlichkeit» genannt, auch wenn das den Christen Mißtrauen und Verleumdung seitens der Heiden einbringt. Aber dafür hat der Verfasser einen Trost bereit: Alle die Heiden, die jetzt die Christen als Außenseiter und Fremdlinge verunglimpfen, werden im unmittelbar bevorstehenden Endgericht Gottes dafür zur Rechenschaft gezogen werden (4,5). So muß abschließend ein Doppeltes festgehalten werden: Die gute Lebensführung und die guten Werke, worauf der Autor immer wieder Wert legt, widerlegen einmal, und zwar demonstrativ, die heidnischen Vorwürfe und haben andererseits missionarisch-werbende Wirkung auf die heidnische Umwelt. In dieser Sicht kann die Ethik für den 1. Petrusbrief ein überragendes, missionarisch-apologetisches Zeugnis sein, das überraschenderweise sogar die Wirkung der christlichen Predigt übertrifft.
b) Die Leidensparänese ist ein zentraler Gesichtspunkt innerhalb der Ethik des 1. Petrusbriefes. Angesichts der schon ausgebrochenen Verfolgungen, die die Gemeinde wie eine «Feuersglut» (4,12) getroffen haben, will der Verfasser eine verheißungsvolle, aber auch klärende Antwort auf die schon das Alte Testament und Judentum vehement beschäftigende Frage nach den Leiden der Gerechten geben. Zuerst einmal erinnert er die Gemeinde an die traditionell jüdische Auskunft (vgl. Sir.7,5: Tue

nichts Böses, so wird dir nichts Böses widerfahren), daß Leiden und Verfolgung, Schmähungen wie Lästerungen vermieden werden können, wenn die Christen nur das Gute tun (3,13) und d.h. dem Moralgesetz Gottes gehorsam sind. Aber das ist nur die eine Seite seiner Leidensethik. Der Verfasser weiß, daß auch die gerechten Christen leiden müssen, worauf hier in Mt.5,3ff das «selig seid ihr» folgt (3,14). Mit dem anschließenden Zitat aus Jes.8,12 will der Verfasser der Gemeinde Mut machen, sich durch die Leiden und Verfolgungen nicht in Schrecken, Furcht und Verwirrung stürzen zu lassen (3,14b). Denn Gutes tun und die Leiden ertragen «ist Gnade bei Gott» (2,10). Die «Echtheit» des Glaubens kann nur durch Anfechtungen geprüft und bewährt werden (1,7; 4,12). Ihm winkt ein großer Lohn: In dieser Gemeinschaft der Kirche mit den Leiden Christi gründet nämlich ihr Anteil an seiner Herrlichkeit beim eschatologischen Endgericht (4,13; 5,1). Dann wird ihr Leiden umschlagen in Jubel und Freude (1,6ff; 4,12), weil sie das ewige Heil empfangen werden; denn gegenüber dem ewigen Leben stellen die Leiden und Verfolgungen nur «eine kurze Frist» (1,6; 5,10) dar.

Mit Nachdruck stellt der Verfasser die Leiden der Ungerechten und Gesetzesbrecher (= Mörder, Diebe, Verbrecher oder Denunzianten), die selbst verschuldet sind, den Leiden der Christen gegenüber, derer sie sich nicht zu schämen brauchen (4,15f). Vielmehr wird in allen Verfolgungen und Leiden der Name Gottes verherrlicht (4,16). Aber trotz der Kürze der Leiden werden diese niemals verharmlost. Vielmehr soll die geschmähte und verfolgte Kirche die Waffenrüstung Gottes anziehen (4,1f), da sie einen harten, aber keineswegs aussichtslosen Kampf zu bestehen hat. Der Verfasser bedient sich hier eines bekannten und beliebten Topos in der Leidensparänese, wie er auch in Röm.6,13; 13,12 und Eph.6,11 u.a. zu finden ist. Diese christliche Waffenrüstung wird nun hier nicht mit bestimmten Tugenden, sondern mit dem Leiden Christi gleichgesetzt. «Denn der im Fleische gelitten hat, der hat mit der Sünde aufgehört». Im Kontext von Theologie und Ethik des 1. Petrusbriefes kann dieser viel umrätselte Satz doch nur heißen, daß mit den Leiden des Fleisches und seiner Begierden der Christ auch mit der Sünde als Gesetzesverfehlung gebrochen hat. Dieses Leiden im Fleisch als Sieg über die Sünde hat nur ein Ziel nach 4,2, die noch ausstehende kurze Zeit bis zur eschatologischen Heilsvollendung nach dem Willen Gottes zu leben. Was das konkret heißt, wird im sogleich angeschlossenen Lasterkatalog (4,3) dargestellt. Das heißt aber: Die Leiden der Christen im Fleisch als Sieg über die Sünde führen wiederum zur Mahnung, einen sittlich anständigen Lebenswandel zu führen, der sich von nun an nur noch am «Willen Gottes» und seinen Geboten, nicht aber mehr am «Willen der Heiden» mit ihren Lastern ausrichtet.

c) Von großer Bedeutung ist die vom Verfasser ausgeprägte und akzentuierte Vorbildethik, und zwar in dreifacher Hinsicht: Einmal wird der unschuldig leidende Christus den christlichen Sklaven ausdrücklich als nachzuahmendes Beispiel empfohlen (2,18–25). Die christlichen Sklaven sollen, auch wenn sie gerade von ihren irdischen Sklavenhaltern hart und ungerecht behandelt werden, das Vorbild des schuldlos leidenden Christus nachahmen und Christus als dem Wegbereiter in dessen Fußspur nachfolgen. Wenn nach 3,13ff die Christen wegen ihrer Pflichterfüllung und ihres rechtschaffenen Lebenswandels ungerechte Strafe auf sich nehmen und unverschuldet leiden müssen, dann sollen sie auf das Beispiel des schuldlosen Christus blicken, der als Gerechter für die Ungerechten litt (3,18ff).

Aber nicht nur Christus, sondern auch die Presbyter als kirchliche Amtsträger sollen nach 5,3 «Vorbilder der Herde» sein. Wie in Apg.20,17ff taucht der Presbyter als Amtsbezeichnung erst in den späten Schriften des Neuen Testaments auf und die einleitende Bemerkung des Petrus als «Mitpresbyter» unterstreicht diese späte Amtsverfassung der Kirche, nach der die Presbyter sogar an die Seite der Apostel gerückt werden. Die Presbyter sollen die Gemeinde nicht aus schändlicher Gewinnsucht weiden, sondern mit Hingabe und nicht als gewaltsame Herren über die Anteile, sondern als Vorbilder der Herde. Einer solchen Amtsführung wird der unverwelkliche Kranz der Herrlichkeit verheißen (5,4), und d.h. sie werden mit dem ewigen Leben beim kommenden Endgericht von Gott belohnt werden. In dieser Amtsanweisung für die Gemeindepresbyter taucht neben Apg.1,17 zum ersten Mal im Neuen Testament die Klerus-Vorstellung auf (5,3a). Für «Klerus» können am Ende des zweiten Jahrhunderts auch noch die Synonyma «Platz», «Rang» oder «Rangstufe» gebraucht werden. Umstritten ist bis heute die Bedeutung des griechischen Wortes «kleros»: Bedeutet es hier die zugeteilte Teilkirche bzw. Gemeinde überhaupt oder bahnt sich hier bereits der spätere technische Gebrauch von amtlicher Rangstufe in der Kirche an. Dazu würde passen, daß in 5,3 ausdrücklich vor Mißbrauch der Amtsgewalt gewarnt, die Presbyterialverfassung vorausgesetzt und sehr wahrscheinlich traditionelle Amtsanweisungen getroffen werden. Die abschließende Mahnung an die dem Lebensalter nach «jüngeren» in der Gemeinde (5,5) unterstreicht diesen Sachverhalt: sie sollen sich den beamteten Presbytern unterordnen. Nicht nur die Welt ist mit ihren vorgegebenen Ordnungen abgestuft (2,13–3,7), sondern auch in der Gemeinde hat Gott Über- und Unterordnungen geschaffen, die von keinem zu übertreten sind.

Und schließlich führt der Verfasser die «heiligen Frauen» des Alten Testamentes als leuchtende Vorbilder für die christliche Frau der Gegenwart (3,1ff) vor, die ihre Hoffnung auf Gott setzen und sich ihren Ehemännern unterordnen, v.a. die namentlich genannte Sara. Ihr Schmuck soll nicht im äußeren und d.h von Frisuren, Gold, Schmuck und kostbarer Bekleidung, sondern im verborgenen Menschen mit seinen Tugenden, Freundlichkeit und Stille des Geistes bestehen (3,4). Eine solche Entgegensetzung von bloß äußerlichen und eigentlichen inneren Werten geht auf die hellenistisch-dualistische Anthropologie zurück, auf deren Einflüsse wir im 1. Petrusbrief schon öfter gestossen sind. Wenn der Verfasser dann in 3,6 ausdrücklich das Alte Testament zitiert (vgl. 1.Mos.18, 12; Spr.3,25), dann kann kaum ein Zweifel darüber bestehen, daß für den 1. Petrusbrief die typisch hellenistisch-dualistische Antropologie mit ihrem Gegensatz von äußerlichem bzw. äußerem Menschen und innerlichem bzw. innerem Menschen sehr wohl mit dem Alten Testament vereinbar ist.

d) Weil das Ende von Welt und Geschichte nahe bevorsteht, wird die Gemeinde zu Besonnenheit, Nüchternheit und zum Gebet ermahnt (4,7) Die apokalyptische Naherwartung des jüngsten Tages treibt – wie übrigens im ganzen Urchristentum – nicht zur Untätigkeit oder gar zum enthusiastischen Ausschalten des Alltags und seiner täglichen Probleme. «Vor allem» wird zur Bruderliebe aufgefordert, die sich auch in der Gastfreundschaft äußert (4,8f). Gerade die jedem Getauften von Gott geschenkte Gnadengabe führt zum Dienst in der Gemeinde (4,10f). Denn durch dieses – wenn auch nur exemplarisch genannte – Handeln wird Gott durch Jesus Christus verherrlicht. Weil Gott allein die Niedrigen und Demütigen erhöht, sollden die Christen seine «starke Hand» ergreifen und sich unter sie beugen (5,6). Mahnungen zur Sorglosigkeit und Nüchternheit schließen sich an. (5,7f). Weil hinter den Verfolgungen und Leiden der Gemeinde der Teufel als «brüllender Löwe» steckt, werden sie zu Wachsamkeit in der letzten Zeit aufgerufen, damit sie nicht von ihm verschlungen werden (5,8). Seinen Anschlägen gilt es im Glauben an Gott zu widerstehen, der sie allein in dieser kurzen Leidenszeit «ausrüsten, stärken, kräftigen und gründen» kann (5,10).

e) Auch wenn der 1. Petrusbrief maßgebend vom hellenistischen Dualismus Erde-Himmel geprägt ist, und die Christen als Fremdlinge und Beisassen angesprochen werden, deren wahre Heimat im Himmel liegt, so hindert das den Verfasser in keiner Weise, die traditionelle Haus- bzw. Ständetafel mit ihren sozialethischen Weisungen gebührend zu Gehör zu bringen (vgl. 2,13–3,12). Gerade dieser hellenistische Dualismus (2,11f!) ist das Vorzeichen für die dann weitgehend der hellenistisch-judenchristlichen Tradition entnommene Ständetafel. Gerade die programmatische Unterordnungsforderung gegenüber den betreffenden übergeordneten Institutionen wie Staat, Sklavenbesitzer und Ehemänner soll nach der vorangestelllten Einleitung 2,11f im Zeichen der Fremdlingsschaft der Kirche in der Welt stehen. Fremde und Beisassen, die auf ihrer Wanderschaft zu ihrer himmlischen Heimat unterwegs sind, anerkennen zwar die Ordnungen wie Staat, Sklaverei und Ehe, machen aber auch ihre distanzierenden Vorbehalte geltend. Zur Herkunft und theologischen Zielsetzung dieser traditionellen Haustafel ist bereits das Nötige gesagt, vgl. deshalb die Ausführung zu Kol.3,18ff und Eph.5,22ff.

Die erste Mahnung an die Christen, sich den politischen Gewalten unterzuordnen (2,13–17) ist mit Röm.13,1–7 verwandt und dürfte beide Male auf hellenistisch-judenchristliche Tradition zurückgehen. Hier wie dort und im Gegensatz zur Offenbarung Johannes wird der römische Staat mit seinen Behörden weder dämonisiert noch vergottet. Das entscheidende sozialethische Stichwort ist Unterordnung, das wie überall im Urchristentum von Gott gesetzte Über- und Unterordnung in der Kirche bezeichnet. Der Kaiser in Rom und die ihm unterstehenden Statthalter werden gegen jede Vergottungstendenz ausdrücklich als «menschliche Geschöpfe» bezeichnet. Auch ihre staatspolitische Funktion erinnert deutlich an Röm. 13,3f: Die vom Kaiser eingesetzten Statthalter sollen die Gesetzesbrecher bestrafen, diejenigen aber, die Gutes tun, loben (2,14). Gemeint ist in diesem Kontext, daß die guten Werke der Christen in der Unterordnung gegenüber den übergeordneten, politischen Gewalten bestehen, während die Übeltäter den Gehorsam verweigern. Ausdrücklich wird in 2,15 diese Unterordnungsforderung auf den Willen Gottes zurückgeführt. Indem die Christen sich dem Kaiser und seinen staatlichen Repräsentanten unterordnen, also Gutes tun, bringen sie die Unwissenheit dieser «unverständigen Menschen» zum Schweigen. Hier spricht sich indirekt Kritik an dem unverständlichen Verhalten der staatlichen Behörden aus, die nicht zu überhören ist.

Die Begründung für diese freiwillige Unterordnung unter die staatlichen Behörden wird in Vers 16 geliefert: Die Christen tun das alles aufgrund ihrer Freiheit. Weil sie von den Sünden (2,24) und der Sorge (5,7) befreit sind, sind sie als Freie zugleich «Sklaven Gottes» (2,16). Nur in solcher Gebundenheit an Gottes Willen und seine Gebote können die Christen als Freie der Unterordnungsforderung der politischen Gewalten nachkommen, ohne diese ihr geschenkte Freiheit in Libertinismus enden zu lassen. Vier Imperative beschließen diese kurze, aber hochbedeutsame, staatsbürgerliche Paränese (2,17): Die Christen sollen alle Menschen ehren, in der Kirche aber soll die Bruderliebe herrschen. Mit Spr.24,21 sollen sie Gott allein fürchten, denn die Unterordnungsforderung geht auf seinen Willen zurück, dem Kaiser aber (nur) Ehrerbietung und Respekt entgegenbringen. Die letzte Mahnung findet sich auch in Röm.13,7, sollte also nicht als gezielte Polemik gegen den römischen Kaiser verstanden werden.

Im Gegensatz zu der anderen Reihenfolge in den Haustafeln von Kol. 3,18ff und Eph.5,21ff wird eine umfangreiche Unterordnungsforderung an die christlichen Sklaven gerichtet (2,18–25) und den anderen Mahnungen betont vorangestellt. Die Aufnahme der christologischen Tradition in 2,21–25 – auf ein hellenistisches Judenchristentum zurückgehend – bezweckt, das Leidensschicksal Christi als nachzuahmendes Vorbild gerade für den leidenden, christlichen Sklaven aufzubieten. Im übrigen zeigt die Sklavenparänese 2,18–20, daß auch die Ständetafel im 1. Petrusbrief wie die übrigen Haustafeln im Neuen Testament weder die allgemeine Abschaffung der Institution Sklaverei noch die Befreiung der christlichen Sklaven aufgrund der Evangeliumsverkündigung anstreben. Von den christlichen Sklaven wird durchwegs Unterordnung unter den jeweiligen Sklavenbesitzern verlangt, und zwar «in aller Furcht» (2,18). Diese Unterordnungsforderung wird nun aber nicht nur gegenüber den gütigen und milden, sondern gerade den «verdrehten» Sklavenhaltern gegenüber gefordert. Denn die harte und rücksichtslose Behandlung der Sklaven war in der Antike nicht die Ausnahme, sondern die Regel; weil der Sklave nach römischem Recht eine res (= Sache) und keine Person war. Wer als christlicher Sklave solche ungerechte Behandlung erträgt und auch noch Gutes tut, dem wird vom Verfasser die Gnade Gottes zugesprochen. Und in diesem Zusammenhang verweist der 1. Petrusbrief ausdrücklich auf das beispielgebende Vorbild Christi, der als Gerechter für die Ungerechten litt. Als Geschmähter hat er nicht wieder geschmäht oder gar Drohungen gegen seine Peiniger ausgestossen. Vielmehr stellte er alles Gott anheim, der in seinem Gericht Vergeltung üben wird. Wenn der unschuldig leidende christliche Sklave das befolgt, so tritt er gehorsam in die Fußspuren seines Herrn und wird wie er das ewige Leben empfangen.

Im Unterschied zu den Haustafeln im Kolosser- und Epheserbrief fehlt im Anschluß an die Sklavenparänese eine entsprechende Mahnung an die Sklavenbesitzer. Warum ausgerechnet sie hier fehlt, kann wohl nur damit erklärt werden, daß der Verfasser den hier fälligen Tribut an die übliche Sozialethik seiner Zeit zollt. Da die Sklaverei in der Antike eine rechtlich abgesicherte Institution war, bedurften nur die Sklaven, nicht aber die Sklavenbesitzer der eindringlichen Mahnungen.

Schließlich werden wie in allen neutestamentlichen Haustafeln die Ehefrauen und -männer ermahnt (3,1–6). Der damaligen patriarchalischen Sitte entsprechend werden zuerst die Ehefrauen zur Unterordnung aufgefordert. Auch die Warnung vor äußerlichem Schmuck und Luxus der Frau ist in der außerchristlichen Antike bekannt (im Judentum: Philo, und im Heidentum: Epiktet und Plutarch u. a.), so daß die Mahnung an die Frauen zur Unterordnung, zu einer heiliggemäßen Lebensführung ohne äußerlichen Schmuck ganz zu dieser ursprünglich hellenistisch-judenchristlichen Ethik paßt.

Wenn schließlich in dieser Haustafel noch die christlichen Ehemänner mit einer Mahnung bedacht werden, dann sticht sofort ins Auge, daß sie sehr kurz – nur ein einziger Vers! – ausgefallen ist (3,7). Auch dies ist eine Rücksichtsnahme auf die sozialethischen Verhaltensnormen jener Zeit. Andererseits werden die Ehemänner ermahnt, ihren Ehefrauen als dem «schwächeren Gefäß» mit Rücksicht und Verständnis zu begegnen und ihnen Ehre zu erweisen. Begründet wird diese, im Vergleich mit der Umwelt des Neuen Testaments keineswegs selbstverständliche Mahnung an die Männer mit dem Hinweis, daß auch ihre christlichen Ehefrauen

«Miterben der Gnade des Lebens» sind. Auch wenn in dem Alltag der Ehe die Unter- wie Überordnung zwischen Frau und Mann bestehen bleibt, vor der göttlichen Gnade, die das ewige Leben schenkt, sind Mann und Frau gleich. Nur wenn die christlichen Ehemänner diese eindringliche Mahnung beherzigen, werden ihre Gebete vor Gott nicht unwirksam sein. Gerade diese Schlußfloskel wertet die unterlassenen Verpflichtungen der Ehemänner als Sünde, so daß ihre Gebete von Gott nicht erhört werden. Eine unerhörte Warnung, wenn man den patriarchalischen Hintergrund der damaligen Sozialethik berücksichtigt!

VI. Der Brief an die Hebräer

1. Der Hebräerbrief – eine Mahnrede

Der Hebräerbrief ist eigentlich kein Brief, sondern eine schriftlich abgefaßte Rede bzw. Predigt, die der Verfasser selbst in 13,22 als «Mahnwort» bezeichnet hat. Auch wenn diese Mahnrede weder Paulus verfaßt noch wie andere Deuteropaulinen von ihm verfaßt sein will, gehört sie aufgrund ihrer Verwandtschaft mit der paulinischen Christologie, wenn auch mit Vorbehalten, in den Einfluß- und Ausstrahlungsbereich des Paulus. Außerdem bringt ihn die Notiz über Timotheus (13,23) automatisch in die Nähe zum paulinischen Schülerkreis und «Paulinismus».
Vor allem ist für die Erhebung der Ethik des Hebräerbriefes entscheidend, daß er mit seiner typologischen wie allegorischen Methode der Auslegung des Alten Testaments und überhaupt seiner ganzen Argumentationsweise in die Tradition der hellenistischen Synagoge und hier vor allem zu Philo von Alexandrien gehört.
Mit dieser Mahnrede wollte der Verfasser das auf der irdischen Wanderschaft in die himmlisch-künftige Heimat sich befindende neue Gottesvolk anspornen. Deshalb ist die oft gemachte und völlig sachgemäße Feststellung unumgänglich, daß der Skopos des Hebräerbriefes nicht in den dogmatisch-lehrhaften, sondern in den ethischen Partien liegen, so z.B. 3,1–4,16; 5,11–6,20; 10,19–39; 11,1–13.19. Damit aber stehen Christologie wie Eschatologie im Dienst der Paränese und werden zum gezielten Stimulans für die Gewinnung des Heils als der endgültigen Aufnahme des weltverneinenden und ewigkeitsbejahenden Christen in seine himmlische Stadt (3,7–4,11).
Daß die Gemeinde dieses ferne Ziel der langen, leidvollen und mühevollen Wanderschaft hier auf Erden in der Fremde (11,13) zur «Ruhe» als der himmlischen Heimat und Ewigkeit (3,11 und 18), auch erreicht, ist der alleinige Zweck dieser umfangreichen Mahnrede.

2. Die sich abzeichnende Leistungsfrömmigkeit

Wenn der Hebräerbrief sich mit der alttestamentlichen Tora auseinandersetzt, dann im wesentlichen nur im Zusammenhang der Kap.7–11, und vor allem geht es hier niemals um das alttestamentliche Moral-, sondern immer nur um das Kultgesetz des Mose. Das Gesetz wird im Hebräerbrief immer nur auf das schwache, nutzlose und veraltete Opfer-, Kultus- und Priestergesetz (vgl. 7,5.16.28; 8,4; 9,19.22; 10,8) bezogen, das als unvollkommene Rechtsordnung durch die neutestamentliche Offenbarung überboten wird, weil erst der neue Bund, das himmlische Priestertum (7,11) mit seinem einmaligen Opfer wirkliche Sündenvergebung brachte (10,1ff). Das alttestamentliche Gesetz kommt, wenn es vom Hebräerbrief bekämpft wird, nur als levitischer Kultus in den Blick, der für die christliche Gemeinde durch Christi Hohepriestertum ein für allemal abgeschafft ist.

Dabei ist mit Nachdruck zu betonen, daß nur dieses Gesetz als Opfer-, Kult- und Priestergesetz, das den alten Bund repräsentiert, der «Schatten der künftigen Heilsordnung» ist (10,1) und endgültig zum Bereich des Fleisches, also des irdisch vergänglichen gehört (7,16; 9,10). Dieses allegorisch gedeutete Kultgesetz des Mose wird vom Hebräerbrief verworfen. Wenn also der Hebräerbrief von der Antiquiertheit des Gesetzes spricht, dann ist damit in gar keiner Weise das alttestamentliche Moralgesetz, der Dekalog gemeint. Unausgesprochen, aber in seinem Gewicht um so radikaler wird damit das alttestamentliche Gesetz in alternativer Weise wie in den übrigen Deuteropaulinen auf das Moralgesetz reduziert, das Heilsbedeutung gerade auch für das neue Gottesvolk besitzt. Auch wenn der Hebräerbrief sich expressis verbis nicht mit dem alttestamentlichen Moralgesetz, dem Dekalog, sondern nur mit dem alttestamentlichen Kultgesetz auseinandersetzt und die ethischen Gebote des Alten Testamentes ausdrücklich niemals erwähnt, heißt das nicht, daß diese keine direkte Bedeutung für die christliche Ethik haben. Das neue Gottesvolk hat sich weitaus mehr als das alte Gottesvolk vor «jeder Gesetzesübertretung und jedem Ungehorsam» (2,2f) zu hüten, weil den Übertreter des alttestamentlichen Moralgesetzes im neuen Bund ein viel schrecklicheres Gottesgericht treffen wird (10,28; 12,25 u. a.) und damit die Verantwortung noch größer geworden ist. Deshalb betont der Verfasser wiederholt, «den Willen Gottes» zu tun (10,7.9f.36; 13,36), der sich nach allem bisher Gesagten nur noch auf die ethischen Gebote des Alten Testamentes unter Ausschluß des Kultgesetzes bezieht. Diejenigen, die das alttestamentliche Moralgesetz brechen und nach 10,4 Unzucht treiben und die Ehe brechen, verfallen dem Gericht Gottes. Deshalb wird die Gemeinde vor Unzucht und Unreinheit gewarnt (12,16), um sich ja nicht durch den lasterhaften Lebenswandel eines einzelnen beflecken zu lassen (12,25). «Unreinheit» und «beflecken» bezeichnen beide Male nicht mehr die kultische, sondern allein die sittliche Unreinheit. Wie die spätere Heidenchristenheit hat der Hebräerbrief die mosaische Tora allegorisiert und auf das ethische Gesetz reduziert, dessen uneingeschränkte Autorität weder problematisiert noch gar relativiert wird. Auch die Heiligung ist nach 12,14 ein rein ethischer Begriff. Der eindringlichen Aufforderung an die Gemeinde, der Heiligung nachzujagen, entspricht zugleich im Nachsatz die Warnung, daß ohne eine ethische Lebensführung = Heiligung niemand Gott sehen wird (12,14). Das heißt aber: Das ewige Heil ist abhängig von der Ethik. Nur der Hebräerbrief spricht im ganzen Neuen Testament von eschatologischer Vergeltung (2,2), christliche Zuversicht empfängt im Endgericht einen großen Lohn (10,35), und schon Mose schaut auf die himmlische Vergeltung (11,26). In diesem Zusammenhang taucht deshalb ganz unbefangen die Rede von den «guten Werken» auf (10,24; 13,21), dem Gott «wohlgefälligen» Dienst (12,28; 13,21). «Gott zu gefallen» ist deshalb ein häufiges Motiv der Paränese (11,5.6; 13,16). Erst am Ende seines Lebens hat der Christ Ruhe gefunden von seinen Werken (9,14) und ein gutes Gewissen (13,18) besteht in einem guten Lebenswandel (13,18). Tote Werke sind sündige Werke und stehen im Gegensatz zu den guten Werken (6,1 und 9,14). Busse (6,1) ist deshalb wie im Urchristentum Abwehr von den bösen Werken und Hinkehr zu den guten Werken, die Gott gebietet (6,1). Lob, Bekenntnis und gute Werke werden deshalb in 13,16 Opfer genannt, an denen Gott Wohlgefallen hat. «Denn Gott ist nicht ungereicht, daß er eures Werkes und der Liebe vergäße...» (6,10). Nicht ohne Grund fand das römisch-katholische Konzil zu Trient (Sessio VI, Kapitel 16) in diesem Beleg die Verdienstlichkeit der guten Werke ausgesprochen. Das heißt dann aber: Im Bereich der Ethik des Hebräerbriefes ist das alttestamentliche Moralgesetz mit seinen ethischen Geboten der entscheidende Maßstab des Verhaltens der Gemeinde, so daß eine direkte ethische Kontinuität zwischen dem alttestamentlichen Moralgesetz und der christlichen Ethik gegeben ist.

Deshalb fehlt folgerichtig im Hebräerbrief sowohl der Gegensatz Glaube-Werke als auch die Rechtfertigung aus Glauben oder die schenkende Gottesgerechtigkeit. «Gerecht» und «Gerechtigkeit» werden ethisch als praktische Rechtschaffenheit (1,9; 11,33; 12,11) oder als das moralisch rechte Verhalten verstanden (10,38; 11,4; 12,23). Zwar spricht der Hebräerbrief singularisch von der Sünde (3,13; 4,15; 11,25; 12,1.4), aber zusammen mit dem pluralischen Gebrauch (1,3; 2,17; 10,4.11.17 usw.), der überwiegt, wird signalisiert, daß der Verfasser unter Sünde ein ethisch-moralisches Fehlverhalten des Menschen versteht, nämlich die Übertretung der ethischen Gebote des Alten Testamentes. Diesem Sündenverständnis entspricht die rigorose Ablehnung der zweiten Busse (6,4–6; 10,26–29; 12,14–17). Der Hebräerbrief unterscheidet demnach zwei Klassen von Sünden, nämlich die Todsünden und die leichteren Sünden bzw. die vergebbaren und die unvergebbaren Sünden. Der Umfang

der Todsünden wird genau festgelegt: bei Abfall vom Glauben (6,6), bei mutwilligem Sündigen (10,26), und bei Unzucht und Ehebruch (12,16f; 13,4) wird die zweite Busse vom Christen kompromißlos abgelehnt. Von der Sünde als Sündenmacht und einem damit verbundenen Herrschaftswechsel ist keine Rede mehr. Weil der Hebräerbrief keine grundsätzliche Bestreitung der guten Werke kennt, dafür aber Gesetzesübertretungen und das heißt ihre Nichterfüllung gerügt werden, tritt einseitig die stellvertretende Sühne Christi und die Sündenvergebung in den Vordergrund (2,17; 7,25; 9,22; 10,18). Am Kreuz Christi geschah nicht mehr die Entmachtung der Sünde, sondern die Sühne bzw. das Sühnopfer für unsere Sünden (1,3; 2,17; 5,1; 9,14; 10,10.14.29; 13,12 u.a.).
Allerdings darf nicht verkannt werden, daß der Hebräerbrief – wie übrigens alle Deuteropaulinen – durchaus den Indikativ der Heilsgabe, also die vorausgehende Gnade Gottes kennt: Die Aeonenwende ist bereits eingetreten (1,2), und Christus als der himmlische Hohepriester tritt gegenwärtig für die Seinen ein (7,25; 8,6; 9,15; 12,24). Der neue Bund ist in Christus verwirklicht (8,13; 12,24). Die Glaubenden sind in der Taufe erleuchtet und von den Sünden gereinigt (6,4f), in ihren Abendmahlsfeiern werden sie des jenseitigen Heils sakramental teilhaftig (6,4ff; 10,25ff; 12,27ff) und die wandernde Gemeinde hat bereits das «unerschütterliche Reich» empfangen (12,28).
Aber dem «schon» des Heils entspricht das «noch nicht» des neuen Aeons (2,8b). Die Gegenwart als drückende, leidensvolle und letztlich unter der Forderung Gottes stehende Zwischenzeit wird wesentlich als vorläufige und vorbereitende Zeit gesehen. Deshalb wird sie zugleich zur alles entscheidenden Zeit der Gewährung der dem alten Bund überlegenen Chance einerseits und der Bewährung der eidlich verbürgten Verheissung andererseits. Am «Ende dieser Tage» (1,2) gilt verschärft das menschliche Bemühen und die ständige Sorge um die künftige Vollendung (11,40). Der Imperativ, die Forderung, Gottes ethische Gebote im guten Lebenswandel auf dem Weg in das himmlische Vaterland zu erfüllen (12,18–29), bekommt höchste Dringlichkeit, weil nicht nur aufgrund des überlegenen neuen Bundes des Hohepriesters und himmlischen Kultus die Verantwortung für das neue Gottesvolk größer als für Israel und der Weg zum verheissenen Ziel gefährlicher geworden ist (2,2f; 10,26ff; 12,25 u.a.), sondern weil auch von den guten Werken und der Lebensführung der Christen das künftige Heil abhängt (vgl. besonders 4,16 und 6,10). Gottes Wort ist ein unbestechlicher Richter (4,12f) und «schrecklich ist es, in die Hände des lebendigen Gottes zu fallen» (10,31). Damit aber wird letztlich der Heilsindikativ in den Heilsimperativ integriert, und die Ethik wird zum zweiten konstitutiven Teil der Erlösung.

3. Die Ethik als Abwendung von der sichtbaren Welt

a) Der räumliche Dualismus alexandrinischer Prägung (Philo) mit seiner Abwertung der irdisch-sichtbaren zugunsten der unsichtbaren und unveränderlich-himmlischen Welt bestimmt die gesamte Konzeption des Hebräerbriefes. Zwar bekennt sich auch der Verfasser zur Schöpfung durch das Gotteswort (1,2; 4,3; 11,3 u.a.), aber angesichts des alle Inhalte beherrschenden Gegensatzes von Abbild und Urbild, von Schatten und Wirklichkeit, von sichtbar-vergänglicher Erdenwelt und unsichtbar-unvergänglicher Himmelswelt, von Zeitlichem und Ewigem, von letztlich Irrealem und Realem, kann sie nur noch ein Randdasein führen.

Dieses dualistische Denken ist konstitutiv für das Kirchenverständnis des Hebräerbriefes: Hier auf Erden sind die alttestamentlichen wie neutestamentlichen Glaubenszeugen während ihrer Wanderschaft «Fremdlinge und Beisassen» (11,13), die «in Zelten» (11,9) wohnen, also keine bleibende Stadt haben, sondern nach dem Zukünftigen trachten (13,14). Die Christen sollen aus dem Lager hinaus zu Christus ziehen (13,13) und wie Christus die Freude der Welt ausschlagen (12,2). Die Fremdlingschaft Abrahams im Lande der Verheißung (11,9ff) symbolisiert die Heimatlosigkeit aller Glaubenden während ihrer Wanderschaft auf der Erde. Erst nachdem die Glaubenden aufgrund ihrer Himmelssehnsucht in ihr «Vaterland» (11,14ff) heimgekehrt sind, werden sie zur «Ruhe» kommen. Leitmotiv des Hebräerbriefes ist darum das dualistische Motiv des «wandernden Gottesvolkes». Vor allem zeigt sich der Einfluß des hellenistischen Dualismus in der Präexistenz der Seele (12,9 und 13,3) und in der gemeinsamen himmlischen Herkunft von Jesus und den Seinen (2,11 und 14). Auch wenn der Hebräerbrief die Gottesverwandtschaft der Seele nicht mehr ausformuliert, so hat er sich andererseits diesen beiden typisch dualistischen Themata nicht versagt.

Dasselbe ist auch von der Eschatologie zu sagen. Die alexandrinische Vertikale mit ihren Raumbegriffen dominiert gegenüber der apokalyptischen Horizontale mit ihren Zeitbegriffen, wie etwa «die Ruhe» (3,11.18; 4,1.3.5.10f), die «himmlische Stadt» (11,10.16; 12,22), das «himmlische Vaterland» (11,14), «Jerusalem» (12,22), die «unerschütterlichen Dinge» (12,27) und das «unerschütterliche Reich» (12,28).

Andererseits wiederholt der Hebräerbrief die urchristliche Naherwartung (1,2; 6,9; 9,26; 10,25.37), die aber sachlich im Dienste der Paränese steht: Sie soll anspornend auf das Durchhalten des auf der Wanderschaft zur künftig-himmlischen Welt befindlichen Gottesvolkes wirken. Das heißt aber: Die apokalyptische Naherwartung wird gegen ihre ursprüngliche Intention zur Funktion der christlichen Lebensführung und damit dem räumlichen Dualismus von Irdischem und Himmlischem ein- und untergeordnet. Damit wird christliche Existenz begründet eingeübt in das Nein zur sichtbar vergänglichen Erdenwelt und in das Ausstrecken nach der unsichtbar-unvergänglichen Himmelswelt.

Dem entspricht der für den Hebräerbrief zentrale Glaubensbegriff. Glaube ist für den Verfasser eine ewigkeitsausgerichtete Haltung und damit letztlich die eigentlich erstrebenswerte christliche Tugend (10,22ff) der zum himmlischen Jerusalem Wandernden. Aufgrund des den Hebräerbrief prägenden alexandrinischen Dualismus meint Glaube als dualistische, weltüberlegene Haltung nach 11,1b.3.27 die entschlossene Abwendung des Wanderers von der sichtbaren Sinnenwelt und die lebenslange Hinwendung zur unsichtbaren Himmelswelt. Glaube ist die der alexandrinischen Vertikale entsprechende ethische Verhaltensweise der Standhaftigkeit, Ausdauer, Beharrlichkeit, Festigkeit (3,14; 11,1) und der Geduld (10,36ff; 12,1) des neuen Gottesvolkes bei seiner Wanderung in die himmlische Heimat. Deshalb sind Glaube und Hoffnung identisch (6,11.18ff; 10,22ff). Glaube ist als Eifer (6,11f) ein moralisches Verhalten und kann damit zum Imitationsobjekt werden (6,12; 12,1ff; 13,7). Die Mimesis- und Vorbildvorstellung wird deshalb vom Verfasser unbedenklich auf den Glauben angewandt, wie vor allem das große Paradigmen-Kapitel 11 beweist (vgl. auch 12,1ff): «Die Alten» aus der Geschichte Israels werden zum nachzueifernden Glaubensbeispiel für die Kirche Christi. In allen diesen Beispielen soll pädagogisch der Glaube dieser Gottesmänner als ethische Haltung der Tugend nachgeahmt und eingeübt werden. Aber auch die «Vorsteher» als die Amtsträger und Leiter der Gemeinde sind die großen nachzuahmenden Vorbilder nach 13,7, und nach 13,17 ist die Gemeinde denselben Vorstehern Gehorsam schuldig, weil sie als ihre verantwortlichen Seelsorger über ihren Seelen wachen und am Jüngsten Tag Rechenschaft darüber ablegen müssen.

Vor allem aber ist Jesus selbst das große Exemplum. So soll in 4,15; 11,26; 12,1.3.10f; 13,13 die Gemeinde auf das große Vorbild des leidenden Christus schauen und seinem Beispiel nachahmen. Nach 5,8f muß offenbar der Gehorsam Jesu Gott gegenüber von den Christen getreulich nachgeahmt werden. Auch die unüberhörbare Betonung der Sündlosigkeit Jesu (4,15; 7,26) und die ethische Auswertung des blutigen Opfertodes Jesu (9,14; 10,19ff.22 u.a.) haben dieselbe Bedeutung: Er hat die Gewissen gereinigt so daß wir jetzt dem lebendigen Gott dienen müssen. Nach 12,1ff hat die Gemeinde auf Jesus und sein vorbildliches Verhalten zu blicken, um in ähnlichen Situationen der Fremdlingschaft und irdischen Wanderschaft ihn nachzuahmen; denn er ist zum Vorläufer in die himmlisch-zukünftige Stadt geworden. Auch die Vorbildethik wird also in den hellenistischen Dualismus eingebettet und kann nur von daher sachgemäß erfaßt werden.

b) Der Dualismus Erde-Himmel führt einerseits konsequent zur Abkehr von der Welt, wie vor allem das Fehlen der Haus- bzw. Ständetafel beweist. Die Ausblendung der sozialethischen Probleme wie Staat, institu-

tionelle Sklaverei und Ehe, aber auch der Weltmission, lassen nur ein negatives Weltverhältnis aufkommen. Wie ihr Anfänger und Vollender soll die Gemeinde mit Ausdauer den ihr bevorstehenden Kampf kämpfen (12,1), die Freude der Welt mißachten (12,2ff), zu Christus «außerhalb des Lagers» hinausgehen (13,13) und den irdischen gegen den bleibenden Besitz eintauschen (10,34). Die weltverneinende, eben dualistische Tendenz dieser Ethik im Hebräerbrief ist nicht zu übersehen.
Andererseits führt diese Abkehr von der sichtbaren Welt zum Rückzug in die Gemeinde. Folgerichtig beginnt die abschließende Paränese 13,1–17 mit der Mahnung zur Bruderliebe (13,1). Die Liebe zum Nächsten und Feind in den Synoptikern wird nicht wie bei Paulus zur Bruderliebe erweitert, sondern wie in den Deuteropaulinen insgesamt auf die Liebe zum Bruder eingeschränkt. So selbstverständlich gilt für den Verfasser, daß sie nicht begründet zu werden braucht. Anders die zweite Mahnung zur Gastfreundschaft (13,2): Reisende Christen sollen von der Familie Gottes aufgenommen und beherbergt werden; denn es könnte sich ja hinterher herausstellen, daß sie – ohne es zu wissen – Engel bewirtet haben. Und das bringt göttlichen Segen und Lohn! Die Bruderliebe aber zeigt sich nicht nur in der Gastfreundschaft, sondern ebenso in der konkreten Hilfe und Zuwendung gegenüber den inhaftierten Mitchristen (13,3); denn solange sie selber noch «im Leibe» weilen, sind die nicht verhafteten Brüder ebenso bedroht und verletzbar. Sie haben nach 10,32 selber schon einen «harten Leidenskampf ausgehalten», also eine Verfolgung durchstanden und «Beschimpfungen und Drangsale» (10,33) hinnehmen müssen. Ihr Mitfühlen begründete die Solidarität mit den gefangenen Brüdern, so daß sie sogar den Raub ihrer Besitztümer mit Freuden hingenommen haben (10,34). Das alles geschah in dem Wissen darum, daß sie einen besseren und unverlierbaren Besitz im Himmel haben, nämlich die ewige Ruhe (4,9ff) und die künftige Stadt (13,14).
Alle freiwillig auf sich genommenen Leiden bringen eine große Belohnung mit sich, wie 13,35 abschließend ausdrücklich verheißt. Deshalb wird die Gemeinde auf ihrer Wanderschaft zur zukünftigen Stadt aufgefordert, zu Christus «aus dem Lager» und d.h. aus dem heiligen und geschützten Bereich hinauszugehen und zusammen mit ihm Verfolgung und alle Schmach zu tragen (13,13f). Wie Christus so wird auch Mose als das große Leidensbeispiel vom Hebräerbrief herangezogen. Mose weigerte sich standhaft, die Vorteile der Pharaonenfamilie zu genießen und nahm vielmehr bewußt die Leiden des Gottesvolkes auf sich: Er wollte «lieber mit dem Volke Gottes zusammen schlecht behandelt werden als einen vergänglichen Genuß der Sünde zu haben» (11,24f). Er hielt «die Schmach Christi» für einen größeren Reichtum als die Schätze Ägyptens; denn er blickte auf die Entlohnung. Durch Glauben verließ er Ägypten, ohne den Grimm des Pharao zu fürchten; denn immer hatte er «den Unsichtbaren vor Augen» (11,26f). Weil also die Wanderschaft des neuen

Gottesvolkes voller Gefahren und Leiden ist, sollen sich die Brüder der Familie Gottes einander ermahnen und aufeinander achten, damit keiner vom lebendigen Gott abfalle (3,12f). Weil die Taufe die vergangenen Sünden vergeben und das böse Gewissen samt dem Leibe gereinigt hat, sollen sie nun auch in Zukunft die angenommene Gabe im Lebensvollzug verwirklichen und bewahren (10,22f). Weil die Wandernden gefährdet sind, soll die Gerechtigkeitsfrucht in ihrem Lebenswandel zustande kommen (12,11–13). Konkret heißt das: Die Ehe soll ehrbar, rein und gebührlich und das Ehebett unbefleckt sein (13,4a); denn die sexuell Unzüchtigen und die Ehebrecher verfallen der eschatologischen Gerichtsstrafe Gottes (13,4b). Wie in den urchristlichen Lasterkatalogen wird den Huren und Ehebrechern, und zwar den Christen, nach einmaliger Busse und Taufe der endgültige Heilsverlust angedroht.

Auf die paränetische Tradition geht es offenbar zurück, wenn gleich anschließend die Habsucht (13,5) verurteilt wird. Das wandernde Gottesvolk soll in seiner Lebensführung frei von Gewinnsucht und Geldgier sein und sich vielmehr mit dem begnügen, was vorhanden ist. Begründet wird diese Mahnung zur Sorglosigkeit (vgl. im Neuen Testament Mt.6,34 par.; Phil.4,6; 1. Petr.5,7 u.a.) mit dem Zitat aus 5.Mos.31,6: «Denn er hat selbst gesagt: Ganz bestimmt werde ich nicht aufgeben und ganz sicher werde ich dich nicht verlassen». Die Freiheit vom irdischen Besitz ist für den Hebräerbrief trotz der hellenistisch-philosophischen Terminologie keine kynisch-stoische Tugend, sondern Vertrauen in den Gott, der den Seinen zugesagt hat, sich bis zum letzten für sie einzusetzen und ihnen zu helfen. Auf diese gewisse Zusage Gottes hin antwortet der Glaube mit Ps.118,6: «Der Herr ist mir Helfer, so werde ich keine Angst haben; was will mir ein Mensch tun?» Wie in 10,34 rechnet der Hebräerbrief wiederum mit der Konfiskation und Vermögensverlust seitens nichtchristlicher Menschen. Weil Gott der überlegene Helfer ist, kann der Böses im Schilde führende Mensch nichts ausrichten und braucht der bedrohte und leidende Christ keine Angst zu haben.

Schließlich werden die Christen nicht zum Nehmen, sondern zum Geben von materiellen Dingen aufgefordert (13,16): «Das Wohltun und Mitteilen aber vergeßt nicht, denn an solchen Opfern hat Gott Wohlgefallen.» Neben dem Lobopfer (13,15) sind Wohltätigkeit und Almosen ein Gott wohlgefälliges Opfer. Dabei ist allerdings nicht zu übersehen, daß diese Mahnung sich eingeschränkt nur auf die Brüder der Familie Gottes bezieht, Hebr.13,1–17 überhaupt nicht vom Verhalten gegenüber Nichtchristen handelt. Auch in 6,10 wird der Dienst, den die Gemeinde den Heiligen erwiesen hat und noch erweist, ausdrücklich auf die Gemeindeglieder untereinander eingeschränkt. Er ist nichts anderes als die konkrete Entfaltung der Bruderliebe von 13,1.

Auch in 12,14 wird der Horizont der Familienethik des Hebräerbriefes nicht durchbrochen: «Trachtet nach Frieden mit allen und nach der Heiligung, ohne die niemand den Herrn sehen wird». Zwar gilt es, Frieden und Heiligung nachzujagen, aber das betont hinzugefügte «mit allen» ist nicht universal im Sinne von allen Menschen zu verstehen, sondern bezieht sich wiederum nur auf alle Gemeindeglieder. Es bleibt also nach allem bisher Ausgeführten dabei: mit der dualistisch motivierten Abkehr von der Welt und der Hinwendung zur Gemeinde wird einseitig die Gemeinde unter Ausblendung der Sozialethik favorisiert. Der Dualismus Erde-Himmel reduziert die Liebe auf den Glaubensgenossen und läßt keine positive Beziehung zur Welt aufkommen. Weltentsagung ist darum das eigentliche Stichwort dieser Ethik, während man von dem Begriff Askese absehen sollte, da zum Beispiel eine Geschlechts- oder Nahrungsaskese im Hebräerbrief nicht zu entdecken ist.

9. Kapitel
Die katholischen Briefe

I. Der Jakobusbrief

1. Eine ausschließlich ethische Mahn- und Lehrschrift

Der Jakobusbrief will ein Sendschreiben an die ganze Christenheit sein. Die Adresse in 1,1 spricht betont, wenn auch seltsam für eine christliche Schrift, von den «zwölf Stämmen in der Zerstreuung». Wir haben wie in 1.Petr.1,1.17; 2,11; Apk.7,4; 14,1 traditionellen und übertragenen Sprachgebrauch vor uns, der die gesamte Christenheit undialektisch als das wahre Israel bezeichnet. Aber da dem Jakobusbrief außer dem ganz allgemeinen Präskript sämtliche Briefmerkmale fehlen (wie z.B. Briefeingang, Briefschluß und Grüße, aktuelle Veranlassung wie situationsbezogene Ausrichtung) und er sowohl der Form als auch dem Inhalt nach zur Gattung der interkonfessionellen und internationalen Paränese gehört, ist der Brief in Wirklichkeit eine ethische Mahn- und Lehrschrift, eine Didache sittlich-allgemeiner Lebensregeln für den christlichen Alltag. Das Präskript ist also die bewußt fiktive Einkleidung dieses ethischen Rundschreibens, abgefaßt von einem beamteten Lehrer (3,1).
Ohne einen wirklichen Gedankenfortschritt werden mehr oder weniger zusammenhangslos Mahnungen aneinandergereiht, die zum Teil aus thematisch gebundenen Abhandlungen (so 1,2ff; 2,1ff.14ff; 3,1ff), zumeist aber durchweg aus lose untereinander verbundenen Spruchgruppen oder nach Stichworten geordneten Einzelsprüchen bestehen.
Das in diesem ethischen Rundschreiben verarbeitete Material ist vor allem in der alttestamentlich-jüdischen Weisheit und in der Apokalyptik, aber auch in der kynisch-stoischen Popularethik beheimatet. Vermittelt werden diese Traditionen durch die hellenistische Diasporasynagoge. Daher kommt es auch, daß der Jakobusbrief in der Auslegungsgeschichte bald jüdisch-vorchristlich, bald apostolisch oder nachapostolisch eingestuft wurde.
Christliches taucht deshalb auch nur am Rande auf: Christus wird nur in 1,1; 2,1 und 5,11 erwähnt, wie ebenso die speziell christologischen Inhalte wie Inkarnation, Sühntod und Auferstehung Christi oder der christologisch ausgerichtete Glaube fehlen. Es gibt auch nur Anklänge an die Taufe (1,18.21) und an Herrenworte (1,5.17.22; 4,12; 5,12 u.a.). Aber der zentrale Abschnitt 2,14–26 ist ohne die paulinische Rechtfertigungslehre und ihre Ausstrahlung überhaupt nicht zu verstehen.
Als Verfasser wird in 1,1 «Jakobus, Sklave Gottes und des Herrn Jesu Christi» angegeben, also der Herrenbruder (Mk. 6,3), der unter den «Säulen» der aramäisch sprechenden Urgemeinde von Jerusalem neben Petrus und Johannes von Paulus an erster Stelle genannt wird (Gal.2,9; Apg.15,13ff). Er gehörte nach Gal.2,11–14 zur gesetzesstrengen Richtung der Jerusalemer Urgemeinde. Diesen berühmten Jakobus, das bekannte Haupt der gesetzesstrengen Judenchristenheit Palästinas nimmt also die

ethische Mahn- und Lehrschrift bewußt in Anspruch, da der Inhalt ihrer öffentlich und für die Christenheit allgemein vertretenen Ethik dem durchaus entspricht. Wegen dieses einseitigen, ethischen Gesetzesrigorismus hat sich dieser pseudonyme Rundbrief im Kanon nur mühsam und relativ spät einen sicheren Platz erringen können, und auch in der reformatorisch bestimmten Exegese unterliegt er bis heute wegen seiner Addition von Glaube und Werken der theologischen Sachkritik.

2. Erlösung als Befreiung zum Gesetz als Heilsweg

a) Das entscheidende Kriterium und alles überragende Regulativ christlicher Ethik ist für den Jakobusbrief das alttestamentliche Gesetz. Und da für den Verfasser alle Theologie, Christologie und Eschatologie zur Funktion der Gesetzesethik werden, gibt es außerhalb des Gesetzes und seiner tatkräftigen Erfüllung kein Heil. Das Gesetz ist für den Jakobusbrief der ausschlaggebende Heilsfaktor schlechthin. Aber hier ist zugleich eine Einschränkung zu machen. Heilsbedeutung hat für den Christen nicht mehr das alttestamentliche Kult-, sondern nur noch das Moralgesetz. Das mosaische Kultgesetz dagegen wird vom Verfasser diskussionslos verabschiedet bzw. ursprünglich kultgesetzliche Begriffe werden ganz selbstverständlich ethisch verstanden. «Naht euch Gott, so wird er sich nahen. Reinigt eure Hände, ihr Sünder, und entsühnt eure Herzen, ihr Zwiespältigen» (4,8). Ursprünglich liegt hier eine kultgesetzliche Mahnung vor: Gott nahte der Israelit im Kult (so 2.Mos.3,5; 3.Mos.21,21 u.a.) mit gereinigten Händen und durch Opfer entsühnte Herzen. Der Verfasser aber hat diese typisch kultischen Begriffe Nahen, Reinigen und Entsühnen ethisch verstanden als Aufforderung an die Sünder und Zwiespältigen zu einem radikalen ungeteilten Gehorsam gegenüber dem alttestamentlichen Moralgesetz.
Ebenso werden die ursprünglich kultgesetzlichen Termini vollkommen (1,4; 3,2), unversehrt (1,4) und rein ursprünglich im Sinn von entsühnt (3,17) jetzt vom Verfasser ethisiert und bezeichnen die ethische Vollkommenheit des Christen.
Vor allem aber aus 1,27 ergibt sich, daß für den Jakobusbrief nur noch das alttestamentliche Moralgesetz, nicht aber mehr das Kultgesetz Kriterium christlicher Ethik ist: «Ein reiner und unbefleckter Kult vor Gott dem Vater ist dieses: nach Witwen und Waisen in ihrer Trübsal zu sehen und sich selber ohne Fehl vor dem Kosmos zu bewahren». Auch hier werden wiederum ursprünglich zeremonialgesetzliche Begriffe ins Ethische umgebogen. Im Sinne der antiken Religionsausübung muß das kultische Verhalten rein, unbefleckt und ohne Fehl sein. Alles das, was die kultische Religionsausübung vor allem im alttestamentlich-jüdischen Horizont ausmacht, wird nun auf die Erfüllung gegenüber dem ethischen Gesetz über-

tragen, indem das mosaische Kultgesetz stillschweigend zurückgewiesen wird. Der reine und unbefleckte und d.h. der allein wahre Gottesdienst besteht nach dem Verfasser in einem Zweifachen. Zum einen wird Gott, der Vater, nur dann recht verehrt, wenn man sich der Witwen und Waisen als den wirklich Hilf- und Wehrlosen tatkräftig annimmt. Der Verfasser steht mit einer solchen Mahnung fest in der alttestamentlich-jüdischen Tradition. Andererseits werden die Christen aufgefordert, sich ohne «Fehl vor der argen und bösen Welt» zu bewahren. Ursprünglich meint «unbefleckt» im Kontext des mosaischen Kultgesetzes, die mosaischen Reinheitsgebote im Verkehr mit dem unreinen Kosmos, den Heiden, zu beachten. Jetzt aber wird dieser kultgesetzliche Begriff ethisiert und mit ihm die Kirche ermahnt, im Umgang mit dem Kosmos ethisch fleckenlos zu bleiben, also das alttestamentliche Moralgesetz zu halten. Damit hat sich ergeben, daß für den Jakobusbrief Kultgesetz und Kult keine Bedeutung mehr haben. Der wahre Gottesdienst besteht vielmehr in der konkreten Hilfe für die Ärmsten der Armen in der Kirche einerseits und in der ethischen Makellosigkeit der Christen im Umgang mit dem Bösen und sie gefährdenden Kosmos. Demgegenüber schärft der Verfasser in der kleinen paränetischen Abhandlung 1,21–25 ein, daß nur das Moralgesetz den Menschen im Endgericht retten kann: «...und nehmt das in euch eingepflanzte Wort mit Sanftmut an, das eure Seelen zu retten vermag. Seid aber Täter des Wortes und nicht nur Hörer, die sich selbst betrügen. Denn wenn jemand ein Hörer ist und kein Täter, der gleicht einem Mann, der sein natürliches Gesicht im Spiegel betrachtet, denn nachdem er sich betrachtet hat, geht er fort und vergißt sogleich, wie er ausgesehen hat. Wer aber in das vollkommene Gesetz der Freiheit hineinsieht und dabei verharrt, der ist nicht ein vergeßlicher Hörer, sondern ein Täter des Wortes. Dieser wird selig sein durch sein Tun.» Das in der Taufe dem Christen eingepflanzte Wort Gottes, vermag allein ihre Seelen im Endgericht zu retten. Aber dieses allein rettende Wort wird zugleich mit dem Gesetz identifiziert (1,25). Jakobus versteht das Evangelium, die mündliche Heilsbotschaft, als Gesetz und Annahme dieses Wortes heißt demnach Erfüllung des Gesetzes. Nur der Täter, nicht aber der Hörer des Wortes betrügt sich nicht (1,22). Der Makarismus gilt nur demjenigen, der beharrlich wie in einen Spiegel in das vollkommene Gesetz der Freiheit geschaut und dadurch zum Täter des Werkes geworden ist; denn allein das Werk des Gesetzes ist Kriterium im kommenden Endgericht. Das eingepflanzte, rettende Wort, das Evangelium, und das Gesetz, das den Täter des Werkes fordert, sind für Jakobus kein Gegensatz, sondern werden von ihm ausdrücklich gleichgesetzt.

Denn Jakobus bezeichnet das alttestamentliche Moralgesetz als das «Gesetz der Freiheit» (1,25; auch 2,12). Zu dieser im Neuen Testament einzigartigen Aussage gibt es weder neutestamentliche Analogien noch gar Sachparallelen. Im Gegenteil! Paulus kennt eine ganz andersartige

Verhältnisbestimmung von Gesetz und Freiheit. Nach ihm schenkt das Gesetz niemals Freiheit, vielmehr wird der Mensch, der den Heilsweg des Gesetzes zu befolgen unternimmt, gerade versklavt. Wahre Freiheit gibt es für Paulus immer nur in der eschatologischen Befreiung vom Gesetz als Heilsfaktor, niemals aber wie hier bei Jakobus durch das Gesetz als Heilsweg. Der von Jakobus ohne Einschränkungen vertretene Grundsatz, daß das Gesetz als Heilsweg freimacht, geht vielmehr auf außerchristliche, nämlich hellenistische und jüdische Vorbilder zurück. Sowohl in der heidnisch-hellenistischen als auch in der jüdischen Religion ist das ganz selbstverständliche Bekenntnis zu Hause, daß gerade das Gesetz und seine Erfüllung den Menschen freimacht, so daß er im Gericht bestehen kann. So lehrte vor allem die Stoa (Seneca und Epiktet), daß die Befolgung des Gesetzes = Weltgesetz, das der alles regierenden Weltvernunft entspricht, den Weisen die innere Freiheit bringt. Für den Juden Philo von Alexandrien sind alle Menschen, die nach dem Mosegesetz leben frei von allen Affekten (quod omnis probus liber sit § 7). Und 4.Makk.14,2 überträgt die Freiheit des Weisen auf die Märtyrer, die dem Mosegesetz gehorchen. Ähnlich heißt es in den Sprüchen der Väter 6,2 wo 2.Mos.32,16 ausgelegt wird, daß wirkliche Freiheit nur die Tora gewährt. Alle diese Parallelen aus der Umwelt des Jakobus zeigen, daß das Gesetz den Menschen gerade nicht versklavt, sondern ihn frei macht, indem er zum Täter des Gesetzeswerkes wird. Wer so zum «Täter des Werkes» wird, «dieser wird selig sein in seinem Tun» (1,25), d.h. er wird im Endgericht als gerechte Vergeltung das ewige Leben empfangen. Weiter kennzeichnet der Verfasser «das Gesetz der Freiheit» als «vollkommen» (1,25). «Vollkommen» meint hier nicht griechisch die höchste Rangstufe, sondern alttestamentlich-jüdisch das ganze Gesetz im Unterschied zu den Einzelgeboten, wie 2,10f bestätigt: «Denn wer das ganze Gesetz hält, aber ein Gebot übertritt, der ist an allen Geboten schuldig geworden. Denn der da gesagt hat: «Du sollst nicht ehebrechen», hat auch gesagt: «Du sollst nicht töten.» Wenn du aber nicht ehebrichst, aber tötest, so bist du ein Übertreter des Gesetzes geworden». Selbstredend versteht Jakobus – wie wir bereits gesehen haben – unter dem «ganzen Gesetz» nur das alttestamentliche Moralgesetz unter diskussionslosem Ausschluß des Ritualgesetzes. Aber dieses bleibt für ihn selbstverständlich der Heilsweg schlechthin und ist ohne Abstriche vom Christen zu halten. Wer nun eines dieser ethischen Gebote übertritt, ist gegenüber dem ganzen Gesetz schuldig geworden; denn Gott hat nicht nur das fünfte und sechste, sondern alle Dekaloggebote den Christen als verpflichtende Norm und unteilbares Ganzes seiner Lebensführung gegeben. Nur in dieser untrennbaren Ganzheit ist das alttestamentliche Moralgesetz «das vollkommene Gesetz der Freiheit», das die Kirche wirklich frei macht. Jakobus weist den Christen mit eschatologischer Konsequenz in die Welt des Gesetzes ein und fordert den gesetzlichen Radikalismus und die gesetzliche Vollkommenheit.

Schließlich wird die göttliche Autorität des Gesetzes durch das Wort «königlich» unüberhörbar herausgestellt: «Wenn ihr jedoch das königliche Gesetz erfüllt gemäß der Schrift: ‹Du sollst deinen Nächsten lieben wie dich selbst›, tut ihr gut» (2,8). «Königlich» ist hier Ehrenprädikat Gottes als des Königs des eschatologischen Reiches (Esr.8,24; 2.Makk. 3,13), auf den das alttestamentliche Moralgesetz zurückgeht. Weil der Dekalog als das ethische Gesetz göttliche Autorität besitzt und göttlichen Ursprungs ist, darf es niemals von dem Christen kritisiert werden: «Verleumdet einander nicht, Brüder. Wer einen Bruder verleumdet oder einen Bruder richtet, der verleumdet das Gesetz und richtet das Gesetz. Wenn du aber das Gesetz richtest, bist du nicht ein Täter des Gesetzes, sondern ein Richter. Einer aber ist Gesetzgeber und Richter, der retten und verdammen kann» (4,11f). Wer seinen Bruder also verurteilt und verleumdet, der richtet zugleich das ihn bestimmende Moralgesetz Gottes, der von seinen Geschöpfen nicht Verleumdung und Richten des Nächsten, sondern Liebe fordert. Der Christ aber darf nicht das göttliche Moralgesetz richten, sondern er muß es erfüllen als Täter des Gesetzes. Nur Gott allein ist der Gesetzgeber und eschatologische Richter, der nach demselben Gesetz am Jüngsten Tage den Menschen richten wird. Dieses Endgericht aber darf kein Mensch durch sein vermeintliches Richten eigenmächtig vorwegnehmen. Das Heil im Endgericht hängt allein von der Erfüllung des Gesetzes ab: «Redet und handelt als solche, die durch das Gesetz der Freiheit gerichtet werden sollen. Denn ein unbarmherziges Gericht ergeht über den, der nicht Barmherzigkeit geübt hat. Es rühmt sich aber die Barmherzigkeit des Gerichts» (2,12f). Nur wer die ethischen Gebote des Alten Testamentes erfüllt, den macht das Gesetz der Freiheit wirklich frei, so daß er unbeschwert in das Endgericht Gottes gehen kann. Denn das Gesetz, das der Christ hier auf Erden gehorsam erfüllt, ist dasselbe, das ihn am Jüngsten Tag richten und retten wird (1,21). Wiederum wird die uneingeschränkte Geltung des Moralgesetzes von Jakobus verkündet: Einziges Kriterium und alleinige Norm im Endgericht ist das Gesetz. Erlösung ist für den Verfasser deshalb nur Befreiung zum und niemals vom Gesetz als Heilsweg.

Dieses «königliche», «ganze» und «vollkommene» Gesetz der Freiheit bestimmt das gesamte Verkündigung und Lehre des Jakobus, so daß Theologie, Christologie und Eschatologie folgerichtig zur Funktion des ethischen Gesetzes des Alten Testamentes werden und nicht umgekehrt. Das Evangelium wird zum Gesetz, das nicht nur Norm der Ethik, sondern zugleich Kriterium im Endgericht ist.

Aber neben den direkt zitierten Dekaloggeboten in 2,8 und 11 und dem schon besprochenen Abraham- und Rahab-Beispiel in 2,21. 23.25 als Begründung für geforderte Werkgerechtigkeit werden vom Verfasser überhaupt alttestamentliche Schriftworte als Maßstab christlicher Lebensführung herangezogen, ohne diese ausdrücklich als solche hervorzuheben.

So werden der Reichtum und die Reichen unter Anlehnung an Jes.40,6ff wie die Blume des Grases vergehen und der irdischen Vergänglichkeit anheimfallen (1,9–1). In 1,12 wird dem Christen, der der Versuchung standhält mit Wendungen aus Dan.12,12, das Heil des ewigen Lebens zugesprochen. Mit Hilfe von 1.Mos.1,27 wird in 3,9 die Schöpfung des Menschen «nach Gottes Ebenbild» gepriesen, der nicht vom Menschen verflucht werden darf. Vor Hochmut wird in 4,6 mit der allerdings unbestimmten Einleitung des Schriftzitates aus Hi.22,29 gewarnt. In 5,4f werden wiederum die Reichen vor Ausbeutung der Armen gewarnt, wobei auf Wendungen aus Jes.5,9 und Jer.12,3 zurückgegriffen wird. Die Mahnung zu Ausdauer im Leiden und der Geduld im Warten wird mit Worten aus Dan.12,12 untermauert und die Schlußbehauptung des ganzen Briefes, daß gute Werke sündentilgende Kraft haben (5,20), wird mit Spr. 10,12 begründet. In einem Fall (4,5) wird vermeintlich die alttestamentliche Schrift zitiert, ohne daß dieses Zitat im Alten Testament zu finden ist. Wahrscheinlich hat Jakobus dieses Zitat: «Eifersüchtig verlangt er (= Gott) nach dem Geist, den er in uns wohnen ließ» der paränetischen Tradition des hellenistischen Judenchristentums entnommen mit dem Sinn, daß Gott den von ihm geschaffenen Menschen nicht an die feindliche und böse Welt ausliefern will (so 4,4).

Alle diese Beispiele zeigen, daß für den Verfasser nicht nur das alttestamentliche Moralgesetz und die von ihm zitierten Dekaloggebote Kriterium christlicher Lebensführung sind, sondern ebenso Wendungen und Sätze des Alten Testamentes, die aber von ihm nicht ausdrücklich als Zitate kenntlich gemacht werden.

Schließlich ist – wenn auch mit Vorbehalt – darauf hinzuweisen, daß die zahlreichen Anklänge an Herrenworte der synoptischen Evangelien (vgl. z.B.1,5.17 = Mt.7,7ff; 1,22 = Mt.7,24ff; 4,12 = Mt.7,1; 5,12 = Mt.7,37) nahelegen, daß auch Worte Jesu Maßstab seiner Ethik sind. Mag auch bei den gerade genannten Berührungen mit Jesusworten manches unsicher bleiben, da der Verfasser sie ja niemals mit einer Zitationsformel versehen hat, das radikale Schwurverbot in Jak. 5,12 dürfte nicht nur eindeutig auf das Wort des Nazareners zurückgehen, sondern gegenüber Mt.5,37 die älteste Fassung repräsentieren: «Vor allem aber, meine Brüder, schwört nicht, weder beim Himmel noch bei der Erde, noch irgendeinen anderen Eid. Vielmehr sei euer Ja ein Ja und das Nein ein Nein, damit ihr nicht unter das Gericht fällt.» Wie Jesus verbietet Jakobus gemäß seines moralischen Radikalismus jegliches Schwören und läßt weder die Matthäus abschwächenden Beteuerungsformeln noch wie das Judentum Ersatzeide zu. Damit wird das alttestamentliche Moralgesetz in Gestalt des achten Dekaloggebotes verschärft und die absolute Wahrhaftigkeit von allen Christen gefordert. Der Hinweis auf das kommende Endgericht Gottes begründet diese radikale Warnung.

b) Weil die Heilsnotwendigkeit des alttestamentlichen Moralgesetzes für den Verfasser außer jeder Diskussion steht, deshalb fordert er nicht nur eine allgemeine praktische Frömmigkeit, sondern pointiert die allein seligmachende Erfüllung des Gesetzes (1,13ff.22ff.26). Vor allem ist diesem Programm die berühmteste, aber auch seit der Reformation umstrittenste Abhandlung über das Verhältnis von Glaube und Werken 2,14–26 gewidmet, die die zentrierende Mitte, das Kern- und Herzstück des ganzen Jakobusbriefes bildet. In diesem Abschnitt, kommt die polemische Spitzenthese mit bisher unerhörter Wucht zum Vorschein: Der Mensch wird nur aufgrund von Werken und niemals aufgrund des Glaubens gerechtfertigt. In einmaliger Klarheit und ohne daß das Heilswerk Christi, der Heilige Geist, die Taufe oder der Glaube als Grund der Werke und d.h. der Ethik genannt werden, wird immer wieder behauptet: Der Fromme muß Werke tun und aufweisen können, wenn seine Seele im Endgericht gerettet werden soll. Hier kommt es an den Tag, daß Jakobus keineswegs nur Ethik vorträgt und von einer eigentlichen Theologie und einheitlichen Dogmatik nichts mehr weiß. Im Gegenteil: Gerade in dieser allgemein-grundsätzlichen Paränese 2,14–26 wird vom Verfasser bewußt und unter Absehung von irgendwelchen Gemeindeproblemen die generell und für die ganze Christenheit gültige Ethik vertreten. Rechtfertigung im göttlichen Endgericht bewirken allein die Werke, niemals aber tut dies der Glaube.

Gleich 2,14 betont, daß der Glaube keine eschatologische Relevanz besitzt. Ein Glaube ohne Werke ist im Endgericht ohne Nutzen und vermag niemals vor dem richtenden Gott zu retten. Auch eine Hinwendung zum Nächsten in seiner konkreten Not ist ohne Werke soteriologisch nutzlos und eschatologisch ohne Effekt (2,15f). Dieser Glaube ist tot (2,17). Mit nicht mehr zu überbietender Härte wird dem Glauben der himmlische «Nutzen» bestritten. Alleinige Bedeutung für die Erlangung des Heils vor Gott und d.h. im Endgericht haben allein die Werke, nicht aber der Glaube. «Glaube ohne Werke gibt es nicht, wohl aber Glaube aus Werken: Zeige mir deinen Glauben ohne die Werke, und ich will dir aus meinen Werken den Glauben zeigen.» (2,18). Glaube und Werke sind für den Verfasser keineswegs gleichwertig. Nur Werke beweisen, daß einer Glauben hat. Nicht aber gilt der umgekehrte Rückschluß vom Glauben auf die Werke (2,18). Ein bloßer und unsichtbarer Glaube – als Beispiel fungiert hier das monotheistische Glaubensbekenntnis Israels zum einen Gott – ist nach 2,19 ein Teufelsglaube; denn auch die Dämonen glauben das und werden «zitternd» im Endgericht verdammt werden. Ohne Werke ist der Glaube «nutzlos» (2,20), d.h. er vermag nicht, wie in 2,14.16.17 immer wieder betont wird, vor dem göttlichen Gericht das Endheil zu bewirken, er vermag nicht zu rechtfertigen. Er ist wie der Glaube der Dämonen heillos!

Das Abraham-Beispiel 2,21–23 beweist für Jakobus und gegen Paulus: Abraham wurde nur aufgrund von Werken gerechtfertigt. Jakobus steht

insofern in der jüdischen Auslegungstradition, als schon das Judentum im Glauben Abrahams ein frommes Werk sah (1.Mos.15,6). Weil Abraham nicht einmal davor zurückschreckte, seinen eigenen Sohn zu opfern (1.Mos.22,9ff), wurde ihm dieses sein außergewöhnliches Werk zum Grund seiner eigenen Rechtfertigung. Die Opferung Isaaks begründet ausdrücklich in 2,21 die Rechtfertigung Abrahams aus Werken. Nur dieses Zusammenwirken, der Synergismus des Glaubens mit seinen Werken (2,22), vermag die Rechtfertigung zu wirken. 2,24 zieht das Fazit und ist das Gegenstück zur paulinischen Losung in Röm. 3,28: «Ihr seht, daß der Mensch aus Werken gerechtfertigt wird und nicht allein aus Glauben.» Die Werke des Gesetzes sind Heilsfaktor und die paulinische Rechtfertigung sola fide sine lege = allein aus Glaube ohne Werke des Gesetzes wird uneingeschränkt als irrig zurückgewiesen.
Auch das zweite alttestamentliche Beispiel der Hure Rahab beweist, daß allein die Werke vor Gott rechtfertigen (2,25). Ihr Verdienst war nicht der Glaube, sondern daß «sie die Boten aufnahm und auf einem anderen Weg herausließ» (2,25). Das alles wird in 2,26 noch einmal zusammengefaßt: Der Glaube ist ohne Gesetzeswerke ein Leichnam, nur die im ungeteilten Gehorsam erfüllten Gesetzeswerke machen aus dem Leichnam einen lebenden Menschen.
Unbestritten ist, daß diese unerhörte Polemik des Jakobus nur gegen die paulinische Losung «allein der Glaube rechtfertigt vor Gott und nicht die Werke», wenn auch in einer gnostischen Pervertierung, gerichtet sein kann. Auch wenn Jakobus die paulinische Verkündigung nur noch in abgegriffenen Formeln und in ihrer eigentlichen Intention überhaupt nicht mehr verstanden hat, trifft er faktisch mit seiner ganzen Argumentation auch und gerade Paulus mit seiner Rechtfertigungsbotschaft. Zwischen Paulus und Jakobus gibt es darum nur die Alternative, die weder einzuebnen noch sachlich überbrückbar ist. Jakobus vertritt also mit grundsätzlicher und einheitlicher Konsequenz eine gesetzliche Theologie und Ethik, wenn das alttestamentliche Moralgesetz wiederum der Heilsweg ist, die Erfüllung der Heilswerke alleinige Bedingung des Endheils sind und die Rechtfertigung des Frommen aufgrund von Werken letztlich zu Werkgerechtigkeit, Leistungsfrömmigkeit und Verdienst führt.
Natürlich weiß auch Jakobus mit der ganzen religiösen Antike, daß selbst der Fromme und wirklich Gutwillige (1,10!) nicht immer dem Gesetz Genüge tut und tun kann. Die Gemeinde ist in mancherlei Anfechtungen und Versuchungen geraten (1,2), und «in Vielem verfehlen wir uns alle» (3,2). Gerade demjenigen, der der Versuchung standhält, gilt aber die Seligpreisung (1,12). Wie hier, so vertritt auch Jakobus keinen ethischen Perfektionismus, denn nach 5,16 wird die Gemeinde ausdrücklich aufgefordert, «einander die Sünden zu bekennen». Aber es ist gewiß, daß verdienstliche Werke die eigenen Verfehlungen kompensieren (vgl. Sir. 3,30; 1.Petr.4,8; 2.Clem.16,4): «Meine Brüder, wenn einer unter euch

von der Mehrheit abgeirrt ist und jemand ihn zur Umkehr bringt, so soll er wissen: Wer einen Sünder von seinem Irrweg zur Umkehr gebracht hat, wird seine eigene Seele vom Tode erretten und eine Menge Sünden zudecken» (5,19f). Unter Aufnahme von Spr. 10,12 und in Parallele zu 1.Petr.4,8 wird auch hier dem frommen Werken sündentilgende Kraft zugeschrieben. Wie im Judentum herrscht hier das strenge ius talionis, die gerechte Vergeltung: Gesetzesübertretungen können nur durch besondere Gesetzesleistungen kompensiert werden, wie umgekehrt Gesetzeswerke im Endgericht von Gott vergolten werden (vgl. 2,13; auch 4,6).
Und auch die Imitatio- bzw. Exemplumethik fehlt nicht im Jakobusbrief. Abraham wird – wie wir schon gesehen haben – zum nachzuahmenden Vorbild für die Rechtfertigung aus Werken, im Gegensatz zu Paulus, der im glaubenden Abraham die Rechtfertigung des Gottlosen abgebildet sah (2,22ff). Auch die Hure Rahab (2,25) ist allein aufgrund ihrer Werke gerechtfertigt worden, so sie ebenfalls wie Abraham zum nachzuahmenden Beispiel für die Gesetzesgerechtigkeit geworden ist. Die Anführung dieser beiden alttestamentlichen Beispiele findet sich bezeichnenderweise nur noch in Hebr.11 und 1.Clem.10 und 12.
Vor allem bietet Kapitel 5 noch drei weitere alttestamentliche Vorbilder für die Gemeinde: So werden die Propheten ausdrücklich in 5,10 «als Beispiel der Ausdauer im Leiden und der Geduld in Worten» genannt. 5,11 weist auf das nachzueifernde Vorbild der Standhaftigkeit Hiobs hin (5,17) und 5,17 wird zur Nachahmung des inständigen und wirkungskräftigen Gebetes des Elia empfohlen.
In dieser langen Reihe der nachzuahmenden Beispiele und Vorbilder der Imitatioethik wird Jesus als Vorbild im Jakobusbrief allerdings nicht erwähnt. Wenn aber Jakobus eine solche gesetzlich ausgerichtete Mimesisethik vertritt, die Einheit von Evangelium und Gesetz selbstverständlich ist und das alttestamentliche Moralgesetz wie die zu erfüllenden Gesetzeswerke heilsnotwendig sind, so nimmt es nicht wunder, daß auch der Glaube nur noch eine den Werken gegenüber völlig untergeordnete Bedeutung besitzt (2,14–26). Der Glaube, der in sich zwar verschiedene traditionelle Motive unreflektiert nebeneinander vereint, (vgl. nur 1,6; 2,1.19; 5,15) kann schon deshalb nicht die Voraussetzung oder gar Begründung für die Werke sein, weil er als ein bloßes Fürwahrhalten (2,19) völlig entlarvt ist. Natürlich teilt der Verfasser das Glaubensverständnis seiner Gemeinde, aber andererseits unternimmt er auch nirgends den Versuch, dieses zu kritisieren und gegen ein eschatologisches Verständnis einzutauschen. Deshalb kennt der Verfasser auch nirgends eine Antithese, sondern nur Synthese von Glauben und Werken, wobei faktisch die Werke, die ja das Sein des Menschen konstituieren, dem Glauben vor- und übergeordnet werden. Folgerichtig entspricht der Rechtfertigung des Frommen aufgrund von Werken die ethische bzw. moralgesetzliche Bedeutung von «gerecht» (5,6.16) bzw. «Gerechtigkeit» (2,23;

3,17f) als Rechtschaffenheit, während die Ungerechtigkeit bzw. die «Welt der Ungerechtigkeit» die Welt der Sünden bezeichnet (3,6). Gutes tun (2,8) meint das Gesetz erfüllen. Dementsprechend ist eine «gute Lebensführung» an den Werken erkennbar und darüber hinaus Ausweis der Weisheit (3,13). Auch der Begriff «vollkommen» hat rein ethische Bedeutung, wenn das vollkommene Werk gefordert wird, und die Gemeinde zur Vollkommenheit ermahnt wird (1,4). Deshalb ist ein Mensch dann vollkommen, wenn er sich nicht verfehlt (3,2) und d.h. kein Übertreter des Gesetzes ist (2,9 und 11).

Die Sünde besteht aufweisbar in der Verletzung der Normen des Moralgesetzes (2,9) und ist der Gegensatz zum Gutes tun (4,17). Die Sünden sind darum einzelne Tatsünden und identisch mit den Lastern (5,15.16.20). Von der Sünde als Sündenmacht, die alle Menschen ohne Ausnahme hoffnungslos versklavt, spricht der Jakobusbrief nicht mehr. Da eine grundsätzliche Bestreitung der Gesetzeswerke als Heilsbedingung nicht stattfindet, wohl aber deren Nichterfüllung kritisiert wird, müssen die Sünden vergeben werden (5,15). Die Sündenvergebung, nicht aber die Entmachtung der Sünde, tritt in den Vordergrund.

c) Angesichts dieses nicht zu leugenden Übergewichtes von Gesetz, Werken und Verdienstdenken, überrascht es nicht, daß die Heilszusage des Indikativs zwar nicht völlig verschwindet, aber als Begründung der Ethik ganz in den Hintergrund tritt. Der Verfasser weiß zwar durchaus, daß Gott die Christen erwählt hat (2,5) und allen Christen «ohne Vorbehalt und Vorhalt» (1,5) gibt, und daß sie darum wirkliche Empfangende sind (1,17). Gott gibt den Seinen Gnade (4,6: hier zweimal) und Sündenvergebung (5,15). Die Christen wissen, daß der Herr «voller Erbarmen und Mitleid» ist (5,11). Auch auf die Taufe wird mehrmals angespielt (1,21), wenn nach 1,18 Gott die Getauften durch das «Wort der Wahrheit» wiedergeboren hat, so daß sie jetzt nach seinem Willen neue Geschöpfe sind. Der Name Jesus Christus ist bei der Taufe über sie ausgerufen worden (2,7), so daß sie von nun an nur noch ihrem Herrn gehören. Vor allem die himmlische und nicht irdische, dämonische Weisheit, die «von oben» kommt (3,15ff) erweist sich in einer guten und d.h. dem Willen Gottes verantwortlichen Lebensführung in Werken des Gesetzes (3,13). Während die dämonische und irdische durch Übertretung des Gesetzes charakterisiert wird, wie Eifersucht, Streitsucht und Unordnung und «alles schlechte Handeln» (3,16), wird die himmlische und göttliche Weisheit durch Erfüllung des Gesetzes charakterisiert: sie ist lauter, friedfertig, gütig, nachgiebig, barmherzig, ohne Heuchelei und voller «guter Früchte» = guter Werke (3,17).

Überblickt man dieses Material, dann muß mit Nachdruck festgestellt werden, daß auch der Jakobusbrief durchaus indikativische Stoffe kennt, er also nicht nur den Imperativ, sondern auch den Heilsindikativ zur Anwendung bringt. Aber die Indikative werden nicht ausdrücklich als

Begründung des Imperativs herangezogen, sondern stehen unverbunden nebeneinander. Von einem wirklichen Grund-Folgeverhältnis kann deshalb keine Rede sein. Naturlich stellt Jakobus nicht den Indikativ der Heilsgabe Gottes in Abrede, aber Gnade und Erwählung, Christusgeschehen, Taufe und Sündenvergebung werden zur Funktion des Gesetzes gemacht. Die Heilstat wird nun durch unsere Gesetzeserfüllung weitergeführt. Weil der Indikativ wiederum auf den Heilsweg des Gesetzes führt und die Werke Heilsfaktor sind, wird der Indikativ in den Imperativ letztlich integriert.

Und noch ein letztes: Weil die Werke alleiniges Kriterium des Endgerichtes Gottes sind, wird ausnahmsweise die eschatologische Erwartung als die einzige Basis und das einzig beherrschende Motiv der Ethik zum Ansatz gebracht. Weil die Christen dem Endgericht entgegengehen, hängt ihre Rettung vom rechten Lebenswandel ab; denn am Jüngsten Tage (2,12) ist das «Gesetz der Freiheit» der Richter, und nur wenn der Mensch es erfüllt, macht es ihn frei, so daß er ohne Angst in das Gericht gehen kann. Auch in 2,13 motiviert das kommende Gericht das irdische Verhalten der Christen. Vor allem ist in 5,7.9 und 12 das definitive Gerichtsurteil Gottes das wirksamste Motiv der Paränese: Die Kraft zur Ausdauer im Warten gewinnen die Christen nach 5,7 aus der kommenden Parusie Christi, die für sie – weil nach den Werken gerichtet wird – Heil und Gericht in einem ist. Weil «der Richter vor der Tür steht» (5,9), und d.h. die endgültige Parusie ihres Herrn unmittelbar bevorsteht, werden sie ermahnt, nicht gegeneinander zu «seufzen». «Seufzen» meint hier wohl das gegenseitige Beschuldigen, das – so die ausdrückliche Warnung in 5,9b – das Gericht über sie im nahe Ende zur Folge haben wird. Auch in 5,12 wird das absolute Schwurverbot mit der Warnung von dem Gericht begründet. Wer nicht in seinem Verhalten zum Mitbruder sich der unbedingten Wahrhaftigkeit befleißigt, der fällt bei der Parusie Christi unter das Gericht. Wer allerdings Gottes Forderung im Moralgesetz erfüllt und d.h. allen Schmutz und die Fülle der Bosheit «ablegt» (1,21), der wird vom «eingepflanzten Wort» als dem «vollkommenen Gesetz der Freiheit» am Jüngsten Tag gerettet werden (1,21): die Erfüllung der Gebote ist die Bedingung für die endzeitliche Rettung der Seelen. Wer sich vor Gott erniedrigt und seinen Willen tut, den wird Gott im Endgericht «erhöhen» und d.h. das ewige Leben schenken. Weil Gott als Gesetzgeber am Jüngsten Tage retten und verdammen kann (4,12), also Heil und Unheil vom Tun des Menschen abhängig sind, motiviert die eschatologische Erwartung den Lebenswandel der Christen.

3. Die Ethik der Weltenthaltung und Weltverneinung

a) Diese radikale und optimistische Ethik der Gesetzeswerke und eines verantwortlichen Lebenswandels steht nun aber unter dem Vorzeichen des hellenistisch-räumlichen Dualismus Erde-Himmel. Allerdings ist er seiner sprachlichen Entfaltung nach abgeschwächter und unspekulativer als im Hebräer- oder 1. Petrusbrief und wird ausschließlich im ethischen Horizont interpretiert. Die Kirche lebt nach 1,1 «in der Diaspora». Der Ausdruck ist wie in 1.Petr.1,1 übertragen zu verstehen und umschreibt die Distanz zur Welt. Ihre Glieder sind Fremdlinge hier unten auf Erden, weil ihre wahre Heimat oben im Himmel liegt. Der Dualismus oben-unten steht auch hinter der Aussage von 1,17: Der «Vater der Lichter» lebt in der jenseitigen unveränderlichen Himmelswelt, während die diesseitige Erdenwelt veränderlich und finster ist. Nach 3,13ff gilt es, der himmlischen, von oben stammenden Weisheit nachzueifern, deren Werke «lauter, bereit zum Frieden, gütig, nachgiebig, voller Erbarmen und guter Früchte, ohne Zweifel und ohne Heuchelei» sind, während die «irdische, psychische und dämonische Weisheit» die Seelen der Frommen in «Eifersucht und Streitsucht», in «Unordnung» und «alles Schlechte tun» stürzt. Weil die Kirche in der veränderlichen, finsteren und schmutzigen Erdenwelt (1,21) lebt, wird sie vom Jakobusbrief aufgefordert, sich von ihr abzuschließen: «Ihr Ehebrecher, wißt ihr nicht, daß die Liebe zur Welt Feindschaft gegen Gott bedeutet? Wer also ein Freund der Welt sein will, der erweist sich damit als ein Feind Gottes» (4,4). Der Christ hat sich vielmehr auf seiner irdischen Wanderschaft «überhaupt vor dem Kosmos unbefleckt zu bewahren» (1,27). Nur wenn er diese Weltenthaltung übt und sich gleichzeitig um die Witwen und Waisen bemüht, vollzieht er «einen reinen und unbefleckten Gottesdienst vor Gott, dem Vater» (1,27). Auch 1,21 fordert das Ablegen «allen Schmutzes und der mannigfaltigen Bosheit». Kirche ist nach dem Jakobusbrief demnach die aus der gottfeindlichen Erdenwelt ausgegrenzte Gemeinschaft.

Dieser Sicht der Kirche in radikaler Distanz zur schmutzigen, finsteren und vergänglichen Erdenwelt und ihrem Trachten nach der oberen und jenseitigen Licht- und Herrlichkeitswelt entspricht folgerichtig die hellenistische Anthropologie, die der Verfasser zwar nicht explizit entfaltet, aber nichtsdestoweniger wie schon der 1. Petrusbrief voraussetzt. Im Leibe herrschen die «Lüste», die in euren Gliedern streiten» (4,1) und die «sündhaften und den Tod bringenden Begierden» (1,14f), die gegen die Seelen gerichtet sind. Dabei ist die Zunge von allen unseren Gliedern der «Inbegriff der Ungerechtigkeit», die «den ganzen Leib beschmutzt und das Rad des Lebens in Brand setzt, und von der Hölle selbst in Brand gesteckt wird» (3,6ff). In der Zunge kulminieren also nach Jakobus die Dämonien der schmutzigen und höllischen Glieder des Leibes. Wie Hebr. 10,37ff, Lk.21,19 und 1.Petr.1,9, so spricht auch der Jakobusbrief in 1,21 und 5,20 von der «Rettung der Seelen» im Endgericht Gottes. Auch Jakobus setzt damit das räumlich-dualistische Dogma von der Weltverneinung und damit im Gefolge die Unsterblichkeit der Seele voraus. Der

Leib ist ohne den Geist (= Seele) nach 2,26 «ein Leichnam» und völlig «beschmutzt» (3,6). Allein die Seele als das höhere, geistige und eigentliche Ich des Menschen ist unvergänglich und wird von Gott am Jüngsten Tage im Gericht gerettet werden. Der niedere, schmutzige und von Dämonen beherrschte Leib dagegen mit seinen sündhaften Begierden und sinnlichen Lüsten bleibt ausgeschlossen. Die Seelen der Frommen sind also nach dem Verfasser weder im eigenen Leib noch in der unteren Erdenwelt zu Hause, weil beide vergänglich und dämonisch sind. Ihre wahre Heimat liegt vielmehr in der oberen, himmlischen Lichtwelt und ihr eigentliches Erlösungsziel ist deshalb die «Rettung der Seelen» sowohl aus dem gottfeindlichen Kosmos als auch aus dem dämonischen und schmutzigen Leichnam.

Dieser hellenistisch-räumliche Dualismus Erde-Himmel hat nun auch grundsätzlich die Eschatologie des Jakobusbriefes überfremdet. Weder spricht der Verfasser von der Auferstehung des Leibes noch von der Neuschöpfung bei der Parusie Christi. Vielmehr wird sie mit dem Topos von der «Rettung der Seelen» individual- und nicht mehr universalgeschichtlich akzentuiert. Nur die reine Seele des das vollkommene Gesetz der Freiheit erfüllenden Frommen, nicht aber die schmutzigen, dämonischen und todbringenden Glieder sind das Ziel des göttlichen Heilshandelns.

Dem entspricht nicht zuletzt die Tatsache, daß an mehreren Stellen von der urchristlichen Eschatologie und sogar von der apokalyptischen Naherwartung des Kyrios und seines Gerichtes gesprochen wird (1,12; 2,13; 3,1; 5,3.7ff). Nach 1,9–11 erwartet Jakobus mit der jüdischen Apokalyptik (vgl. syr.Bar.52,66ff; 83,12) die apokalyptische Weltverwandlung, in der mit der Umwertung aller Werte auch der Untergang der Reichen verkündet wird. Der Verfasser ist zwar mit der urchristlichen Apokalyptik vertraut, weist ihr aber eine eindeutige Funktion im Rahmen seiner Paränese zu: Sie steht im Dienst der Gesetzesethik und ist ausschließlich Stimulans für die Erfüllung des Gesetzes der Freiheit. Wie alle anderen theologischen Inhalte, so wird auch die eschatologische Erwartung zum Bestandteil von Ethik und Gesetzesfrömmigkeit. Im übrigen zeigt der Passus 5,7–11 mit dem wiederholten Stichwort der Geduld, daß die Parusie letztlich doch in weitere Ferne gerückt ist und damit «Geduld und Warten» und «Ausdauer» (5,10) vom Christen als Tugenden eingeübt werden müssen.

b) Dieser grundsätzlich dualistische Vorbehalt der Weltenthaltung und Weltverneinung hat in der Auslegungsgeschichte mit Recht dazu geführt, das Ethos des Jakobusbriefes als Konventikelethik zu bezeichnen. Von einer aktiven Mission, Missionsarbeit oder gar Weltmission ist dementsprechend keine Rede mehr. Nicht ohne Grund fehlen deshalb auch die Haustafeln mit ihrer sozialethischen Stellungnahme zu Familie, Ehe, Staat und institutioneller Sklaverei. Dem Rückgang aus der vergänglichen, finsteren und schmutzig-bösen Welt entspricht nun positiv die Liebe, die allerdings allein den Brüdern, den «geliebten Brüdern» (1,16.19; 2,5), den Armen (1,9ff; 2,1ff; 5,1ff), den Witwen und Waisen (1,27) den nackten und hungrigen Brüdern und Schwestern (2,15) in der Gemeinde und den irrenden Brüdern (5,19ff; auch 3,13ff; 4,1f.11f) gilt. Jakobus ruft zwar zur sozialen, tatkräftigen Fürsorge für die Bedürftigen und Schwachen und zur Kritik an den Reichen und Geschäftemachern auf, aber er verläßt damit keineswegs den Bereich der aus dem Kosmos sich abschließenden Gemeinde und der sich von der schmutzigen Welt und dem von höllischen Begierden beherrschten Leib distanzierenden Seelen. Der Verfasser fordert deshalb auch niemals zur Nächsten- oder gar Feindesliebe auf.

Gewiß predigt dieser Amtsträger keine asketische Weltflucht, aber die Feindschaft gegenüber dem bösen Kosmos wie der geforderte Rückzug aus der Welt und die ausschließliche Hinwendung zu den Bedrückten, Schwachen und Armen in der Gemeinde als Gottesdienst lassen an der konventikelhaften Beschränkung auf die Kirche keinen Zweifel. Jedes sozialreformerische Pathos ist dem Verfasser genauso fremd, wie ein Programm zur Veränderung der Verhältnisse nicht vorgetragen wird. Das Interesse des Jakobus kreist ausschließlich um die Gemeinde, um ihre Bewahrung und vor allem ihre Errettung im Endgericht Gottes, so daß die Ethik als Bewährungsethik Bedingung für den Empfang des ewigen Lebens ist. Nicht die Rettung der Welt, sondern die Bewahrung der Gemeinde und das ewige Heil der Seelen ist das erklärte Ziel des Jakobus. Dieser dualistische Grundzug erklärt auch nicht zuletzt die in der Auslegung schon oft beobachtete Verwandtschaft mit dem jüdischen Theologen Philo von Alexandrien, ohne daß freilich direkte literarische Abhängigkeit postuliert zu werden braucht.

Nicht zuletzt ist dieser Dualismus Erde-Himmel bei der rigorosen Kritik gerade des Verfassers an dem unsozialen Verhalten der Reichen nicht außer acht zu lassen: «Es rühme sich aber der Bruder, der niedrig ist, seiner Höhe, der Reiche aber seiner Niedrigkeit, denn ‹wie eine Blume des Grases› wird er vergehen. Denn die Sonne ist zusammen mit der Hitze aufgegangen und ‹hat das Gras ausgetrocknet; seine Blume ist abgefallen›, und die Schönheit ihres Aussehens ist weg. So wird auch der Reiche mit allen seinen Unternehmungen verwelken» (1,9–11). Während der niedrige und arme Bruder sich vor Gott seiner Höhe rühmen soll, wird der Reiche in der Gemeinde gewarnt, seine Hoffnung nicht auf den vergänglichen Reichtum zu setzen, denn der Reiche wird wie die Blume des Feldes vergehen und verwelken. Im Blickpunkt dieser apokalyptisch motivierten Warnung steht nicht die Feststellung der irdischen Vergänglichkeit des Menschen wie der von ihm aufgehäuften Reichtümer, sondern die bei der Parusie Christi zu erwartende Umwertung aller irdischen Verhältnisse. Dann wird der Reiche mitsamt seinen Besitztümern unterge-

hen, während der Arme von Gott erhöht, d.h. mit dem ewigen Heil bedacht wird.
In 2,1–4 warnt der Verfasser mehrmals davor, nichtchristliche Reiche, wenn sie in die Gemeindeversammlung kommen, vor den Armen mit einem schmutzigen Gewand zu bevorzugen. Während dem Reichen sogleich ein bequemer Sitzplatz angeboten wird, soll der Arme stehenbleibe, oder sich «unten an meine Fußbank» setzen (2,3). Diese Parteinahme der Gemeinde für den Reichen wird nun mit dem Hinweis auf Gott verurteilt, der gerade die vor der Welt Armen zu Erben seines Reiches erwählt hatte (2,5). Die Reichen werden außerdem in 2,6f als Vergewaltiger der angeredeten Christen charakterisiert, die sie sogar vor die Gerichte schleppen und den Namen Christi lästern. Aus allen diesen Gründen und Erfahrungen darf es in der Gemeinde keine Bevorzugung der Reichen geben; denn Gott hat sie in seinem Heilshandeln jetzt wie am Jüngsten Tag eindeutig auf die Seite der Armen gestellt. Deshalb wird die Gemeinde mit Nachdruck in 2,15f aufgefordert, wenn es einem Bruder oder einer Schwester an Kleidung oder Nahrung mangelt, sie nicht mit guten Worten abzuspeisen, sondern ihnen tatkräftig auszuhelfen. In einem solchen Fall sind nicht Worte, sondern nur Werke gefragt. Ebenso werden die Kaufleute in 4,13–17 in die Schranken gewiesen. Weil sie nicht einmal wissen, was morgen sein wird (4,14), verurteilt der Verfasser ihr eigenmächtiges Planen, selbstgerechtes Handeltreiben und vor allem prahlerisches Gewinnemachen. Alles ist eine gefährliche und unheilbringende Torheit, wenn diese gottlosen Geschäftsleute ihre Rechnung ohne Gott machen. Nur wenn der Mensch weiß: «Wenn der Herr will, werden wir leben und dies oder das tun» (4,15), und danach all sein Leben bewußt ausrichtet, kann ihm etwas gelingen. Denn ohne Gottes gnädigen Willen kann das Leben schon morgen zu Ende sein, ganz zu schweigen von den törichten und selbstsicheren Geschäftemachen.
Schließlich wird der apokalyptische Untergang der Reichen noch einmal in 5,1–6 vorausgesagt. Wie im Alten Testament (vgl. Jes.13,6; Sach.11,2) und der jüdischen Apokalyptik (aeth.Hen.94,8f) werden die Reichen angesichts der nahen apokalyptischen Schrecken aufgefordert, zu weinen und zu klagen (5,1). Ihr Reichtum und Überfluß wird vermodern und von Motten zerfressen werden, ihr Gold und Silber verrosten und ihr Fleisch vom Feuer verbrannt werden (5,2f). In den «Tagen der Endzeit» (5,3) gilt es nach Jakobus, nicht vergängliche Reichtümer zu eigenem Genuß anzuhäufen, sondern diese vielmehr den Armen zukommen zu lassen. Darüber hinaus haben sie die Lohnarbeiter ausgebeutet: «Siehe der Lohn der Arbeiter, die eure Felder gemäht haben, schreit; denn ihr habt ihn ihnen vorenthalten, und die Schreie der Lohnarbeiter sind ‹zu den Ohren des Herrn Zebaoth gekommen›» (5,4). Selbst aber haben sie auf Erden geschwelgt und gepraßt, nur ihrem Genuß gelebt (5,5) und schließlich sogar den Gerechten ermordet (5,6).

Allerdings muß zugegeben werden, daß Jakobus nicht immer in seiner scharfen Polemik zwischen heidnischen und christlichen Reichen deutlich unterscheidet, was letztlich mit seinen paränetischen Traditionsstoffen zusammenhängt. Entscheidend aber ist für den Verfasser, daß die Drohung an Geschäftsleute (4,13ff) und Reiche (5,1ff) außerhalb der Gemeinde eigentlich für die christlichen Leser bestimmt ist. Jakobus geht es bei der sozialen Frage nicht primär um die Armen und Reichen im bösen Kosmos, sondern um «die vor der Welt Armen», die aber «reich im Glauben», «Erben des Reiches» Gottes und von Gott «Erwählte» sind (2,5). Jakobus drängt auf eine gerechtere Verteilung der Reichtümer und des Besitzes innerhalb der Gemeinde, nicht aber auf eine sozialrevolutionäre Veränderung der antiken Gesellschaftsordnung. Weil der Verfasser die Kirche aus der unteren, finsteren Welt ausgrenzen will, ist seine pauperistische Armenethik wie Reichtumsfeindschaft apokalyptisch motiviert und zielt auf den eindeutigen und ausschließlichen Gehorsam seiner Leser.

II. Der Judasbrief

Wir haben es auch hier, wie schon beim Jakobusbrief, mit einem «katholischen» Brief zu tun, der die ganze Christenheit anspricht. Die Adresse ist ganz allgemein gehalten und der Schluß enthält keine sonst üblichen Wünsche und Grüße, sondern nur eine Doxologie (24f). Die Briefform ist also künstlich. In Wirklichkeit haben wir es mit einem Flugblatt oder einer Enzyklika zu tun, und die alles beherrschende Polemik gegen die gnostischen Ketzer hat wohl diese kleine Kampfschrift veranlaßt. Als Verfasser wird «Judas, der Sklave Jesu Christi, Bruder des Jakobus» genannt. Damit wird die Polemik gegen die gnostischen Häretiker mit apostolischer Autorität versehen, die auf den Bruder des berühmten Herrenbruders Jakobus zurückgeführt wird.

Aufgrund der massiven Ketzerpolemik gegen Unzucht und Ausschweifung in V.4.6.7f.10.13.16 und .8 ist zu schließen, daß der Verfasser das alttestamentliche Moralgesetz als Norm und Richtschnur christlichen Lebens anerkannt und einschärft. Als «einziger Gebieter» (4) gebietet Christus die moralgesetzliche Lebensordnung und Ethik. Das Gericht wird über die Gottlosen «wegen ihrer gottlosen Werke» (15) ergehen. Sünden sind Menschen, die ihr Leben nach ihren gottlosen Begierden führen (15.16.18).

Die apokalyptische Eschatologie ist zwar dem Verfasser bekannt, steht aber ganz im Schatten der eigenen sittlichen Bewährung in der Zwischenzeit. Letztlich begründet die urchristliche Apokalyptik im Judabrief nur noch die gerechte Vergeltung nach den Werken (15!): Die rechtgläubigen Christen werden im Endgericht ewiges Leben empfangen (21), wenn sie jubelnd vor die Herrlichkeit Gottes gestellt werden (24), während die Gesetzesbrecher und Leugner der Schöpfungsordnung (16), für die «das Dunkel der Finsternis auf ewig aufbewahrt ist» (13), gerichtet werden (15). Wie in der jüdischen und hellenistischen Ethik sind die Werke der Frommen das eigentliche Kriterium des Endgerichts. Freilich kennt auch der Judasbrief wie alle neutestamentlichen Schriften den Heilsindikativ. Aber es ist schon mehr als symptomatisch, daß solche indikativischen Sätze fast ganz auf das Präskript und die Schlußdoxologie beschränkt bleiben. Christen sind als die Berufenen zugleich in Gott, dem Vater, Geliebte und für Jesus Christus Bewahrte (1). Als solche von Gott Erwählte ist ihnen Gnade zuteil geworden, die allerdings nicht, wie es die Ketzer tun, zur Freiheit vom Gesetz pervertiert werden darf (4). Das «gemeinsame Heil» (3) wird erst am Jüngsten Tag offenbart, weshalb allein «Gott unserem Retter» der Lobpreis gilt, der die gehorsamen Frommen «durch Jesus Christus» (25) vom ewigen Verderben erlöst. Weil für den Judasbrief über Heil und Unheil letztlich die Lebensführung in Tugend und Moral entscheidet, fehlt einmal die Antithese von Glauben und Werken. Vielmehr wird im Sinne des Synergismus von Glaube und Werken in V.21 die geforderte Bewahrung der Liebe Gottes zur Heilsbedingung, während andererseits die Verkündigung vom heilbringenden Christus nur noch in der Schlußdoxologie Berücksichtigung findet (25). Andererseits ist der Glaube, der «den Heiligen ein für allemal» überliefert wurde (3) bereits die verpflichtend kirchlich-orthodoxe Lehrtradition, dem durch das ursprünglich eschatologische «ein für allemal» eindeutig, wenn auch höchst befremdlich, eschatologische Dignität zugesprochen wird. Dieser Glaube ist nicht mehr die vom Evangelium geforderte Glaubensentscheidung (= Fides qua creditur), sondern die objektive und sakrosankte Summe von tradierten, kirchlichen Lehren der Rechtgläubigkeit (= fides quae creditur). Für dieses orthodoxe Glaubensbekenntnis haben die «Heiligen» zu «kämpfen» (3), d.h. sich gegen die in die rechtgläubige Gemeinde eingedrungenen gnostischen Häretiker zur Wehr zu setzen. Denselben Ton schlägt V.5 mit seinem «obschon ihr alles ein für allemal wißt» an. Dieses «Wissen» ist die der orthodoxen Kirche überlieferte Glaubenslehre und apostolische Weisung. Symptomatisch sind auch die V.17f: Die Apostel haben die gnostischen Ketzer für die Gegenwart vorausgesagt. Wie in Apg.20, 29ff wird vorausgesetzt, daß die Apostelzeit frei von Spaltungen und Ketzereien, also die heilige Vergangenheit schlechthin war, aber zugleich auch die Zeit der autoritativen und tröstlichen Weissagung. Die Gegenwart der Kirche wird dagegen als «Endzeit» (18) und außerdem als Erfüllung der apostolischen Weissagung angesehen. Deshalb ermahnt der Verfasser allem Spott, allen Spaltungen und Anfeindungen zum Trotz, daß sich die Leser auf ihrem «hochheiligen Glauben erbauen» sollen (20). Dieser superlativische Sprachgebrauch von «heilig» findet sich nur hier im Neuen Testament und läßt erkennen, daß

nur die rechtgläubig-apostolische Tradition das tragende Fundament darstellt.
Beides also, der reine tugendhafte Lebenswandel wie das unbeirrbare Festhalten an der apostolischen Lehrtradition bewirken, daß Gott die Gemeinde vor dem Fall und untadelig bis zum Endgericht bewahren wird (24).
Der pseudonyme Judasbrief, wahrscheinlich von einem hellenistischen Judenchristen abgefaßt, bekämpft also mit Hilfe der Tugendethik die häretischen Gnostiker und ist als eine der spätesten Schriften des Neuen Testaments einzustufen.

III. Der zweite Petrusbrief

1. Die späteste Schrift im Neuen Testament

Der zweite Petrusbrief ist die späteste Schrift im neutestamentlichen Kanon und dürfte in der Mitte oder zweiten Hälfte des zweiten Jahrhunderts entstanden sein. Er stützt sich eindeutig auf den Judasbrief und übernimmt daraus ganze Passagen. Vor allem aber ist er in theologischer und ethischer Hinsicht das fragwürdigste Dokument des ganzen Neuen Testamentes. Auch der 2. Petrusbrief wendet sich nicht an einen begrenzten Leserkreis, sondern will aufgrund seines allerdings sehr allgemeinen Präskripts 1,1f ein wirklich katholisches Lehrschreiben für die ganze rechtgläubige Großkirche sein. Anlaß war die spöttische Leugnung der apokalyptischen Endhoffnung durch die Gnostiker (Kap. 3).
Wie der erste so will auch der 2. Petrusbrief vom «Sklaven und Apostel» Petrus (1,1) abgefaßt sein. Weiter bezeichnet sich dieser in 1,16.18 betont als Augen- und Ohrenzeuge, der nach 3,1 seinen Platz neben Paulus hat und seinen Brief ausdrücklich in 1,17ff als Testament vor seinem nahen Tode stilisiert. Alles das ist Anspruch und Ausdruck dafür, daß dieser Brief und seine autoritative Lehre wie für alle Zeiten für die ganze Christenheit verbindliche und endgültige Hinterlassenschaft der Apostel als der eingeweihten Augen- und Ohrenzeugen des Lebens Jesu enthält. Ist aber der 2. Petrusbrief das Testament des von dieser Erde scheidenden und vergotteten Petrus, dann wird der anonyme und orthodoxe Verfasser zum Testamentsvollstrecker des Apostelfürsten Petrus.

2. Die apostolisch verbürgte Lehrtradition

Das Evangelium ist im 2. Petrusbrief zur vorhandenen Wahrheit (1,12) geworden, die wie ein Gegenstand der Gemeinde als Glaubenswirklichkeit jederzeit verfügbar ist. 3,2 spricht von dem «euren Aposteln überlie-

ferten Gebot» bzw. 2,21 von dem «überlieferten Heiligengebot», womit das verpflichtende und normative Lehrgesetz der Kirche im Gegensatz zu den «ausgeklügelten Mythen» (1,16), zur «Sonderlehre» (2,1) und zu den «erdichteten Worten» (2,3) der Gnostiker gemeint ist. Das alles wird nach 2,2 als der «Weg der Wahrheit», eben die Orthodoxie, bezeichnet, das jederzeit verfügbare und objektive Wissen der Kirche, an das sie jeweils nur noch erinnert zu werden braucht (1,12ff).
Nur die zwölf Apostel als die «eingeweihten» Augen- und Ohrenzeugen der Erscheinung göttlicher Herrlichkeit im Nazarener (1,16ff; das zugrundeliegende Wort für «Zeuge» ist terminus technicus der Mysterien!) sind wie beim Evangelisten Lukas Tatsachenzeugen, die Übermittler und Garanten dieser kirchlichen Lehrtradition und damit das Fundament der Heilsanstalt. Mit den alttestamentlichen Propheten zusammen konstituieren sie als «eure Apostel» die normative Glaubensüberlieferung und gegenüber den Ketzern die exklusive Einheit von rechtgläubiger Kirche und apostolischer Basis (3,2). Diese zwölf Apostel besaßen nach 1,1 zuerst und allein den Glauben; erst durch Gottes Menschenfreundlichkeit ist dieser dann auch allen übrigen Christen zuteil geworden. Paulus allerdings wird vom Verfasser der Aposteltitel hartnäckig verweigert.
Dieser ganze, fiktive Entwurf einer apostolisch verbürgten Lehrtradition setzt ebenso wie die Apostel so auch die nachapostolischen Amtsträger und die Kirche als Institution voraus. Dementsprechend wird der Glaube zur Rechtgläubigkeit und Anerkennung der kirchlichen Glaubenswahrheit. Natürlich taucht der Glaube auch in einem hellenistischen Tugendkatalog auf (1,5–11), so daß er neben Askese, Geduld, Frömmigkeit und Bruderliebe selbst zu einer Haltung und Tugend geworden ist. Aber sein eigentliches Wesen als fides catholica ist entscheidend für die rechtgläubig apostolische Lehrtradition.
Diese auf dem Fundament der zwölf Apostel erbauten apostolische Kirche offenbart ihre Lehrgewalt dadurch, daß allein sie Inhaberin der rechten Prophetie ist (1,20f) und jede «eigenmächtige Schriftauslegung» verboten wird (1,20).

3. Weltflucht und Tugendethik

a) Das Evangelium wird im 2. Petrusbrief bereits mit einer allgemein religiösen Weltanschauung hellenistisch-dualistischer Herkunft gleichgesetzt. Der Fromme, der lebenslang in der Arena der Tugend gekämpft hat, kann dem vergänglichen Kosmos entfliehen und mit Unterstützung der göttlichen Gnade in die ewige Himmelswelt gelangen. Einmalig ist die im ganzen Neuen Testament vorgetragene Zusicherung, daß uns «die kostbaren und größten Verheißungen» von Gott nur zu dem einzigen Zweck geschenkt worden sind, «damit wir durch sie der göttlichen Natur teilhaftig werden, nachdem wir der Vergänglichkeit entflohen sind, die in der Welt durch Begierde herrscht» (1,4). Zwei Welten und Seinsbereiche befinden sich in einem unüberbrückbaren Gegensatz: die irdisch-materielle, vergängliche und die göttlich-geistige, unvergängliche Welt und Natur. Die irdische Welt ist vergänglich (2,20), verursacht durch Begierde und Sinnenlust. Sünde umschreibt hellenistisch-dualistisch die Gefangenschaft des Menschen in der sinnlichen Begierde und Sinnenwelt, seine Verstrikkung in den Befleckungen der Welt (2,18.20). Darum werden die Gnostiker «Kinder des Fleisches» (2,14) und «Sklaven der Vergänglichkeit» (2,19) genannt. Diese Erdenwelt ist gottlos (2,5), ein «finsterer Ort» (1,19) voller Versuchungen für die gerechten Seelen (2,18f). Die Gemeinde aber wird aufgerufen, dieser finsteren, vergänglichen und befleckten Welt zu entfliehen (1,4; 2,18 und 20). Diese Weltflucht ist die Voraussetzung des Heils, nämlich die Verwandlung in die göttlich-ewige Natur und d.h. die physische Vergottung des die Welt fliehenden Frommen. Damit aber hat die Kirche des 2. Petrusbriefes die hellenistische Substanzmetaphysik – Heil als Teilhabe am göttlichen Wesen – ohne Einschränkungen akzeptiert. Nicht zufällig, sondern gezielt wird deshalb in 1,16ff auf die Verklärung Jesu als der ersten «Parusie» in den synoptischen Evangelien zurückgegriffen. Denn die Verwandlung des irdischen Jesus in die himmlisch Herrlichkeitsgestalt und Natur ist die apostolisch verbürgte Vorwegnahme und Garantie der Vergottung der Frommen im Kontext hellenistisch-metaphysischer Heilserwartung.

Der Aufenthalt der «gerechten Seele» (2,8 und 14) im vergänglichen Fleischesleib wird typisch dualistisch mit dem Bilde des «Zeltes» (1,17f) wiedergegeben, das im Tode «abgebrochen» wird. Dieses flüchtige Leben im Zelt symbolisiert die Fremdlingschaft der unvergänglichen Seele und ist bildkräftiger Ausdruck für ihre Heimatlosigkeit auf Erden und im Leibe. Dahinter steht die wiederum hellenistisch-dualistische Vorstellung, daß die gerechte Seele eigentlich unsterblich sei, daß sie zwar auf Erden und im Leib in der Fremde und Gottlosigkeit eine kurze Zeit zubringen und ihren Tugendkampf siegreich bestehen muß, um am Ende dieser anfechtungsreichen und leidvollen Wanderschaft in ihre himmlische Heimat zurückzukehren, wo ihrer die Vergottung wartet. Sowohl in der vergänglichen Welt als auch im vergänglichen Leib herrschen die Begierden, die die Seele beflecken. Darum muß die gerechte Seele bei dem entfliehen. Das heißt aber: der 2. Petrusbrief vertritt nicht mehr die universalgeschichtlich-apokalyptische, sondern die individualgeschichtlich-dualistische Eschatologie der hellenistisch-griechischen Metaphysik. Zwar wird die urchristliche Apokalyptik noch mit feierlichen Formeln wiederholt. z.B. «ewiges Reich» (1,11); «machtvolle Parusie unseres Herrn Jesu Christi» (1,16); «Tag des Herrn» (3,10.12) und des «Gerichts» (2,3f.9; 3,7). Aber schon die kleine Apokalypse 3,10ff kündet dualistisch vom definitiven Ende der Vergänglichkeit durch ein grandioses Feuergericht, während die unvergänglich-göttliche Welt bestehen bleibt. Der kosmische Weltenbrand bewirkt letztlich in der Konsequenz des hellenistisch-metaphysischen Dualismus nichts anderes als die endgültige Trennung der himmlisch-unvergänglichen Welt samt der mit der göttlichen Natur belohnten Frommen von der vergänglichen Erdenwelt und den in den Begierden verstrickten Bösen und Gottlosen. Die apokalyptisch-kosmische Katastrophe und das ganze traditionelle apokalyptische Drama am Jüngsten Tage stehen also im Dienst des hellenistischen Dualismus. Außerdem wird die urchristliche Apokalyptik in unterschiedlicher Weise verfremdet: in 1,19 wird die ursprünglich apokalyptische Erwartung auf die innere Erleuchtung der Herzen bezogen. In 3,8 heißt es: «Bei dem Herrn sind ein Tag wie tausend Jahre und tausend Jahre wie ein Tag», womit die urchristliche Apokalyptik in zeitlose Metaphysik umgesetzt ist. Vor allem 3,11f zeigt, daß auch im 2. Petrusbrief die eschatologische Erwartung des Jüngsten Tages zum Stimulans einer «heiligen Lebensführung und Frömmigkeit» wird; ja, die gehorsame Erfüllung des alttestamentlichen Moralgesetzes kann und soll das Kommen der Parusie «beschleunigen» (3,12). Auch die Verheißungen von 1,5 und 11 sind nur im Sinne der gerechten Vergeltung Gottes zu verstehen: Wer Tugend und Moral – so wörtlich übersetzt – durch eigenen Kostenaufwand herstellt (1,5), dem gewährt Gott einen triumphalen Einzug in das Reich Christi (1,11). Und wer sich in dieser Tugendübung «um so mehr» (1,10) bemüht, dem wird der himmlische Lohn um so reichlicher gewährt werden.

Die drei alttestamentlichen Strafbeispiele in 2,4–6 werden zum paränetischen Typus für das Endgeschehen, indem die Gerechten belohnt und die Bösen bestraft werden. Die traditionell apokalyptische Bildersprache wird zur Funktion der Begründung einer moralisch orientierten Vergeltungslehre im Blick auf Lohn und Strafe. Die urchristliche Apokalyptik steht darum ganz im Schatten des im Grunde zeitlosen, weil metaphysisch-räumlichen Dualismus. Sie wird zur «Lehre von den letzten Dingen» und dient nur noch dazu, die Tugendleistungen der Frommen endgültig durch den Einzug in das ewige Reich Christi (1,5–11) bzw. durch die Vergottung der die Welt fliehenden, gerechten Seelen (1,4) zu belohnen, um so die Guten von der vergänglichen Erdenwelt und ihren Widersachern zu erlösen.

b) Diesem in jeder Hinsicht dominierenden metaphysischen Dualismus Erde-Himmel wird die Rechtfertigungslehre konsequent untergeordnet. Von Gottes Gerechtigkeit ist nur noch formelhaft in der Grußformel 1,1 die Rede. Diese traditionelle Begriffsverbindung wird hier allerdings schon griechisch im Sinne des Diognetbriefes (9,1–6) als die Menschenliebe Gottes verstanden, der allen Menschen seine Gaben zuteilt. Im übrigen werden «Gerechtigkeit» und «gerecht» nur noch moralisch im Sinne von Rechtschaffenheit verstanden (1,13; 2,5.7.8.21; 3,13). Im Horizont einer religiösen Weltanschauung dualistischer Provenienz trägt der Verfasser bewußt und immer wieder die Rechtfertigung der Frommen aufgrund guter Werke vor. Darüber hinaus aber wird die Rechtfertigungslehre auf hellenistisch-dualistischer Basis als Tugendübung, als Kampf des moralischen Athleten in der Arena der Tugend als Heilsbedingung für den triumphalen Einzug in das ewige Himmelreich, eben für die Vergottung, verkündigt. Gleich der programmatische Eingangsabschnitt 1,5–11 stellt die Weichen: Der neue Gehorsam wird nicht mehr im Zeichen der Auferstehungsmacht Christi als gelebter Eschatologie, sondern hellenistisch als sittlicher und verdienstvoller Kampf des Christen in der Arena der Tugend verstanden. 1,5–7 enthält einen echt griechisch-hellenistischen Tugendkatalog, der kettenartig aus acht Tugenden besteht: Der «Glaube» als die Eigenschaft der Treue; die «Tugend» als vorzügliche Leistung und als Verdienst des sittlichen Kämpfers ist zentraler Begriff der hellenistisch-griechischen Ethik und in dieser Bedeutung einmalig im ganzen Neuen Testament. Die «Erkenntnis» ist notwendig, um dieser Welt der Vergänglichkeit und des Lasters zu entfliehen; während die «Enthaltsamkeit» vor allem im Sinne der sexuellen Askese wiederum den Tugendbegriff einer autonomen griechisch-hellenistischen Ethik widerspiegelt. Weil dieser Kosmos und Leib vergänglich und böse sind, gibt es für den Weisen nur die Weltflucht und die leibliche Askese; für diese lebenslange Enthaltsamkeit bedarf es weiter der Tugend der «Geduld» und der «Frömmigkeit» als einer sittlich frommen Lebensführung, der «Bruderliebe» und schließlich der «Liebe» als der Solidarität innerhalb der Großkirche.

Dieser Tugendkatalog, der seiner Herkunft nach in der griechisch-hellenistischen Ethik zu Hause ist, formuliert nach dem jetzigen Textzusammenhang die Heilsbedingung für die Vergottung (1,4) bzw. den prunkvollen Einzug der Tugendhaften in das ewige Reich (1,11). Die Tugendübung ist demnach schon im 2. Petrusbrief als Erlösungsaskese gewertet worden.

Der Sündenbegriff wird ausschließlich pluralisch als Übertretung des Moralgesetzes verstanden und umschreibt wie z.B. «Ungerechtigkeit» (2,13.15), «Gesetzeswidrigkeit» (2,16) und «Fehltritt» (1,9) den unsittlichen Lebenswandel. Während die guten Werke der Frommen die Parusie Christi beschleunigen (3,12), werden «gesetzeswidrige Werke» im Endgericht bestraft (2,6). Freilich weiß auch der 2. Petrusbrief – wie übrigens alle Schriften des Neuen Testamentes – um den Heilsindikativ, wenn er formelhaft in 1,9 von der «Reinigung von den früheren Sünden» in der Taufe von 2,2 vom Herrn spricht, «der uns losgekauft» hat. Die Christen sind nach 1,10 von Gott berufen und erwählt. Aber das alles besagt doch nur, daß dem Getauften die Sünden vor der Taufe vergeben wurden, während in der Gegenwart die Christen immer wieder nachdrücklich zum Tugendkampf ermahnt werden. Deshalb heißt es bezeichnenderweise in 1,3, daß die göttliche Kraft uns alles geschenkt hat, was zu einem sittlichen Lebenswandel und zu Gott wohlgefälligem Verhalten notwendig ist. Das heißt, die göttliche Kraft schenkt nicht beides, wohl aber die notwendige Ausrüstung zu einer «heiligen Lebensführung» (3,11). In der Gegenwart gilt es, Gottes Heilsgeschenk im Zusammenwirken mit dem menschlichen Werk in unablässiger tugendhafter Anstrengung zu «festigen» (1,10). Erst dann kann Sündlosigkeit durch die Frommen bewirkt werden (1,10).

Der 2. Petrusbrief kennt also zwar indikativische Stoffe, aber der Heilsindikativ gilt nur für die Vergebung aufgelaufener Sündenschuld in der Vergangenheit und stellt in der Gegenwart die unbefleckten und gerechten Seelen wiederum auf den Heilsweg des Gesetzes. Der «gerade Weg» (2,15), der «Weg der Gerechtigkeit» und das «überlieferte heilige Gebot» (2,21) sind identisch mit dem alttestamentlichen Moralgesetz, der christlichen Sittenordnung, die von den Aposteln tradiert und verpflichtend gemacht wurden, von allen Christen um ihres eigenen Heiles willen unbedingt eingehalten werden müssen. Weil die Gefangenschaft der Seele in der Sinnenwelt das eigentliche Übel ist und die Weltflucht zur Heilsbedingung wird, hat der 2. Petrusbrief kein Interesse mehr an einer christlichen Bürgerlichkeit wie die Pastoralbriefe oder an einer Stellungnahme zu Staat, Familie, Ehe und der Institution der Sklaverei wie die Haustafeln der Deuteropaulinen. Ebenso fehlt jegliche Anweisung für eine Weltmission, und die gerechten Seelen bleiben folgerichtig unter sich, vereint durch die Bruderliebe (1,7; 3,1.14.17). An die Stelle der Sozialethik ist eine im Einklang mit der Weltfremdheit und Heimatlosigkeit der Seelen stehende, ebenfalls dualistisch motivierte Konventikelethik getreten. Den Christen ist allein die Flucht aus dieser vergänglichen und bösen Erdenwelt in die himmlische Jenseitswelt mit dem ersehnten Heilsziel der eigenen Vergottung aufgetragen.

Abkürzungsverzeichnis

1. Altes Testament

1.Mos.	1. Buch Mose
2.Mos.	2. Buch Mose
3.Mos.	3. Buch Mose
4.Mos.	4. Buch Mose
5.Mos.	5. Buch Mose
Jos.	Josua
Ri.	Richter
1./2.Sam.	1. und 2. Samuelbuch
1./2.Kön.	1. und 2. Königbuch
Jes.	Jesaja
Dtjes.	Deuterojesaja
Trjes.	Tritojesaja
Jer.	Jeremia
Ez.	Ezechiel
Dan.	Daniel
Hos.	Hosea
Joel	Joel
Am.	Amos
Ob.	Obadja
Jon.	Jona
Mi.	Micha
Nah.	Nahum
Hab.	Habakuk
Zeph.	Zephania
Hag.	Haggai
Sach.	Sacharja
Mal.	Maleachi
Ps.	Psalmen
Hi.	Hiob
Spr.	Sprüche
Ruth	Ruth
Hohld.	Hoheslied
Pred.	Prediger
Klgld.	Klagelieder
Est.	Esther
Dan.	Daniel
Esr.	Esra
Neh.	Nehemia
1./2.Chr.	1. und 2. Chronikbuch

2. Neues Testament

Mt.	Matthäusevangelium
Mk.	Markusevangelium
Lk.	Lukasevangelium
Joh.	Johannesevangelium
Ag.	Apostelgeschichte
Röm.	Römerbrief
1./2.Kor.	1. und 2. Korintherbrief
Gal.	Galaterbrief
Eph.	Epheserbrief
Phil.	Philipperbrief
Kol.	Kolosserbrief
1./2.Thess.	1. und 2. Thessalonicherbrief
1./2.Tim.	1. und 2. Timotheusbrief
Tit.	Titusbrief
Phlm.	Philemonbrief
Hebr.	Hebräerbrief
Jak.	1. und 2.
1./2.Petr.	Petrusbrief
1./2./3.Joh.	1., 2. und 3. Johannesbrief
Jud.	Judasbrief
Offb.	Offenbarung des Johannes
LXX = Septuaginta	(= griechische Übersetzung des Alten Testaments)

Zu den übrigen Abkürzungen (außerkanonische und außerrabbinische Schriften sowie rabbinisches Schrifttum) vergleiche das Abkürzungsverzeichnis der Theologischen Realenzyklopädie, Berlin 1976.

Literaturhinweise

Die im folgenden zusammengestellte Literaturauswahl ist zur Mit- und vor allem Weiterarbeit gedacht.

Zur Umwelt des NT

R. Bultmann, Das Urchristentum im Rahmen der antiken Religionen, [4]1976.
W. Foerster (Hg.), Die Gnosis, 3 Bde, 1969/80.
E. Hennecke/W. Schneemelcher (Hg.), Neutestamentliche Apokryphen, 2 Bde, [3]1968.
E. Kautzsch (Hg.), Die Apokryphen und Pseudepigraphen des AT, 2 Bde, 1900–1975.
W.G. Kümmel (Hg.), Jüdische Schriften aus hellenistisch-römischer Zeit, 5 Bde, 1973ff.
J. Leipoldt/W. Grundmann, Umwelt des Urchristentums, 3 Bde.
E. Lohse, Die Texte aus Qumran, [3]1981.
J.M. Robinson (Hg.), The Nag Hammadi Library in English, 1977.
K. Rudolph (Hg.), Gnosis und Gnostizismus, 1975.
ders., Die Gnosis. Wesen und Geschichte einer spätantiken Religion, [2]1980.
ders., Gnosis und Gnostizismus; ein Forschungsbericht, in: Theol. Rundschau 34 (1969) 121–175; 181–231; 358–361; 36 (1971) 1–61; 89–124; 37 (1972) 289–360; 38 (1973) 1–25.

Literaturberichte

K. Kertelge, Neutestamentliche Ethik. Ein Literaturbericht. In: Bibel und Leben 12 (1971) 126–140.
G. Klein, Christusglaube und Weltverantwortung als Interpretationsproblem neutestamentlicher Theologie. In: VF 18/2 (1973) 45–76.

Einführungen in das Neue Testament

H. Köster, Einführung in das NT, 1980.
W.G. Kümmel, Einführung in das NT, [21]1983.
W. Marxsen, Einleitung in das NT, [4]1978.
H.M. Schenke/K.M. Fischer, Einleitung in die Schriften des NT, 2 Bde, 1978/1979.
Ph. Vielhauer, Geschichte der urchristlichen Literatur, 1975 = 1978.

Zum Ganzen der neutestamentlichen Ethik

R. Bultmann, Theologie des NT, ^{9}1984.
H. Conzelmann, Grundriß der Theologie des NT, ^{3}1976.
L. Dewar, An Outline of New Testament Ethics, London 1949.
A. Dihle, Ethik, RAC VI, 646–796.
U. Duchrow, Christenheit und Weltverantwortung, 1970.
H. Flender, Das Verständnis der Welt bei Paulus, Markus und Lukas, KuD 1968, 1–27.
H. Greeven, Das Hauptproblem der Sozialethik in der neueren Stoa und im Urchristentum (NTF 3, R., H. 4), 1935.
J.L. Houlden, Ethics and the New Testament, London/Oxford 1979.
H. Jacoby, Neutestamentliche Ethik, 1889.
E. Käsemann, Der Ruf der Freiheit, ^{5}1972.
W.G. Kümmel, Art. «Sittlichkeit im Urchristentum», RGG^{3} VI, 1962, 70–80.
J. Leipoldt, Der soziale Gedanke in der altchristlichen Kirche, 1952.
R. Liechtenhan, Gottes Gebot im Neuen Testament, 1942.
W. Lillie, Studies in the New Testament Ethics, Edinburgh/London, 1961.
E. Lohmeyer, Soziale Fragen im Urchristentum, 1921.
K.H. Marshall, The Challenge of New Testament Ethics, London 1950.
K. Niederwimmer, Der Begriff der Freiheit im Neuen Testament, 1966.
E. Osborn, Ethical Patterns in Early Christian Thought, Cambridge 1976.
H. van Oyen, Ethik des Alten Testaments, 1967.
H. Preisker, Das Ethos des Urchristentums, ^{2}1949.
J.T. Sanders, Ethics in the NT, Philadelphia 1975.
K.H. Schelkle, Theologie des NT. III: Ethos, 1970.
R. Schnackenburg, Die sittliche Botschaft des NT, 1954.
W. Schrage, Ethik des Neuen Testaments (GNT 4), 1982.
S. Schulz, Evangelium und Welt. Hauptprobleme einer Ethik des NT, in: FS H. Braun, 1973, 483–501.
C. Spicq, Théologie morale du Nouveau Testament I, II, Paris 1965.
G. Strecker, Handlungsorientierter Glaube, Vorstudien zu einer Ethik des NT, 1972.
ders., Strukturen einer neutestamentlichen Ethik, ZThK 75, 1978, 117–146.
R. Völkl, Christ und Welt nach dem NT, 1961.
H.-D. Wendland, Kirche und Welt im Neuen Testament, in: Die Kirche in der revolutionären Gesellschaft, 21968, 11–27.
ders., Gibt es Sozialethik im Neuen Testament? in: Botschaft an die soziale Welt, 1959, 68–84.
ders., Ethik des NT (NTDErg. 4), 1970.
R.E.O. White, Biblical Ethics, Exeter 1979.

Allgemeines und Grundsätzliches

J. Becker, Das Problem der Schriftgemäßheit der Ethik, Handbuch der christlichen Ethik I, ²1979, 243–269.
H.D. Betz, Nachfolge und Nachahmung Christi im Neuen Testament (BHTh 37), 1967.
J. Blank, Evangelium und Gesetz. Zur theologischen Relativierung und Begründung ethischer Normen, in: Diakonia 5 (1974), 363–375.
ders., Zum Problem ethischer Normen im Neuen Testament, in: ders., Schriftauslegung in Theorie und Praxis, 1969, 129–149.
C.H. Dodd, Das Gesetz der Freiheit. Glaube und Gehorsam nach dem Neuen Testament, 1960.
G. Friedrich, Der Christ und die Moral, in: ZEE 11 (1967), 276–291.
L. Goppelt, Die Herrschaft Christi und die Welt nach dem NT, LR 17, 1967, 21–50.
ders., Prinzipien neutestamentlicher und systematischer Sozialethik heute, in: Die Verantwortung der Kirche in der Gesellschaft, Stuttgart 1973, 7–30.
F. Hahn, Neutestamentliche Grundlagen einer christlichen Ethik, TThZ 86, 1977, 31–41.
J. Kraus, Vorbildethik und Seinsethik im Neuen Testament. Um die Wissenschaftlichkeit der Moraltheologie, in: FZTP 13/14 (1966/67), 341–369.
T.W. Manson, Ethics and the Gospel, 1960.
R. Schnackenburg, Mitmenschlichkeit im Horizont des Neuen Testaments, in: ders., Schriften zum Neuen Testament, 1971, 435–458.
G. Schneider, Biblische Begründungen ethischer Normen, BiLe 14, 1973, 153–164.
W. Schrage, Barmen II und das NT, in: Zum politischen Auftrag der christlichen Gemeinde, 1974, 127–171.
ders., Zur Frage nach der Einheit und Mitte neutestamentlicher Ethik, in: FS E. Schweizer, 1983, 238–253.
ders., Korreferat zu «Ethischer Pluralismus im Neuen Testament», in: EvTh 35 (1975), 402–407.
A. Schulz, Nachfolgen und Nachahmen. Studien über das Verhältnis der neutestamentlichen Jüngerschaft zur urchristlichen Vorbildethik, 1962.
E. Schweizer, Ethischer Pluralismus im Neuen Testament, in: EvTh 35 (1975), 397–401.
A. Smitmans, Vom unterscheidend Christlichen. Grundhaltungen nach dem Neuen Testament, 1968.
G. Theissen, Studien zur Soziologie des Urchristentums (WUNT 19), ²1983.
W. Thüsing, Die Botschaft des Neuen Testaments – Hemmnis oder

Triebkraft der gesellschaftlichen Entwicklung? in: J. Schreiner (Hg.), Die Kirche im Wandel der Gesellschaft, 1970, 258–272.
D. Wendland, Die Weltherrschaft Christi und die zwei Reiche, in: Die Botschaft an die souiale Welt, 1959, 85–103.

1. Kapitel: Jesus von Nazareth

H. Balz, Eschatologische oder theozentrische Ethik? Anmerkungen zum Problem einer Verhältnisbestimmung von Eschatologie und Ethik in der Verkündigung Jesu, VF 1979, 35–52.
R. Banks, Jesus and the Law in the Synoptic Tradition (MSSNTS 28), 1975.
J. Becker, Feindesliebe – Nächstenliebe – Bruderliebe, ZEE 25, 1981, 5–17.
K. Berger, Die Gesetzesauslegung Jesu I (WMANT 40), 1972.
U. Berner, Die Bergpredigt. Rezeption und Auslegung im 20. Jht. (GTA 12), ^{2}1983.
H.D. Betz, Nachfolge und Nachahmung Jesu Christi im NT (BHTh 37) 1967, 5–47.
D. Bonhoeffer, Nachfolge, ^{14}1983.
G. Bornkamm, Das Doppelgebot der Liebe, in: Ges. Aufs. III, 1968, 37–45.
ders., Jesus von Nazareth (UT 19), ^{13}1983.
H. Braun, Jesus – Der Mann von Nazareth und seine Zeit (ThTh 1), NA 1984.
ders., Spätjüdisch-häretischer und frühchristlicher Radikalismus. Jesus von Nazareth und die essenische Qumransekte I.II (BHTh 24), 1957.
R. Bultmann, Die Geschichte der synoptischen Tradition (FRLANT 29), ^{9}1979.
ders., Jesus (GTB 17), 1926/1983.
Ch. Burchard, Das doppelte Liebesgebot in der frühchristlichen Überlieferung, in: FS J. Jeremias, 1970, 409–432.
O. Cullmann, Jesus und die Revolutionären seiner Zeit, ^{2}1970.
ders., Der Staat im NT, ^{2}1961.
M. Dibelius, Die Bergpredigt, in: Botschaft und Geschichte I, 1953, 79–174.
Ch. Dietzfelbinger, Die Antithesen der Bergpredigt (TEH 186), 1975.
G. Eichholz, Auslegung der Bergpredigt (BSt 46), ^{6}1984.
H. Flender, Die Botschaft Jesu von der Herrschaft Gottes, 1968.
J. Friedrich, Gott im Bruder (CThM 7), 1977.
L. Goppelt, Theologie des NT, Nachdruck 1981, 1. Teil.
M. Hengel, War Jesus Revolutionär? (CWH 110), 1970.
ders., Jesus und die Tora, ThB 9, 1978, 152–172.

ders., Nachfolge und Charisma (BZNW 34), 1968.
P. Hoffmann, «Eschatologie» und «Friedenshandlen» in der Jesusverkündigung, in: Eschatologie und Frieden, hg. von G. Liedke, 1978, 179–223.
ders. IV. Eid, Jesus von Nazareth und eine christliche Moral (QD 66), 1975.
H. Hübner, Das Gesetz in der synoptischen Tradition, 1973.
J. Jeremias, Die Gleichnisse Jesu, [10]1984.
ders., Neutestamentliche Theologie. 1. Teil. [3]1979.
E. Jüngel, Paulus und Jesus (HUTh 2), [5]1979.
W. G. Kümmel, Die Theologie des NT (NTDErg. 3), [4]1980, 20–85.
H. W. Kuhn, Nachfolge nach Ostern, in: FS G. Bornkamm, 1980, 105–132.
M. Limbeck, Von der Ohnmacht des Rechts. Zur Gesetzeskritik des NT, 1972.
E. Linnemann, Gleichnisse Jesu, [7]1978.
D. Lührmann, Liebet eure Feinde, ZThK 69, 1972, 412–438.
U. Luz/R. Smend, Gesetz, 1981.
H. Merklein, Die Gottesherrschaft als Handlungsprinzip (fzb 34), 1978.
E. Neuhäusler, Anspruch und Antwort Gottes. Zur Lehre von den Weisungen innerhalb der synoptischen Jesusverkündigung, 1962.
K. Niederwimmer, Jesus, 1968.
A. Nissen, Gott und der Nächste im antiken Judentum (WUNT 15), 1974.
P. Noll, Jesus und das Gesetz, 1968.
E. Osborn, Ethical Patterns in Early Christian Thought, Cambridge 1976, 21–28.
E. Percy, Die Botschaft Jesu (LUANF I 49,5), 1953.
G. Petzke, Der historische Jesus in der sozialethischen Diskussion, FS H. Conzelmann, 1975, 223–235.
J. Piper, Love Your Enemies (MSSNTS 38), 1979.
J. T. Sanders, Ethics in the NT, Philadelphia, 1975, 1–29.
B. Schaller, Die Sprüche über Ehescheidung und Wiederheirat in der synoptischen Überlieferung, in: FS J. Jeremias, 1970, 226–246.
R. Schnackenburg, Die sittliche Botschaft des NT, 1954, 3–128.
L. Schottroff, Gewaltverzicht und Feindesliebe in der urchristlichen Jesustradition, in: FS H. Conzelmann, 1975, 197–221.
dies., Der Gott der kleinen Leute, 1979.
dies./W. Stegemann, Jesus von Nazareth – Hoffnung der Armen (UT 639) [2]1981.
W. Schrage, Die Christen und der Staat nach dem NT, 1971, 14–49.
ders., Ethik des Neuen Testaments (NTDErg. 4), 1982, 21–115.
A. Schulz, Nachfolgen und Nachahmen, StANT 6, 1962, 17–133.
S. Schulz, Der historische Jesus, in: Jesus Christus in Historie und Theologie, in: FS H. Conzelmann, 1975, 3–25.

E. Schweizer, Erniedrigung und Erhöhung bei Jesus und seinen Nachfolgern (AThANT 28), ^{2}1962.
Th. Soiron, Die Bergpredigt Jesu, 1941.
G. Theissen, Gewaltverzicht und Feindesliebe, in: ders., Studien zur Soziologie des Urchristentums (WUNT 19), ^{2}1983, 160–197.
ders., Soziologie der Jesusbewegung (TEH 194), ^{8}1984.
ders., Wanderradikalismus, in: ders., Studien zur Soziologie des Urchristentums (WUNT 19), ^{2}1983, 79–105.
ders., «Wir haben alles verlassen», in: ders., Studien zur Soziologie des Urchristentums (WUNT 19), ^{2}1983, 106–141.
H. Weder, Die Gleichnisse Jesu als Metaphern (FRLANT 120), ^{3}1984.
H.-D. Wendland, Ethik des Neuen Testaments, (NTDErg. 4) 1970, 4–33.
H. Windisch, Der Sinn der Bergpredigt (UNT 16), 1937.

2. Kapitel: Die nachösterlichen Jesusgemeinden, und 3. Kapitel: Die hellenistische Kirche

G. Bornkamm, Art. Evangelien, synoptische 2a: Die Spruchquelle, in: RGG^{3} II, 758–760.
H. Conzelmann, Literaturbericht zu den Synoptischen Evangelien, ThR NF 37 (1972), 241ff.
M. Dibelius, Die Formgeschichte des Evangeliums, ^{6}1971.
L. Goppelt, Die apostolische und nachapostolische Zeit, in: Die Kirche in ihrer Geschichte, Lieferung A, ^{2}1966.
F. Hahn, Das Verständnis der Mission im Neuen Testament (WMANT 13), 1963, 48ff.
A.v. Harnack, Sprüche und Reden Jesu, Beiträge zur Einleitung in das NT II, 1907.
M. Hengel, Die Ursprünge der christlichen Mission, NTS 18, (1971/72), 15–38.
ders., Zwischen Jesus und Paulus, ZThK 72 (1975), 151–206, besonders 191f.
P. Hoffmann, Die Anfänge der Theologie in der Logienquelle, in: J. Schreiner (Hg.), Gestalt und Anspruch des Neuen Testaments, 1969.
ders., Studien zur Theologie der Logienquelle, ^{3}1982.
E. Kamlah, Die Form der katalogischen Paränese im NT (WUNT 7), 1964.
D. Lührmann, Die Redaktion der Logienquelle, 1969.
U. Luz, Gesetz, Biblische Konfrontationen, 1981, 86ff.
U.B. Müller, Zur Rezeption gesetzeskritischer Jesusüberlieferung im frühen Christentum, NTS 27 (1981), 158–185.
A. Polag, Die Christologie der Logienquelle, Diss. Masch. Trier, 1968.
ders., Fragmenta Q – Textheft zur Logienquelle, ^{2}1982.

R. Schnackenburg, Die sittliche Botschaft des NT, 1954, 131 ff.
W. Schrage, Ethik des Neuen Testaments, 1982, 116–130.
S. Schulz, Q – Die Spruchquelle der Evangelisten, 1972.
ders., Die Anfänge der urchristlichen Verkündigung. Zur Traditions- und Theologiegeschichte der ältesten Christenheit, in: Die Mitte des Neuen Testaments, FS E. Schweizer, 1983, 254–271.
A. Seeberg, Der Katechismus der Urchristenheit, 1903 (Ndr. 1960).
W. Stegemann, Wanderradikalismus im Urchristentum?, in: W. Schattroff/W. Stegemann (Hgg.), Der Gott der kleinen Leute. Sozialgeschichtliche Bibelauslegungen, Bd II, 1979.
H.E. Tödt, Der Menschensohn in der synoptischen Überlieferung, ⁵1984.
A. Vögtle, Die Tugend- und Lasterkataloge im NT (NTA XVI, 4/5), 1936.
H.-D. Wendland, Ethik des Neuen Testaments, 1970, 33–48.
K. Wengst, Christologische Formeln und Lieder des Urchristentums (StNT 7), ²1973.
S. Wibbing, Die Tugend- und Lasterkataloge im Neuen Testament und ihre Traditionsgeschichte, 1959.
U. Wilckens, Urchristlicher Kommunismus. Erwägungen zum Sozialbezug der Religion des Urchristentums, in: W. Lohff u.a. (Hg. Christentum und Gesellschaft, 1969, 129–144.
D. Zeller, Die weisheitlichen Mahnsprüche bei den Synoptikern (fzb 177), 1977.
ders., Kommentar zur Logienquelle, 1984.

4. Kapitel: Der Kampf gegen gnostischen Libertinismus und gnostische Askese

W. Bauer, Rechtgläubigkeit und Ketzerei im ältesten Christentum, 1934 (= 1964).
W. Bousset, Hauptprobleme der Gnosis, 1907.
R. Bultmann, Gnosis, in: ThWNT I, 692–696.
ders., Theologie des Neuen Testaments, ⁹1984, 166–186: Gnostische Motive.
ders., Das Urchristentum im Rahmen der antiken Religionen, 1962, 152–162.
C. Colpe, Die religionsgeschichtliche Schule. Darstellung und Kritik ihres Bildes vom gnostischen Erlösermythus, 1961.
W. Foerster u.a., Die Gnosis I, Zeugnisse der Kirchenväter, 1969; II, Koptische und mandäische Quellen, 1971.
R. Haardt, Die Gnosis. Wesen und Zeugnisse, 1967.
E. Haenchen, Gab es eine vorchristliche Gnosis?, ZThK 49 (1952), 316–349 (= Gott und Mensch. Gesammelte Aufsätze, 1965, 265–298.

H. Jonas, Gnosis und spätantiker Geist I (FRLANT 51), [3]1964; II (FRLANT 63), [2]1966.
G. Kretschmar, Zur religionsgeschichtlichen Einordnung der Gnosis, EvTh 13 (1953), 354–361.
H.W. Kuhn, Nachfolge nach Ostern, in Kirche, FS Bornkamm, 1980, 105–132.
W. Langbrandtner, Weltferner Gott oder Gott der Liebe (BET 6), 1977.
H. Leisegang, Die Gnosis, 1924, [4]1985.
R. McL. Wilson, Gnosis und Neues Testament, 1969.
G. Quispel, Gnosis als Weltreligion, 1951.
G. Richter, Studien zum Johannesevangelium (BU 13), 1977.
K. Rudolph (Hg.), Gnosis und Gnostizismus, 1975.
ders., Die Gnosis, [2]1980.
H.-M. Schenke, Die Gnosis, in: Leipoldt-Grundmann, Umwelt des Urchristentums I, [7]1985, 371–415.
W. Schmithals, Die Gnosis in Korinth (FRLANT 66), [3]1969.
L. Schottroff, Der Glaubende und die feindliche Welt (WMANT 37), 1970.
S. Schulz, Die Bedeutung neuer Gnosisfunde für die neutestamentliche Wissenschaft. 3. Mandäer-Rollen, in: ThR 26 (1960), 301–334.
ders., Die Mitte der Schrift, 1976, 105ff; 241ff; 291ff; 252ff; 305ff.
H. Thyen, Aus der Literatur zum Johannesevangelium, in: ThR 39 (1974), 1–69. 222–252. 289–330; 42 (1977), 211–270; 43 (1978), 328–359; 44 (1979), 97–134.
K.-W. Tröger (Hg.), AT – Frühjudentum – Gnosis. Neue Studien zu ‹Gnosis + Bibel›, 1980.
ders. (Hg.), Gnosis und Neues Testament, 1973, 183–202.

5. Kapitel: Der Apostel Paulus

R.J. Austgen, Natural Motivation in the Pauline Epistles, Notre Dame/Ill., 1966.
G. Bornkamm, Das Ende des Gesetzes (BEvTh 16), 1952.
ders., Glaube und Vernunft bei Paulus, in: Ges. Studien zu Antike und Urchristentum (BEvTh 28), 1959, 119–137.
ders., Paulus (UTB 119), [5]1983.
ders., Taufe und neues Leben (Röm. 6), in: Das Ende des Gesetzes (BEvTh 16), 1952, 34–50.
J.F. Bottorf, The Relation of Justification and Ethics in the Pauline Epistles, SJTh 26 (1973), 421–430.
U. Brockhaus, Charisma und Amt, 1972, 128ff.
R. Bultmann, Das Problem der Ethik bei Paulus, ZNW 23 (1924), 123–140 (= ders., Exegetica, 1967, 36–54).

H.V. Campenhausen, Die Begründung kirchlicher Entscheidungen beim Apostel Paulus, SAH 1957, 2, 1957.
G. Delling, Paulus' Stellung zu Frau und Ehe, 1931.
ders., Röm. 13, 1–7 innerhalb der Briefe des NT, 1962.
C.H. Dodd, The Ethics of the Pauline Epistles, in: E.H. Sneath (Hg.), The Evolution of Ethics, New Haven 1927, 293–326.
J.W. Drane, Tradition. Law and Ethics in Pauline Theology, NT 16 (1974), 167–178.
D.L. Duncan, The Sayings of Jesus in the Churches of Paul, Oxford 1971.
G. Eichholz, Was heißt charismatische Gemeinde? (ThEx NF 77), 1960.
ders., Die Theologie des Paulus im Umriß, [5]1985.
M.S. Enslin, The Ethics of Paul, New York/London 1930 (= ND 1957).
B. Fjärstedt, Synoptic Tradition in 1 Corinthians, Uppsala 1974.
V.P. Furnish, Theology and Ethics in Paul, Nashville 1968.
N. Gäumann, Taufe und Ethik. Studien zu Röm 6 (BEvTh 47), 1967.
R. Gayer, Die Stellung des Sklaven in den paulinischen Gemeinden und bei Paulus (EHS. T 787, 1976.
J.G. Gibbs, Creation and Redemption. A Study in Pauline Theology (NT S. XXVI), 1971.
A. Grabner-Haider, Paraklese und Eschatologie bei Paulus (NTA 12), 1968.
F. Grau, Der neutestamentliche Begriff Charisma, seine Geschichte und seine Theologie, 1946.
P. Grech, Christological Motives in Pauline Ethics, in: Paul de Tarse. Apôtre de notre temps, Série monographique de Benedictina (Sct. Paulinienne 1), Rom 1979, 541–558.
H. Halter, Taufe und Ethos. Paulinische Kriterien für das Proprium christlicher Moral (FThSt 106), 1977.
R. Hasenstab, Modelle paulinischer Ethik (TTS 11), 1977.
Th. Herr, Naturrecht aus der kritischen Sicht des NT, 1976.
T. Holtz, Zur Frage der inhaltlichen Weisungen bei Paulus, WhLZ 106 (1981), 385–400.
W. Joest, Gesetz und Freiheit. Das Problem des tertius usus legis bei Luther und die neutestamentliche Parainese, [4]1968.
A. Juncker, Die Ethik des Apostels Paulus I.II, 1904/1919.
E. Kähler, Die Frau in den paulinischen Briefen, 1960, 134.
E. Käsemann, Amt und Gemeinde im NT, in: ders., EVB I, [6]1970, 109.
ders., Gottesdienst im Alltag der Welt (Zu Röm. 12), in: EVB II, [6]1970, 198–204.
ders., Gottesgerechtigkeit bei Paulus, in: EVB II, [6]1970, 181–193.
ders., Grundsätzliches zur Interpretation von Röm. 13, in: EVB II, [6]1970, 204–222.
ders., Paulinische Perspektiven, [2]1972.

ders., Röm. 13,1–7 in unserer Generation, ZThK 65 (1959), 316–376.
ders., An die Römer (HNT 8a), [4]1980, speziell 320ff.
L.E. Keck, Justification of Ungodly and Ethics, in: FS/Käsemann, 1976, 199–209.
U.H.J. Körtner, Rechtfertigung und Ethik bei Paulus, WuD 16 (1981), 93–109.
F. Laub, Eschatologische Verkündigung und Lebensgestaltung nach Paulus (BU 10), 1973.
W. Lillie, Studies in the New Testament Ethics, Edinburgh/London 1961, 12–23.
U. Luz/R. Smend, Gesetz, 1981, 89–112.
O. Merk, Handeln aus Glauben. Die Motivierungen der paulinischen Ethik (MThSt 5), 1968.
H. Preisker, Das Ethos des Urchristentums, [2]1949, 168–195.
P. Richardson, Paul's Ethic of Freedom, Philadelphia 1979, 79–98.
H. Ridderbos, Paulus, 1970, 184–204.
J.T. Sanders, Ethics in the NT, Philadelphia 1975, 47–66.
H. Schlier, Vom Wesen der apostolischen Ermahnung nach Röm. 12, 1–2, in: Die Zeit der Kirche, [2]1958, 74–89.
R. Schnackenburg, Die sittliche Botschaft des NT, 1954, 209–246.
W. Schrage, die konkreten Einzelgebote in der paulinischen Paränese, 1961.
ders., Ethik des Neuen Testaments, 1982, 155–230.
ders., Korreferat zu E. Schweizer, Ethischer Pluralismus im NT, in: EvTh 35 (1975), 402–407.
H. Schürmann, Die Gemeinde des Neuen Bundes als Quellort des sittlichen Erkennens nach Paulus, Cath 26 (1972), 15–37 (= ders., Orientierungen am NT, 1978, 64–88).
ders., «Das Gesetz des Christus» (Gal. 6,2). Jesu Verhalten und Wort als letztgültige sittliche Norm nach Paulus, in: FS R. Schnackenburg, 1974, 282–300.
ders., Haben die paulinischen Wertungen und Weisungen Modellcharakter? Beobachtungen und Anmerkungen zur Frage nach ihrer formalen Eigenart und inhaltlichen Verbindlichkeit, in: ders., Orientierungen am NT, 1978, 89–116.
S. Schulz, Zur Gesetzestheologie des Paulus im Blick auf Gerhard Ebelings Galaterbrief-Auslegung, in: H.F. Geisser/W. Mostert (Hgg.), Wirkungen hermeneutischer Theologie. Eine Zürcher Festgabe zum 70. Geburtstag Gerhard Ebelings, 1983, 81–98.
ders., Der frühe und der späte Paulus. Überlegungen zur Entwicklung seiner Theologie und Ethik, in: FS für Markus Barth, 1985, 228–236.
E. Schweizer, Das Leben des Herrn in der Gemeinde und ihren Diensten, 1946.
ders., Ethischer Pluralismus im NT, EvTh 35 (1975), 397–401.

P. Sessolo, Bleibende Bedeutung der paulinischen Gebote, ED 32 (1979), 191–210.
H.v. Soden, Sakrament und Ethik bei Paulus, in: ders., Urchristentum und Geschichte I, 1951, 239–275.
K. Stalder, Das Werk des Geistes in der Heiligung bei Paulus, 1962.
P. Steensgaard, Erwägungen zum Problem Evangelium und Paränese bei Paulus, ASTI 10 (1975/76), 110–128.
G. Strecker, Handlungsorientierter Glaube. Vorstudien zu einer Ethik des NT, 1972, 17–35.
ders., Autonome Sittlichkeit und das Proprium der christlichen Ethik bei Paulus, in: ThLZ 104 (1979), 865–872.
A. Strobel, Zum Verständnis von Röm. 13, ZNW 47 (1956), 69–93.
A. Stuhl, Der Philemonbrief als Beispiel paulinischer Paränese, Kairos 15 (1973), 267–279.
H.-D. Wendland, Ethik des Neuen Testaments, 1970, 49–88.
ders., Ethik und Eschatologie in der Theologie des Paulus, NKZ 41 (1930), 757–783. 793–811.
ders., Das Wirken des hl. Geistes in den Gläubigen nach Paulus, ThLZ 77 (1952), 457–470.
U. Wilckens, Röm. 13,1–7, in: ders., Rechtfertigung als Freiheit, 1974, 203–245.
O. Wischmeyer, Der höchste Weg – Das 13. Kapitel des 1. Korintherbriefes, (StNT 13), 1981, 11–22, 27–233.
V. Zsifkovits, Der Staatsgedanke nach Paulus (WBTh 8), 1964.

6. Kapitel: Die Synoptiker

G. Barth, Das Gesetzesverständnis des Evangelisten Matthäus, in: ders./ G. Bornkamm/H.J. Held, Überlieferung und Auslegung im Matthäus-Evangelium (WMANT 1), [7]1975, 54–154.
I. Broer, Freiheit vom Gesetz und Radikalisierung des Gesetzes (SBS 98), 1980.
H. Conzelmann, Die Mitte der Zeit (BHTh 17), [6]1977.
H.J. Degenhardt, Lukas – Evangelist der Armen, 1965.
R. Hummel, Die Auseinandersetzung zwischen Kirche und Judentum im Matthäusevangelium (BEvTh 33), 1963.
P. Huuhtanen, Die Perikope vom «Reichen Jüngling» unter besonderer Berücksichtigung der Akzentuierung des Lukas, SNTU 1/2 (1976), 79–98.
A. Kretzer, Die Herrschaft der Himmel und die Söhne des Reiches (SBM 10), 1971.
K.G. Reploh, Markus – Lehrer der Gemeinde (SBM 9), 1969.
J.T. Sanders, Ethics in the NT, Philadelphia 1975, 31–46.

ders., Ethics in the Synoptic Gospels, BR 14 (19697, 19–32.
W. Schmithals, Lukas – Evangelist der Armen, ThViat 12 (1973/74), 153–167.
L. Schottroff/W. Stegemann, Jesus von Nazareth – Hoffnung der Armen, ²1981, 89–153.
W. Schrage, Ethik des Neuen Testaments, 1982, 131–154.
S. Schulz, Die Stunde der Botschaft. Einführung in die Theologie der vier Evangelisten, ³1982.
H. Simonsen, Die Auffassung vom Gesetz im Matthäusevangelium, SNTU 2 (1976), 44–67.
G. Strecker, Der Weg der Gerechtigkeit (FRLANT 82), ³1971.
W. Trilling, Das wahre Israel (StANT 10), ³1964.
Ph. Vielhauer, Geschichte der urchristlichen Literatur, 1978, 329–409.
H. Weder, Die Rede der Reden, 1985.

7. Kapitel: Die johanneischen Schriften

G. Baumbach, Gemeinde und Welt im Johannes-Evangelium, Kairos 14 (1972), 121–136.
A.Y. Collins, The Political Perspective of the Relevation to John, JBL 96 (1977), 241–256.
R.F. Collins, «A New Commandment I Give to You, that You Love one another ...» (Jn 13:34), LTP 35 (1979), 235–261.
G. Eichholz, Glaube und Liebe im 1. Joh., EvTh 4 (1937), 411–437.
F. Hahn, Die Sendschreiben der Johannesapokalypse, in: FS K.G. Kuhn, 1971, 357–394.
E. Käsemann, Jesu letzter Wille nach Joh. 17, ⁴1980.
ders., Der Ruf der Freiheit, ⁵1972, 225ff.
G. Klein, «Das wahre Licht scheint schon» ZThK 68 (1971), 261–326.
P. Lampe, Die Apokalyptiker – ihre Situation und ihr Handeln, in: G. Liedke, Eschatologie und Frieden, Band 2: Eschatologie und Frieden in biblischen Texten, 1978, 61–125.
W. Langbrandtner, Weltferner Gott oder Gott der Liebe. Der Ketzerstreit in der johanneischen Kirche, 1977.
M. Lattke, Einheit im Wort. Die spezifische Bedeutung von «agape», «agapan» und «filein» im Joh.-Evangelium (StANT 41), 1975.
N. Lazure, Les valeurs morales de la théologie johannique, Paris 1965.
D. Lührmann, Der Staat und die Verkündigung. R. Bultmanns Auslegung von Joh. 18, 28–19, 16, in: FS E. Dinkler, 1979, 359–375.
L. Morris, Love in the Fourth Gospel, in: FS R.C. Oudershuys, Michigan 1978, 27–43.
S. Pancaro, The Law in the Fourth Gospel, Leiden 1975.

O. Prunet, La morale chrétienne d'après les écrits johanniques (EHPhR 47), 1957.
G. Richter, Studien zum Johannesevangelium, 1977.
J.T. Sanders, Ethics in the NT, Philadelphia 1975, 112–115.
H. Schlier, Vom Antichrist. Zum 13. Kapitel der Offenbarung Johannis, in: Die Zeit der Kirche, 1956, 16–29.
R. Schnackenburg, Die sittliche Botschaft des NT, 1954, 247–280, 307–313.
ders., Entwicklung und Stand der johanneischen Forschung seit 1955, in: M. de Jonge (Hg.), L'Evangile de Jean. Sources, rédaction, théologie, 1977, 19–44.
L. Schottroff, Der Glaubende und die feindliche Welt (WMANT 37), 1970.
W. Schrage, Ethik des Neuen Testaments, 1982, 280–301. 307–324.
E. Schüssler Fiorenza, Religion und Politik in der Offenbarung des Johannes, in: Schüler-FS R. Schnackenburg, 1974, 261–272.
R. Schütz, Die Offenbarung des Johannes und Kaiser Domitian (FRLANT 50), 1933.
S. Schulz, Die Mitte der Schrift, 1976, 227–238.
H. Thyen, Entwicklungen innerhalb der johanneischen Theologie und Kirche im Spiegel von Joh. 21 und der Lieblingsjüngertexte des Evangeliums, in: M. de Jonge (Hg.), L'Evangile de Jean. Sources, rédaction, théologie, 1977, 259–299.
ders., «... denn wir lieben die Brüder» (1. Joh. 3,14), in: FS E. Käsemann, 1976, 527–542.
K.W. Tröger, Ja oder Nein zur Welt. War der Evangelist Johannes Christ oder Gnostiker?, Theol. Versuche VII, 1976, 61–80.
R. Völkl, Christ und Welt nach dem NT, 1961, 441–463.
H.J. Wachs, Johanneische Ethik, Diss. Kiel 1952.
H.-D. Wendland, Ethik des Neuen Testaments, 1970, 109–116. 116–122.
W. Wittenberger, Ort und Struktur der Ethik des Joh.-Evangeliums und des 1. Johannesbriefes, Diss. Jena 1971.

8. Kapitel: Die Deuteropaulinen

H.W. Bartsch, Die Anfänge urchristlicher Rechtsbildungen (ThF 347, 1965.
J.E. Crouch, The Origin and Intention of the Colossian Haustafel (FRLANT 109), 1972, 120ff.
G. Delling, Der Bezug der christlichen Existenz auf das Heilshandelns Gottes nach dem ersten Petrusbrief, in: FS H. Braun, 1973, 95–113.
M. Dibelius, Die Pastoralbriefe (HNT 13), 3. Aufl. neu bearbeitet von H. Conzelmann, 1955.

K.M. Fischer, Tendenz und Absicht des Epheserbriefes (FRLANT 111), 1973, 147–172.
W. Foerster, Eusebeia in den Past., NTS 5 (1958/59), 213–218.
O. Glombitza, Erwägungen zum kunstvollen Ansatz der Paränese im Brief an die Hebräer 10, 19–25, NT 9 (1967), 132–150.
J. Gnilka, Paränetische Traditionen im Epheserbrief, in: FS B. Rigaux, Gembloux 1970, 397–410.
L. Goppelt, Prinzipien neutestamentlicher Sozialethik nach dem 1. Petr., in: FS O. Cullmann, 1972, 285–296.
ders., Theologie des Neuen Testaments II, [3]1980, 590–599 (Hb.)
ders., Die Verantwortung der Christen in der Gesellschaft nach dem 1. Petr., in: ders., Theologie des Neuen Testaments II, [3]1980, 490–508.
E. Grässer, Der Glaube im Hebräerbrief (MThSt 2), 1965.
E. Käsemann, Das wandernde Gottesvolk (FRLANT 55), [2]1957.
E. Lohse, Christologie und Ethik im Kol., in: ders., Die Einheit des NT, 1973, 249–261.
ders., Paränese und Kerygma im 1. Petr., in: ders., Die Einheit des NT, 1973, 307–328.
O. Merk, Glaubc und Tat in den Pastoralbriefen, ZNW 66 (1975), 91–102.
H. Nitschke, Das Ethos des wandernden Gottesvolkes. Erwägungen zu Hebr. 13 und zu den Möglichkeiten evangelischer Ethik, MPTh 46 (1957), 179–183.
K. Philipps, Kirche in der Gesellschaft nach dem 1. Petr., 1971.
R. Schnackenburg, Die sittliche Botschaft des NT, 1954, 302–307.
W. Schrage, Ethik des Neuen Testaments, 1982, 231–265, 302–306.
ders., Zur Ethik der neutestamentlichen Haustafeln, NTS 21 (1974/75), 1–22.
S. Schulz, Die Mitte der Schrift, 1976, 87–1091 257–281.
I.B. Souček, Das Gegenüber von Gemeinde und Welt nach dem 1. Petr., CV 3 (1960), 5–13.
P. Stuhlmacher, Christliche Verantwortung bei Paulus und seinen Schülern, EvTh 28 (1968), 165–186.
P. Trummer, Die Paulustradition der Pastoralbriefe (BET 8), 1978, 227–240.
R. Völkl, Christ und Welt nach dem NT, 1961, 298–322. 323–341. 343–360.
H.F. Weiss, Taufe und neues Leben im deuteropaulinischen Schrifttum, in: E. Schott, Taufe und neue Existenz, 1973, 53–70.
H.-D. Wendland, Ethik des Neuen Testaments, 1970, 90–95. 95–101. 101–104.
Ch. Wolff, Christ und Welt im 1. Petr., ThLZ 100 (1975), 333–342.

9. Kapitel: Die katholischen Briefe

W. Bieder, Christliche Existenz nach dem Zeugnis des Jakobus, ThZ 5 (1949), 93–113.
Chr. Burchard, Zu Jakobus 2, 14–26, ZNW 71 (1980), 27–45.
M. Dibelius, Der Brief des Jakobus (KEK 15), [11]1964.
G. Eichholz, Glaube und Werk bei Paulus und Jakobus (TEH 88), 1961.
ders., Jakobus und Paulus – Ein Beitrag zum Problem des Kanons, (ThEx NF 39), 1953.
L. Goppelt, Theologie des Neuen Testaments II, [3]1980, 529–542 (Jak.).
E. Käsemann, Eine Apologie der urchristlichen Eschatologie, in: EVB I, [6]1970, 135–157.
G. Klein, Der zweite Petrusbrief und der neutestamentliche Kanon, Ärgernisse. Konfrontationen mit dem Neuen Testament, 1971, 109–114.
M. Lackmann, Sola fide – Eine exegetische Studie über Jakobus 2 (BFChTh 2.R., 50), 1949.
E. Lohse, Glaube und Werke. Zur Theologie des Jakobusbriefes, in: ders., Die Einheit des NT, 1973, 286–306.
U. Luck, Der Jakobusbrief und die Theologie des Paulus, ThGl 61 (1971), 161–179.
ders., Die Theologie des Jakobusbriefes, ZThK 81 (1984), 1–30.
ders., Weisheit und Leiden – Zum Problem Paulus und Jakobus, ThLZ 92 (1967), 253–258.
W. Marxsen, Der «Frühkatholizismus» im Neuen Testament (BSt 21), 1958.
ders., Glaube und Werke, in: ders., Der «Frühkatholizismus» im Neuen Testament, 1958, 22ff.
E. Schawe, Die Ethik des Jakobusbriefes, WuA 20 (1979), 132–138.
R. Schnackenburg, Die sittliche Botschaft des NT, 1954, 281–295.
H.J. Schoeps, Theologie und Geschichte des Judenchristentums, 1949, Exkurs I: Die Stellung des Jakobusbriefes, 343–349.
W. Schrage, Ethik des Neuen Testaments, 1982, 266–279.
S. Schulz, Die Mitte der Schrift, 1976, 281–307.
P. Stuhlmacher, Gerechtigkeit Gottes bei Paulus (FRLANT 87), [2]1966, 191ff.229.
R. Walker, Allein aus Werken – Zur Auslegung von Jakobus 2, 14–26, ZThK 61 (1964), 155–192.
H.-D. Wendland, Ethik des Neuen Testaments, 1970, 104–109.
H. Werdermann, Die Irrlehrer des Judas- und 2. Petrusbriefes (BFChTh 17,6), 1913.

Stellenregister (in Auswahl)

Matthäus
5,17 273f
5,18 37.88
5,19 90f
5,21f 94f
5,23f 117ff
5,27ff 95f
5,32 39ff
5,33ff 97ff
5,39ff 41ff.93
5,44ff 44ff
6,9ff 75ff
6,10ff 121f
6,11 65f
6,19ff 68f
6,25ff 70ff
7,1ff 72f
7,6 124
7,7ff 74f
7,12ff 50f.275ff
10,28ff 73f
10,38f 80f
11,2ff 107f
11,16ff 106f
12,5f 103f
12,11f 100f
17,24ff 119f.464ff
21,28ff 109f
22,1ff 133
23,2f 127
23,4 57f
23,6f 56
23,13 58ff
23,23 53ff
23,25 51ff.106
23,27 56f
23,29ff 36.58
28,18ff 447ff

Markus
1,40ff 108f
2,13ff 109
2,23ff 101f
3,1ff 102f
7,6ff 125f
7,15 113f
10,1ff 444ff
10,2ff 93f
10,17ff 89f
10,25 69f
11,15f 115ff
12,13ff 128ff. 446
13,2 115

Lukas
1f 120f
6,20bf 66ff
7,36ff 132f
10,2ff 77ff
10,25ff 91f
13,10ff 104f
13,34f 114f
14,1ff 105
15,8ff 111
18,10ff 110f.128
19,2ff 111f

Johannes
1,17f 494f
5,24f 217f
13,1ff 546ff
13,6ff 501ff
13,34f 497ff
14,4f 551f
14,15ff 503ff
15,1ff 506ff

Apostelgeschichte
6–8 121
20,17ff 279f

Röm.
1,19ff 387
2,6ff 379
5,12ff 370f
6,1ff 371ff
7,1ff 346
7,14ff 388
8,4 148
12,1f 156ff
12,9ff 153ff
13,1ff 173f.392.402ff
13,8ff 158f

1. Kor.
7 421ff
7,20ff 413ff
7,29ff 375ff
11,2ff 418ff
12,31bff 159ff
15,20ff 187f

2. Kor.
3,7ff 196f
5,1ff 192

Galater
3,19ff 194f
4,4f 187.189f
4,21ff 195f
5,26ff 150ff

Epheser
2,8ff 577
2,14f 575f
4,1ff 579

Philipper
2,6–11 188f.363
3,5 297

Kolosser
2,4ff 264ff
3,1ff 564ff
3,5ff 560ff
3,18ff 567ff

1. Thessalonicher
4,1ff 148.302ff.316f
4,3ff 323
4,6b 315
4,6ff 325ff
4,8 311f
4,9 314
4,9f 323f
4,11f 324f
5,12ff 330ff
5,13bff 149f
5,18 310

1. Timotheus
2,9ff 251f
2,11ff 601
3,1ff 602f
3,8ff 603f
4,11ff 604
5,3ff 604ff
6,5ff 609
6,17ff 609f

Titus
2,9f 607ff

Philemon
8–20 415f

Jakobus
1,21ff 644ff
1,27 643f
2,14ff 648ff

1. Petrus
1,3ff 622ff
2,13ff 629ff

1. Johannes
1,5ff 257ff
2,3ff 256f
2,9ff 526f
2,15ff 524f
3,9 259ff